Van Geert Mak verschenen eerder bij uitgeverij Atlas:

De engel van Amsterdam
Een kleine geschiedenis van Amsterdam
Hoe God verdween uit Jorwerd
Het stadspaleis
Het ontsnapte land
De eeuw van mijn vader

voor meer informatie: www.geertmak.nl

Geert Mak

In Europa

Reizen door de twintigste eeuw

Uitgeverij Atlas – Amsterdam/Antwerpen

Eerste druk, maart 2004 (geb.)
Tweede druk, maart 2004 (pap.)
Derde druk, maart 2004
Vierde druk, maart 2004
Vijfde druk, april 2004
Zesde druk, juni 2004

© 2004 Geert Mak

Omslagontwerp: Zeno
Omslagillustratie: Eva Besnyö, Berlijn 1931/MAI
Kaarten: Hester Schaap
Foto auteur: Bob Bronshoff/Hollandse Hoogte
Typografie: Willem Geeraerds

ISBN 90 450 1178 6
D/2004/0108/524
NUR 301

www.boekenwereld.com

Voor Mietsie

Inhoud

Een mens stelt zich ten doel de wereld in kaart
te brengen. In de loop van de jaren bevolkt hij een ruimte met
beelden van provincies, van koninkrijken,
van bergen, van baaien, van schepen, van eilanden,
van vissen, van kamers, van werktuigen, van sterren, van
paarden en van personen. Kort voor hij sterft, ontdekt hij dat
zich in dat geduldige lijnenlabyrint het beeld van zijn eigen
gelaat aftekent.

JORGE LUIS BORGES

Proloog

In het dorp had niemand ooit de zee gezien – behalve de Hollanders, de burgemeester en Jószef Puszka, die in de oorlog was geweest. De huizen lagen rondom een smalle beek, een handvol vergeelde, verbrokkelde boerderijen, groene tuinen, kleurige appelbomen, twee kerkjes, oude wilgen en eiken, houten hekken, kippen, honden, kinderen, Hongaren, Zwaben, zigeuners. De ooievaars waren al vertrokken. Hun nesten stonden stil en leeg op de schoorstenen. De zomer gloeide na, de burgemeester maaide zwetend het gemeentegras. Er was geen mechanisch geluid te horen; alleen stemmen, een hond, een haan, overstekende ganzen, een houten paardenkar die krakend over de weg reed, de zeis van de burgemeester. Later op de middag werden de ovens aangestoken; een dunne sluier blauwe rook trok over de daken. Zo nu en dan krijste een varken.

Het waren de laatste maanden van het millennium, en ik reisde kriskras door Europa, een jaar lang. Ik deed dat in opdracht van mijn krant, NRC Handelsblad, waarvoor ik iedere dag een stukje moest leveren, rechtsonder op de voorpagina. Het was een soort eindinspectie: hoe lag het continent erbij, aan het slot van de twintigste eeuw? Tegelijk was het een historische reis: ik volgde, voor zover mogelijk, de loop van de geschiedenis, op zoek naar sporen die waren achtergebleven. En ik had de stille getuigen inderdaad teruggevonden, vele tientallen: een overgroeide kuil bij de Somme, een gemitrailleerde deurpost in de Berlijnse Oranienburger Strasse, een besneeuwd bos bij Vilnius, een krantenarchief in München, een heuvel achter Barcelona, een wit-rood sandaaltje in Auschwitz. Het had bovendien iets met mijzelf te maken, deze reis. Ik wilde eruit, grenzen overschrijden, ervaren wat het inhield, dat mistige begrip 'Europa'.

Europa is, zo had ik in de loop van dat jaar gemerkt, een continent waar je gemakkelijk heen en weer kunt reizen in de tijd. Alle stadia van de twintigste eeuw worden wel ergens beleefd en herbeleefd. Op de ponten van Istanbul is het altijd 1948. In Lissabon is het 1956. Op het Parijse Gare de Lyon is het 2020. In Budapest hebben jonge mannen de gezichten van onze vaders.

In dit Zuid-Hongaarse dorp Vásárosbéc bleef het almaar 1925. Er leefden zo'n tweehonderd mensen. Zeker een kwart van de bevolking bestond uit zigeuners. De gezinnen kregen een kleine uitkering – zo'n zestig euro per maand – en de vrouwen zeulden langs de deuren met manden en vage koopwaar. Hun huizen verkeerden in een staat van ontbinding, de deuren waren lappen en soms waren zelfs de kozijnen verdwenen, weggestookt tijdens een koude winter.

De geluiden van de zeisen en de paarden waren dan ook de geluiden van de armoede: een liter benzine voor een uurtje motormaaien kostte in Vásárosbéc, omgerekend naar de gemiddelde verdienste in het dorp, al gauw een dagloon. Het leven was hier half zo duur als in West-Europa, maar de mensen verdienden er tien keer zo weinig. Deze Hongaarse dorpelingen waren dus vijf keer zo arm als die in Jorwerd.

De zigeuners waren behoorlijk arm. Nog armer waren de Roemeense zigeuners, die soms met houten woonwagens in het dorp verschenen. En armer dan arm waren de rondtrekkende Albanese zigeuners. Zij waren ook nog eens de paria's van alle andere armen, de grootste schlemielen van Europa.

Ik logeerde bij een paar vrienden. Ze hadden, na diens dood, het huis van de oude József Puszka betrokken, de voormalige dorpskapper. Op de zolder hadden ze een minuscuul notitieboekje gevonden, vol potloodkrabbels uit het voorjaar van 1945 en plaatsnamen als Aalborg, Lübeck, Stuttgart en Berlijn. Iemand ontcijferde een paar regels:

In het krijgsgevangenkamp Hagenau. O, mijn God, ik heb niemand op deze wereld. Misschien is er, als ik terugkom, zelfs geen meisje meer voor me in het dorp. Ik ben als een kleine vogel die in de verte roept. Niemand kijkt naar de lieve moeder en dat kleine vogeltje. O, mijn God, help me alsjeblieft naar huis, naar mijn vader en mijn moeder. Zo ver van mijn land, zo ver lopen van iedere weg.

Halverwege het dorp stuitte ik, naast een modderpad, op een verweerd betonnen blok, een goedkoop ding met bovenaan een soort ridderfiguur en twee jaartallen, 1914 en 1918. Daaronder zesendertig namen, zesendertig jongens, het hele café vol.

1999 was het jaar geweest van de euro, van de algemene uitzaaiing van de mobiele telefoon, van het internet voor Jan en alleman, van de gebombardeerde bruggen van Novi Sad, van de feestende effectenbeurzen in Amsterdam en Londen, van de warmste september sinds mensenheugenis, van de angst voor de millennium-bug die alle computers op 31 december gek zou maken.

In Vásárosbéc was 1999 het jaar dat de vuilnisman voor het laatst zijn ronde deed met paard en wagen. Ik maakte toevallig de historische dag mee: hij had een vrachtwagen gekocht. In datzelfde najaar waren vier werkloze zigeuners begonnen met het verharden van weer een stukje zandweg, er kwam misschien wel asfalt. En de klokkenluider werd ontslagen: hij had de uitkering van de moeder van de burgemeester achterovergedrukt. Dat was ook in 1999.

In het café kwam ik ze allemaal tegen: de burgemeester, wilde Maria, de tandeloze (ook wel aangeduid als 'de spion'), het dronken lor, de zigeuners, de vrouw van de postbode die bij haar koe woonde. Ik moest kennismaken met de veteraan, een grote, vriendelijke man in een camouflagepak die zijn nachtmerries verdreef met drank en foute paddestoelen. Hij sprak Frans, dat beweerde iedereen, maar het enige woord dat ik hem hoorde zeggen, was 'Marseille'.

Later op de avond zongen de nieuwe klokkenluider en de vuilnisman bejaarde liederen en iedereen trommelde mee op de tafels:

Wij werkten in het bos, hoog
In het eerste ochtendlicht
Toen de dag nog vol nevel was en dauw
Werkten we al tussen de stammen,
Hoog aan de helling, zwaar met paarden de helling op...

en:

Wij werkten aan de lijn van Budapest naar Pécs
De grote nieuwe spoorlijn
Aan de grote tunnel bij Pécs...

Het rondreizen door Europa, al die maanden, had een uitwerking als het afpellen van oude verflagen. Meer dan ooit besefte ik hoe, generatie na generatie, tussen Oost- en West-Europeanen een korst van afstand en vervreemding was gegroeid.

Hebben wij, Europeanen, een gemeenschappelijke geschiedenis? Natuurlijk, en iedereen kan het rijtje opnoemen: Romeinse Rijk, Renaissance, Reformatie, Verlichting, 1914, 1945, 1989. Maar hoe uiteenlopend zijn de individuele historische ervaringen van de Europeanen, alles wat gebeiteld is in onze herinnering: die oudere Poolse chauffeur die ik sprak, die in zijn leven viermaal een nieuwe taal had moeten leren; het Duitse echtpaar, gebombardeerd en daarna eindeloos voortgejaagd door Oost-Europa; de Baskische familie, die tijdens een kerstavond moordende ruzie kreeg over de Spaanse Burgeroorlog, en daarna weer levenslang zweeg; de Franse dorpsmonumentjes uit 1919, vol namen; de vredige voldaanheid van de Nederlanders, de Denen en de Zweden, die meestal in de luwte bleven. Zet Russen, Duitsers, Britten, Tsjechen en Spanjaarden maar eens aan één tafel en laat ze hun familiegeschiedenissen vertellen. Het zijn werelden op zich. En toch allemaal Europa.

De geschiedenis van de twintigste eeuw was dan ook geen toneelstuk dat zich voor hun ogen voltrok, het was een groter of kleiner deel van hun – en ons – eigen leven. Ik zal nooit vergeten wat een bejaarde verzetsman zei tijdens een debat over de aarzelende houding van zijn partij in de jaren dertig: 'Vergeet niet, wij tastten ook rond met een kaarsje in de duisternis, het nationaalsocialisme was voor ons een volstrekt nieuw, ongekend verschijnsel. We moesten het doen met een paar krantenartikelen en een enkele brochure, en dat was het.'

De geschiedenis is geen glad verhaal, al wekt iedere geschiedschrijving de schijn dat alles keurig verloopt van A, via B, naar C. Zo'n orde, die achteraf is geschapen, heeft in werkelijkheid nooit bestaan. Wie zich midden in historische ontwikkelingen bevindt, moet altijd weer zoekend zijn weg vinden. Allemaal zijn we, ieder op zijn tijd, hoofdpersonen in onze eigen geschiedenis, met alle verwarring die daarbij hoort. 'Wij zijn een onderdeel van deze eeuw. De eeuw is een deel van ons,' schreef de historicus Eric Hobsbawm aan het begin van zijn grote werk over de twintigste eeuw. Voor hemzelf was bijvoorbeeld de 30ste januari 1933 niet alleen – en hij benadrukte dat we dat nooit moesten vergeten – de datum waarop Hitler rijkskanselier werd, maar ook een wintermiddag in Berlijn waarop een vijftienjarige jongen met zijn zusje van school naar huis liep en, ergens onderweg, een krantenkop zag. 'Ik zie het nog voor me, als in een droom.'

Voor mijn hoogbejaarde tante Maart in Schiedam, toen zeven jaar oud, was 3 augustus 1914, de dag waarop de Eerste Wereldoorlog uitbrak, een warme maandagmiddag waarover plotseling een zware beklemming viel. Arbeiders stonden in groepen bij de huisdeuren te praten, vrouwen veegden de ogen af met de punt van hun schort, en een man riep tegen een vriend: 'Oorlog joh!'

Voor Winrich Behr, een van de vertellers in dit boek, was de val van Stalingrad het telegram dat hij als Duits verbindingsofficier binnenkreeg: '31.1. 07.45 Uhr Russe vor der Tür. Wir bereiten Zerstörung vor. AOK 6, Ia. 31.1. 07.45 Uhr Wir zerstören. AOK 6.'

Voor Ira Klejner uit Sint-Petersburg betekende de 6de maart 1953, toen de dood van Stalin bekend werd gemaakt, een keuken in een communale woning, een twaalfjarig meisje, de angst dat ze niet zou kunnen huilen en de opluchting dat er toch een traan van haar wang viel, precies in de dooier van het spiegelei dat ze zat te eten.

Voor mijzelf, als negenjarige jongen, rook november 1956 naar paprikaschotels, vreemde geuren die Hongaarse vluchtelingen meebrachten in ons statige Leeuwarder grachtenhuis, stille, verlegen mensen die Nederlands leerden via de *Donald Duck*. Nog zo'n beeld, Friesland, vermoedelijk juni 1952 of 1953. Een bloeiend weiland, wij kinderen rennen tussen de pinksterbloemen, een pruttelend geluid over de spoordijk, veearts Dick Talsma zegt: 'Dat is de Blauwe Engel, de nieuwe dieseltrein naar Sneek, het is voorbij met het stoom, voorgoed.' En daar ging de negentiende eeuw, we zagen het laatste staartje nog net om de hoek verdwijnen.

Nu is ook de twintigste eeuw historie geworden, onze persoonlijke historie en die van de films, de boeken en de musea. Terwijl ik dit schrijf, worden de decors van het wereldtoneel in een hoog tempo omgebouwd. Machtscentra verschuiven, bondgenootschappen breken, nieuwe coalities ontstaan, andere prioriteiten staan centraal.

Vásárosbéc bereidt zich voor op de intrede in de Europese Unie. In drie jaar tijd zijn er nog eens zes Nederlanders komen wonen die samen zeker een dozijn huizen hebben gekocht. De meesten zijn gefascineerd door de lage prijzen in Oost-Europa, enkelen worden vermoedelijk gedreven door een probleem, het soort mensen-plus-verleden dat je overal aan de rand van het continent tegenkomt: belastingschulden, een desastreuze echtscheiding, een failliete zaak, iets met justitie.

In een van de Hollandse tuinen staat een grote Duitse adelaar van gips, en op de zijmuur heeft de eigenaar zichzelf laten schilderen, op een paard, zwaaiend met een cowboyhoed, klaar om het wilde Oosten te onderwerpen. Een ander heeft zijn woning voor twee ton laten vertimmeren tot een klein landgoed waar hij jaarlijks drie weken vakantie houdt. De rest van de tijd staat het huis leeg. Hij heeft één kleine vergissing gemaakt: zijn meest nabije buurman is de roverhoofdman van het dorp, die met acht kinderen in een halve varkensstal woont. Voorzichtig begint die nu te morrelen aan de dichte luiken van het Hollandse eldorado. De kinderen springen al rond in het zwembad.

In het café hadden ze mijn vriend gevraagd wat het nu eigenlijk inhield, dat nieuwe Europa. Nadat de schreeuwende zigeuner met zijn accordeon het zwijgen was opgelegd, had hij uitgelegd dat dit deel van Europa door de loop van de geschiedenis steeds armer was geworden, dat iedereen nu opkeek tegen dat rijke en machtige West-Europa, en dat het vanzelfsprekend was dat ze daar nu ook bij wilden horen.

Maar eerst, zei mijn wijze vriend, moeten jullie door een diep dal van nog meer armoede, om in de volgende tien jaar wellicht op te kunnen klimmen tot de welvaart van het Westen. 'En bovendien gaan jullie dingen van grote waarde verliezen: vriendschap, het vermogen om van weinig geld te kunnen leven, om dingen die kapotgaan te kunnen repareren, de mogelijkheid om zelf varkens te houden en thuis te slachten, de vrijheid om zoveel takken te verbranden als je wilt, en nog zo wat.'

'Wat,' hadden ze gezegd. 'Niet meer slachten? Geen takken verbranden?' Ze keken hem ongelovig aan. Ze wisten toen nog niet dat ze in het café binnenkort ook niet meer zouden mogen roken. 'De klokkenluider is tijdens mijn verhaal weggelopen,' had mijn vriend ons geschreven. 'Buiten luidt hij de klok, want de zon is ondergegaan. Die dingen gaan toch ook door.'

De wereldorde van de twintigste eeuw – voor zover je van 'orde' kunt spreken – lijkt voorgoed voorbij. Alleen: Berlijn valt nooit te begrijpen zonder Versailles, Londen niet zonder München, Vichy niet zonder Verdun, Moskou niet zonder Stalingrad, Bonn niet zonder Dresden, Vásárosbéc niet zonder Jalta, Amsterdam niet zonder Auschwitz.

Maria, de klokkenluider, Winrich Behr, Ira Klejner, de burgemeester, de tandeloze, mijn oude tante Maart, mijn wijze vriend, we zullen allemaal, of we willen of niet, de verbijsterende twintigste eeuw met ons meedragen. De verhalen zullen blijven rondfluisteren, generaties lang, de talloze ervaringen en dromen, de ogenblikken van moed en verraad, de herinneringen vol angst en pijn, de beelden van geluk.

I

Januari

EUROPA ROND 1900

FINLAND
(russisch grootvorstendom)

Helsinki
Sint-Petersburg

Moskou

Königsberg/Kaliningrad   RUSLAND

Warschau

Boedapest

OOSTENRIJK - HONGARIJE

ROEMENIË

Belgrado

Sofia   BULGARIJE   ZWARTE ZEE

OSMAANSE RIJK   Istanbul

GRIEKENLAND   OSMAANSE RIJK

Athene

1

Toen ik op maandagochtend 4 januari 1999 uit Amsterdam vertrok woei er een gierende storm. De wind trok ribbels op de waterige keien, zette koppen op de golven van het IJ, floot onder de kap van het Centraal Station. Een ogenblik dacht ik dat Gods hand al dat ijzer even oplichtte en weer liet zakken.

Ik sleepte een grote zwarte koffer achter me aan met een notebook, een mobiele telefoon waarmee ik mijn dagelijkse stukjes kon doorsturen, wat hemden en toiletspullen, een cd-rom met de *Encyclopaedia Britannica* en zeker vijftien kilo boeken tegen de zenuwen. Ik wilde beginnen met de nieuw-barokke steden van 1900, met de lichtheid van de Parijse Wereldtentoonstelling, met koningin Victoria die regeerde over een imperium van zekerheden, met het opstuwende Berlijn.

De lucht was vol lawaai: het slaan van de golven, het gekrijs van de meeuwen op de vlagen, het geraas in de kale boomtakken, de trams, het verkeer. Er was weinig licht. De wolken joegen als donkergrijze schimmen van west naar oost. Even namen ze een paar tonen mee, het verwaaide kwartier van een carillon. De kranten meldden dat het morsesignaal was afgeschaft en dat bij het vliegveld Oostende laagvliegende Iljoesjins regelmatig de pannen van het dak zogen. Op de financiële markten maakte de euro een glansrijk debuut. 'Euro begint met een uitdaging aan de hegemonie van de dollar' kopte *Le Monde*, en de munt was die morgen zelfs even 1,19 dollar waard. Maar in Nederland werd het leven die dag geregeerd door de wind, de laatste ongetemde kracht die overal sporen trok, noord-oost, zuid-west, een telkens terugkerend gebeuk dat de vormen van meren en polders bepaalde, de loop van de vaarten, de dijken, de wegen, en zelfs van de spoorlijn waarover ik door het natte polderland naar het zuiden reed.

Naast me zat een jongen met een blauwe das en een aardig gezicht die onmiddellijk zijn notebook openklapte, reeksen tabellen te voorschijn toverde en met zijn collega's begon te bellen. Hij heette Peter Smithuis. 'De Duitsers willen een honderd-procent-oplossing, de andere Europeanen maar vijfenzeventig,' zei hij in het niets. 'We kunnen het nu in de richting zoeken van een vijf-enzeventig-plus-optie, waarbij we de Duitsers neutraliseren door ze toch weer op honderd procent te zetten... O Mmm. Dus de productie staat al vanaf juli stil?... Je weet het, als ze te snel beslissen, loopt alles vast, wees voorzichtig.'

De regen kletterde tegen de ramen van de wagon, bij de Moerdijkbrug dansten de schepen op de golven, bij Zevenbergen stond een heel vroege boom in bloei, duizend rode puntjes in het water. Na Roosendaal werden de masten van de bovenleiding roestig: de enige grensaanduiding die nog restte tussen het ordelijke Nederland en de rest van Europa.

Voor mijn vertrek had ik een lang gesprek gehad met de oudste Nederlander die ik kende. Hij was, van al degenen die ik dat jaar zou ontmoeten, de enige die de volle eeuw had doorleefd, op Aleksandra Vasiljeva (1897) uit Sint-Petersburg na, die de tsaar nog had gezien en die als debutante in het Mariinski-theater had geschitterd.

Hij heette Marinus van der Goes van Naters, maar de mensen noemden hem 'de rode jonkheer'. Hij was uit 1900, en ooit had hij een prominente rol gespeeld in de sociaal-democratische partij.

Hij had me verteld over de stad waar hij opgroeide, Nijmegen, waar welgeteld twee auto's rondreden, een De Dion-Bouton en een Spijker, beide tot in de details handgemaakt. 'Mijn broer en ik renden naar het raam als er eentje langskwam.' Die eerste autobezitters had hij nooit gemogen. 'Het waren dezelfde mensen die je nu op straat in draagbare telefoons ziet praten.'

De sociale kwestie. 'Wij waren op een gegeven moment helemaal begeesterd door de nieuwe verhoudingen die zouden komen. Een arbeider, daar wilden we mee praten, maar we kenden er niet één. Via via ontmoetten we uiteindelijk een arbeidersvrouw, die ons iets voorlas uit een krant. Ik vraag me nog altijd af waarom we niet gewoon een arbeider op straat aanspraken, als we er toch zo graag eentje wilden leren kennen.'

De techniek. 'Mijn vriendje en ik waren altijd bezig met het verschijnsel elektriciteit. We hadden een jongensboek waarin een toestel voorkwam waarmee je met iedereen draadloos kon praten, hoe ver weg ook. Ongelooflijk leek ons dat. We legden lampjes aan, bouwden telefoons waarmee we elkaar tot twee kamers ver konden horen, we lieten de vonken knallen, we deden uitvindingen, echte uitvindingen!'

Mijn gastheer trok uit de kast een boek waarvan de bladzijden bijna loslieten. Edward Bellamy, In het jaar 2000, Amsterdam, 1890. 'Hier praatten we over, over dit soort dingen.' Het verhaal was simpel: een negentiende-eeuwse man valt, na een hypnose, in een diepe slaap en ontwaakt pas in het jaar 2000. Hij blijkt terecht te zijn gekomen in een stad vol standbeelden, fonteinen, overdekte trottoirs, heren met hoge hoeden, dames in avondkostuum. Dankzij het alom aanwezige elektrische licht bestaat er geen duisternis meer. De nacht is opgeheven. Ieder huis heeft een muziekkamer die via een permanente telefoonlijn is verbonden met een van de stedelijke concertzalen.

'Kijk, lees maar eens wat zo'n twintigste-eeuwer hier zegt: "Thuis hebben wij comfort, maar de pracht van het leven zoeken wij in de maatschappij." Ja, dat was een wereld voor ons, dat jaar 2000. Geld zou geen enkele rol meer spelen. Iedere burger zou worden beschermd tegen "honger, koude en naaktheid", goederen en diensten werden via een ingenieus kredietsysteem uitgewisseld, eten werd verzorgd in grote centrale restaurants en zonodig via de buizenpost thuisbezorgd, de jongens zouden "fors" zijn, de meisjes "frisch en krachtig", beide seksen zouden vrij en ongedwongen tegenover elkaar staan, particuliere winkels zouden zijn verdwenen, reclameborden zouden niet meer bestaan, uitgeverijen waren collectief bezit, krantenredacteuren werden door de lezers gekozen, criminaliteit en zelfzucht waren uitgebannen en, lees maar, zelfs de meest "dierlijke individuën" hadden "de goede manieren van den beschaafden stand" overgenomen. Hier, dit citaat: "Knielende, met het aangezicht ter aarde gebogen, bekende ik met tranen hoe onwaardig ik was de lucht van deze gouden eeuw te ademen. De lange en verdrietige winter van de menschheid is geëindigd. De hemelen zijn voor haar geopend." Wat een boek!'

Het winterlicht viel op het vergeelde behang van de werkkamer, op de verkleurde boeken in de kast, de lamp met lappen en kwasten, de stevige handen van mijn gastheer, de wat vlekkerige huid, de heldere ogen.

'Wat ik vind van deze eeuw, nu alles bijna voorbij is? Ach, zo'n eeuw, dat is toch enkel een wiskundige constructie, een menselijk bedenksel? Toen dacht ik in maanden, een jaar hooguit. Nu reken ik in periodes van twintig jaar, dat is voor mij niks meer. Je wordt verwend als je zo onbehoorlijk oud bent. Tijd deert je niet meer...'

2

De nieuwe eeuw was vrouwelijk, daarover was iedereen het eens in 1900. Neem de omslagplaat van het Engelse lied 'Dawn of the Century', een 'March & Two Step' van een zekere E.T. Paul. In een gouden wolkenhemel balanceert een vrouw op een gevleugeld wiel, om haar heen zweven een tram, een typemachine, een telefoontoestel, een naaimachine, een camera, een dorsmachine, een locomotief en onderaan komt zelfs een auto om de hoek zetten.

De voorkant van de catalogus van de Parijse Wereldtentoonstelling van 1900: uiteraard een vrouw, een vrij forse ditmaal, met wapperende haren en een banier in de hand. Op de toegangspoort: een gipsen vrouw van zes meter hoog in een wijde mantel en een avondtoilet van couturier Paquin. Bij de opening sprak de Franse president Émile Loubet over de deugden van de nieuwe eeuw: rechtvaardigheid en menselijke mildheid. Zijn minister van Werkgelegenheid verwachtte nog meer van het goede: zachtmoedigheid en solidariteit.

Ook de Europese metropolen waren vrouwelijk, alleen al door de uitbundige vormen van de duizenden burgerpaleisjes die aan de nieuwe boulevards en woonstraten werden gebouwd, vol krullen en slingers, in alle neostijlen die maar denkbaar waren, een bronstige overdaad die je terugvindt van Barcelona tot Berlijn. Al die binnensteden werden door de moderne elite met veel geweld heroverd, en daarbij stonden niet langer intimiteit en schilderachtigheid voorop, maar grootsheid en monumentaliteit. Het ging om doorzichten en perspectieven, om de symbolen van nieuwe, krachtige naties, niet om de vanouds gegroeide stad van de menselijke maat. Pleinen, ooit levendig dankzij de markten, werden alleen nog maar aangelegd om de macht van de monumentale gebouwen te benadrukken. Overal werden de Middeleeuwen als oude stofnesten opgeruimd. 'De stenen spreken tot de geest; zij verhalen van het verdriet, de strijd en de overwinning van onze voorouders,' schreef de strijdbare Brusselse burgemeester Karel Buls in 1888, maar zijn protestbeweging kwam te laat. Middeleeuws Brussel was toen al grotendeels in puin geslagen.

Ook de Parijse Wereldtentoonstelling was een uitbarsting van massaliteit en techniek. De vijftig miljoen bezoekers vielen van de ene verbazing in de andere. Er stonden röntgenapparaten waarmee je dwars door man en vrouw heen kon kijken, er was een autotentoonstelling, er stonden toestellen voor draadloze telegrafie en buiten reed de eerste ondergrondse lijn van de Métropolitain, in nog geen anderhalf jaar aangelegd tussen Porte de Vincennes en Porte Maillot. Veertig landen deden mee. Californië had een imitatie-goudmijn laten uitgraven, Egypte kwam met een tempel en een antieke grafkamer, het Verenigd Koninkrijk showde met alle koloniën van het imperium, Duitsland had een stoomlocomotief die honderdtwintig kilometer per uur kon rijden, Frankrijk toonde het motorvliegtuigmodel van Clément Ader, een reusachtige vleermuis met vleugels van vijftien meter, want eens zou de mens toch de aarde kunnen verlaten.

Er stond een Danspaleis waar permanent alle soorten ballet werden opgevoerd, een Grand-Palais vol Franse beeldende kunst en een gebouw waar de bezoeker voor twee franc op een speciaal plafond de hele wereld kon 'afreizen': van de Japanse bloesemtuinen, via de Akropolis, tot de Spaanse kusten, alles met groot vakmanschap vastgelegd door de schilder Dumoulin en zijn mannen. Er was een cineorama, een variant op een panorama, waarbij je kon genieten van het uitzicht uit een luchtschip of een wagon van de Transsiberië-expres. De militaire afdeling bracht de nieuwste wapentechnieken: de mitrailleur, de torpedo, de pantserkoepel, de apparaten voor draadloze telegrafie, het militaire automobiel. En er draaide, helemaal nieuw, een fono-cinematheater, met nieuwsfilms die werden begeleid door het geluid van een fonograaf. De schokkende beelden van Pathé Frères vertoonden onder andere – actueel! – de familie Rostand in de loge bij de première van L'Aiglon, en verder zullen ze de sensaties van die tijd hebben laten zien: de proefvlucht van het eerste luchtschip van graaf Zeppelin, de opening van een spoorlijn door Afrika, nieuwe kantoenfabrieken in Manchester, zegevierende Britten in de Boerenoorlog, een toespraak van de Duitse keizer, de tewaterlating van een slagkruiser.

In de kelders van het Elektriciteitspaleis dreunden ondertussen tweeënnegentig stoomketels, die met hun dynamo's al deze nieuwigheden aanjoegen: de elektrische trein, de roltrappen, het *trottoir roulant*, het Grote Wiel met zijn tachtig hangende wagons, het dertig meter hoge Waterkasteel. Boven in het paleis was een moderne kathedraal, een koepel met plaats voor achttienduizend gasten, de Erezaal. Licht was er in een verbijsterende overdaad: vijfenveertighonderd lampen alleen in de Erezaal, naast de vijfduizend lampen in het Elektriciteispaleis, de elfhonderd op het dak, en de vijfhonderd op de speciaal gebouwde feestbrug, de Pont Alexandre III.

Op de vogelvluchtkaart in de catalogus is duidelijk het imposante tentoonstellingsterrein te zien, vanaf het Grand-Palais, langs de lanen met de paviljoens links en rechts van de Seine-oevers, tot de Eiffeltoren en de grote tentoonstellingshallen op het Champ de Mars. Daartussen lag de rue des Nations, met tweeëntwintig nationale paviljoens, waaronder een stijve Duitse herenvilla, een Moors paleis uit Turkije, een houten Noors landhuis en een nep-renaissancepaleis uit Italië.

De plattegrond in deze catalogus toont ook iets anders. De wereldtentoonstelling vormde in wezen een onderdeel van de stad als geheel. Of, anders gezegd, het Parijs met zijn boulevards, zoals dat vanaf 1853 onder prefect Georges Haussmann was ontwikkeld, vervloeide naadloos met de tentoonstelling omdat het zelf een permanente expositie was geworden, de grote etalage van Frankrijk, de staatsstad van de nieuwe eeuw. En beide – ook dat tonen de foto's in de catalogus – waren geschapen voor de nieuwe stadsbewoner bij uitstek, de flaneur, de acteur/toeschouwer bij het theater van de straat, de jongere-met-toelage, de adellijke grondbezitter, de gefortuneerde officier, de jeugdige bourgeois die bevrijd was van de zorgen om geld.

'Het weer is zo warm, zo mooi, dat ik na het eten weer naar buiten ga, hoewel ik een vermoeidheid voel opkomen,' noteert de jonge schrijver André Gide in de zomer van 1905. 'Eerst over de Champs-Élysées, schitterend langs de *cafés-concerts*, ik dring me tot de rotonde, daarna keer ik om, opnieuw langs de Élysee; de menigte viert feest, tot de rue Royale steeds talrijker en vrolijker.'

Op andere dagen laat hij zich meevoeren op het imperiaal van een omnibus, wandelt in het Bois de Boulogne, bezoekt de opera, dan weer naar een nieuwe tentoonstelling van Gauguin, Van Gogh en Cézanne, 'onmogelijk om deze dagen niet naar het Louvre te gaan'.

De thuishaven van de *boulevardier* was het café, de marmeren tafel met kirsch en warme chocola en vrienden rondom, de democratische opvolger van de aristocratische salon. Zijn voornaamste kwaliteit bestond uit een feilloos gevoel voor timing: op het beste moment in het beste etablissement zijn. Het flaneren was een spel tussen de oude en de nieuwe tijd, een duik in de anonimiteit van de menigte, en dan weer een terugval in de geborgenheid van de eigen stand. Het was een levensvorm die overal opdook in de literatuur, een moderne hoofsheid die alle grote Europese steden veroverde.

André Gide, 1 september 1905: 'Ik verlies mijn voeten, ik laat me meenemen door deze monotone stroom, meeslepen door de loop van de dagen. Een grote slaperigheid omvat me, vanaf het opstaan tot de avond; het spel redt me soms, maar langzamerhand verlies ik mijn gewone bestaan...'

Ik wandel van het Champ de Mars, langs de Seine en het razende verkeer op beide oevers, tot de dichtgetimmerde ingang van het halflege Grand-Palais. Op de Eiffeltoren staat met grote lichte letters: 'Nog 347 dagen tot het jaar 2000'. Eén onderdeel van de toenmalige tentoonstelling bestaat nog steeds: de Pont Alexandre III, met vier zuilen op de hoeken, reusachtige gouden paarden daarbovenop, langs de randen een kantwerk van bronzen lantaarns met glazen als diamanten. Nog altijd feest, die brug.

De rest is allang weggevaagd: de elegante paviljoens, het Elektriciteitspaleis, de mechanische Wereldreis, zelfs Clément Aders fantastische vleermuisvliegtuig.

'Het Hemelse Vuur', het lied dat door Camille Saint-Saëns aan de 'fee van de elektriciteit' was opgedragen, werd uitgevoerd door een reusachtig koor en orkest. Ook dit was een belangrijk aspect van de tentoonstelling: het overschreeuwen van de negentiende eeuw. Het loflied op de vooruitgang overstemde de onzekerheden van de Franse natie na de grote militaire nederlagen van 1813, 1815 en 1870. Het overstemde de angst van de Fransen over de opkomst van het sterke, jonge Duitse rijk. En het dekte bovenal de interne tegenstellingen toe, tussen katholieken en liberalen, traditionalisten en nieuwlichters, stad en platteland.

In dezelfde aprilmaand waarin de Pont Alexandre III en de Wereldtentoonstelling 1900 geopend werden, voerde het anti-semitische dagblad La Libre Parole een inzamelingsactie voor een stel degens. Ze waren bestemd voor de jodenhater Raphaël Viau ter ere van diens twaalfde duel 'voor de goede zaak'. Viau hoopte dat ze 'niet lang maagdelijk zouden blijven'.

Drie grote schandaalprocessen schokten de Europese hoofdsteden rond de eeuwwisseling. Het waren scheuren in de façades, de eerste breuken in die vaste wereld van rangen en standen. In Londen was er, in 1895, de veroordeling van de briljante schrijver Oscar Wilde wegens 'perverse' activiteiten. In Berlijn gebeurde tussen 1907 en 1909 iets soortgelijks rond vorst Philipp Eulenburg, oud-ambassadeur in Wenen en een van de intiemste vrienden van de Duitse keizer. Maar het meest ingrijpende schandaalproces was de zaak-Dreyfus.

Geen kwestie hield de Fransen tussen 1897 en 1899 meer bezig dan het mogelijke eerherstel van de ten onrechte veroordeelde Alfred Dreyfus. Deze joodse kapitein was naar het Duivelseiland verbannen omdat hij voor de Duitsers zou hebben gespioneerd. Langzamerhand werd echter steeds duidelijker dat officieren van de krijgsraad met zijn dossier hadden zitten knoeien en, om opgekomen twijfel te ontzenuwen, er almaar nieuwe vervalsingen aan hadden toegevoegd. De legertop wist het, maar hield voet bij stuk. Toegeven betekende heiligschennis, een bezoedeling van de *gloire militaire*.

Op den duur werd de affaire door heel Europa ademloos gevolgd. Nadat Émile Zola op 13 januari 1898 in L'Aurore de zaak juridisch opnieuw had opengebroken – zijn vlammende 'J'accuse' diende vooral om een aanklacht wegens smaad uit te lokken – begonnen tal van Europese schrijvers en intellectuelen zich ermee te bemoeien. Wat stond voorop? De rechten van het individu of het prestige van het leger en de natie? De progressieve principes van de Verlichting of de oude waarden van de contrarevolutie, van de glorietijd vóór 1789?

De zaak-Dreyfus, meende de historica Barbara Tuchman, was 'de doodsstrijd van de oude wereld'. 'Het leven leek in die jaren tijdelijk opgeschort,' schreef de latere minister-president Léon Blum. Het was 'een menselijke crisis, niet zo verstrekkend en langdurig als de Franse Revolutie, maar niet minder gewelddadig

[...]. Het was alsof alles draaide om één zaak en in de meest intieme gevoelens en persoonlijke verhoudingen werd alles onderbroken, alles ontwricht, alles met andere ogen bezien.'

Vrienden kwamen niet meer bijeen: Dreyfus lag als een handgranaat tussen hen in. Familieleden meden elkaar. Befaamde salons vielen uiteen. Een zekere monsieur Pistoul, krattenfabrikant, werd door zijn schoonmoeder voor het gerecht gedaagd na een familiediscussie over Dreyfus. Hij had haar uitgescholden voor *intellectuelle*, zij had hem uitgemaakt voor 'beul' en 'bedrieger', hij had haar geslagen, haar dochter had echtscheiding aangevraagd. Marcel Proust zat tijdens het herzieningsproces iedere dag op de publieke tribune met koffie en broodjes, om geen moment te missen. Samen met zijn broer Robert organiseerde hij een petitie, 'Het Protest der Intellectuelen', met zo'n drieduizend handtekeningen waaronder die van kunstpaus Anatole France, André Gide en Claude Monet. Voor Monet betekende de petitie het einde van zijn vriendschap met zijn collega Edgar Degas, vader Proust sprak van woede een week lang geen woord tegen zijn zoons.

De zaak-Dreyfus was, net als de affaires rond Oscar Wilde en Philipp Eulenburg, aangekaart door een krant. Het was dan ook in de eerste plaats een krantenoorlog. De affaire kreeg een ongekende dynamiek vanwege het verschijnsel 'massakrant' dat overal in Europa opkwam, sensatiebladen met oplagen die in de honderdduizenden liepen, en die tot in alle uithoeken van het land konden worden verspreid. Alleen al in Parijs verschenen rond de eeuwwisseling tussen de vijfentwintig en vijfendertig dagbladen, die alle soorten van nieuws brachten en schiepen. Berlijn had zelfs zestig dagbladen, waarvan er twaalf tweemaal per dag verschenen. In Londen kostte de *Daily Mail* een halve stuiver, de krant had een oplage van ruim een half miljoen, elfmaal zoveel als de deftige, ouderwetse *Times*. Er ontstond daardoor een nieuwe macht, de 'publieke opinie', en al snel leerden de krantenmagnaten die volkssentimenten te bespelen als een kerkorgel. Ze bliezen geruchten op, verdoezelden feiten, alles was geoorloofd omwille van hogere oplagen, politiek gewin of de pure adrenaline van het nieuws.

Alleen: waarom was de Franse openbare mening uitgerekend voor deze kwestie zo gevoelig? Anti-semitisme speelde een rol, zeker. De anti-Dreyfus-pers schreef dagelijks over de perfide rol van 'het syndicaat', een groot complot van joden, vrijmetselaars, socialisten en buitenlanders, dat Frankrijk wilde verscheuren met list, bedrog, omkoping en vervalsing. Toen Dreyfus werd gedegradeerd, schreeuwde de menigte voor de hekken: 'À mort! À mort les juifs!' De joodse Parijse correspondent van de Weense *Neue Freie Presse* was zo geschokt dat hij naar huis ging en de eerste zinnen schreef van zijn traktaat *Der Judenstaat*: de joden moesten een eigen staat krijgen. Hij heette Theodor Herzl. De allereerste kiem van het ontstaan van de staat Israël ligt hier, bij de zaak-Dreyfus.

Dit was echter niet alles. In wezen ging het vooral om een botsing tussen twee verschillende soorten Frankrijk: het oude, statische Frankrijk van de symbolen en de opgelegde orde, en het moderne, dynamische Frankrijk van de pers, de publieke discussie, het recht en de waarheid. Ofwel: het Frankrijk van de paleizen en het Frankrijk van de boulevards.

Het vreemde was dat de kwestie ook opeens weer voorbij was. Op 9 september 1899 werd Dreyfus opnieuw veroordeeld, hoewel met het bewijsmateriaal aantoonbaar was geknoeid. Europa was verbijsterd dat zoiets in het verlichte Frankrijk kon gebeuren. 'Schandelijk, cynisch, weerzinwekkend, barbaars,' schreef de correspondent van *The Times*. Langzamerhand begonnen de Fransen te beseffen dat het beeld van hun land in de internationale opinie door de affaire steeds verder werd geschaad, en dat nog wel aan de vooravond van een wereldtentoonstelling die de grootste aller tijden moest worden. Dreyfus kreeg gratie aangeboden en aanvaardde die, uitgeput als hij was.

In 1906 werd hij door het leger gerehabiliteerd, hij werd tot majoor gepromoveerd en kreeg het Légion d'Honneur. Zola stierf in 1902, in 1908 werd zijn as overgebracht naar het Panthéon. Dreyfus zelf bleek, eenmaal vrij, minder idealistisch te zijn dan degenen die zich voor hem hadden ingezet. 'Wij waren bereid om voor Dreyfus te sterven,' zei een van zijn felste aanhangers later. 'Alleen Dreyfus zelf was dat niet.' Toen een groep intellectuelen decennia later aan de bejaarde Dreyfus vroeg of hij een appèl wilde ondertekenen om de levens van Sacco en Vanzetti te redden – twee Amerikaanse slachtoffers van een politiek proces – werd hij woedend: hij wilde niets meer met dat soort zaken te maken hebben.

Ik laat me die eerste dagen in Parijs leiden door een Baedekergids uit 1896. De avenue Jean-Jaurès heet in mijn gids nog rue d'Allemagne, de Sacré-Cœur is pas half af, de belangrijkste kunstschilder is Louis Meissonier, de Moulin Rouge is net geen windmolen meer. Ik laat me rijden in een van de dertienduizend fiacres, of ik pak een van de veertig omnibuslijnen die de stad doorkruisen. Alles werkt en beweegt op paardenkracht, tienduizenden paarden voor de huurrijtuigen, omnibussen, sleperskarren, koetsen, mijn hele stadsgids ruikt naar paard. Al die paarden moeten gestald worden, gevoed – vandaar de hooi- en havermarkten –, gedrenkt – er zijn tweeduizend stadsfonteinen –, en dan vergeet ik nog de mest.

Het Parc Monceau is tijdens de tussenliggende eeuw niets veranderd, dat is alvast een troost. Het is een typisch fin-de-siècle-plantsoen vol kleine gelegenheden tot mijmeringen en hoogstaande gedachten. Daar staat een zuil – glorie! –, daar hebben we het beeld van een geleerde – wijsheid! –, voor me ligt een minuscule rotspartij: woeste natuur! Daartussendoor spoeden de inwoners van het achtste arrondissement zich naar hun werk.

Ik probeer de gids uit op de begraafplaats van Montmartre. De enige andere levende is een in het zwart gekleed Chinees meisje, met een zwarte hoed, zwarte handschoenen en lange zwarte laarsjes. Mijnheer Karl Baedeker wijst me keurig de weg naar Stendhal – nog altijd verse tulpen op zijn graf –, Heinrich Heine en Jacques Offenbach, maar dan gaat er iets mis: in 1896 gold eeuwige roem duidelijk voor andere mensen. Nergens kan ik bijvoorbeeld het graf van de gebroeders Edmond en Jules de Goncourt vinden, of van de 'Camélia-dame' Alphonsine Plessis, of van Louise Colet. In plaats daarvan moet ik mijn mijmeringen kwijt bij de megalomane zuil van de hertogin de Montmorency-Luxembourg en bij de kapel van de verroeste prinses Soltikoff. Alleen het beeld van Émile Zola torent boven alles uit: die strenge blik kun je niet mislopen, altijd maar gericht op de verkeersbrug die de dodenstad doorsnijdt.

De namiddag is zonnig en zacht. Vanuit mijn hotelkamer kijk ik over de zinken daken van Montmartre, de resten van een oude windmolen, in de verte de nevelige heuvels. Onder mijn raam een paar oude tuinen met hoge bomen, een huis met een serre, de vroege lentegeluidjes van merels, mussen en spreeuwen. Het wordt langzaam donker. Tussen het grijs van de avondlucht en de daken komen steeds meer gele lichten. De stad dreunt zachtjes.

De wateren zijn blauw en de gewassen zijn roze; de avond is zoet om te zien;
Men gaat wandelen.
De grote dames gaan wandelen, achter hen gaan kleine dames.

Met dit lofdicht op Parijs van de Vietnamees Nguyen-Trong-Hiep uit 1897 begint de zwervende Europese schrijver Walter Benjamin zijn essay 'De hoofdstad van de negentiende eeuw'. Waarom gaf hij Parijs die titel, en hij niet alleen? Waarom sprak iedereen rond 1900 altijd over Parijs, terwijl de macht allang in Londen zetelde, de industrie in Berlijn, de goede en kwade toekomst in Wenen? Waarom werd het negentiende-eeuwse Parijs algemeen beschouwd als de aanloop tot de moderne tijd?

Die verpletterende indruk had in de eerste plaats te maken met de nieuwe bouwmaterialen en bouwtechnieken, het ijzer en het glas, dat nergens zo kwistig en kunstig werd gebruikt. Neem de paleizen, de Eiffeltoren, de metrotunnels onder de Seine met hun immense ijzeren trappenhuizen en hun liften, ooit zo groot als halve treinwagons. En overal waren er de befaamde galerijen, de 'binnenboulevards' waaraan Benjamin zijn belangrijkste werk ophing. 'Deze passages, een nieuwe uitvinding op het gebied van industriële luxe, zijn gangen met glazen daken en marmeren wanden die door hele blokken van bebouwing lopen,' aldus een reisgids uit 1852. 'Aan beide zijden van deze gangen liggen de meest elegante winkels, zodat zo'n galerij een stad, een wereld in miniatuur is.'

Walter Benjamins eretitel gold ook de kunsten. Het Parijse theater had aan het eind van de negentiende eeuw een ongekende bloei beleefd. De wereldtentoonstellingen maakten de stad tot een bedevaartsoord voor de modieuze consument in heel Europa. De overdadige interieurs van de burgerhuizen – 'het etui van de privémens', zoals Benjamin schrijft – werden toevluchtsoorden voor de kunst. De opkomende fotografie – ook hierin liep Parijs voorop – dwong de schilders om naar totaal nieuwe vormen te zoeken. De schittering van een beweging werd nu vastgelegd, of de impressie van een namiddag. De impressionisten trokken zo het spoor voor schilders als Pablo Picasso, die later taferelen en objecten letterlijk uiteentrokken, zoekend naar de structuur.

De banden tussen de artiesten waren intens, de markt was gretig. Claude Monet kon zijn eerste schilderijen al direct verkopen voor driehonderd franc, tweemaal het maandsalaris van een onderwijzer. Week na week beschrijft André Gide in zijn dagboek nieuwe tentoonstellingen. Dat waren de plekken waar 'iedereen' kwam, waar 'iedereen' over sprak.

Verpletterend was Parijs ook in de boulevards, in de overweldigende orde die prefect Haussmann aan de stad had opgelegd, en waarin, aldus Benjamin, 'de instituten van de wereldlijke en geestelijke heerschappij van het burgerdom hun apotheose vonden'. Nu hadden Haussmanns 'grands travaux' inderdaad een militaire achtergrond – bij een opstand konden legereenheden voortaan veel gemakkelijker opereren – maar dat was niet het belangrijkste doel. De boulevards waren vooral aangelegd als moderne transportassen tussen de diverse kopstations, want in Parijs was, net als in Londen en Brussel, de verkeerschaos van paarden, karren, equipages, koetsen en omnibussen niet te overzien. Ook dienden ze als zichtlijnen tussen monumenten en grote overheidsgebouwen, nationale symbolen die door stedelingen en bezoekers vol ontzag moesten worden bewonderd en daarvoor alle ruimte nodig hadden. De boulevards brachten binnen de stad een scheiding aan tussen de burgerij en het gewone werkvolk, tussen de welgestelde arrondissementen en de smerige, rokende voorsteden. Maar tegelijk zorgde Haussmanns plan voor een ongekende dynamiek omdat het, voor de eerste maal, uitging van een allesoverkoepelende visie op het fenomeen 'stad'.

'Modern Parijs kón niet bestaan in [de gedaante van] het Parijs van vroeger,' schreef de dichter/journalist Théophile Gautier jubelend. 'De beschaving baant zich brede wegen temidden van de duistere doolhof van straatjes, kruispunten en doodlopende stegen van de oude stad; zij velt huizen zoals de pioniers in Amerika bomen vellen.' Haussmann ontwierp zijn stad niet enkel als anti-revolutionair model. Het moest de voorpost worden van de nieuwe tijd, het baken voor de moderne geest, het licht in de provinciale duisternis, het glorielied van Frankrijk, dé staatsstad van het nieuwe Europa.

Parijs is altijd het product en tegelijk de tegenpool van het omliggende boerenland geweest, en dat is het nog. Geen metropool is zo door en door stad, en tegelijk zo vergroeid met het platteland. In de drie minuten vanaf mijn hotel naar de boulevard tel ik zes groentezaken, vijf bakkers, vijf slagers, drie vishandelaren. Winkel na winkel staan de kisten buiten: appels, sinaasappels, sla, kolen, preien, stralend in de winterzon. De slagerijen hangen vol worsten en hammen, de vis ligt in bakken op de stoep, de bakkers geuren met honderd soorten brood, glanzend en knapperig.

De verhouding van de Parijzenaars met hun mysterieuze boerenwortels, 'la France profonde', is altijd gecompliceerd geweest, en tegelijk intens. Een groot deel van de Parijzenaars is afkomstig van het platteland, en anders zijn het hun ouders wel, of hun grootouders. Tegenwoordig willen de Fransen dat best weten, ze cultiveren het zelfs, met tweede huisjes en producten van 'thuis' op tafel. Het hoort allemaal bij 'l'exception Française', al is tegenwoordig een derde van de stadsbevolking van buitenlandse origine.

Rond de eeuwwisseling leek het echter wel of ze, eenmaal in Parijs, het platteland zo snel mogelijk van zich af wilden schudden. Ook wat dat betreft was er sprake van twee Franse naties. Hoe meer de grote steden zich ontwikkelden tot machines vol licht en beweging, des te donkerder en slaperiger leek de provincie.

Boerenmensen werden door de Parijzenaars doorgaans als wilden of barbaren beschouwd. Altijd waren ze herkenbaar aan hun klossende en klepperende klompen, en zelfs als ze schoenen aanhadden, vielen ze in de stad direct op door de aparte loop die er met die zware klompen was ingesleten. Die scheiding der geesten bestond overal in Europa, maar nergens waren de extremen zo groot als in Frankrijk.

Veel Franse dorpen – en datzelfde gold voor het overgrote deel van het Europese platteland – leefden vanouds in een diep isolement. Daarin kwam pas verandering vanaf 1870, toen door het hele land nieuwe wegen en spoorlijnen werden aangelegd. In de Pyreneeën, de Alpen en het Massif Central, in al die dorpen en rivierdalen waar iedereen nu vakantie houdt, hadden rond 1880 veel mensen nog nooit een wagen of een kar gezien. Alles werd er met paarden en muilezels versleept. 's Winters leefden boerenfamilies nog in de stal, zich warmend aan het vee. Plaatselijke dialecten voerden de boventoon; volgens officiële cijfers sprak in 1863 nog een kwart van de Fransen nauwelijks een woord Frans.' Veel streken hanteerden maten, gewichten en zelfs muntsoorten die officieel al een eeuw eerder waren afgeschaft. Degene die ooit Parijs had bezocht, al was het maar voor een etmaal, droeg levenslang de eretitel 'Parijzenaar'.

Er was weinig romantisch aan het 'pure' Franse boerenleven. De provinciale rechtbankverslagen getuigen regelmatig van een onmenselijke armoede en hardheid. 'Mijn vader en moeder zijn oud genoeg, ze moeten worden doodgemaakt.' Een schoondochter wordt vermoord 'omdat ze ziekelijk is en we niks aan haar hebben'. Een schoonmoeder wordt in de put gegooid om van een jaarlijkse betaling van twintig franc en drie mud graan af te komen. Een oude vader wordt door zijn vrouw en zijn dochter in elkaar geslagen met een stamper, een hamer en een hark omdat ze geen zin meer hebben om hem eten te geven. Terwijl in de grote stad Sarah Bernhardt op het filmdoek danst, wordt op eerste kerstdag 1900 bij Angers een oude man doodgestoken omdat hij een tovenaar zou zijn die koeien had behekst. De kleine Rémi uit *Alleen op de wereld* (1878) kon overal levend en wel worden gezien: in 1905 zwierven nog zo'n vierhonderdduizend bedelaars over het Franse platteland.

Tekenend voor de breuk tussen stad en land was de toenemende gevoeligheid van de stedelingen voor geuren. Gustave Flaubert mopperde al dat zijn medepassagiers in de postkoets 'een uur in de wind stonken'. Alphonse Daudet klaagde uitbundig over de 'sterke stallucht' van zijn inwonende personeel. Overal op oude foto's van Europese boulevards zijn reclameteksten zichtbaar van zepen, reukwaters en mondverfrissers: Odol! Odol! Odol!

Tegelijkertijd waren in Rennes, een provinciestad met zeventigduizend inwoners, rond 1900 welgeteld dertig badkuipen en twee huizen met een badkamer. Terwijl in Parijs enorme voorzieningen waren aangelegd voor de aan- en afvoer van water – nog altijd liggen er kleine ondergrondse meren –, werd in Franse provinciesteden als Rouen en Bordeaux het rioolwater nog in een straatgoot geloosd. De meisjes in Orléans gingen éénmaal in hun leven naar het badhuis, op de dag voor hun huwelijk. Regelmatig wassen was een teken van dubieuze zeden.

Maar ook hier brak een periode van snelle en ingrijpende veranderingen aan. Vanaf de jaren tachtig stak de Franse staat tientallen miljoenen in het ontwikkelingsplan van de ondernemende Charles de Saulces de Freycinet. Deze minister van Openbare Werken wilde met de bouw van wegen en scholen in hoog tempo de kloof tussen Parijs en het platteland verkleinen, en tegelijk de stagnerende economie een nieuwe impuls geven.

Het effect werd al gauw merkbaar. Na 1900 werd het beruchte

zwarte brood, het symbool van diepe armoede en achterlijkheid, vrijwel nergens meer gesignaleerd. Steeds minder boerenmeisjes verkochten hun haar aan pruikenmakers – tot 1880 een gewone gang van zaken op de jaarmarkten. De stugge, traditionele kleding werd binnen twee decennia vervangen door de soepele mode-confectie; rond 1909 zag een boerenmeisje op zo'n jaarmarkt er nauwelijks anders uit dan een opgedoft fabrieksmeisje uit de stad. Ook de kraampjes van de openbare schrijvers begonnen te verdwijnen: sinds 1880 leerde ieder boerenkind lezen en schrijven, en daarmee eindigde een soort afhankelijkheid waarvan wij nauwelijks meer weet hebben.[2]

De plattelandsauteur Émile Guillaumin beschreef het lot van vijf knechten die op een hete zomerdag in 1902 bij Moulins een veld bieten stonden te schoffelen. Acht jaar later, in 1910, was de eerste boerenarbeider portier geworden, de tweede woonde in de stad Vichy, de derde werkte in een meubelfabriek, de vierde was lakei, en alleen de vijfde werkte nog op het land. In 1999, durf ik te gissen, werkten van hun honderd achterkleinkinderen nog hooguit twee op het land. Zeker een stuk of dertig zullen in Parijs terechtgekomen zijn, en de Parijzenaars lijken dat ook te beseffen, meer dan de inwoners van welke andere wereldstad: dat ze allemaal achterkleinkinderen zijn van bietenschoffelaars bij Moulins, en dat ze bieten en schoffelaars in ere moeten houden.

Op het metrostation Opéra raak ik in gesprek met Pierre Maillot. Hij staat, met zijn grijze baard en zijn trouwhartige bril, in een van de metrogangen met een blikje en een stuk karton: 'Ik schaam me. Maar ik heb honger.' Op die manier verdient hij per dag zo'n honderd franc (ongeveer vijftien euro), genoeg voor een bed en een eenzame maaltijd met een kwart wijn. De ouderen geven goed, de jeugd is pesterig. 'Mijn enige vriend heb ik hier,' zegt hij, en hij haalt een in rood plastic verpakte bijbel uit zijn binnenzak. Daarna vertelt hij me een ingewikkeld verhaal over gevangenissen, een echtscheiding, problemen in het hoofd, een verdwenen uitkering en andere onbeheersbare dingen in een mensenleven.

Boven de grond wordt gedemonstreerd. Er is bij mijn weten geen stad in Europa waar de kranten dagelijks plattegrondjes publiceren met verwachte volksoplopen, alsof het om het weerbericht gaat: illegalen, tandheelkundestudenten, royalisten, telecommunicatiewerkers, dag na dag gaat dat zo voort. Ik stuit op een gezelschap scholieren. Ze zijn boos omdat hun leraren tijdens de lopende cursus werden wegbezuinigd. Philippine Didier legt me uit dat ze nu geen examen Grieks meer kan doen. Ze wil, net als haar klasgenoten, naar de École Nationale d'Administration, de ENA, de broedplaats voor het politieke en bestuurlijke toptalent van Frankrijk. 'De minister haat ons,' zegt Philippine met grote stelligheid. 'Hij schijnt zelf ooit gesjeesd te zijn.' Ik begin al die rommelige joppertjes, scheve brillen, fluwelen hoedjes en ontroerende rugzakjes toch wat anders te bekijken: hier loopt dus de Franse elite van het jaar 2030, denk ik, de ministers, de topambtenaren, het ijzeren netwerk waarop Frankrijk voortdrijft, de orde van de toekomst.

In Parijs is het alledaagse vaak indrukwekkend. Dat geldt met name voor het openbaar vervoer. In de regio Parijs ligt een vervoerssysteem waar steden als Londen, Amsterdam en Berlijn pas over dertig, veertig jaar aan toe zijn. Alles getuigt van een ongekend kwaliteitsbesef: de automatische kaartjescontrole, de eenheid in prijzen, de heldere bewijzering, de hoge frequentie, de souplesse waarmee de treinen al die duizenden mensen door de stad schieten.

Zelden zie je er iemand hollen: na vier of twee minuten is er alweer een nieuwe trein. Zelden voel je je er onveilig: er zijn altijd mensen, alles wordt intensief gebruikt. Helemaal zelden voel je de verleiding om een auto te pakken: niets kan de snelheid van, pakweg, de RER-verbinding tussen de Eiffeltoren en Versailles evenaren. En het meest bijzondere is dat dit systeem al zoveel jaren draait alsof het de normaalste zaak van de wereld is. Wie de toekomst wil zien, die reist gewoon een middag rond in en om Parijs.

Ondertussen krijgt mijn bejaarde Baedeker wel problemen. De Parijse buitenwijken vormen een woud van fabrieken, magazijnen en mensendozen, maar het uitvouwbare kaartje binnen in het gidsje toont zachtgroene velden en bossen, met dorpjes als Neuilly, Pantin en Montreuil. Le Bourget is een marktplaatsje aan een zijrivier van de Seine. Later kwam er het bekendste vliegveld van Parijs, nu is het alweer een museum.

Mijn expeditie naar Le Bourget was bedoeld voor het vliegtuig waarmee Louis Blériot op 25 juli 1909 als eerste het Kanaal overstak, maar uiteindelijk blijf ik de hele ochtend hangen bij de toestellen van zijn voorgangers, bij de kneuzen en de bluffers. Hierop is dus vooruitgang gebouwd: slimheid, non-conformisme en bovenal lef. Neem het stoomvliegtuig van Félix du Temple uit 1857; ik weet niets van de man, maar ik zie hem voor me, in zijn werkplaats: het toestel is van het model zwaluw-met-klapvleugels, boven op de vliegmachine staat een scheepsroer, daarnaast een goudkoperen ketel plus stoomfluit. Of de eerder genoemde flapvleugelmachine van Ader. Of de vierkante kar van Traia Vuia, een vleugel op een soort kinderwagenonderstel waarmee op 18 maart 1906 voor het eerst in Frankrijk gevlogen werd, vijftig centimeter hoog, twaalf meter ver.

Het toestel van Louis Blériot zelf. Ik vond een verslag van *Telegraaf*-correspondent Alexander Cohen over een reeks vliegexperimenten op het exercitieterrien van Issy-les-Moulineaux op de schemerige vrijdagnamiddag van 22 november 1907. Hij zag de heer Farman in een 'reuzeninsect' van linnen, bamboe en aluminium van de grond komen, en enkele honderden meters vliegen. De door hem bereikte maximumhoogte was zeven meter. 'Het toestel van de heer Blériot behoort tot de categorie der "orthoptères", of mechanische vogels. Een onderstel met vier raderen als bij Farman's zweeftuig. De bestuurder van de "Libellule" – zo noemde de heer Blériot zijn machine, die *ik* "Vliegende Vis" zou hebben gedoopt – zit *in* het lichaam van het "beest" [...]. De "Libellule" snorde wél met bliksemsnelheid over het exercitieterrein en voerde 'n paar mooie zwenkingen uit. Maar ze kwam geen centimeter van de grond.'

Ruim anderhalf jaar later vloog Blériot tussen dit draad en linnen naar Engeland. Kort voor zijn vlucht dreigde zijn toestel bijna uiteen te vallen: de vislijm waarmee het geheel aan elkaar was geplakt, begon te ontbinden. Op het moment van vertrek vroeg hij terloops in welke richting Dover eigenlijk lag.

En dan de foto's van de aviateurs. Voniman (1909, pet) kijkt stoer vooruit, met achter zich een motor die in een vrachtschip niet zou misstaan. Coudron (1910, Bretonse muts) heeft iets lossigs, die maakt wel een kans. Gilbert (1910, pak met das) ligt als een keurige huisvader in een soort hangmat onder zijn bamboevliegtuig. Het geheel is versierd met kwastjes. Ik kijk Octave Gilbert in de ogen. Zijn vaderlijke handen houden gespannen de dunne stuurtouwtjes vast die verbonden zijn aan de twee fietswielen van het landingsgestel. Angst, waardigheid, alles is bij hem ondergeschikt aan de vooruitgang. Zijn gezicht, vol moed en wanhoop.

3

'Ik geniet nog steeds van de verbazing van jonge mensen als ik ze vertel dat ik voor 1915 naar India en Amerika reisde zonder een pas te bezitten of er zelfs ooit maar één gezien te hebben,' schreef Stefan Zweig in 1941.

Ook mijn Baedekergids vond het bezit van een paspoort niet noodzakelijk, 'maar ze zijn heel vaak handig om de identiteit van de reiziger vast te stellen als het gaat om toegang tot musea te verkrijgen op dagen waarop ze niet voor het grote publiek open zijn'.

West-Europa heeft nog geen eeuw met paspoorten geleefd, ik jakker met de hoogsnelle Eurostar alweer over de grenzen zonder te stoppen. (Niet dat de overheden mij negeren, ik word op tientallen manieren elektronisch bekeken en gevolgd, maar dat is een ander verhaal.) Alleen Groot-Brittannië houdt het oude regime nog in ere. Mijn papieren worden ernstig bekeken, door serieuze burgerheren, in naam van Hare Majesteit.

Ook aan eeuwen dichten we heldere grenstekens toe, slagbomen, klokslagen op de 31ste december van het jaar nul. In het archief van mijn krant vond ik een beschrijving van de laatste middag van de negentiende eeuw, een uitzicht uit het raam van de Amsterdamse redactie van het *Algemeen Handelsblad*. Het was guur dooiweer, en de krant berichtte over kruiend ijs, angstige polderbewoners en de ijsvlet van de Enkhuizer postdienst die tussen Urk en Kampen was zoekgeraakt. Een redacteur keek naar buiten, en het enige dat hij zag was een fiets met een hoog wiel, het beeldmerk van de voorbije eeuw. 'Hij trapte langzaam voorbij met zijn lange dunne banden door de sneeuwslik. Iedereen bleef staan in medelijdende verbazing. Een hoge!' Dat was de concrete grens tussen de negentiende en de twintigste eeuw: een grauwe, stille, koude Hollandse wintermiddag, waarover verder niets te melden valt.

Wat was de historische grens tussen de twee eeuwen? De dood van koningin Victoria in januari 1901, menen sommige Engelsen. Dat was in hun ogen de grote waterscheiding, tussen de bedaarde Victoriaanse jaren en de onstuimige en vulgaire Edwardiaanse periode die daarop volgde. De schrijfster Virginia Woolf meende dat de breuklijn lag bij de dood van koning Edward VII: 'In of rond december 1910 veranderde het menselijke karakter.' Volgens de meeste historici lag het echte eindpunt van de negentiende eeuw echter vier jaar later, op 3 augustus 1914, om precies te zijn 's avonds tussen acht en negen, toen de Britse minister van Buitenlandse Zaken sir Edward Grey de gevleugelde woorden uitsprak: 'Nu gaan de lichten uit over heel Europa. En we zullen ze tijdens ons leven niet meer zien branden...'

In het Londen van 1900 was de twintigste eeuw al volop aanwezig: in de eerste auto's en bussen, in de buitenwijken en de forensendorpen, in de treinen en de ondergrondse, in de arbeidersbeweging en de werkende vrouwen, in de groeiende onzekerheid op het gebied van godsdienst en moraal, in de hang naar opwinding en voortdurende verandering. Lezend over deze periode kan niemand volhouden dat we pas in de jaren zestig zijn 'bevrijd' van de 'Victoriaanse seksuele normen'. Families maakten van alles met elkaar mee, gewone burgervrouwen waren beslist niet onnozel, men kende het leven. Dat leven diende, voor een deel, wel verhuld te blijven. De karikatuur die de Victorianen van zichzelf schiepen werd nog versterkt door schrijvers en losgeslagen aristocraten: ook het onthullen en choqueren van de burgerij hoorden bij de Victoriaanse levensstijl. Kortom, in werkelijkheid waren de Victorianen helemaal niet zo Victoriaans.

Dat neemt niet weg dat het toenmalige Londen een wereld was die ons nu totaal vreemd zou zijn: de nietsdoende klasse die overal de toon zette, het gewicht van rangen en standen, de uitzichtloze armoede, de smog, de stank, de kindersterfte. En daaroverheen lag, als een gouden regenboog, het onwankelbare vertrouwen in God, in het eeuwige voortbestaan van het machtige Albion, en in het door heel Europa vertakte Britse vorstenhuis. Drie onlosmakelijke zekerheden, vast als de rivier en de straten van de stad.

Voor Engeland begon de eeuw met een begrafenis, en dus dook ik de eerste ochtend na mijn aankomst direct in de krantenleggers van de nieuwe British Library, een gigantisch gedachtepakhuis van rode baksteen.

De begrafenis van koningin Victoria vond plaats op vrijdag 1 februari 1901, zo lees ik in de speciale bewaaruitgave (2 pence) van *The Yorkshire Post*. De lijkstoet werd door Londen getrokken, gadegeslagen door honderdduizenden, de doedelzakspelers van de Irish en Scots Guards voorop. *Post*-journalist John Foster Fraser putte zich uit om het geluid van de omfloerste trommels exact weer te geven: 'Rumble – rattle rumble – rattle.' Daarna ging zijn verslag voornamelijk over de familie achter de baar: de nieuwe koning Edward – 'zijn wangen askleurig, zijn ogen flets en vermoeid' –, zijn neef Wilhelm II, keizer van Duitsland – 'de snor neerwaarts gebogen' –, zijn achterneef Leopold II, koning der Belgen, zijn zwager de Griekse koning George I, de 'blonde en blauwogige' neef Heinrich van Pruisen, de 'goedgebouwde' groothertog van Hessen 'met zijn stevige kin', en zo schuifelde het hele huis Hannover plus aanhang door Londen, keizer Wilhelm voorop.

Dit was de Eurotop anno 1901. De buitenlandse politiek was nog grotendeels een kwestie van vorstelijke families, en de kleine, kordate, altijd in zwart satijn gehulde Victoria was decennialang zowat letterlijk de 'grootmoeder van Europa' geweest, beter gezegd: van het familienetwerk van Europese vorsten. Al die vorsten hadden hun grote en kleine conflicten. Maar tegelijk waren er talloze gezamenlijke bruiloften, feesten en begrafenissen, fotosessies waarop ze elkaars uniformen aantrokken: koning George V in een Pruisisch uniform, keizer Wilhelm in een Brits uniform, keizer 'Willy' in een Russisch uniform, tsaar 'Nicky' in een Pruisisch. Zo overleed de vorstin op 22 januari 1901 als een oermoeder (ik volg het ooggetuigenverslag van lord Reginald Esher): 'De koningin herkende zo nu en dan degenen rondom haar en noemde hun namen. Reid, de dokter, sloeg zijn arm om haar heen, en steunde haar. De prins van Wales knielde aan de zijde van haar bed. De Duitse keizer stond stil aan het hoofdeinde, bij de koningin. De andere kinderen en kleinkinderen waren er ook allemaal, allen noemden zo nu en dan hun naam. Ze stierf vredig. Nadat de Engelse koning naar Londen was vertrokken, nam de Duitse keizer alles in handen.'

Uiteindelijk zou keizer Wilhelm zijn grootmoeder Victoria samen met zijn neef, de Engelse koning, eigenhandig in haar kist tillen. Zo ging het toe in de eeuwige familie, in het Europese gezin.

Dan was er die andere volkomen zekerheid: het Britse imperium. In Southwark, aan de Wallworth Road, bevindt zich het Cuming Museum. Eigenlijk is dit 'British Museum in miniatuur', zoals het ook wel genoemd wordt, niets anders dan een onvoorstelbare collectie rariteiten, opeengestapeld in de bovenzaal van een bibliotheek. Vader en zoon Richard (1777-1870) en Henry Cuming (1807-1902) waren echte negentiende-eeuwse heren, die samen honderdtwintig jaar lang alles waar ze maar de hand op konden leggen naar hun pluchen hol sleepten. De hartstocht van vader Richard was in 1782 begonnen, toen een tante hem op zijn vijfde verjaardag drie fossielen en een oude Indiase munt cadeau gaf. Toen zoon Henry in 1902 stierf, liet het duo meer dan honderdduizend objecten na, plus genoeg geld voor de exploitatie van een museum dat de resultaten van hun verzameldrift voor eeuwig zou bewaren. Zo kun je dus tot de dag van vandaag rondlopen in de droomwereld van twee Victorianen.

In de kasten en vitrines valt onder andere het volgende te zien: een stuk Romeinse rioolpijp, een appelboor van schapenbot, een flesje met een kruimel-bruidstaart van Edward VII, een opgezette chimpansee – ooit verhandeld als 'de mummie van een tweehonderd jaar oude man' –, een oranje toetertje van de Epsom-races van 1864, een stuk stucco uit de sterfkamer van Napoleon, alle programma's van alle toneelstukken die vader en zoon Cuming ooit bijwoonden, een stel Etruskische vazen, een weggeworpen sigarettenpeukje van een lid van de koninklijke familie, een stukje Romeins speelgoed, een middeleeuws fluitje uit de Theems, een lapje vest van Karel I en zes 'figuren uit een verloren beschaving', in 1857 nagebakken en oud gemaakt door twee baggeraars die wel brood zagen in de verzamelwoede van de Cumings.

Een wandeling door dit museum roept onvermijdelijk het visioen op van een piramide vol botten, snuisterijen, taartkruimels en plakjes mummie, met op de top twee keurig geklede Londense heren. Ze hoopten met hun museum 'een pakhuis van kennis te scheppen' voor 'de koopman en de fabrikant, de archeoloog en de historicus, de schilder en de dramaturg, de militaire en marinestrateeg, de filantroop en de filosoof, voor de liefhebber van algemene ontwikkeling'. Hoe meer ze verzamelden, meenden de Cumings, des te meer zouden ze weten. En hoe meer de mensen zouden weten van andere culturen, nu en in het verleden, des te beter zouden ze beseffen dat Engeland onder koningin Victoria het hoogtepunt vormde van de menselijke beschaving, en dat de Engelsman een superieur wezen was.

Natuurlijk waren de Cumings excentrieke figuren, ook in hun eigen tijd. Maar ze weerspiegelden wel de mentaliteit van die periode, en ze zeiden openlijk wat veel Engelsen dachten. En vervolgens bezaten ze ook de mogelijkheden om daaruit hun persoonlijke consequenties te trekken. Zoals de huidige conservator terecht opmerkte: het is een verzameling die vloekt met alle internationale verdragen die we nu kennen. De Cumings hadden hun Indiase maskers, Romeinse speelgoedschaapjes, Egyptische havikmummies, Pacific-scalpen en Chinese inktpotten nooit zo gemakkelijk kunnen aanslepen als hun land in diezelfde tijd niet was uitgegroeid tot de machtigste mogendheid op aarde. Rond 1900 reikte het Britse imperium van de noord- tot de zuidpool: Canada, Egypte, de Kaapkolonie, India, Birma, Malakka, Singapore, Australië en meer. De Britse marine was in staat om twee oorlogen tegelijk te voeren, de vloot kon het – in theorie – opnemen tegen de gezamenlijke marines van Duitsland, Rusland en de Verenigde Staten. In heel Europa werd de Engelse aristocratie geïmiteerd, door de Duitse keizer en de Russische tsaar, maar ook door de Duitse adel, die het liefst met Engelse meisjes trouwde, de Duitse burgerij, die graag rondliep in Engelse jassen en broeken, en door de Franse haut monde die le Derby organiseerde in Chantilly, le Steeplechase in Auteuil en die bijeenkwam in le Jockey Club.

Slechts in de verte klonk het gerucht van nieuwe mededingers: Duitsland, de Verenigde Staten, Japan. De Britse kolen- en ijzerindustrie was de fabriek van de wereld, de Londense City was het financiële centrum. Nadat de Parijse geldmarkt in 1870 was ingestort waren de belangrijkste Europese bankiers naar Londen verhuisd, en al het grote geld ging daar rond.

De City was een wereld op zichzelf, met eigen codes en een eigen waardigheid. Tot op zekere hoogte was het zakelijke en persoonlijke er net zo vermengd als binnen de Europese vorstenhuizen. De City 'is niet alleen een buurt van kantoren en banken: het is ook een gezelschap, sociaal heel exclusief, maar beroepshalve open naar de wijde wereld', schreef Jean Monnet, zoon van een Franse cognacfabrikant, die er in 1904 stage liep. De lijnen van de City liepen van Shanghai, Tokyo en New Delhi tot New York en Chicago, en tegelijk kende iedereen elkaar persoonlijk, door gezamenlijk golf te spelen en door de vele uren die iedereen, ongeacht zijn functie, in de forenzentreinen doorbracht. Monnet: 'Het is een nauw verweven gemeenschap, waarin zakelijke rivaliteit verzacht wordt door persoonlijke relaties. Iedereen doet zijn eigen zaken, maar tegelijkertijd zijn het ook de zaken van de City. Een Engelsman zal daarom niet zeggen: "Ik stuur mijn zoon naar die en die firma of bank." In plaats daarvan zegt hij: "Ik stuur hem naar de City."'

Het imperium gaf ook buiten de City de Britse samenleving een bepaalde kleur. Het dwong tot een leefstijl waarbij een aantal eigenschappen hoog in aanzien stond: militarisme, een sterk bewustzijn van rangen en standen, een soort *frontier*-mentaliteit, het typisch Engelse ingehouden macho-gedrag. Er werd veel gereisd, over de hele wereld, en tegelijk behield dat Britse kosmopolitisme een sterk gevoel van superioriteit. Men leerde veel over planten, dieren en andere menselijke culturen, er werden bibliotheken over volgeschreven, maar het centrum van de wereld bleef Engeland, en het hoogtepunt van de schepping waren vader en zoon Cuming, onverstoorbaar strevend naar onsterfelijkheid, voor eeuwig op de top.

Naast het imperium kende Londen nog een andere drijvende kracht: de massa, de onafzienbare, anonieme menigte. Londen is nog altijd een stad van massa's, massa's die zich door de straten bewegen, die in en uit de stad gepompt worden als de arbeidsuren beginnen en weer voorbij zijn. Een schemerige januarimiddag in 1999 op een Londens overstapstation: de forenzentreinen stormen voorbij, stampvol, de ramen beslagen, de ronde daken nat van de regen. De wagons dateren uit 1950, het model uit 1920. In de trein zit iedereen stil, knie aan knie, te lezen: over paarden, over mode, over het corrupte euro-prinsesje uit Frankrijk, over de wraak van de bedrogen vrouw van een minister die in een boek alle vernedering heeft uitgekotst.

Karl Marx was degene die de massa's uitvond, en het is geen wonder dat hij dat hier in Londen deed. 'Massa' ontstaat – ik vat een theorie van Walter Benjamin samen –, op het moment dat de mensen op straat, de voorbijgangers, elkaar niet meer in de ogen kijken. 'Massa' ontstaat ook wanneer het bewustzijn dat ieder mens en ieder menselijk product uniek is, vervaagt en alles en iedereen vervlakt tot gebruiksvoorwerp. 'Een stroom menselijkheid', zo omschreef de sociaal-realistische schrijver George Gissing de miljoenenmassa op Jubilee Day 1887, 'een gedreun van talloze voetstappen en een laag, monotoon geluid dat suggereerde dat een of ander enorm beest in zichzelf aan het spinnen was, in stomme tevredenheid.'

De Londense massa groeide van 2,6 miljoen in 1850, 5,5 miljoen in 1891, tot 7,1 miljoen in 1911. In 1870, honderd jaar na het begin van de Industriële Revolutie, was Groot-Brittannië nog een plattelandssamenleving. Tweederde van de Britten woonde op het land of in een klein stadje. In 1914 was dat nog maar een kwart. De kleurige Londense herenkleding uit het begin van de negentiende eeuw was rond 1900 vervangen door de standaard zwarte jas en hoge hoed. Met het toenemen van de massa werd alles in de stad donkerder, anoniemer, zwaarder.

De massa, aldus Elias Canetti in zijn beroemde verhandeling *Massa en macht*, heeft vier kenmerken:

1. De massa wil altijd groeien. 'Waar grenzen kunstmatig worden geschapen, dus in alle instituten die tot de instandhouding van gesloten massa's worden gehanteerd, is een doorbraak van de massa altijd mogelijk.'
2. Binnen de massa heerst gelijkheid. 'Deze is absoluut en onbetwistbaar en wordt door de massa zelf nooit in twijfel getrokken.'
3. De massa streeft naar dichtheid. 'Het gevoel van de grootste dichtheid heeft ze op het ogenblik van ontlading.'
4. De massa heeft een richting nodig. 'De massa bestaat zolang ze een onbereikt doel heeft.'

De massa zou de centrale kracht worden achter de geschiedenis van de twintigste eeuw.

In 1862 schreef stadschroniqueur Henry Mayhew: 'Omdat Londen de grootste van alle steden is, heeft zich daarbinnen natuurlijk ook de grootste hoeveelheid menselijke wrakken opeengehoopt. Wrakken, ook omdat hun ongeluk nog ellendiger lijkt door het simpele feit dat het samengaat met het meest rijke en comfortabele leven dat er in de wereld bestaat.'

In diezelfde periode, tussen 1850 en 1856, woonde Karl Marx op twee kamers in Dean Street 28, met vrouw, vijf kinderen en een dienstbode. Marx was en bleef een burger, wat van de meeste bewoners van Dean Street niet gezegd kon worden. Ik heb voortdurend een bepaalde foto voor ogen als ik denk aan die tijd: de versleten schoenzolen van drie straatjongetjes, de blote voeten half zichtbaar, dik onder het vuil en eelt, zes keer een unieke verwikkeling van leer, ijzer en mensenhuid.

In 1885 beweerden de socialisten dat één op de vier Londenaren in onvoorstelbare armoede leefde. De rijke reder Charles Booth wilde dat zelf weleens uitzoeken. Hij organiseerde het eerste grote sociologische onderzoek ter wereld en deed dit aan de hand van cijfers van de Armenwet, politierapporten en een enorme huis-aan-huisenquête. Tussen 1891 en 1903 publiceerde hij zeventien delen van *Life and Labour of the People of London*, met kaarten en grote zwarte en donkerblauwe sectoren. Hij had de armoede nauwkeurig ingedeeld: 'Laagste klasse, gemeen, semi-crimineel.' En daarnaast: 'Erg arm, los levend. Chronisch gebrek.' Het was nog erger dan men dacht: een derde van de Londense bevolking viel onder de laatste twee categorieën.

Dean Street 28. Ik ga er kijken, ik kan het niet laten. Het huis staat er nog, beneden is een trendy restaurant. Van de meisjes mag ik wel even naar boven. De voormalige woning van de familie Marx blijkt te zijn omgebouwd tot een modern vergaderzaaltje voor *young urban professionals*, met halogeenlampen, anonieme pastelblauwe wanden, een tafel met een dozijn stoelen en een grote witte affiche met in kleine letters 'Karl Marx', en dat is het. 'Sorry hoor,' zegt een van de meisjes, 'ik weet verder ook niets van die Marx.'

Wat moet Karl Marx zelf gezien hebben als hij van de propvolle Dean Street naar zijn tafel in de British Library vluchtte? Buitenlandse bezoekers uit die periode schrijven over 'paden bij Oxford Street, dik van menselijke uitwerpselen, troepen bleke kinderen die op vuile trappen rondhangen; de straatbanken bij de London Bridge, waar de hele nacht complete families dicht bijeengedoken zitten, hoofden omlaag, rillend van de kou'.

Nog in 1903 schrijft de Amerikaanse auteur Jack London over het hopeloze vuil van de Londense armen, 'zodat iedere poging tot reinheid een wanhopige grap wordt, als het niet meelijwekkend en tragisch is'. Arbeidersvrouwen werden, zoals in alle Europese industriesteden, drievoudig belast: als huishoudster, moeder en mede-kostwinner. De onderzoekers van Booth troffen in de Londense achterkamers duizenden minibedrijfjes voor vrouwen aan. Er werden borstels gemaakt, lucifersdoosjes in elkaar geplakt, decoraties gevouwen, matrassen gevuld.

De Londense armoede liet nooit los. Kenmerkend waren de stank en de smog. In de zomer stonk de halve stad naar stront. Er waren meer dan honderd verschillende rioolstelsels, beheerd door acht verschillende *Boards*, gemeenschappelijke diensten. Bij grote regenval liep alles over. Veruit de meeste uitwerpselen van de miljoenen inwoners belandden in de Theems. Om de stank te weren werden voor de ramen van het parlement lakens gehangen, gedrenkt in chloride. In 1858, het jaar van de 'Great Stink', bereikte de overlast een hoogtepunt. Pas na ingrijpen van de landsregering kon er een modern rioolsysteem worden aangelegd.

Alle goorheid, stank, damp en duisternis werden nog eens versterkt in de dagen van smog, de beruchte Londense mist, een vorm van extreme luchtvervuiling die de stad tot in de jaren vijftig van de twintigste eeuw regelmatig overdekte. De mist kwam plotseling, en in de loop der tijden zijn tientallen soorten smog gesignaleerd: zwart als de nacht, flessengroen, geelgroen als erwtensoep, bruin, eenvoudig grijs, chocoladekleurig, oranje.[3] De stad dreef tijdens zulke dagen in het geel, bruin of groen, met hier en daar een lichtpuntje van een gaslantaarn, machteloos, half verlamd.

Londen was de hoofdstad van een wereldrijk, maar aan de stad zelf was dat niet te zien. Parijs, ja, dat was een hoofdstad, en een aantal andere Europese steden had zichzelf ook op zo'n manier gemoderniseerd. Maar Londen was een aanslag op het zelfrespect van veel Britten. Hun hoofdstad kende nauwelijks fraaie pleinen en elegante boulevards, het verkeer verstikte zichzelf, dampende stoomtreinen doorsneden op hun viaducten overal de straten, de bouw van spoorstations en ondergrondse lijnen verwoestte buurt na buurt, het centrum was omsingeld door onafzienbare krottenwijken, de armoede was er massaler en schrijnender dan in Brussel, Wenen en Berlijn, waterleiding en riolering waren achterlijk en primitief in vergelijking met die van Parijs.

Dit had alles te maken met de middeleeuwse manier waarop de stad werd bestuurd. Formeel bestond Londen slechts uit één klein stadje, de City of London, met daaromheen een hele reeks *parishes* of *vestries*, die gezamenlijk de metropool beheerden. Opeenvolgende regeringen beten hun tanden stuk op de fel verdedigde lokale rechten. Centrale planning, in iedere metropool onmisbaar voor de aanleg van wegen, waterleidingen, riolen en railverbindingen, was in Londen bijna niet mogelijk.

De Londense chaos, deze opeenstapeling van eigenzinnige bouwstijlen zonder veel plan, betekende voor sommigen echter ook een politieke stellingname: tegen de absolute macht van een vorst, tegen een bureaucratie, tegen een Haussmann. Veel Engelsen hechtten – toen en nu – sterk aan het eigen domein. Ze waren bereid zich te conformeren aan een strak publiek leven, maar als compensatie eisten ze een grote vrijheid op privéterrein. Daarbinnen mochten ze zich zo excentriek gedragen als ze maar wilden. 'My home is my castle': de overheid moest zich inhouden, de planners hadden weinig te vertellen, de wanorde nam men op de koop toe. Zo ontstond, in de woorden van de stadshistoricus Michiel Wagenaar, 'het stadslandschap van de vrije markt'.

Daar bleef het niet bij. Het smerige, negentiende-eeuwse Londen dwong zijn inwoners als het ware naar buiten, en de vroege aanleg van een uitbundig spoorwegnet maakte die exodus ook al snel mogelijk. Zo ontwikkelde zich rondom Londen, eerder dan waar ook in Europa, een nieuw verschijnsel: de landelijke voorstad, de anti-stad van de villawijk, het thuisfront van een nieuwe, gegoede middenstand, waar eigen normen en waarden werden ontwikkeld, eigen vormen van vrijetijdsbesteding en, uiteindelijk, eigen opvattingen over natie, godsdienst en politiek. In die zin was Londen wel degelijk een zelfbewuste tegenpool van Parijs, en van de rest van Europa.

De Docklands Light Railway, een onbemand treintje, loopt van de binnenstad naar het oude havengebied door een woud van honderden schoorstenen in alle soorten en maten, het soort schoorstenen waar heel Victoriaans Londen mee vol stond, rook brakend uit honderdduizenden fornuizen, kolenkachels, turfhaarden, cokesbranders, ketelvuren, alle ingrediënten voor dagen erwtensoep. Aan de Theems lagen de voorraadschuren van het oude imperium: het grootse East India Dock, het London Dock, het St. Katherine's Dock, het West India Dock. Ongeveer vijftig jaar geleden werkten er zo'n honderdduizend mensen, nu zijn de meeste oude fabrieken en pakhuizen gerestaureerd en verbouwd tot leefruimtes voor de nieuwe rijken van de beurs en het internet. Het heeft iets dramatisch, als je denkt aan de oude havenarbeiders die nog leven: de afgedankte fabrieken en pakhuizen waar zij en hun ouders zich kapotwerkten zijn nu, omgebouwd tot flats, opeens bedragen waard waarvan ze in een heel leven niet hebben durven dromen. Maar tegelijk hebben die nieuwe, stille havens ook een vreemde allure, alsof de technische schoonheid van de negentiende eeuw een andere waarde heeft gekregen, alsof de energie van het imperiale Londen blijft doorstralen, alsof de schrille tegenstellingen van de stad een eigen kracht hebben geschapen.

Ik ga op de thee bij Nigel Nicolson, tweeëntachtig jaar, uitgever, dagboekschrijver en oud-Lagerhuislid. Hij is de kleinzoon van de derde lord Sackville, zoon van diplomaat en Lagerhuislid Harold Nicolson en de schrijfster Vita Sackville-West – ook bekend als de hoofdpersoon van Virginia Woolfs roman *Orlando*. Het is namiddag, de lucht begint al te kleuren en boven de glooiende heuvels rond het buitengoed Sissinghurst klinken zo nu en dan de schoten van de fazantenjacht.

We zitten in de keuken, waar het een graad of vijftien is. Bijna het hele kasteel is – geld! – afgestaan aan de National Trust en de dagjesmensen. Nicolson woont alleen. Hij draagt een merkwaardig gewatteerd gewaad dat, meen ik, in de vorige eeuw een 'kamermantel' heette.

Het wordt een gedenkwaardige middag. Hij vertelt mij over het leven van zijn ouders – een van de meest beschreven Engelse huwelijken – maar de meeste tijd besteden we aan het uitproberen van de blinkend nieuwe magnetron die hij net heeft gekregen. 'Een wonder, een wonder,' roept hij voortdurend, 'maar hoe warm je er een *mince pie* mee op?'

Ik leer hem met magnetrongolven een kopje melk aan de kook te brengen, en hij vertelt over zijn jeugd in de huizen Knole – honderden kamers en schoorstenen – en Sissinghurst. 'Wij kenden geen moeder-zoonrelatie,' zegt hij zonder een spoor van dramatiek. 'Mijn moeder zat de hele dag in haar torenkamer te werken. In al die dertig jaar ben ik er misschien drie keer binnen geweest. Wie wel altijd bezig was met m'n broertje en mij was Virginia Woolf. Een of andere vreemde dame heeft weleens tegen me gezegd: "Je weet toch wel dat Virginia van je moeder houdt?" Waarop ik antwoordde: "Natuurlijk doet ze dat, dat doen we allemaal!"'

Virginia Woolf was de ideale tante. 'Zij leerde ons kijken op de manier van echte schrijvers. Altijd wilde ze meer weten. "Welke kleur had het jasje van die leraar?" vroeg ze dan. "Hoe klonk zijn stem? Hoe rook het? Details, details!" Eén keer vroeg ze, toen we aan het vlinders vangen waren: "Vertel eens, hoe is het om een kind te zijn?" Ik weet nog dat ik zei: "Je weet heel goed hoe dat is, Virginia, je was zelf ooit een kind. Maar ik heb geen idee hoe het is om jou te zijn, want ik ben nooit groot geweest."'

Ik vraag of het een last voor hem was, zulke beroemde ouders. 'Hun leven is verfilmd, er is een televisieserie van gemaakt, maar zo waren ze niet. Harold, mijn vader, werd afgeschilderd als een doetje, terwijl hij in werkelijkheid een heel scherpzinnige man was. Met zulke ouders straalt een faam op je af die je niet zelf hebt verdiend. Maar tegelijk heb ik er veel profijt van gehad. Ik kreeg een erfenis, niet omvangrijk in geld, maar rijk aan contacten en invloed. En het gaf me een natuurlijk zelfvertrouwen, een achtergrond waartegenover ik mezelf kon plaatsen. Mijn vader zei het zo: "Ik heb de rijken gehaat, maar ik ben dol geweest op leren, wetenschap, intelligentie, geest. Ik heb altijd aan de kant gestaan van de underdog, maar ik heb ook geloofd in het principe van de aristocratie."'

De volgende ochtend in het ontbijtcafé. Langs de ramen valt natte sneeuw. Er zitten een paar vermoeide mannen aan de koffie. Eentje eet traag een *steak-and-kidney pie*. Tussen de spiegels aan de wanden hangen kleurige platen van bloeiende balkons in de zomer, en van een terras in een warm, zonnig dorp.

Het boulevardblad *The Sun* is al dagen bezig met de sloop van de overspelige minister. De feiten zijn allang gemeld en uitgekauwd, nu wordt de man traag, bot na bot, geradbraakt, en ten slotte kan het hoofd eraf. 'Wie wil slapen met deze man?' zo opende het blad eergisteren, met daaronder een weinig flatterend portret van het slachtoffer plus twee telefoonnummers, eentje voor 'ja' en eentje voor 'nee'. 'Sommigen noemen hem een dwerg, anderen vergelijken hem met een garnaal, en toch blijft hij vrouwen aantrekken. Waarom?'

De volgende dag opende de krant met: '966 ENGELSEN WILLEN SLAPEN MET ROBIN COOK, maar we geven de minister hun telefoonnummers niet.' Een 'toppsychoog' wordt geraadpleegd om het verbluffende fenomeen te duiden. Op de volgende pagina wordt bovendien een masker afgedrukt met het gezicht van de ongelukkige.

Vandaag: journalisten van *The Sun* zijn met het masker van de minister de stad in getrokken, op zoek naar reacties van het publiek. 'In Soho verliet iedereen in paniek een koffiehuis.'

Nergens staan de kranten zo vol fascinerende misdragingen als in Engeland. Altijd is er wel een schandaal gaande, altijd bungelt er wel een politicus, dorpspredikant of bankdirecteur, en tegelijk ademt het land een onvoorstelbare orde. Toen ik voor het eerst naar Engeland reisde – ik was een jaar of twintig – had ik allerlei beelden voor ogen van kastelen, kostscholen, kort geschoren gazons, rode dubbeldeksbussen en zakenlieden met zwarte bolhoeden. Fantasieën, dacht ik. Maar vanuit de trein van Harwich naar Londen zag ik in het avondlicht inderdaad overal kastelen, gazons en cricket spelende kostschooljongens, en Londen was vol bolhoeden. Dit land bleek zo voorspelbaar, zo ordelijk, dat ik die eerste dagen het gevoel had dat hier nooit iets mis kon gaan, dat zelfs het kleinste verkeersongeluk niet kon plaatsvinden.

Die orde en die kranten hebben alles met elkaar van doen. Geen orde zonder pek en teer. Voor een deel is die burgerbraafheid ook een gevolg van iets anders: de opvallende discipline die het grootste deel van de bevolking zich vanaf het eind van de negentiende eeuw heeft laten opleggen.

Na 1870 begon de extreme armoede geleidelijk af te nemen en na 1900 ontstond er zelfs iets van algemene welvaart. De kleding van jonge arbeiders, met name de vrouwen, ging steeds meer lijken op die van de burgerij: iets wat een generatie eerder nog ondenkbaar was. Rond diezelfde tijd begon ook het Britse politieke denken, van links tot rechts, enigszins los te komen van het model van de klassesamenleving. Natuurlijk, Londen kende felle stakingen en demonstraties – in de zomer van 1911 lag de hele haven plat, twintigduizend man waren in staking en uiteindelijk werd het leger ingezet –, maar bij brede groepen groeide het ideaal van de 'organische' samenleving, het gezamenlijke burgerschap van arbeiders, middenklasse en, misschien zelfs, aristocratie.

MISDAAD

Tekenend voor de 'pacificatie' van de Londense massa is het verloop van de criminaliteit in de stad. De misdaadcijfers uit de tijd van Charles Dickens weerspiegelden de extreme armoede en duisternis: de stad was vol diefstal, roof, moord, geweld en dronkenschap. Binnen één generatie veranderde dat beeld totaal. Na 1870 vlogen de Londense criminaliteitscijfers plotseling omlaag. De paardenraces, voorheen altijd festijnen van drank en vechtpartijen, waren rond 1900 sobere en gedisciplineerde bijeenkomsten. De grote havenstaking van 1889 werd uitgevochten met een enorme optocht door de stad, vol wapperende vaandels, 'alsof het een grote kerkelijke processie was'; in de Amsterdamse Jordaan vielen in diezelfde periode bij arbeidersrellen zesentwintig doden. In de Edwardiaanse tijd, rond 1910, waren de gevangenissen leger dan ooit. Veel jeugdige gedetineerden zaten bovendien voor delicten waarvoor je in onze tijd nooit zou worden opgesloten: spelen op straat, rijden zonder licht, gokken, smerig taalgebruik en slapen in de openlucht. 'Als de laat-twintigste-eeuwse normen voor vervolging en straf in het Edwardiaanse Engeland zouden zijn toegepast, dan zouden de gevangenissen vrijwel leeg zijn geweest,' schrijft de historica Jose Harris. 'Omgekeerd: als de Edwardiaanse normen zouden worden toegepast in de jaren negentig, dan zou het grootste deel van de Britse jeugd in de gevangenis belanden.' Een internationaal prostitutierapport uit 1914 noemde Londen even veilig als was het een gigantische 'openluchtkathedraal', wat van de andere Europese metropolen bepaald niet gezegd kon worden.

Geloofde iedereen in dat 'gezamenlijke burgerschap'? Er bestaat een kort filmfragment van de Derby in juni 1913. Met grote snelheid zwieren de paarden om de bocht, nek aan nek. Op de achtergrond zien we een glimp van de menigte, mannen met strohoeden, een enkele vrouw. Dan gebeurt er iets zo vlug dat het bijna niet zichtbaar is: een vrouwenfiguur rent de baan op, een warreling van figuren, dan zijn de paarden alweer voorbij, toeschouwers hollen naar een vaag zichtbare hoop bloed en kleren. Zo ging ze de geschiedenis in. Emily Davison, meldt het commentaar, wierp zich met twee vlaggen voor het paard van de koning omwille van de zaak van het vrouwenkiesrecht. Ze zou nog vier dagen leven.

Ik wilde iets meer over die Emily weten. Het enige dat ik van haar terugvond, in de British Library, was een herdenkingsboekje, gemaakt vlak na haar dood, een kleinood in een fraaie cassette. Op het binnenblad staat een trotse vrouw in toga, de doctorsbul in de hand, de mond wat stijf vanwege de fotograaf, maar je ziet dat ze zo weer kan gaan lachen. Dat wordt een paar bladzijden verder bevestigd: Emily hield van het leven, was groothartig, enthousiast en buitengewoon vrolijk.

Emily's geschiedenis leest als een klassiek verhaal van radicalisering. En tegelijk is het bijna een negentiende-eeuws verhaal, een verhaal van de breuklijn tussen twee tijdperken.

Emily Davison was van keurige komaf, maar vanaf haar vroegste jeugd had ze iets eigenzinnigs. 'Ik wil niet braaf zijn!' riep ze regelmatig tegen haar *nanny*. Toen haar ouders stierven, moest ze haar opleiding afbreken. Ze werd, zoals veel vrouwen in haar situatie, gouvernante, en in de avonduren zag ze alsnog kans cum laude af te studeren. Ze was een deel van het dromen en streven van de negentiende eeuw, maar tegelijk werd ze voortdurend hardhandig geconfronteerd met de tegenkant van diezelfde voorbije eeuw: de sociale druk, de menselijke beperking, de dubbele moraal, het permanente conflict tussen willen en kunnen.

Vlak voor haar geboorte, in 1869, had John Stuart Mill, geïnspireerd door zijn blauwkousige echtgenote Harriet Taylor, *The Subjection of Women* gepubliceerd. Die titel zei precies waar het om ging. Het land werd geregeerd door een koningin, maar verder hadden de vrouwen er niets te vertellen. Een echtgenoot had de absolute macht over zijn vrouw en haar bezit. Universitaire titels waren voor vrouwen onbereikbaar, in Cambridge duurde die situatie zelfs voort tot 1948. Vrouwen verdienden met hetzelfde werk vaak de helft minder dan mannen. Allerlei beroepen waren voor vrouwen gesloten. Veel arme meisjes moesten de hoer uithangen om in leven te blijven.

Na 1870 kwam er een kentering. Vrouwen begonnen zich uit te spreken op het gebied van onderwijs, liefdadigheid, gezondheidszorg, gedwongen vaccinatie en prostitutie. Vanaf 1880 zetten de grote politieke partijen vrouwenorganisaties op, vanaf 1900 volgde de ene demonstratie na de andere voor het vrouwenkiesrecht, in 1908 werden de eerste ruiten ingegooid op Downing Street 10, in 1913 werd het landhuis van de liberale leider David Lloyd George gedeeltelijk opgeblazen 'om zijn geweten wakker te schudden'. Het was verbazingwekkend hoe snel vrouwen, die nog waren opgevoed als tere Victoriaanse poppetjes, zich ontwikkelden tot moderne artsen, boekhoudsters, ambtenaren en leraressen, en soms zelfs tot felle feministen.

Emily Davison kwam in contact met deze 'suffragettes' uit argeloze nieuwsgierigheid; ze had in de krant vreemde verslagen gelezen over bijeenkomsten van radicale vrouwen, en ze wilde dat allemaal weleens met eigen ogen zien. Al snel sloot ze zich aan. Toen de vrouwen op zondag 21 juni 1908 een massademonstratie hielden, was Emily een van de meest enthousiaste hulpkrachten.

Waardoor ze precies gedreven werd is niet duidelijk, en ik kan er alleen maar naar gissen. Ze werd meegezogen in een stroom van acties, solidariteitsbijeenkomsten, intense vriendschappen. Woede was niet haar enige motief. Ze was er heilig van overtuigd, schreef haar biografe, 'dat ze door God was geroepen, niet alleen om te werken, maar ook om te strijden voor de zaak die ze had omarmd, als een Jeanne d'Arc die het Franse leger aanvoerde. Ze zei altijd lange gebeden, en de bijbel lag steeds naast haar bed.' Emily verenigde zo de tegenstellingen van haar tijd ook in zichzelf: een mengeling van moderne strijdbaarheid en religieuze romantiek.

Ze ging daarin voortdurend verder. Op 20 maart 1909 werd een deputatie vrouwen die premier Herbert Asquith wilde spreken hardhandig opgepakt. Emily was een van hen. Ze werd vervolgens een maand opgesloten. Op de 30ste juli werd ze opnieuw gearresteerd vanwege het verstoren van een politieke bijeenkomst met Lloyd George. De vrouwen hadden een gloeiende hekel aan de liberaal, waarschijnlijk omdat hij hen meer nabij stond dan de rest. Hij was een woeste kerel, ooit een arme advocaat uit de achterlanden van Wales, een virtuoze manipulator die de Conservatieven hartstochtelijk bestreed en die vastbesloten was om Engeland met grote sociale hervormingen open te breken. Ditmaal kreeg Emily Davison twee maanden.

Ze hoorde bij de eersten die het nieuwe strijdwapen van de machtelozen toepasten: de hongerstaking. 'Toen ik in de cel werd opgesloten, smeet ik direct zeventien ruiten aan diggelen,' schreef ze naderhand aan een vriendin. 'Vervolgens duwden ze me in een andere cel, waarin alles vastzat. Ik brak zeven ruiten in dat raam, tot grote verbazing van de hoofdbewaakster, alsof ik een hamer in mijn hand had. Het kostte ook wel wat tijd. Daarna werd ik in gevangeniskleren gehesen en in een van de ergste cellen geduwd, heel donker, met dubbele deuren. Toen begon het echte knarsen. Ik vastte 124 uur, en toen werd ik vrijgelaten. Ik verloor negen kilo en veel vlees. Ik veronderstel dat je nu in Zwitserland zit? Stuur me eens wat ansichtkaarten.' Op de muur van haar cel had ze gekrast: 'Rebellie tegen tirannen is gehoorzaamheid aan God. Emily.'

Daarna werd ze telkens opnieuw gearresteerd, ze ging opnieuw in hongerstaking, werd hardhandig, met een slang, kunstmatig gevoed en deed uiteindelijk een poging zich te pletter te gooien in het trappenhuis van de gevangenis: 'Mijn idee was: één grote tragedie kan vele andere voorkomen. Maar het vangnet voorkwam ernstige verwondingen.'

De gang van Emily stond niet op zichzelf. Weliswaar deed een belangrijk deel van de vrouwenbeweging alle moeite om zo rustig en rationeel mogelijk te blijven, juist om het beeld te doorbreken van de 'emotionele' vrouw die 'van nature' ongeschikt zou zijn voor zaken en politiek. Maar een ander deel radicaliseerde op een ongekende manier. Politici als Asquith, Edward Grey en de aanstormende Winston Churchill werden bij ieder openbaar optreden lastig gevallen. Toen de politieke bijeenkomsten voor vrouwen werden verboden, verstopten ze zich tussen orgelpijpen of bekogelden ze de sprekers met stenen vanaf het dak. De vrouwen zochten hen ook thuis op, in hun clubs en bij het uitgaan van de kerk. Daarna kwamen er brandstichtingen. Er werden kunstwerken beschadigd. Het beroemdste geval was Mary Richardson, beter bekend als 'Slasher Mary', die met een bijl de Venus van Velázquez in de National Gallery te lijf ging. Ze wilde daarmee de publieke onverschilligheid voor de hongerstakers aantonen, dat in schrille tegenstelling stond tot het algemene respect voor een waardevol kunstwerk.

In The Suffragette van 26 december 1913 stuitte ik op een lijst met de belangrijkste acties van dat jaar, honderddertig in totaal. Ik doe maar een greep, alleen uit de tweeëntwintig aanslagen van de maand april.

2 april: kerk in brand gestoken bij Hampstead Garden; 4 april: huis bij Chroley Wood verwoest door brand, bomontploffing op het station van Oxted, lege trein vernietigd door bom bij Devonport, beroemde schilderijen beschadigd bij Manchester; 8 april: explosie op het terrein van Dudley Castle; bom aangetroffen in de stampvolle Kingston-trein; 11 april: cricketpaviljoen in Tunbridge Wells vernietigd; 12 april: brandstichting in gemeentescholen, Gateshead; 19 april: poging om de befaamde vuurtoren van Eddystone te beschadigen; 20 april: poging om de kantoren van de York Herald op te blazen; 26 april: treinwagon bij Teddington door brand verwoest.

Hier was zo langzamerhand een goed georganiseerde vrouwenguerrilla aan de gang. Na het uitbreken van de Eerste Wereldoorlog was het opeens afgelopen. De vrouwen schortten hun acties op en de regering liet alle militante vrouwen vrij. Maar hoe zou het, in het andere geval, verder zijn gegaan?

Ik moest denken aan een poppenhuis dat ik in het Bethnal Green Museum zag, het huis van de familie Loebe in Kilburn, de hele Edwardiaanse vrouwenwereld in miniformaat: de slaapkamer, de drukke kinderkamer, de badkamer, de woonkamer met vleugel en serre, de volle eetkamer met tapijten, kasten, spiegels en de ditjes en datjes, de keuken met de vis op tafel en de twee katten eronder, alles in een schaal van één op tien.

Zo'n familiehuis was in deze wereld het ultieme symbool van beslotenheid, regelmaat en eeuwige vanzelfsprekendheid. Emily en haar medestrijdsters onttrokken zich daaraan, en misschien weerspiegelde hun gedrag wel beter wat er met dit land aan de hand was dan alle poppenhuizen bij elkaar. Groot-Brittannië was omstreeks 1900 veel moderner dan de Britten zelf wilden toegeven. Alle tradities, bolhoeden, herenclubs en notenhouten instituten konden niet verhullen dat de City volstroomde met vrouwelijk personeel, dat overal in het onderwijs vrouwen werkten, dat de klassescheiding vervaagde en dat de oude feodale deftigheid onverenigbaar werd met de gelijkwaardigheid van moderne burgers. De sobere macho-waarden van het imperium botsten, kortom, frontaal met de toenemende aandacht voor zorg, consumptie, democratie en vrouwenrechten.

Onder de oppervlakte miste het Engeland van de brede middenlaag tussen 1900 en 1914 juist de vanzelfsprekende samenhang van dat poppenhuis, de innerlijke rust van die kathedraal. Het was, in de woorden van Jose Harris, eigenlijk 'een chaotische en amorfe samenleving, gekenmerkt door ontelbare tegenstrijdige trends en opvattingen, en in staat om alle kanten op te vliegen'. Het was, anders gezegd, een maatschappij waarin mensen in alle stadia van historische ontwikkeling door elkaar leefden: moderne forenzen naast dorpelingen, die nog op dezelfde manier hun bestaan bijeenschraapten als hun grootouders en overgrootouders; Victoriaanse patriarchen naast vrouwelijke academici; koloniale veroveraars naast liberale ministers.

Emily Davison raakte binnen deze tegenstellingen, aangejaagd door haar religieuze bezieling, steeds meer op drift. Langzaam maar zeker begon ze zichzelf aan te bieden als martelaar, als offer. Op dinsdag 3 juni 1913 was ze weer eens op vrije voeten. Ze liep rond op de 'All in a Garden Fair' van de vrouwenbeweging, bleef lang staan voor het standbeeld van Jeanne d'Arc en zei vrolijk tegen haar vriendinnen dat ze er elke dag terug zou komen, 'behalve morgen. Morgen ga ik naar de Derby.' Ze wilde verder niets zeggen. 'Lees de kranten maar, je zult iets zien.' De volgende ochtend stoof ze nog even het hoofdkantoor binnen. 'Ik heb twee vlaggen nodig.' Nu was ze in alles Jeanne d'Arc.

Maar de dood koos ze niet. Bij haar uiterste daad zat het retourkaartje naar huis, derde klasse, keurig in haar zak.

4

Het kasteel Doorn, op de Utrechtse Heuvelrug, bevat alles wat over de Duitse keizer Wilhelm II te melden valt. Vijf treinen, met in totaal negenenvijftig wagons, hadden in de winter van 1919 de laatste keizerlijke bezittingen naar Nederland gesleept, en daar staan ze tot de dag van vandaag, samengeperst in amper twee dozijn burgerkamers en een flinke bergzolder.

Wilhelms wereld bevatte onder andere schilderstukken van Frederik de Grote, portretten van zichzelf, wanden vol veldslagen en parades, gobelins van Marie-Antoinette, zeshonderd uniformen – naar zeggen meestal door hemzelf ontworpen –, de speciale vork waarmee de aan één arm gehandicapte keizer zijn eten kon snijden, een 'Garven Laufsgewichtwaage 200 kg', twee versterkte eetkamerstoelen waar de keizer en de keizerin gegarandeerd niet doorheen konden zakken, kasten vol sigarettenkokers en snuifdozen, een dikke leren stoel met lessenaar om gemakkelijker te kunnen redeneren, een goud-gedecoreerde toiletpot merk 'Patent Water Flush Chamber', twaalf speciale chocoladekopjes, een album met zilveren prachtband *Unser Kaiserpaar*, een tekening van het huwelijksbanket van de keizerlijke dochter Victoria Louise in 1913 met alle grote Europese vorsten nog vrolijk samen aan de dis en, niet te vergeten, een echtelijk bed van twee bij twee meter.

Op het hoogtepunt van zijn macht bezat de keizer, naast zijn paleis in Potsdam en zijn immense plezierjacht 'Hohenzollern', zo'n dertig kastelen en landgoederen over heel Duitsland. Ieder jaar bezocht hij een derde ervan, soms alleen voor een weekend. Niets vond hij heerlijker dan 's nachts door het land te razen in zijn eigen, roomwitte, goudgebiesde trein. Tijdens het jachtseizoen kwam het voor dat hij in een week duizend dieren doodde. Als hij legeroefeningen opluisterde met zijn keizerlijke aanwezigheid, moesten alle onderdelen van zijn leger altijd winnen, wat voor een oefening niet altijd handig was. De Hohenzollern – driehonderd vijftig bemanningsleden, ruimte voor tachtig gasten – moest altijd voor hem klaarliggen. In Europa stond hij bekend als de 'showman van het continent', de 'gekroonde megalomaan', de man die 'wilde dat iedere dag zijn verjaardag was'.

Na zijn val, bij de Duitse nederlaag van 1918, had hij alleen nog maar het park van Doorn, met die stijve, witte villa in het midden. Hij regeerde over zichzelf met militaire striktheid: 9 uur gebeden, 9.15 uur kranten, 10.30 uur houthakken, 12 uur correspondentie, 1 uur lunch, 2-4 uur slaap, 4-8 uur werken en lezen, 8 uur diner. In het grasveld stuitte ik op de graven van zijn drie hondjes: Arno, Topsy en 'de trouwe Santos, 1907-1927. Begleidete Seine Majestät den Kaiser im Weltkriege 1914-1918'.

Zijn kleinzoon zou me later vertellen dat Wilhelm na de Duitse nederlaag en zijn troonsafstand geestelijk volkomen aan de grond zat. Maar hij was ook razend. Tegenover bezoekers oreerde hij maar door, en in 1919 ontsnapte hem zelfs de zin: 'De straf van God zal vreselijk zijn. Zo'n algemeen verraad van een volk aan zijn heerser kent geen voorbeeld in de wereldgeschiedenis.' De gedachte aan het heroveren van de troon spookte altijd door het huis, al zat daar vooral Wilhelms nieuwe vrouw achter, de vrij jonge prinses Hermine, een harde tante die zich na de dood van de eerste keizerin al snel in Doorn had genesteld. Op kerstdag 1931 schreef de trouwe adjudant Sigurd von Ilsemann in zijn dagboek: 'In Doorn hoort men sinds maanden alleen maar het verhaal dat de nationaal-socialisten de keizer op de troon zullen terugbrengen; al het hopen, al het denken, spreken en schrijven is op deze overtuiging gebouwd.'

Wilhelm hield tijdens zijn ballingschap geen feesten meer. Koningin Wilhelmina heeft hem nooit willen ontmoeten. Ze had, zo werd gezegd, geen respect voor vorsten die in slechte dagen hun land en leger in de steek lieten. Maar veel anderen, onder wie prins Hendrik, prinses Juliana en prins Bernhard, kwamen regelmatig langs in Wilhelms kleine, volgestouwde wereld. Uit zijn memoires blijkt niets van schuldgevoel. Hij voelde zich nog altijd de keizer. Hij las alles over politiek en psychologie, beleerde zijn bezoekers, maar zelf was hij niet in staat om uit al die kennis en ervaring iets op te steken. Hij veranderde simpelweg de feiten, zodat ze weer pasten in de wereld van zijn verbeelding.

Hij was niet de duivel die men jarenlang in hem zag, de man

die willens en wetens een Europese oorlog had voorbereid. Hij was eerder de tovenaarsleerling die de geest niet meer in de fles had kunnen krijgen. Of, in de woorden van Winston Churchill, een 'roekeloze toerist die zijn sigaret neersmeet in het portaal van het munitiedepot dat Europa geworden was', vervolgens met zijn jacht ging varen en bij zijn terugkeer 'het gebouw aantrof, ondoordringbaar vanwege de rook'. 'Zijn onmiskenbare slimheid en veelzijdigheid, zijn persoonlijke charme en opgewektheid vergrootten alleen maar de gevaren die hij opleverde, omdat ze zijn onbekwaamheid maskeerden,' schreef Churchill. 'Maar onder al zijn geposeer en uiterlijk vertoon was hij een heel gewone man, een ijdele maar over het algemeen goedbedoelende man, die hoopte dat hij als een Frederik de Grote de geschiedenis zou ingaan.'

Doorn en Berlijn hadden niets met elkaar van doen, en toch weerspiegelde Berlijn rond de aanvang van de twintigste eeuw dezelfde levenshouding als de volgepropte kamers van Doorn.

Berlijn was volgens *Berlin für Kenner*, een Duitse reisgids uit 1900, 'de meest glorieuze stad ter wereld', 'de zetel van de Duitse keizer en de koning van Pruisen', met een 'garnizoen van 23 000 man', 'evenveel spoorrails als er liggen tussen Frankfurt en Berlijn' en voor de totale bevolking '362 miljoen aan spaargeld op de banken'.

Tegelijk was en is Berlijn een stad die slingerend door de tijd beweegt, als een op hol geslagen treinstel van de Ringbahn. Halverwege de twintigste eeuw, in de jaren vijftig, kon éénzelfde bejaarde Berlijner vertellen over de slaperige negentiende-eeuwse provinciestad van zijn kindertijd, over het keizerlijke Berlijn van zijn jonge jaren, het hongerende Berlijn van 1915, het losgeslagen Berlijn tien jaar later, het nazi-Berlijn van zijn kinderen, het kapotgeschoten Berlijn van 1945, over het herbouwde, verscheurde Berlijn van zijn kleinkinderen. Allemaal één stad, één mensenleven.

In die hele periode heeft de stad zich bijna een halve eeuw, van 1871 tot 1918, 'imperiale hoofdstad' mogen noemen. Wie op de Oderdijk stond, vijftig kilometer van Berlijn, bevond zich precies in het midden van het Duitse rijk, achthonderd kilometer van Aken, achthonderd kilometer van Königsberg, het huidige Kaliningrad. Nu staat er een Poolse douanepost.

Berlijn was de parvenu van Europa, maar met de drift van iedere nieuwkomer zette de stad alles op alles om de achterstand op Londen, Parijs en Rome razendsnel te overbruggen. Sommige buurten hebben iets van een Europese koortsdroom: daar een villa in Jugendstil, hier iets Venetiaans, daarnaast weer Parijs of München, overal zijn stijlen en vormen weggegraaid. De Berlijnse mythe werd verzonnen: de stad zou zijn ontstaan als een Germaanse nederzetting, met als symbool en naamgever de bekende beer. In werkelijkheid was Berlijn de eerste zeshonderd jaar een puur Slavisch dorp. De naam heeft dan ook niets met beren te maken, maar alles met het Slavische woord *brl*, moeras. Het betekent iets als 'Moeraslust', en dat ook nog in het Oud-Pools. Maar daarmee kun je natuurlijk moeilijk een Groot-Duitse geschiedenis beginnen.

Ik was naar Berlijn gereisd met de TGV en de ICE, met driehonderd kilometer per uur langs de dorpen van Noord-Frankrijk, langs koeien met stronterige konten, een vrouw die de was ophing, een nadenkende haas op een kale akker.

Daarna kwam de uitgestrekte, strenge Duitse laagvlakte. We reden nu tweehonderd. De passagiers in de eerste klas spraken alleen via hun telefoons: 'Ja, zet die EP maar op mijn naam.' 'Kijk eens even of die order van Fassinger al op het net staat!'

Na Wuppertal nestelde zich een groepje skinheads op het tussenbalkon. Ze zaten te roken en bier te drinken, lachten soms schril en lieten harde boeren. In de restauratie werden bonen, goulashsoep en aardappelen met worst geserveerd. De eersteklaspassagiers aten zwijgend. De skinheads en de obers in de keuken spraken. 'Stront!' roepen ze elkaar ieder moment toe, 'Stront! Stront!' Het was een grijze dag, een onveranderd grijsgroen, de hele weg tussen Parijs en Berlijn.

Nu kijk ik uit op een binnenplaats vol bruine bladeren, een stuk aarde waar niemand ooit loopt, zit of speelt, en waaruit een grote boom naar het licht grijpt. Het schemert. Er zit sneeuw in de lucht. De ramen aan de overkant zijn donker, op één warm, geel vlak na, waarachter iemand zit te schrijven.

Het is een mooie besloten sfeer om te werken, Aan mijn stukjes voor de krant, aan wat leeswerk. Ik ben al dagen bezig met het dagboek van Käthe Kollwitz, beeldhouwster en tekenares voor het satirische weekblad *Simplicissimus*, getrouwd met de sociaal-democratische huisarts Karl Kollwitz, moeder van twee zoons, Hans en Peter, een onstuimige vrouw die in de keurige Weissenburger Strasse nummer 25 langzaam door het leven werd ingesnoerd. Zo beleefde zij het toenmalige Berlijn, ik citeer maar wat:

8 september 1909

Gisteren met Peter op het veld van Tempelhof geweest. Wright vloog 52 minuten. Hij zag er zeker en heel mooi uit. Een klein jongetje zei, toen Wright voorbijgevlogen was: 'Is hij levend? Ik dacht dat hij eraan vastgeplakt was.' De noordpool is zowel door Cook als door Peary ontdekt.

30 november 1909

Met Karl en Hans naar de derde Sombart-lezing, die erom ging of er een joodse wezenlijkheid was, en waaruit die bestond [...]. Hij sprak van gettojoden en niet-gettojoden. Waarom zijn de Spaanse joden, die van pure semitische oorsprong zijn, geen gettojoden? Kunnen ze daartoe niet gedwongen worden? In elk geval zijn ze mooier en oprechter dan gettojoden.

5 februari 1911

Bij de begrafenis van [de sociaal-democratische voorman Paul] Singer liep de hele vierde kieskring voor de kist uit. De stoet duurde, voordat de lijkwagen langskwam, wel een uur. Het uiterlijk van de mensen maakte je op den duur treurig. Zoveel slecht ontwikkelde mensen. Zoveel gemene, domme gezichten. Zoveel zieken en mismaakten. En toch vormden zij, als sociaal-democraten, nog een gunstige selectie uit het volk.

16 april 1912

Het Engelse stoomschip Titanic is met meer dan duizend mensen gezonken. De arbeider Soost verdient per week 28 mark, 6 daarvan gaan naar de huur, 21 geeft hij zijn vrouw. Deze moet afbetalen voor bedden en beddenplaatsen, zodat 14-15 mark overblijven om van te leven. Het gaat om Soost, zijn vrouw en zes kinderen. De kleinste is een maand oud [...]. Een ouder kind is zwakzinnig. De vrouw is 35 jaar en heeft al 9 kinderen gehad, 3 zijn dood. Maar ze waren allemaal, zegt ze, stevig geboren als dit jongetje, ze zijn pas zwak geworden en gestorven omdat ze hen niet kon zogen, en ze verloor haar melk omdat ze zwaar werk moest doen en zichzelf niet kon verzorgen.

Oktober 1912

In Jena is een Bond voor Polygamie opgericht. Honderd uitgelezen mannen willen met duizend uitgelezen vrouwen verkeren, met als doel het verwekken van kinderen. Zodra een vrouw zwanger is eindigt deze echtvereniging. Dit alles vanwege de rassenverbetering.

Oudejaarsavond 1913
De vorige oudejaarsnacht was het me zwaar te moede, vanwege alle oorlogsprofetieën. Nu is het jaar voorbij en er is niet veel bijzonders gebeurd [...]. Moeder leeft nog. Ik vroeg haar of ze niet nog eens een ander leven zou willen beginnen. Ze schudde langzaam het hoofd en zei: 'Het is genoeg.' Zo lost ze langzaam weer op, een traag, schemerig wegzinken.

Mijn hotel heet Imperator. Eigenlijk is het eerder een pension, een enorm appartement rondom twee binnenplaatsen, met hoge gangen en kamers die in elkaar overlopen. In de keizertijd is het gebouwd als een familiewoning voor de gezeten burgerij, maar al sinds de jaren twintig is het een pension. Op wonderbaarlijke wijze heeft het huis de oorlog overleefd. Het is Berlijn op zijn best: gemoedelijk, de wanden vol kunst, de lakens en servetten kraakhelder, de knapperigste broodjes van de stad. De opgang naar dit solide leven, een fraai eikenhouten trappenhuis, ruikt altijd naar boenwas. De hal is vol gouden krullen, stucwerk en gips. Het balkon wordt gedragen door twee nimfen. De buren hebben een bijna vorstelijke entree, met allemaal marmer. Hier hangen ook lege wapenschilden boven het trapportaal. De gevel is verdeeld door halve zuilen. Naast de zware voordeur schetteren de koperen naamborden: dit is een huis van tandartsen, dokters, verzekeringsagenten en nette weduwen die pension houden.

Deze straat is één groot dalend cultuurgoed: de nieuwe rijken van Berlijn kopieerden de stijl van hun keizer, zoals de keizer zijn stad weer kopieerde naar voorbeelden uit het oudere Europa. En iedereen vond het prachtig. De bouw van Wilhelms Dom en al die andere monumenten werd toegejuicht door vrijwel alle prominente architecten van het toenmalige Duitsland – op een kleine groep dissidenten na.

De hogere burgerij ontwikkelde in Berlijn nauwelijks een eigen cultuur. In plaats daarvan richtte zij zich op het hof en de kringen daaromheen, azend op een goed huwelijk voor de dochters en een officiersfunctie voor de zoons. Overal in de betere wijken werden ze zo gebouwd, de appartementsgebouwen met poorten voor karossen – in werkelijkheid reed er vaak alleen een kolenboer of een melkman naar binnen –, de indrukwekkende vestibules en paleistrappen, de gedeelde deftigheid van een voorgevel, de grandeur voor half geld.

Keizer Wilhelm zette in deze campagne persoonlijk de toon. Zijn geromantiseerde visie op de geschiedenis doortrok de hele stad. Overal in Berlijn was Wilhelms hand zichtbaar: in de talloze gevleugelde godenbeelden, in de vele musea, in de vijfendertig neogotische kerken – een speciale hobby van de keizerin –, in de duizenden eikenbladen, laurierkransen en andere 'nationale' symbolen, in het koperen beeld van de dikkige Berlijnse nepgodin Berolina bij de Alexanderplatz, in de Siegfrieds met hun keizerlijke zwaarden, in de Germania's met hun zegekarren. Londen en Parijs hadden een lange geschiedenis, in Berlijn ontbrak die continuïteit, maar door deze instantmonumenten werd de historische leegte alsnog gevuld.

Het culturele leven werd met ijzeren smaak geregeerd. Alleen de meest conventionele kunstenaars kregen opdrachten. Iedere vorm van moderniteit was taboe. Strauss' opera *Salome* werd direct van de planken gehaald toen keizerin Augusta de voorstelling 'zedeloos en vulgair' noemde. Wilhelm zelf schroomde niet om regelmatig tijdens een repetitie de schouwburg of de opera binnen te lopen, breeduit te gaan zitten en regie-aanwijzingen te geven. Iedereen die wat nieuws wilde, vluchtte naar het vrije München of naar Wenen.

Wilhelm was diep onder de indruk van Engeland, zijn grootste rivaal, en hij kopieerde wat hij maar kon: Kew Gardens in Lichterfelde, Oxford in Dahlem, de beroemde ronde leeszaal van de British Library in zijn eigen Kaiserliche Bibliothek. Alleen moest alles natuurlijk wel een slag groter zijn dan de evenbeelden in Londen. In de Tiergarten liet hij een zevenhonderd meter lange, met marmeren beelden omzoomde Siegesallee aanleggen, tot eeuwige roem van zijn voorouders en vooral van zichzelf. Die eeuwigheid heeft overigens maar kort geduurd: de marmeren beelden van de keurvorsten – 'Als van Michelangelo', meende Wilhelm – werden kort na de Tweede Wereldoorlog in het Landwehrkanal gesmeten, tegenwoordig staan er weer een paar bij Siegessäule en de Tiergarten.

Nu had Wilhelm bij dit alles ook een concreet doel. Het opkomende Duitsland had niet alleen te kampen met dezelfde interne spanningen als Groot-Brittannië en Frankrijk, het was bovendien een van de allerjongste naties. Toen Wilhelm II in 1888 de troon besteeg, bestond het land nog geen twee decennia. De meeste inwoners beschouwden zichzelf niet eens als Duitsers, maar als Saksen, Pruisen of Württembergers. Ieder stadje, iedere vallei had een eigen dialect. Alleen de betere klassen spraken Hoog-Duits; gewone Duitsers hadden, op reis, vaak moeite om elkaar te verstaan. Aan de plaatselijke hofhoudingen van München, Dresden of Weimar werd nog altijd een vorstelijke staat gevoerd, en rangen en privileges werden nauwkeurig bewaakt. Beieren, Württemberg, Saksen en Baden hadden eigen legers, eigen munten en postzegels en zelfs een eigen diplomatieke dienst.

Tegelijk had het jonge Duitsland grote aspiraties op het gebied van de internationale politiek. Europa had decennialang in betrekkelijke vrede geleefd, een systeem dat door de historicus Sebastian Haffner treffend werd omschreven als: in Europa heerst evenwicht, en buiten Europa heerst Engeland. De grote Pruisische kanselier Bismarck had de nieuwe macht van het verenigde Duitsland enkel willen inpassen in dit systeem, en dat was hem aanvankelijk wonderbaarlijk goed gelukt. Met rust en wijsheid had hij Europa aan de nieuwe verhoudingen laten wennen. Hij had de grootste risico's omzeild: een bondgenootschap van Rusland met Frankrijk waartussen Duitsland klem zou komen te zitten, de eeuwige Balkankwestie die alles kon verstoren, om maar te zwijgen van een mogelijke oorlog tussen Rusland en Oostenrijk waarin Duitsland kon worden meegesleept. Bismarcks Duitsland was, zoals Haffner het uitdrukt, een tevreden natie.

In 1890 werd Bismarck door de jonge Wilhelm terzijde geschoven, en dat was het einde van deze rustige, zekere politiek. De keizer en zijn nieuwe ministers waren de vertegenwoordigers van het onbevredigde, onrustige, miskende Duitsland. Zoals de achttiende eeuw de Franse eeuw was, en de negentiende eeuw de Engelse, zo moest de twintigste eeuw in hun ogen de Duitse eeuw worden, en dat werd hij in zekere zin ook. Ze begonnen rond de eeuwwisseling een enorme vloot op te bouwen, als antwoord op de Britse zeemacht. Ze cultiveerden de oude vijandschappen met Rusland en Frankrijk en dreven zo beide landen in elkaars armen. Ze startten een bewapeningswedloop. Hun denken en handelen richtten zich meer en meer op een gewijzigd veiligheidsconcept: buiten Europa heerst evenwicht en binnen Europa heerst Duitsland.

De nieuwe Duitse natie miste echter, ondanks alle macht die zij naar zich toe trok, de vanzelfsprekendheid van oudere landen als Frankrijk en Groot-Brittannië. Aan de ene kant ontwikkelde zich een moderne burgerlijke maatschappij met een bloeiend bedrijfsleven. Aan de andere kant werd de dienst nog altijd uitgemaakt door een paar honderd aristocratische families, en een daaraan verbonden kaste van hoge ambtenaren en officieren die regeerde volgens de wensen van de keizer. Aan de ene kant nam het zelfbewustzijn van de Duitsers ieder jaar toe. Aan de andere kant was Duitsland voortdurend onzeker over zijn eigen aard en zelfs over zijn eigen grondgebied omdat overal over de grenzen ook nog Duitsers woonden. De Duitse staat was, kortom, veel kleiner dan de Duitse natie.

Wilhelm II moest dit onsamenhangende land op de een of andere manier emotioneel zien te binden. Zoals in iedere nieuwe natie moesten de kersverse onderdanen het gevoel krijgen: Hier wil ik bij horen, dit is groots, dit tilt ons uit de modder van het bestaan. Iedere jonge natie bouwt daarom monumenten, massieve overheidsgebouwen en zonodig een hele hoofdstad. Keizer Wilhelm ging echter verder. Hij koos ook voor zijn regeringsvorm een quasi-nationale stijl, een theater dat precies bij zijn persoon paste. Zo ontstond een heel regeringssysteem van, in de woorden van de Duitse historicus Michael Stürmer, 'veel propaganda, opgeblazen gebaren en verleidelijke vergezichten, iets heel ouds en iets heel nieuws, en niets daarvan reëel: puur brood en spelen'.

Het theater van Wilhelm klopte ook in andere opzichten niet. Duitsland was allang niet meer het land van vaandels, lauwerkransen en marmeren keurvorsten. Het was, net als Engeland, onder al het vertoon van traditie, een veelzijdige moderne natie geworden, met ontelbare intellectuele, economische en culturele verbindingen met de rest van de wereld. In Engeland hadden veel tradities nog een bepaalde historische basis, en ze werden breed gedragen. De uiterlijke vormen die Wilhelm schiep, waren leeg en kwamen te laat.

Het merkwaardige was dat Wilhelm die tegenstelling ook persoonlijk in zich droeg. Zijn vormen waren nostalgisch, maar tegelijk was hij buitengewoon geïnteresseerd in alles wat nieuw was. Toen hij hoorde hoe het Amerikaanse circus van Barnum & Bailey, op tournee in Duitsland, in een onvoorstelbaar tempo de circustreinen wist te laden en de lossen, stuurde hij onmiddellijk een paar officieren op onderzoek uit. En inderdaad nam het Duitse leger daarna een paar van die circustechnieken over. Veel moderniseringen werden door Wilhelms enthousiasme aangejaagd. Tijdens zijn regering werd Berlijn, met New York, het belangrijkste centrum ter wereld op het gebied van chemie en elektrotechniek. Een mega-onderneming als Siemens kwam vooral tot bloei vanwege de enorme hoeveelheid geld en aandacht die het leger stak in de ontwikkeling van telegraaf, telefoon, radio en andere moderne communicatiesystemen. De Pruisische Spoorwegen vormden, met ruim een half miljoen werknemers, het grootste en best georganiseerde bedrijf van Europa. De drukte op de Berlijnse Potsdamer Platz werd door tijdgenoten omschreven als 'oorverdovend': per dag passeerden hier in 1896 zesduizend goederenkarren, vijftienhonderd privékoetsen, zevenduizend huurkoetsen, tweeduizend omnibussen en vierduizend trams.

Het Wilhelminische Duitsland was dus niet alleen een relict van een mystiek, niet-bestaand verleden, het was ook, zoals de Britse stadshistoricus Peter Hall terecht schrijft, de eerste moderne militair-industriële staat ter wereld. Het was een combinatie van uitersten, een verbijsterende worsteling tussen oude dromen en de moderne tijd.

Veel van het toenmalige Berlijn is tegenwoordig weggevaagd, maar Wilhelms kathedraal, de Dom (1905), heeft alles overleefd. Hier spreekt nog altijd de keizer. In zijn jonge jaren geloofde hij dat hij Gods instrument op aarde was, en dat iedere kritiek op zijn beleid een daad was tegen Gods wil. Kerken werden naar Hohenzollerns genoemd, en niet zonder reden.

Deze Dom is een combinatie van de Sint-Pieter, de Saint Paul en de Notre-Dame. Het is een manhaftige poging om met één grote greep de hele Renaissance en de achttiende eeuw in te halen. Goud, marmer, kosten noch moeiten zijn gespaard, en toch blijft het gebouw iets houden van een nepkathedraal in Arizona. Voor zichzelf had Wilhelm een immense loge laten bouwen, zo groot als een klaslokaal, met een roodmarmeren trappenhuis waarlangs je een paard omhoog kunt laten draven. Links en rechts kijken evangelisten en keurvorsten gezamenlijk op ons neer, want voor God is immers iedereen gelijk, vooral de keizer.

In de keizerlijke grafkelder is het toevallig feest als ik langskom: keurvorst Johan Cicero (1455-1499) van Brandenburg is net vijfhonderd jaar dood, en op zijn brandschone sarcofaag – de atmosfeer verschilt niet van een parkeergarage – ligt een verse krans met een mooi zwart lint. Bij de plechtige inzegening beloofde Wilhelm de Duitse kerkleiders dat hij van Berlijn een tweede Vaticaan zou maken. Er is daarna zoveel gebeurd in deze kerk – het zegenen van de wapens in 1914, het wekelijks bidden voor Hitler, Görings huwelijk – dat het een wonder is dat het gebouw niet zelf door het zwaard is vergaan.

Er was natuurlijk dat andere Berlijn, het Berlijn van de huurkazernes, de massieve bouwblokken die rondom een, twee, soms drie binnenplaatsen waren neergezet, honderden donkere woninkjes, bijenkorven die de hele dag stonken naar luiers en zuurkool. Ook Berlijn had, net als Londen en Parijs, te maken gehad met een explosieve bevolkingsgroei: van een miljoen inwoners in 1870 tot bijna vier miljoen in 1914. Ook Berlijn had zijn Haussmann, de ingenieur James Hobrecht, die in 1862 het *Generalbebauungsplan* presenteerde. Zijn idee was om een gordel van dichtbevolkte wijken te bouwen tussen de oude stadsgrens en de ringspoorlijn van de S-Bahn, de *Stadtbahn*. Hij hield niet van de boulevards van Haussmann: Parijs was in zijn ogen niet efficiënt genoeg, er konden niet genoeg mensen wonen. Londen vond hij ook niets: de scheiding tussen rijke en straatarme buurten wees hij scherp af. Zijn Berlijn moest een 'geïntegreerde' stad worden, met dure huizen aan de straatkant, en kleine en goedkope woningen in de binnenplaatsen daarachter.

Toen kwamen de projectontwikkelaars. Alle parken en lanen, alles wat nog enige lucht gaf aan Hobrechts plan werd geschrapt. Uiteindelijk werd bijna iedere vierkante meter bebouwd. Het stadsbestuur gaf nauwelijks andere richtlijnen dan de kleinste maat van de binnenplaatsen: 5,34 bij 5,34 meter, de minimale draaicirkel van een brandweerwagen met een span paarden. De naam zegt het, het waren 'kazernes', rode en okeren bouwblokken die de stad overwoekerden, plaatsen waar geen individuele gezinnen leefden, maar 'de massa'.

Gemiddeld woonden er vijf personen op één kamer, maar tien kwam ook vrij vaak voor. Zelfs binnen de huurkazernes bestond een duidelijke hiërarchie: beneden was beter dan boven, vooraan stond in hoger aanzien dan achteraan. Aan dit standsverschil, afleesbaar aan het adres, was men zeer gehecht.

Van Hobrechts geïntegreerde stad kwam niets terecht: de *Bären-führer* uit 1912 adviseerde 'avontuurlijk ingestelde' bezoekers om een ritje te maken met de Ringbahn, en zo een glimp op te vangen van het 'andere Berlijn', waar de 'mensenmassa' leefde. Ik stuitte op een klaagbrief van bewoners van de wijk Prenzlauer Berg over het gebrek aan toiletten. De Pruisische ambtenaar antwoordde dat 'een gemiddelde stoelgang 3-4 minuten duurt, inclusief de tijd die nodig is om de kleding weer in orde te brengen' en dat, 'al zou de stoelgang 10 minuten duren, er in de 12 uren overdag voldoende tijd was voor 72 personen om het toilet te gebruiken.'

Berlijn gold als een van de schoonste, efficiëntste en best onderhouden steden van Europa, en tegelijk had de stad iets kils. De Poolse schrijver Józef Kraszewski zag er straten vol militairen, die daar liepen 'als machines', met afgemeten passen, maar dat niet alleen: 'hun gedrag werd gekopieerd door de straatverkoper, de koetsier, de portier, zelfs de bedelaar'. Het was een stad, schreef hij, die streng was, ordelijk, gehoorzaam en gedisciplineerd, 'als in een voortdurende staat van beleg'.

Nu, begin 1999, is dat allemaal anders, nu proberen West- en Oost-Berlijn voorzichtig weer aan elkaar te wennen, als een echtpaar na een lange scheiding. In kleding en levensstijl groeien de Berlijners moeizaam naar elkaar toe, maar in de gemeenschappelijke woning is de wanorde nog groot. West-Berlijnse automobilisten botsen telkens weer op de Oost-Berlijnse trams, een verschijnsel dat ze allang niet meer gewend zijn. Oost-Berlijnse riolen veroorzaken regelmatig enorme gaten in het wegdek: de communistische autoriteiten hadden de afgelopen halve eeuw vergeten dat, ondanks de gewonnen klassestrijd, de onderaardse pijpen en galerijen toch weleens een onderhoudsbeurt nodig hadden. Of er springt een waterleiding, waardoor in de straten soms enorme geisers omhoogspuiten.

Mijn masseur spreekt over Nietzsche, de taxichauffeur klaagt over het schrale culturele aanbod in de stad. Beiden zijn ex-ossies, beiden wachten op de gouden tijden die voor Berlijn in het verschiet liggen. 'Op onze standplaatsen moet je vaak anderhalf uur wachten,' zegt de chauffeur. 'Er zijn hier wijken met een kwart of meer werklozen. De cafés en restaurants zijn stil.' Iedereen wacht op de grote verhuizing van de Duitse staat, vanuit Bonn, terug naar de oude hoofdstad.

Net buiten de deur van de Dom staat een vergrijsd stuk beton.

Ooit was het een monumentje ter herinnering aan het anti-fascistische verzet van de jonge communisten. 'Voor altijd in vriendschap aan de Sovjet-Unie verbonden'. Het staat nu op vier houten blokken, klaar om weggetakeld te worden. Dat is ook alweer achter de rug.

Bij mij om de hoek, op de Kurfürstendamm, biedt ondertussen het balletje-balletjespel hoop. Rond twaalven beginnen de kleine gokondernemers met hun dagtaak. Die start is altijd onthullend. Het team bestaat uit vijf man. Er is een 'werper', een magere man die met grote behendigheid drie lucifersdoosjes over een balletje verplaatst, en er zijn vier 'spelers'. De mannen dragen leren jasjes van Oost-Europese snit, op één na, een grijzige man met een lange camelkleurige overjas, een heer met macht. De werper rolt het matje uit, gaat op zijn hurken zitten en begint te goochelen met de lucifersdoosjes. De spelers beginnen argeloos te lokken. Eentje 'wint', verhoogt het bedrag en maakt een stijf vreugdedansje. De 'heer' knikt goedkeurend, waagt zo nu en dan ook een gokje. Het meest fascinerend is het gelach: om de drie minuten begint het zwartleren groepje opeens te schateren en elkaar op de schouders te slaan, vol vreugde en eensgezindheid. Berlijn is voor Europa, schreef Oswald Spengler, 'de hoer van Babylon'. Hier gebeurt het, denkt de argeloze, hier wil ik bij horen.

Nog altijd staat het Berlijnse telefoonboek vol Poolse, Tsjechische en Russische namen. Rond 1900 bestond meer dan 60 procent van de Berlijnse bevolking uit immigranten of kinderen van immigranten, rond 1914 waren er nog eens zoveel. De stad had in de ogen van veel bezoekers iets Amerikaans, iets van Chicago. De kale pleinen en de lawaaiige huizen deden de schilder/schrijver Karl Scheffler denken aan 'Amerikaanse of Australische steden, die diep in de wildernis opkomen'. In 1910 beschreef hij de stad onder de veelzeggende titel *Berlin: Ein Stadtschicksal*, en hij meende dat er 'geen spoor van de geboren gentleman in de moderne Berlijner kan worden aangetroffen' omdat een duffe koloniale bevolking 'de stad was binnengestroomd vanuit de vlakten in het oosten, gelokt door de beloften van het amerikanisme'.

Dit laatste is natuurlijk onzin: het was niet de stadscultuur die deze straatarme boeren aantrok, het was voornamelijk wanhoop die hen wegdreef uit de dorpen. Maar het gevoel van snelheid en vervreemding riep wel een bepaalde reactie op in de stad, een vooruitgangspessimisme, een nostalgie naar de traditionele Duitse gemeenschap, wat dat ook verder mocht zijn. Onder het motto 'Los von Berlin' marcheerden rond 1910 ieder weekend grote groepen jongeren de natuur in. De voorman van deze *Wandervögel* liet zich begroeten met een schuin geheven arm en de kreet 'Heil!'. Käthe Kollwitz klaagde in haar dagboek dat haar zoontje Peter zo enthousiast lid was dat hij zich exact volgens voorschrift in 'natuurlijke' kledij stak en precies de leiders nadeed, tot de kleinste gebaartjes toe.

Waarvoor waren de Berlijners bang? Niet voor oorlog. Oorlog was in hun ogen bijna een ritueel, vol moed en glorie. Voor het socialisme en de opkomende onderklasse? Enigszins. Voor het verlies van hun moeizaam verworven burgerlijke welvaart? Waarschijnlijk. Voor hun val, voor het nieuwe, voor het onbekende? Zeker. En voor het vermeende 'joodse syndicaat'? Niet iedereen, maar wel sommige bevolkingsgroepen.

De wortels van dat anti-semitisme lagen diep, al in de Middeleeuwen. Op 28 oktober 1873 was, na een paar glorieuze jaren, de Berlijnse beurs ingestort. De krach was gevolgd door een kettingreactie van faillissementen – grote fabrieken, spoorwegen, investeringsmaatschappijen – en veel burgers raakten van de ene dag op de andere hun spaargeld kwijt. De economie herstelde zich daarna snel, maar het psychologisch effect van de krach reikte generaties ver. Rond 1900, 1910 leefden in Berlijn nog altijd veel angstige kleinburgers die vol afgunst en haat welvarende joden door de stad zagen rijden. Aan de universiteiten werd een gedachtegoed ontwikkeld dat aan die stemming van 'samenzwering', 'verrotting' en 'verraad' een pseudo-wetenschappelijke basis gaf, met theorieën over parasitaire joden en Germaanse 'Lichtmensen', over de verdorven stad en de reine Germaanse bodem. Bismarcks bankier Gerson von Bleichröder, de eerste jood die tot de adelstand werd verheven, kreeg nauwelijks voet aan de grond bij de betere families, en op een *Hofball* danste niemand met zijn vrouw, totdat een officier daartoe nadrukkelijk het bevel kreeg.

Tegelijkertijd werd het artistieke en intellectuele klimaat in Berlijn in toenemende mate bepaald door liberale, breed opgeleide burgerfamilies, en in die wereld speelden joden een centrale rol. Datzelfde gold voor de socialistische beweging. Bovendien kon men rond 1910 nauwelijks meer spreken over 'de' joden, en dat gold ook voor Warschau, Krakau, Wenen en andere grote Europese steden. De groep was te heterogeen geworden. Er waren orthodoxe gelovigen en communisten, atheïsten en racisten, zionisten in alle soorten en maten, liberalen en sociaal-democraten. De meesten verstonden allang geen Jiddisch meer, de immigranten spraken tientallen talen en tongen, de Berlijnse joden voelden zich bovenal Duitser. Het overgrote deel was volstrekt geseculariseerd. Van alle bekende Duitse joden was er niet één die nog banden had met het joodse geloof.

Het succes van de toenmalige joodse gemeenschap valt nog altijd af te lezen aan de gedeeltelijk gerestaureerde synagoge (1866) in de Oranienburger Strasse, ooit het grootste joodse godshuis van Duitsland, met ruim drieduizend zitplaatsen en een verlichte koepel van meer dan vijftig meter hoog die scherp afstak tegen de Berlijnse skyline. Het was een gebouw van triomf: tekenend is de plaatsing van de koepel, niet boven de thora, zoals gebruikelijk, maar vlak bij de straat, om het aanzicht van het gebouw zo sterk mogelijk te maken. Kijk naar de foto's van de openingsfeesten: iedereen die meetelde in het toenmalige Berlijn was erbij.

Het gebouw werd tijdens de Kristallnacht in november 1938 gered door één dappere politieman van bureau 16 aan de Hackesche Markt, Wilhelm Krützfeld, die met zijn pistool in de hand de SA het al brandende gebouw uitjoeg. Bij de dertien andere Berlijnse synagogen was helaas niet zoveel burgermoed aanwezig.

In de grote synagoge gingen de bijeenkomsten en concerten na de machtsovername in 1933 gewoon door. De lijst hangt er nog: op 9 februari 1935 de concertuitvoering 'Vreugde in de winter'; op 11 november 1935 een gemeenteavond over 'emigratie'; op 20 november 1935 een concert voor de Joodse Winterhulp, met De Vernietiging van Jeruzalem door Ferdinand Hiller; op 15 februari 1936 een bijeenkomst 'Ter versterking van het saamhorigheidsgevoel van de gemeenteleden'; op 13 maart 1938 een herdenking van de slachtoffers van de Grote Oorlog; op 24 april 1938 een uitvoering van het oratorium Saul van Händel. De laatste uitvoering was op 31 maart 1940: een slotconcert voor de Joodse Winterhulp.

Ik zie een foto uit 1933. De meisjesafdeling van het Auerbachische Weeshuis, een paar meisjes die in een kinderkeukentje spelen, twee die trots hun pop in een wagentje voortduwen, stralende ogen.

'Vrede, verbondenheid en samenwerking zijn alleen denkbaar tussen volkeren en landen die weten wie ze zijn,' schreef de president van Tsjechië, Václav Havel, een mensenleven later. Hij raakte daarmee een diepe historische waarheid. 'Als ik niet weet wie ik ben, wie ik wil zijn, wat ik wil bereiken, waar ik begin en waar ik eindig, dan zijn mijn betrekkingen met de mensen om me heen en met de rest van de wereld onvermijdelijk gespannen, vol argwaan en belast door een minderwaardigheidscomplex dat misschien wel schuilgaat achter gezwollen bravoure.'

Dat geldt voor mensen, maar ook voor de betrekkingen tussen staten, en het geldt helemaal voor situaties waarin de zwakheden van staten en mensen min of meer samenvallen.

Aan de zuidoostkant van Berlijn, achter de vuilverbranding en de kabelfabrieken, ligt Köpenick. Dit voorstadje werd in 1906 wereldberoemd toen de werkloze schoenmaker Wilhelm Voigt een oud kapiteinsuniform aantrok, een compagnie soldaten beval om hem te volgen, het stadhuis bezette en zich 'op bevel van Zijne Majesteit' de stadskas met vierduizend mark liet overhandigen.

Ik zag later een foto van deze kapitein van Köpenick: een ongelooflijke schlemiel met een veel te grote pet. Köpenick is het verhaal van een samenleving waar de pet almachtig was, hoe de drager er ook verder uitzag. Officieren mochten van de keizer in 'zijn' stad doen en laten wat ze wilden. Het leger moest vrij blijven van iedere invloed van buiten. Wilhelm had het aantal officieren verzevenvoudigd, maar de aristocratie bleef aan de macht. De militairen verburgerlijkten dus niet, de burgers vermilitariseerden. De kapitein van Köpenick was, zo bleek later, zelf nooit in het leger geweest, hij had deze hele onderneming min of meer instinctmatig opgezet. En iedereen was erin getrapt. Na eeuwen van vernedering, van Franse en Oostenrijkse troepen die plunderend door het verdeelde Duitsland trokken, was de militaire klasse het belangrijkste Duitse massasymbool geworden. Het leger was het zinnebeeld van de Duitse natie, 'het marcherende woud', zoals Canetti het noemde, de 'gesloten massa'. Wie daarbuiten viel, was geen Duitser meer.

Dit alles betekende niet dat keizer Wilhelm II op een oorlog aanstuurde. Het militaire was voor hem vooral een vorm, een manier om zijn jonge land te ordenen. Oorlog, dat was iets heel anders, dat was in de ogen van zijn generatie iets heldhaftigs en romantisch, maar een realiteit was het niet. Toch zou de verering van Wagner, de Romantiek, de *Reinheitskultur*, de nostalgie naar het boshuis, toch zou die hele sprookjeswereld van Wilhelm het uiteindelijk winnen van alle rationaliteit van strategen, managers, financiers en wetenschappers.

'Als je je nu in alle rust afvraagt waarom Europa zich in 1914 in een oorlog stortte, vind je geen enkele zinnige reden en zelfs geen aanleiding,' zou Stefan Zweig later schrijven. 'Het ging niet om ideeën, het ging niet werkelijk om de kleine grensgebieden; ik kan geen andere verklaring vinden dan een overschot aan energie, een tragisch gevolg van de interne dynamiek die zich in veertig jaar had opgehoopt.'

De kapitein van Köpenick werd uiteindelijk gepakt. Ondertussen was hij zo populair geworden dat de keizer hem na tweeënhalf jaar gratie gaf. Zijn verhaal werd verfilmd, op wasplaten vastgelegd, door Carl Zuckmayer bewerkt tot toneelstuk en talloze malen naverteld aan de Berlijners, die graag om hun eigen rariteiten lachten. Een van de wasplaten met de stem van schoenmaker Voigt ligt nog altijd in het Heimatmuseum van Köpenick. Die magie wilde ik weleens beleven.

Onderweg raakte ik verzeild tussen enkele tientallen bejaarden die in een regenachtig parkje de Bloedweek van Köpenick stonden te herdenken. De huidige burgemeester las de namen voor van de vierentwintig joden, socialisten en communisten die in januari 1933, in ditzelfde brave Köpenick, door de SA waren doodgetrapt. Zo'n tachtig anderen werden toen kreupel geslagen.

Na afloop praatte ik een poosje met een Nederlands verzetsmeisje dat verliefd was geworden op haar verbindingsman van de Duitse communistische ondergrondse en hem na de oorlog was gevolgd. Samen hadden ze de nieuwe, gegarandeerd niet-fascistische DDR willen opbouwen. 'Ik heb hier mijn hele leven tussen de gewone mensen geleefd en hun zorgen gedeeld,' zei ze. 'We zijn nu eenmaal door de duivel uit hetzelfde stukje stof gesneden, en het was nog van de uitverkoop ook.' Ze heette An de Lange. Ze was in Köpenick klein en gerimpeld geworden, ze vertelde haar verhaal en weg was ze alweer.

Het Heimatmuseum was ondertussen al dicht. De krakende stem van de kapitein heb ik nooit gehoord.

5

Donderdag 28 januari. De exprestrein Berlijn-Praag-Wenen. Lichte sneeuw. Tegen de horizon hangen zwartgrijze wolken. De Tsjechische restauratie geurt naar soep en warme appeltaart. Ik ben urenlang de enige klant. In de keuken staat de kok met een grote witte muts niets te doen, de ober begint me met een zwaarmoedige aanhankelijkheid te bejegenen, en ondertussen rijden we langs bevroren rivieren, langs een wereld van roestig ijzer, wegwerkers met rode neuzen, vuurtjes in de berm, dorpen waar de blauwe rook slaperig uit de schoorstenen komt, en overal valt sneeuw.

We passeren een rivier, een centrale met stomende pijpen, een okerkleurig station met een vervuild spandoek en een bejaarde man met een kinderwagen vol sinaasappelen. De conducteur ziet er nu uit als een wijze, oude professor.

Na Praag beginnen de vlokken te jagen en te stuiven, de wind fluit, in de verte toetert de locomotief. Voor een naamloos station moeten we wachten. Uit een keuken komt licht. Een vrouw staat achter het aanrecht. Ze wast een kind dat naakt in de gootsteenbak staat. Dan glijden ze allebei weer weg. Even later zijn we in Wenen.

'De vrolijke apocalyps' werd deze stad wel genoemd, dit vreemde mengsel van creativiteit, burgerdom, menselijk lijden, macht, medeplichtigheid en schizofrenie. Het was rond 1914 het machtscentrum van een enorm keizerrijk dat aan één groot manco leed: het had geen enkele functie meer, behalve het rondzingen in zichzelf.

In vroeger eeuwen speelde de Oostenrijks-Hongaarse dubbelmonarchie een belangrijke rol in Centraal- en Oost-Europa. De Habsburgse keizers hadden de Zuid-Duitsers teruggeleid naar de moederkerk. Ze hadden de Osmaanse Turken weggeslagen van de poorten van Wenen. Ze hadden Duitsers, Hongaren, Roemenen, Italianen, Roethenen, Servo-Kroaten, Polen, Slovenen, Slowaken, Tsjechen, joden en zigeuners vreedzaam laten samenleven. Bovendien hadden ze in de bijna-oriëntaalse gebieden van de Balkan een cultureel tegenoffensief gelanceerd. Ook daar bestond nu een westers bestuur en een werkend rechtssysteem.

Daarna was het rijk stilaan vastgeroest, het was een lappendeken geworden van nationaliteiten, bijeengehouden door een oude keizer, Frans Jozef I. 'De keizer was een oude man. Hij was de oudste keizer van de wereld,' schreef Joseph Roth in *Radetzkymars*, zijn klassieke verhaal over de ondergang van deze wereld. 'Rondom hem liep de dood, in een kring, in een kring, en maaide en maaide. De akker was reeds geheel leeg, alleen de keizer stond er nog en wachtte, als een vergeten zilveren halm.'

Als een echte Habsburger speelde de keizer met verve de rol die hem aangeboren was, die van 'rechtvaardige vader van zijn volkeren'. In een paar bijzinnen beschrijft Roth het programma van de keizer tijdens een veldtocht: eerst een Grieks-katholieke mis in een dorpskerk, vervolgens lopen de joden van het dorp hem met hun thorarol tegemoet – de keizer stijgt af, laat zich zegenen –, dan legermanœuvres in het gezelschap van een Duitse ritmeester en een Italiaanse kolonel en troepen van alle nationaliteiten. En dan de rest van het boek, gecentreerd rond vader en zoon Trotta, symbolen van de twee andere instituties die het rijk bijeenhielden: de ambtelijke bureaucratie, die de zekerheid gaf waarnaar iedere burger snakte, en het leger, met overal dezelfde kazernes, dezelfde gedragscodes, dezelfde marsmuziek op de zondagmiddag, en dezelfde enorme zwart-gele kazernepoort 'die als een machtig Habsburgs schild de stad werd voorgehouden, bedreiging en bescherming ineen'.

In het begin van de twintigste eeuw gold het keizerrijk nog altijd als een supermacht. Het was in 1910, met bijna 50 miljoen inwoners, de tweede staat van Europa, na Duitsland (65 miljoen). Daarachter kwamen Groot-Brittannië (45 miljoen) en Frankrijk (bijna 40 miljoen). De bevolking van Wenen was vertienvoudigd: van ruim 230 000 in 1801 tot ruim twee miljoen in 1910. De aristocraten uit het hele keizerrijk hadden zich er verzameld, met alle koetsiers, dienstmeisjes, bouwvakkers, hoeren en lakeien die ze voor een comfortabel bestaan nodig hadden. Vanuit het hele

Habsburgse rijk stroomden bovendien, net als elders, talloze arme boeren naar de keizerlijke stad, dromend van wat welvaart en geluk. En daarbij kwamen nog eens de tienduizenden verpauperde joden, naar het westen gejaagd door de pogroms in Rusland, Polen en Galicië.

Ongeveer één op de tien Weners was joods, en ze vormden een bolwerk voor de bourgeoisie. In 1914 kwam 26 procent van de Weense rechtenstudenten en 41 procent van de medische studenten uit joodse families. Ze zetten de toon in de filosofie (Ludwig Wittgenstein), de medische wetenschap, de juridische wereld, de muziek (Gustav Mahler, Arnold Schönberg), de psychologie (Sigmund Freud en Victor Adler) en de literatuur (Arthur Schnitzler, Joseph Roth, Stefan Zweig).

Wenen gold als een burgerlijk Arcadië, en auteurs als Roth en Zweig konden er later vol weemoed over schrijven. Maar wie niet tot de burgerlijke kringen hoorde, had er een zwaar bestaan. De woningnood was er groter dan waar ook in Europa. In 1910 leefde nauwelijks 1 procent van de Weners in een eengezinswoning, 7 procent van de huizen had een badkamer, nog geen kwart een toilet. Er waren veel *Bettgeher*, mensen die geen kamer huurden maar enkel een slaapplek in een bed. Talloze Weners liepen hoestend en misselijk rond, met tuberculose en darmziekten vanwege het gore drinkwater.

'Vandaag, nu het grote noodweer haar allang verwoest heeft, weten we eindelijk dat die wereld van zekerheid een luchtkasteel is geweest,' schreef Stefan Zweig jaren later. 'Maar toch, mijn ouders hebben erin gewoond als in een huis van steen.' Het plotselinge uiteenvallen van het enorme Habsburgse rijk in 1918 was voor hem en vrijwel al zijn tijdgenoten dan ook een verbijsterende ervaring. Eeuwenlang was het keizerrijk een vast gegeven in het bestaan van iedere Wener. Het leven was er rustig, de regering was stabiel, het rijk had een enorm territorium, maar opeens merkt de kastanjepoffer Joseph Branco, een van de hoofdpersonen in Roths roman *De Kapucijner Crypte*, dat hij voor elk land een apart visum nodig heeft. 'Ik heb zoiets nog nooit van mijn leven gezien. Elk jaar kon ik overal verkopen: in Bohemen, Moravië, Silezië, Galicië' – en hij somde alle oude, verloren gegane kroonlanden op. 'En nu is alles verboden. Terwijl ik toch een pas heb. Met foto.'

Alles in Wenen is sindsdien bepaald door dat trauma, door de verbijstering dat die hele Habsburgse wereld ineen kon zakken als een ijstaart. Vrijwel iedere Weense auteur heeft zich er achteraf het hoofd over gebroken: waarom? Waarom konden de Duitsers in 1918 zonder veel problemen afscheid nemen van de Hohenzollerns? Waarom ging het bestaan in Groot-Brittannië en Frankrijk gewoon door? Waarom viel alleen in Oostenrijk alles uiteen? En Wenen, hoe kon dit symbool van het roemrijke keizerrijk opeens veranderen in een naar lucht happende monstervis in een bijna drooggelegde zee?

Aan de Ringstrasse wordt de hele Europese bouwgeschiedenis over de voorbijganger uitgestort. Het was de 'via triumphalis' van keizer Frans Jozef en de liberale burgerij, de eeuwige Ring waar iedere flaneur dagelijks de voorgeschreven passen liep tussen de Kärntnerstrasse en de Schwarzenbergplatz, en waar nu oude dames hun bontjassen showen en trams traag voorbijschuiven.

De Ring was in 1865 aangelegd rondom het middeleeuwse Wenen, in de ruimte die was vrijgekomen bij het neerhalen van de oude vestingwallen. Daar ontstond een gebied van een halve kilometer breed en vier kilometer lang, vol hotels, paleizen van de oude en nieuwe geldadel, dure appartementen voor de betere burgerij en grote openbare gebouwen: het parlement (neohellenistisch), het stadhuis (neogotiek) en het Burgtheater, de Hofopera, de beurs en de universiteit (neorenaissance).

De oude stad werd hier dus niet gesloopt, zoals in Parijs en Brussel, maar als een edelsteen opgenomen in een brede ring van nieuwbouw. Het bedompte, binnen de wallen gesloten, middeleeuwse Wenen werd in één klap opengelegd. De Ring fungeerde als een overgangsgebied naar de voorsteden en de volkswijken die daarbuiten lagen. Daarnaast had de brede verkeersader, net als in Parijs, een belangrijke militaire functie: troepen konden bij opstootjes overal snel worden ingezet. Op strategische plekken werden kazernes gebouwd, plus een indrukwekkend arsenaalcomplex.

De grote stadschroniqueur Donald Olsen heeft Wenen eens beschreven als de modelstad van Europa als er geen Franse Revolutie, geen Industriële Revolutie en geen opkomst van de middenklasse zouden hebben plaatsgevonden. Wenen was, met Berlijn, de snelst groeiende metropool van het continent, maar tegelijk was het een stad die in het verleden bleef hangen. Telefoons en liften waren er een zeldzaamheid, de meeste kleding werd met de hand genaaid en tot 1918 was de typemachine in overheidskantoren taboe. Rond de eeuwwisseling leefde meer dan de helft van de bevolking van een kleine zaak, een bezit dat fel werd verdedigd tegen vreemde concurrentie. Tot 1900 was het verboden om in Wenen een warenhuis te beginnen.

Wenen was, in tegenstelling tot Berlijn, altijd een consumptiestad gebleven, een centrum waar de aristocratie royaal leefde van de opbrengsten van landgoederen en andere bezittingen. Daaromheen bestond een enorm netwerk van diensten: kleermakers, schoenmakers, portiers, architecten, artsen, psychiaters, kunstenaars en niet te vergeten musici, toneelspelers en de *Süsse Mädel*. Maar een dynamisch industrieel en financieel centrum, zoals Berlijn of Londen, werd Wenen nooit.

Zo ontstond, ook hier, een stad met een grote innerlijke tegenstrijdigheid: aan de ene kant was de sfeer zeer behoudend en vormelijk, omdat iedereen afhankelijk was van de keizerlijke/aristocratische macht, aan de andere kant was men uiterst rationeel en intellectueel, omdat al het talent uit het keizerrijk er zich ook had verzameld.

Dit alles vertaalde zich in het stadsplan. Wenen was, schreef Stefan Zweig, 'een wonderbaarlijk georkestreerde stad'. Alle straten en bouwwerken waren geschikt rondom het keizerlijke hof. De Hofburg in het hart van de oude stad was het politieke en het culturele centrum van het hele rijk ineen. Daaromheen vormden de paleizen van de Oostenrijkse, Hongaarse, Poolse en Tsjechische adel de tweede rij. Dan kwam de 'society' van de kleinere adel, de hoge ambtenaren, de industriëlen en de 'oude families' – we zijn nu ter hoogte van de Ring. Daarna kwamen de kleermakers en de andere diensten, dan de kleine burgerij, ten slotte het proletariaat.

De structuur van de stad was even dubbelzinnig als de rest van het Weense leven. De stad deed alles om gevoelens op te roepen van ontzag voor de keizerlijke macht, en dat niet alleen: het stadsplan vormde ook een directe weerspiegeling van de keizerlijke orde. Tegelijkertijd gold de Ring bij veel jongere Weners als hét symbool van theatrale leugenachtigheid, een Potemkin-project vol mystiek en valse historie, een product van decorbouwers die iedereen wilden wijsmaken dat in Wenen alleen maar adel woonde, en anders niet.

Ik zag ergens een groepsportret van de schilder Theo Zasche uit 1908, met alle Weense prominenten gegroepeerd op de Sirk-hoek van de Ring, de hangplaats van de elite tegenover de Opera, volgens de pamflettist Karl Kraus het 'kosmische punt' van Wenen. Ik zie 'Direktor Gustav Mahler' wandelen, 'Hofoper- und Kammersängerin Selma Kurtz' zich omdraaien, 'Erzherzog Eugen' begroet worden door 'Fürst Max Egon Fürstenberg', 'Baron Othon Bourgoin' in een auto voorbij tuffen, en zo trekt 'heel Wenen' langs.

In een hoek van de aquarel is een fleurige reclamezuil te zien. Het is een van de 'kiosken' die, zo werd later wel beweerd, de gecamoufleerde ingangen vormden voor de Weense onderstad, het verborgen kanaalsysteem onder de huizen, de modderwereld waar tientallen *Kanalstrotter* een bestaan vonden in het verzamelen van oude knopen en verloren muntstukjes. Niemand in de bovenstad had daar weet van.

In de Weense metro is het stil. Robert Musil beschreef begin 1914 de Weense tram als een 'glanzende, schommelende doos', 'een machine waarin een paar honderd kilo mensen heen en weer werd geschud om toekomst van hen te maken'. Hij schreef: 'Honderd jaar geleden zaten zij met net zulke gezichten in de postkoets, en over honderd jaar zal er god mag weten wat met hen aan de hand zijn, maar zij zullen er als nieuwe mensen in nieuwe toekomstapparaten precies zo bij zitten.'

Ik ben in die toekomst, en ik kijk goed om me heen. Rechts van me zit een in bont gehulde dame met bolle wangetjes, een gouden bril en een soort bruine tulband als hoed. Ze lijkt een jaar of vijftig, maar aan haar huid zie ik dat ze niet ouder dan dertig kan zijn. Daartegenover haar echtgenoot, grijze jas, sombere baard. Schuin voor me een man in een leren jas, dikke ijsmuts, het hoofd gebogen. Zo heeft hij zich aangewend om de wereld in de gaten te houden, want hij kijkt goed met zijn twinkeloogjes, deze man, om iedere slag voor te zijn of af te weren.

Ik heb gewandeld, me laten rondrijden in de tram, het huis van de kunstenaar/architect Friedensreich Hundertwasser bezocht. Het gaat hier om een bontgekleurd Hobbitkasteel met gewelfde vloeren, bomen die uit de ramen groeien, stoute vormen en een foto van de kunstenaar zelf uit de jaren zestig, wild en helemaal bloot, zoals kunstenaars horen te zijn. Het gebouw is nu een toeristenattractie van de eerste orde, en de Weners zijn er maar wat trots op: dit durven wij toch maar.

Zelden zag ik een uitzondering die zo de regel bevestigde. Het hedendaagse Wenen lijkt een stad vol hoge ambtenaren, die niets meer hebben om hoog over te zijn. De sfeer is bedaagd, de winkels liggen vol parfums en taarten, iedere sneeuwhoop wordt meteen gelijkgeschakeld. Het lijkt alsof deze stad al decennia onder een glazen stolp leeft, neutraal, ingehouden, onaangeroerd door revoluties in West en Oost. Zoals Londen gemaakt is om zaken te doen, zoals Parijs de ideale stad is voor rebellerende twintigjarigen en hun ouders, zo is Wenen een perfect rustoord voor lichtbejaarde schoonmoeders.

Ik kan me niet voorstellen dat deze stad zich nog voortplant, dat hier nog de liefde wordt bedreven, dat zich onder deze eindeloze hoeden en verantwoorde mantelpakken nog lichamen bevinden, wit en bevend. Ik loop zeker vijf keer per dag de Kärntnerstrasse op en neer, de grote winkelstraat tussen de Stephansdom en de Opera, de hartlijn van de stad. Men wandelt daar rond, jong en oud, men knikt elkaar toe en alleen twee dronken daklozen verstoren de orde, maar ook weer niet, want net als Hundertwasser maken ook zij deel uit van dit gesloten systeem, zoals een bakkerswinkel van Anton Pieck niet kan bestaan zonder een paar kleumende schooiertjes voor de etalage.

Er is één plek waar je kunt schuilen tegen deze stad: het koffiehuis. Zonder koffiehuizen geen Wenen, zonder Wenen geen koffiehuizen.

Nog altijd bestaan ze, die fantastische gewelven vol spiegels, leren banken, bruin uitgeslagen marmeren wanden, die ruime en intieme zalen waar de glazen en kopjes de hele dag feestelijk rinkelen, waar de ochtendzon in tere stralen binnenvalt, waar de avond warm is als de natte sneeuw tegen de ramen slaat, waar dichters, studenten en boekhouders samenwonen, waar het geurt naar koffie en Apfelstrudel, waar je kunt kijken, praten, lezen of je geliefde naar de ogen zien.

Wenen was rond de eeuwwisseling een typische plezierstad, en het koffiehuis speelde daarin een centrale rol. De toon werd gezet door een vrolijk soort katholicisme, gecombineerd met de luchthartigheid van de Italianen die ooit onderdeel van de Habsburgse lappendeken waren geweest. 'De eerste blik die de Weense doorsnee burger 's morgens in de krant wierp gold niet de discussies in het parlement of het wereldgebeuren, maar het repertoire van het theater, dat een voor andere steden nauwelijks te begrijpen centrale plaats innam in het openbare leven van de stad,' schreef Stefan Zweig. Toch kende geen stad in Europa zo'n hartstochtelijk intellectueel leven als Wenen. Het keizerrijk had weinig militaire, politieke en industriële ambities, de nationale trots moest het vooral hebben van artistieke prestaties. Politiek zat alles muurvast, er viel niets te doen, wat kon men anders dan vluchten in de kunst, in de eigen ziel?

'Nergens was het makkelijker om Europeaan te zijn,' meende Zweig, en hij beschreef hoe in de betere koffiehuizen alle belangrijke Europese kranten lagen, 'en dan nog alle belangrijke literaire en culturele tijdschriften van de wereld'. Niets heeft volgens hem meer bijgedragen aan de intellectuele veelzijdigheid van de Wener dan het koffiehuis. 'Wij wisten inderdaad wat de wind aanvoerde, nog voor hij de grens over kwam, omdat we onophoudelijk met wijd open neusgaten leefden. We vonden het nieuwe omdat we het nieuwe wilden, omdat we hongerden naar iets wat ons en alleen ons toebehoorde – en niet de wereld van onze vaders.'

Altijd was er wel iets waarover men zich druk maakte aan die versleten tafels. Over het nieuwe theaterstuk van een zekere Oskar Kokoschka, getiteld *Mörder, Hoffnung der Frauen*. Over een verbijsterend kaal gebouw dat Adolf Loos had ontworpen, in zijn zoeken naar nieuwe zuiverheid. Over de componist Arnold Schönberg, die zijn toehoorders had geteisterd met nog nooit gehoorde klankverbindingen en die de concertzaal uit was gefloten – er was zelfs met stoelen gesmeten. Over de laatste erotische roman van Leopold von Sacher-Masoch, waarin slavenmannen zich door sterke dames met zweepjes lieten trakteren. Over de 'geheime zenuwen' waarover psychiater Sigmund Freud zulke interessante dingen zei. Over de schrappingen in Mahlers uitvoering van Wagners *Die Walküre*, een concessie aan de talrijke anti-semitische vijanden van Mahler. Over de laatste 'kwartaalbalans' van Karl Kraus' anti-krant *Die Fackel*:

anonieme scheldbrieven 236
anonieme dreigbrieven 83
molestaties 1

Nu is het avond, vrijdagavond, en in de galmende Kärntner-strasse is het stil als in een dorp. Er blaast een koude wind. Het enige geluid komt uit een gettoblaster die midden op straat is gezet. Een tiental jongeren staat in alle eenzaamheid op een soort housemuziek te wiegen, twee meisjes in geblokte pakken voorop, een tanige man op de achtergrond, maar hij is duidelijk de baas. Alle dansers hebben groene jockeypetjes op. Er staan vier burgers te kijken. Een vrouw deelt pamfletten uit. Er staat in dat dit een nieuwe kerk is, dat Christus snel komt en dat er geen trein ontspoort zonder dat God het wil.

Het sneeuwt zachtjes tussen de grote witte gebouwen van de Hofburg, op de binnenplaatsen, over de daken, de schoorstenen en de versteende helden.

Alles staat in deze dagen in het teken van het bal, en met z'n allen dansen ze in de Hofburg het verguldsel van de muren. Op 22 januari was er het Officierenbal, op 23 januari het Apothekersbal, op 25 januari het Jagersbal, gisteren het Bal der Techniek, morgen het Doktersbal, op 6 februari het Hofburg Galabal, op 12 februari het Technologenbal en op 13 februari het Juristenbal.

Kakanië leeft. Het imaginaire rijk – letterlijk: Strontland – van Robert Musil spookt nog altijd in de Weense hoofden, 'die onbegrepen staat die allang verdwenen is, die in zoveel opzichten een modelstaat was, maar die in niets erkenning vond, waar ook snelheid was, natuurlijk, maar niet te veel snelheid, waar geen ambitie was om wereldmarkten en wereldmacht te bezitten...'

De centrale figuur van Kakanië ligt nu een paar straten verder, aan de Tegetthofstrasse, voor eeuwig neergedaald in de kelder van de Kapuzinerkirche. Twee jaar na de dood van de oude keizer viel het rijk uiteen. Op een schilderij in het Stadsmuseum had ik hem nog in zijn volle glorie gezien, met zijn vriendelijke grijze bakkebaarden en zijn lange jas. Het is 1913. Hij wordt omringd door een gezelschap van zwaar besnorde mannen vol pluimen en medailles. Op de voorgrond staat kroonprins Frans Ferdinand, een pafferige jongeheer die geen jaar meer zou leven. De zon schijnt, de vlaggen wapperen en de lucht moet vervuld zijn geweest van gejuich en hoempa-muziek.

'Iedereen kende iedereen bij de voornaam alsof zij broeders waren, maar zij begroetten elkaar zoals de ene vorst de andere begroet,' schrijft Joseph Roth. 'Ze kenden de jongen en de ouden, de goede ruiters en de slechte, de galanten en de spelers, de vlotten, de eerzuchtigen, de gunstelingen, de erfgenamen van een oeroude, door de overlevering geheiligde, spreekwoordelijke en alom vereerde domheid en ook de intelligenten, die morgen aan de macht zouden komen.'

Het Oostenrijks-Hongaarse keizerrijk was het schoolvoorbeeld van wat de antropoloog Benedict Anderson later zou aanduiden als een 'verbeelde gemeenschap', een natie die samenhing van mensen die elkaar nooit hadden ontmoet, maar die zich in de geest toch familieleden van elkaar voelden, broers, zusters.

Vanaf december 1848 regeerde keizer Frans Jozef I, en hij zou tot november 1916 aan het bewind blijven, een van de langst regerende vorsten ter wereld. Hij bleef al die decennia een bindende figuur, ook omdat hij geen nationale eenheden probeerde te smeden waar ze niet waren. Als koning van Hongarije resideerde hij ieder jaar wekenlang in Budapest, gekleed in een Hongaars uniform, met Hongaarse ministers en een Hongaars parlement. Altijd sprak hij over 'mijn volkeren', nooit over 'mijn volk'.

Hij was het hart van deze verbeelde gemeenschap. In de Hofburg had ik de sfeer geproefd, nog altijd de zijne: in de witgeschilderde conferentiekamer van de regering, pal naast zijn garderobe; in zijn sobere slaapkamer met het ijzeren eenpersoonsbed; in de vroegere slaapkamer van hem en zijn vrouw, met de gymnastiektoestellen van keizerin Sisi nog tegen de muur; in zijn werkkamer, met het kleine bureau, het portret van veldmaarschalk Joseph von Radetzky en zijn telefoontoestel, nummer 61.

De waarde van Frans Jozef lag niet in het doen, maar in het zijn. Die symbolische taak nam hij buitengewoon serieus. Hij hield vast aan de strenge Spaanse hofetiquette, het verhaal gaat dat hij nog op zijn sterfbed de haastig opgeroepen hofarts berispte wegens diens kleding. In tegenstelling tot de Duitse keizer had Frans Jozef een oprechte afkeer van alle soorten van vernieuwing. Doorspoeltoiletten werden in de Hofburg pas geïnstalleerd na lang aandringen van de keizerin, telefoons en treinen wantrouwde hij, elektrisch licht duldde hij niet in zijn omgeving omdat het pijn deed aan zijn ogen.

Hij leefde vanuit het Habsburgse idee van *Hausmacht*, de onwankelbare opvatting dat de Habsburgse dynastie het instrument Gods op deze aarde was. Zolang de aristocratie en de bevolking God en de keizer trouw bleven was er niets aan de hand. Revolutie en ongodsdienstigheid konden, aan de andere kant, het systeem snel en fataal ondermijnen. Op den duur gebeurde dat ook.

Naast de Hausmacht bestond er een strakke hiërarchie van hoge adel en dienstadel, de adel door verdienste. Alleen hoge adel en officieren waren *hoffähig*, toelaatbaar aan het hof. De hoge adel bestond uit hooguit tachtig families, die van december tot mei voortdurend elkaars feesten en begrafenissen bezochten, en die zo bij elkaar ingetrouwd waren dat ze in wezen één grote familie vormden. Hier lag de basis van Kakanië.

In Frankrijk en Engeland had de burgerij de macht van de aristocratie gebroken. In Wenen was dat mislukt, en de burgerij was er ook niet in geslaagd om met de aristocratie te versmelten. Formeel deelden de liberale burgers de macht met de keizer en de aristocratie, maar de overhand hadden ze niet. Er bleef bovendien een enorme kloof bestaan tussen de sensuele, losse cultuur van de aristocratie en de ordelijke, rationele en puriteinse cultuur van de bourgeoisie. De Weense burger bleef zo altijd een wanhopige toeschouwer, een mislukte parvenu, iemand die er dolgraag bij wilde horen, die woonde achter gevels, trappen en vestibules vol aristocratische ornamenten, maar die, uiteindelijk, de middelen, de taal en de cultuur miste.

Kakanië was, aldus Musil, 'een buitengewoon intelligente staat', gebaseerd op het aloude Kakanische staatsprincipe van 'gewoon doormodderen': 'Bureau één schreef, Bureau twee antwoordde; als Bureau twee geantwoord had, moest men dat aan Bureau één mededelen, en het beste was een mondeling onderhoud voor te stellen; als Bureau één en twee het eens waren geworden, werd vastgesteld dat nergens uitvoering aan kon worden gegeven; zo was er voortdurend iets te doen.'

De smeerolie van het Weens/Kakanische staatssysteem werd gevormd door het middeleeuwse instituut van de *Protektion*. De burgers waren monddood, maar ze konden op iedere functionaris een persoonlijk beroep doen, tot de keizer toe. Zo was de Protektion ontstaan, een gecompliceerd stelsel van ongenade en genade, straffen en gunsten, diensten en wederdiensten, waarmee ieder probleem via de achterdeur kon worden opgelost. Voor de hoge adel was het tegelijkertijd een instrument waarmee vrijwel ieder onderdeel van het openbare leven kon worden beïnvloed. En het was natuurlijk ook een bron van corruptie, een corruptie die de hele bureaucratie van het keizerrijk doortrok. In de gevangenis van het Weense Landesgericht kon een gedetineerde met geld alles krijgen wat hij wilde: goed eten, sterkedrank, de nieuwste boeken, Süsse Mädel.

In de tweede helft van de negentiende eeuw gebeurde echter iets vreemds: het werkelijke leven begon onder het verbeelde rijk weg te schuiven. Steeds meer werd het keizerrijk een leeg omhulsel waarin adel en burgerij slechts geloofden omdat er geen alternatief was. Anders gezegd: Kakanië was in de loop der jaren 'een beetje het plezier in zichzelf kwijtgeraakt'.

Buiten de verbeelding vielen de rebelse nationalisten; Joseph Roths Hongaarse officieren bijvoorbeeld, die in *Radetzkymars*, bij het bericht van de moord op kroonprins Frans Ferdinand in 1914 te Sarajevo, onderling opgewekt in het Hongaars beginnen te converseren: 'Wij zijn het erover eens, mijn landgenoten en ik, dat wij blij kunnen zijn als het zwijn dood is!'

Buiten de verbeelding vielen ook de miljoenen gewone boeren en kleine burgers, die echte levens leidden en met echte problemen te maken hadden. In geen natie was de gretigheid om te emigreren zo groot: tussen 1900 en 1919 trokken 3,5 miljoen Habsburgse onderdanen naar Amerika, meer dan uit enig ander land. In geen leger – afgezien van het Russische – was tijdens de Eerste Wereldoorlog de desertie zo omvangrijk als in het Oostenrijks-Hongaarse. Het aantal Habsburgers dat krijgsgevangen werd gemaakt (2,2 miljoen) was twaalfmaal zo groot als het aantal Britten (170 000). Aan het eind van *Radetzkymars* gooit luitenant baron Trotta zich volop in de strijd. Soldaat Onufrij, zijn oppasser, duikt gewoon onder in zijn dorp. 'De oogsttijd was in aantocht. Hij had niets meer te maken in het keizerlijke en koninklijke leger.' Voor hem was Kakanië allang dood.

Het is zondag. Ik word gesticht in de Stephansdom. De pastoor verwelkomt ons met een vrolijk 'Grüss Gott' en meldt dat het vannacht in Klagenfurt achttien graden vroor. De gemeente zingt aarzelend, met wolkjes komen de psalmen uit de bontkragen. De pastoor vertelt het verhaal van de legendarische New Yorkse burgemeester Fiorello Henry La Guardia, die een arme sloeber berechtte wegens diefstal van een brood. Hij veroordeelde hem tot tien dollar boete, trok vervolgens zijn eigen portefeuille en gaf de man tien dollar om zijn boete te betalen. 'Gerechtigheid,' zegt de pastoor, 'moet altijd samengaan met barmhartigheid.' 'Amen', knikt iedereen, en we reiken elkaar de hand. Dan komt een Japans meisje het middenpad op gelopen, ze kijkt verrast rond, vervolgens begint ze het kerkvolk te fotograferen.

Gebeurt er hier verder eigenlijk nog iets? Op station Ottakring zit een in bontjassen gehuld paar bij elkaar op schoot. In de Kärntnerstrasse loopt een dronken man. Op het centraal station loopt een mooie vrouw, de eerste die ik in Wenen zie. Ze heeft donker haar, licht amandelvormige ogen, en wat vooral opvalt is de waardigheid waarmee ze zich beweegt. Ze duwt een karretje, ze leegt de prullenbakken en veegt het afval van de vloer. Daarmee houdt ze zich blijkbaar in leven. Dit zijn de enige bijzonderheden die ik uit deze stad kan melden.

Ik ga deze zondag een roos leggen op het graf van het onbekende arme meisje. Aan de Donau, achter de verwaarloosde industriehaven en de laatste bestofte silo's, ligt het kerkhof voor aangespoelde lijken, het Friedhof der Namenlosen. Hier liggen alle onbekenden die in het begin van deze eeuw in wanhoop van een brug sprongen, iets wat in dat nerveuze Wenen vrij veel voorkwam.

Het kerkhofje ligt in een soort kuil tussen twee dijken, tussen de bomen. Het bestaat uit een paar dozijn goed onderhouden graven met kleine stenen. Sommigen hebben achteraf toch een naam gekregen: de bakkersgezel Ladislaus Kampf bijvoorbeeld, of de kappersknecht Eduard Duckl, of de 'onvergetelijke' Maria Beran.

Veel meisjes werden slachtoffer van de morele economie. De betere burgerij trouwde laat, er waren dus veel loslopende jongemannen, en om die kloof te dichten beschikte Wenen, zoals iedere grotere Europese stad, over een groot reservoir aan treurigheid en mooie verhalen: naaistertjes en halve hoertjes. Voor dat onbekende arme meisje ga ik een roos leggen.

De wind raast door de kale takken. Mijn roos belandt bij de verzakte steen van Aloisia Marscha (1877-1905), naast de verkleurde plastic bloemen.

Denn sie schlafen hier gemeinsam
Die, die Fluten still und einsam
Angeschwemmt...

's Avonds luiden alle klokken van de stad, de lucht is zilver van het klokgelui. De Stephansplatz is leeg, op een aantal koetsjes na. De maan staat vol en geel boven de oude huizen. Het vriest hard. Op de straten worden kastanjes en gepofte aardappels verkocht.

Er bestaat een merkwaardige tekening van de Michaelerplatz uit 1911 of 1912, waarop de jeugdige kunstschilder A. Hitler het plein volledig weergeeft, op één gebouw na, een herenmodezaak, een ontwerp van de moderne architect Adolf Loos uit 1910. In plaats daarvan kopieerde hij een achttiende-eeuwse voorstelling. Hoewel het 'huis zonder wenkbrauwen' van Loos toen al grote bekendheid genoot, mocht het van Hitler niet bestaan.

In het Looshuis is nu een bank gevestigd. Op het eerste gezicht detoneert het, in onze hedendaagse ogen, helemaal niet met de rest van de bebouwing. Het voorportaal is van schitterend groen marmer, met twee grote ronde zuilen, en het interieur heeft warme houten wanden en plafonds. Er is de gevel van de buren, een potpourri van bloemen, guirlandes en andere opsmuk, naast de stille gevel van Loos. Aan de pleinkant zie je hoe de entree van het Looshuis elegant terugwijkt van de ronding van het plein, hoe het een ironisch antwoord geeft op de pompeuze Hofburg. Dit gebouw speelt met zijn omgeving, en dat maak je zelden mee.

Het Looshuis, strak en zonder ornamenten, was een pleidooi voor eerlijkheid in de kunst en een vroeg voorbeeld van moderne architectuur. Het was een reactie op alle neostijlen die tot 1914 de grote Europese steden beheersten. Maar in de ogen van veel toenmalige Weners was het huis een monster. Het was een schoolvoorbeeld van alle gevaarlijke moderniteit die de liberalen en de 'krummnasige Hebräer' over het Germaanse ras uitstortten. Alles wat 'historisch gezond' was, moest worden beschermd tegen deze 'ontaarde' kunst, en of Adolf Loos nu werkelijk een jood was, deed er niet toe. Joods en modern gold bij veel Duitse en katholieke burgers als één en hetzelfde. Dat was overigens niet ten onrechte: zonder Mahler, Wittgenstein, Freud, Schnitzler, Zweig, Roth, Herzl, Kraus en al het andere joodse talent zou Wenen inderdaad nooit zo'n belangrijk cultureel centrum zijn geweest.

Bijna alles wat de twintigste eeuw zou bepalen was in het Wenen van 1900 al in de kiem aanwezig. Dat gold ook voor de politici.

Hier regeerden figuren de straat die we later overal in Europa zouden tegenkomen: de ideoloog, de populist, de pionier, de sociaaldemocraat die het allemaal wel even zou regelen.

Laat ik met de laatste beginnen. De grondlegger van het Oostenrijkse socialisme, Victor Adler, was van joodse afkomst, christelijk gedoopt, humanist, liberaal en in zijn jonge jaren zelfs Duits-nationalist. Een grote revolutie van de arbeidersklasse zag hij als onvermijdelijk, en in de tussentijd moest de socialistische beweging zich gereedmaken om de leiding van het land over te nemen. Hij zette zich daarom in voor allerlei vormen van onderwijs voor volwassenen, bibliotheken, arbeidersgroepen en andere sociaal-democratische organisaties. In 1905 organiseerde hij een algemene staking om algemeen kiesrecht af te dwingen. In 1907 kreeg hij zijn zin: de sociaal-democraten wonnen zevenentachtig zetels in de Rijksraad.

Zo werd Adler de bindende figuur van een parlementaire beweging vol radicale slogans, die zich in de praktijk steeds minder richtte op de klassestrijd en steeds meer op het welzijn van de hele gemeenschap. Zijn zoon, Friedrich Adler, dacht daar anders over. Hij koos voor de gewelddadige revolutie. In 1916 vermoordde hij de minister-president.

Een tweede type dat Europa nog vaak zou zien, was de nationalistische ideoloog. Georg von Schönerer was klein en fors, en 'zijn dikke rode biergezicht met de vettige ogen, maakt op het eerste gezicht geen aangename indruk', aldus een tijdgenoot. 'Maar zodra hij spreekt ziet deze man er anders uit. Dan gloeien de anders vermoeide ogen, de handen raken in beweging en de gelaatstrekken ontwikkelen een zeer levendige mimiek, terwijl van zijn lippen de woorden vol en sonoor door de zaal klinken.' Toch miste Schönerer het charisma om een massale aanhang op de been te krijgen. Zijn invloed verwierf hij door straatgeweld en felle retoriek.

In zijn jonge jaren was hij een progressieve grootgrondbezitter, de oprichter van scholen en bibliotheken, een vader voor zijn onderhorigen. Hij werkte nauw samen met Victor Adler en andere progressieve liberalen. Later raakte hij echter, zoals meer liberalen, bezeten van het idee dat 'zijn' superieure Germanen binnen het Habsburgse rijk werden ingesloten door een ring van Slavische volkeren. Echte liberalen waren volgens hem enkel Duitse liberalen, zij alleen waren de dragers van het ware cultuurgoed. Op zijn landgoed liet hij in de rotsen, met grote runen, 'Heil Bismarck' beitelen.

Ook in zijn anti-semitisme werd hij buitengewoon fanatiek. Hij eiste dat joden uit de meeste beroepen, onderwijsinstellingen en kranten zouden worden geweerd, ja, uit het hele Duitse volk: 'Durch Reinheit zur Einheit'. Op 18 februari 1884 liet hij, bij een partijvergadering, voor de eerste maal in Europa het bordje JUDEN IST DER EINTRITT VERBOTEN ophangen. Een jaar later introduceerde hij de eerste Ariërparagraaf in een politiek manifest: 'Voor het doorvoeren van genoemde hervormingen is de verwijdering van joodse invloeden op alle gebieden van het openbare leven onvermijdelijk.' Zijn Ariërparagraaf vond in Wenen snel navolging. De Duitse studentenclubs begonnen joden te weren, ze werden uitgesloten van duels: 'Iedere zoon van een joodse moeder [...] is door zijn geboorte eerloos.' Honderden turn-, zang-, alpen-, fiets-, wandel- en leesverenigingen volgden.

Op den duur groeide Schönerers beweging uit tot een soort pseudo-Germaanse cultus, met eigen symbolen en rituelen: runetekens, 'Heil'-groeten, zonnewendefeesten, vuren, strijdliederen, alles onder leiding van één Führer. Zijn aanhangers leefden volgens strakke gezondheidsregels en aten grotendeels vegetarisch. Ze moesten, voordat ze wilden trouwen, hun Arische afstamming en hun 'biologische' gezondheid aantonen. Wie niet wilde bijdragen aan de 'Reinheit des deutschen Blutes' was een 'Verräter am Deutschen Volk' en een 'Judenknecht'.

Uiteindelijk ging Schönerer, met die on-Weense felheid van hem, te ver. Straatgeweld werd voor hem een normale vorm van politieke strijd. In 1888 viel hij met een paar medestanders de redactielokalen van het *Neue Wiener Tageblatt* binnen, vernielde de persen van 'deze joodse vodden' en sloeg de redacteuren in elkaar. In het liberale Wenen werd de zaak hoog opgenomen. Schönerer werd tot een gevangenisstraf veroordeeld, verloor voor vijf jaar zijn politieke rechten en ageerde sindsdien voornamelijk in de periferie. Toch bleef zijn invloed groot: anti-semitisme als politiek doel, massaal nationalisme, bloed, bodem, Germaanse mystiek, het begrip 'völkische' kunst, zelfs het 'Führerprincip' – Midden-Europa was er voorgoed mee besmet.

De derde Weense figuur die Europa inspireerde was de christen-democratische populist. Karl Lueger, zoon van een conciërge, had een feilloos oor voor de gevoelens van de gemiddelde Duits-Weense burger, de gewone man, de middenstander die bang was voor industrialisatie en alles wat de moderne tijd verder met zich meebracht. Daarbij was hij, als burgemeester, ook een vroege pionier van het stedelijk socialisme. Hij liet talloze nieuwe scholen bouwen, hij richtte een stedelijk gas-, water- en elektriciteitsbedrijf op, hij liet een uitstekend net van tramlijnen aanleggen, hij organiseerde een voedselprogramma voor ondervoede kinderen en wat betreft sociale woningbouw en stadsvernieuwing was hij zijn tijd ver vooruit.

De Weners waren dol op hun 'Schöner Karl'. Toen hij voor de eerste keer tot burgemeester was gekozen, weigerde keizer Frans Jozef zijn benoeming te bevestigen: hij vreesde dat Lueger de onrust tussen de nationaliteiten alleen maar zou aanwakkeren. Viermaal werd Lueger opnieuw gekozen, en toen zwichtte de keizer. Bij de grote Sacramentsdagprocessie van 1896 liep hij voor het eerst met de stadsbestuurders mee, een tiental meters voor de keizer. 'Over de hele weg ruiste een daverend gejuich en geschreeuw voor de keizer uit', aldus een tijdgenoot. Die hulde gold niet Frans Jozef, maar Lueger. 'Alsof hij enkel in het gevolg van deze man liep, zo wandelde de keizer met de processie. Vóór hem weerklonken de ovaties, om hem heen was het stil. Het was Luegers triomftocht.'

Karl Lueger was een meester in public relations, een term die toen nog niet bestond maar die hem op het lijf zou zijn geschreven. Nooit liet hij zich besmetten door de corruptie van het Weense overheidsapparaat; zelfs zijn grootste tegenstanders gaven toe dat hij onkreukbaar was. Hij speelde, zo blijkt uit alles, graag de rol van goedige, geestige burgervader, die zich met zijn ambtsketen op talloze verjaardagen en jubilea vertoonde en die zich zo om 'de kleine man' bekommerde dat hij, naar eigen zeggen, 'het liefst aan iedere burger die een nachtje was doorgezakt, een rijtuig ter beschikking zou stellen'.

Lueger ging verder dan de gemiddelde christen-democratische politicus. Hij was een typische populist. Na de val van Schönerer nam hij onmiddellijk de slogans over die Schönerer zoveel succes hadden gebracht: Arische reinheid, nationalisering van grote ondernemingen die 'in joodse handen' waren, strijd tegen het kapitalisme, weg met de 'jodenpers' en de moderne kunst. Lueger kon daarbij buitengewoon fel tekeergaan. In de Rijksraad riep hij in 1894 dat 'het anti-semitisme pas te gronde ging als de laatste jood te gronde was gegaan'. En toen iemand hem zijn eigen uitspraak voor de voeten wierp 'dat het hem niets kon schelen of men de joden hangt of schiet', corrigeerde Lueger hem direct: 'Onthoofdt! Dat heb ik gezegd!'

De populariteit van dergelijke opvattingen had deels dezelfde wortels als in Berlijn: de beurskrach van 1873, de jaloezie op de joodse concurrent die het beter deed, de intense behoefte aan een zondebok, de weerzin tegen de talloze immigranten, de angst voor de moderne tijd waarvan joden de personificatie leken te zijn. Jood-zijn stond in het conservatief katholieke Wenen voor een bepaalde geesteshouding: vrijzinnig, internationaal gericht, non-conformistisch, noch behorend tot de Kerk, noch gericht op de natie, alles dus wat de lagere Weense burgerij verfoeide.

Wat ook kwaad bloed zette, was het niet-nationale van de joden. Ze deden niet mee aan het elegante spel tussen de nationaliteiten, ze waren zo ongeveer het enige volk dat geen nationaliteit vormde. Ze zochten niet naar een dergelijke status, ze hadden die ook niet nodig. De joden waren, zo merkte Hannah Arendt terecht op, in Oostenrijk het staatsvolk bij uitstek: 'Er bestond een perfecte harmonie tussen de rijke joden en de staat.' En in zijn befaamde *Wenen in het fin de siècle* schreef Carl Schorske: 'De keizer en het liberale systeem boden de joden een status aan zonder dat zij een nationaliteit van hen verlangden; zij werden het supranationale volk van een multinationale staat, het enige volk dat in feite in de voetsporen trad van de vroegere aristocratie.' Nationalisten als Lueger en Schönerer wilden precies het tegenovergestelde, ze haatten de multinationale staat, en ze haatten het multinationale staatsvolk helemaal.

Luegers anti-semitisme had echter wel een andere ondertoon dan dat van Schönerer. Het was, ondanks de felheid, eerder opportunistisch dan doctrinair, eerder sociaal dan raciaal. Lueger bleef in de omgang een gezellige Wener, die graag aan tafel zat bij dezelfde joodse kapitalisten die hij in de gemeenteraad verketterde. 'Wie een jood is, bepaal ik.' Dat was Lueger.

Een tiental jaren na de dood van Lueger, in 1922, publiceerde de Weense journalist Hugo Bettauer *Die Stadt ohne Juden: ein Roman von Übermorgen*, een satire op het anti-semitisme. Bettauer beschreef een Wenen waarin opeens geen joden meer zouden wonen. Er zouden geen bankiers meer zijn om niet-joden advies te geven over speculaties, niet-joodse vrouwen zouden zich niet voor de mode interesseren omdat ze niet meer hoefden te concurreren met de joodse vrouwen, prostituees met dronken pooiers konden zich niet meer laten troosten door de cadeautjes van hun zacht-moedige joodse bewonderaars. Drie jaar later werd Bettauer, een vriend van Karl Kraus, door een student doodgeschoten, en daar-na vergeten.

Het ligt voor de hand: het antwoord op dit alles, het zionisme, werd ook bedacht in Wenen. Waarom zouden de joden een natio-nale status voor zichzelf blijven weigeren? Zouden ze niet veel be-ter zo'n status kunnen nastreven? Dat was de theorie die de libe-rale joodse leider Theodor Herzl rond de eeuwwisseling ontwik-kelde: er moest een eigen, joodse staat komen. Tegelijk wilde hij zo het liberalisme redden: zijn nieuwe joodse staat zou bovenal een liberale staat zijn.

Herzl kwam uit een welgestelde, verlichte familie, waarin godsdienst niet meer voorstelde dan een 'vrome familieherinne-ring'. Aanvankelijk voelde hij zich een Weense burger als alle an-deren, en als student werd hij zelfs lid van een sterk nationalisti-sche *Burschenschaft*. Toen zijn club in anti-semitisch vaarwater belandde, bood hij aan om zich vrijwillig terug te trekken, omdat hij jood was en 'uit vrijheidsliefde'. Het krenkte hem echter diep toen zijn 'broeders' hem zonder enige plichtpleging lieten vallen. Hij werd correspondent van *Die Neue Freie Presse* in Parijs, maakte de affaire-Dreyfus mee, hoorde zelfs de moderne, beschaafde Fransen 'À mort! À mort les juifs!' roepen en besefte dat via assi-milatie de joodse waardigheid niet gered kon worden. Herzl be-sloot het om te draaien. De joden hadden altijd oplossingen in de buitenwereld gezocht. Nu moesten ze beseffen dat het beloofde land in henzelf woonde, in hun eigen geest, in hun eigen wil. 'Het beloofde land ligt daar waarheen wij het dragen,' schreef hij. En: 'De joden die het willen, zullen hun staat hebben, en zij zul-len deze ook verdienen.'

In 1896 schreef hij zijn belangrijkste geschrift, *Der Judenstaat*. Al snel kreeg hij steun van belangrijke joodse filantropen als de Duitse baron Maurice de Hirsch en de Rothschilds, en tegelijk wist hij met zijn redevoeringen ook de joden uit de getto's tot on-gekende geestdrift te brengen. 'Dit is niet langer de elegante dr. Herzl uit Wenen, het is een vorstelijke nakomeling van koning

David, herrezen uit het graf,' juichte de schrijver Ben Ami na het eerste zionistisch congres in 1897.

Wat wilde Theodor Herzl nu eigenlijk? In de Nationale Bibliotheek zwoegde ik me door een vergeeld exemplaar van *Der Judenstaat* en nog een paar andere geschriften. Wat direct opvalt zijn Herzls vele pogingen om deze droomstaat voor arme Oost-Europese joden aantrekkelijk te maken. Zoals Schönerer uit de geschiedenis een natie kneedde via zijn verhalen over Germaanse stammen en riten, zoals Lueger hetzelfde deed door terug te grijpen op de middeleeuwse katholieke orde, zo verwees Herzl telkens weer naar het grootse Israël van koning David. Maar hij verbond, net als zijn tegenstanders, dat verleden met de moderne tijd. De Socialistische Internationale droomde van een achturige werkdag, Herzls Jodenstaat zou een zevenurige werkdag hebben, weerspiegeld in de witte staatsvlag met zeven gouden sterren. Er zouden overal 'vriendelijke, lichte en gezonde scholen' komen. Veel werk zou worden gedaan door 'arbeidsbrigades' van jongeren. Er zou geen Hebreeuws worden gesproken, maar een veelheid aan talen. De geestelijkheid zou met respect worden behandeld, maar ze zou wel in haar tempels moeten blijven, net als het leger in zijn kazernes. Palestina en Jeruzalem waren niet Herzls eerste keus, hoewel hij er de propagandistische waarde van inzag.

Ik kwam tot een vreemde, maar bijna onvermijdelijke conclusie: het beloofde land dat de grote grondlegger van Israël voor ogen stond, was in diepste zin niet zozeer een joods Palestina maar vooral een liberaal Wenen. In Herzls utopie kwam geen davidster voor.

Ten slotte was er de anonieme toeschouwer van dit alles, de dagdromer, de dakloze pauper, de hopeloze kunstschilder Adolf Hitler. Hij woonde zes jaar in Wenen, van september 1907 tot mei 1913, van zijn achttiende tot zijn vierentwintigste. Het is buiten kijf dat de stad een enorme indruk op hem heeft gemaakt. Volgens zijn latere medewerker Albert Speer kon Hitler nog jaren nadien de Ring met alle grote monumenten op schaal natekenen, zo uit het hoofd.

'Adolf Hitler, zoals [vrienden en collega's] hem kenden, viel in het grauwe leger van Weense arbeiders en werklozen niet bijzonder op, noch door bijzondere talenten, noch door gebrek aan scrupules, misdadigheid of demonische eigenschappen.' Zo vat de

historica Brigitte Hamann de conclusies samen van haar indrukwekkende zoektocht naar Hitlers sporen in Wenen. Hij moet volgens haar in die tijd niet veel meer zijn geweest dan een driftige
zonderling die iedereen van de sokken praatte en die het Duitse
volk vergoddelijkte. De 'dwingende kracht' van zijn ogen was nog
niemand opgevallen. Van anti-semitisme was in zijn Weense tijd
weinig of niets zichtbaar. Ondanks zijn grote politieke belangstelling wilde hij maar één ding: architect worden.

ANTI-SEMITISME
Lag de bron van Hitlers anti-semitische 'geloof' in Wenen? Volgens
hemzelf wel. In *Mein Kampf* betitelde hij de stad als 'een belicha-
ming van bloedschande', en hij heeft altijd beweerd dat hij daar al
tot zijn anti-semitische opvattingen kwam. Er is echter, ondanks
grondig onderzoek van onder meer Brigitte Hamann, geen enkele
getuige gevonden die dit bevestigt. Hitler was in zijn Weense jaren
nog een groot bewonderaar van Heinrich Heine en hij kwam graag
en veel over de vloer bij de liberale joodse familie Jahoda. In het kof-
fiehuisdebat rond Gustav Mahler koos hij zonder aarzelen de kant
van de 'joodse' Mahler-adepten. In het mannenasiel in de Melde-
mannstrasse, waar hij enige tijd verbleef, had hij zelfs voornamelijk joodse vrienden.
Hitlers eerste radicaal anti-semitische opmerkingen, voor zover
die gehoord of genoteerd zijn, dateren allemaal van na de Eerste
Wereldoorlog. Een van zijn belangrijkste biografen, Ian Kershaw,
meent dat hij in Wenen wellicht de joden is gaan haten, maar die
haat was in die fase van zijn leven voornamelijk een uiting van zijn
persoonlijke frustratie. Zijn anti-semitische opmerkingen werden
bovendien in Wenen niet opgemerkt omdat het hele klimaat in de
stad anti-semitisch was. Pas na de nederlaag van 1918 begon Hitlers anti-semitisme zich te ontwikkelen tot een centraal onderdeel
van zijn wereldbeschouwing.

Dat neemt niet weg dat Hitler uit het toenmalige Wenen veel
ideeën heeft opgepikt. In zijn latere opvattingen is de Weense politiek van het fin de siècle overal terug te vinden. Het gedachtegoed en de cultus van Schönerer nam hij vrijwel integraal over

voor zijn nationaal-socialistische beweging, inclusief het Führer-prinzip en het straatgeweld. Ook zijn manier van spreken heeft hij vermoedelijk van Schönerer afgekeken. Jaren later zou hij zijn tafelgenoten vertellen dat hij een echte schönereriaan was, en dat hij als kunststudent naar Wenen was gekomen met een grote vijandschap voor Lueger. Pas later ontstond een grote bewondering. Waarschijnlijk liggen de wortels van Hitlers radicale racisme dus vooral bij Schönerer.

In *Mein Kampf* wijdt hij meerdere bladzijden aan zijn politieke leermeesters, prijzend, maar ook kritisch. Schönerer was in Hitlers ogen tegen te veel tegenstanders tegelijk opgetrokken: joden, vrijmetselaars, jezuïeten, kapitalisten et cetera. Bovendien had hij de katholieken tegen zich in het harnas gejaagd. Op die manier had hij de energie van zijn beweging versnipperd. Daarom koos hijzelf, schreef Hitler, voor maar één tegenstander: de jood. Wat Hitler van Lueger leerde, was echter minstens zo belangrijk: het politieke theater, de vitale rol van public relations, en vooral het enorme belang van een sociale politiek en van grote openbare werken. Demagogie was nooit voldoende. Er moest ook geregeerd worden. Van Lueger leerde Hitler, zoals hij later in een toespraak erkende, dat 'door grote werken de heerschappij' van een beweging 'verankerd' kan worden. 'Als de woorden niet meer klinken, dan moeten de stenen spreken.'

Is er in Oostenrijk nog iets overgebleven van deze jonge Weense zonderling? Enkele uren sporen van Wenen ligt Leonding, ooit een klein dorp, nu een voorstadje van Linz met een dorpsplein en een bakker annex bistro waar de dames de ochtend roddelend doorbrengen. De Amerikaanse historicus John Lukacs had van het graf gehoord vlak na 1945 – net uit Mauthausen bevrijde vrienden hadden er zitten picknicken – en volgens hem was het er nog steeds. Als ik het besneeuwde kerkhof zie, kan ik het me bijna niet voorstellen. Vrijwel alle graven glanzen van nieuwigheid, het lijkt wel alsof de afgelopen jaren in dit dorp een hele generatie tegelijk gestorven is. Normaal mag je hier niet langer dan tien jaar liggen, lees ik in het aangeplakte reglement, en ik geef de moed al bijna op.

Ik zoek het kerkhof systematisch af, langs alle Fritzies, Franzen, Aloissen en Theresa's die hier liggen. Na drie kwartier baggeren door de sneeuw, ik ben bijna helemaal rond geweest, stuit ik er plotseling toch op. Het vreemde is dat ik geen tevredenheid voel, maar schrik. De steen met het grote zwarte kruis staat een beetje scheef. Uit het graf groeit een enorme dennenboom. De emaillen portretjes van de doden zijn maar al te bekend. Met ijskoude vingers noteer ik: *Alois Hitler, k.-u.-k.k Zollamts Oberoffizial i.P. und Hausbesitzer, gest. 3 Jänner 1903 im 65. Lebensjahr. Dessen Gattin Frau Klara Hitler, gest. 21 Dez. 1907 i. 47. Lebj. RIP.* Meer ruimte biedt de steen haar niet.

Achter het kerkhof staat nog steeds het lage, gele huis waar hun kleine jongen Karl May-boeken verslond, Boerenoorlogje speelde en op de ratten van het kerkhof joeg.

De Hitlers hebben geen levende nazaten meer, maar hun grafsteen is omringd door pasgesneden dennengroen en viooltjes. De letters zijn onlangs weer verguld. Er staan drie nieuwe kaarsen bij. Over het kruis hangt een verse krans.

In de trein naar huis lees ik in de *Wiener Zeitung* over het proces tegen de negenenveertigjarige Franz Fuchs, een man die in zijn eentje vier jaar lang een racistische terreur- en bommencampagne voerde. Bij een van zijn aanslagen waren vier zigeunerkinderen omgekomen. In de rechtszaal schreeuwt hij alleen maar leuzen:

Leve de Duitse bevolkingsgroep! Buitenlandersbloed, nee, dank u! Minderhedenprivileges, nee, dank u!
Verkwanseling van de levensruimte aan vreemde bevolkingsgroepen, nee, dank u!
Socialistische Internationale, nee, dank u! Duitsvijandig racisme, nee, dank u!
Zionistische Germanenvervolging, nee, dank u!

Het is woensdag 3 februari 1999.

II

Februari

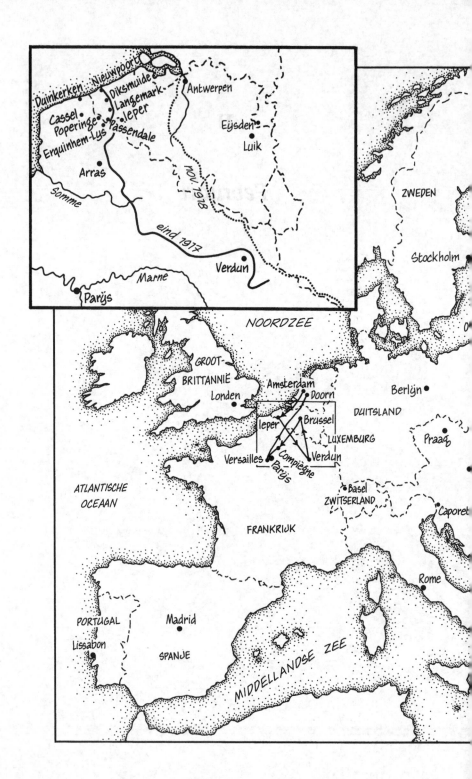

EUROPA 1914 - 1918

FINLAND

Helsinki

Petrograd

Moskou

RUSLAND

aug. 1917

arschau

-HONGARIJE

ROEMENIË

Belgrado

ZWARTE   ZEE

SERVIË   BULGARIJE

Istanbul

Gallipoli

juni 1918

okt. 1915

aug. 1916

GRIEKENLAND

TURKIJE

1

De dagen in zijn ouderlijk huis waren vol van het geruis van de golven, altijd was er het gezang van de vogels in de tuinen. Irfan Orga woonde in Constantinopel, het latere Istanbul. Hij was vijf jaar oud, de zoon van een welgestelde tapijtenhandelaar. Hij woonde achter de Blauwe Moskee, het huis keek uit over de Zee van Marmara.

Orga heeft later zijn herinneringen te boek gesteld, en hierin beschrijft hij de slaapkamer als hij wakker wordt, vol zeelicht, de ochtendkus van zijn stralende moeder, het 'leeuwtje spelen' in het grote, zachte bed van grootvader en hun gezamenlijke wandeling naar het koffiehuis. Er komt een dag dat zijn grootvader wankelt, samen strompelen ze naar huis, de dokter komt, er is opwinding, droefheid, even mag hij zijn grootvader nog zien, voor de rest herinnert Irfan zich vooral het wachten in de warme tuin en het koeren van een houtduif.

Dat was in het voorjaar van 1914. De laatste gezamenlijke zomer bracht de familie Orga door met oom Ahmet en tante Ayşe in het badplaatsje Sariyer, in een huis aan de Bosporus. Oom Ahmet zwom iedere ochtend in zee, en in de koelte van de avond leerde hij Irfan vissen. 'Eén keer zag ik een school dolfijnen en keek ademloos hoe ze door de lucht sprongen.' Bij het terugroeien vertelde zijn oom verhalen. Tante Ayşe en Irfans moeder dronken koffie onder de magnolia. 'Ze zagen er zo fleurig en elegant uit, zoals ze daar op hun chaises longues zaten te kwetteren als mussen, terwijl de zon hun felgekleurde zijden japonnen tot pastelkleuren waste.' Later, als hij in bed lag, hoorde Irfan de volwassenen op de veranda zachtjes praten.

Midden in die zomer merkte hij dat de toon veranderde. Op een avond was het gesprek dringender, werd er minder gelachen. Irfan hoorde zijn vader iets zeggen over 'oorlog' in Europa, en dat hij en oom Ahmet moesten 'gaan', en dat hij daarom zo snel mogelijk zijn huis en de zaak wilde verkopen. 'Ik luisterde slaperig naar wat ze zeiden en hoorde hoe dat vreemde, nieuwe woord "oorlog" telkens weer werd herhaald. Het woord leek de laatste tijd alle gedachten te overheersen en dook met vaste regelmaat op zodra de mannen samen waren. Mijn vader zei: "De Duitse officieren trainen het Turkse leger niet vanwege hun zwarte ogen." "Maar," zei mijn oom, "als we deze nieuwe oorlog binnenstappen is het met ons afgelopen als natie."'

Ogenschijnlijk bleef het een vakantie als alle andere. Irfans vader luierde in de tuin, de kinderen werden almaar bruiner, de dames maakten korte ritjes en deden een paar visites. Het waren gelukkige dagen, en het was zo voorbij.

Toen ze met de ferry terugvoeren naar Constantinopel, passeerde het schip nog éénmaal de tuin van de magnolia, van de zwempartijen en van de verhalen. 'We zwaaiden monter naar mijn oom en tante, en al de bedienden die zich bij hen hadden verzameld, en we wisten geen van allen dat we vaarwel zeiden tegen een leven dat voor altijd van de wereld zou verdwijnen.'

Na de vakantie ging Irfan naar een nieuwe school. Hij ving een andere zin op: 'De situatie is ernstig.' De familiezaak werd verkocht. Iedereen begon voorraden in te slaan. Winkels sloten, prijzen stegen. Op straat waren voornamelijk nog vrouwen te zien. De Orga's verhuisden dat najaar naar een kleiner huis.

Kort daarna, op een novemberavond, hoorden ze in de verte het geluid van een trommel die langzaam dichterbij kwam. De familie liep naar de deur. Vader Orga legde zijn arm om Irfans schouder, de jongen drukte zich tegen hem aan. Toen kwam een man om de hoek die met zware slagen op een grote trom sloeg: 'Mannen die geboren zijn tussen 1880 en 1885, moeten zich binnen achtenveertig uur in het rekruteringscentrum melden.'

De volgende dag was er nergens meer brood. Oom Ahmet was geboren in 1885. Hij kwam afscheid nemen, dronk stil zijn koffie. Daarna begon Irfans moeder een witte grove plunjezak te naaien, met kleine, zorgvuldige steken. Een paar weken later kwam de trommel voor zijn vader.

Een Kakaniër vertelde over zijn militaire training. Het eskadron reed in rijen van twee en men deed een oefening in 'bevel doorgeven'. Daarbij werd een zachtjes uitgesproken bevel van de een naar de ander doorgefluisterd. Werd nu vooraan de colonne bevolen: 'De wachtmeester moet voorop rijden', dan kwam er steevast achteraan uit: 'Acht wachtmeesters voor de kop schieten.' Op diezelfde manier verliepen, volgens deze Kakaniër, ook de grote gebeurtenissen in de wereldgeschiedenis.

'Wij hadden nog niet het flauwste vermoeden van oorlog,' schreef Joseph Roth over het voorjaar van 1914. 'De maand mei, de maand mei van de stad Wenen, dreef in kleine kopjes koffie met een zilveren rand, zweefde boven het couvert, de smalle, tot berstens gevulde chocoladestaafjes, de roze en groene tompoucen, die aan exquise kleinodiën deden denken, en hofraad Sorgsam zei plompverloren, midden in de maand mei: "Er komt geen oorlog, mijne heren!"'

De grote lijnen zijn bekend: het Oostenrijks-Hongaarse kroonprinselijke paar dat een staatsiebezoek aan Sarajevo brengt op uitgerekend Vidov Dan, de dag waarop de Serviërs ieder jaar hun nederlaag tegen de Turken in 1389 in Kosovo herdenken; de dodelijke schietpartij; de arrestatie van de 'terrorist', de negentienjarige Bosnisch-Servische nationalist Gavrilo Princip; de reeks vernederende eisen van Oostenrijk aan Servië; Rusland dat het 'broedervolk' Servië steunt in zijn weigering; Duitsland dat zich klakkeloos met Oostenrijk verbindt; Frankrijk dat vasthoudt aan het bondgenootschap met Rusland; Groot-Brittannië dat tevergeefs probeert te bemiddelen; de kettingreactie van mobilisaties, die de tsaar noch de twee keizers meer kunnen stoppen; het noodlot dat bijna alle Europeanen treft.

Het was een oorlog die begon in de arme, boerse zuidoosthoek van Europa, maar die zijn gruwelijkheid en massaliteit pas kreeg door de deelname van alle grote geïndustraliseerde landen in het westen. Het was een oorlog die heen en weer rolde als een golfslag: de kiem lag in het oosten, de escalatie lag in het westen, maar uiteindelijk vond de grootste destructie weer plaats in het oosten.

Vrijwel al die oorlogsjaren lag in het westen, door Vlaanderen en langs de Frans-Duitse grens, een lang, star front. In het oosten wisten de Duitsers snel door te breken; hier bewoog een front door het midden van Polen. Dat was aanvankelijk ook het geval in de Balkan: eind 1915 veroverden de Oostenrijkse troepen Belgrado. Daarna liep hun opmars vast, mede door het hevige Servische verzet in Macedonië. Ook de Italianen verdedigden zich aanvankelijk fel tegen de Oostenrijkers, hun verliezen waren in totaal bijna net zo groot als die van de Britten. In het Alpengebied werden maar liefst elf zware veldslagen geleverd en Caporetto (nu Kobarid in Slovenië) werd een soort Italiaans Verdun: tussen oktober en september 1917 werden hier meer dan driehonderdduizend man gedood of gewond. Het Middellandse-Zeegebied werd beheerst door de Fransen en de Britse marine, en in het voorjaar van 1915 probeerden de Britten via een invasie bij Gallipoli (nu Gelibolu) via de Dardanellen door te breken naar Constantinopel. Op die manier zou één geallieerd-Russisch front ontstaan, maar de geallieerde aanval op de 'zachte onderbuik' van Oostenrijk en Duitsland mislukte.

De oorlog vernietigde Irfan Orga's kleine wereld binnen een jaar. Oom Ahmet verdween in de Syrische woestijn. Tante Ayşe stierf aan een gebroken hart. Het familiehuis brandde af, inclusief het opgepotte familiekapitaal. Irfans vader bezweek tijdens de geforceerde marsen naar de Dardanellen. Het gezin verviel tot armoede. De kinderen belandden in internaten, Irfan at gras van de honger, zijn moeder gleed af tot krankzinnigheid. Alleen grootmoeder Orga bleef overeind, hard, oud, niet stuk te krijgen.

Gavrilo Princip was te jong voor de doodstraf. Hij crepeerde na vier jaar in zijn cel in de Kleine Vesting van Theresienstadt, het latere Duitse doorgangskamp. Achteraf was hij verbijsterd over de gevolgen van zijn daad, zo rapporteerde zijn gevangenispsychiater. Hij was woedend geweest over de botte Oostenrijkse annexatie van de voormalige Turkse provincie Bosnië-Hercegovina in 1908. Hij was bitter over de achterlijkheid en de armoede in zijn land. Meer had hij niet in zijn hoofd gehad, behalve, bovenal, een mooie heldendood voor zichzelf.

Europa leek bijna per ongeluk in deze oorlog te tuimelen. In vrijwel ieder land heerste in die zomer van 1914 een vrolijk patriottisme, een gevoel van 'even fiksen', een kleine onderbreking in een glorieuze tijd van welvaart en vooruitgang. 'Terug voor de kerst' was het motto van de Britten. In Berlijn voorspelde de keizer zijn soldaten dat ze weer thuis zouden zijn 'voordat de bladeren vielen'. In alle cafés waren de gezichten vrolijk en telkens werd opgestaan en geklonken bij het spelen van het volkslied 'Heil dir im Siegerkranz'. Café Piccadilly werd snel omgedoopt tot Vaterland Café, Hotel Westminster werd Lindenhof. Tsaar Nicolaas II liet zich op het balkon van het Winterpaleis toejuichen door een jubelende menigte, die vervolgens het volkslied aanhief en als één man voor hem knielde. Stakingen werden stopgezet. De Doema hield op met vergaderen 'om het werk van de regering niet te bemoeilijken met onnodige politiek'. Het te Duits klinkende Sint-Petersburg werd omgedoopt in Petrograd. De Franse kuiper Louis Barthas schreef in zijn dagboek: 'Tot mijn grote verbazing veroorzaakte het bericht [van de mobilisatie] meer enthousiasme dan verslagenheid. In hun onschuld leken de mensen het prachtig te vinden in een tijd te leven waarin zoiets groots en meeslepends stond te gebeuren.'

In Berlijn zag Käthe Kollwitz haar zoons wegtrekken. Hans was al in dienst, Peter meldde zich vrijwillig nadat hij een compagnie had zien wegmarcheren onder 'bruisend volksgezang', door alle omstanders, van *Die Wacht am Rhein*. Ze had het er moeilijk mee, maar haar man Karl zei: 'Deze heerlijke jongeren – we moeten hard werken om hen waard te zijn.' 's Avonds, na het eten, werd in de familie een oorlogsnovelle voorgelezen, over een man die bij zijn stervende vriend geroepen werd. Daarna werden in de huiskamer liederen gezongen, 'oude landsknechtliederen en oorlogsliederen'. Käthe ging naar de kazerne om haar zoons te zien. 'Op de binnenplaats Hans. In uniform. Zijn kindergezicht.'

Er waren er die voorvoelden dat deze oorlog het einde betekende van hun oude, zekere wereld. De schrijfster Vera Brittain, toen een studente in Oxford, las de aangeplakte mobilisatieoproep 'met een gevoel dat ik was teruggebracht naar een gruwelijker eeuw'. De Duits-joodse industrieel Walther Rathenau, zoon van de oprichter van AEG, zat zwijgend in zijn stoel, de tranen liepen hem over de wangen. Hij had zich achter de schermen tot het uiterste ingespannen om de wapenwedloop af te remmen en de oorlog te voorkomen. 'Terwijl de mensen door wild enthousiasme gegrepen zijn, wrong Rathenau zijn handen in wanhoop,' noteerde zijn vriend, de kosmopoliet en dagboekschrijver Harry Kessler. Graaf Kessler zou later naar het front trekken in een eersteklastreincoupé, van alle gemakken voorzien. In Namen moest hij de hertogin van Sutherland arresteren, een erudiete dame bij wie hij nog maar enkele weken eerder in Londen had gedineerd en over moderne kunst had gediscussieerd. Hij voelde zich, zo schreef hij, 'enigszins onbehaaglijk'.

De Europese socialisten schreven die laatste vredesweek hun bladen vol tegen de oorlog en het militarisme. Er waren massa-vergaderingen, demonstraties en plannen voor een algemene internationale werkstaking om de oorlog plat te leggen, maar er kwam niets van terecht. Op woensdag 29 juli was de Socialistische Internationale inderhaast in Brussel bijeengekomen, zonder veel resultaat. 's Avonds stonden de socialistische leiders voor een juichende menigte op het podium, de Franse voorman Jean Jaurès sloeg zijn arm om de Duitse sociaal-democraat Hugo Haase, beide mannen waren duidelijk ontroerd, daarna trokken de arbeiders en masse door Brussel, ze zwaaiden met witte kaarten waarop de leuze 'Guerre à la Guerre!' en zongen telkens weer de Internationale. De daaropvolgende vrijdag, op 31 juli, werd Jaurès in Parijs door een nationalist doodgeschoten. De Duitse socialisten waren diep geschokt en condoleerden hun Franse kameraden met dit grote verlies.

Vier dagen later, op dinsdag 4 augustus, zag Lenins agent in Berlijn, Aleksandra Kollontaj,' met eigen ogen hoe diezelfde Duitse socialisten – soms zelfs gekleed in uniform – in de Rijksdag juichend instemden met de oorlogsbegroting van keizer Wilhelm. 'Ik kon het niet geloven,' schreef ze in haar dagboek. 'Ik was ervan overtuigd dat óf zij gek geworden waren, óf dat ik mijn verstand verloren had.' Na de fatale stemming was ze in verwarring naar de hal van het parlementsgebouw gelopen, waar ze prompt werd aangehouden door een sociaal-democratische afgevaardigde, die haar boos vroeg wat een Russin als zij van doen had in de Duitse Rijksdag.

Bij de Franse socialisten was het niet anders. Jaurès werd herdacht in een golf van nationale eensgezindheid. Vanaf nu ging het vaderland voor alles. Binnen een week was de Internationale vergeten, maar na drie maanden was ook alle geestdrift over de oorlog weg. Toen Louis Barthas afmarcheerde namen de mensen hun hoed af, 'als bij een stoet terdoodveroordeelden'.

Waarom trok men in die zomer van 1914 toch zo gretig ten strijde? In Duitsland was de volkswoede vooral tegen de Engelsen gericht, het arrogante imperium dat de ontplooiing van het jonge, dynamische Duitsland blokkeerde: 'Gott strafe England!' Het was voor Duitsland bovendien een preventieve oorlog: de keizer en de generaals maakten zich grote zorgen over de snel groeiende militaire macht van Rusland. Het land zou, zo vreesden ze, binnen enkele jaren kunnen beschikken over een uitstekende Oostzeevloot, strategische spoorwegverbindingen tot vlak bij de Duitse grens en een hoeveelheid mankracht waar de Duitsers niet aan konden tippen. 'Ieder jaar wachten vermindert onze kansen,' verkondigde generaal Helmuth von Moltke in het voorjaar van 1914 aan iedereen die het maar wilde horen.

De motieven van de Fransen hadden eerder met het verleden te maken: revanche voor de vernederingen na de Frans-Duitse Oorlog van 1870-1871, herstel van de oude glorie. De Oostenrijkers wilden vooral definitief afrekenen met het opstandige Servië. 'Serbien muss sterbien,' riepen de studenten. Hun wankele monarchie kon sowieso een militaire opkikker goed gebruiken. De pleinen van Moskou en Sint-Petersburg stonden al een jaar regelmatig vol opgewonden nationalisten die hun Slavische broeders wilden steunen tegen Oostenrijk. Bovendien voelde Rusland zich in toenemende mate bedreigd door Duitsland. Turkije deed, aan de andere kant, weer mee omdat het de Duitse steun hard nodig had tegen de oude vijand Rusland.

Groot-Brittannië was een bijzonder geval. De Britse regering twijfelde buitengewoon lang. Volgens sommigen is die lange aarzeling zelfs een van de oorzaken van de oorlog geweest: als Wilhelm II vooraf geweten had dat Engeland ook mee zou doen, was hij nooit zo lichtvaardig aan deze oorlog begonnen.[2] Nog op zaterdag 1 augustus was het – althans volgens de notities van de jonge minister van Marine, Winston Churchill – vrijwel zeker dat het Verenigd Koninkrijk neutraal zou blijven. Meer dan driekwart van het kabinet was vastbesloten om zich in geen enkel Europees conflict te laten meetrekken. Op maandag 3 augustus was, volgens de meerderheid van het kabinet, een oorlog onvermijdelijk. De Britten hadden Antwerpen altijd beschouwd 'als het pistool op de borst van Engeland' en toen er steeds meer berichten binnenkwamen over Duitse ultimata aan het neutrale België, veranderde de stemming met het uur. Nu Duitsland het accent van de oorlog in het westen legde, ging het om veel meer dan enkel een paar verdragen. Het ging nu om de machtsbalans, om het keren van Wilhelms imperiale streven, en bovenal om het behoud van de oude machtsverdeling: in Europa evenwicht, buiten Europa Engeland. Daarbij kwam nog eens de eigen dynamiek van de militaire planning, een geest die, eenmaal uit de fles, nauwelijks meer was te bedwingen. Er begon die zomer van 1914 bij alle mogendheden een mechanisme te draaien dat al na enkele dagen niet meer gestopt kon worden: het systeem van de oorlogsplannen, van de enorme draaiboeken die in eerdere decennia al waren ontwikkeld en die uiteindelijk zouden fungeren als gigantische aanjagers, als voorspellingen die zichzelf tot werkelijkheid brachten.

Die oorlogsplannen waren een nieuw fenomeen. Ze waren gedetailleerd als spoorboekjes, en ze hadden ook alles met de spoorwegen te maken. Nauwkeurig was berekend hoeveel capaciteit een spoorlijn had, hoeveel marcherende troepen een weg per dag kon verwerken, welke parallelwegen gebruikt konden worden bij een opmars en binnen hoeveel dagen een bepaald fort kon worden ingenomen.[3]

DRAAIBOEK

In 1914 gebruikten alle grote mogendheden voor het eerst uiterst gedetailleerde oorlogsdraaiboeken. De Britten hadden een *Warbook*, een encyclopedie waarin aan werkelijk alles was gedacht: vertrekkende soldaten werd zelfs op het hart gedrukt om hun bibliotheekboeken tijdig terug te brengen. De Fransen hadden een *Plan* XVII dat speculeerde op een toenemende Russische druk op de Duitse oostgrens. De Duitsers bleven almaar werken aan het scenario van hun voormalige chef van de Generale Staf, graaf Alfred von Schlieffen. Dit Schlieffenplan was, volgens militair historicus John Keegan, "'s werelds belangrijkste regeringsdocument van het eerste decennium van de twintigste eeuw, van de laatste honderd jaar misschien, want de consequenties van dit document op het slagveld, de hoop die het wekte én de hoop die het de bodem insloeg zouden reiken tot de dag van vandaag'.

De kern van het Schlieffenplan was een cirkelbeweging van het Duitse leger: via België en Luxemburg zouden de troepen vanuit het noorden Frankrijk binnenvallen. (Nederland moest bij een latere correctie ontzien worden: Duitsland zou een neutrale 'luchtpijp' naar de rest van de wereld weleens nodig kunnen hebben.) Daarna zouden ze Parijs vanuit het noordwesten omsingelen en Frankrijk tot een snelle capitulatie dwingen. Vervolgens zou het leger op de trein gezet worden naar het oostfront en daar het trage Rusland de genadeslag toebrengen.

Het Schlieffenplan had inderdaad een enorme historische reik-

wijdte. Het was veel gevaarlijker dan de meeste andere oorlogsplannen, omdat het een illusie van onoverwinnelijkheid schiep. In
het Duitsland van keizer Wilhelm hield men niet van complicaties
en lastige vragen. 'Mochten de Engelsen landen en oprukken, dan
houden de Duitsers halt [...], verslaan de Engelsen en zetten de
operaties tegen de Fransen voort,' schreef graaf Von Schlieffen.
Dat het Franse leger zich na 1870 heel wat beter had voorbereid
wilde hij niet onder ogen zien. Wel erkende hij dat er een grote
leemte in zijn eigen schema zat: hij kón het Franse leger niet vernietigen. Mochten de Duitse troepen volgens zijn plan na zes weken Parijs bereikt hebben, dan hadden ze, zelfs volgens het meest
optimistische scenario, niet meer voldoende gevechtskracht om
de stad ook in te nemen. Daarvoor had hij nog eens tweehonderdduizend man nodig, maar die kon Duitsland met geen mogelijkheid op tijd ter plaatse krijgen. Zijn troepen zouden dus, ook volgens hun eigen draaiboek, hopeloos vastlopen. De loopgravenoorlog en de uiteindelijke nederlaag lagen zo al in het Duitse plan
zelf verscholen.

Sommige moderne historici vragen zich daarom ook af of het
Schlieffenplan eigenlijk wel een krijgsplan was. Volgens hen was
Schlieffens memorandum oorspronkelijk bedoeld als een soort
doemscenario, enkel met het doel om de keizer ervan te overtuigen dat het Duitse leger vergroot moest worden. Hoe het ook zij,
Schlieffens opvolger Helmuth von Moltke probeerde uiteindelijk
toch de 'sikkelsnede' uit te voeren: hij joeg zijn rechtervleugel zo
snel mogelijk door België en Noord-Frankrijk om het Franse leger
heen, om zo Parijs te bereiken. Daarbij gebeurde precies wat
Schlieffen voorspeld had: het tempo was te hoog, de Duitse legers
liepen vast.

Deze starre militaire planning had catastrofale gevolgen op politiek terrein. Zodra de ene mogendheid mobiliseerde, konden de
anderen niet achterblijven. Wie een week te laat bij het front arriveerde, had de oorlog al half verloren. De Franse stafchef Joseph
Joffre waarschuwde in 1914 dat, volgens zijn berekeningen, iedere dag uitstel van de mobilisatie gelijkstond met het prijsgeven
van een vijfentwintig kilometer brede strook grondgebied aan de
vijand. De Duitse generale staf beweerde iets soortgelijks. Begin
augustus 1914 konden alleen de regeringsleiders deze luid tikken-

de tijdklok nog stopzetten. Ze zagen te laat wat er gebeurde, faalden en raakten in paniek.

'Ik zie nog de weledelgeboren graaf Berchtold op een zomerse dag in 1914, staande in de portiek van een hotel in de Ringstrasse,' herinnerde de Weense journalist Max Graf zich later. 'Hij had juist de oorlogsverklaring tegen Servië getekend. Nu stond hij hier, slank, ironisch lachend, een sigaret met een gouden mondstuk in zijn goed gemanicuurde vingers, kijkend naar de menigte, converserend met voorbijgangers. Zo betrad de gecultiveerde samenleving van de Ring de wereldoorlog, die haar grondig ondersteboven zou keren. Ze had lachend en schertsend geleefd, en lachend en schertsend ging ze ten onder.'

De Oostenrijkers gaven de oorlog elegante vormen. In het Weense Heeresgeschichtliches Museum staan hun uniformen breed uitgestald. Het tenue van een Gardewacht: hoge laarsjes, een glimmende degen, een muts met een pluim, een tijgervel om de hals. Inderdaad geknipt voor de loopgraven. De helm van een Oberleutnant Dragonderregiment 5, zilver en goud, met daarbovenop een enorme Romeinse hanenkam van zeker een decimeter hoog: erg handig als je in dekking ligt. Of de helm van een ulaan uit het zesde Ulanenregiment: een prachtig stuk handwerk met een geel zuiltje en daarop een grote zwarte pluim, een grappige prijs voor een beginnende scherpschutter.

Het Oostenrijks-Hongaarse leger was een biedermeierleger. 'Eer' en 'stand' waren de woorden waar het om ging, niet 'snelheid' of 'doelmatigheid'. Beledigde officieren duelleerden onderling nog volgens een strenge code, met het doel om te doden. Ze beschouwden de komende oorlog met Servië als een soortgelijk gevecht: noodzakelijk, hevig, maar kort. De Oostenrijkse minister van Buitenlandse Zaken, graaf Leopold Berchtold, saboteerde daarom zelfs iedere bemiddelingspoging, willens en wetens.⁴ Een schietpartijtje tussen de Oostenrijkse en de Servische grenstroepen gaf hem ten slotte een welkome aanleiding: op woensdag 29 juli verklaarde het Oostenrijks-Hongaarse keizerrijk de oorlog aan Servië.

Mijn laatste dag in Wenen spendeer ik voor het grootste deel in de kelders van de Neue Hofburg, in de warme beslotenheid van de Nationale Bibliotheek. In welke gemoedstoestand keek de gewone man in het Weense café, van achter zijn koffie en zijn krant, naar deze beginnende wereldoorlog? Had hij op 28 juni 1914 enig idee dat die wilde schoten van Gavrilo Princip op Frans Ferdinand en zijn vrouw Sophie het begin vormden van een reeks catastrofale jaren?

Later is dit vaak gesuggereerd, maar de leggers van Die *Neue Freie Presse* vertellen een ander verhaal. Ik lees ze rustig door, de stadsedities van de maanden juni, juli en augustus 1914, dag na dag.

Het werkelijke noodlot is vaak net zo triviaal als het scenario van een rampenfilm. Eerst is er het gewone Weense leven, met roddels, ongelukken en de annonces van de dag: 'Feschoform. Werkt enorm! De echte Wenerin dankt haar stevige boezem slechts aan Feschoform-boezembalsem!' De kledingmagazijnen bieden tegen elkaar op in grote advertenties, Germania biedt een levensverzekering 'inclusief oorlogsgebeurtenissen en reizen om de wereld', en voor onnoembare zaken wordt 'H. Ungers Frauenschutz' aanbevolen.

Helemaal rustig is het niet rondom de monarchie. De buitenlandpagina's maken melding van een ernstig Grieks-Turks conflict, er zijn grote problemen met Servië, de kroonprins vertrekt naar een gespannen Bosnië om manœuvres bij te wonen. De kolommen staan vol berichten over troepenbewegingen, ultimata en oorlogsschepen die dan hier, dan daar opduiken.

Dan is er de extra-editie, uitgevent op zondagavond 28 juni, met grote koppen en de feiten van de aanslag. In de dagen daarna gaat het eindeloos over de afkomst van de daders, de correcte tekst van de laatste woorden – 'Soferl, bleibe leben für unsere Kinder' –, de staat van beleg in Sarajevo, de voorbereidingen voor de staatsbegrafenis. Het laatste telegram van de kroonprins, gericht aan zijn kinderen: 'Grüsse und Küsse von Papi'. Een berichtje over studentendemonstraties bij de Servische ambassade in Wenen. Op de beurzen in Wenen, Londen en Berlijn is de moord het gesprek van de dag, maar de handel blijft rustig. 'De politieke gevolgen van deze daad worden erg overdreven,' schrijft de krant op donderdag 2 juli.

Daarna is er de aankomst van de vorstelijke doden en de staatsbegrafenis. Als alles voorbij is, maakt half Wenen zich dagenlang druk over de vraag of ten aanzien van de hoge adel en het leger het protocol wel voldoende in acht is genomen. De stad raakt in een lome vakantiestemming. Warenhuis Lessner vult pagina's met de uitverkoop van zijdefoulard.

Wat zomerse berichten. Keizer Wilhelm ii gaat op 6 juli met de

Hohenzollern op vakantie. Hij blijft drie weken weg, verscholen in de Noorse fjorden. Zijn chef-staf en de onderminister van Marine vertrekken ook uit Berlijn. De Oostenrijkse ministerraad komt pas op dinsdag 7 juli bijeen, tien dagen na de moord in Sarajevo.

Op maandag 13 juli, ruim twee weken na de aanslag, opent Die Neue Freie Presse voor het eerst met de oplopende spanning tussen Oostenrijk en Servië. De daders lijken hulp te hebben gehad van de Servische geheime dienst. Oostenrijk eist genoegdoening. Het is nog steeds een mooie zomer, en iedereen verwacht dat de internationale diplomatie dit vuurtje wel zal doven. Ondertussen worden boodschappen uitgewisseld en oude bondgenootschappen bevestigd: Oostenrijk durft niet op te treden zonder Duitsland, en het krijgt de garantie dat Duitsland mee zal doen. Rusland steunt Servië, maar wil beslist geen oorlog. De krant meldt dat de Russische gezant in Belgrado is overleden aan een hartaanval. Verder blijft het stil, bijna drie weken lang. De Franse president, Raymond Poincaré, gaat op 16 juli rustig op staatsbezoek in Sint-Petersburg. Op de beurs hangt een slome zomerstemming. Zelfs de scherpzinnige Britse minister van Buitenlandse Zaken, Edward Grey, gaat op 25 juli – een week voor het uitbreken van de oorlog – nog een weekend uit vissen.

Pas na de 20ste juli slaat de onrust werkelijk toe op de pagina's van Die Neue Freie Presse. Rusland gaat zich openlijk met de kwestie bemoeien, er wordt geschreven over 'stappen' en 'ultimata', op vrijdag 24 juli wordt gemeld dat de Duitse keizer zijn vakantie wil afbreken en twee dagen later valt, tegelijk met de mobilisatie-oproep, voor de eerste maal het woord 'oorlog' in de krant.

Zelfs de chef-staf van het Servische leger wordt overvallen door de snelheid van de gebeurtenissen. Hij is dat weekend toevallig in Budapest, op bezoek bij zijn dochter, en wordt prompt door Oostenrijkse rechercheurs gearresteerd. Die Neue: 'Putnik sprong van zijn stoel, gaf de detective een duw in de borst en trok zijn pistool. Men had de indruk dat hij zichzelf om het leven wilde brengen.' Ondertussen barstte de dochter in gejammer uit. Een dag later is de generaal alweer vrijgelaten en met alle egards op de trein gezet, 'aangezien het Oostenrijke leger van te veel ridderlijke gevoelens is vervuld om het vijandelijke leger van zijn hoogste commandant te beroven'.

In de avondeditie van diezelfde zondag tref ik, ook voor het eerst, een beschouwing aan over het risico dat de oorlog tussen

Oostenrijk en Servië zou kunnen 'totaliseren', en over de noodzaak om het conflict 'lokaal te houden'.

Op maandag 27 juli bericht de krant over Britse pogingen om de vrede te herstellen. De onderlinge bondgenootschappen zijn immers helemaal niet zo dwingend als later wel is gesuggereerd. De diplomaten hebben nog flink wat manœuvreerruimte. Duitsland heeft bijvoorbeeld geen enkele verplichting om Oostenrijk in deze kwestie te hulp te komen. Rusland hoeft Servië niet door dik en dun te steunen. Engeland wordt allerminst gedwongen om vanwege België een oorlog te beginnen.

VERRAAD

Als kolonel Alfred Redl niet had bestaan, was ook Wenen vermoedelijk minder lichtzinnig met de Servisch-Russische oorlogsdreiging omgegaan. Deze chef van de Oostenrijkse contraspionage had in 1913 zelfmoord gepleegd. Hij had aan de Russen de gedetailleerde fortificatieplannen voor Galicië verkocht, plus de namen van de Oostenrijkse spionnen in Rusland. De Oostenrijkse regering bagatelliseerde de zaak, maar in werkelijkheid had Oberst Redls verraad enorme consequenties. Amper een jaar voordat de strijd begon, moest Oostenrijk totaal nieuwe oorlogsplannen ontwerpen voor Galicië en Servië. Bovendien was het hele Oostenrijkse spionagenetwerk in Rusland opgerold, waardoor het keizerrijk blind de oorlog binnenstapte. Het gevolg was dat de Oostenrijkse generaals in juli 1914 de Russische gevechtskracht schromelijk onderschatten, zoals ze hun eigen mogelijkheden overschatten. Zonder het verraad van kolonel Redl zou wellicht de hele oorlog niet zijn uitgebroken.

Op dinsdag 28 juli wordt de eerste kaart van het mogelijke oorlogsgebied in de krant afgedrukt. Er circuleren geruchten over een Russische mobilisatie en een mogelijke Duitse tegenmobilisatie.

De volgende dag publiceert *Die Neue Freie Presse* de oorlogsverklaring van keizer Frans Jozef I aan Servië: 'Aan mijn volkeren'. Achter de schermen is men nu volop doordrongen van het gevaar van de crisis. Bij de Fransen groeit de angst dat Duitsland zich ook tegen hen zal mobiliseren. Een aanval op Rusland geldt immers, op grond van de Frans-Russische conventie van 1892, ook als een aanval op Frankrijk.

Donderdag 30 juli: Duitsland en Groot-Brittannië hopen nog steeds dat ze Oostenrijk en Rusland kunnen overhalen om hun mobilisatie af te blazen.

Op vrijdag 31 juli zijn er berichten over een algemene mobilisatie in Rusland en Duitse ultimata aan Frankrijk en Rusland.

Op zaterdag 1 augustus kopt de ochtendeditie met: 'Die Monarchie und das verbündete Deutschland in Waffen'. Duitsland mobiliseert, met Oostenrijk, tegen Rusland. Frankrijk krijgt een Duits ultimatum: het land moet zich binnen achttien uur neutraal verklaren. Franse mobilisatie 'zal onmiddellijk oorlog' betekenen.

Stefan Zweig schrijft onder aan diezelfde pagina over zijn haastige terugreis uit Oostende naar Wenen: 'Het strand en de zee. Men grijpt de kranten, slaat ze open, die in de wind tegenspartelende pagina's, om de berichten te vinden. Alleen de berichten! Want de rest kan men niet lezen in deze Franse kranten: het is te pijnlijk, het windt op, het verbittert. [...] Het Frans, de taal die men door de jaren heen met liefde en verhevenheid gebruikte, klinkt opeens vijandig.'

Op zondag 2 augustus maakt de krant melding van telegrammen tussen keizer Wilhelm en tsaar Nicolaas. De wanhopige teksten zouden pas later bekend worden:

'Ik begrijp ten volle hoe moeilijk het voor jou en je regering is om de kracht van je publieke opinie te trotseren. Daarom, vanwege de hartelijke en tedere vriendschap die ons zo lang al zo sterk bindt, gebruik ik mijn zwaarste invloed om de Oostenrijkers te pressen tot...' Ondertekend: neef Willy.

'Ik voorzie dat ik zeer binnenkort moet zwichten voor de druk die op me staat, en dat ik gedwongen zal zijn om extreme maatregelen te nemen die tot oorlog zullen leiden. In een poging om zo'n calamiteit als een Europese oorlog te vermijden smeek ik je, in naam van onze oude vriendschap, te doen wat je kunt om je bondgenoten ervan te weerhouden te ver te gaan...' Ondertekend: neef Nicky.[5]

Op maandag 3 augustus opent de ochtendeditie met de oorlogsverklaring van Duitsland aan Rusland. Frankrijk mobiliseert. Het Russische gezantschap is uit Berlijn vertrokken. Vanaf de Duits-Russische grens worden de eerste vijandelijkheden gemeld. Ook aan de Franse kant is het begonnen. 'Uit een Frans vliegtuig is een bom geworpen op Neurenberg. Dit gedrag is een cultuurnatie onwaardig. Ook in een oorlog zijn bij het gebruik van geweldsmiddelen de grenzen van hetgeen betamelijk is niet opgeheven.'

Twee dagen later in de avondeditie: Oorlogsverklaring van het Britse rijk aan het Duitse rijk. Verbreken van diplomatieke betrekkingen.

Binnen een paar dagen zijn alle schakelaars omgezet. Alles is in gereedheid voor de Grote Europese Oorlog, van 1914 tot 1945.

Laten we nog één keer heel scherp kijken. In de rechter uniformkraag, naast de generaalsster, is een gaatje van een paar millimeter te onderscheiden. Dat is alles. De rest van het uniform zit vol bloedvlekken. Scheuren in het voorpand en de mouwen getuigen van de paniek van de artsen, van het redden van wat er nog te redden valt.

Het hemelsblauwe uniform van Frans Ferdinand ligt tot de dag van vandaag uitgestald in een vitrine van het Weense Heeresgeschichtliches Museum. In diezelfde zaal staat de groen-zwarte open auto waarin de Habsburgse troonopvolger en Sophie zaten toen ze hun tocht door Sarajevo maakten, een groot blikkerig ding dat veel weg heeft van Ollie B. Bommels Oude Schicht.

Gavrilo Princip en zijn vijf romantische schoolvrienden hadden zich die bewuste ochtend verspreid opgesteld aan de Appelkade van Sarajevo om het gehate symbool van de natie te vermoorden. De eerste moordenaar in spe durfde niet, de tweede wilde bij nader inzien de verblindend witte japon van Sophie niet met bloed besmeuren, de derde was zo slim geweest om precies naast een politieagent te gaan staan. Maar hij smeet wel zijn handgranaat. Paniek alom, een paar gewonden, de kroonprins en zijn vrouw bleven ongedeerd. Princip, die nog verderop staat, gaat teleurgesteld koffiedrinken.

Op het stadhuis krijgt Frans Ferdinand een woedeaanval, vooral als hij merkt dat de tekst van zijn toespraak met bloed is besmeurd. Wat later wordt, op voorstel van Sophie, besloten om langs het ziekenhuis te rijden om de gewonden te bezoeken. De routewijziging wordt echter niet aan de chauffeur doorgegeven. Het gezelschap rijdt terug langs de Appelkade en draait dan de Frans-Jozefstraat in. 'Fout!' roept de Bosnische gouverneur, die ook in de auto zit. De chauffeur wil achteruit, de auto stopt een moment. Uitgerekend op die plek blijkt, stom toevallig, Gavrilo Princip te staan. Hij springt op de treeplank, schiet op Frans Ferdinand, richt vervolgens zijn Browning op de gouverneur, maar de tweede kogel raakt Sophie, die zich over haar echtgenoot heeft heen gebogen.

'De troonopvolger werd precies in een slagader getroffen', lees ik in het verslag van de lijkschouwer, afgedrukt in de *Neue Freie Presse* van 3 juli 1914. 'Als de kogel iets meer links of rechts was ingeslagen, zou de verwoesting niet zo dodelijk zijn geweest. Ik kan als arts alleen maar zeggen dat de kogel hem min of meer toevallig heeft getroffen. Het was voor Princip onmogelijk om goed te schieten. Dat blijkt ook uit het feit dat de eerste kogel de zijwand van de auto doorboorde en pas daarna de koningin trof.'[6]

'Het was zondag, ik was student,' schreef Joseph Roth. ''s Middags kwam er een meisje. Ze droegen destijds vlechten. Ze had een grote gele strohoed in haar hand, die was vol zomer en deed denken aan hooi, krekels en papavers. In de hoed lag een telegram, de eerste extra-editie die ik ooit had gezien, gekreukeld, schrikwekkend, een bliksemstraal van papier. "Weet je," zei het meisje, "ze hebben de troonopvolger doodgeschoten. Mijn vader is uit het café thuisgekomen. Nou, we blijven toch niet hier?"

Anderhalf jaar later – wat was de liefde in vredestijd duurzaam! – stond zij reeds, ook zij, midden in de rookwolk, aan het Goederenstation II, onophoudelijk schetterde de muziek, wagens knarsten, locomotieven floten, kleine rillende vrouwen hingen als verwelkte kransen aan de groene mannen, de nieuwe uniformen roken naar het appret, we waren een compagnie op mars, reisdoel geheim, vermoedelijk: Servië... Haar vader ging nooit meer naar het café, hij lag al in een massagraf.'

2

Dinsdag 9 februari 1999. Over de vlakte achter Diksmuide jagen luchten vol sneeuw. De wolken komen niet aandrijven, ze rijzen op uit het land, als een brede zwarte muur. Achter mijn rug schijnt de zon nog, fel licht, op de modder van de akkers, op de sneeuw in de voren, de handvol rode huizen, de scherpe torenspitsen in de verte. Tegelijk heeft dit landschap iets gelatens. Je veegt er een paar elektriciteitsmasten van af, wat varkensstallen, en je hebt weer een slagveld.

Stel, ik ben een Britse soldaat, we zijn juichend overgestoken en daar marcheren we: 'Let the war come, here we are, here we are, here we are again!' Een van onze kapiteins schrijft naar huis: 'Ik vind oorlog heerlijk. Het is net een grote picknick, maar dan zonder de doelloosheid van een picknick.' De Duitsers zijn via België Noord-Frankrijk binnengetrokken, maar bij de Marne hebben de Fransen hen de pas afgesneden. Dat gaan wij nu ook doen, in West-Vlaanderen.

Hoe voel je je dan?

Er leefden in 1999 nog zo'n honderdvijftig stokoude Britten die dat konden navertellen. In november 1998, bij de tachtigste herdenking van de oorlog, had ik ze door Londen zien marcheren, met stokken en invalidenwagens, daarna volgden de veteranen van Duinkerken, D-day en de Falklands, dan de verpleegsters en de mannen-met-verminkte-gezichten, twee, drie generaties trokken langs, vol in bloed gedrenkte idealen en deugden.

Een broze Jack Rogers (1895) zei voor de BBC-televisie: 'We hadden geen idee waar we heen gingen. Maar op een gegeven moment zagen we schitteringen in de verte. Vervolgens begonnen we geluiden te horen, donderslagen, steeds heviger. En toen beseften we opeens: we gaan een oorlog in!' Dick Barron (1896) vertelde wat er kort daarop gebeurde: 'Mijn eigen maat viel, een schot in het hoofd, ik probeerde zijn hersens nog terug te duwen in het gat, onzin natuurlijk...' Tommy Gay (1898): 'Je hoorde de kogels om je oren fluiten, ping, ping, en ik dacht alleen maar: wat een wonder dat ze me missen.'

In november 1914 waren alleen al rondom Ieper honderdduizend man gevallen. Daarna zouden in die streek nog eens vierhonderdduizend volgen. Norman Collins (1898) moest de doden begraven, lijken die soms al weken op het slagveld hadden gelegen. 'De eerste die ik zo zag, raakte ik aan, een rat vloog uit zijn hersenpan. Je dacht dan: al die ambities en aspiraties, en alles wat ze aan de wereld wilden veranderen, maar in werkelijkheid stierven ze allemaal binnen een paar minuten.'

Voor de televisie wil Jack Rogers nog wel een loopgraafliedje zingen, met hoge, bevende stem:

I wan't to go home,
I wan't to go home,
I don't want to go to the trenches no more
The whizz-bangs and shrapnels they whistle and roar
I don't want to go over the top anymore
Take me over the sea
Where the Allemands can't take me
Oh my, I don't want to die,
I want to go home.

Nu de andere kant. Stel, ik ben een jongen uit München. We zijn helemaal dol gemaakt met Germaanse propaganda, de korte training was een spannend avontuur in ons zekere leventje, en daar komen we, met drieduizend studenten. Tussen de soldaten lopen zelfs ingenieurs en artsen. Niemand wil dit missen. 'Bij het duizendvoudig vergrote leven in deze geweldige worsteling zonk alles wat er vroeger geweest was in het niet,' zou een van hen later schrijven. De onzen hebben dankzij de Dikke Bertha's de forten van Luik verwoest, ze hebben Antwerpen ingenomen en nu marcheren we in de nacht op de Engelsen bij Ieper af. Ik citeer dezelfde soldaat: 'Wanneer dan de dag zich uit de nevels begint te vormen, sist er opeens een ijzeren groet over onze hoofden ons tegemoet, en jaagt met een scherpe knal de kleine kogels in onze rijen, waardoor het slijk van de drassige bodem overal hoog opspat; maar voordat de wolk nog is opgetrokken, dreunt reeds uit tweehonderd kelen het eerste hoera ten antwoord.' Als het vervolgens begint te knetteren en te dreunen, zo schrijft de auteur, Adolf Hitler, gaat iedereen zingen. Dit laatste is waarschijnlijk een onzinverhaal, hoewel die Münchener studenten er gek genoeg voor waren.

Achteraf zou men spreken van de Kindermoord van Ieper, en Langemark werd wel 'de kraamkamer van de Tweede Wereldoorlog' genoemd. Een van de studenten, Joseph Weidmüller: 'Na vele dagmarsen door België kwamen we de 29ste oktober te Wijtschate [bij Ieper] en geraakten onverwachts in een hevige artillerie. Dadelijk werden de elfde en de negende compagnie vooruit in het vuur gezonden. Toen de mannen door het lichte struikgewas kropen, knetterden mitrailleurs los. Bijna allen sneuvelden. Er viel een stilte, een bang zwijgen dat minutenlang aanhield. Allen waren bleek als de dood. Maar er was één held onder ons die zijn tegenwoordigheid van geest behield. Hij trok zijn sabel en riep: "Denkt aan jullie academische eer!" Hij sprong voorwaarts en wij allen ijlden hem na. De dappere man moest zijn heldendaad dadelijk met de dood bekopen!'

De Britten tegenover hen hadden de Boerenoorlog achter de rug, ze waren professioneel en ervaren. De drieduizend Duitse jongens – want slechts enkelen overleefden – liggen nu op een apart gedeelte van de oorlogsbegraafplaats, omringd door de namen van hun studentenclubs. Van Hitlers Zestiende Beierse Reserve Infanterie Regiment sneuvelde de helft, ongeveer achttienhonderd manschappen. Zelf ontsprong hij de dans. Wel raakte hij later gewond, naar men zegt in een hobbelig bosje hier vlakbij, waar nog altijd de vage resten van loopgraven zichtbaar zijn.

Ook Peter Kollwitz viel die week, aan ditzelfde front, bij Roggeveld-Esen. Käthe Kollwitz: 'Ik droomde dat we met veel mensen in een grote hal waren. Iemand riep: "Waar is Peter?" Hij riep het zelf, ik zag het donkere profiel van zijn gestalte tegenover iets lichts staan. Ik ging naar hem toe, omvatte hem, maar durfde hem niet aan te kijken, bang dat hij het toch niet zou zijn. Ik keek naar zijn voeten en het waren de zijne, naar zijn arm, zijn hand, het waren allemaal de zijne, maar ik wist dat wanneer ik zijn gezicht wilde zien, ik weer zou weten dat hij dood was."

Wie vandaag de dag het West-Vlaamse front van '14-'18 nadert, merkt aan de ouderdom van de bebouwing dat hij in de buurt komt: opeens staan langs de weg bijna geen huizen en boerderijen meer van voor 1920.

Ieper is het hart van dit herbouwde verleden. Het middeleeuwse vestingstadje was tijdens de Eerste Wereldoorlog een saillant, een kwetsbare uitstulping in de frontlijn. Als de Duitsers daardoorheen zouden breken, waren ze de volgende dag in Calais en Duinkerken. De Britten zouden dan grote problemen krijgen met hun aanvoer, voor de Duitsers daarentegen was zo'n nieuwe frontlijn veel gemakkelijker te verdedigen, en bovendien zouden ze een paar goede havens in handen krijgen.

Het ging daar in Ieper dus om grote belangen. Honderdduizenden stierven in de enorme moddervlakte rondom de stad en de buurtdorpen. In het plaatselijke museum In Flanders Fields kun je op een maquette zien hoe Ieper er op 11 november 1918 uitzag: één grote grijze vlakte vol puin, tot op kniehoogte, waaruit het geblakerde restant van de Lakenhal als een oude kies omhoogsteekt. Ook mijn hotel, Old Tom aan de Grote Markt, is weggeveegd. Sterker, de hele Grote Markt is vervallen tot stof.

Nog altijd is Ieper een onwerkelijk oord. Het lijkt een normale, oude stad, maar je weet: vrijwel alles is nieuwbouw. Huizen, gebouwen, twee-, drie-, vijfhonderd jaar oud, het is allemaal met de grootste zorg en liefde nagebouwd. De kroon op deze intensieve hang naar het verleden is de Lakenhal. Ik heb goed die oude kies uit 1918 voor ogen, maar toch ziet het immense gebouw er zo mooi uit, en zo onmiskenbaar oud, dat ik niets meer vertrouw.

Een vriend vond ooit op een rommelmarkt een pasteltekening van een volstrekt kaal landschap, met op de achtergrond een klein torentje en op de voorgrond een paar halfbevroren plassen en wat prikkeldraad. Er is geen levend wezen te bekennen, wel ligt er een soort waas over de tekening dat suggereert dat er iets heel ingrijpends is gebeurd. Tegelijk is er ook een stil licht, alsof alles wacht. Daaronder: 'Février 1917, Pervijze, G.R.'

Waar heeft G.R. dit getekend? Mijn vriend gaat een dag mee en samen rijden we rond door het land van Ieper. We bekijken de overvolle Duitse begraafplaats bij Langemark: het had geen haar gescheeld of op de dodenlijst in de poort had tussen 'Hirsch, Erich von' en 'Hoch, Bruno' nog een andere naam gestaan, en de hele Europese geschiedenis was anders verlopen. Bij Zillebeke bezoeken we het Museum Hooge Crater en het Hill 62 Museum, twee cafés annex privéverzamelingen zoals ze overal langs de oude frontlijn zijn te vinden, vol foto's, roestige helmen, granaatkoppen, geweren, bajonetten, oude flessen, gespen, botten, pijpen. Veel vondsten zijn ook te koop. In de tuin van Hill 62 liggen nog een paar originele loopgraven, gevuld met geel smeltwater.

In Houtem zien we een carnavalsoptocht van zo'n zestig kinderen, verkleed als duivels, Chinezen, katten, heksen en feeën, een gefladder van bonte vogeltjes in een stille, grijze straat met gesloten luiken.

En dan vinden we opeens de plek van de aquarel terug, aan de verlaten spoorlijn Diksmuide-Nieuwpoort. Het is onmiskenbaar dezelfde plaats, bij een overweggetje. Het beeld lijkt bijna onveranderd: akkers, water, prikkeldraad, huizen en schuren die losjes op de vlakte zijn geplakt, alsof ze zo weer weggehaald kunnen worden. Over het land hangt nog steeds dat waas.

'Overal slijk en ratten, ratten, bij hopen! In de winter moesten de wachtposten worden weggedragen omdat hun voeten waren bevroren. En dan het schieten! Ik had een vriend, die kwam ook uit Lier. Die zei opeens: "Ik wist niet dat ik zulk schoon vlees had." En hij houdt zo zijn been vast. Zo doodkalm weg. En dan vraagt hij aan een kameraad een sigaret en begint te roken. En zijn been was er tot aan zijn knie helemaal af, alsof ze het er afgezaagd hadden!'

De Belgische veteraan Arthur Wouters (1895) vertelt zijn verhaal, waarschijnlijk voor de zoveelste keer, aan de BRT-televisie. Toen de oorlog in augustus 1914 begon, telde het Belgische leger tweehonderdduizend man. Ruim twee maanden later, bij het begin van de eerste slag aan de IJzer, waren er nog vijfenzeventigduizend over. Rond Kerstmis 1914 waren bij de Duitsers al 747 000 doden en gewonden gevallen, bij de Fransen 854 000, en van de Britten waren de oorspronkelijke Expeditionary Forces, 117 000 man groot, vrijwel compleet uitgeschakeld.

Aan het oostelijk front hadden de Duitsers op 31 augustus een bloedige slachtpartij gewonnen, met zeventigduizend Russische slachtoffers en honderdduizend krijgsgevangenen. Deze slag bij Tannenberg werd achteraf omgeven met allerlei Teutoonse-ridderverhalen en alles wat het Duitse rijk verder aan mythologie in huis had. In werkelijkheid was de prijs van de overwinning hoog: de Duitsers moesten tientallen regimenten inzetten die ze hard nodig hadden aan het Franse front. Mede daarom liepen de offensieven in het westen aan alle kanten vast. Het Eerste Leger van generaal Alexander von Kluck moest in Frankrijk drie weken lang gemiddeld ruim twintig kilometer per dag optrekken, samen met vierentachtigduizend paarden, die samen dagelijks twee miljoen pond voer nodig hadden. Het was waanzin om te denken dat je een leger wekenlang zo kon afbeulen, en dat het dan fris genoeg zou zijn om de Fransen te verslaan.

Maar ook de geallieerden stonden er slecht voor. De Britten waren decennialang bezig geweest met het behoud van hun imperium. Ze waren voorbereid op oorlogen in Afrika, Azië en het Midden-Oosten, maar niet op een oorlog in Europa. Hun leger had de voorgaande jaren voornamelijk gefungeerd als koloniale gendarmerie, gericht op kleine, snelle expedities. Voor een moderne, grootschalige oorlog in Europa had het in 1914 de ervaring noch de manschappen. Dat moest allemaal nog opgebouwd worden.

De Fransen hadden in augustus direct enorme verliezen geleden en tot overmaat van ramp was het grootste gedeelte van hun zware industrie in Duitse handen gevallen. Maar ze vochten wel op eigen grondgebied, temidden van hun eigen mensen, en dat bleek al snel een groot voordeel. Op 23 augustus 1914 stonden vierentwintig Duitse divisies tegenover zeventien geallieerde divisies. Op 6 september was de verhouding vierentwintig tegenover eenenveertig. De Fransen hadden alles ingezet, inclusief de complete Parijse taxivloot, om hun troepen op tijd bij de Marne te krijgen. De Duitsers werden teruggeslagen, verloren een kwart miljoen manschappen, en groeven zich in.

Daarna bevroor de oorlog. De soldaten begonnen schuttersputjes met elkaar te verbinden en aan beide kanten van het front groeiden al snel enorme stelsels van modderige schuilholen en loopgraven. Niemand, geen soldaat, geen strateeg, was op een dergelijke oorlog voorbereid. In Nieuwpoort kwamen de loopgraven uit op het strand, waar een Belgische soldaat de eerste man aan het front was. 'Tegen het einde van 1914 slingerde dit [systeem] zich in een wat gerafelde S over duizend kilometer door het Belgische en Franse land tot aan de Zwitserse grens, waar een Franse collega de laatste man was, zonder zee, maar ongetwijfeld met dezelfde gevoelens.' Zo vatten de Eerste-Wereldoorlogspecialisten Chrisje en Kees Brants de situatie treffend samen. Op een paar kleine verschuivingen na zou de oorlog bijna vier jaar lang nauwelijks van zijn plaats komen; pas in 1918 bracht een Duits offensief er weer beweging in.

De Duitse luitenant Ernst Jünger noteerde in zijn dagboek maandenlang de gebeurtenissen in het 'kleine, bochtige stukje van het lange front waarin we thuis waren, waarin we langzamerhand iedere overwoekerde kuil, iedere vervallen schuilpost kenden'. Ik citeer hem:

19 oktober 1915
In de ochtendnevel ontdekten we bij het repareren van ons prikkeldraad voor de rechtervleugel een Frans lijk, dat al maanden oud moest zijn. 's Nachts werden bij het draadtrekken twee van onze mensen verwond.

30 oktober
's Nachts stortten na een wolkbreuk de borstweringen in en vermengden zich met het regenwater tot een taaie brij, die de loopgraven veranderde in een diep moeras. De enige troost was dat het de Engelsen niet beter verging, want we konden zien dat uit hun loopgraven driftig water werd geschept. Omdat we een beetje hoger lagen, pompten we ons overtollige water naar hen toe. Ook gebruikten we onze telescoopgeweren. Toen de wanden van de loopgraven instortten, kwam een rij lijken uit de gevechten van de vorige herfst te voorschijn.

9 november
Tot de verzetjes die deze post biedt, hoort ook de jacht op allerlei dieren, in het bijzonder op de patrijzen die in een enorme menigte op de verlaten velden leven. Omdat we geen hagelpatronen hebben, zijn we gedwongen om tot vlak bij de weinig schuwe 'kookpotaspiranten' te sluipen, om ze dan met een kogel de kop af te schieten, omdat er anders te weinig van het gebraad overblijft. Daarbij moeten we ervoor uitkijken om in het heetst van de achtervolging niet uit onze kuilen te komen, omdat we anders van jagers in wild veranderen wanneer we vanuit de gevechtsloopgraven onder vuur worden genomen.

28 december
Mijn trouwe August Kettler viel op de weg naar Monchy, waarvandaan hij mijn eten wilde halen. Hij was de eerste van mijn

vele oppassers die het slachtoffer werd van een granaatinslag, die hem op de grond smeet met een doorboorde luchtpijp. Toen hij met de pannen wegging, zei ik hem nog: 'August, laat je niets gebeuren onderweg.' 'Ach, waarom, luitenant!' Nu werd ik geroepen, en ik vond hem dicht bij de schuilplaats rochelend op de grond liggen, iedere ademtocht zoog de lucht door de halswond in de borst. Ik liet hem terugbrengen, hij stierf een paar dagen later in het lazaret. Bij hem vond ik het, net als bij veel anderen, vooral treurig dat het slachtoffer niet praten kon en zijn helpers met radeloze ogen aanstaarde, als een gekweld dier.

De doodsbrief van de Britse regering aan de nabestaanden bevatte standaard de volgende zin: 'Hij stierf door een kogel, recht in het hart.' In werkelijkheid was maar een enkeling zo'n dood gegund. Veel jongens werden door granaten aan flarden geblazen, anderen crepeerden in het gas, verdronken in de modder of verbrandden levend voor een vlammenwerper. Tallozen bloedden langzaam dood tussen de linies waar niemand hen kon helpen, tussen de stervende ezels en de jammerende paarden. Na de eerste dag van de slag aan de Somme steeg, zo vertelde de Britse luitenant Hornshaw later, vanuit het niemandsland een onaards gejammer en gekreun op, 'een geluid alsof natte vingers over een enorme ruit schraapten'.

Na een jaar oorlog meldde de Franse korporaal Louis Barthas in een bijzinnetje dat er van de oude garde van zijn 13de groep nog maar drie man over waren. Alle anderen waren gewond of gesneuveld. Käthe Kollwitz zag in Berlijn een knaap lopen, hooguit vijftien, in uniform met een ijzeren kruis. Zulke jongens werden nu blijkbaar ook ingezet.

Eind 1915 hadden de geallieerden aan het westelijk front meer dan twee miljoen man aan doden en gewonden verloren, de Duitsers negenhonderdduizend. Aan beide kanten van het front werkten de veldhospitalen als slagerijen. In Berlijn stuitte ik op de geschiedenis van de joodse ziekenhuistrein, de Viktoria Louise, op pad gestuurd door het Jüdisches Krankenhaus met de beste chirurgen die ze hadden. Er was zelfs een eigen operatiewagon. Van de half miljoen Duitse joden vochten ruim honderdduizend mee in de oorlog, naar verhouding meer dan uit welke andere bevolkingsgroep ook. Dankzij de oorlog was iedereen eindelijk gelijk. Maar de Duitse legerstaf zag dat niet zo: eind 1916 kwam er een order om alle joden apart te registreren. Vijftienduizend Duitse joden kwamen uiteindelijk niet terug.

Overal raakten de troepen verzwakt door ondervoeding, beschietingen en het barre bestaan in de loopgraven, maar aan de geallieerde zijde was het leven het zwaarst. De Duitsers waren gericht op verdediging van hun posities, ze groeven zich stevig en solide in. De Britten en vooral de Fransen konden zich zo'n statusquo niet permitteren: de Duitsers hielden immers enorme stukken van Frankrijk bezet, inclusief een groot deel van de kolen- en staalindustrie. De geallieerden moesten dus voortdurend bewegen, iedere loopgraaf moest provisorisch blijven, dat was de basis van hun oorlogsfilosofie.

Aan de resten van de linies zijn de verschillen nog te zien: het verweerde beton van de voormalige Duitse loopgraven ademt een zekere degelijkheid. De overgebleven Franse en Britse stellingen zijn weinig meer dan overwoekerde greppels. In de wintermaanden waren het dikwijls modderige, stinkende open riolen waartussen soldaten heen en weer werden gezeuld, zonder veel rust, met nauwelijks enige beschutting. Tonnenmaker Barthas noteerde nauwkeurig de plekken waar hij die jaren sliep: in een kelder, op het podium van een balzaal, in een varkensstal, op straat onder een zeil, in een kerk, op een tochtige zolder, onder een kar, in een kapotgeschoten huis, heel vaak ook gewoon in een gat in de grond. Bij de Britten waren de *trench feet* berucht, de loopgravenvoeten, veroorzaakt door het wekenlang rondlopen in natte schoenen. De boel ging zwellen en op den duur verkleurde de huid, de tenen stierven af en de voeten moesten geamputeerd worden.

Grote problemen ontstonden op het psychische vlak, en ieder oorlogsdagboek maakt er melding van. Volgens Ernst Jünger was het lawaai van een onophoudelijk nachtelijk artilleriebombardement zo ontregelend dat mannen hun eigen naam vergaten en niet eens meer tot drie konden tellen. De permanente doodsangst vergeleek hij met het gevoel dat je vastgebonden was, dat iemand voortdurend met een voorhamer langs je hoofd suisde en dat ieder moment je schedel verpletterd kon worden. Aan het eind van de oorlog verloor hij door één voltreffer bijna de helft van zijn compagnie, meer dan zestig man. De geharde Jünger barstte in tranen uit, voor het front van zijn overgebleven soldaten.

Barthas beschreef een loopgraaf vlak na een inslag: een onthoofde soldaat, een totaal verminkt lichaam, een stapel lijken van Duitsers, een jonge dode soldaat die leek te slapen, een paar levenden die totaal apathisch in het niets keken. Opeens een nieuwe inslag: 'De loopgraaf stond in lichtelaaie... Ik hoorde gefluit en gekraak, maar ook verschrikkelijk gehuil van pijn. De ogen van sergeant Vergès waren verbrand. Aan mijn voeten rolden twee ongelukkigen over de grond van ellende... Het waren levende toortsen.' Zelf verloor hij alle besef. 'Ze zeggen dat ik wezenloos uit mijn ogen keek en wartaal uitsloeg.'

Psychische instortingen kwamen zo vaak voor dat ieder leger er eigen termen voor had. De Belgen noemden het 'd'n klop', de Duitsers spraken over 'Kriegsneurose' of 'Granatfieber', de Fransen over 'choque traumatique' en uiteindelijk kreeg het fenomeen de Engelse benaming 'shell shock'. De symptomen waren overal hetzelfde: huilbuien, extreme vermoeidheid en paniekaanvallen. Bij de gewone soldaten kwam ook vaak een hysterische vorm voor, met verlammingsverschijnselen, stomheid, doofheid en tics in het gelaat.

Bij het stadhuis van Poperinge zijn nog de cellen te zien van de soldaten die werden beschuldigd van 'desertie' en 'lafheid'. Volgens een geheime Britse legerorder kon lafheid alleen met de dood worden bestraft, en medische redenen konden daarbij niet als excuus worden aangevoerd. Later onderzoek van de processtukken heeft aangetoond dat nogal wat van die 'aanstellers' waarschijnlijk psychiatrische patiënten waren. De Fransen hebben vermoedelijk ongeveer zestienhonderd man geëxecuteerd, de Britten driehonderd, de Duitsers vijftig. Later werd iets nieuws uitgevonden: met elektrische stroomstoten door de hersenen werden 'lafaards' door de artsen snel en radicaal weer op de been gejaagd.

In dit wrede leven probeerden soldaten en officieren met alle macht een paar resten van het gewone burgerbestaan te bewaren. 'Vaak zat ik met een gevoel van behaaglijke geborgenheid aan tafel in mijn kleine schuilhut, waarvan de ruwe, met wapens behangen houten wanden aan het wilde Westen herinnerden,' schreef Ernst Jünger naderhand. 'Ik dronk een kopje thee, rookte en las, terwijl mijn oppasser met het kleine kacheltje in de weer was, waaruit de geur van geroosterd brood de ruimte vulde.'

Louis Barthas meldde dat de Franse schuilplaatsen bij Vermelles er soms uitzagen als kleine villa's. Zelfs in de voorste linies ontsnapten 'vonken, vlammen en rook' dag en nacht 'uit de honderden schoorsteentjes'. In het oorlogsmuseum van Péronne staat een compleet veld-theezetgarnituur van een Engelse officier, fraai geordend in een rieten koffertje. Daarnaast ligt een Duitse accordeon met een zelfgemaakt liedboekje van een zekere M. Erdmeier: *Allerhand Schützengrabengestanzl*. In een van de frontmusea kwam ik een foto tegen van een ondergronds verblijf voor Duitse officieren: vijf heren aan de gedekte tafel, het glas vrolijk geheven, een zesde achter de piano, platen aan de wand, hangklok tegen de muur, slapende kat op een taboeret. Andere Duitsers legden volkstuintjes aan met rododendrons, sneeuwklokjes en *Parole-uhren*, windmolentjes die de uren wegmaalden. De Belgen vormden 'gezinnen', met een 'vader' die zijn slapie betitelde als *wuf*, wijf.

Aan Britse zijde werd een speciale krant in de loopgraven bezorgd, de *Wipers Times*, vol zwarte grappen, gemaakt door een schrijver en een drukker die in een ruïne een oude drukpers hadden aangetroffen. Het nummer van 8 september 1917 toont een stokoude Britse soldaat, nog steeds in de loopgraven: 'Hij streelde zijn oude witte baard / En staarde met ogen, dof en bejaard...' Een andere schets toont 'De loopgraven, anno 1950'. Het laat iets zien van een ondraaglijk vermoeden dat steeds meer soldaten beving: dat aan deze vastgelopen oorlog nooit meer een eind zou komen.

Misschien was het wel die moed der wanhoop, die drang naar beweging tegen elke prijs, die telkens opnieuw tot massale zelfmoordacties leidde. Passendale, een nat en modderig dorp onder de rook van Ieper, werd door de Britten omgedoopt tot 'Passion Dale' omdat het almaar opnieuw bestormd moest worden. In het zuigende moeras rondom die paar huizen stierven naar schatting zo'n zestigduizend man door pure verdrinking, een kwart van de gesneuvelden. Ze zakten weg in de modder, ze verdwenen in de duizenden gaten en trechters die door de artilleriegranaten waren ingeslagen, 'Zie je dat beekje,' schreef F. Scott Fitzgerald bij Passendale, 'we kunnen er in twee minuten naar toe lopen. De Britten deden er een maand over – een heel wereldrijk dat langzaam vooruit liep, duwend van achteren en stervend van voren. En een ander wereldrijk liep langzaam achteruit – een paar centimeter per dag, terwijl de doden achterbleven als een miljoen bebloede vodden.'

Ondertussen verdween de laatste onschuld van de negentiende eeuw. Het Belgische leger was de strijd ingegaan met kledij als uit een schooltoneelstuk: sjako's, klompen, kapotjassen, vilten mutsen, grappige hoge lakhoedjes, rugzakken van hondenvel, grote blauwe jassen die al het water van Ieper in zich opzogen. De Schotse Highlandregimenten bleven tot elke prijs hun kilts dragen, totdat bleek dat mosterdgas een fatale uitwerking kon hebben op intieme lichaamsdelen. De Duitse ulanen hadden grote glimmende adelaars op hun hoofd, en leren helmen waar je zo een kogel doorheen kon drukken. De Fransen droegen met trots hun rode kepi's, blauwe jassen en rode broeken. Aan camouflage en andere praktische zaken was nooit gedacht; dit waren uniformen van eer en stand. Vanaf begin 1915 verschenen stalen helmen aan het front, grijze en kaki uniformen, de efficiënte vormen van de nieuwe eeuw. De Britse speelgoedfabriek Meccano volgde de technische ontwikkelingen op de voet. De voorbeelden zijn nog in het Londense Imperial War Museum te zien: model 7.13: een machinegeweer op voetstuk, model 6.42: een compleet slagschip en model 710: de Aeroscope, een soort hoge hijskraan om van bovenaf het front te bekijken.

Toch vonden, zoals dat meestal gaat, al die nieuwe technische ontwikkelingen slechts langzaam een plaats in het voorstellingsvermogen van generaals, politici en andere betrokkenen. Er vielen tussen 1914 en 1918 vooral zoveel slachtoffers omdat telkens weer oude strategieën gecombineerd werden met ultramoderne technieken. Anders gezegd: men besefte aanvankelijk nauwelijks dat moderniteiten als het machinegeweer, het gifgas, het vliegtuig en, later, de tank een totaal nieuwe wijze van oorlogvoering met zich meebrachten.[8] De gewone frontsoldaat had die technische 'mismatch' vaak als eerste door. Hij bleek met totaal verouderde spullen de oorlog in te zijn gestuurd, hij stond bij een gasaanval enkel met een bepiste lap voor neus en mond, hij zag hoe zijn kameraden bij een bajonetaanval als halmen werden neergemaaid door de nieuwe machinegeweren, en zijn bitterheid groeide.

De Engelse officier William Pressey beschreef hoe hij bij Amiens tweehonderd Franse cavaleristen over een heuveltop in de aanval zag gaan, een schitterend tafereel met hun bepluimde helmen en fonkelende lansen. 'Ze lachten en zwaaiden met hun lansen naar ons, roepend "Le boche fini".' 'Afgelopen met de mof!'

Vlak nadat ze uit het zicht waren verdwenen, hoorde hij het droge geratel van een paar machinegeweren. Alleen een paar losse paarden kwamen terug.

In Houthulst, waar de Sint-Christoffelkerk tegenwoordig weekendmissen en autozegeningen organiseert, ligt een grote Belgische oorlogsbegraafplaats. Op de blauwige grafzerken hangen briefjes van schoolkinderen. Ze schrijven aan de doden: 'Maar vijf kogels in een dag om te schieten. Jammer dat het is gebeurd. Je hebt goed gevochten, hoor.' En: 'Als er weer oorlog is dan ben jij er niet bij. Maar ik hoop dat er geen oorlog meer komt. Tot in de hemel.'

Ik hoor een doffe dreun. Over witte akkers trekt een blauwe mist. De DOVO, de Belgische Dienst voor Opruiming en Vernietiging van Oorlogstuig, heeft achter de graven weer een partij munitie uit de Eerste Wereldoorlog laten ontploffen. Dat gebeurt tweemaal per dag, anderhalve ton per jaar. De boeren steken gevonden granaten in de gaten van de elektriciteitsmasten, de mijnopruimers pikken die op. Zo gaat het hier maar door. Generatie na generatie blijft deze aarde braken, granaten, knopen, gespen, messen, schedels, flessen, kogels, geweren, soms zelfs een hele tank. Nooit houdt de Grote Oorlog op.

In 1979 werden in een oude loopgraaf bij Croonaart drie dode Duitsers en vier dode Fransen aangetroffen. In 1983 raakte bij Ieper een graafmachine vast in het plafond van een ondergrondse ruimte: een gave verzorgingsplaats van de Britten, zo achtergelaten in 1918, compleet met britsen en medische spullen. In 1997 ontplofte in de buurt van Poperinge het huis van een al te enthousiaste munitieverzamelaar: een oude granaat werd opeens overactief omdat de inhoud door het tijdsverloop hoogst instabiel was geworden. In 1999 zakte bij Passendale een boerin tijdens het ramenlappen weg in een vergeten Duitse tunnel. In Nieuwpoort staan om dezelfde reden nogal wat huizen op instorten. De gifgasgranaten – in totaal meer dan tweehonderd ton – kan men pas sinds kort onschadelijk maken. Een deel staat bij Houthulst onder een afdak. Bij Knokke liggen tienduizenden mosterdgasgranaten in zee, in 1919 gedumpt en na tachtig jaar zo langzamerhand doorgeroest.

De bewoners van dit land hechten aan hun eeuwenoude orde. Tussen de middag is het in de velden en de gehuchten doodstil:

iedereen zit aan de warme maaltijd. 's Avonds hebben de dorpen zich al vroeg teruggetrokken in zichzelf: de rolluiken zijn potdicht, geen flonkertje licht komt naar buiten en zonder die paar straatlantaarns zou het landschap in een diepe duisternis zijn gehuld.

In Erquignhem-Lys, vlak bij Ieper, breng ik de avond door bij Jacques Thorpe, een verwarmingsdeskundige die iedere vrije minuut besteedt aan de oorlog rondom zijn dorp. Hij laat een verroeste bajonet zien, vorige maand nog tussen het vuilnis weggehaald. Een Engels meetlint, ook gevonden, voor de aanleg van de loopgraven. Een oude foto van een dorpsjongen in een Brits korporaalsuniformpje. 'Hun mascotte.' Een Duitse foto, met alle loopgraven. 'Er leeft hier in het dorp nog één man die de Grote Oorlog heeft meegemaakt, maar hij weet niets meer.'

Vorig jaar richtte Thorpe een klein monument op voor de Engelse brouwersknecht Arthur Poulter, die in april 1918 tien gewonde makkers door zwaar machinegeweervuur in veiligheid bracht. Poulter had er het Victoriakruis voor gekregen. Zijn brouwerij leverde tachtig jaar later de pils voor het feest. 'Ik las alles over die soldaat. Ik ken hem nu vermoedelijk beter dan zijn eigen kleinkinderen.'

Achter een nieuwbouwwijkje ligt de plaats waar het gebeurde. We staan er die avond een poosje te kijken, naar de gedenksteen met het verhaal van heldenmoed, naar de doorzonwoningen daarachter.

3

Deze streken moet je bezoeken in november of februari, als er geen gras, graan of maïs groeit, als de aarde weer aarde is, nat, modderig, vol plassen en natte sneeuw. Laat in de middag rijd ik naar Cassel, net over de Franse grens. De zon hangt laag boven de heuvelige akkers, een grote oranje bal die op het punt staat om in de aarde te verzinken. Daarna wordt de lucht heel teer, lichtblauw met roze wolkjes. Dan valt de duisternis in.

Hôtel De Schoebeque is, naar men zegt, vrijwel niet veranderd sinds de Franse bevelhebber Ferdinand Foch en de Britse koning George v er logeerden. Hier zaten de wisselwachters van het lot, de stafchefs, de mannen die de tienduizenden doden slechts tegenkwamen in de statistieken. De poort is dicht. Ik klauter door de tuinen, en in het laatste licht zie ik wat zij zagen: de hele vlakte tot voorbij Ieper, met alle wegen, akkers en heggen, ligt als een schaakbord aan je voeten.

De Eerste Wereldoorlog had al een paar eigenschappen die de Tweede zo moorddadig zouden maken: de massaliteit, de techniek, de vervreemding, de anonimiteit. De burger werd nog ontzien: slechts 5 procent van de slachtoffers van de Eerste Wereldoorlog bestond uit burgers, in de Tweede Wereldoorlog was dat 50 procent. Het ging nog niet om ras, maar wel om afkomst, nationaliteit en stand. En overal waren de hogere standen bereid om zonder genade honderdduizenden boerenjongens, arbeiders en kantoorbedienden op te offeren aan een paar vage zetten op dit schaakbord.

Uit de vernederende frontervaringen van al die soldaten ontstonden gaandeweg nieuwe sociale en rebelse stromingen, in elk land met een eigen toon en een eigen gezicht. De fronten werden zo de bakermat van een reeks massabewegingen die nog decennialang de Europese politiek zouden beheersen, variërend van boze veteranen in Italië, gefrustreerde officieren in Duitsland tot felle pacifistisch-socialisten in Frankrijk en België.

In het Belgische leger werd het klasseverschil op scherp gezet door de taalkwestie. Alleen Franssprekenden konden officier worden, terwijl de meerderheid van de gewone soldaten voornamelijk Vlaams sprak. Dat gaf uiteraard allerlei fricties, en zo ontstond de Frontbeweging, het begin van de Vlaamse emancipatie. De aanhangers lieten onder andere speciale grafzerken maken voor de Vlaamse gevallenen, met als vignet de afkortingen: AVV en VVK in kruisvorm (Alles Voor Vlaanderen, Vlaanderen Voor Kristus). Toen de Belgische regering dit verbood en de teksten liet verwijderen, nam de Vlaamse woede verder toe.

Bij de Fransen heerste een bijna aristocratische afstand tussen officieren en manschappen. Maarschalk Joseph Joffre wilde niets horen van de aantallen doden omdat dit hem 'afleidde'. Regelmatig beschrijft Louis Barthas het comfort van de officieren, terwijl de uitgeputte soldaten als 'vee', 'slaven' of 'leprozen' in regen en kou door het land marcheerden, loopgraven uithakten en sliepen tussen de ratten. Bij de Britten gold de opperbevelhebber, sir Douglas Haig, als de meest genadeloze schaakmeester.

Haig was een moeilijk te doorgronden man. Hadden andere commandanten, ondanks de ongelooflijke hoeveelheid mensen die ze de dood injoegen, nog wel een menselijk trekje, bij Haig was nergens iets van medelijden te bespeuren. Hij was het schoolvoorbeeld van de 'château-generaal', de manager die nooit aan het werkelijke front kwam omdat hij anders 'geen objectieve beslissingen meer kon nemen'. Daardoor verbrak hij, zoals een hoge officier het later zou uitdrukken, 'de magische lijn die het hart van de generaal met de harten van zijn mannen verbindt'. Hij maakte zijn dagelijkse rit op wegen die speciaal voor hem met zand waren bestrooid: zijn paard mocht eens uitglijden. Hij had geen idee van de moerasvlakte waarin zijn soldaten rondom Ieper opereerden, van de modder waarin zijn tanks direct vastliepen, van de tienduizenden verdrinkingsgevallen bij de slag om Passendale. Toen de strijd bijna voorbij was bracht Haigs stafchef een bezoek aan het front. Volgens de legende begon hij te huilen: 'Mijn god, hebben we hier onze mannen laten vechten?'

Sommige Britten typeerden Haig naderhand als 'de Schot die kans had gezien de meeste Engelsen aller tijden om zeep te helpen'. In de oorlogsjaren werd hij echter op handen gedragen. Hij had immers, hoe je het ook wendt of keert, wel kans gezien het kleine Britse beroepsleger binnen enkele jaren om te smeden tot een uitstekend getrainde legermacht met miljoenen manschappen. Daarmee redde hij het Britse imperium. Ook hier speelde de gemankeerde techniek een rol. In een moderne oorlog was, en is, de enige verstandige plek voor een generaal nu eenmaal inderdaad áchter de linies, aan het eind van een bundel telefoonlijnen. Meevechtende generaals – er sneuvelden in '14-'18 trouwens zesenvijftig Britse generaals – waren dapper, ze waren goed voor het moreel, maar verder liepen ze vooral in de weg. Tegelijk functioneerden de eerste telefoons en andere communicatiesystemen eigenlijk nog te gebrekkig voor zo'n manier van werken, vooral tijdens gevechten, met alle gevolgen van dien.

Douglas Haig was zo bij nader inzien geen wisselwachter van het lot, al zag hij zichzelf wel als zodanig. Hij stond sterk onder invloed van een presbyteriaanse aalmoezenier die hem influisterde dat hij een belangrijke rol speelde in de goddelijke plannen met de wereld. Op den duur geloofde hij dat hij in regelrecht contact stond met God en dat zijn soldaten hem daarom altijd zouden volgen, hoe groot hun lijden ook was. De onbewogen Haig was, in de kern, weinig anders dan een fundamentalist.

ITALIË

Een bijzondere château-generaal was de Italiaanse opperbevelhebber Luigi Cadorna. Zijn strategische uitgangspunten luidden in alle simpelheid: iedere meter heroverde Italiaanse grond is heilig, manschappen zijn er genoeg, wapens zijn schaars. Zijn officieren waren gewapend met sabels. Hij liet soldaten het prikkeldraad doorknippen met tuinscharen. Als ze tegenstribbelden, ranselde hij ze letterlijk het slagveld op, en als ze niet opschoten, liet hij de achterhoede op hen vuren.

De lichtvaardigheid waarmee Italië uiteindelijk toch in de oorlog stapte – pas in april 1915 – was onvoorstelbaar. Een klein groepje politici had, onder leiding van koning Victor Emanuel III, de zaken zo weten te manœuvreren dat het land zijn neutraliteit opgaf en de kant van de geallieerden koos. Oude rekeningen met Oostenrijk konden nu vereffend worden, Italiaanse claims rond de Alpen en de Adriatische Zee werden door de geallieerden gegarandeerd, de oorlogsbuit leek zeker. De Italiaanse leiders waren echter zo bang geweest om de boot te missen dat ze bij de onderhandelingen vergeten waren om voldoende economische en militaire hulp te vragen. Het land beschikte nauwelijks over munitie, veel steenkool werd vanouds aangevoerd uit Duitsland.

In twee jaar tijd kwam Luigi Cadorna veertig kilometer dichter bij Triëst. Het kostte tweehonderdduizend levens.

Waren er, achter de schermen, ook echte wisselwachters? Jazeker. Allereerst was daar de Franse cognachandelaar Jean Monnet, die we al zijn tegengekomen in de Londense City. Zodra hij hoorde dat de oorlog was uitgebroken, vroeg hij een audiëntie aan bij premier René Viviani, die hij via via kende. De toen zesentwintigjarige Monnet legde Viviani een kwestie voor die hij, zo schreef hij later, waarschijnlijk niet bedacht zou hebben als hij ouder en wijzer was geweest. Het was namelijk een nieuw soort probleem, een twintigste-eeuws probleem. Voor deze massa-oorlog moesten, zo redeneerde Monnet, alle hulpbronnen van de oorlogvoerende naties worden gemobiliseerd, en daarvoor moesten totaal andere vormen van organisatie en samenwerking worden geschapen.

Het ging niet alleen meer om het slagveld. Weinig heroïsche kwesties als bevoorrading en scheepscapaciteit waren minstens zo cruciaal voor het winnen van een moderne oorlog. Duitsland, met zijn enorme industriële basis, leek veel beter voorbereid op dit soort oorlogvoering dan Groot-Brittannië en Frankrijk. Daarom was het van levensbelang dat beide landen hun economieën combineerden, 'alsof ze één natie vormden'. Het was, na al die decennia van opgeklopt nationalisme, een ronduit revolutionair idee.

De Franse premier gaf hem gelijk. Monnet wist ook de Britten te overtuigen – hij kende via zijn cognachandel half Engeland – en zo ontstonden een Allied Transport Pool en een Wheat Executive. Voor het eerst in Europa werd binnen deze instanties een gemeenschappelijk belang vooropgesteld, in plaats van het eigenbelang van de diverse naties.

Zonder de Wheat Executive zou Frankrijk vrijwel zeker zijn uitgehongerd. Zonder de Allied Transport Pool zouden de Duitsers met hun duikboten alle hulplijnen naar het continent hebben kunnen doorsnijden, wat hun in het voorjaar van 1917 bijna was gelukt. Toen Groot-Brittannië en Frankrijk in 1940 voor dezelfde problemen stonden, werden dergelijke samenwerkingsverbanden opnieuw opgezet, nu met een verdergaand ideaal: ze zouden wellicht ook in vredestijd kunnen blijven functioneren. In zekere zin vormden de Wheat Executive en de Allied Transport Pool zo de kiem van al datgene wat later zou uitgroeien tot de Europese Unie.

Er zijn nog meer wisselwachters van het lot geweest: sluismeester Karel Cogge, de eeuwig dronken schippersknecht Hendrik Geeraerd, en de plaatselijke geschiedvorser Emeric Feys. Feys had in het archief oude inundatieplannen teruggevonden, en op diens aanwijzingen zette Cogge eind oktober 1914 de sluizen bij Veurne-Sas open, en toen het water niet snel genoeg opkwam wist Geeraerd in het nachtelijk duister ook nog de vergeten en dichtgegroeide sluizen van de Noordvaart open te wrikken. Zo wisten ze op het laatste nippertje de hele vlakte rondom de IJzer onder water te zetten. Enkel aan dit drietal is het te danken dat de Duitse opmars hier stopte.

In het telefoonboek van Nieuwpoort staan nog twee Cogges: Kurt en Georges. Ik bel met Georges. 'Ja, dat was mijn oudoom, mijn grootmoeder heeft mij dat nog weleens verteld. Nee, niemand weet daar verder meer iets van, die zijn allemaal dood. Kurt? Dat is mijn zoon! En ik heb ook al een kleinzoon!'

De Cogges in Nieuwpoort gaan gewoon voort, ze trekken zich van geen geschiedenis wat aan.

Op vrijdagmorgen 12 februari ga ik op bezoek bij de mannen van de 36ste Ulster Divisie. Ze liggen in rijen achter een boerderij bij Spanbroekmolen op een kleine begraafplaats. In de vroege morgen van de 7de juni 1917 hadden de Britten hier een stuk van het Duitse front opgeblazen. Na maanden graven liepen hun geheime tunnels tot ver onder de Duitse linies, en die ochtend lieten ze daarin maar liefst negentien zware mijnen tegelijk ontploffen. Het was de zwaarste conventionele explosie die ooit was gehoord. Volgens de verhalen rinkelden zelfs in Buckingham Palace de kroonluchters. Daarna kwamen de Britse troepen massaal uit de loopgraven. Alleen een onderdeel van de 36ste Ulster Divisie was iets te vroeg: ze werden bedolven onder de enorme hoeveel aarde en lichaamsdelen die na de explosie uit de lucht kwam zetten.

Aan de overkant ligt een van de reuzenkraters, omringd door een bosje. Deze kleine heuvel moet één groot kerkhof zijn. Ik kruip onder het prikkeldraad door, strompel door de sneeuw en dan sta ik aan de rand van een flinke bosvijver. Op het water ligt een dunne laag ijs. Er zijn twee koerende duiven, er knapt een tak, vanuit de verte komt een klokslag aanwaaien. Het is alsof hier, na die ene helse klap, geen geluid meer mag bestaan. Ik loop tussen de bomen. Een hobbelig bos, denk je op het eerste gezicht, maar als je goed kijkt, zie je nog altijd de granaatinslagen uit 1917. De overwoekerde greppels zijn vrijwel zeker oude, ingestorte loopgraven. Het is per ongeluk een authentiek, niet voor toeristen 'gerestaureerd' stukje slagveld waarin ik verzeild ben geraakt.

Het stadje Poperinge was tijdens de Grote Oorlog de eerste plaats achter het front waar het een beetje rustig was. Aan het gemeentehuis hing altijd een bord met SAFE of UNSAFE – afhankelijk van de windrichting bij een gasaanval – maar dat mocht de pret niet drukken. Dit was de plek van het eerste glas en de veelbezongen laatste vrouw:

After the war fini
English soldiers parti
Mademoiselles de Poperinge vont pleurer
Avec plenti bébé!

Het statige Talbot House viel buiten die kermis. Het was een 'Every Man's Club' waar iedere militair even tot zichzelf kon komen. Rangen en standen bestonden niet. Die sfeer hangt er nog steeds, rond de trappen, de meubels, de kaarsenhouders, de boeken, de schilderijen, de lampetkannen, de piano waaraan liedjes gezongen werden. Tot eind jaren tachtig logeerden er nog veteranen. Zelfs de verstilde tuin is hetzelfde gebleven, compleet met de uitnodiging: 'Come into the garden and forget about the war.'

Ik drink thee aan de keukentafel, praat wat met een jonge Schot, kijk naar al die lege stoelen om ons heen, mijmer over die jongens van toen. In Londen had ik Lyn Macdonald ontmoet, expert op het gebied van de Grote Oorlog, de schrijfster die op de valreep honderden veteranen had opgespoord en geïnterviewd, de biechtmoeder van de laatst overgeblevenen.

Ze vertelde me hoe ze geïntrigeerd was geraakt door al die clubjes oude mannen die in de jaren zestig en zeventig overal in het land regelmatig een glas pakten en een liedje zongen. 'Ze waren alleen maar samen, dat was genoeg. Niemand die niet echt in de oorlog was geweest, begreep wat dat inhield.'

Macdonald noemde hen steevast 'the boys'. 'Toen ik hen interviewde, praatte ik al gauw niet meer met zeer oude mannen, ik praatte met heel jonge mannen uit 1914. Voor hen was die oorlog vaak reëler dan de rest van hun leven. Zoals eentje zei: "Ik leefde mijn hele leven tussen mijn 18de en mijn 21ste, en de rest was alleen maar aftiteling."'

In ons gesprek waarschuwde ze me voor een gemakkelijk oordeel: 'Die generatie was niet gek, het waren fantastische mensen. Ze hadden alleen heel andere idealen dan nu: patriottisme, plichtsgevoel, dienst, opofferingsgezindheid. Het waren typische Victorianen, en na de oorlog kwamen ze terug in een wereld waarin ze zich steeds minder zouden thuisvoelen.'

Maar toch, wat bezielde ze? Wat dreef al die mannen tot deelname aan een collectieve zelfmoord? Lyn Macdonald had me verteld over een man die gewond raakte, viel, en alleen maar kon denken: 'Wat een verkwisting! Al die dure trainingsmaanden, en ik heb niet eens een schot gelost!' Alles in hem wilde vechten, zich waarmaken.

'Going over the top', de sprong uit de loopgraaf, was de allesbepalende ervaring van de Eerste Wereldoorlog, en de meest beangstigende tegelijk: eindeloos wachten, uitdelen van rum, kotsen van de zenuwen, aftellen, fluiten, de loopgraaf uit, op de vijand af, door het prikkeldraad, rennen voor je leven in een onvoorstelbare herrie van kogels, mijnen en granaten, en dan schieten, branden, steken, doden. 'Over the top, boys, come on, over the top.' En ze gingen.

VOETBAL

Sommige Britse officieren hadden een eigen manier gevonden om hun manschappen 'over the top' te krijgen: ze maakten er een vrolijk wedstrijdje van. De eerste maal dat bij het begin van de slag een voetbal werd weggetrapt, was bij Loos, in 1915, door een officier van het 18de London Regiment. Voordat hij klaar was met de aftrap, lag een aantal van zijn voetballers al dood in de modder.

Het bekendste voetbalincident is dat van Montauban, bij het begin van de slag om de Somme, op 1 juli 1916. Het staat op naam van Captain W.P. Nevill, compagniescommandant van het 8ste Bataljon East Surreys, die na zijn verlof terugkwam met maar liefst vier voetballen, voor ieder van zijn vier pelotons één. Het peloton dat als eerste zijn bal in de Duitse loopgraven had geschoten kreeg een prijs.

Volgens ooggetuigen werkte het: om halfacht 's ochtends gingen de East Surreys en de Queens zo inderdaad 'over de top', zingend en schreeuwend, elkaar de bal toespelend. Tot in de Duitse loopgraven toe. Billy Nevill zou de prijs nooit uitreiken. Hij ligt nu enkele honderden meters verderop op het Carnoy Military Cemetery. Zoals veel Britse officieren wandelde hij die dag met bestudeerde nonchalance rustig door het niemandsland, tot hij zijn dood vond bij het Duitse prikkeldraad.

Vrienden, buren, dorpsgenoten meldden zich gezamenlijk als vrijwilliger, werden gezamenlijk getraind en gingen gezamenlijk 'over the top'. 'Je ging hè, het was je plicht, je had ervoor getekend,' zei Arthur Wagstaff (1898) in de eerder genoemde BBC-documentaire. Tommy Gay (1898): 'Ik was altijd samen met mijn maat, samen gingen we ook voor het eerst "over the top", maar daarna heb ik hem nooit meer gezien. Het was niets dan kogels. Maar niet ééntje met mijn naam erop!' Robbie Burns (1897): 'Je had voor elke grote aanval het gevoel: dit kan weleens de laatste keer zijn. Je liet het niet merken, je praatte er niet over, je hield dat voor jezelf.'

Bij het begin van de slag aan de Somme deden de meest geharde vechters het in hun broek toen ze beseften dat hun bevelhebbers een fatale fout maakten: tien minuten voor de aanval werd het artilleriebombardement op de Duitsers stopgezet. Uit ervaring wisten deze soldaten dat de Duitsers dan genoeg tijd hadden om uit hun bunkers te rennen, hun machinegeweren te bemannen en de aanvallende troepen af te slachten. Zo gebeurde het ook. Toch gingen ze, toen het fluitje geblazen werd.

Nu zijn voor dit verschijnsel allerlei verklaringen te bedenken, variërend van het patriottisme aan het thuisfront tot de sterke kameraderie en de strakke discipline in het Britse en het Duitse leger. Barthas beschrijft het begin van een onzinnige aanval in de vroege ochtend van 17 december 1914, ergens in Noord-Frankrijk, zonder dekking, recht op de Duitse mitrailleurs af. Een majoor gaf het bevel. Eerst weigerde de kapitein dat door te geven, er ontstond ruzie, ten slotte stormde hij de loopgraaf uit en werd al na enkele stappen neergeschoten. Barthas: 'In de loopgraaf zuchtten en smeekten de mannen: "Ik heb drie kinderen." Of ze schreeuwden: "Moeder, moeder." Een ander smeekte om mededogen. Maar de majoor, buiten zichzelf van woede, revolver in de hand, dreigde degenen die aarzelden neer te schieten.' Uiteindelijk gingen ze, net even banger voor hun majoor dan voor de vijand.

Er is ook een andere kant aan dit vraagstuk. De soldaten waren immers niet ten oorlog getrokken om te 'sterven voor het vaderland', maar om te doden, te verwonden, te verminken. In de meeste oorlogsbrieven en -dagboeken wordt dit onderwerp echter vakkundig vermeden. Voortdurend worden het lijden en het sterven benadrukt, weinig lees je over de ervaring van het doden.

Wat was het motief? Barthas wilde na een jaar oorlog het woord vaderlandsliefde niet meer horen: 'Het was heel simpel, we werden ertoe gedwongen als slachtoffers van een onverbiddelijk noodlot [...]. We hadden ons gevoel van eigenwaarde en onze menselijkheid verloren. We waren gedegradeerd tot muilezels: onverschillig, ongevoelig en afgestompt.' Barthas was een overtuigd socialist en humanist, en hij had zijn eigen oplossing gevonden voor dit probleem: hij schoot enkel uit zelfverdediging, anders nooit.

De houding van de Engelse schrijver Robert Graves stond hier diametraal tegenover, wellicht ook omdat Graves officier was en zijn Duitse afkomst met alle kracht wilde verloochenen. Hij had er geen enkele moeite mee om een argeloze Duitser, die hij tijdens een besluiping een wijsje uit *Die lustige Witwe* had horen neuriën, een kwartier later op een artilleriegranaat te trakteren. Hij doodde vanuit een rustig pragmatisme. Hij had een soort formule bedacht voor het nemen van risico's: 'In principe namen we elk risico, zelfs als het een wisse dood betekende, om iemands leven te redden of een belangrijke positie te handhaven. Om iemand te doden namen we een risico van, laten we zeggen, één op vijf.'

Bij dit pragmatisme hoorde ook het doden van gevangenen. Hoewel het in strijd was met alle militaire verdragen en erecodes maken Barthas, Graves en andere dagboekschrijvers er regelmatig melding van. Gevangenen kregen, onderweg naar de achterste linies, een scherpe granaat in de broekzak gestopt, of ze werden gewoon neergemaaid. Als een Duitse patrouille in het niemandsland een gewonde aantrof, was de kans groot dat hem de keel werd afgesneden. Graves: 'Wij gaven de voorkeur aan de ploertendoder.'

De meest voorkomende motieven waren wraak, angst of gewoon ongeduld. In sommige regimenten was het doden van gevangenen zelfs vast beleid. Toen kolonel Frank Maxwell van het 12de Middlesex Regiment afscheid nam, prees hij zijn manschappen omdat ze begonnen te leren dat er maar één behandeling voor een Duitser bestond: hem doden. 'Onthoud dat de die-hards van het 12de DODEN en GEEN GEVANGENEN NEMEN, TENZIJ ZE GEWOND ZIJN.'

In de praktijk van het slagveld ging het vooral om de groep, om de soldaten waarmee men dagelijks verkeerde. 'Regimentstrots' noemde Graves het. 'Niemand wilde een grotere lafaard zijn dan zijn buurman,' noteerde Barthas. 'Daar kwam nog bij dat de mannen, eigenwijs als ze waren, vertrouwen hadden in hun goede gesternte.' Diezelfde solidariteit was soms een sterk motief om te doden: bescherming van de groep, wraak omwille van een gevallen kameraad. Ernst Jünger beschrijft hoe een van zijn mannen, vader van vier kinderen, door een Britse scherpschutter werd doodgeschoten: 'Zijn kameraden lagen nog lang op de loer bij de schuttersgaten, om bloedwraak te nemen. Ze huilden van woede. Ze leken de Engelsman, die het dodelijke schot had afgevuurd, als een persoonlijke vijand te beschouwen.' De Engelse dichter Siegfried Sassoon ging na de dood van een van zijn beste vrienden iedere avond vrijwillig mee op patrouille 'om Duitsers te doden, hun schedels in te rammen': 'Op deze twee verlaat ik mij, Broeder Lood en Zuster Staal...'⁹

Sassoon sprak, net als veel anderen, over de 'lust to kill', de roes van het doden, de jacht, de heimelijke vreugde. 'Ik denk dat er een vloek op me rust – omdat ik van deze oorlog hóúd,' schreef Winston Churchill begin 1915 aan Violet Asquith, de dochter van de eerste minister. 'Ik weet dat het ieder moment de levens van duizenden dooreenschudt & vermorzelt – & toch – ik kan er niets aan doen – ik geniet er iedere seconde van.' Ernst Jünger zag een – overigens rampzalig verlopen – aanvalsactie als een 'kort en sportief intermezzo'.

Toch is in de meeste getuigenissen uit de Grote Oorlog weinig of niets merkbaar van individuele lustgevoelens. Integendeel. Louis Barthas vertelt hoe zijn mannen bij een achtervolging opeens slagersmessen kregen uitgedeeld. Het was duidelijk dat die dienden om Duitse gewonden en gevangenen af te maken. De meeste soldaten gooiden ze demonstratief weg: 'Dat zijn wapens voor moordenaars en niet voor soldaten.' Tijdens de slag aan de Somme is het regelmatig voorgekomen dat Duitse machinegeweerschutters, geschokt over de slachting die ze aanrichtten, ophielden met vuren om gewonde Britten de kans te geven terug te kruipen naar hun loopgraven. Sommige Britse officieren meenden zelfs dat de grootste weerstand voor soldaten om 'over the top' te gaan niet lag in de vrees om te sterven, maar in de vrees om te doden.

De Britse machinegeweerschutter Albert Depew was een van de weinigen die in 1918 openlijk beschreef hoe hij in een loopgraaf boven op een Duitser sprong en hoe zijn bajonet dwars door de man heen gleed: 'Hij was zo zacht als een pennenveer. Toen ik terug was in onze loopgraven na mijn eerste charge, kon ik lang daarna niet slapen, omdat ik me steeds voor de geest haalde hoe die jongen eruitzag en hoe mijn bajonet in hem gleed en hoe hij schreeuwde toen hij viel. Zijn benen en zijn nek zaten onder hem gewrongen nadat ik hem te pakken had genomen. Ik dacht er veel over na, en het werd bijna een gewoonte om, iedere keer als ik ging slapen, aan hem te denken, en dan kon ik alle slaap verder wel vergeten.'

Dergelijke nachtmerries kwamen veel voor. Andere getuigenissen wijzen op een verdergaand verschijnsel, door hedendaagse psychologen wel aangeduid als dissociatie: men doet zulke erge dingen, er gaat zoiets wezenlijks fout dat men het niet meer onder ogen wil zien. Vervolgens maakt het menselijk gevoel zich als het ware los van het zien en handelen. Barthas beschrijft bijvoorbeeld hoe hij regelmatig bleef haken aan de botten van een hand of een voet die uit de wand van een loopgraaf staken. Na een jaar front deed hem dat niets meer. 'Het was alsof we tegen wortels aan stootten.'

Bij het aanvallen en doden wordt die dissociatie nog sterker. Men treedt als het ware uit zichzelf, heeft geen controle meer, handelt in een roes en weet vaak daarna ook niet meer wat er gebeurd is. De Britse veteranen die Lyn Macdonald interviewde, wilden er nauwelijks over praten, hadden ook vrijwel geen herinneringen aan het doden, maar zeiden allemaal dat het na de eerste keer steeds gemakkelijker werd. Bij de commandanten was de dissociatie vaak nog groter. Niet alleen de vijanden, ook de eigen soldaten werden voor hen op den duur pionnen, van iedere menselijkheid ontdaan.

Iedereen was voorgoed in een eigen onderwereld beland. Een weg terug was er niet.

4

Ieper leeft op het verleden, op de trapgeveltjes, op de nieuw gebouwde Middeleeuwen, op de graven en de doden. Sinds 1927 blazen twee klaroenblazers van de vrijwillige Ieperse brandweer iedere avond om acht uur de Last Post. Riek Van den Kerkhove doet
het nu zo'n negentien jaar, en Antoon Verschoot bijna zesenveertig. Ze komen aanfietsen, zetten zich in postuur, wachten tot
twee agenten het verkeer hebben stilgelegd, en dan schalt het in
de enorme Menenpoort tussen de 54 896 namen van dode soldaten. Er staat een dozijn mensen te kijken. In een ogenblik is het
voorbij, de agenten krijgen een handdruk, het verkeer raast weer
over de kasseien.

Antoon heeft een gezicht dat breed staat van vriendelijkheid.
Hij is met pensioen, maar dit doet hij nog altijd. 'Al is het 's winters weleens moeilijk, als je lekker warm voor de tv zit.' 'Het is een
ereplicht,' zegt Riek. Hij heeft één keer verstek laten gaan, toen
hij net bezig was om iemand uit het water te halen. Maar verder
blazen ze altijd, zelfs als er tegelijk een huis in brand staat. 'Het
gaat voor alles, hè,' zegt Antoon.

Wanneer zal ooit de emotie van de Grote Oorlog doven? Wanneer
wordt het eindelijk geschiedenis? Wanneer is de slag aan de Somme zoiets als de slag bij Waterloo? Ik doe een gok: de komende
tien jaar. Ergens tussen de derde en de vierde generatie, tussen de
kleinkinderen – die de betrokkenen nog net kenden – en de
achterkleinkinderen verandert de houding. In het grote knekelhuis bij Verdun is de dagelijkse mis onlangs vervangen door een
maandelijkse. Ten zuiden van de Somme is een enorm vliegveld
gepland, over twee oorlogsbegraafplaatsen heen. Het zijn tekenen aan de wand. Niet de herinnering, maar het spektakel komt
gaandeweg centraal te staan.

In het Queen Victoria's Rifles Café staan nog altijd tafels met lange rijen *vues stéréoscopiques* uit de jaren twintig. Al driekwart eeuw verdient de uitbater een handvol franken met zijn selectie van de gruwelijkste stereofoto's: lijken aan het prikkeldraad, Duitsers zonder hoofd, een stuk paard in een boom. Nu heeft dit alles zich geperfectioneerd. In de IJzertoren bij Diksmuide kun je je neus in een apparaat steken om het gas te ruiken. Inderdaad: chloorgas ruikt een beetje naar chloor, mosterdgas naar mosterd. In het indrukwekkende Ieperse vredesmuseum In Flanders Fields word je in een donkere ruimte getrakteerd op een reisje niemandsland, met allerlei flarden van dromen: wat ging er om in het hoofd van de Duitse of een Britse soldaat als hij 'over the top' ging? De zaal is vol beelden van rennende soldaten, schimmen uit een vredig vooroorlogs bestaan, lawaai en doodsgereutel: 'Why me? Why us?' Met een computerprogramma kun je een willekeurige militair kiezen en zijn loopbaan volgen. Ik adopteer Charles Hamilton Sorley, student klassieke talen in Oxford. Hij sneuvelde bij Loos, 'een schot in het hoofd'.

Er zijn ook andere benaderingen. In het nieuwe Historial de la Grande Guerre in Péronne zijn alle glorie en illusie verdwenen. De militaire uniformen en uitrustingsstukken worden niet staande getoond, maar liggend op de vloer, als gevallenen. Dit was natuurlijk ook de realiteit, vrijwel al deze spullen zijn immers afkomstig van doden. Maar ik vrees dat het Historial een eenzame uitzondering blijft. Door de oude citadel van Verdun hobbelen nu al karretjes als in een spookhuis, en ik weet het zeker: over twintig jaar rijden ze overal, door kunstig nagemaakte loopgraven met ratten, stront, lijkenlucht, het gegil van stervende paarden en het gejammer van reddeloos gewonden. Langzaam aan verschuift het gevoel, van verbondenheid naar rariteit.

Op de tolweg van Lille naar Parijs is de slag aan de Somme nog maar een tikje op het gaspedaal. In de nazomer van 1916 vielen hier 1,2 miljoen slachtoffers, nu is het de rit tussen twee toluitgangen. De snelweg volgt, op enige afstand, de oostelijke grenslijn van het toenmalige slagveld. Op grote bruine borden wordt dat ook gemeld: LA GRANDE GUERRE, zoals elders een beroemd kasteel of een aangename wijnsoort wordt aangegeven. Ze flitsen voorbij, daarna is er weer de vrede van het hedendaagse Picardië.

Hier heeft de oorlog zich al ontwikkeld tot de volgende fase, tot een belangrijke toeristische attractie, een essentieel onderdeel van de commerciële infrastructuur. Overal worden folders van helse vermaakcentra verspreid, in mijn hotel zitten – het is 15 februari – zeker drie echtparen die de frontlinie afreizen, de musea bieden tegen elkaar op met licht- en geluidseffecten. Op mijn kamer kan ik voor het eerst weer Nederlandse televisie ontvangen. Ik zie beelden van toeristen die enkele dagen in een ingesneeuwd Zwitsers dorp hebben vastgezeten. 'Wat we doorgemaakt hebben!' zegt een gebruinde dame. 'We voelden ons net asielzoekers.' Een ander roept: 'Alles, alles zijn we kwijt!' – Ze doelt op een koffer met skikleding en make-upspullen.

Buiten is het mistig, en naarmate de dag vordert, wordt de nevel steeds dichter. Voorzichtig rijd ik naar de Somme. Bij het Canal du Nord, bij de sluis, zijn vaag de blauwe contouren zichtbaar van een schip. Vlakbij staat een bosje zwarte wilgen, er zwemmen een paar waterhoentjes, daarna lost alles op in stilte en grijs. Alle loopgraven, alle granaattrechters, alle vergeten resten, alle verloren lichamen, alles is overdekt met een witte sluier van hemel tot aarde.

De Somme was de slag van de totale planning. Op papier kon deze doorbraak niet mislukken. Aan beide zijden van het front werd de confrontatie maandenlang voorbereid, totdat zeker een miljoen soldaten en tweehonderdduizend paarden waren samengetrokken, met onnoembare hoeveelheden geweren, kanonnen en munitie. De talloze tenten, keukens, veldhospitalen, commandoposten en rustplaatsen leken op kleine steden. 'Het was één grote mierenhoop,' schreef Louis Barthas toen hij halverwege de slag, op 9 oktober 1916, bij de Somme kwam. 'Op de wegen die het kamp doorkruisten reden konvooien, zware munitiewagens, ziekenwagens en allerlei legervoertuigen af en aan. Er waren ook spoorlijnen aangelegd waarover zware konvooien met materieel, munitie en proviand werden aangevoerd. [...] Het kamp was niet te overzien. Je kon alleen het verwarde rumoer horen, gemengd met het kanongebulder in de verte.'

In de voorste linies hadden de Britten zelfs een aparte schuilplaats gegraven voor Geoffrey Malins, de maker van hun overwinningsfilm. De Duitsers, die na een dagenlang artilleriebombardement morsdood hadden moeten zijn, bleken bij het begin van de slag echter nog heel erg in leven. Hun prikkeldraadversperringen, hun stevige linies, hun machinegeweren, het was allemaal nog intact. Het werd de grootste slachting uit de Britse krijgsgeschiedenis. Van de honderdduizend mannen die oprukten, waren er binnen een halve dag ruim negentienduizend dood. Veertigduizend werden gewond. Generaal sir Beauvoir de Lisle meldde: 'Het was een schitterende vertoning van training en discipline, en de aanval mislukte enkel omdat dode mannen niet verder kunnen optrekken.'

Historici schreven later dat op die 1ste juli 1916 de 'lost generation' werd begraven, en met haar de heroïek, het patriottisme en het optimisme van het Victoriaanse Engeland. Pas na weken konden de Britse soldaten de lijken bergen van de kameraden die er waren doodgebloed. 'Ze waren in granaattrechters gekropen, hadden zich in hun waterdichte deken gewikkeld, hun bijbels te voorschijn gehaald en zo waren ze gestorven.'

Dankzij de aanwijzingen van Lyn Macdonalds veteranen weet ik Malins' filmplek nog terug te vinden. Het is, vermoedelijk, een grote kuil naast het Schotse monument bij Beaumont Hamel, nu overdekt met lang gras, inderdaad een prima plaats voor een camera. Ik hurk erin en zie de filmbeelden voor me. Een groep soldaten ligt in dekking tegen de helling van de holle weg voor me, klaar voor een nieuwe aanval. Het zijn jonge jongens, half in rust, half in spanning, de een draait zich brutaal naar de lens, de ander duikt wat weg, een enkeling rommelt wat aan zijn uitrusting, neemt nog een slok water. Eentje rookt losjes een sigaret, een ander ligt quasi-stoer op de voorgrond te showen. Nog een laatste trek, een signaal, de bajonetten worden op de geweren gezet, en dan barst het los.

Wat de film niet laat zien is de afloop: nog geen twee minuten later zijn al deze mannen dood.

Ik rijd langs de oude linies. De oorlogsbegraafplaatsen liggen als boomgaarden aan de boerenweggetjes, halte na halte. Ik bezoek het veld waar het Royal New Foundland Regiment vrijwel compleet werd neergemaaid bij een onzinnige aanval, een geval van collectieve zelfmoord waarvan moslimfundamentalisten nog iets zouden kunnen leren. Een kleine zevenhonderd jongens. Je kunt precies hun wanhopige weg volgen. De schapen grazen langs de bomkraters en de loopgraven. Het prikkeldraad is weg, de lijken zijn verdwenen, maar wat maken de Canadese dennen die hier zijn geplant een herrie: hoor hun takken praten in de wind.

Ik moet denken aan een gesprek dat de oorlogsverpleegster Vera Brittain in een ziekenzaal afluisterde. Een sergeant vertelde dat hij een fantastische kapitein had gehad, die zijn jongens altijd weer uit de nesten haalde. Bij de Somme was hij gesneuveld, en ze hadden om hem gerouwd als een broer. 'Maar pas geleden, vlak voordat de mof Albert zou binnenkomen, we raken een beetje vast, en ik doe alles wat ik kan om ons eruit te krijgen, en opeens zie ik hem, met zijn heldere ogen en zijn oude grijns, de achterhoede een zetje geven. Nou Will's, zegt-ie, dat was krap geschoren. En ik wil hem antwoord geven, en opeens is-ie verdwenen.'

Daarna begon een ander over een stel brancarddragers, een topploeg. 'Op een dag komt er zo'n kolendoos naar beneden, en weg zijn ze. Maar vorige week zien een paar van onze jongens ze weer, een paar gewonden sjouwen ze de loopgraaf af. En in de trein kom ik een jongen tegen die zweert dat hij door hen eruit is gehaald.'

Robert Graves meldde een soortgelijke ervaring. Hij zag, schreef hij, tijdens een feestdiner van zijn compagnie, opeens door het raam een van zijn soldaten, een zekere Challonner. 'Ik kon me niet in hem hebben vergist, noch in het embleem van zijn pet. [...] Ik sprong overeind en keek door het raam naar buiten, maar zag alleen een rokend peukje op het trottoir.' Challonner was een maand eerder gesneuveld.

Vera Brittain geloofde het allemaal niet zo, maar haar mannen hielden voet bij stuk. 'Zeker zuster, ze zijn dood. Maar ze waren onze maten toen ze in '16 bij de Somme werden ingemaakt, en zeker weten: ze vechten nog met ons mee.'

De volgende dag rijd ik door een lieflijk, zacht glooiend landschap, het tweedehuisjesland van Parijs, groen en bescheiden. In de roodgeploegde akkers zijn de wittige schimmen van de loopgraven nog vaag zichtbaar. Het is een land van geleidelijkheid. De stadjes en dorpen laten geen grote bewegingen zien, geen gigantische monumenten, geen schokkende moderniteiten.

In de kleine wegrestaurants krijgt iedereen zonder vragen het menu van de dag: soep, kip, kaas, pudding, koffie. De mannen zijn goede bekenden, geven elkaar na de maaltijd een hand en klimmen vervolgens weer in hun camions en werkbusjes. Ik vind een hotel met een breiende grootmoeder en een dienstertje met grote ogen. In de hal zie ik haar later met een mobieltje, waarin ze alleen maar zegt: 'Je t'aime... Oui, je t'aime... Merci... Mais je t'aime...'

Verdun is een vredige stad, onderworpen aan het vreselijkste oorlogsmonument dat ik ooit zag. Het is een toren met daarop een ridder die dreigend over de stad kijkt. Als ik hier drie jaar oud was, zou ik 's nachts geen oog dichtdoen. Onder zijn voeten ligt een museum met de gebruikelijke roem en glorie, dezelfde gloriedrift waaraan het Franse leger bijna bezweek. De slag bij Verdun begon op 21 februari 1916. Hij kostte zo'n tweehonderdzestigduizend levens, bijna één dode per minuut, tien maanden lang. Uiteindelijk kwam niemand veel verder, maar voor de Duitse chefstaf Erich von Falkenhayn was dat niet zo belangrijk. Hij wilde vooral doden. Hij wist dat het fort Verdun eeuwenlang de poort van Frankrijk was geweest, dat het voor de Fransen een grote symbolische betekenis had en dat die alles over hadden voor het behoud van de stad. Hij kende de trots van de Fransen, en hij wilde ze hier letterlijk laten 'doodbloeden'. De Duitse codenaam voor de aanval bij Verdun was 'Gericht', de plek waar het vonnis wordt voltrokken.

Falkenhayn had de mentaliteit van de Franse generaals goed aangevoeld. Ze gooiden alles en iedereen in de strijd, dachten alleen aan glorieuze aanvallen en bekommerden zich nauwelijks om de levens van hun manschappen. Je ziet het opnieuw aan de Franse loopgraafresten: ondiep en provisorisch, tegenover het beton van de Duitsers. Verdun was een fuik voor het Franse leger, met roem en glorie als aas.

De enige toevoerweg, de legendarische Voie Sacrée, bleef intact, maar ook dit was een deel van de Duitse opzet: voor doodbloeden is immers een slagader nodig. De gewone Franse soldaten noemden Verdun 'de grote worstmachine', en als ze kwamen aanmarcheren, zagen ze al van verre de stinkende hel van gerommel en vuur, een gapende muil die het einde van alles betekende. Voor de Duitse soldaten was het trouwens niet veel anders: uiteindelijk zouden er aan hun kant driehonderddertigduizend man sneuvelen of gewond raken, tegenover driehonderzestigduizend Fransen. Wel was Verdun voor de gemiddelde Fransman veel traumatischer, omdat in het Franse leger een rotatiesysteem bestond. De meeste Franse soldaten hebben dus, al was het maar kort, persoonlijk kennisgemaakt met 'de grote worstmachine', met alle fysieke en psychische gevolgen van dien.

De compagnie van Louis Barthas arriveerde op 12 mei 1916 bij Verdun. Ze moesten er manschappen van het 125ste regiment vervangen. Toen ze in de loopgraaf aankwamen, troffen ze er alleen nog maar 'één grote berg van uit elkaar gereten mensenvlees'. Blijkbaar was er de vorige dag een zware mortieraanval geweest. 'Overal lagen brokstukken, verbrijzelde geweren, gescheurde ransels waaruit tedere brieven en angstvallig bewaarde dierbare herinneringen dwarrelden en door de wind werden verspreid. Er lagen ook gebarsten veldflessen, schoudertassen in flarden, en op alles stond het nummer van het 125ste regiment.'

Na een dag mochten ze alweer weg, via een barre nachtelijke dwaaltocht over het slagveld, 'over prikkeldraad, palen, kapotte zandzakken, lijken en allerlei soorten wrakstukken'. 'Na elke blikseminslag van een granaatontploffing leek het nog donkerder.'

Over dezelfde velden hangt nu een dikke, kille laag mist. De aarde, in de dagen van Barthas volkomen kaalgebombardeerd, is overdekt met schriele bossen. Tot voor kort wilde er helemaal niets groeien, behalve taaie Canadese dennen. Loopgraven en granaattrechters zijn nog overal zichtbaar, vol bruin dooiwater. Alle oorlogsattracties zijn met grote wegwijzers aangegeven. In rap tempo werk ik de highlights van dit macabere Disneyland af: het monument, de knekelkelders, het gevuurwalste dorp, het fort van de glorie, de heilige loopgraaf met de bajonetten van zeventien standvastige soldaten die, volgens de legende, levend begraven zijn bij een granaatinslag. (Het in de grond steken van bajonetten was ook een gebruikelijke manier om snel het graf van een paar arme donders te markeren, maar dat wil natuurlijk niemand hier weten.)

Het ossuarium van Douaumont rijst op uit de mist. Het enorme grijze knekelhuis, zo groot als een flinke middelbare school, bergt de botten van ruim honderddertigduizend gesneuvelden. Door kleine, halfbeslagen kelderraampjes aan de achterkant kun je ze zien liggen, hier en daar heeft een ordelijke geest ze netjes opgestapeld: dijbenen bij dijbenen, ribben bij ribben, armen bij armen, hele en halve schedels, allemaal met mooie jonge tanden.

De mist maakt alles stil en op zichzelf. In de goten drupt zonder ophouden smeltwater van het dak, dat is het enige geluid.

5

Wanneer ik slaap, soezend warm wegdroom,
komen ze, de ontheemde, stille doden.
Terwijl dof rollende onweersgolven
rommelend en donderend langs de hemel daveren
scharen zij zich in de schemer rond mijn bed,
en fluisteren mij toe wat ook in mijn hart leeft.

'Waarom ben jij hier en houd je nooit meer wacht?
We zochten je aan het front van Ieper tot Frise.'
In wrange veiligheid ontwaak ik, zonder vrienden;
en terwijl de dag aanbreekt met slaande regen,
denk ik aan mijn bataljon in de modder.
'Wanneer keer je naar ze terug? Zij zijn immers
nog steeds jouw broeders door ons bloed?'

Siegfried Sassoon

Louis Barthas, begin augustus 1916, aan het front in de Champagne: 'Twee dagen later ging onze 6de groep wachtpost nummer tien bezetten. Het was een gewone versperring in een oude gang die de Duitse linies verbond. Op zes meter van onze versperring hadden de Duitsers hun eigen versperring opgericht. Tussen de twee was prikkeldraad neergegooid maar slechts vier sprongen scheidden de twee volken, twee rassen die elkaar aan het uitmoorden waren. Hoe verwonderd, hoe verbijsterd zouden [vaderlandslievende burgers] zijn als ze zagen hoe kalm en rustig het hier was. De een rookte, de ander las of schreef. Sommigen waren aan het discussiëren zonder hun stem te dempen. Hun verbazing zou in verbijstering zijn omgeslagen als ze de Franse en Duitse wachtposten hadden gezien die rustig op de borstwering een

pijp zaten te roken en van tijd tot tijd als goede buren in hun bui-
tendeur een luchtje schepten en met elkaar een babbeltje maakten.'

Wat onze korporaal beschrijft, is een situatie die absoluut niet
past in het gangbare beeld van lijden en heldendom. Het past
niet bij de strategische beschouwingen van de militaire historici,
en ook niet bij de geschiedschrijving van veldslagen en vergoten
bloed. Er is maar weinig onderzoek gedaan naar deze 'leef-en-
laat-leven-situaties'.[10] Toch moeten ze in de praktijk veel zijn voorgekomen, tussen de gevechten door en aan de eindeloze stukken
van het front waar zelden iets gebeurde.

Altijd bestond er een zeker begrip tussen de vijanden: frontsoldaten, of het nu Duitsers, Britten, Fransen of Belgen waren, crepeerden allemaal op dezelfde manier, en dat wisten ze. Ze hadden
op een bepaalde manier respect voor elkaar. Ze verdedigden hun
vijand als die door het thuisfront werd betiteld als 'laf' of 'stom'.

Henri Barbusse spreekt in zijn autobiografische roman *Le feu*
over twee verschillende werelden: het front, 'waar te veel ongelukkigen zijn', en het achterland, 'waar te veel geluk is'. Dat
onderlinge begrip leidde soms tot plotselinge uitbarstingen van
verbroedering. Op de plek van de huidige IJzertoren bij Diksmuide vierden op 24 december 1914 Belgische en Duitse soldaten bijvoorbeeld gezamenlijk kerstavond, waarbij de Duitsers de Belgen
volgooiden met schnaps. Een Duitse officier gaf een gestolen
monstrans terug aan de Belgen. Ook elders kwam het in die dagen op grote schaal tot verbroederingen. In één sector ging het
om negen Britse divisies, die langs een frontlijn van bijna vijftig
kilometer een ketting van wapenstilstanden hadden georganiseerd. 'Op oudejaarsavond riepen we elkaar over en weer de tijd
toe en spraken we af om twaalf uur salvo's af te vuren,' schreef
een Duitse student aan zijn ouders. 'Wij zongen, zij applaudis-
seerden (we lagen zestig à zeventig meter van elkaar)... Toen riep
ik of ze daarginder geen muziekinstrument hadden, waarop een
doedelzak te voorschijn werd gehaald (het was een Schots regiment met korte rokjes en blote benen). Zij speelden hun dichterlijke Schotse liederen en zongen.'

Eén Duitse militair ergerde zich blauw: de raadselachtige, fanatieke korporaal Adolf Hitler. 'Dit zou tijdens een oorlog niet
mogen gebeuren,' preekte de *Gefreiter*, briesend van verontwaardiging.

Een jaar later, in de kletsnatte decembermaand van 1915, waren er opnieuw ad-hocwapenstilstanden langs het Noord-Franse front. De loopgraven regenden toen zo vol dat de soldaten aan beide kanten van het front er wel uit móésten. Ernst Jünger zag in de ochtend van de 12de december hoe het troosteloze niemandsland opeens 'in een jaarmarkt' was herschapen. 'Tussen het prikkeldraad was een levendig ruilverkeer ontstaan van schnaps, sigaretten, uniformknopen en andere zaken.' Jünger maakte er snel een eind aan. Na een kort herenoverleg met een Britse officier aan de overkant werd besloten de oorlog na exact drie minuten weer te hervatten.

In de sector van Barthas, die hetzelfde meemaakte, duurde de verbroedering dagenlang: 'We lachten naar elkaar, begonnen met elkaar te praten, handen te schudden, tabak, koffie en wijn uit te wisselen. Hadden we maar dezelfde taal gesproken!' De Socialistische Internationale, in 1914 verraden en vergeten, bleek door de oorlog tot nieuwe bloei te zijn gekomen. Barthas: 'Op een dag klom een reus van een Duitser op een heuveltje en hield een toespraak waarvan alleen de Duitsers de woorden verstonden, maar wij wel degelijk de betekenis, want hij brak met een gebaar van woede zijn geweer op een boomstronk in tweeën. Van twee kanten brak applaus los en de Internationale weerklonk.'

Zulke openlijke verbroederingen waren zeldzaam, en er kunnen talloze gruwelijkheden tegenover gesteld worden. 'Rotzooien met de vijand' was taboe. Toch waren het geen op zichzelf staande incidenten. Het loopgravenbestaan was voor veel gewone soldaten in de praktijk alleen vol te houden dankzij een aantal stilzwijgende afspraken met hun lotgenoten aan de andere kant van de linies. Ondanks de massaliteit was de Eerste Wereldoorlog in die zin nog ouderwets: het was een oorlog van nabijheid, van de vijand in de ogen kijken, een oorlog waarin de specialist, de moderne technologie en het druk-op-de-knop-doden al in opkomst waren, maar nog niet allesbepalend.

In veel sectoren van het front bestond bijvoorbeeld de regel om elkaar zo veel mogelijk met rust te laten tijdens de maaltijden, bij het ophalen van gewonden uit het niemandsland en tijdens nachtelijke patrouilles. Meerdere dagboeken maken melding van de 'onschendbaarheid' van rijdende veldkeukens, volgens dezelfde ijzeren logica: als jij de keuken van de vijand aan flarden schiet, zit je zelf binnen vijf minuten ook zonder eten. Interessant is ook de stilzwijgende overeenkomst tussen de vijandelijke genietroepen, gesignaleerd door Barthas: tunnels van de tegenstander werden alleen tussen twee en zes uur 's nachts opgeblazen, zodat in die uren nooit aan de tunnels werd gewerkt. Dankzij deze regel bleven de levens van heel wat geniesoldaten gespaard.

Hier en daar ging men een stap verder. Vera Brittain noteerde het verhaal van een Schotse sergeant die bij Ieper tegenover een regiment Saksen had gelegen. Tussen deze vijandelijke troepen bestond de afspraak om niet gericht op elkaar te schieten. Er werd flink wat lawaai gemaakt, een buitenstaander zou denken dat de mannen hard vochten, in werkelijkheid werd niemand geraakt. Men beperkte de strijd tot een reeks rituelen, net als bij de Grieken en de Trojanen.

Ook elders maken brieven en dagboeken melding van dit systeem. 'Het zijn rustige jongens, die Saksen, die willen niet meer vechten dan wij, we begrijpen elkaar wel zo'n beetje,' schreef een Britse officier. Een ander: 'Aan het front waar wij waren geeft de mof een seintje als hun artillerie gaat schieten. Ze tonen het aantal granaten dat ze gaan afschieten door hun vingers op te houden.' Robert Graves maakte mee dat de Duitsers briefjes stuurden, gerold in oude granaten: 'Uw kleine hondje is naar ons overgerend en wij houden het veilig hier.' Op dezelfde manier werden ook kranten over en weer geschoten.

Barthas zat een tijdlang in een sector waar Duitsers en Fransen 'uit beleefdheid' iedere dag over en weer zes granaten afschoten. Dat was alles. Over de naburige rivier waren loopbruggen gemaakt die door vijandelijke mitrailleurschutters werden bestreken. Slechts zelden werd een schot gelost, behalve toen Barthas zich met een verrekijker en een stok op de brug waagde en de Duitsers hem voor een officier aanzagen. Toen vlogen de kogels hem om de oren.

Dit laatste incident tekent tegelijk de toenemende sociale geladenheid, aan weerszijden van het front. In 1914 had bijna iedereen de socialistische klassestrijd opzijgezet, maar gaandeweg kwam al die woede aan het front weer in volle hevigheid terug. De Britten beschimpten hun opperbevelhebber Haig als 'de slager van de Somme'. De pacifistische beweging groeide. Luitenant Siegfried Sassoon verklaarde openlijk niet langer in het leger te willen dienen: 'Ik heb het leed van de troepen gezien en aan den lijve ondervonden, en ik kan er niet langer aan meewerken dit leed te rekken voor doelstellingen die naar mijn mening verdorven en onrechtmatig zijn.' De Duitsers kalkten op hun fronttreinen: 'Wilhelm en zonen, slachtvee'. Barthas meldt in zijn dagboeken steeds meer incidenten: Duitse en Franse soldaten die vanuit de loopgraven samen de Internationale zingen, bevelen die worden geweigerd, muitende eenheden die vervolgens door de eigen artillerie worden verpulverd. Soms blaatten de manschappen als schapen wanneer ze naar het abattoir van de voorste linies marcheerden.

Verdun was voor de Franse frontsoldaten een emotioneel keerpunt. In mei 1916 hoorde Barthas op een dorpsplein een soldaat een majoor afblaffen: 'Ik zeg dat we jullie op heuvel 304 [tijdens de slag] niet gezien hebben. Hier wordt niet meer gesalueerd.' Kort daarop werden oorlogskruisen uitgedeeld aan de 'helden van het vaderland', compleet met een 'patriottische kus' van de generaal. De *poilus* vielen om van het lachen. Ze hadden voor niets en niemand meer respect.

Een jaar later, in het voorjaar van 1917, vielen aan de Chemin des Dames binnen enkele maanden meer dan honderdduizend doden, zonder dat er iets was bereikt, en nog wilden de Franse generaals doorgaan. Toegezegde verloven werden voortdurend uitgesteld. In diezelfde maanden sijpelden er steeds meer berichten binnen over soldatenopstanden bij de Russen. Eind mei 1917 maakte Barthas een bijeenkomst mee van honderden drinkende soldaten op de binnenplaats van een herberg. Een korporaal hief een protestzang aan over het droeve leven in de loopgraven. Het refrein werd door de hele massa in koor meegezongen, 'en aan het eind klonk een dol applaus, waartussen kreten als "Vrede of revolutie!", "Weg met de oorlog!" en "Verlof, verlof!" te horen waren'. Een avond later weerklonk 'als een orkaan de Internationale'.

De daaropvolgende zondag besloten de soldaten om de macht van het regiment over te nemen en een 'sovjet' samen te stellen. Barthas mocht voorzitter worden. 'Ik weigerde natuurlijk, want ik had geen zin om voor een kinderachtige na-aperij van de Russen met de executiepaal kennis te maken.' Wel wilde hij een manifest opstellen tegen het uitblijven van de verloven. Daar bleef het bij.

In andere regimenten gingen de soldaten veel verder. Ze hielden op met vechten, installeerden soldatenraden, hesen de rode vlag en kaapten zelfs treinen. Officieren werden bang, en als bevelen werden geweigerd, keken ze de andere kant op. Op het hoogtepunt omvatte de Franse muiterij tussen de dertig- en veertigduizend militairen. Het leger was maandenlang ontregeld, de Britten moesten delen van het Franse front overnemen en de Fransen zouden deze rebellie nooit helemaal meer te boven komen. Grote aanvalsacties durfde het opperbevel niet meer te ondernemen.

Het regiment van Barthas werd onder zware tucht gesteld, maar kreeg wel een adempauze. Driehonderdvijftig muiters werden naar het Duivelseiland verbannen en vijfhonderdvijftig werden ter dood veroordeeld, van wie negenenveertig ook daadwerkelijk werden geëxecuteerd op bevel van de nieuw benoemde opperbevelhebber Philippe Pétain. Een paar keer weigerden soldaten om als vuurpeloton op te treden. Uit protest werd enkel een salvo afgevuurd over het hoofd van de veroordeelde en moest de bevelvoerend officier eigenhandig de executie verrichten.

Het Franse opperbevel had één geluk: de Duitsers hebben nooit geweten hoe omvangrijk de muiterij was. De Franse autoriteiten hebben er nooit meer iets van willen horen.

Uiteindelijk werd de oorlog niet beslecht door de gebeurtenissen aan de fronten, maar door een langzaam verschuivend machtsevenwicht op economisch en technisch gebied. Er gebeurde inderdaad wat de jeugdige Jean Monnet had voorzien. Iedere deelnemer verzwakte door de strijd. In Frankrijk steeg de kindersterfte met een vijfde. In Engeland nam het aantal tuberculoseslachtoffers met een kwart toe. Maar Duitsland leed het meest.

Doordat de geallieerden alle Duitse aanvoer over zee hadden geblokkeerd, kwamen veel te weinig grondstoffen binnen. In april 1917 vonden in Berlijn de eerste voedselrelletjes plaats. In januari 1918 legden een half miljoen stakende arbeiders de metaal- en munitiebedrijven plat. Het voedselrantsoen – in normale tijden tweeduizend calorieën – werd verlaagd tot duizend. (Ter vergelijking: het Nederlandse rantsoen van november 1944, het begin van de hongerwinter, bedroeg elfhonderd calorieën.) De Duitse oorlogsindustrie begon vast te lopen, met name op het gebied van moderne wapens. In 1918 hadden de Duitsers slechts een kwart van het aantal vrachtauto's waarover de geallieerden beschikten. Het 'landschip', waarvan Winston Churchill in 1914 al droomde en dat gewoon over de loopgraven heen kon rijden, 'met alles wat erin was', deze monstrueuze 'tank' was door de geallieerden ontwikkeld tot een serieus wapen. Ze bezaten achthonderd stuks. De Duitsers welgeteld tien.

Tekenend voor de stemming in Duitsland was het populaire lied van de jonge dichter Bertolt Brecht over de soldaat die allang 'een heldendood' was gestorven, maar die door de artsen weer werd opgegraven en goedgekeurd 'omdat deze soldaat voortijdig gestorven was'. Vervolgens werd hij volgegooid 'met vurige schnaps', gehuld in wierook om de lijklucht te verjagen, hij kreeg twee zusters aan de arm en 'een halfbloot wijf', de muziek speelde, en daar marcheerde de soldaat weer, 'met tschindera en hoera', op weg naar een nieuwe 'heldendood'.

Die soldaat van Brecht kreeg in de zomer van 1918 ook nog eens de Spaanse griep. Begin juli meldde Käthe Kollwitz dat de Berlijnse praktijk van haar man opeens overliep van de grieppatiënten, meer dan honderd waren het er. Het ging hier om een onbekend en uiterst kwaadaardig virus, en het uitgeputte continent werd zwaar geteisterd. Waarschijnlijk is de Spaanse griep overal ter wereld tegelijk uitgebroken, maar werd er vanuit het neutrale Spanje voor het eerst over gepubliceerd. Vandaar de naam.

Weinig gebeurtenissen in de twintigste eeuw waren voor de Europese bevolking zo fataal, en zijn tegelijk zo snel weer vergeten. Toch kun je op vrijwel alle dorpskerkhoven de sporen van deze epidemie nog terugvinden; ook mijn eigen vader werd, als jong student, besmet en overleefde het amper. Hedendaagse schattingen van het aantal dodelijke slachtoffers over de hele wereld lopen uiteen van veertig tot honderd miljoen. In Europa heeft deze 'pandemie' vermoedelijk meer slachtoffers geëist dan de hele Eerste Wereldoorlog. Het staat vast dat de Duitsers hun slotoffensief in juli 1918 mede vanwege deze griepgolf moesten afbreken, en vervolgens de oorlog verloren. Tegen deze achtergrond voltrok de strijd zich tijdens de laatste achttien maanden van de oorlog.

In dezelfde maand waarin Louis Barthas bijna tot voorzitter van een soldatensovjet werd gebombardeerd, in diezelfde meimaand van 1917, landden de eerste Amerikaanse troepen in Frankrijk. Het Congres had lang geaarzeld, maar toen de Duitsers in maart 1917 meer dan vijf Amerikaanse schepen hadden getorpedeerd, was het geduld op: Duitsland werd op 6 april de oorlog verklaard. 'Tommy's in de hemel', zo zagen de Amerikaanse soldaten eruit in de ogen van oorlogsverpleegster Vera Brittain, 'zo goddelijk, zo schitterend, zo volkomen ongeschonden in vergelijking met de vermoeide, verzenuwde mannen van het Britse leger.' De militaire strategen waren minder euforisch. Het zou, zo verwachtten ze, zeker een jaar kosten om de beloofde vier miljoen Amerikanen te mobiliseren en naar Europa over te brengen.

De Duitse bevelhebbers waren aanvankelijk dan ook weinig bezorgd. Ze hadden de Verenigde Staten zelf de oorlog in getrokken door hun 'onbeperkte onderzeebootoorlog', en met diezelfde duikboten zouden ze ook de troepentransporten uit Amerika grotendeels onmogelijk kunnen maken. Bovendien ging aan het oostelijk front alles uitstekend. Vanaf het najaar van 1916 werd het Russische leger verlamd door omvangrijke muiterijen, in maart 1917 was de tsaar afgetreden, de soldaten bleven roerig, in november grepen de revolutionairen de macht, het Russische front stortte in en op 3 maart 1918 werd in Brest-Litovsk een vredesverdrag getekend. De ene helft van de Duitse opzet was geslaagd, zij het met ruim drie jaar vertraging.

Duitsland had op dat moment bijna het halve Russische grondgebied ten westen van Moskou in handen. In de daaropvolgende maanden zouden de overgebleven divisies de grenzen nog verder verleggen, tot aan de Kaukasus toe. Nooit bezat Duitsland zo'n groot oostelijk imperium als in de zomer van 1918. Oostenrijk had met de vrijgekomen troepen in oktober 1917 de Italianen bij Caporetto een verpletterende slag toegebracht, een traumatische gebeurtenis die diepe sporen naliet in de Italiaanse geschiedenis. Duitsland en Oostenrijk voelden zich volstrekt zeker van hun zaak. Op 20 maart 1918 opende het Oostenrijks-Hongaarse leger een vaste luchtverbinding tussen Wenen en Kiev, de eerste reguliere luchtlijn in Europa. Drie speciaal gemaakte reuzenkanonnen van Krupp losten in diezelfde week, vanaf meer dan honderd kilometer afstand, hun eerste schoten op Parijs. Ruim tweehonderdvijftig Parijzenaars kwamen om. De Duitse schoolkinderen kregen van de keizer een vrije 'overwinningsdag'.

Nu ontstond een race tegen de klok: de Duitsers moesten zo veel mogelijk legeronderdelen van het oostelijk front naar het westelijk front sturen, voordat de Amerikanen klaar waren met de opbouw van hun interventiemacht. In de eerste weken van

1918 beloofde generaal Erich Ludendorff de Duitse keizer dat Parijs begin april aan zijn voeten zou liggen. En inderdaad brak het grote Duitse lenteoffensief van 1918 dwars door de Franse linies heen. Over het slagveld hing een dichte mist van chloorgas, fosgeen en traangas. Er werd met vlammenwerpers gewerkt. Van de mannen die direct in de vlam stonden, werd volgens een Engelse ooggetuige 'nooit meer iets gezien'. 'We leefden in grote angst, als een zielig vogeltje dat onder een blad de uitbarsting van een hevig onweer afwacht,' schreef Barthas in die dagen over zichzelf en zijn poilu's.

Nog geen zestig kilometer voor Parijs werden de Duitsers uiteindelijk tot staan gebracht. Op 2 juni werd de jonge vliegenier Hermann Göring gehuldigd omdat hij achttien geallieerde vliegtuigen had neergehaald. De Duitse industrie produceerde nu driehonderd toestellen per maand. Op 8 juli ontsloeg Wilhelm II zijn minister van Buitenlandse Zaken omdat deze het gewaagd had te spreken over een vrede die niet alleen met militaire middelen bereikt zou kunnen worden.

Op 14 juli begon Ludendorff bij de Marne een nieuw offensief met alle divisies die hij tot zijn beschikking had. In Berlijn verwachtte men binnen enkele dagen de capitulatie van Parijs en binnen twee maanden een geallieerd vredesvoorstel. Ludendorffs aanval werd gestuit door een list van de Fransen: ze hadden schijnloopgraven gemaakt, waarop de Duitsers hun kruit verschoten. De Duitsers vergisten zich echter vooral in de felheid van de nieuwe Amerikaanse troepen. 'Terugtrekken?' zei hun legendarische kapitein Lloyd Williams. 'Hell, we just got here!'

Per maand arriveerden nu een kwart miljoen frisse, gezonde en goed getrainde Amerikanen bij het front. Na vier dagen trokken de Duitsers zich terug. Op 15 juli droomde Berlijn nog van Parijs. 'Op de 18de wist zelfs de grootste optimist onder ons dat alles verloren was,' schreef graaf Georg von Herling in zijn dagboek. 'De wereldgeschiedenis was binnen drie dagen rond, klaar, uitgespeeld.'

Daarna begon het geallieerde tegenoffensief, gesteund door het nieuwe wapen dat alle loopgraven trotseerde: de tank. Het moreel van de Duitse troepen stortte ineen. De cijfers spreken voor zich: tot eind juli 1918 lag het maandelijkse aantal Duitse krijgsgevangenen onder de vierduizend, in augustus waren het er veertigduizend, in september bijna zeventigduizend.

Ook op de Balkan keerden de kansen. De dynamische Britse minister van Marine, Winston Churchill, had al in 1915 een nieuw front willen openen bij de Dardanellen en Gallipoli, een mislukking waarbij de vader van Irfan Orga omkwam, plus nog enkele honderdduizenden anderen.

GALLIPOLI

Winston Churchill zou zijn leven lang achtervolgd worden door het debacle bij de Dardanellen op 18 maart 1915. Het kostte hem zijn post op de Admiraliteit, en jarenlang leek zijn politieke rol uitgespeeld. Toch lag de schuld van de mislukking nauwelijks bij hem. De bedoeling was om met een zware beschieting van de Frans-Engelse marine de Turkse forten lam te leggen, de mijnen te vegen en zo de doorvaart naar de Zwarte Zee via de Dardanellen open te breken.

Nadat een drietal Engelse schepen op een mijn was gelopen, werd, zonder overleg met Churchill, het bevel gegeven om de aanval te staken. De geallieerden waren toen al een flink eind doorgedrongen in de vijandelijke mijnenvelden, en afgezien van de drie schepen waren de Engelse verliezen relatief gering. Later werden – buiten verantwoordelijkheid van Churchill – nog twee landingspogingen gedaan op het schiereiland van Gallipoli (Gelibolu). De Turken hadden ondertussen voldoende tijd gehad om versterkingen te laten aanrukken. De landingen mislukten en kostten zeker zestigduizend soldaten het leven.

Achteraf bleek, onder andere uit onderzoek van Churchills biograaf Martin Gilbert, dat de geallieerde schepen op het moment dat de eerste aanval gestaakt werd, bijna door de mijnenvelden heen waren. Bovendien hadden de Turken vrijwel geen munitie meer. De overwinning was binnen handbereik geweest, met een paar uur strijd, misschien zelfs nog minder. Daarna hadden Constantinopel en de Bosporus voor de geallieerden opengelegen en had de wereldoorlog een heel andere wending genomen.

In de zomer van 1918 stortten de fronten van Turkije en Bulgarije alsnog ineen. Dit betekende dat Centraal-Europa ook vanuit het zuidoosten openlag voor de geallieerde legers.

Kort en goed: de Duitse generaals konden gewoon niet meer

doorvechten. De mislukking van het lenteoffensief, de Spaanse griep, de angst voor de tientallen nieuwe Amerikaanse divisies, de Balkan, de revolutie die uit het oosten kwam aanwaaien: het was genoeg geweest. De aanvoer van voedsel en munitie stagneerde. Officieren moesten hun soldaten steeds vaker met het pistool in de hand tot de aanval dwingen. Op stations, waar altijd weinig overzicht was, gebeurde het regelmatig dat 10 tot 20 procent van de keizerlijke troepen opeens 'verdween'.

De wereldoorlog hield uiteindelijk even snel weer op als hij vier jaar eerder was ontstaan. Eind september 1918 besefte Ludendorff dat de situatie voor Duitsland hopeloos was. Binnen enkele dagen 'regelde' hij een nieuwe, sociaal-democratische regering. Zo redde hij het leger en de eer van de generaals.¹¹ Op 29 september meldde hij keizer Wilhelm dat de oorlog was verloren. Eind oktober, tijdens het Duits-Oostenrijkse congres in Wenen, viel de vijfhonderd jaar oude Oostenrijks-Hongaarse monarchie uiteen. De nieuwe keizer Karel I beloofde de belangrijkste nationale minderheden van zijn rijk – de Hongaren, de Tsjechen en de Balkanvolkeren – autonomie. Korte tijd later zou hij aftreden. Maar het was allemaal te laat. De 'nationalen' hadden de macht overgenomen. Tsjechische, Poolse, Kroatische, Duitse en Hongaarse regimenten deserteerden. Op 3 november kondigde Oostenrijk een wapenstilstand af. Ruim een week later volgde Duitsland.

Wie nu vanuit het noorden naar Compiègne rijdt ziet een land zo vlak als een prairie, met heuvels aan de verre horizon. Daarachter ligt het befaamde bos waar in november 1918 in een treinwagon de wapenstilstand werd gesloten. Tegenwoordig is de plek goed voor een zondagmiddagwandeling, niet meer, en de Historische Plaats is veranderd in een park. Toen was het een ruwe, dichtbegroeide boompartij met twee spoorlijntjes om zwaar geschut te vervoeren, een ideale plaats om twee treinen in stilte met elkaar te laten praten.

Duitsland kwam met witte vlaggen om een wapenstilstand vragen. De grondstoffen waren op, de Spaanse griep had nu ook de industrie zwaar getroffen, de soldaten deserteerden bij duizenden. Enkele dagen eerder was in München de Freie Bayerische Volksstadt uitgeroepen, nadat de Beierse koning was gevlucht. In Berlijn werd dag na dag gedemonstreerd. In Keulen was de rode vlag gehesen nadat een groep matrozen er de macht had overgenomen. Keizer Wilhelm stond te kleumen op het perron van het grensplaatsje Eijsden, ambteloos, wachtend op toelating in Nederland.

Rondom de Historische Treinwagon, waar Hitler op 21 juni 1940 op zijn beurt de Franse capitulatie accepteerde, is een museumpje gebouwd. Ik zie een versteende, half opgerookte sigaar van maarschalk Foch. Door het raam mag je ook een blik werpen op de beroemde tafel waaraan de heren hun handtekeningen zetten. Alleen: wat is deze wagon netjes en nieuwig! Pas gaandeweg besef ik dat dit allemaal namaakgeschiedenis is. Het originele Wagons-Litstreinstel 2419 D is door Hitler in juni 1940 meegenomen naar Berlijn en aan het eind van de oorlog naar het Zwarte Woud gezeuld. Daar is het symbool van Duitslands vernedering in de nacht van 1 op 2 april 1945 door SS-gevechtstroepen in brand gestoken. Een derde Compiègne zou er nooit meer kunnen komen.

Twee treinen dus, in een saai takkenbos op een natte novemberdag. De Duitse delegatie vroeg een opschorting van alle militaire operaties omdat er een revolutie was uitgebroken. Voor Ferdinand Foch was dat een nieuw gegeven, en het sterkte hem in zijn weigering om over welk onderhandelingsvoorstel ook te praten. De Duitsers hadden de geallieerde voorwaarden maar te accepteren. Toen ze de condities hoorden, waren ze diep geschokt, ze voerden een vergeefs pleidooi voor een gezamenlijke Europese strijd tegen de revolutie en het bolsjewisme, maar Foch liet zich niet bepraten: 'Uw land lijdt aan de ziekte van een verliezer, West-Europa zal zich tegen het gevaar dat u noemde wel weten te verweren.' Halverwege de ochtend van 11 november 1918 werd de ondertekening van de wapenstilstand bekendgemaakt.

Louis Barthas hoorde het nieuws in de kazerne van Vitré. 'Geen enkele soldaat bleef nog op zijn kamer. Ze stormden als bezetenen door de gangen naar de politiepost waar een telegram was aangeplakt. Hierin werd in twee zinnen laconiek de verlossing van miljoenen mensen, het einde van hun folteringen en de terugkeer naar het burgerleven aangekondigd.' Vera Brittain schreef: 'Toen het geluid van de overwinningsschoten boven Londen losbarstte, op 11 november 1918 om 11 uur, riepen de mannen en vrouwen die elkaar ongelovig in de ogen keken niet juichend: "We hebben de oorlog gewonnen!" Ze zeiden alleen maar: "De oorlog is voorbij."'

In Berlijn wandelde Harry Kessler door de lege zalen van het geplunderde keizerlijke paleis. Hij verbaasde zich over de smakeloze snuisterijen op de grond en de nationalistische kitsch die nog aan de muren hing. 'Uit deze atmosfeer is dus de wereldoorlog geboren.' Kwaad op de plunderaars was hij niet, hij was vooral verbaasd over de middelmatigheid van de machthebbers die deze rotzooi hadden verzameld en erin hadden geloofd.

Robert Graves liep na het nieuws in zijn eentje over een stille dijk, 'vloekend en snikkend en denkend aan de doden'.

In Brussel had ik eerder een afspraak met stadschroniqueur Geert van Istendael. We keken uit op de Beurs, op de verlichte ramen, de pratende en telefonerende mannen daarachter, op die hele huiselijkheid van een werkende stad. Schuin voor ons lag de Anspachboulevard, een indrukwekkende reeks eclectische gebouwen, neorenaissance, neogotiek, neobarok, honderden krullerige ramen, balkons en fresco's. Om de hoek lag een lange rij soortgelijke panden, hermetisch dichtgetimmerd.

Begon hier de droom van Bellamy, die vredige stad vol beschaving en welwillendheid? 'Dat kun je wel zeggen,' meende Van Istendael. 'Zo'n stad was Brussel ooit inderdaad in 1914. In het Métropole-hotel hangen nog de foto's van Einstein, Bohr, Madame Curie, al die grote natuurkundigen hielden hier hun congressen.' Het België uit die tijd mag je volgens hem rustig beschouwen als een soort Silicon Valley van Europa. 'Op technisch gebied stond het land aan de top. Het was de vijfde industriestaat ter wereld, dankzij de steenkool en het ijzer uit Wallonië en de rijkdommen uit de Congo.'

België is de Eerste Wereldoorlog nooit meer te boven gekomen. Talloze steden en dorpen werden weggevaagd of zwaar beschadigd. Een groot deel van de industrie werd door de Duitsers ontmanteld, vernietigd of weggeroofd. De steenkoolvoorraden werden geplunderd. De technologische voorsprong raakte het land definitief kwijt. Het momentum was voorbij.

'Zou iemand uit 1914 hier de boel nu nog herkennen?' vroeg ik.

'Die zou alles herkennen, al zou hij wel de intense paardengeur missen. En natuurlijk zou hij verbijsterd zijn.'

'Waarover dan?'

'Over het verval natuurlijk, het onvoorstelbare verval van deze prachtige stad.'

De Eerste Wereldoorlog, die zo luchtig begonnen was in de zomer van 1914, had ruim vier jaar later een eind gemaakt aan zeker een half dozijn monarchieën en aan twee imperia: het Habsburgse en het Osmaanse. Het optimisme van de Verlichting, de stille hoop dat alles langzaam beter zou worden, was voorgoed gestuit. De West-Europese democratieën kwamen zwaar onder druk te staan, totalitaire ideologieën – communisme, fascisme en nationaal-socialisme – kregen alle kans.

De Eerste Wereldoorlog was de eerste industriële oorlog, een oorlog van machinegeweren, granaten, mijnen en gas, een oorlog die niet meer beleefd werd als een heroïsch gevecht maar als een door niets en niemand te stuiten machine. Het was ook de allereerste totale oorlog, een oorlog waarin niet enkel legers betrokken waren, maar hele samenlevingen. Het militaire systeem bleek in de nieuwe eeuw volledig verweven te zijn met industrie en bevolking. Materieel en voorraden werden voortdurend aangevuld, gewonden en gesneuvelden werden massaal vervangen door nieuwe lichtingen. Het winnen van de slag was allang niet meer voldoende, de hele vijandelijke samenleving moest met blokkades, honger en andere middelen op de knieën worden gebracht.

De immense oorlogsschulden zouden de internationale verhoudingen nog jarenlang verzieken. In Frankrijk werd de oorlog een nationale obsessie, een bron van pessimisme en onzekerheid. Het Britse imperium, vier jaar eerder nog het zekerste en machtigste rijk uit de westerse geschiedenis, kwam financieel geruïneerd uit de oorlog. Nog in 1965 moest de Britse schatkist 1 procent van de nationale belastingopbrengst reserveren voor terugbetaling van de Amerikaanse leningen in de Eerste Wereldoorlog. Een aantal andere landen zag, dankzij de oorlog, welvaart en goudreserves aanmerkelijk toenemen, vooral Amerika (met 278 miljoen pond sterling) en Japan (183 miljoen), maar ook Spanje (84 miljoen), Argentinië (49 miljoen) en Nederland (41 miljoen).

Aan de oostelijke en westelijke fronten hadden ruim zeventig miljoen soldaten gevochten, van wie er 9,4 miljoen sneuvelden, ofwel 13,5 procent, en 15,4 miljoen gewond raakten. Het was een echte wereldoorlog geweest: er vochten meer Australiërs dan Belgen mee, en bijna tweemaal zoveel Canadezen. Uit de Britse koloniën waren drie miljoen manschappen gekomen, uit de Verenigde Staten ruim vier miljoen. Ook in Afrika was hard gevochten: alle Britse, Franse, Duitse en Belgische kolonies waren erbij betrokken geweest, over het hele continent. Meer dan twee miljoen Afrikanen hadden aan de strijd deelgenomen, vooral als drager van wapens, voedsel en gewonden.

In Europa werd een hele generatie door de oorlog getekend: 13 miljoen jonge Duitsers vochten mee (2 miljoen sneuvelden, 15,4 procent), 7,8 miljoen Fransen (1,3 miljoen, 16,8 procent), 5,7 miljoen Britten (0,7 miljoen, 12 procent), 0,35 miljoen Belgen (0,038 miljoen, 10,8 procent), 15,7 miljoen Russen (1,8 miljoen, 11,5 procent), 9 miljoen Oostenrijkers-Hongaren (1,1 miljoen, 12,2 procent), 0,75 miljoen Serviërs (0,28 miljoen, 37,1 procent). Van de drie miljoen Turken die achter de trommel naar de oorlog waren getrokken, keerden achthonderdduizend niet terug, meer dan een kwart.[12]

In talloze Europese families was decennialang geen sprake meer van een normaal gezinsleven. Alleen al in Duitsland bleven een half miljoen oorlogsweduwen achter; de meesten zouden nooit meer trouwen. In een gemiddeld Frans dorp was één op de vijf jonge mannen omgekomen. Jarenlang werd het straatbeeld getekend door – zoals men dat toen noemde – 'kapotgesmeten gezichten'. Binnenshuis regeerden de 'vernietigde mannen' en de 'gewonde patriarchen'. Slechts één op de drie militairen kwam min of meer ongedeerd terug.

Ik moet denken aan het tafereel dat Joseph Roth kort na de oorlog optekende in Lemberg (Lviv), in Galicië, bij een massademonstratie van oorlogsinvaliden, 'een volksverhuizing van stompen, een processie van stoffelijke overschotten', zoals hij schreef.

'Achter de blinden liepen de eenarmigen, en achter hen degenen zonder armen, en achter de armlozen de in het hoofd getroffenen [...]. Daar stonden de invaliden, wier hele gezicht één enkel gapend rood gat was, omwikkeld met wit verband, met roodachtig gewonde plooien in plaats van oren. Daar stonden de klompen van vlees en bloed, soldaten zonder ledematen, rompen in uniform, de loze mouwen op de rug bijeengebonden in een uiting van kokette gruwelijkheid. [...] Achter de auto liepen de krankzinnig gewordenen. Ze hadden alles nog, ogen, neus en oren, benen en armen, alleen het verstand was uit hen weggevloeid, ze wisten niet waarom en waartoe ze hierheen waren geleid, ze zagen eruit als broeders, ze beleefden allen hetzelfde grote vernietigende niets.'

In de Spiegelzaal van Versailles, waar op 28 juni 1919 het uiteindelijke vredesverdrag werd getekend, lopen tegenwoordig voornamelijk Japanse toeristen rond. De tapijten en meubels verspreiden een flauwe, hoogbejaarde pislucht. De sfeer was, schreef de jeugdige Britse diplomaat Harold Nicolson, als die van een huwelijksvoltrekking: 'Geen applaus, maar ook niet een plechtige stilte.'

Nicolson was in die tijd een van de adviseurs van de grote drie, Groot-Brittannië, Frankrijk en Amerika. Maar het Verdrag van Versailles beschouwde hij als een prutsdocument. Zijn zoon, Nigel Nicolson, had me tijdens die middag in Sissinghurst verteld dat zijn vader al direct de grootst mogelijke ellende voorzag: de eindonderhandelingen waren veel te snel gegaan, en de Duitsers waren uiteraard helemaal niet geraadpleegd. 'Op een keer schreef hij aan mijn moeder: "Hier zit ik dus, een kind in al deze zaken, drie oude mannen te adviseren: Lloyd George, Clemenceau en president Wilson. En die drie zijn bezig Europa op te delen alsof het een taart is. Ze weten er niets van, en voor de feiten zijn ze totaal afhankelijk van mij."'

Toch waren al die jonge diplomaten aanvankelijk vol goede moed geweest. Ze stonden sterk onder invloed van het tijdschrift The New Europe, ze droomden van een 'nieuw Griekenland' en een 'nieuw Polen', ze wilden breken met het oude Europa. 'Er waren natuurlijk tweedracht en vooringenomenheid,' schreef Harold Nicolson later. 'Maar die kwamen niet voort uit een verlangen naar wraak, vernedering en straf jegens onze voormalige vijanden, maar uit een sterke aspiratie om nieuwe naties te vormen, als rechtvaardiging voor ons lijden en onze overwinning.'

De Parijse vredesconferentie tussen januari en juni 1919 was voor alle betrokkenen een fascinerende gebeurtenis: drie wereldleiders die, samen met de vertegenwoordigers van bijna dertig landen, zes maanden achter elkaar bijeenzaten om Europa opnieuw te ordenen, die nieuwe grenzen trokken door Afrika, het Midden-Oosten en de Balkan, die Polen herschiepen, die de Oostzeestaten onafhankelijkheid gaven, die hele stukken van Duitsland en Hongarije wegsneden en die, bijvoorbeeld, een derde van de Hongaren onderbrachten bij een vreemde mogendheid. Duitsland verloor een achtste van de bevolking.

De wereldleiders beseften, althans gedeeltelijk, het probleem dat ze creëerden: de etnische verscheidenheid, met name van Midden-Europa, was zo ingewikkeld dat ze met elke lijn op de kaart een nieuwe nationale minderheid schiepen. 'Volk' en 'natie' vormden slechts zelden een eenheid. Vandaar dat alle nieuwe regeringen, wilden ze erkend worden, per verdrag moesten toezeggen dat ze hun minderheden bepaalde rechten garandeerden. Die rechten zouden bevestigd worden in een op te richten Volkenbond, een organisatie die een herhaling van de escalatie van 1914 voorgoed zou moeten voorkomen.

VOLKENBOND

De Volkenbond was een geesteskind van de Amerikaanse president Woodrow Wilson, en een belangrijk onderdeel van het Verdrag van Versailles. Omdat de Amerikaanse Senaat het verdrag uiteindelijk verwierp werd de Volkenbond echter vooral een zaak van de Europeanen.

De leden van de Volkenbond hadden zich bij convenant verplicht om elkaar voortdurend te consulteren, om de wapenhandel te beperken, om minderheden rechtvaardig te behandelen en om bij conflicten niet meer voor oorlog te kiezen, maar voor arbitrage. Bovendien moest de Volkenbond de nakoming van het Verdrag van Versailles garanderen. Later werd de Volkenbond weggehoond als een tandeloos instituut, maar in de beginjaren wist hij wel degelijk het een en ander te bereiken, zoals een voorlopige ontspanning rond Danzig, Saarland en de Aaland-eilanden. Een gewapend conflict tussen Polen en Litouwen over de positie van Vilnius werd met succes gestopt door een vredesmissie. Veel pionierswerk van de Volkenbond is later voortgezet door instellingen als de Verenigde Naties en de Europese Unie.

In totaal ging het bij deze minderheden om zo'n vijfendertig miljoen Europeanen. In Midden- en Oost-Europa raakten de beslissingen van Versailles zeker een kwart van de bevolking. Hier werden uiteindelijk de schulden vereffend, lijnen getrokken, naties gekneed, minderheden geschapen, geesten losgelaten die Europa de rest van de eeuw zouden beheersen.

Een paar fragmenten uit Nicolsons dagboekaantekeningen:

Vrijdag, 7 februari 1919
Besteedde het grootste gedeelte van de dag aan het nalopen van de
Roemeense en Tsjechische grenzen met Charles Seymour van de
US-delegatie. Er zijn maar enkele puntjes waarop we van mening
verschillen.

Zondag, 2 maart
Dineerde met prinses Soutzo in het Ritz – een opgeblazen toestand. Marcel Proust en Abel Bonnard waren ook aanwezig.
Proust is wit, ongeschoren, smerig, een vervallen uiterlijk. Later
doet hij zijn bontjas aan en zit daar kromgebogen, met witte gla-
cé handschoenen. Hij neemt twee kopjes koffie, met klonten suiker. In zijn gesprekken zit geen genegenheid. Hij stelt me vragen.
Kan ik hem alsjeblieft vertellen hoe de Comités werken? Ik zeg:
'Nou, gewoonlijk komen we om tien uur bijeen, er zijn secretarissen achter...' 'Mais non, mais non, u gaat te vlug. Begin opnieuw.
U neemt het rijtuig naar de Delegatie. U stapt uit op de Quai d'Orsay. U gaat de trap op. U komt de grote zaal binnen. En dan? Preciezer, geachte heer, preciezer.' Dus ik vertel hem alles. De valse
hartelijkheid van alles: de handdrukken, de kaarten, het geritsel
van papieren, de thee in de kamer ernaast, de bitterkoekjes. Hij
luistert gefascineerd, valt me zo nu en dan in de rede: 'Maar preciezer, zeer geachte heer, ga niet te vlug.'

Maandag, 10 maart
Erg vermoeid, moedeloos, ongemakkelijk. Maken we echt een
goede vrede? Doen we dat wel? Doen we dat? Er kwam een buitengewoon somber telegram binnen van [generaal] Plumer. Hij
smeekt ons Duitsland te voeden. Hij zegt dat zijn troepen het tafereel van stervende kinderen niet kunnen verdragen.

Donderdag, 3 april
Arriveerde in Wenen rond tien uur. Bill, Allen en ik liepen naar de
ambassade, waar onze missie resideerde. De stad ziet er onverzorgd
uit: overal ligt papier in het rond: de grasperkjes rond de standbeelden liggen vol afval: veel ramen zijn gebroken en gerepareerd met
opgespijkerde platen. De mensen in de straten zijn terneergeslagen
en slecht gekleed: ze staren ons verbaasd aan. En inderdaad zien we

er raar uit, als [keurig gekleed] groepje. [...] Ik voel dat mijn dikke roze gezicht een belediging is voor deze gebroken mensen.

Dinsdag, 13 mei
Naar president Wilsons huis. De deur gaat open en Henkley zegt me binnen te komen. Een zwaar gemeubileerde studeerkamer met mijn grote kaart op het vloerkleed. Daaroverheen gebogen (*bubble, bubble, toil and trouble*) zitten Clemenceau, Lloyd George en president Wilson. Ze hebben hun leunstoelen naar voren getrokken en bukken zich laag over de kaart. Lloyd George zegt – joviaal als altijd – 'Nou, Nicolson, luister met je oren wijd open.' Dan begint hij de overeenkomst uit te leggen die ze net bereikt hebben. Ik doe een paar kleine suggesties, plus de waarschuwing dat ze Konya in de Italiaanse zone zetten. Ik wijs er ook op dat ze de Bagdadspoorweg doormidden snijden. Dit wordt terzijde geschoven. President Wilson zegt: 'En wat doen we met de eilanden?' 'Het zijn,' antwoord ik dapper, 'Griekse eilanden, mijnheer de president. 'Dus moeten ze naar Griekenland gaan?' Harold Nicolson: 'Zeker!' President Wilson: 'Zeker!' [...]

Het [geheel] is immoreel en niet uitvoerbaar. Maar ik gehoorzaam mijn orders. [...] Doodop van vermoeidheid en verontwaardiging.

Woensdag, 28 mei
Heb gewerkt als een bevertje om te voorkomen dat het Oostenrijkse vredesverdrag even rot wordt als het Duitse. Hoe vaker ik dat laatste lees, des te misselijker maakt het mij. De grootste misdaad zijn de herstelbetalingen, die alleen maar zo zijn vastgesteld om het Lagerhuis te behagen, en die totaal onuitvoerbaar zijn. Als ik de Duitsers was zou ik nooit en te nimmer tekenen. Het geeft hun geen hoop, op geen enkele manier, niet nu, niet in de toekomst.

Zondag, 8 juni
Er is hier niemand onder de jongeren die niet ongelukkig en teleurgesteld is over de bepalingen [van het vredesverdrag]. De enigen die er tevreden mee zijn, zijn de oude ijzervreters.

Ten slotte is er dag van Versailles, 28 juni 1919. Harold Nicolson beschrijft de vrolijke conversatie in de Spiegelzaal. 'Het klinkt, zoals altijd bij dergelijke gelegenheden, als water dat in een zinken bad loopt.'

De Duitse delegatie werd aangekondigd, twee man sterk. De stilte was beklemmend. Hun voetstappen kraakten op het parket. Ze waren doodsbleek. Ze keken strak omhoog, maar ook daar vonden, zie ik nu, hun ogen slechts vernedering. Het hele plafond is bedekt met Franse overwinningstaferelen, Hollanders en Pruisen die van de kaart geveegd worden, trotse Franse koningen, hun vijanden wentelend in het stof.

'Het was allemaal vreselijk. Naar bed, ziek van het leven.'

III

Maart

EUROPA 1917 - 1924

FINLAND

Helsinki

Petrograd

Kronsjtadt

1920

Riga

Rezekne

Moskou

Wilno (Vilnius)

RUSLAND
(SOVJET-UNIE 1922)

POLEN

1921

WAKIJE ROETHENIË

dapest 1920

RIJE

1920

SLAVIË

ROEMENIË

Boekarest

VO

BULGARIJE

Sofia

1919

Istanbul

ZWARTE ZEE

NIË

1923

Ankara

TURKIJE

IEKENLAND   Athene

1

'Ik was, tot mijn pensioen, een fabrikant van kleur- en smaakstoffen. Koningin Victoria was mijn betovergrootmoeder, keizer
Wilhelm II was mijn grootvader. We wonen hier in de buurt van
Hannover, in een villa die we langzaam hebben uitgebouwd toen
er meer kinderen kwamen. U ziet het: een mooie zitkamer, een
eetkamer, een fijn huis. Ja, die paar vorstenportretten komen
nog uit de familie. Hoe het zit? Ik ben de vierde zoon van prins
Oscar. Oscar was de vijfde zoon van keizer Wilhelm II. Ik ben
prins, ja, prins van Pruisen.

Heb ik er veel van gemerkt? Ik heb een heerlijke jeugd gehad in
Potsdam, ik ben er naar school gegaan, en daarna kwam ik in het
leger, bij de cavalerie, want ik was dol op paardrijden. Dat was in
december 1939. Toen was het al oorlog.
  Mijn oudste broer, Oscar, sneuvelde direct. Kort daarop viel
ook mijn neef Wilhelm, de oudste zoon van de kroonprins. In
Potsdam hadden ze voor hem een enorme begrafenis georganiseerd, duizenden mensen kwamen ernaar toe. Daarna werden
alle nazaten van de keizer van het front teruggetrokken, ik ook.
De nazi's wilden zo'n keizersgezinde manifestatie niet een tweede keer meemaken. In 1943 werden we zelfs helemaal uit de
krijgsdienst ontslagen, met als motief: ongeschiktheid wegens
internationale familiebetrekkingen. Na de oorlog wilde ik gaan
studeren, maar dat werd toen door de Engelsen tegengehouden.
Opnieuw: 'internationale familiebetrekkingen'.

Uiteindelijk kwam ik via een vriend in die fabriek voor kleur-
en smaakstoffen terecht, en samen hebben we dat bedrijf weten uit te bouwen tot een internationale firma met tweeëntwintig dochtermaatschappijen. Straks ga ik in Göttingen mijn

kleinkinderen van de trein halen. Nee, het is prima met me afgelopen.

De laatste Duitse keizer was dus mijn grootvader. Vanaf mijn
vroegste jeugd logeerden we bijna iedere zomer een week of twee
in Doorn. Hij was een echte grootvader. Hij had de bijzondere
gave dat hij ieder kleinkind het gevoel kon geven dat het zijn lie-
velingskleinkind was. Bij ons thuis moesten we zuinig leven, en
daarom genoten we enorm van al dat lekkere Hollandse eten dat
we bij hem kregen. Hij liet ons voor het eerst kennismaken met
kunst en literatuur. Hij was in alles geïnteresseerd. Op ons, kinderen maakte dat allemaal een verpletterende indruk.

Ik heb, kortom, een heel andere man meegemaakt dan degene
die in de geschiedenisboeken wordt beschreven. Hij zal in zijn latere jaren ook wel milder zijn geworden, ik heb hem in elk geval
nooit tegen iemand iets onvriendelijks horen zeggen.

Het begin van zijn leven in Doorn was voor hem heel zwaar.
De Hollanders hadden hem moedig opgevangen en beschermd,
maar hij was van een blinkende hoogte tot een duistere diepte
gevallen, ook innerlijk. U moet eens lezen hoe er bij zijn vijfen-
twintigjarig regeringsjubileum over hem geschreven werd, en
wat er na de oorlog allemaal werd gezegd. Als zo'n enorm regeringssysteem instort, met alles en iedereen die daarbinnen verantwoordelijkheden heeft gedragen, dan wordt dat in de eerste
plaats afgereageerd op degene die aan de top stond. In dit geval
was dat mijn grootvader.

Daarbij kwam al dat pompeuze gedoe van die tijd. Ook dat
werd hem aangerekend. Nu heeft iedere periode een eigen stijl –
die urenlange communistische redevoeringen uit de DDR-tijd zou
nu ook geen mens meer verdragen – dus veel had met de tijdgeest
te maken. Tegelijkertijd had mijn grootvader werkelijk een brede
belangstelling. Technische dingen, wetenschappelijke vindin-
gen, de hervorming van het onderwijs, theater, kunst, overal bemoeide hij zich mee. Misschien had hij zelfs wel te veel interes-
sen. Dat alles samen gaf, naar mijn gevoel, een bepaalde
tweeslachtigheid aan zijn persoonlijkheid. Hij zag zichzelf als
opvolger van de oude Pruisische vorsten, maar in werkelijkheid
was hij veel meer een vertegenwoordiger van het moderne Duitsland, en dat gaf natuurlijk spanningen.

Naar mijn gevoel had de ontwikkeling naar de Eerste Wereldoorlog iets noodlottigs. Niemand van de toenmalige Europeanen kon zich voorstellen dat uit die veelheid van Duitse staatjes binnen zo'n korte tijd een moderne grootmacht zou opstaan. Dat was voor alle omliggende landen niet zo aangenaam, vooral toen dat nieuwe Duitsland zich ook nog als een nouveau riche ging gedragen. U hebt gelijk, als Duitsland zich wat meer terughoudend had opgesteld, dan was alles anders gelopen.

Het privé-eigendom van de familie? Daarover is in de jaren twintig een regeling getroffen. Sommige vorsten hadden nogal wat land van zichzelf, wij ook, maar in het oosten, in het nieuwe Polen en Letland, raakten we na 1919 alles kwijt. De kroonprins mocht levenslang op zijn domein blijven wonen, net als zijn kinderen en kleinkinderen. Daarna zou het aan de staat vervallen. Voor ons was iets soortgelijks afgesproken.

Mijn grootvader kreeg asiel in Nederland, en hij heeft toen dat landgoed in Doorn gekocht. Na een poosje mocht hij van de Nederlandse regering kleine tochtjes maken, als hij dat tevoren aanmeldde. Mijn ooms hadden de gewoonte om, zodra ze in een auto zaten, in slaap te vallen, en in de familie gaat het verhaal dat mijn grootvader op een van die eerste uitstapjes in een open auto door het land reed, met links en rechts een slapende zoon. En dat de Hollanders tegen elkaar zeiden: kijk nou eens, nu heeft hij zijn eigen zoons ook nog omgebracht.

Ik kan me niet herinneren ooit met hem in Amsterdam te zijn geweest. Hij had een paar vrienden bij wie hij regelmatig op bezoek ging: een Duitse bankier in Zandvoort, een vrouwelijke kennis in Den Haag, een paar buren waar hij soms ging eten. Maar verder had hij niet veel aanspraak. Men zegt dat hij elfduizend bomen heeft omgehakt, dat geloof ik niet zo. Maar dat houthakken, daar is hij toen inderdaad mee begonnen als lichaamsoefening. Hij kon immers niet meer paardrijden.

Ik voel me nog altijd verbonden met mijn grootvader. Er zijn veel dingen waar ik nu anders tegen aankijk, maar ik probeer zijn doen en laten zo veel mogelijk te verklaren vanuit de tijd waarin hij leefde. U moet begrijpen, het Duitse rijk dat in 1871 was geschapen, dat moest nog volwassen worden, dat moest nog helemaal een eigen vorm vinden. Voordien was Duitsland een lappendeken van kleine en grote vorstendommen, en eigenlijk wilden die helemaal niet zo graag samengaan. Er speelde bovendien een diepgaand conflict tussen protestanten en katholieken en daarnaast waren er ook nog eens de repressieve Socialistenwetten, mét alle strijd die daaromheen plaatsvond. Toch heeft dit rijk de Eerste Wereldoorlog overleefd, het mocht van de overwinnaars bijeen blijven, het heeft de Tweede Wereldoorlog doorstaan, en nu is die eenheid zo langzamerhand door alle Duitsers erkend.

Dat hele proces heeft zich binnen twee, drie generaties afgespeeld, tijdens het leven van mijn grootvader, mijn vader en mij. Ja, daar voel ik me bij betrokken, net zoals ik me hevig betrokken voel bij degenen die in de voormalige DDR wonen. Ik denk vaak: mijn generatie, degenen die het Derde Rijk hebben beleefd en overleefd, die begrijpen waarschijnlijk nog het best wat de mensen in de DDR hebben moeten doormaken. Die snappen hoe een eenvoudig mens zich onder zo'n autoritair regime overeind moest houden. Het Derde Rijk duurde maar twaalf jaar, zij hebben vervolgens veertig jaar onder zo'n bewind moeten leven. Ik kan hen veel beter begrijpen dan de generatie van mijn kinderen. Die hebben nooit iets anders gekend dan vrijheid.

Nogmaals, je kunt mensen niet los van hun tijd beoordelen. Mijn moeder had bijvoorbeeld een familielid dat op de 20ste juli 1944 tot zijn nek in het complot tegen Hitler zat. Hij is toen ook opgepakt en opgehangen. Toch was diezelfde man aan het eind van de jaren twintig zo'n wilde, overtuigde nazi dat mijn vader hem niet bij ons in huis wilde hebben. Wij kwamen er veel te laat achter dat hij van een fanatieke aanhanger was omgezwaaid naar een felle tegenstander. En ikzelf, als ik niet mijn achtergrond van thuis had gehad, ik weet niet of ik in 1933, bij die "nationale wedergeboorte", niet ook nazi zou zijn geworden. Ik kan alleen maar hopen dat ik dan, net als die verre neef van me, de moed zou hebben gehad om me later actief tegen dat regime te keren. Maar van dat slag waren er niet zoveel.

Binnen onze familie werd heel verschillend over de nazi's gedacht. Ik weet nog dat op een kerstavond de hele familie bij elkaar was, en dat wij kinderen naar buiten gestuurd werden omdat er tussen mijn ooms – want ze hadden veel temperament – een schreeuwende ruzie uitbrak over het lidmaatschap van de NSDAP van een van hen.

Mijn vader en mijn oom prins Eitel Fritz, de tweede zoon die kinderloos is gebleven, waren absoluut en totaal anti-nazi. De kroonprins, mijn oom Wilhelm, heeft in het begin gedacht dat hij met hulp van de nazi's misschien de kroon weer terug zou kunnen krijgen, wat overigens uitgesloten was. Later werd hij ook een scherpe tegenstander.

Mijn oom August Wilhelm was daarentegen een echte nazi. Hij werd zelfs SA-Gruppenführer. Raar genoeg was het een man bij wie zoiets het minst paste. Een echte estheet, zijn vrienden waren voornamelijk joodse kunstenaars. Maar uitgerekend hij is op die trein gestapt, en later heeft hij niet meer de moed gehad om eraf te springen. Of hij in de oorlog nog zo overtuigd was, dat vraag ik me af. Het doet er ook niet toe. In die tijd hebben veel eenvoudige mensen zich door hem laten leiden en op hem vertrouwd: o, een zoon van de keizer doet ook mee. Dat is het grote verwijt dat je hem kunt maken. Iemand van zijn positie moet verder denken dan anderen. Maar dat is makkelijk gezegd.

Mijn grootvader stond zeer kritisch tegenover de nazi's. Ik herinner me hoe hij ons in 1934 na het avondeten voorlas over de moord op Dollfuss, en hoe geëmotioneerd hij daarover raakte. De gangstermentaliteit die daaruit sprak, net als uit de moordpartij op de SA-leider Röhm en zijn aanhang, hij moest er niets van hebben.

Ja, je hebt natuurlijk aan de andere kant dat gelukstelegram, dat hij op 17 juni 1940 aan Hitler stuurde vanwege de overwinning op Frankrijk. 'Wat een wending, door Gods leiding!'

TELEGRAM

Op 17 juni 1940 stuurde Wilhelm vanuit Doorn een opzienbarend telegram aanAdolf Hitler. De tekst:

Diep onder de indruk van het neerleggen van de wapens door Frankrijk wens ik u en de gezamenlijke DuitseWehrmacht geluk met de door God geschonken geweldige overwinning, in de woorden van keizerWilhelm de Grote uit het jaar 1870: 'Wat een wending, door Gods leiding!' In alle Duitse harten weerklinkt het Koraal van Leuthen, die met de overwinnaars van Leuthen, de soldaten van de Grote Koning instemmen: 'Dankt nu allen God.'

Het telegram verwijst naar het gelijknamige soldatenlied, waarvan het vierde couplet begint met: 'Laat mij met iedereen in vrede en vriendschap leven.'Volgens de overlevering werd het gezongen voor de slag bij Leuthen (Lutynia, bij Wrocław) in 1757, waar Frederik de Grote, dankzij een briljante strategie, de Habsburgse overmacht versloeg. Een tekst als deze moet wel bijna van de voormalige keizer zelf afkomstig zijn. Het is immers zeer de vraag af generaal Van Dommels ook met dat 'Koraal van Leuthen' is opgegroeid. Aan zijn dochter telegrafeerde Wilhelm: 'De Duitse oorlogsvlag boven Versailles. Herrlich!'

Overigens had kroonprins Wilhelm al vanaf 1923 contact met Hitler. Na Hitlers machtsovername stuurde hij een open brief aan zijn vrienden in de Verenigde Staten waarin hij alle gruwelverhalen over mishandelingen en dergelijke ontkende: 'De joden in Duitsland hebben in geen enkel opzicht iets gemerkt van de veranderde politieke situatie.'

Ik heb me altijd afgevraagd of mijn grootvader die tekst zelf heeft opgesteld, of dat het de huisminister is geweest, generaal Van Dommels. Die wist dat er allerlei problemen waren tussen de keizer en de nazi's. Wellicht hoopte hij zo de relatie met Berlijn weer wat te verbeteren.

Maar laat ik eerlijk zijn, mijn grootvader was natuurlijk enthousiast over de successen van de Wehrmacht, waar hij veel mensen kende. Het was voor zijn gevoel altijd nog een beetje zijn leger. Daarnaast speelde er de nodige patriottische trots, een gevoel dat veel Duitsers toen hadden, ook als ze weinig van het nationaal-socialisme moesten hebben.

Die stemming was trouwens gauw voorbij. In de zomer van 1940 logeerde ik, net terug van de veldtocht in Frankrijk, een weekend bij hem in Doorn. Hij barstte los tegen Hitler, tegen zijn strategie. De strijd om Engeland was op dat moment al zo ongeveer opgegeven, Churchill weigerde iedere vorm van wapenstilstand, er waren tekenen dat Hitler zou proberen om tegen Rusland op te trekken. Mijn grootvader voorzag toen al een catastrofe: Duitsland zou onvermijdelijk opnieuw in een oorlog op twee fronten verzeild raken. Het was de laatste keer dat ik hem zag.

Onze familie komt alleen nog bij elkaar op begrafenissen en bij speciale gelegenheden. Mijn achternichten, de dochters van kroonprins Wilhelms zoon Louis Ferdinand, organiseren één keer per jaar op slot Hohenzollern een concert en daar zien we elkaar. Mijn grootvader ligt in Doorn in een mausoleum, in een kist op schragen zodat hij onmiddellijk gerepatrieerd zou kunnen worden, als Duitsland dat zou wensen. Maar ik geloof dat hij daar in Doorn best ligt. Hij heeft zich er in zijn laatste levensjaren heel tevreden gevoeld, en om hem dan in Berlijn tussen die andere honderdvijftig sarcofagen te schuiven, in die vreselijke familiegrafkelder...

Mijn vader heeft na de oorlog in de buurt van Göttingen een landgoed betrokken. Mijn oom August Wilhelm heeft een poos in een gevangenkamp gezeten, en kort na zijn vrijlating is hij gestorven. Mijn andere oom, de kroonprins, is door de Fransen gevangengenomen. Later werd hij weer op de burcht Hohenzollern geplaatst. Maar eigenlijk was hij gebroken. Hij kon zich niet meer voorstellen dat Duitsland ooit nog de monarchie zou omarmen. Louis Ferdinand heeft nog weleens met die gedachte gespeeld, maar hij was de enige. Hij zei soms: "Als ik word geroepen, dan ben ik bereid."

Maar ja, wie zou hem roepen?'

2

Zondag 28 februari. Ik vertrek om halfelf uit Berlijn en om half-drie zie ik de Oostzee, aan het eind van een lange, kale, naar de kust aflopende stoppelakker. Er valt niet veel te beleven tijdens deze reis. Even rijden we nog in de zon, daarna vergrijst de lucht. Tegelijk trekt het landschap zich recht als een tafellaken. De lente is nog nergens te bekennen, veel weilanden staan onder water, we stoppen bij een ouderwets, streng, geel stationsgebouw met vrouwenborsten in de nok – Wittenberge – en dan val ik in slaap.

Vroeger vloog het zeeschuim je om de oren bij dit soort reizen. De treinwagons werden bij Puttgarden één voor één, puffend en stomend, op de veerpont naar Rødbyhavn geschoven en met kettingen vastgesjord, een schrille stoomfluit, roet uit de pijpen en daar ging het, krakend en slingerend. Nu glijdt de trein een drijvend pretpaleis binnen, vol winkels, cafetaria's, met veel chroom en marmer, een magisch oord waar alles vanzelf gaat, tot de deuren en de toiletspoeling toe.

Daarna is er het glooiende land van Scandinavië, de witte huisjes, koeien rond een poel, een blond meisje op een fiets voor een overweg. In de namiddag rijden we over kleine zeeën en grote bruggen. De lucht breekt, heel lichtblauw, aan de horizon hangt een grote witte maan boven het water te wachten. Dan wordt de wereld langzaam leger.

Mijn route neemt nu een rare omweg. Ik probeer het spoor te volgen van de bolsjewistische leider, de beroepsrevolutionair Vladimir Iljirsj Oeljanov, toen die in april 1917 vanuit het dissidentenhol Zürich via Duitsland, Zweden en Finland terugkeerde naar Petrograd, zoals Sint-Petersburg toen heette.

Rusland was op dat moment in rep en roer. Stakende arbeiders marcheerden over de Nevski Prospekt, hele legeronderdelen waren aan het muiten geslagen, tsaar Nicolaas II was afgetreden, de macht was overgenomen door sovjets van soldaten en arbeiders, er was een Voorlopige Regering, de Februarirevolutie was een feit. Dit was het ogenblik waarop Oeljanov, beter bekend als Lenin, dertig jaar had gewacht, een leven vol theorieën, intriges, ballingschap, studie en nog meer theorieën: het moment waarop een jonge Pool zijn schrale kamer aan de Spiegelgasse 14 binnenstormde met de kreet 'Er is revolutie in Rusland!'. Het was 15 maart 1917. Alle Russische ballingen bestormden die middag de kiosken aan het Meer van Zürich en vergaapten zich aan een klein bericht, geperst tussen het frontnieuws op pagina twee van de *Neue Zürcher Zeitung*: er zou een week eerder, op 23 februari volgens de Russische kalender, een revolutie zijn uitgebroken in de Russische hoofdstad. De Doema zou de ministers van de tsaar hebben laten arresteren. Meer was niet bekend.

Werden de revolutionairen-vanuit-de-verte verrast door de gebeurtenissen? Dat is nog zwak uitgedrukt. Lenin was, zo schreef zijn vrouw Nadezjda Kroepskaja later, geschokt en helemaal stil, 'verbijsterd'. Hij had als leider van de bolsjewieken uiteraard op de hoogte horen te zijn, en hij was het niet. De mensjewieken, zijn tegenstanders binnen de revolutionaire beweging, hadden het heft in handen genomen. Hij moet wanhopig zijn geweest: hij had hét moment gemist, het cruciale ogenblik waarom zijn hele bestaan had gedraaid. Nu merkte hij dat de lang verwachte revolutie kon plaatsvinden zonder dat hij, de leider van de strak georganiseerde bolsjewieken, er ook maar iets van wist.'

Vladimir Oeljanov was voor veel Russen een levend symbool. Zijn werkelijke bestaan was zeventien jaar lang een aaneenschakeling van armoede en ballingschap, vervolging door tsaristische agenten, ruzie met de mensjewieken en met eigen kameraden, en dat alles mijlenver van het Russische proletariaat, wat hem overigens niet belette om daarover de ene theorie na de andere rond te bazuinen. Zijn isolement was nog groter geworden na het uitbreken van de Eerste Wereldoorlog. Het geheime politieke adresboek van Lenins groep bevatte in 1914 slechts zesentwintig leden die níet in ballingschap leefden, en tegen 1916 waren daarvan nog maar tien actief. De weinige geldbronnen droogden op. Begin 1917 had het echtpaar Oeljanov zelfs problemen met de huur van de Spiegelgasse. In zijn wanhoop maakte Lenin ruzie met bijna al zijn getrouwen: de briljante Nikolaj Boecharin, 'het zwijn Trotski', het Duitse fenomeen Rosa Luxemburg en de charmante Poolse 'scharrelaar' Karl Radek.

Ook politiek was hij aan het eind van zijn Latijn. De Zwitserse politie had heel wat meer belangstelling voor het Cabaret Voltaire, schuin tegenover zijn huis, waar een groep kunstenaars sinds 1916 onbegrijpelijke vertoningen hield, manifesten voorlas, gilde, snikte, floot en ritmisch op de tafels trommelde. Dit was ook een soort protest: deze dichters en schilders meenden dat het zoeken naar de waarheid in de burgerlijke samenleving onmogelijk was geworden, dat de wereld een en al leugen was, en dat ze alle ballast van de oude cultuur van zich af moesten schudden, voordat ze tot iets nieuws konden komen. Hun beweging heette dada[2] en hun invloed op de kunst van de twintigste eeuw zou, achteraf gezien, bijna net zo groot zijn als die van Lenin op de wereldpolitiek.

Er bestond, voorzover bekend, geen enkele revolutionaire omgang tussen beide overburen. Lenins biografen beschrijven het gezelschap ballingen als een ongelukkig en gefrustreerd groepje, ziek van heimwee, bevangen door paranoia. 'De wereld waarin zij leefden was klein, incestueus van karakter, gekenmerkt door felle conflicten tussen opponerende fracties en starre loyaliteiten daarbinnen,' schrijft Michael Pearson. 'Buiten deze beperkte kring van cafés en revolutionaire kranten was Lenin vrijwel onbekend.'

Acht maanden later zou deze zelfde man zijn macht vestigen over een rijk met meer dan honderdvijftig miljoen zielen. Maar op die 15de maart 1917 was Lenins grootste probleem de afstand: de afstand tussen Zürich en Rusland, de afstand ook tussen zijn theoretische revolutie en de werkelijke gebeurtenissen.

Hoe moest hij dit aanvatten? Lenins eerste gedachte was om zich voor te doen als een doofstomme Zweed, om zo via Duitsland en Scandinavië zo snel mogelijk naar Petrograd te reizen. Vervolgens wilde hij een vliegtuig huren, totdat zijn kameraden hem ervan wisten te overtuigen dat vliegen en oorlog een buitengewoon riskante combinatie vormde. Ten slotte kwam iemand op het idee om aan de Duitse regering toestemming te vragen voor een eenmalige passage door Duitsland.

Via de Duitse consul in Bern werd het contact gelegd, en Berlijn ging onmiddellijk akkoord. In noodgevallen was men zelfs bereid de revolutionairen door de linies heen naar Rusland te smokkelen. Deze generositeit was niet zonder eigenbelang. Het ultraconservatieve Duitsland had, ironisch genoeg, na 1914 een intense belangstelling ontwikkeld voor alle revolutionairen die hun vijanden het leven zuur konden maken. De keizerlijke inlichtingendienst had daarbij een goede hand van kiezen: met vrijwel alle bewegingen die in het latere Europa een rol zouden spelen, bestond enig los-vast contact. Het groepje bolsjewieken rondom Lenin kende men dan ook allang. Voor de Duitsers was het van het grootste belang om op korte termijn een einde te maken aan de oorlog in het oosten – vooral toen de Amerikaanse troepen het westelijk front begonnen te versterken – en dus moesten deze revolutionaire bacillen zo snel mogelijk naar de Russische vijand worden geëxporteerd.

Voor Lenin betekende de gretigheid van de Duitse regering een groot politiek risico. Zijn reis zou immers door de Russen gemakkelijk kunnen worden uitgelegd als 'heulen met de vijand'. Dit te meer omdat Lenin niet op toestemming van de Voorlopige Regering had willen wachten. Hij had bedacht dat de trein dezelfde extraterritoriale status moest krijgen als een buitenlandse ambassade, een soort politiek vacuüm waarin hij door Duitsland kon reizen zonder, althans officieel, besmet te worden met het gedachtegoed van de Duitse vijand. Ook dit verzoek willigden de Duitsers in.

Zo vertrok op 9 april 1917 het echtpaar Oeljanov vanuit het Züricher hotel Zähringenhof terug naar huis.

De reis in de 'verzegelde trein' is later door ettelijke deelnemers beschreven, en hun verhalen geven een interessante kijk op het gezelschap dat korte tijd later Europa op zijn kop zou zetten. Er gingen ruim dertig Russische ballingen mee, plus een kind, de vierjarige Robert. Lenin hield tijdens de afscheidslunch een toespraak, een brief 'aan de Zwitserse arbeiders', waarin hij benadrukte dat de socialistische revolutie een zaak was van lange termijn, zeker in het achterlijke Rusland. De Duitse wagon was nieuw en fris groen geschilderd. De mannen zaten op de harde banken van de vijf derdeklascoupés, de vrouwen en de gezinnen kregen de twee zachtere tweedeklascoupés. Alleen Oeljanov en Nadja kregen een tweedeklascompartiment voor zichzelf. De twee Duitse officieren die hen escorteerden, bleven achter in de wagon, achter een krijtstreep die het 'Russische' van het 'Duitse' gedeelte scheidde.

Zodra de trein vanaf het Duitse grensstation Gottmadingen was vertrokken, kwam de stemming erin. Overal in de wagon klonk gelach en gepraat. In de derde klasse begonnen een paar Russen de

Marseillaise te zingen. Roberts 'vrolijke stemmetje kon door de hele wagon gehoord worden', schreef Nadja later. Het jongetje was met name dol op Grigori Sokolnikov, bij wie hij voortdurend op schoot kroop.

Direct ontstond er een probleem tussen de rokers en de niet-rokers. Lenin, die een gruwelijke hekel had aan sigarettenrook, bepaalde dat er alleen in het toilet gerookt mocht worden. Er vormde zich een rij en al snel braken er ruzies uit tussen de rokers en degenen die het toilet voor het oorspronkelijke doel wilden gebruiken. Lenin loste de kwestie op door passen uit te schrijven voor het toiletgebruik: rokers kregen een pas tweede categorie en anderen een pas eerste categorie.

Ondertussen keek Nadja over het kale landschap, en ze verbaasde zich over de afwezigheid van volwassen mannen. 'Alleen vrouwen, scholieren en kleine kinderen zag je op de stations, op de velden en in de straten van de steden,' schreef ze. Tijdens een stationsstop vroeg Sokolnikov zich af waarom de mensen zo strak zijn coupé binnenkeken, totdat hij zich realiseerde dat voor het raam nog een stuk Zwitsers wittebrood lag. Lenin stond uren naar buiten te kijken, met zijn duimen in de armsgaten van zijn vest, zelfs toen het allang donker was en er alleen maar wat lichten voorbijflitsten.

's Avonds was er een nieuw probleem voor de getergde leider. Karl Radek bewoonde de coupé naast het echtpaar Oeljanov, samen met Olga Ravitsj, Georgi Safarov en Lenins grote liefde, Inessa Armand. Radek was een vrolijke Poolse jood, een gedrongen man met krulhaar, een dikke bril en een eeuwige pijp. Hij was een uitstekend organisator en een geboren verhalenverteller. Bovendien kon hij Lenin feilloos imiteren. Het gelach klaterde dan ook door de dunne wanden van de wagon.

Later werd de feestvreugde nog verhoogd door Charitonov en de exuberante Grigori Oesievitsj, die uit een andere coupé kwamen aanzetten. Lenin had al een paar keer zijn gezicht laten zien om het gezelschap tot bedaren te brengen – hij werd door Radek vrolijk onthaald – maar toen het gierende geschater van Olga Ravitsj opnieuw door alle muren en grenzen heen brak, rukte hij de coupédeur open, greep Olga zwijgend bij de hand, leidde haar de gang door en duwde haar in een coupé ver weg van de zijne. Ten slotte moest Lenin het bevel geven om te gaan slapen, 'als een disciplinaire partijorder'. Maar zelfs dat hielp die nacht niet.

De volgende ochtend probeerde de Duitse sociaal-democraat Wilhelm Janson op het station van Stuttgart contact te zoeken met de revolutionaire reizigers. De bolsjewieken hielden zich doof: ieder contact zou de mythe van de 'verzegelde wagon' immers tenietdoen. Bovendien waren de Russische en de Duitse socialisten sterk uiteengegroeid. De Duitse vakbonden en sociaal-democraten waren tijdens de oorlog gerespecteerde gesprekspartners van hun regering geworden. De Russen hadden enkel ballingschap en illegaliteit gekend. Al hun hoop lag in een revolutie, in welke vorm ook, niet in evolutie of compromis. 'Als Janson onze wagon binnenkomt, slaan we hem eruit,' riep Lenin woedend. 'Laat hem naar de hel lopen.'

Bij de nadering van Mannheim begonnen de Russen in de derde klas opnieuw te zingen. Toen ook Franse revolutionaire liederen over het station schalden, kwamen de Duitse officieren achter in de wagon in beweging. Ze meldden zich boos bij de krijtstreep: deze Franse liederen waren een belediging voor de Duitse natie. De vrolijke Russen bonden in.

Op het station van Frankfurt was de avondspits net begonnen. Het was er vol Duitse troepen. Er was één Zwitser in het gezelschap, Fritz Platten. Hij had, als onderdaan van een neutraal land, de vrijheid om de trein te verlaten. In de stationsrestauratie bestelde hij bier, broodjes en kranten voor al zijn medepassagiers. Vermoedelijk had hij een paar soldaten verklapt dat er Russische revolutionairen in de trein zaten die vastbesloten waren om een einde aan de oorlog te maken. Hoe het ook zij, opeens braken overal soldaten uit de rijen en renden naar de wagons. 'Iedereen hield in beide handen een kruik bier. Ze vlogen op ons af, vragend of er vrede zou komen en wanneer,' schreef Radek. Hij kon het natuurlijk niet laten: hangend uit het treinraam riep hij op tot revolutie, totdat de soldaten door hun gealarmeerde officieren weggehaald werden.

De volgende dag reed de trein door de voorsteden van Berlijn, waar volgens Grigori Zinovjev de stilte heerste 'van een kerkhof'. Op het Potsdamer Bahnhof bleef de trein zeker een half etmaal staan. Op donderdag 12 april bereikten de Russen ten slotte de Oostzeekust. Hier namen ze de Zweedse veerboot naar Trelleborg, en daarna reisden ze verder naar Stockholm.

Er bestaat bij mijn weten maar één foto van het reisgezelschap. De opname is gemaakt in Stockholm, op vrijdag 13 april 1917. We zien de groep een straat oversteken, Lenin voorop met paraplu en burgermanshoed, driftig gebarend, daarachter, ook met een enorme hoed, loopt Nadja, middenin herkennen we de elegante gestalte van Inessa Armand, op de achtergrond zien we de kleine Robert, hangend aan de arm van Zinovjev.

Toen deze foto werd gemaakt was het al lente, en de ijsschotsen waren uit de haven verdwenen. De stad was vervuld van water en rook, overal voeren kleine stoombootjes, je struikelde er over de vaten en karren. De heldere straten van de wijk Södermalm, waar tegenwoordig jonge managers vechten om een woninkje, stonken in die tijd minstens zo hevig als de stegen van Londen en de sloppen van Amsterdam.

Tachtig jaar later zie ik vanuit de trein in de ochtendschemer enkel het grote natte lichaam van een ontwakende hoofdstad, snelwegen vol auto's, een bevroren rivier, flats. 's Middags openbaart zich een ander Stockholm, een schitterende stad, afwisselend okergeel en rood, het water blinkend in de lage zon. Het tempo is er, op het eerste gezicht, prettig rustig. Er bestaat een royaal opvoedingsverlof, zowel voor moeders als vaders. Op maandagochtend lopen in de Drottninggatan tweemaal zoveel mannen achter een kinderwagen als vrouwen. Deze huismannen hebben niets gejaagds, ze wandelen met dezelfde vrede als jonge moeders die alle tijd van de wereld hebben.

Stockholm was en is een stad van bureaucraten, bedaarde regenten die met hun stapels papier al eeuwenlang een immens boerenland besturen. Pas een halve eeuw na Londen en Berlijn begonnen hier de fabrieksschoorstenen te verrijzen, maar daarna ging het ook snel. Toen Lenin hier rondstapte, was Zweden al een spectaculair voorbeeld van 'winnende achterstand': het arme, achterlijke boerenland bleek ongekende hoeveelheden grondstoffen en energiebronnen te bezitten. Bovendien had het isolement van de boerenhoeves de Zweedse plattelanders generaties lang tot ongekende veelzijdigheid en inventiviteit gedwongen. Ze moesten op die verre buitenplaatsen alles zelf maken en repareren, en dat maakte hen tot een buitengewoon ijverig en handig soort mensen. De Zweedse boeren vormden, kortom, het ideale arbeidsleger voor een beginnende industriestaat.

Zo had in Zweden in de loop van de negentiende eeuw een stille revolutie plaatsgevonden. Talloze boeren hadden zich losgemaakt van het dorp en waren in de stad voor zichzelf begonnen, de verhouding met de natuur was veranderd, tradities waren verbroken. Rond 1917 was zelfs alweer een reactie ontstaan, een sluimerend heimwee naar het oude boerenleven dat de Zweden overigens nog altijd beheerst. Het stadhuis, waaraan tijdens Lenins bezoek druk werd gebouwd, geeft de gemengde stemming van die tijd perfect weer: ramen vertellen de Zweedse geschiedenis, schemerige gewelven zijn beschilderd met trollen en andere mystieke boerenmotieven, binnenplaatsen doen denken aan Venetië, aan de Renaissance, aan het eeuwige verlangen van het noorden naar het lichte Italië.

Ik maak een uitstapje naar Saltsjöbaden, een handvol rode houten huizen en een enorm Grand Hotel aan de rand van een besneeuwd meer, nog geen halfuur sporen van Stockholm. Hier werd op een stille decemberdag in 1938 het beroemde Zweedse overlegmodel geboren, de verre voorloper van het Nederlandse poldermodel. Aan de ronde familietafel in de kleine torenkamer legden regering, werkgevers en vakbonden de basis van een indrukwekkende verzorgingsstaat onder het motto 'geen rijke individuen, wel rijke concerns'. De rest van de eeuw zouden de zaken hier met een koele redelijkheid georganiseerd worden. Het model sloot naadloos aan bij de Zweedse tradities van puritanisme, centraal bestuur en platte arbeidsverhoudingen.

Bijna tachtig jaar zijn zo de Zweedse Wibauts, De Miranda's en Dreesen aan de macht geweest, en dat is overal in Stockholm zichtbaar. De buitenwijken, met hun brede lanen en grote, groene binnenterreinen, doen denken aan het Amsterdam van H.P. Berlage en Cornelis van Eesteren. Daklozen, prostituees en druggebruikers zijn vakkundig onder controle gebracht en opgeborgen. Fietssloten zijn hier dunner dan waar ook in Europa. Iedereen kleedt zich op gelijke wijze, vrijwel niemand doft zich op, maar ook dit hoort bij een boerenland. Een enkeling onderscheidt zich, maar vooral door zijn of haar oogopslag. Die zijn de baas, dat voel je, je ziet het nauwelijks.

Voor het Rikstaghuset kom ik Magnus Lundquist tegen. Hij loopt met een groot vaandel, de hele dag. Links op het doek is een doornenkroon geschilderd, met daaronder een hoofd vol rode vlekken. In het midden staat een groot kruis. Rechts een detail van een heup waarin een diepe wond is gestoken. Boven een stralende koningsfiguur op een wit paard, met op het voorhoofd een davidster. Daarnaast een duif. Bovenaan een zegenende, engelachtige figuur. Het geheel is omringd met bijbelteksten.

Magnus kijkt met zijn grote blauwe ogen door me heen. 'Wat ben je aan het doen?' vraag ik. 'Dit is de echte Jezus,' zegt hij. Morgen openen ze hier een tentoonstelling over Jezus als homoseksueel.

Bij de maaltijd wissel ik nationale excessen uit met Lars-Olof Franzén, het denkend hart van de *Dagens Nyheter*. Ik vertel hem over de tonnen coke die met toestemming van het ministerie van Justitie Nederland zijn binnengesmokkeld, over het gesjoemel met declaraties en over de frauduleuze praktijken in de bouwsector. In Zweden maken ze zich geweldig boos over de hoogte van de gouden handdrukken in het bedrijfsleven, dat kan toch niet, die bedrijven hebben we toch samen opgebouwd!

Een land kent men aan de schandalen. Volgens Franzén zijn zulke kwesties tekenend voor de snel groeiende kloof tussen de gewone Europeanen en hun elite, ook hier. 'Zweden zijn naar binnen gekeerde mensen, schijnbaar verlegen, maar eigenlijk zijn ze heel trots,' zegt Franzén. 'Ze nemen hun eigen inzet als maatstaf. Daar liggen hun waarden.'

Terwijl de politieke top tegenwoordig alleen nog maar met geld en Europa bezig is, overheersen bij de gewone Zweden de oude gelijkheid en solidariteit. 'Over het algemeen bestaat hier het gevoel dat de politici bezig zijn de democratie uit te verkopen. Nationalisme speelt daarbij niet zo'n rol, het is eerder een grote bezorgdheid over de toekomst van onze samenleving als zodanig. De Zweden missen nu al de oude kwaliteit van de gezondheidszorg. En ze denken dat de leiders van vandaag zijn behekst door hebzucht.'

Hij vertelt hoe hij in de jaren zestig in Parijs voor het eerst een bedelaar zag. En hoe hij in New York mensen alleen maar hoorde praten over geld, en wat het allemaal kostte, tot een echtscheiding toe. 'Ik vond het ongelooflijk. Ik had me nooit kunnen voorstellen dat zoiets dertig jaar later in Stockholm ook normaal zou zijn.'

We hebben het over de Zweedse invloed op de Verenigde Staten. Tijdens de hongersnoden in de negentiende eeuw is bijna een kwart van de inwoners van Zweden naar de Verenigde Staten geëmigreerd. 'In iedere familie heb je ooms en verre neven die in Amerika wonen.' Roosevelts New Deal was geïnspireerd op het voorbeeld van de Zweedse sociaal-democraten. 'Maar ik geloof dat de beïnvloeding nu alleen maar in omgekeerde richting verloopt,' zegt Franzén somber.

's Avonds kijk ik naar de televisie als een asielzoeker. Ik versta geen woord van wat die Zweden allemaal tegen elkaar zeggen, maar ik kijk mijn ogen uit naar hun identieke kleding, hun trage gebaren, hun vrome mimiek. De nieuwslezeres kan elk moment in tranen uitbarsten. De reclames zijn zeldzaam oubollig. Alles druipt van de nostalgie. Zeker één op de drie programma's wordt beheerst door oude boerderijen, landelijke families en andere vreugden van vroeger. Na het nieuws is er een onbegrijpelijke comedy over een supermarkt, een winkelchef en een blonde vrouw met dwingende borsten. Dan een Heimatserie over een dorp, landelijk in het groen. Nergens ter wereld zag ik vijf acteurs ooit zo lang zwijgend en roerloos in beeld. Volgens mij hadden ze slaande ruzie.

Hoe verging het ondertussen Lenin in het Stockholm van 1917? Hij werd door de burgemeester met alle egards ontvangen, de Zweedse socialisten richtten een banket voor hem aan, er waren journalisten, fotografen en zelfs een man met een filmcamera. Voor de eerste maal in zijn leven werd Oeljanov als een prominent staatsman begroet. Maar zijn gedachtegoed werd niet begrepen. De Zweden gaven hem geld voor zijn verdere reis, plus wat extra om een net pak en een paar behoorlijke schoenen te kopen, ook al ging hij, in zijn eigen woorden, 'niet naar Rusland om een bazaar te openen'. Daarna zetten ze hem zo gauw ze konden op de trein naar zijn vaderland. De Zweedse socialisten zaten duidelijk op een ander spoor dan Lenin. Amper drie jaar later zouden ze de wereldrevolutie afzweren en de eerste democratisch socialistische regering ter wereld vormen.

Eén opvallende figuur was speciaal voor Lenin uit Duitsland naar Stockholm gereisd: de socialistische multimiljonair Alexander Helphand, beter bekend als Parvoes. Parvoes kende Lenin al vanaf de tijd dat hij een jonge marxistische journalist was. Later had hij op een duistere manier in Istanbul fortuin gemaakt. Zijn oude kameraden hadden hun vertrouwen in hem verloren, vooral toen bleek dat zijn zakelijke contacten zich zelfs uitstrekten tot de Berlijnse Wilhelmstrasse.

Parvoes bleef echter, op zijn eigen manier, bezig met de revolutie, en vooral met de combinatie geld-revolutie. Eind 1914 begon hij zijn Duitse diplomatieke vrienden te attenderen op de grote gemeenschappelijke belangen tussen de Duitsers en de Russische marxisten. Beiden bestreden immers dezelfde vijand, de tsaar en zijn regime. De Duitsers luisterden met open oren. Op het ministerie van Buitenlandse Zaken besefte men maar al te goed dat Duitsland was beland in een eindeloze, uitputtende tweefrontenoorlog. Militaire middelen zouden niet voldoende zijn om uit die impasse te komen. Op het departement werd een nieuw idee ontwikkeld: de 'revolutionarisering' van Rusland. Ernstige binnenlandse onrust zou de tsaar immers dwingen om snel vrede te sluiten, en dan zou Duitsland alle oorlogsinspanningen kunnen concentreren op het westelijk front. De plannen van Parvoes kwamen daarom als geroepen. Als je hier geld in stopte, kon je grote resultaten verwachten.

De Februarirevolutie van 1917 kwam dus ook voor de Duitsers als een lang verhoopt geschenk. Het transport van Lenin en de zijnen naar Rusland kreeg de hoogste prioriteit: in Halle werd zelfs de privétrein van kroonprins Wilhelm twee uur opgehouden om de Russen te laten passeren. Grote operaties aan het oostfront werden uitgesteld om de patriottische gevoelens in Rusland niet extra te prikkelen. Parvoes kreeg direct uit de Duitse schatkist vijf miljoen goudmark 'voor politieke doeleinden binnen Rusland'.

Lenin en Parvoes hadden elkaar in mei 1915 voor de laatste maal ontmoet. Ze voerden toen onder vier ogen een lang gesprek dat beiden later zouden afdoen als een discussie over de ontwikkeling van de revolutie. Vermoedelijk is toen veel meer besproken. In april 1917, in Stockholm, weigerde Lenin echter categorisch om Parvoes te zien. Hij vond het politiek allemaal veel te riskant. Wel had Parvoes een ontmoeting met Karl Radek, die vrijwel zeker namens Lenin optrad. Daarna reisde Parvoes meteen terug naar Berlijn voor een persoonlijk gesprek met de minister van Buitenlandse Zaken Arthur Zimmermann.

Waarschijnlijk – ik kan niet in andere termen schrijven, van het besprokene is nooit iets op schrift gezet – zijn tijdens die bijeenkomsten de details geregeld van de Duitse geldstroom die uiteindelijk de Russische bolsjewieken aan de macht zou brengen. Er ontstond zo een directe verbinding tussen de Duitsers, Parvoes en een zekere Jacob Hanecki (schuilnaam Fürstenberg), de man die Lenin in Stockholm vertegenwoordigde en met wie de bolsjewistische leider vrijwel dagelijks contact had.

Vrijdagavond 13 april 1917 telegrafeerde de Duitse gezant in Denemarken, ook een goede bekende van Parvoes, aan zijn chefs in Berlijn: 'We moeten nu alles op alles zetten om in Rusland de grootst mogelijke chaos te scheppen. We moeten doen wat we kunnen om de verschillen tussen de gematigden en de extremisten uit te buiten, omdat we er het grootste belang bij hebben dat de laatsten de overhand krijgen.' Niets in de archieven wijst overigens op enige Duitse aandacht voor de inhoud van Lenins revolutionaire plannen. Chaos in Rusland, en daarna een snelle vrede, was het enige dat de Duitsers bezighield.

Aan het eind van die vrijdag, de 31ste maart op de Russische kalender, vertrok het gezelschap – met uitzondering van Radek, die officieel de Oostenrijkse nationaliteit had – naar Finland. Op het perron hield een Zweedse socialist een afscheidstoespraak: 'Dierbare leider, pas ervoor op dat ze in Petrograd geen vreselijke dingen doen.' In de slaapwagon kroop Lenin snel in het bovenste bed. Hij trok zijn vest uit – ondanks protesten van Nadja dat hij kou zou vatten – en begon de Russische kranten te lezen die hij in Stockholm op de kop had getikt. Daarna hoorden zijn medereizigers enkel losse kreten: 'O, de zwijnen!... Schoften!... Verraders!'

3

Zweden en Finland zijn twee gescheiden werelden. De enige winterse reismogelijkheid tussen beide landen was in vroeger tijden de slee, de lange tocht over de bevroren Botnische Golf. De ontdekkingsreiziger Joseph Acerbi beschreef zo'n tocht rond 1800: een enorme vlakte vol ijsruïnes, moeizame doorgangen en paarden die gek werden van de witheid en het helle licht. Eén paard brak los, achter hem sprong en danste de slede, en dat lawaai joeg het dier nog verder op. Acerbi: 'Toen hij al ver weg was, zagen we hem zo nu en dan nog als een donkere vlek, die telkens weer oploste in de lucht, totdat hij geheel uit ons zicht verdween.'

Lenin nam, ruim honderd jaar later, de omweg per trein. Ik maak de reis op de Silja Serenade, een Titanic van twaalf verdiepingen, met vijf restaurants, een theater, een casino, een promenade als een middelgroot winkelcentrum en tweeduizend passagiers die zich over niets verbazen. Om zes uur 's avonds laten we de kade van Stockholm achter ons, de laatste flats schuiven voorbij, in de huizen staat het eten op tafel, de televisie is aan, de kleintjes gaan naar bed en wij varen de nacht in. Andere paleizen drijven tegelijk met ons weg, naar Estland, Letland of een paar Zweedse eilanden.

De hele nacht schudt en kraakt het schip. Bij het eerste licht ga ik naar buiten. Op het bovendek blijkt een ijskoude storm te staan, maar het schip glijdt voort als een strijkijzer Gods. We ploegen door een eindeloze witheid, de ijsschotsen knallen met doffe dreunen stuk tegen de boeg, en op het besneeuwde dek moet ik me vasthouden tegen de fluitende wind. Ondertussen wordt in Maxim en Le Bon Vivant in alle rust ontbeten. De parfumerie doet goede zaken. Verder naar onderen is in het schip een zacht gedonder hoorbaar, maar als de liftdeur opengaat op het laagste dek, nog onder het niveau waar de vrachtwagenchauffeurs slapen, golft het geraas naar binnen, knallend en brullend.

Op de trottoirs van Helsinki ligt een spekgladde bruine koek. Vorige week viel hier nog een halve meter sneeuw, nu dooit het. Van de daken komen voortdurend grote brokken ijs naar beneden. De Finnen kijken er niet van op. Als eenden schuifelen ze over hun glibberige straten. Een kleuterklas loopt voorbij. De kinderen zien eruit als marsmannetjes met hun dikke mutsen en hun kleurige broeken en bodywarmers. Aan de oever van de Finse Golf zijn een paar mensen aan het ijszwemmen. Ze hebben een wak gemaakt, spartelen erin rond, het is gruwelijk om te zien, maar de omstanders geven er hoog van op: 'Het water is altijd plus vier, en zelfs bij twintig graden onder nul is het een wonderbaarlijk gevoel. Je laat alle reumatiek en verkoudheid in zee verdwijnen.'

Even verderop staat Café Ursula, een rond paviljoen dat uitkijkt over de bevroren golven en de besneeuwde eilanden. In de nevelige verte zitten een paar vissers bij een ijsgat. Ik heb er een afspraak met de schrijver Claes Andersson, tot voor kort minister van Cultuur, een oude kennis van Lars-Olof Franzén. 'Lenin zijn we eeuwig dankbaar, omdat hij als eerste Russische leider onze onafhankelijkheid erkende,' zegt hij. 'Maar van zijn bolsjewisme moesten we niets hebben.'

Hij vertelt over de eigen burgeroorlog van de Finnen, de bloedige strijd die de 'rode' boeren en arbeiders en de 'witte' conservatieven in 1918 voerden. De 'witten' wonnen, talloze 'roden' werden vermoord. Pas de inval van de Sovjet-Unie, in november 1939, bracht de Finnen weer tot eensgezindheid. De sovjets eisten een uitruil van gebieden, omdat ze vonden dat de toenmalige Finse grens veel te dicht (dertig kilometer) bij Leningrad lag. Hoewel ze met een grote overmacht binnenvielen, verliep hun veldtocht aanvankelijk moeizaam. In de uitgestrekte wouden en op de dichtgevroren meren werden zeker drie Russische divisies uitgeschakeld. De Finnen kenden de sneeuw en de bossen, opereerden op hun ski's razendsnel en flexibel, maar misten de kracht om de invallers te verdrijven. Hulptroepen van de internationale gemeenschap kwamen te laat. In maart 1940 capituleerde het land. Grote gebieden moesten worden afgestaan, één op de acht Finnen kwam onder de sovjets. 'Ondanks alle beloften werden we telkens in de steek gelaten,' zegt Andersson. 'Er heeft daarna lange tijd een bitterheid in het land geheerst.'

Jarenlang leefden de Finnen zo in de marge tussen de Sovjet-Unie en het Westen, nu omhelzen ze de euro, al is daar op straat nog niets van te merken. 'We hebben Finland bewust Europa inge-sleept, ondanks de enorme risico's,' vertelt Andersson. 'We heb-ben er te lang onder geleden een klein land te zijn, met een klei-ne, weerloze munt, afhankelijk van de luimen van de groten.' Andersson was aanvankelijk een tegenstander. 'Toen ik minister was, maakte ik al die onderhandelingen zelf mee. Het was nog saaier en bureaucratischer dan ik dacht. Toch begon ik het nut er-van in te zien. Als dit de prijs is om tot een compromis te komen en om internationale conflicten in de toekomst te vermijden, dan moet het maar, dacht ik. Voor mijzelf werd Europa steeds meer een vredesproject.'

Hebben die eenzelvige Finnen dan niet dezelfde problemen met Europa als de Zweden? 'De Zweden zien zichzelf als een rijke, ge-zonde, onafhankelijke staat. Ze waren altijd de beste van de klas. Wij hebben twee bloedige oorlogen overleefd, we weten wat ellen-de betekent, we waren totaal afhankelijk van de Russen, we weten dat we iets moeten doen, offers brengen. De Zweden hebben nooit iets meegemaakt. Die hebben altijd het gevoel gehad dat ze alles konden doen wat ze wilden. Dat gevoel, dat maakt alle verschil.'

Ondertussen manœuvreren de Finnen in deze maartse dagen van 1999 rustig en bedaard naar de verkiezingen, want alles loopt ge-smeerd en iedereen wil dat graag zo houden. Overal hangen por-tretten van ernstige mannen en vrouwen, dezelfde doorwaaide gezichten als in de gemeenteraden van Friesland en Groningen. Men maakt zich druk over de crèches, de gezondheidszorg, de jeugd en de 2 procent niet-Finnen. 'Finland voor de Finnen', ook dat zie je hier. Finland had op 1 januari 1999 exact 1272 asielzoe-kers, illegalen zijn er nauwelijks – daarvoor is de samenleving te gesloten – maar er wonen wel tachtigduizend legale niet-Finnen in het land. Voor veel partijen is dat een onderwerp van grote zorg en onrust.

's Avonds bezoek ik het jubileumconcert van het Helsingin So-tainvalidipiirin Vejeskuoro, het Helsinkisch Veteranenkoor, on-der leiding van Tapio Tiitu, Arvo Kuikka en Erik Ahonius. De zaal zit vol echtgenotes en weduwen, de koorleden hebben de man ze-ker drie medailles, het bestuur loopt rond met grote sjerpen. Voor de rest had het ook een muziekavond in Dokkum kunnen zijn. Al-leen de taal. Het Fins is niet zomaar onverstaanbaar, het is een zwaar versleutelde versie van minstens drie onverstaanbare talen bijeen: Zweeds, Hongaars, Ests en nog zo wat, de onverstaan-baarheid in het kwadraat. Tegelijk is het een genot om ernaar te luisteren. Dit moet een heel mooie taal zijn.

De koorleden zien eruit als gepensioneerde leraren en procura-tiehouders, en dat zullen ze ook zijn. Toch zijn het grotendeels dezelfde mannen die in de winter van 1939-1940 in hun witte pak-ken manmoedig de Sovjet-Unie wisten te trotseren. Ze demon-streerden toen genadeloos hoe ineffectief het Rode Leger was: met hun miljoenenleger konden de sovjets nauwelijks de twee-honderdduizend Finnen de baas worden. Hitler zou op grond van de Finse ervaringen zijn legers vol optimisme naar het oosten stu-ren. En zich fataal vergissen.

Nu zingen de veteranen met donkere, weemoedige stemmen. Het eerste lied klinkt als 'Waar de blanke top der duinen'. Het tweede als het 'Slavenkoor' van Verdi. Het derde lijkt een Finse va-riant op 'Land of Hope and Glory'. De volgende zeven liederen doen in alles denken aan de oude gezangen van de Nederlandse Hervormde Kerk.

In de pauze wissel ik een paar woorden met kolonel Milos Syl-tamaa (1921). Het oudste koorlid is tweeënnegentig, de gemiddel-de leeftijd is negenenzeventig. 'Elk jaar wordt ons koor kleiner, zo is het nu eenmaal. Inderdaad, we hebben allemaal hard gevoch-ten. Ook met de Duitsers, nou en of. Ja, dat ging wel goed. Onze bossen, dat is toch wat anders dan de parken die ze daar hebben!'

We worden gestoord door een bestuurslid met sjerp. De collec-te. En dan een nieuw gezang.

Ik wil de mening horen van een buitenstaander, en ik maak een afspraak met de Palestijnse Almayya Abu-Hanna. 'We zien elkaar onder de klok van Stockmann,' had ze door de telefoon gezegd. 'Je herkent me zo. Ik ben de enige niet-blonde die je ziet.' Het waren-huis Stockmann is een begrip. Het is meer dan alleen de Bijenkorf van Helsinki. Stockmann is Finland in het klein, en Finland is de jaren vijftig, zestig en negentig ineen.

Stockmann verandert op dit moment snel, verzekert Almayya me. 'Neem dit café in de kelder, dat was tien jaar geleden ondenk-baar. Er waren toen in de hele stad alleen maar een paar oersaaie clubs.' Ze laat me de tijdschriftenhal zien, voor een groot deel ge-vuld met kook- en interieurtijdschriften. 'Het is opeens een rage. Vroeger kenden de Finnen maar twee kleuren stoelen, en ze aten alleen worst met aardappels. Nu is er zelfs een Thais restaurant. Iedereen heeft het over de "city". Jongeren roepen drie keer per dag dat ze echte "Hessalinen" zijn, en geen boeren van buiten.' We gaan naar de volgende etage. Sinds vorig jaar is de lingerieafdeling van Stockmann viermaal zo groot. 'Zelfs seks mag nu iets plezierigs worden, niet alleen maar een manier om kleine Finnen te maken.'

Amayya Abu-Hanna is klein en slank, ze heeft kort zwart haar en donkere, beweeglijke ogen. Ze woont hier bijna twintig jaar en ooit was ze een van de bekendste Finse televisiepresentatoren. Ze had – 'ach ja, verliefd op een Fin' – erg moeten wennen. 'Het kan hier maandenlang grijs zijn, met veel regen en natte sneeuw. Je kent dat verhaal van Jona in de maag van de walvis? Nou, zo voelde ik me, die eerste winters. Ik moest in die sneeuw zelfs opnieuw leren lopen, wijdbeens, voorover. Bovendien bleek alles wat ik van huis had meegekregen over "goed" en "fout" hier precies omgekeerd te zijn. "Vrede" betekent hier bijvoorbeeld stilte, rust, geen andere mensen, midden in het bos. Voor mij is vrede juist iets met andere mensen, iets sociaals, het tegengestelde van oorlog. Nieuwsgierig en ambitieus, dat was bij ons thuis altijd iets goeds, maar bij de Finnen helemaal niet. Een begrip als "gelijkheid" had voor mij te maken met eerlijkheid. Voor hen is het "niet opvallen". Voor "kleurrijk" hebben ze zelfs een negatief begrip, iets als "oogpijnwekkend".'

Ze citeert uit de voorjaarscatalogus van Stockmann. '"U kunt zich onopvallend kleden, want u weet dat u belangrijker dingen te doen hebt." Waar ter wereld kun je met zo'n slogan kleding verkopen?' Ze zat ook een poosje in de politiek. 'Toen leerde ik de goede kanten van dit land kennen. De mensen meenden bijvoorbeeld wat ze zeiden. Dat was heerlijk. Ik verwachtte veel corruptie. Niets daarvan. Alles was clean.'

Nu zit Amayya Abu-Hanna zonder werk. 'Het werd te veel. Ik werkte probleemloos als journaliste, maar toen mijn gezicht op de buis verscheen, brak de hel los. Bedreigingen, een bombrief, ik moest zelfs verhuizen. Geen negerin, geen Russin – lees: hoer – in onze huiskamer! Ik werd weer vervangen door een echte blonde Finse. Daarna is er nooit meer een woord over gesproken.'

De vrijdagavonden zijn voor haar lastig. Op dit gedisciplineerde land zit één ventiel: de drank. Schreeuwen, op straat pissen: als iemand dronken is, wordt het allemaal opeens getolereerd. 'Op vrijdagavond wordt naar iedere zwarte geschreeuwd, iedere dronkenlap grijpt naar mijn haar en roept: "Wat doe je hier, je bent een neger!" Of: "Russin!" Of: "Hé, ben je besneden?"'

Toch zal Amayya het woord 'racisme' niet snel in de mond nemen. 'Ik ben nog altijd trots op de producent die het met me aandurfde. Waar in Europa zie je een presentatrice met een gekleurd uiterlijk én een buitenlands accent? Dit is altijd een gesloten, homogene samenleving geweest. En toch hebben ze hier een figuur als Lola Odusoga. Een welbespraakt Fins meisje, een vader uit Ivoorkust, een rustig, hardwerkend kind van het platteland achter Turku, heel lief, in 1996 de populairste Miss Finland aller tijden, en zo zwart als ebbenhout.

De Finnen doen me denken aan bedoeïnen, een volk dat helemaal gevormd is door de extreme plaats waar ze wonen,' meent Amayya. 'Ze vinden zichzelf uniek, heel uniek. De positie van de vrouwen is sterk. Veel mensen krijgen kinderen buiten het huwelijk. Je voelt dat het christendom hier maar een dun laagje is, het is duidelijk opgelegd. Ze weten dat ze in extreme omstandigheden kunnen overleven, dat is hun trots. En net als de bedoeïnen voelen ze zich bedreigd als anderen denken dat ze dat ook kunnen. Het is ook wel begrijpelijk: hoe groter het isolement waarin mensen leven, des te banger zijn ze als de wereld opengaat.'

De volgende dag rijd ik met de Sibelius-expres door de witte naaldbossen naar Sint-Petersburg. We doorkruisen enorme vlaktes waar geen menselijk spoor te bekennen valt. Soms, na kilometers, een houten boerenhuis met geel verlichte ramen. De doorgangen tussen de wagons zitten al na een uur onder de stuifsneeuw, zelfs op de gang is het hier en daar wit. In de restauratiewagon wordt zalm met aardappelpuree geserveerd, met z'n twintigen aan één grote tafel, eten wat de pot schaft.

Tussen Finland en Rusland loopt een ouderwetse grens, met wachttorens, stempels en mannen met ernstige gezichten. Daarna is er een kort twijfelgebied: zijn de telegraafpalen slonziger, staan de houten huizen er echt wat minder fris bij? Nog bedekt de sneeuw alle verschillen. Maar een halfuur later rijdt de trein langzaam een grijze stad binnen, op de bevroren rivier zitten mannen te vissen, daarachter torens met gouden koepels, voor het station tientallen oude vrouwen die ieder voor zich proberen één pot augurken te verkopen, of twee flesjes wodka, of een truitje. Nu zijn we echt de grens over, de enige grens die telt.

'Ons gezelschap zat gekleefd aan de ramen,' herinnerde Nadja Kroepskaja zich later. Er waren een paar soldaten ingestapt. De kleine Robert zat op schoot bij een Russische veteraan, de armen om zijn hals. De man deelde zijn paasbrood met hem. Lenin had van de soldaten een paar *Pravda's* gekregen. 'Hij schudde het hoofd en gooide zijn handen in wanhoop omhoog,' schreef Zinovjev.

Ondertussen stonden overal op de stations groepjes militairen. Oesievitsj ging uit het raam hangen en riep: 'Lang leve de wereldrevolutie.' Nadja: 'De troepen keken ons met verbazing na.' Op het station van de grensplaats Beloöstrov stond opeens een welkomstcomité van vrienden en partijgenoten, omringd door een juichende menigte die Lenin direct op de schouders nam. Het gezelschap was overdonderd. Lenin, die zijn Züricher hoed onmiddellijk verwisseld had voor een proletarische pet, klom op een stoel en hield zijn eerste toespraak op Russisch grondgebied. 'Russische arbeiders,' riep hij. 'Aan wie gaven jullie de macht die jullie de tsaar ontnamen? Jullie gaven hem aan de landeigenaren en de kapitalisten!' De toon was gezet.

In Petrograd stapte het gezelschap uit, op het Finlandstation. Het was inmiddels volgens de Russische kalender 3 april. Voor hun aankomst had Nadja zich zorgen gemaakt: hoe konden ze zo laat nog een huurkoets vinden om hen naar hun logeeradres te brengen? Ze hadden geen idee wat hun wachtte.

In die eerste weken van de revolutie was het gewoonte om terugkerende ballingen groots te onthalen, en de bolsjewieken hadden voor hun leider alles uit de kast getrokken. Ook de mensjewieken deden aan de huldiging mee. Op de perrons waren enorme erebogen opgericht. Spandoeken 'met iedere denkbare revolutionaire leuze' hingen boven de erewachten uit de verschillende legeronderdelen. 'De massa voor het Finlandstation blokkeerde het hele plein, je kon je nauwelijks meer bewegen en trams kwamen er bijna niet meer door,' herinnerde zich de journalist Nikolaj Soechanov, redacteur van Gorki's *Letopis* (Kroniek). De Oeljanov's werden de voormalige wachtkamer van de tsaar binnengeleid. Militaire muziekkorpsen speelden de Marseillaise. De soldaten hadden nog geen tijd gehad om de Internationale in te studeren. Lenin hield een paar korte toespraken. Soechanov ving slechts enkele woorden op: 'Schandelijke imperialistische slachtpartij... leugens en bedrog... kapitalistische piraten'. De menigte was uitzinnig.

De bolsjewieken hadden hun hoofdkwartier opgezet in het Ksjesinskaja-paleis, de enorme villa die tsaar Nicolaas II had laten bouwen voor zijn minnares, de balletdanseres Matilda Ksjesinskaja. ('Ik ben geen kapitaliste! Ik heb hier hard voor gewerkt!' had ze nog tegen de bolsjewistische indringers geroepen.) In de grote hallen en gangen was een souper aangericht, maar Lenin kreeg nauwelijks de kans om te eten. Iedereen wilde met hem praten. Pas na middernacht begon hij met zijn grote toespraak.

Twee uur lang prentte hij zijn volgelingen in wat de nieuwe lijn zou zijn. 'Ik zal die donderpreek nooit vergeten,' schreef Soechanov. 'Hij verbaasde en schokte niet alleen mij, een afvallige die toevallig langskwam, maar ook alle trouwe gelovigen.' Lenin viel de nieuwe leiders fel aan als 'opportunisten' en 'verraders van de revolutie', en dat alleen al deed, schreef Soechanov, 'de hoofden van zijn luisteraars tollen'. Al deze 'verlengstukken van de bourgoisie' waren immers oude revolutionairen, en ze hadden, net als Lenin, jaren in ballingschap doorgebracht. De bolsjewieken van Petrograd hadden tot Lenins komst dan ook enthousiast de nieuwe Voorlopige Regering gesteund. De revolutie was immers een zaak van iedereen.

Helemaal verrassend waren Lenins opvattingen niet. In zijn eerste telegrammen en brieven na de revolutie had hij – niet gehinderd door enige kennis van de situatie ter plekke – de Petersburgse bolsjewieken al strak geïnstrueerd: geen steun aan de Voorlopige Regering, bewapen de arbeiders, alle macht aan de sovjets! Zijn Petersburgse kameraden vonden deze opvattingen zo irreëel dat ze zijn brieven slechts gedeeltelijk publiceerden.

Opeens was daar nu een wild idee bij gekomen, namelijk dat de overgang van de 'bourgeois-democratie' naar de 'socialistische revolutie' binnen enkele maanden moest plaatsvinden. Bij zijn vertrek uit Zürich had Lenin nog verklaard dat Rusland 'een boerenland' was, 'een van de achterlijkste landen van Europa'. Het socialisme kon daar niet 'nu en direct triomferen'. Ergens onderweg moet hij van mening zijn veranderd.

Bij zijn aankomst in Petrograd begon Lenin direct over de noodzaak van een 'tweede revolutie', om geen 'slaaf te worden van het kapitalisme'. Alle macht moest 'onmiddellijk' in handen worden gegeven van de sovjets. Dit betekende het doodvonnis voor de Voorlopige Regering, nog geen maand na de val van de tsaar. Bovendien was het een definitieve breuk met de mensjewieken en de andere revolutionairen. Lenins plotselinge wending botste met vrijwel alle revolutionaire theorieën. Die gingen ervan uit dat er een lange periode nodig zou zijn tussen de 'burgerlijke revolutie' en de 'proletarische revolutie'. Dat gold zeker voor weinig ontwikkelde landen als Rusland. Ook de kreet 'Alle macht aan de sovjets' leek weinig praktisch. Deze raden waren immers weinig anders dan losse verbonden van ruziënde actie- en stakingscomités, die onmogelijk opeens de staatsmacht konden overnemen.

De dag na zijn aankomst lanceerde Lenin de *April-thesen*, het nieuwe programma waaraan hij gedurende de treinreis had gewerkt: geen steun aan de Voorlopige Regering; een stopzetting van de oorlog, een totale breuk met het kapitalisme, onteigening van alle land, nationalisatie van de banken, ontmanteling van leger en politie en de vestiging van een republiek van sovjets, geleid door boeren en arbeiders. Zijn visie vloekte zo met de heersende stemming in Petrograd dat ook veel bolsjewieken meenden dat Lenin zijn greep op de realiteit had verloren. Hij was te lang weg geweest. 'Het leven in al zijn complexiteit is Lenin onbekend,' schreef Gorki in die dagen. 'Hij kent de gewone mensen niet. Hij heeft nooit onder hen geleefd.'

Lenin werd de uiteindelijke winnaar van de revolutie, maar, zoals de grote geschiedschrijver van de Russische Revolutie Richard Pipes terecht opmerkt, niet vanwege zijn grote aanhang en zijn doordachte visie. Het succes van de bolsjewieken lag in hun eigenwijsheid. Ze verbonden zich precies met die groepen waar de West-Europese socialisten zich van hadden vervreemd: boeren en soldaten. Ze grepen de macht, tegen alle voorspellingen in, op exact het juiste moment. En ze hadden sterke bondgenoten: Berlijn, goudmarken, de stormwind van een wereldoorlog.

Er blijven rond Lenins terugkeer naar Rusland een aantal intrigerende mysteries bestaan. Wat deed hem van mening veranderen tijdens de treinreis door Duitsland en Zweden? Sommige historici wijzen op het opvallend lange oponthoud van Lenins 'verzegelde trein' in Berlijn, zeker een halve dag. Zij vermoeden dat Lenin tijdens deze stop contact heeft gehad met enkele hoge Duitse autoriteiten over de te volgen strategie. Het is een wilde veronderstelling, want zo'n escapade rijmt niet met Lenins extreme voorzichtigheid op dit punt; in Stockholm weigerde hij zelfs ieder contact met zijn oude kameraad Parvoes.

Het is veel waarschijnlijker dat er tijdens de reis bij Lenin zelf iets veranderde. Na het overleg tussen Parvoes en Radek in Stockholm moet hij plotseling beseft hebben dat zijn straatarme bolsjewieken binnen enkele weken zouden kunnen beschikken over tientallen miljoenen goudmarken, en dat zulke fondsen ongekende mogelijkheden boden op het gebied van organisatie en propaganda.

Over één feit bestaat vrijwel geen discussie: na deze treinreis zijn de Duitse miljoenen inderdaad binnengestroomd. In de communistische geschiedschrijving heeft men de verhalen daarover – die al na enkele maanden de ronde deden – altijd 'als vuile laster en duistere geruchten' van de hand gewezen. Tegenwoordig ontkomt niemand meer aan de conclusie dat de befaamde Oktoberrevolutie wel degelijk is gefinancierd door het Duitse ministerie van Buitenlandse Zaken.

Allereerst zijn daar de Duitse archieven, die na 1945 opengingen. Hieruit valt op te maken dat er op het ministerie al vanaf 1916 een speciale contactgroep voor Parvoes en de zijnen was geformeerd, onder de codenaam Stockholm. Ik citeer het houthakkersproza van een vertrouwelijk rapport aan de Duitse keizer, gedateerd 3 december 1917: 'Het was niet totdat de bolsjewieken van ons een gestage stroom gelden ontvingen, via diverse kanalen en onder verschillende noemers, dat ze in staat waren om hun belangrijkste orgaan, *Pravda*, om te bouwen tot een energiek propagandaapparaat en om de smalle basis van hun partij te verbreden.' Uit een berekening van het ministerie van Buitenlandse Zaken van 5 februari 1918 blijkt dat 40 580 997 goudmark beschikbaar was gesteld 'voor propaganda en speciale doeleinden' in Rusland, en dat daarvan op 31 januari 26 566 122 mark was uitgegeven. Naar huidige maatstaven zijn dit bedragen die in de honderden miljoenen euro zouden lopen. Alle gegevens wijzen erop dat het leeuwendeel daarvan naar de bolsjewieken is gegaan.[3]

Aan Russische zijde is, begrijpelijkerwijs, ieder mogelijk spoor van deze operatie uitgewist. In de zomer van 1917 liet de Voorlopige Regering, met hulp van de Franse inlichtingendienst, een uitvoerig onderzoek instellen naar mogelijke financiële contacten tussen de Duitsers en de bolsjewieken. Tot een proces tegen Lenin en de zijnen is het echter nooit gekomen. Het dossier, eenentwintig delen dik, is direct na de Oktoberrevolutie op bevel van Lev Trotski geconfisqueerd en vernietigd.

De gevolgen waren echter voor iedereen zichtbaar. De propaganda-activiteiten van de bolsjewieken waren vanaf het voorjaar van 1917 zo massief en omvangrijk dat die onmogelijk uit eigen middelen konden zijn gefinancierd. In februari 1917 hadden de bolsjewieken nog geen enkele drukpers. In maart was bij de *Pravda* zo'n geldgebrek dat er regelmatig bedelacties op touw werden gezet. Vier maanden later had de bolsjewistische pers een totale dagelijkse oplage van driehonderdtwintigduizend exemplaren, plus nog zo'n driehonderdvijftigduizend pamfletten en brochures. De *Pravda* had meer dan veertig edities, waaronder een Poolse en een Armeense. Dagelijks werden onder de troepen zo'n honderdduizend kranten verspreid: de *Soldatskaja Pravda* voor de gewone soldaten, de *Golos Pravdy* voor de matrozen, de *Okopnaja Pravda* (Loopgravenwaarheid) voor het front. Er was geld genoeg om de partijfunctionarissen een vast salaris te geven: een ongekende luxe in bolsjewistische kringen. Het aantal leden steeg tussen april en augustus 1917 van drieëntwintigduizend tot tweehonderdduizend. De bolsjewieken hebben nooit een verklaring willen geven voor deze plotselinge en uitbundige rijkdom.

Betekende dit alles dat Lenin uiteindelijk een ordinaire Duitse agent was? Allerminst. Uit zijn hele levenswandel blijkt dat hij enkel en alleen een revolutionair was, dat hij al het andere daaraan ondergeschikt maakte en dat hij zelfs bereid was met de duivel in zee te gaan als hij daarmee zijn doeleinden dichterbij kon brengen. Zijn alliantie met de Duitsers was een pure gelegenheidscoalitie die beide partijen op een bepaald moment goed uitkwam, maar die zo weer verbroken kon worden. Lenin had uiteindelijk maar één doel: de grote wereldrevolutie. En daarvan was de Russische Revolutie slechts het begin.

Het reisgezelschap viel uiteen. Karl Radek werd redacteur van de *Izvestia*, nam deel aan de onderhandelingsdelegatie met Duitsland en werd daarna Lenins belangrijkste agent in Polen en Berlijn. Hij bleef, in al zijn luchthartigheid, graag in de omgeving van de macht, totdat het te laat was om zich terug te trekken. In januari 1937 werd hij in een stalinistisch showproces veroordeeld wegens 'sabotage, verraad en terrorisme'. Hij belandde in de Goelag en bezweek twee jaar later: doodgeslagen, doodgestoken of te pletter gesmeten op een betonnen vloer, de geruchten verschillen. Grigori Sokolnikov trof een soortgelijk lot: hij werd in 1939 in een van Stalins gevangenissen vermoedelijk vermoord door zijn celgenoten.

Grigori Zinovjev werd een poosje als Lenins opvolger beschouwd, maar hij verloor de machtsstrijd van Stalin. Hij werd in augustus 1936 geëxecuteerd. Olga Ravitsj, zijn vrouw, verdween in de Goelag. Parvoes vluchtte eind 1918 naar Zwitserland, waar hij een bankrekening bezat van meer dan twee miljoen frank. Later keerde hij terug naar Duitsland, want hij had overal in Europa financiële belangen. Na zijn dood, in december 1924 te Berlijn, verdwenen al zijn papieren op wonderbaarlijke wijze.

Inessa Armand zou nog maar kort leven: ze leidde onder andere de vrouwenafdeling van het Centraal Comité van de bolsjewistische partij, raakte overwerkt en stierf in september 1920 aan cholera en liefdesverdriet. Nadja Kroepskaja werd een dikke, bemoeizuchtige en verzuurde tante. In 1926 wist ze de censuurlijst van de Sovjet-Unie uit te breiden met ten minste honderd boeken die 'beestachtige of anti-sociale gevoelens' zouden opwekken, waaronder het werk van Dostojevski, de koran en de bijbel. Ze stierf in 1939.

Lenin overleefde Inessa Armand geen vier jaar. In 1918 werd een aanslag op zijn leven gepleegd. Hij was diep geschokt, zijn terreurbewind werd feller, en hij zou nooit meer helemaal herstellen. Na 1921 ging zijn gezondheid hard achteruit. Hij stierf op 21 januari 1924, nog geen vierenvijftig jaar oud.

Na zijn terugkeer in Petrograd was Lenin als een wildeman tekeergegaan. Hij begon een ongekende campagne tegen de Voorlopige Regering en de mensjewieken: soldaten stookte hij op tot het weigeren van regeringsbevelen, arbeiders moesten hun fabrieken platleggen en boeren het land bezetten. Geweld speelde in deze fase nauwelijks een rol. 'Net zoals zijn navolgers Mussolini en Hitler won Lenin allereerst de macht door de geest te breken van degenen die hem in de weg stonden, en hen ervan te overtuigen dat hun tijd voorbij was,' schreef Richard Pipes. 'De overwinning van de bolsjewieken in oktober was voor 90 procent een psychologische kwestie: hun mankracht was te verwaarlozen, hoogstens een paar duizend mensen op een natie van honderdvijftig miljoen, en ze bereikten hun overwinning vrijwel zonder een schot te lossen.' In Stockholm telegrafeerde de Duitse contactpersoon aan minister Zimmermann: 'Lenins binnenkomst in Rusland succesvol. Hij werkt precies zoals we wensen.'

4

Sint-Petersburg, 15 maart 1999. Het kost dagen om van Hotel Neva te gaan houden, maar dan is het ook voorgoed en definitief. Wie zou niet vallen voor de krullerige trappen en gangen uit de tsarentijd, de tuchtige Stalinmatrassen, de verwarming die alleen geregeld kan worden door het raam meer of minder wijd open te zetten, de rammelende douches, het geelbruine vocht uit de kranen, de middelbare dames die als koninginnetjes over hun verdieping regeren, de rode bieten en de natte eieren bij het ontbijt? Eerst wil je direct weer weg, dan krijg je een vreemde sympathie voor dit alles, en daarna ben je verloren.

Natuurlijk heeft het hotel zijn typisch Russische eigenschappen. Je ziet in een kantine NIET-ROKEN staan, terwijl iedereen er lustig op los paft. De Ruslandkenner weet: zo'n bordje heeft niets met roken te maken, maar alles met macht. De beheerster kan daarmee namelijk het roken verbieden en toestaan, gunsten en straffen uitdelen, kortom, soevereiniteit uitoefenen over haar kleine koninkrijk. Nieuwe handdoeken? Dat moet uitvoerig besproken worden met twee andere vrouwen. Een tafel om aan te schrijven? Nu overschrijd ik een grens. 'U moet toestemming hebben van de superieur!' roept de gangdame. De tafel komt er. Maar dan is er meteen een nieuw probleem: de stoel.

Zo beleef ik mooie dagen in huize Oblomov. Het vriest 's nachts een graad of twaalf, overdag schijnt de zon. Vanuit mijn kamer kijk ik uit op de stenen kanonnen in de gevel van een oude munitiefabriek en op een helder verlicht bijkantoor van de voormalige KGB. De Neva is een wijde, witte ijsvlakte. De lucht is strakblauw. Op de kanalen spelen kinderen. Voor de rest spreekt iedereen over een rotwinter. In augustus was de stad nog vrolijk en opgewekt; toen werd de roebel speelgoedgeld, daarna kwam de kou, bedrijven gingen failliet, bouwprojecten vielen stil, en nog fluit er geen vogel.

In de beroete gewelven van de naburige kerk walmen kaarsen en wierook. Het is er vol mensen, oud en jong, dik gepakt in omslagdoeken. Rond een tegelkachel is een kleine markt ontstaan. Zeker een dozijn vrouwen houdt zich bezig met handel in wodka, preien en allerhande onduidelijke zaken.

In een zijkapel begint een priester te zingen. Tegen een muur staan vier deksels van doodskisten, en nu zie ik ook de vier doden: twee ingevallen bejaarden en twee wat jongere mensen, een man met een spits gezicht en een magere vrouw met donker haar en scherp getekende wenkbrauwen. De vrouwen bij de kachel bekruisen zich achter hun handeltjes. En de winter blijft maar, die gaat maar nooit voorbij, al is iedereen uitgeput.

Misschien, bedenk ik, heeft mijn toenemende gehechtheid aan deze stad en dit voortkabbelende hotelbestaan wel te maken met een diepe, fundamentele herkenning. Ik was hier een jaar of zes geleden voor het laatst, en sindsdien is de stad niet noemenswaardig veranderd. De revolutie van Sony, IBM en Head & Shoulders die sinds 1989 de Polen, Tsjechen, Hongaren en Oost-Duitsers heeft meegesleept, die invasie lijkt hier te zijn vastgelopen tussen de grauwe huizen en de bruine sneeuw. In Moskou wordt het grote zwarte geld verdiend. In Sint-Petersburg zijn de trams dezelfde verweerde bakken als voorheen, de gaten in de straten zijn onveranderd diep, het vuilnis blijft lang liggen en om de paar honderd meter staat wel iemand aan zijn auto te sleutelen. Nog altijd wordt de stad 's nachts uiteengescheurd wanneer de bruggen over de Neva voor een paar uur opengaan en overspeligen het ideale excuus bieden: 'Sorry, ik was te laat voor de brug.'

Nieuw zijn de kapitalistische enclaves die je hier en daar aantreft. Je loopt aan de Nevski Prospekt een glimmende hal binnen, passeert twee bewakers, en je betreedt een compleet westers eilandje, met westerse kranten, westers eten, westerse mensen, westerse prijzen. Alles wordt met containers uit Finland en Duitsland aangevoerd, via eigen lijnen, tot de post en het toiletpapier toe. Zo bezoek ik het Petersburgse filiaal van Stockmann, ik hap er wat westerse lucht, ik neem er een boterham en een kop koffie, en ik betaal zonder blozen het weeksalaris van mijn Russische vrienden.

Wat de laatste zes jaar verdween, is de orde. De *St. Petersburg Times* van 16 maart 1999 verhaalt over een bankoverval door de gepensioneerde Dmitri Setrakov: hij was bij de roebelcrisis van augustus 1998 al zijn twintigduizend dollar spaargeld kwijtgeraakt, niemand hielp hem, zijn laatste toevlucht was een TOZ-106 jachtgeweer. Nog een bericht: in de stad Prokopjevsk verkeren drie intensivecarepatiënten in levensgevaar omdat het ziekenhuis de elektriciteitsrekening niet meer kan betalen. Hier is een heel overheidsapparaat ineengezakt. Als mijn hotel al belasting betaalt, dan is het aan de baas van de flodderige bewakingsmannen bij de deur, een maffioos die een kleine privéstaat voor zichzelf exploiteert. Ik hoor het verhaal van de Petersburgse ondernemer Sergej M. Sergej betaalde, zoals iedereen, voor zijn 'protectie'; een 'dak' noemen ze dat hier. Op een dag stapt een boze klant de zaak binnen om zijn geld terug te vragen, vergezeld door een gewapende gangster, het 'dak' van deze klant. Sergej krijgt toestemming om zijn 'dak' te bellen. Binnen een paar minuten staat die binnen, ook gewapend. Beide gangsters praten een paar minuten rustig met elkaar, en al snel blijkt dat het patronagenetwerk van Sergejs 'dak' binnen de Petersburgse maffia van een hogere orde is dan dat van de klant. De zaak is geregeld: Sergej wordt nooit meer lastig gevallen.

Zo gaat het overal in deze staatloze stad, tot in de oude Singerfabriek Dom Knigi, de grote boekwinkel van Sint-Petersburg, waar op iedere afdeling – fictie, non-fictie, kinderboeken – een stevig bewapende commando staat, een schutsengel van telkens weer een andere privéstaat. Zo loop je in deze stad al winkelend van staat naar staat.

In wezen is het oude gedeelte van Sint-Petersburg een gestolde wereldstad uit 1917, met nog altijd dezelfde deuren en gevelwanden, dezelfde straatlantaarns en dezelfde sierlijke bruggen. Alleen is het allemaal tachtig jaar ouder en gebrekkiger, want geld om iets te onderhouden of te restaureren is er nooit geweest. Aan de andere kant: waar vind je een stad waaraan twee eeuwen lang kosten noch moeite zijn gespaard, waaraan de beste Europese architecten van de achttiende en negentiende eeuw hebben gewerkt, en die daarna min of meer is 'vergeten'?

De latere communistische leiders concentreerden al hun sloop- en bouwdrift op Moskou. Ze hielden niet van Leningrad, en dat is de redding geweest van de schitterende Neva-oevers, de prachtige okergele laagbouw en de Nevski Prospekt, die er grotendeels nog bij ligt als in Gogols dagen, behalve dan dat er van de 'carnavaleske sfeer', de 'vrolijke karossen' en het 'vlekkeloos schone trottoir' weinig meer rest.

De geschiedenis van Sint-Petersburg tekent de verhouding tussen Rusland en Europa. En, daaraan gekoppeld, de almaar toenemende kloof tussen de Russische staat en het Russische volk, totdat er geen samengaan meer mogelijk was.

In het begin van de achttiende eeuw was de stad door tsaar Peter de Grote aangelegd naar het model van Amsterdam en Venetië, als een Europees venster voor een elite die zich er net zo thuis moest voelen als in Parijs. Tegelijkertijd moest dit Sint-Petersburg de hoofdstad worden van een rijk dat zich uitstrekte over drie continenten, vol straatarme boeren die nauwelijks de slavernij waren ontgroeid en wier hele bestaan was samengebald in de *mir*, het befaamde Russische woord dat zowel vrede, dorp als wereld betekent.

Sint-Petersburg weerspiegelt zo, net als Wenen en Berlijn, de droom van een oude dynastie met alle eigenaardigheden die daarbij horen. Er is hier alleen meer aan de hand. De stad is immers ook bedacht en opgezet als een magistrale poging om de koers en het denken van een half-middeleeuwse natie om te buigen. Die ambitie, die zendingsboodschap, valt tot de dag van vandaag aan de straten en gebouwen af te lezen. De vormen hebben iets geforceerds, iets van een karikatuur van het negentiende-eeuwse Europa. De paleizen zijn exuberanter dan waar ook, de boulevards breder dan alles wat ik elders zag, de weelde is die van een parvenu. Hier heerst, zoals markies de Custine ooit schreef, een typische façade-cultuur, 'zonder wortels in de geschiedenis of in de Russische bodem, een ogenschijnlijke orde die als een sluier over de Aziatische barbarij is geworpen'.

Sint-Petersburg is het symbool van de voortdurende identiteitsproblemen van dit enorme rijk aan de oostkant van Europa: wie zijn we nou eigenlijk, waar willen we bij horen? 'Natuurlijk zijn we Europeanen,' zeggen een paar schoolmeisjes met wie ik op de Nevski Prospekt aan de praat raak. Maar tegelijk zijn ze opgewonden over een ophanden zijnde vakantie 'naar Europa', alsof het een verre, uitheemse wereld is.

Een kennis van een kennis laat me de sfeer proeven van het paleis van Feliks Joesoepov, de vorst die uiteindelijk de profeet Grigori Raspoetin vermoordde. Ik mag zelfs de kamer en de rommelige tuin zien waar het allemaal gebeurde. Hoewel Joesoepov, na zijn studie in Oxford, uiteindelijk 'slechts' getrouwd was met een nicht van de tsaar, heeft het paleis de omvang en de allure van de residentie van een West-Europese koning. Dit soort edelen voerde helemaal niets uit, maar in de edele kunst van het geldsmijten waren ze tot 1914 de kampioenen van het toenmalige Europa. In mijn notities staan enkel uitroeptekens. Het Turkse bad! De art-nouveau eetkamer! De prins heeft er niet veel plezier van gehad: hij vluchtte in 1917 halsoverkop naar Parijs, waar hij in de jaren zestig op hoge leeftijd overleed. Ik werp een blik in de theaterzaal: een compleet Bolsjojtheater in miniformaat, een bonbondoos van rood pluche met alles erop en eraan, enkel voor de vorst en zijn gasten.

De hele beau monde van Europa sprak rond de eeuwwisseling over de feesten van Sint-Petersburg. In werkelijkheid werd de sfeer in de stad grotendeels bepaald door een verarmde landadel die alle landgoederen had verkocht en die leefde van een of andere functie op een ministerie van de tsaar. Nog meer dan in Wenen was de bureaucratie hier doortrokken van rangen en standen. Er waren veertien verschillende dienstrangen, elk met een eigen uniform en aanspreektitel, elk ook met een vast inkomen. We kennen ze allemaal uit de Russische literatuur. Graaf Aleksej Vronski, de losbollige minnaar van Tolstojs Anna Karenina, die maar wat aanrommelde bij zijn regiment. Anna's serieuze echtgenoot Aleksej Karenin, die heilig geloofde in de opdracht om het land te hervormen en te moderniseren: toen al werd de term openheid, *glasnost*, gehanteerd. En bekijk eens al diegenen die af en aan liepen bij Ilja Iljitsj Oblomov, de hoofdfiguur van Ivan Gontsjarovs klassieke roman, de depressieve jongeman van oude adel die het grootste deel van de dag in bed doorbracht, mijmerend, nietsdoend: zijn oude collega Soedbinski, afdelingschef op het departement, eeuwig druk met zijn carrière; de literator Penkin, die net een artikel had geschreven over 'de handel, de vrouwenemancipatie en de verrukkelijke aprildagen die ons ten deel zijn gevallen'; de halve bedelaar Ivan Ivanytsj, aan wie de natuur 'geen enkele kenmerkende, sprekende trek had geschonken, geen goede en geen slechte'; de corrupte ambtenaar Tarantjev, die 'iedereen, waar ook, met list en bruutheid dwong voor hem te betalen'; zijn grote vriend en tegenpool Andrej Stolz, de zakenman met de Duitse familie, die bovenal het Westen wilde omarmen.

Al deze figuren gaven Sint-Petersburg een ongekend karakter, een goudmijn aan verhalen. Het nadeel was alleen dat er zoveel Vronski's, Penkins, Tarantjevs en Oblomovs door de stad flaneerden dat de Karenins en de Stolzen weinig kans kregen. Anders gezegd: in Rusland ontstond niet, zoals in Duitsland, een moderne, efficiënte bureaucratie met eigen regels en waarden. Iedereen bleef afhankelijk. Met de tsaar stond en viel het hele systeem.

Het uiterlijk van Sint-Petersburg, met zijn Amsterdamse grachten, Italiaanse kleuren en noordelijke licht, valt niet te imiteren, nergens. Als de stad rond de eeuwwisseling al ergens op leek, dan was het op het Wilhelminische Berlijn, inclusief alle innerlijke tegenstrijdigheden. Dat had alles met de regerende vorst te maken.

Net als neef Wilhelm II voelde tsaar Nicolaas II zich sterk verbonden met zijn Engelse familie. De tsaar was getrouwd met de kleindochter van koningin Victoria, sprak Engels als een professor uit Cambridge, had de manieren van een kostschooljongen en gold als 'de beleefdste man van Europa'. Tegelijkertijd wilde hij een oer-Russische tsaar zijn, de absolute heerser over een onmetelijk, half-Aziatisch rijk.

Net als keizer Wilhelm leefde Nicolaas het liefst in een zelfgefabriceerd verleden. De dynastie moest een baken blijven in de onzekere tijden van modernisering en democratisering. Veel schitterende achttiende-eeuwse paleisgevels van Sint-Petersburg waren, met instemming van de tsaar, vervangen door nieuwe façades in een mengelstijl van neorenaissance, neobarok of 'premodern gotisch'. Ook wat dat betreft leek de stad op Berlijn, waar de nouveaux riches met dezelfde kracht hun stempel op zetten.

Nicolaas II was onder een slecht gesternte begonnen. Een paar dagen na zijn kroning was bij de traditionele uitdeling van koek en drank in de menigte zo'n gedrang ontstaan dat onder zijn ogen veertienhonderd mensen werden doodgedrukt. Op zijn dertiende, in 1881, was zijn grootvader, de relatief liberale Alexander II, in zijn rijtuig door 'nihilistische' revolutionairen vermoord. Dat was het eerste en misschien wel belangrijkste breekpunt in de moderne Russische geschiedenis. Gematigde hervormers kregen daarna nauwelijks meer een voet aan de grond. Het tweede breekpunt was de volksopstand van 1905. De derde, vitale wissel was de bolsjewistische coup van 1917.

Tien jaar na de dood van Alexander ii ontstond er een ongekende hongersnood. Het tsaristische bewind bleek niets te kunnen uitrichten. Uit de steden stroomden talloze welgestelde vrijwilligers om de creperende boeren bij te staan, en voor velen was het een schokkende ervaring: de ellende van de boeren tegenover de dommige, arrogante houding van het regime. In 1894 stierf de reactionaire kolos Alexander iii onverwachts aan een nierziekte. Tegen wil en dank nam zijn zoon Nicolaas de macht over.

Terwijl keizer Wilhelm, ondanks zijn conservatisme, een grote belangstelling had voor allerlei vormen van moderne techniek, droomde Nicolaas volledig weg in de zeventiende eeuw. De rol die hij ambieerde paste noch bij zijn tijd, noch bij zijn persoon. Hij zocht de absolute macht over een wereldrijk, maar tegelijk miste hij de visie en de vaardigheden die voor zo'n positie nodig zijn. Sterker nog, hij besefte niet eens dat hij die talenten miste, en dat Rusland bovendien zat te springen om heel andere kwaliteiten. Zijn grootste wapenfeit vond plaats in 1913: de pompeuze viering van het driehonderdjarig bestaan van de Romanov-dynastie. Het was één nostalgische schreeuw naar een niet-bestaand verleden.

In diezelfde jaren verdubbelde het percentage Russen dat kon lezen en schrijven van 20 procent in 1897 tot 40 procent in 1914. Tussen 1860 en 1914 groeide het aantal studenten van vijfduizend naar bijna zeventigduizend, het aantal kranten van dertien naar ruim achthonderdvijftig. Zelfs de Russische 'mir' opende zich naar de echte wereld. Nicolaas had er geen oog voor.

Op zondag 9 januari 1905 openden zijn soldaten in Sint-Petersburg het vuur op een biddende en knielende menigte. Tweehonderd doden en honderden gewonden bleven liggen. De mythe van 'vadertje' tsaar lag in scherven, de Russen waren woedend, overal ontstonden rellen en gewelddadigheden. Zo'n drieduizend landgoederen werden geplunderd. In Reval (Tallinn), Riga en Warschau marcheerden tienduizenden demonstranten, en ook hier werden tientallen mensen neergeschoten. In Estland trokken bendes door het land, wekenlang, die dozijnen landgoederen in brand staken. Honderden arbeiders werden later geëxecuteerd of naar Siberië verbannen. Vanaf de befaamde trappen aan de kade van Odessa werd gevuurd op een menigte die steun betuigde aan de muiters op het oorlogsschip Potemkin. Meer dan tweeduizend mensen kwamen om het leven: neergeschoten, vertrapt of verdronken. Eind 1905 kon een revolte in Moskou ternauwernood onderdrukt worden.

Er ontstond een tegenbeweging van tsaristen: anti-liberaal, anti-socialistisch en bovenal anti-semitisch. In het najaar van 1905 vonden over heel Rusland een kleine zevenhonderd pogroms plaats. In Odessa werden achthonderd joden vermoord, meer dan honderdduizend werden dakloos. Terecht, volgens de tsaar. 'Negen van de tien onruststokers waren joden,' schreef hij op 27 oktober 1905 tevreden aan zijn moeder. De pogroms demonstreerden volgens hem duidelijk wat een woedende menigte van loyale krachten kon doen: 'Ze omringen de huizen waar de revolutionairen hun toevlucht nemen, zetten ze in brand en doden iedereen die probeert te ontsnappen.'

In totaal moest het Russische leger in 1905 zevenentwintighonderd kleinere en grotere volksopstanden onderdrukken. Naar schatting vijftienduizend 'politieken' werden ter dood gebracht, vijfenveertigduizend werden verbannen of gevangengezet. Tienduizenden boeren werden gegeseld, honderdduizenden hutten verbrand.

Een Russische vriend van mij kende een stokoude vrouw die in die tijd gevangen had gezeten. Haar familie stuurde haar boeken, verpakt in witbrood. 'De wacht bracht ze, keek toe als ze de boeken uitpakte – zij stortte zich er direct op – en was dolblij wanneer hij het brood mocht hebben.'

Uiteindelijk kondigde de tsaar een paar hervormingen af, die hij vervolgens even snel weer introk. Onder de betere standen ontstond een nieuw gevoel van onzekerheid. Voor het eerst had de burgerij kennisgemaakt met de krachten van woede en destructie die onder de miljoenen straatarme Russen leefden. De bitterheid nam na het bloedige neerslaan van de rebellie alleen maar toe. De boeren beseften, meer dan voorheen, hun volslagen rechteloosheid en armoede, in de steden werden de stakingen steeds feller en frequenter, de intellectuelen roerden zich en zelfs binnen het leger en het bestuur keerden steeds meer sleutelfiguren zich af van het rigide tsaristische hof.

Aan de binnenplaatsen van de Petrus-en-Paulusvesting, de citadel die Peter de Grote in 1703 liet bouwen, zijn de kerkers van de toenmalige revolutionairen nog te bezichtingen. De opsomming van iedereen die hier gevangenzat leest als een erelijst: er zaten dekabristen, nihilisten, populisten, marxisten, socialisten-revolutionairen, mensjewieken, bolsjewieken, en later opnieuw mensjewieken, als gevangenen van de bolsjewieken, met priesters en royalisten. In 1917 had een actieve bolsjewiek er gemiddeld vier jaar gevangenisstraf of ballingschap op zitten, een actieve mensjewiek vijf jaar. Terwijl in de rest van Europa allang het liberale motto gold: 'wat niet verboden is, is toegestaan', bleef het in Rusland andersom: 'wat niet nadrukkelijk is toegestaan, is verboden'.

Jarenlang stond voor het Leninmuseum het laatste restant van die befaamde aprilnacht van 1917: de antieke pantserwagen waarmee Lenin van het Finlandstation naar het Ksjesinskaja-paleis was getroond. Nu is zowel het museum als de pantserwagen verdwenen. In plaats daarvan is het oude ruiterstandbeeld van tsaar Alexander III in ere hersteld, een onverzettelijke bronzen reus op een paard met vier poten als palen, een karikatuur van de logge onwrikbaarheid van de tsaristische autocratie. Het was zo'n belachelijk beeld dat de bolsjewieken het pas in de jaren dertig van zijn plaats takelden. De beeldhouwer, Pavel Troebetskoj, was naar men zei, niet in politiek geïnteresseerd geweest, hij had enkel 'het ene beest boven op het andere' willen weergeven. De Petrograders lachten alleen maar.

Het moge duidelijk zijn: Sint-Petersburg was niet de ideale hoofdstad voor de laatste tsaren. Hun hart lag verder naar het oosten en zuiden. Moskou was de stad van het Russische verleden, van de vrome boeren, buigend voor Kerk en tsaar. De ministeries en paleizen van Sint-Petersburg deden denken aan Parijs en Rome, de stad trok naar Europa, en geen orthodoxe Kerk kon daar tegenop.

Beide steden gingen op een heel verschillende manier om met het machtsblok van de tsaar. De aristocratie van Sint-Petersburg probeerde, geïnspireerd door het Westen, de macht van het regime te binden aan wettelijke regels en bureaucratische modellen. Op die manier speelden de Karenins een belangrijke rol bij de eerste modernisering van Rusland, ondanks alle tegenwind.

Aan de andere kant was er het Moskovitische model, dat uitging van een 'spirituele gemeenschap' tussen de tsaar en het gewone Russische volk. Macht was hier niet een uiting van wet of volkswil maar, in de eerste plaats, een kwestie van geloof.

De laatste tsaar beschouwde zich als de vertegenwoordiger van

God op aarde. 'Ik zie Rusland als één groot landgoed, waarvan de tsaar als eigenaar fungeert, de adel als administrateur en het werkvolk als boeren,' zei hij in 1902. Met de steun van het gewone volk – belichaamd in de geitenstank van hofpredikers als Raspoetin – zou hij de macht van de bureaucraten, de middenstanders, de intellectuelen en de revolutionairen kunnen weerstaan. Er bestond in zijn ogen geen 'sociale kwestie': arbeiders waren niet anders dan boeren.

De tsaar bleef volharden in zijn fantasie van absolute macht. Dit droombeeld botste op den duur zo hevig met de realiteit dat precies het tegendeel ontstond van wat hij beoogde: geen macht, maar een zwart gat in het centrum van het heersende systeem, een leegte die op een zekere dag door welke revolutionaire beweging ook kon worden ingevuld.

Het idee dat Rusland 'eeuwig zuchtte onder de knoet van de tsaren', klopt dan ook niet. Natuurlijk, er bestond een actieve geheime dienst, en bij het onderdrukken van volksopstanden vielen honderden, soms duizenden slachtoffers, maar over het algemeen was het kenmerk van het tsaristische regime juist dat het veel te weinig bestuurskracht had om het uitgestrekte Rusland behoorlijk te regeren. Rond de eeuwwisseling waren in Rusland per duizend inwoners slechts vier ambtenaren, in Duitsland waren dat er twaalf, in Frankrijk zeventien. Voor de hele plattelandsbevolking van honderd miljoen mensen waren ruim achtduizend politiemensen beschikbaar. Anders gezegd: naast een enorme leemte in de centrale macht kende het Russische rijk in 1917 nauwelijks een behoorlijke bestuurlijke traditie. Ook hier lag een vrije ruimte, die later door de bolsjewieken op hun manier kon worden ingevuld.

Het platteland was vervuld van kleine, achterlijke potentaatjes. De dorpshutten, de middeleeuwse gewoonten, de bijgelovigheid, de barbaarse straffen, de goedkope levens, het was allemaal grotendeels te herleiden tot dit gebrek aan bestuurskracht. De armoede van de stad trouwens ook: de woonomstandigheden in het tsaristische Sint-Petersburg waren nog schrijnender dan die in Berlijn of Londen. Tussen 1860 en 1900 was de bevolking verdrievoudigd. Volgens de volkstelling van 1904 leefden er gemiddeld zestien mensen in een appartement, minstens zes in iedere kamer, tweemaal zoveel als in Parijs of Wenen. De watervoorziening was zo slecht dat in 1908 dertigduizend stedelingen omkwamen bij een cholera-epidemie. In 1917 waren de verbeteringsplannen nog altijd niet verder gekomen dan de tekentafels.

Buitenlanders brachten, gelokt door overheidssubsidies, moderne industrie naar Sint-Petersburg. Ludwig Nobel vestigde in Vyborg de enorme machinefabriek Phoenix. Het Russisch-Amerikaanse 'Driehoek' rubberbedrijf had meer dan elfduizend mensen in dienst. Bij de Nevski scheepswerf werkten zeker vijfduizend arbeiders. De uitgestrekte bakstenen fabriekscomplexen werden overal omstuwd door sloppen: geen arbeider kon zich de tijd en de reiskosten permitteren om in een andere wijk te wonen. Tegelijk bleef deze wereldstad, net als Moskou, iets boers houden. Het platteland was voelbaar op de markten, bij de straatfiguren en in de omgang tussen buren en collega's. Het was iets wat in Londen en Parijs allang verloren was gegaan, de oude 'mir', die zelfs in Sint-Petersburg behouden bleef.

Mijn vriend Joeri Klejner neemt me mee naar het Museum van de Oktoberrevolutie, nu omgedoopt tot Museum voor Politieke Geschiedenis. Het is gevestigd in hetzelfde Ksjesinskaja-paleis waar Lenin die eerste avond soupeerde en daarna zijn donderpreek hield. Ook de *Pravda* werd hier aanvankelijk gemaakt. De vroegere sfeer in de prachtige Jugendstil-villa is nauwkeurig gereconstrueerd: overal staan bureaus, typemachines, olielampen en bejaarde telefoons. In het midden van de hal ligt het wapen van de voormalige Sovjet-Unie in glanzend rood en goud plastic. Aan de wand hangt een grote kaart van Rusland anno 1912.

Joeri is historicus en hoogleraar Engelse literatuur, en bovenal een fantastische verteller. Maar hier krijgt hij geen enkele kans. Onmiddellijk staat een woedende bewaakster voor ons: wij mogen zelfs niet fluisteren zolang de officiële gids aan het woord is. Ze heeft het grijze haar volgens de oude partijmode naar achteren gekamd. Als we weigeren te zwijgen worden we bijna het gebouw uitgegooid.

Vanaf het balkon moet Lenin in die eerste maanden ettelijke toespraken hebben gehouden. Niemand weet meer wat hij daar precies zei, maar de scène is later in sovjetfilms eindeloos herhaald, nagespeeld door acteurs die enigszins op Lenin leken. Het tafereel was altijd hetzelfde: Lenin betrad het balkon en onmiddellijk zweeg de menigte.

'Ik heb ook altijd gedacht dat het zo ging,' fluistert Joeri. 'Maar in

Estland kwam ik ooit een oude vrouw tegen, en die vertelde me dat ze in 1917 als gouvernante in Petrograd werkte. "Waar leefde u dan," vroeg ik. "Naast het paleis," zei ze. "Zag u daar Lenin?" "Ja, natuurlijk." "Ook als hij een toespraak hield?" "Zeker, ik stond op het balkon ernaast." Nu was het een vrouw die bloedserieus was, zoals al die Baltische mensen. Dus ik vroeg: "Hoe ging dat nou?" "Die eerste weken stonden er meestal een paar honderd mensen," vertelde ze, "en die waren allemaal aan het schreeuwen. En Lenin begon te spreken, en ze bleven maar schreeuwen. Boos, instemmend, alles door elkaar heen." "Schreeuwden ze werkelijk zo hard?" "Jazeker, zelfs wij, vlak ernaast, konden van die toespraken bijna geen woord verstaan.''

We zien de bekende foto's van de schietpartij voor het Winterpaleis in januari 1905, de Bloedige Zondag. De petitie die de menigte wilde aanbieden: 'Wij, de arbeiders en bewoners van Sint-Petersburg, van de verschillende landgoederen, onze vrouwen, onze kinderen en onze bejaarde, hulpeloze ouders, we komen tot u, sire, om hulp en bescherming te zoeken...'

'1905 was een cruciaal jaar,' zegt Joeri. 'De Russen wilden een kleine oorlog winnen om het moreel op te vijzelen. Ze zagen Japan als een eigenaardig land dat ze zo konden inpakken. Maar de Japanners waren helemaal geen achterlijke oosterlingen meer, en de Russen verloren. Tienduizenden soldaten sneuvelden, de honger raasde door het land. De beweging die toen onder de bevolking ontstond was vooral een symbolische revolutie. Ze was georganiseerd door een priester, Georgi Gapon, en ze paste helemaal in de filosofie van de tsaar zelf, de vader die voor zijn mensen zou zorgen. De tsaar had alleen maar hoeven te zeggen: mijn kinderen, ik houd van jullie. Maar hij liet zijn militairen op die biddende menigte schieten. Het zou hem nooit vergeven worden. De tsaar zelf legde de basis voor de communistische revolutie.'

In het museum hangen, zoals te verwachten valt, tientallen portretten van bekende en minder bekende revolutionairen. Het opvallende is: bijna allemaal hebben ze iets in hun ogen. 'Brandend,' zeg ik.

'Vurig,' zegt Joeri.

'Iets geks,' zeg ik.

Net als in Parijs, Londen en Wenen hadden de cafés en salons van Sint-Petersburg de ene na de andere filosofische mode meegemaakt. In 1840 was het Hegel, in 1860 Darwin, en in 1880 was het onder de studenten 'bijna onbehoorlijk' om geen marxist te zijn. De Russen gingen echter op een bijzondere manier om met het verschijnsel filosofie. Ieder leerstelsel werd omarmd als een absolute waarheid, een religie die geen ruimte liet voor welke twijfel ook. Die godsdienstig getinte gevoelens waren zonder uitzondering gemengd met schuld. Bijna alle radicale intellectuelen waren immers van gegoede komaf; zelfs Lenin leefde jarenlang van de opbrengsten van zijn grootvaders landgoed in Kazan, terwijl hij ondertussen de praktijken van het 'plattelandskapitalisme' vervloekte.

De Russische oer-revolutionair was eerder een kluizenaar dan een intellectueel, meent Joeri. Neem Rachmetov, de gruwelijke held van de roman *Wat te doen?* die Nikolaj Tsjernysjevski in 1863 publiceerde en die hele generaties beïnvloedde. Niets leidt hem af van zijn politieke doel, zelfs niet een mooie verliefde weduwe. Hij leeft als een puritein, eet alleen rauwe biefstuk en beklimt zelfs een spijkerbed als zijn seksuele driften hem te hevig worden.

Lenin was diep onder de indruk van Tsjernysjevski en nam zelfs de titel over voor een eigen boek: *Wat te doen?* Ook hij en zijn volgelingen beschouwden zichzelf als 'verdoemde mannen', mensen die hun leven aan de zaak van de revolutie moesten geven, leden van bijkans religieuze groepen die familie, liefde, alcohol en andere aangename afleidingen verzaakten.

Joeri vertelt over een vriend van zijn grootmoeder, ook zo'n vroege revolutionair. 'Hij werd opgepakt, zei niets, en daarna haalde de geheime politie een gemene truc met hem uit: ze lieten hem gewoon weer lopen. Zijn revolutionaire kameraden dachten toen natuurlijk dat hij had doorgeslagen. Ze lokten hem naar een verlaten plek, zeiden dat hij rustig moest gaan zitten, toen hebben ze een fles zuur over zijn hoofd leeggegoten, daarna zijn ze weggerend. Hij heeft nooit meer iets kunnen zien, zijn leven lang heeft hij een masker gedragen. Maar het ergste was, schreef hij later, dat zijn kameraden hem nooit iets hadden gevraagd, dat ze er blindelings van uitgingen dat hij een verrader was, dat de waarheid hen totaal niet interesseerde.'

Op zondagavond 17 september 1916 was de Franse ambassadeur Maurice Paléologue, zoals altijd, aanwezig bij de opening van het nieuwe theaterseizoen in Petrograd. In zijn dagboek beschreef hij zijn indrukken. In het Mariinski-theater waren de mooiste sieraden en de schitterendste toiletten te zien, en overal stonden jonge schonen 'met heldere ogen, sprankelend van opwinding'. De enorme hal, met de blauwe en gouden wandtapijten, was stampvol. 'Vanaf de stalles tot de achterste rij van het schellinkje zag ik niets anders dan een zee van opgewekte, lachende gezichten.' Toch voelde de ambassadeur tegelijkertijd een sfeer van naderend onheil. 'Er hing een vrolijke onwerkelijkheid in de lucht,' noteerde hij.

Dat gold voor de hele stad. Iedereen praatte over de 'Duitse' tsarina Alexandra –Alice van Hessen – en haar protégé Raspoetin, die het land zouden hebben verraden. Een paleiscoup mislukte – al werd op 16 december 1916 Raspoetin wel door het clubje rond vorst Joesoepov met veel moeite om het leven gebracht en in de Neva gegooid. Het maakte de tsaar alleen maar halsstarriger. Het woord 'revolutie' zoemde rond. De rijken vergokten hele fortuinen, dronken hun wijnkelders leeg en hielden het ene dolle feest na het andere. 'Meer en meer gedragen de mensen zich als dieren en idioten,' schreef Maksim Gorki in november 1915 aan een vriend. En, in diezelfde maand, aan zijn vrouw: 'We hebben binnenkort een hongersnood. Ik adviseer je tien pond brood te kopen en dat te verstoppen. In de voorsteden van Petrograd kun je goed geklede vrouwen zien die op straat lopen te bedelen. Het is razend koud.'

De grote wereldrevolutie begon uiteindelijk op donderdagochtend 23 februari 1917, in de Vyborgbuurt van Petrograd, onder een stel huisvrouwen die tevergeefs in een rij op brood stonden te wachten. Het was de eerste zachte dag na drie barre wintermaanden. De vrouwen werden rumoerig. Er ontstonden relletjes. De arbeiders van de nabijgelegen fabrieken kwamen de vrouwen te hulp. 's Middags liepen honderdduizend arbeiders, vrouwen en kinderen over de Nevski Prospekt met kreten als 'Brood!' en 'Weg met de tsaar!'. Twee dagen later, op zaterdag 25 februari, lag de hele stad plat.

Er werden kozakken tegen de stakers ingezet. Toen de ruiters zich op de Nevski Prospekt in slagorde hadden opgesteld, kwam een jong meisje uit menigte naar voren en bood, onder ademloze stilte, de bevelvoerend officier een boeket rode rozen aan. De man glimlachte, accepteerde de rozen en boog. Een donderend gejuich barstte los, bij de demonstranten en bij de soldaten. 'Onze vaders, moeders, zusters, broeders en bruiden smeken om brood,' riep een jonge sergeant. 'Gaan we hen doden?' 1905 zou zich niet herhalen. Daarmee was het lot van tsaar Nicolaas ii bezegeld. Op 2 maart trad hij af ten gunste van zijn jongere broer, groothertog Michael. De volgende dag besloot die de kroon niet aan te nemen. Dit was het einde van de ruim drie eeuwen omspannende Romanov-dynastie.

HUISFEEST

Na het aftreden van tsaar Nicolaas II zetten de revolutionairen de familie Romanov onder huisarrest. Hun leefomstandigheden in die eerste periode beschrijft de historicus Orlando Figes als 'één lang Edwardiaans huisfeest.' Voor de voormalige tsaar waren het, als we zijn dagboeken mogen geloven, de gelukkigste maanden van zijn leven. De macht had hem altijd bedrukt. Pogingen om in ballingschap te gaan mislukten: zijn achterneef George V weigerde Nicolaas en zijn gezin de toegang tot Engeland. In augustus werden de Romanovs overgebracht naar de West-Siberische stad Tobolsk omdat de Voorlopige Regering vreesde voor hun veiligheid. Ook daar leefde de familie in redelijke welstand, in het huis van de voormalige gouverneur, verzorgd door een stoet bedienden.

Begin 1918 verslechterde de situatie. De bolsjewieken ergerden zich aan de luxe waarmee het gezin van de tsaar zich omringde, en ook waren er geruchten over tsaristische plannen om de Romanovs te ontzetten. Eind april werd vanuit Moskou een poging gedaan om hen weer naar het westen te halen, maar in Jekaterinburg werden de Romanovs door de plaatselijke bolsjewieken uit de trein gehaald en gevangengezet.

In de nacht van 16 op 17 juli werd de hele familie ten slotte in een kelder neergeschoten. Lev Trotski schreef later: 'Vladimir Iljitsj meende dat we de Witten geen levende banier moesten laten.' Het bevel voor de executie kwam dus vrijwel zeker van Lenin zelf. De enige overlevende van de slachting was Joy, de familiespaniël.

Een halfjaar na de opening van het seizoen, op 7 april 1917, bezocht ambassadeur Paléologue het Mariinski-theater opnieuw. 'Alle keizerlijke wapens en alle gouden adelaars waren verwijderd. De logebedienden hadden hun livrei vervangen door vuile, grijze jassen. Het theater zat vol burgers, studenten en soldaten.' De statige hertogen waren opgepakt, de adjudanten in hun opzichtige uniform waren doodgeschoten, de rest was op de vlucht. In de voormalige loge van de tsaar zaten ballingen, net terug uit

Siberië. Verbaasd en verwilderd keken ze naar het publiek. Zo eindigde het theaterseizoen 1916-1917.

Het Mariinski-theater staat er nog. Het is een klassieke Oost-Europese theaterbak, deze 'Mari', zoals het ding in de volksmond heet. Op een zaterdagavond zie ik er *Boris Godoenov*, vanaf het schellinkje. Ik zit tussen twee oude dames in bloemetjesjurk en vijf schoolmeisjes in wit gestreken blouse, achter twintig matrozen op een rij. Niets lijkt sinds de tsarentijd veranderd. Het is een tempel, dit Mariinski, en ballet en theater zijn vooral perfect uitgevoerde rituelen.

De volgende dag maak ik een tochtje met Joeri's familie, opeengepakt in zijn zwaar geteisterde Lada. Het uithoudingsvermogen in dit land, ook van gebruiksvoorwerpen, is verbluffend. De arme autobanden die iedere seconde op de gaten in het wegdek beuken, het gekreun van de schokbrekers, chassisbalken en aandrijfassen, en alles blijft het maar volhouden.

Eerst gaan we bij oma langs, de overgrootmoeder van de familie. Aleksandra Vasiljeva, gepensioneerd toneelregisseur, ligt onder een roodgeblokte deken, een klein wit gezicht, diep in de kussens. Ze is honderdtwee jaar oud.

Aleksandra was ooit een van die jonge schonen die de Franse ambassadeur in het Mariinski-theater zag zitten, 'sprankelend van opwinding'. 'Ach, was u daar gisteren?' roept ze met hoge stem vanuit haar bed. 'Ik kwam er vaak, ik kreeg kaartjes van een bevriende koopman.' Ze giechelt. 'Daar zat ik dan, in al mijn eenvoud tussen dat goud en die edelstenen. Ach, en toen kwam de revolutie. Een opwindende tijd! Heel gevaarlijk! Mijn man stak altijd keurig in de kleren, en als we aangehouden werden, beefden we van angst omdat hij er te kapitalistisch en te netjes uitzag. Hij kon zo doodgeschoten worden, in die mooie kleren van hem! Maar gelukkig werkte hij bij de film. Hij had altijd een papier van de filmmaatschappij bij zich. Een filmster, dat vonden al die soldaten en bandieten prachtig, die schoten ze niet dood.'

Ik vraag haar hoe het verder ging. Ze begint te vertellen over de futurist Vladimir Majakovski, met wie ze een experimentele film maakte. 'Maar alles ging mis, ik weet niet meer waarom. Majakovski had ook veel problemen, in de liefde, in alles.' Haar geniale leermeester, de regisseur Vsevolod Meyerhold, had in Moskou een eigen theater gekregen, maar dat duurde ook niet lang. 'Lenins vrouw, Nadja Kroepskaja, schreef een woedende brief naar de *Pravda* waarin ze Meyerholds theater een gekkenhuis noemde. Onmiddellijk besloot het Centraal Comité de boel te sluiten.'

Majakovski schoot zichzelf in 1930 dood. 'Daarna is hij door Stalin heilig verklaard. Toen was het gedaan met onze nieuwe Linkse Kunst. Ja, ja, u hebt gelijk, ik begon toen nog maar net te leven, ik had nog zeventig jaar te gaan.'

En daarna? 'In de oorlog zaten we hier, in Leningrad. We trokken langs de fronttroepen met een variétéshow en in januari 1941 stierf mijn man. Ik wil hier verder niet over spreken. Honger, kou, ja, Aleksej stierf gewoon. Thuis hebben we afgesproken om er nooit meer over te praten. Ik heb er weleens over willen schrijven, maar dat is me nooit gelukt. Je kunt die tijd met niets vergelijken. De revolutie van '17, de burgeroorlog daarna, het waren, ondanks alles, jaren van verwachting. In de oorlog was dat voorbij.'

Haar stem zakt weg, ze slaapt weer.

Joeri fluistert dat ze haar hele leven is blijven regisseren, zelfs nu doet ze het nog. Ze praat hardop in haar slaap, ze geeft instructies over de belichting, de loop van acteurs. Altijd is ze in haar dromen aan het werk, in Moskou, Kiev, Odessa, Sint-Petersburg, overal.

We rijden door de Sovetskaja Oelitsa. De gevels zijn bruingrijs, net als de plakken sneeuw op straat. Alleen het rode stoplicht brengt enige kleur. Hier stond de woning van de idealistische zusjes Anna en Nadezjda Alliloejeva, in 1917 een belangrijk revolutionair nest. Een strenge mevrouw maakt de deur open. Het appartement is als een revolutionaire relikwie bewaard gebleven, volledig intact, ruim en vrolijk, met zonnige kamers, een dressoir vol boeken, een samovar voor de thee, een piano om liedjes bij te zingen. Sergej Alliloejev, de vader van de meisjes, was een arbeider die blijkbaar behoorlijk goed verdiende: in de sovjettijd zou hij zich zo'n huis voor zijn dochters niet meer hebben kunnen veroorloven.

De Alliloejevs waren, met hun onversneden arbeidersachtergrond, uitzonderingen in het bolsjewistische wereldje. Het interieur van de kamers verraadt een streven naar orde en burgerlijke welstand, iets waar een 'verdoemde' revolutionair niet naar taalde. Toch liet Lenin, die hier korte tijd onderdook op de vlucht voor de Voorlopige Regering, zich de burgerbraafheid van de meisjes graag aanleunen. Eerbiedig bekijk ik de kale zinken badkuip waar de grote leidsman ooit zijn rug schrobde.

Ook Stalin kwam hier veel over de vloer. Hij had een oogje op de jongste, Nadezjda. Zij was zeventien, hij negenendertig, en ze viel als een blok voor zijn revolutionaire snor. Geruchten gingen dat Nadezja Stalins eigen dochter was, omdat hij in zijn jonge jaren ook een verhouding had met moeder Alliloejev. Vijf maanden na hun huwelijk kreeg ze een zoon, Vasili, in 1927 kwam er een dochter, Svetlana, en in november 1932 zou Nadezjda tot zelfmoord worden gedreven omdat ze te veel tegensprak. Haar zuster Anna werd in 1948 tot tien jaar cel veroordeeld, haar zwager werd in 1938 doodgeschoten, haar dochter Svetlana vluchtte naar Amerika, haar zoon Vasili ging bij de luchtmacht, belandde wegens corruptie in de cel en eindigde zijn leven als eenzame alcoholist in Kazan. Maar dat vertelt de strenge mevrouw allemaal niet.

Nu gaan we de stad uit. Voor de arme banden van onze Lada breekt een hellegang aan: de kapotgereden toegangsweg naar het vestingeiland Kronsjtadt. Tot vier jaar geleden was dit nog een gesloten gebied, maar op deze zondag kunnen we er zo gaan kijken. Hier lag het hart van de bolsjewistische revolutie van Petrograd. Hier kwamen de matrozen van de Aurora vandaan. Hier begon de nieuwe toekomst. En hier ontstond in februari 1921, ook weer, het eerste verzet tegen de bolsjewieken.

***

KRONSJTADT

De marinebasis Kronsjtadt heeft een lange, rebelse traditie. De bom waarmee tsaar Alexander II in 1881 werd opgeblazen, kwam uit Kronsjtadt. Toen in 1905 het halve land in opstand kwam tegen tsaar Nicolaas, muitte Kronsjtadt mee. Direct na de Februarirevolutie in 1917 maakten de matrozen van Kronsjtadt korte metten met hun gehate vice-admiraal Robert Viren: ze zetten hem voor het vuurpeloton, samen met vijftig officieren en dertig politiespionnen. En in 1921 waren ze de eersten die in opstand kwamen tegen het nieuwe bolsjewistische regime, omdat 'het leven onder het juk van de communistische dictatuur erger was geworden dan de dood'.

Op 28 februari 1921 brak muiterij uit op het slagschip Petropavlovsk. De matrozen eisten vrijheid van meningsuiting, vrije vakbonden en de vrijlating van politieke gevangenen. De beweging breidde zich snel uit. Er kwam een eigen radiostation, en er werd een eigen krant opgezet, de *Kronsjtadtskije Izvestia*. Een citaat: 'Lenin zei: "Communisme is sovjetmacht plus elektrificatie." Maar de mensen zijn ervan overtuigd dat de bolsjewistische variant van communisme betekent: "Commissarissenmacht plus vuurpelotons".'

De muiters waren vol zelfvertrouwen. Ze hadden een groot aantal kanonnen en machinegeweren, plus het geschut van twee slagschepen, drie zware kruisers en vijftien kanonneerboten.

Alles draaide echter om de toestand van het ijs. Lev Trotski, toen de opperbevelhebber van het Rode Leger, had daarom grote haast. Als het ijs smolt, zou de vesting, midden in zee, bijna onneembaar worden. Bovendien konden de kruisers en slagschepen dan opstomen naar Petrograd en de stad beschieten. Zolang het ijs begaanbaar was, hadden de bolsjewieken nog een kans.

Op 5 maart liet Trotski pamfletten boven Kronsjtadt uitstrooien waarin hij dreigde om de matrozen, als ze niet capituleerden, 'als patrijzen' af te schieten. De volgende dag deed het Rode Leger een eerste, mislukte aanval. De doodsbange cadetten werden van achteren opgejaagd door agenten met machinegeweren. Op 17 maart volgde een tweede stormloop over het ijs, die nog massaler was. Na een bloedige dag wist het Rode Leger Kronsjtadt uiteindelijk weer in te nemen.

Wie zo'n zware versterking met een dergelijke open stormloop wil innemen, betaalt een hoge prijs. Van de vijftigduizend Rode-Legersoldaten waren na afloop van de slag twintigduizend vermist, dood of gewond. Er lagen zoveel lijken op het ijs dat de regering van het naburige Finland vreesde voor een epidemie. Achtduizend rebellen wisten te ontsnappen, vijfentwintighonderd werden gevangengenomen. Een paar honderd werden geëxecuteerd, de rest verdween in gevangenissen en werkkampen. De leider van de muiterij, Stepan Petritsjenko, ontkwam veilig naar Finland. Bijna een kwarteeuw later, in 1945, werd hij alsnog aan de Sovjet-Unie uitgeleverd. Hij stierf in de Goelag.

We rijden over een dam waaraan jaren is gewerkt en die inmiddels voor aardig wat milieuproblemen in de Neva-delta heeft gezorgd. We passeren tientallen bevroren plannen: half afgemaakte sluizen, bruggen die zomaar ergens in de lucht hangen, viaducten zonder op- en afrit, het is hier één grote onvoltooidheid. Het eiland zelf herbergt twee eeuwen militair bouwen: rode arsenalen, gele kazernes en elegante officiersmesses uit de negentiende eeuw, kogelgaten uit de jaren twintig en de Tweede Wereldoorlog, kale vierkante flatwijken uit de laatste decennia. Naast de grote Zeemanskathedraal ligt het Ankerplein, ooit bekend als de 'Vrije Universiteit' vanwege de felle toespraken die er altijd werden gehouden, nu leeg en kaal.

De zon schijnt. Groepjes cadetten slenteren langs de haven. Met hun zwarte mutsen en hun gouden gespen ogen ze als Volendammers. Even verderop ligt een rij grote grijze oorlogsschepen, resten van de trotse sovjetvloot. Ik neem wat foto's, aangemoedigd door de matrozen. Nog geen vijf jaar geleden zou zo'n grapje me maanden cel hebben gekost. Nu kan het niemand wat schelen. Roest en armoede zijn aan boord inmiddels veel grotere vijanden dan welke spion ook.

In de auto praten we over weggaan en blijven. Joeri en zijn vrouw Ira hebben er altijd van gedroomd: wegvluchten van de lekke banden en het afgebladderde beton. Hun zoon Sasja, tweeentwintig, rechtenstudent, wil absoluut blijven, net als zijn vrienden. 'Dat is opvallend aan deze generatie,' zegt Ira. 'Ze houden van deze stad. Ze weten dat er tussen nu en morgen van alles zal gaan gebeuren, goed of slecht, en daar willen ze bij zijn.'

Sasja zegt dat al zijn kennissen een eigen reden hebben om te blijven. 'Veel mensen kunnen gewoon niet weg. Anderen blijven om te sjacheren. Die zien zoveel troebel water om in te vissen, zoveel kansen op snel geld, dat vind je in dat keurig geregelde Westen nergens. En dan zijn er de studenten, de mensen zoals ik. Wij vinden het hier gewoon spannender. We hebben geen zin om eindeloos te luisteren naar de vooroordelen van de Amerikanen en de Europeanen, van die types die denken alles van de Russische literatuur te weten.'

'We hebben in het verleden nooit gedacht dat dit land ook óns land was,' zegt Joeri. 'Nu hebben we dat gevoel wel, hoe beroerd het ook gaat. Onder Stalin, Chroesjtsjov en Brezjnev was het "zij tegen ons". Nu weten we dat we geregeerd worden door een kliek bandieten, maar het is op een bepaalde manier toch ons regime.' Volgens Ira ligt het ingewikkelder. 'Stalin en Brezjnev belazerden ons niet. Die deden niet alsof ze anders waren dan ze waren. "Hou van ons, of we schieten je dood," zeiden ze. Dus deden we alsof we van hen hielden. Nu hebben we het recht om te reageren. Ze belazeren de boel, ze kopen mensen om, maar je kunt zeggen: laat je dan niet omkopen. Nu hebben we echt de regering die we verdienen.'

De Lada krijgt nu toch een lekke band. Midden op de snelweg begint Joeri met het wisselen van een achterwiel, het verkeer raast om ons heen.

Uiteindelijk belanden we in het dorpje Razliv, een groepje houten huizen waar Lenin zich begin juli 1917 in een boerenschuur verborg, vermomd als arbeider. Een reeks demonstraties was uit de hand gelopen, de bolsjewieken hadden zich er niet voldoende van kunnen distantiëren, Lenin zelf was een paar dagen met vakantie, en de 'revolutiepoging' mondde uit in een plunderpartij. De stemming jegens Lenin en de zijnen sloeg helemaal om toen de Voorlopige Regering aanwijzingen publiceerde over mogelijke Duitse hulp aan de bolsjewieken.

Op een rechtszaak wilde Lenin het niet laten aankomen. Hij vond zijn leven en denken te belangrijk om de martelaar uit te hangen, en bovendien was hij in de praktijk minder dapper dan in theorie. Vandaar dat hij maakte dat hij wegkwam, samen met zijn oude makker Grigori Zinovjev. Hij bivakkeerde vier dagen in de boerenschuur. Daarna werd hij door de arbeider Nikolaj Jemeljanov het meer van Razliv overgeroeid en korte tijd in een strohut verstopt. Vervolgens trok de grote leider zich een poosje terug in Finland, totdat de hele affaire was afgekoeld. Meer was het niet.

De bolsjewieken hadden een uitstekend gevoel voor theater, en ze beseften dat hun ideologie voor de Russen alleen acceptabel was als ze die omsmeedden tot een nieuwe religie. De vroege dood van Lenin kwam wat dat betreft als geroepen. In het Museum voor Politieke Geschiedenis zag ik een groot schilderij van een kamer vol arbeiders, vlak voor het begin van een staking. Ze zaten erbij als de discipelen bij het Laatste Avondmaal. In het Smolny-instituut worden Lenins hemden gekoesterd als relikwieën. Zo is ook Lenins officiële levensverhaal door de sovjetschrijvers in grote lijnen gemodelleerd naar het leven van Christus. Net als in de evangeliën was Lenins lot bepaald op het moment van zijn geboorte, en daarmee lag alles vast. Nooit twijfelde hij, nooit vergiste hij zich.

Nu komt één episode in bijna iedere godsdienst voor: de Vlucht van de Profeet voor het Kwade. Het marxisme-leninisme moest ook zoiets hebben. Daarvoor werden die dagen in Razliv gebruikt. Al kort na Lenins dood werd bij de strohut een monument geplaatst. Er werd een museum gebouwd met onder andere Lenins kussen en dekbed ('Kopie' staat er braaf bij de huidige voorwerpen). Razliv werd zo een bloeiend bedevaartsoord, waar ieder jaar drommen mensen kwamen kijken en waar de legende in boeken en prullen werd uitgevent.

Na een halve eeuw was de originele boerenschuur totaal versleten en verrot. In het diepste geheim werd daarom in 1970 Lenins schuilplaats gesloopt. Daarna werd het hele geval weer opgebouwd in de oude stijl, maar wel fonkelnieuw. Rondom het huisje werd bovendien een soort grote glazen doos geconstrueerd, zoals dat bij heilige plaatsen wel vaker gebeurt. We bekijken het interieur: een tafel, een bed, een samovar, een stoel voor het raam, een theeglas met vier dode vliegen, een achterstuk met plaats voor één koe. Lenins stal van Bethlehem.

Jemeljanov, de enige echte arbeider in het hele verhaal, vervloekte naderhand de dag dat hij Lenin had overgeroeid. Hij werd van kamp naar kamp gesleept. 'Stalin was er ook bij, bij die vlucht in de boot,' zeiden de partijchefs jarenlang, maar Jemeljanov wist dat het in werkelijkheid Stalins rivaal Grigori Zinovjev was. Dat was voldoende om de arme man het leven eeuwig zuur te maken. Hij stierf in 1958. Zelfs na zijn dood werd nog met hem omgesold. De arbeiders van de nabijgelegen fabriek wilden hem op hun schouders naar de begraafplaats dragen, maar om een of andere reden besloot het lokale partijcomité dat hij clandestien begraven moest worden. Het werd uiteindelijk een heel getrek: de politie wilde zijn kist in een vrachtauto duwen, de arbeiders trokken hem er weer uit.

'Christus nog aan toe,' zei de buurman die ons het verhaal vertelde. 'Het was alsof Jemeljanov nog in leven was. Eerst in de gevangenis, dan er weer uit, dan er weer in. Goeie genade, wat een bestaan!'

In het bos om het huisje in de glazen doos spelen kinderen in de sneeuw. Rook kringelt uit de schoorstenen. We wandelen wat rond. Joeri vertelt hoe hij vorige week ontdekte dat in de nieuwste editie van de *Grote Russische Filosofische Encyclopedie* na McLuhan en Marcuse Karl Marx niet meer wordt vermeld. 'Is Marx opeens geen filosoof meer? Ik heb de lijst met medewerkers aan de encyclopedie eens nagelopen. Nog altijd dezelfde mensen als uit de communistentijd. En nog altijd even vlug met het rode potlood!'

De Mercedessen en de Amerikaanse terreinwagens van de huidige bewoners van Razliv rijden af en aan. De strohut werd tot in de jaren tachtig ieder voorjaar weer opgebouwd. Maar na de *perestrojka* is er zo vaak de brand in gestoken dat men er maar mee is gestopt. De overige bedevaartsoorden in deze streek trekken weinig bezoekers meer, al worden ze nog wel allemaal keurig in stand gehouden. Het ongeloof viert hoogtij.

's Avonds eten we samen met Jelena, de moeder van Joeri. Op de kast staat haar jeugdportret: een klein, helder meisje met een wit kanten kraagje en een grote strik in het haar. Nu is ze negenentachtig. Ze vraagt wat we hebben gezien. 'Ah, de Februarirevolutie van 1917, dat weet ik nog goed. Ik was toen zeven. De straten waren vol vrolijke mensen die arm in arm demonstreerden, met rode vlaggen en kokardes. Iedereen was blij. Ik weet nog dat ik stond te kijken, en opeens zag ik daar mijn eigen vader lopen, zwaaiend en lachend. Nee, niemand hield van de tsaar. Als het daarbij was gebleven, was alles goed gegaan.'

'Hou op,' moppert Joeri. 'Die Voorlopige Regering was een verlamd gezelschap, en de sovjets durfden hun handen al helemaal niet te branden aan de macht. Ze hadden hun leven lang oppositie gevoerd tegen elke vorm van regering, en de meesten zagen zichzelf niet van de ene dag op de andere veranderen in gezagdragers, in welke vorm ook.'

Het opvallende is dat Jelena, ondanks haar uitstekende geheugen, zich niets herinnert van de Oktoberrevolutie, ruim een halfjaar later. 'Zie je wel,' zegt Joeri. 'Het was ook helemaal geen revolutie. Dat was alleen maar een coup.' 'Ons soort mensen wist nauwelijks iets van de bolsjewieken,' roept Jelena. 'Mijn oom kwam 's nachts van een feest, hij werd tegengehouden op een brug, met het excuus: er is weer revolutie. Het kwam totaal onverwacht. En dat is het altijd gebleven!'

Met een half oog kijken we naar de televisie. Het journaal toont een eenzame invalide man die met schakelaartjes, touwtjes en elastiekjes zijn hele huis heeft gemechaniseerd. Zelfs de gordijnen schuift hij open en dicht vanuit zijn stoel. We zien de Russische regering in vergadering bijeen. Voor alle ministers staat een flesje Coca-Cola. Vervolgens voert de president voor de camera's een merkwaardig gesprek met zijn premier, meer een monoloog eigenlijk. Ik versta er niets van, maar het is duidelijk dat de man nauwelijks op zijn benen kan staan, bijna niet uit zijn woorden komt en stuitert van de medicijnen. Volgende week treedt Polen toe tot de NAVO.

Het hart van het oude regime was het Winterpaleis, met zijn 1057 kristallen kamers en 117 gouden trappen een gigantische bijenkorf waar zo'n vierduizend hovelingen leefden en streefden, zoemend rondom het absolute machtscentrum, de tsaar. Het was het theater van de macht, en het was in 1917 uiteraard het theater van de revolutie.

Een zomer lang fungeerde het paleis als de zetel van de Voorlopige Regering onder leiding van premier Aleksandr Kerenski. In de vergulde zalen werd eindeloos beraadslaagd. Kerenski's toenmalige secretaris, Pitirim Sorokin, beschreef hem in die dagen als iemand met 'een gruwelijke afkeer van gezag, dwang en wreedheid. [...] Hij denkt dat het heel wel mogelijk is te regeren door middel van vriendelijke woorden en verheven gevoelens. Een goed mens maar een zwak leider. In wezen het toonbeeld van de Russische intelligentsia.' Het Winterpaleis was de hoofdprijs van de bolsjewieken, hét symbool voor alles wat niet deugde aan Rusland.

Nu, ruim tachtig jaar later, leidt Joeri Klejner me rond. Zijn vader werkte er decennialang als hoofd van de technische dienst. Voor hem is het een tweede huis. Hij toont me de zonnige winterserre met het uitzicht op de Neva, de hangende tuinen op de daken, compleet met bomen, de immense marmeren troonzaal, de vloeren, ingelegd met dozijnen houtsoorten en de uitbundigste gouden koets die ik ooit zag. De keizerlijke adelaars op de gouden kroonluchters hebben de revolutie overleefd, net als de ijzeren kleerhaken in de lokalen van de tsaristische wachtbataljons. 'Er is hier sinds 1917 niet bijster veel veranderd,' weet Joeri. 'Het paleis werd vrijwel direct tot museum gebombardeerd.' In het voormalige privéappartement van Nicolaas II hangen nu de Picasso's. Sommige kamers bieden een prachtig uitzicht op het plein, voor de rest zijn het lage, sobere ruimtes.

In de hal staat een grote marmeren steen met het opschrift: 'Ter herinnering aan de bestorming van de revolutionaire arbeiders, soldaten en zeelieden op de avond van de 26ste oktober...'

Joeri laat me een paar smalle trappen bij een zij-uitgang zien. 'Als er al ergens is gevochten, dan is het hier. In alle sovjetfilms zie je soldaten de centrale trappen op rennen en met veel geknal dekking zoeken achter de pilaren. Die beelden zijn in onze collectieve herinnering gebrand. In werkelijkheid is niets van dat alles gebeurd. Van een echte bestorming was geen sprake. Het ging allemaal heel vlug. Alle centrale punten in de stad, de stations, de elektriciteitscentrale, de telefoon, het was allemaal al in handen van de bolsjewieken. Het leven op straat ging gewoon door, trams reden, restaurants bleven open. Het was ook helemaal geen massa-oproer. Dat zie je aan de foto's van de Oktoberrevolutie, hoe weinig mensen daar eigenlijk op staan.'

Joeri benadrukt het telkens weer: de enige echte revolutie van 1917 was de Februarirevolutie, de omwenteling van de mensjewieken en de socialisten-revolutionairen, westers georiënteerde intellectuelen die Rusland geleidelijk wilden omvormen tot een Europese democratie. De Oktoberrevolutie van de bolsjewieken (voor het Westen Novemberrevolutie, vanwege het kalenderverschil) was in alle opzichten een geforceerde, onnatuurlijke beweging. Hun coup zou uiteindelijk de weg vrijmaken voor het oosterse despotisme waar tsaar Nicolaas II al van droomde, maar dan achter een socialistische façade.

'Kijk eens hoe gemakkelijk het was: één man met een machinegeweer op die trap, een ander op die overloop, en er zou nooit een bestorming van het Winterpaleis zijn geweest. Maar het was een chaos. Kerenski was de stad al uit gevlucht. De rest van de Voorlopige Regering zat in het Winterpaleis, zonder licht, zonder telefoon, niet wetend wat te doen. Het gebouw werd verdedigd door een bataljon vrouwen en cadetten. Een paar bolsjewistische commissarissen drongen gewoon via een zijtrap naar binnen, een stel soldaten volgde hen, het begin van een plundering werd gestopt. Daarna kwamen de commissarissen door de grote voordeur weer naar buiten en zeiden tegen de menigte: "Ga naar huis, het is voorbij."'

En het wereldberoemde schot van de kruiser Aurora waarmee de revolutie zou zijn begonnen? 'Dat was een eenmalige losse flodder, dat had helemaal niks te betekenen. Een nagemaakte Aurora ligt nog steeds in de Neva, die kun je van hieruit zien. Allemaal nep. De bolsjewieken hebben het nooit van de inhoud moeten hebben, het was altijd theater.' Joeri Klejner vertelt hoe de paleisgidsen de laatste jaren probeerden het echte verhaal te vertellen. Ze zijn er weer mee gestopt omdat ze te veel klachten kregen. 'Tegenwoordig staan ze dus weer bij de Jordaantrappen, tot hun knieën in het bloed.'

Hij toont me de Malachieten Zaal met zijn enorme groene malachieten zuilen en het uitzicht op de rivier. 'Hier vergaderde de Voorlopige Regering voor het laatst. De ministers werden daarna gearresteerd in de privé-eetkamer ernaast. Er is in de jaren vijftig nog eens een oude man langsgekomen die pertinent deze kamer wilde zien. "Weet u, ze hebben mij daar ooit opgepakt." "Wanneer dan?" "In 1917." Hij bleek onderminister van Spoorwegen van de Voorlopige Regering te zijn geweest, niet belangrijk genoeg om hem te vermoorden.' De klok in de zijkamer is stilgezet op het moment van de arrestatie, twintig voor twee 's nachts.

De ministers van de Voorlopige Regering werden afgevoerd naar de Petrus-en-Paulusvesting, net als talloze anderen. 'Het winterseizoen in het kuuroord Petrus-en-Paulusvesting is schitterend begonnen,' schreef het satirische blaadje *Des Duivels Peperbus*, begin 1918. 'Vooraanstaande ministers, staatslieden, politici, volksvertegenwoordigers, schrijvers en andere prominente personen uit de tsaristische en de Voorlopige Regering, leden van de Sovjets en de Constituerende Vergadering, leiders van de monarchisten, constitutioneel-democraten, sociaal-democraten en sociaal-revolutionairen zijn gearriveerd in dit beroemde vakantieoord met zijn bekende kuurmethoden – koude, honger en gedwongen rust, van tijd tot tijd onderbroken door chirurgische ingrepen, slachtingen en andere opwindende gebeurtenissen.'

Ondertussen viel het oude Rusland uiteen. Op 3 maart 1918 sloten de bolsjewieken met de Duitsers 'de beschamende vrede' van Brest-Litovsk. Het rijk raakte Finland, Russisch Polen, de Oostzeeprovincies en de Oekraïne kwijt. Ruslands 'warme' verbindingen met Europa via de Oostzee en de Zwarte Zee werden afgesneden. Het land verloor 32 procent van zijn landbouwgebieden, 34 procent van de bevolking, 54 procent van de industrie, 89 procent van de kolenmijnen. De vrede was zo vernederend dat de partijtop bijna besloot om de oorlog met Duitsland te hervatten. Lenin wist dat tegen te houden, met slechts één stem verschil. Zijn Duitse financiers konden tevreden zijn. Als Europese macht had het Russische imperium afgedaan.

Er braken hongersnoden uit, en tegelijk werden er twee burgeroorlogen uitgevochten: die tussen de 'Roden' en de 'Witten' (inclusief talloze sociaal-democraten), en die tussen het centrale Rusland en de krijgsheren in de Oekraïne en de Kaukasus. Tussen 1918 en 1919 werden in Zuid-Rusland en de Oekraïne zeker honderdduizend joden door de Witten vermoord. Kiev wisselde tussen eind 1918 en de zomer van 1920 zestien keer van regime. In 1921 was de totale Russische voedselproductie gedaald tot de helft van die in 1913. Tussen 1917 en 1920 nam het bevolkingsaantal van Moskou met de helft af, dat van Petrograd met tweederde.

Lenin maakte van de wanorde gebruik om direct een begin te maken met een landbouwhervorming. 'Hang (en zorg ervoor dat het hangen plaatsvindt in het volle zicht van de mensen) niet minder dan honderd bekende koelakken op, rijke mannen, bloedzuigers,' instrueerde hij in een brief aan de bolsjewieken van een opstandig buitengewest. 'Doe het op zo'n manier dat honderden kilometers in de omtrek de mensen zien, beven, weten, roepen: *ze wurgen ze*, en ze zullen ze wurgen tot de dood erop volgt, die bloedzuigende koelakken [...]. Zorg dat er een paar werkelijk harde figuren bij zitten.'⁴

Al in augustus 1918 liet hij voor 'onbetrouwbare elementen' de eerste dwangarbeiderskampen bouwen. Vier jaar later waren er vierentachtig, met ruim tachtigduizend gevangenen, meer dan er ooit in de tsaristische tijd waren opgepakt. Lenins geheime dienst, de Tsjeka, was tijdens zijn regeringsperiode vermoedelijk verantwoordelijk voor zo'n tweehonderdduizend executies. De Tsjeka kreeg in 1922 een andere naam, maar tijdens deze korte periode riepen 'deze twee lettergrepen' – in de woorden van de schrijver Ilja Ehrenburg – 'bij iedere burger die de revolutie doorleefde zoveel angst en emotie op' dat ze nooit werden vergeten. Er vielen in de chaotische jaren tussen 1917 en 1922 naar schatting drie tot vijf miljoen doden. Zo maakte Rusland zich los van Europa.

'Ik zal je nu een persoonlijk verhaal vertellen,' zegt Joeri als we buiten staan, op het plein voor het Winterpaleis. 'Mijn vader was in het begin van de jaren vijftig verantwoordelijk voor alle technische zaken in de Hermitage. Bij massademonstraties op dit plein moest hij ervoor zorgen dat die beelden daar niet van het dak zouden tuimelen. En die enorme zuil mocht natuurlijk ook niet omvallen. Zo'n ongeluk zou weliswaar een idioot toeval zijn, maar áls er wat zou gebeuren dan heette dat "sabotage", en dan moest er iemand verantwoordelijk zijn. Dat was dus mijn vader, een zondebok bij voorbaat. Zo zat het sovjetsysteem in elkaar.

En dus klom mijn vader twee keer per jaar met de andere verantwoordelijke man, de hoofdarchitect van de stad, op deze zuil en op het dak, ze keken eens rond, mompelden tegen elkaar dat het toch allemaal onzin was en dronken samen een glas. Zo zat het sovjetsysteem ook in elkaar.

Ieder jaar werd hier op de 1ste mei en de 7de november een grote parade met demonstratie gehouden. Televisie was er nog niet, dus iedereen wilde daarbij zijn. Dankzij die merkwaardige verantwoordelijkheid voor dak en zuil stond mijn vader op goede voet met de veiligheidsdienst van het Winterpaleis, en daardoor kregen we op een dag toestemming om de parade vanuit het paleis te zien. Ik mocht zelfs een vriendje meenemen.

Zo stonden we daar op 7 november 1952 voor het raam, met wat families, plus de onvermijdelijke stille agent. Ik was zes, mijn vriendje zeven. Er werden grote portretten rondgedragen. Ik hield van kameraad Stalin, verder wist ik niets van politiek. Maar mijn vriendje wilde laten zien hoe slim hij was en vroeg opeens aan mijn vader: "Aleksander Aleksandrovitsj, als Stalin sterft, wie volgt hem dan op?" Nu was het idee dat Stalin zou sterven al taboe, en praten over zijn opvolging was niet minder dan een doodzonde. Mijn vader trok wit weg. Later vertelde hij me dat de stille agent de opmerking duidelijk had gehoord en dat zich over het gezicht van die man een heel scala van gevoelens had afgetekend. Eerst: Moet ik die man arresteren? Dan: Het is toch maar een kind. Ten slotte: Zal ik het dan maar niet gehoord hebben?

Mijn vader heeft een week lang wakker gelegen. Toen hij het mij vertelde, jaren later, vertrok zijn gezicht nog.'

5

Het Varsjavski-station van Sint-Petersburg is nauwelijks een station te noemen. Het is eerder een onbestemde vlakte waarop je moeizaam je weg zoekt, doorsneden met rails en hier en daar een laag perron. De locomotieven ronken van achter hun sneeuwsnorren en de wagons staan te walmen omdat de kolenkachels worden opgestookt voor een nieuwe reis, maar binnen is het één en al knusheid. De vaste bemoeister van onze wagon heeft zich in het laatste compartiment gevestigd. Waarom zou ze nog ergens anders willen zijn? Haar hele bestaan ligt in haar rijdende huisje, met gekleurde kussens, bloemetjes, eigen gordijnen, een icoon aan de wand en een fluitketel op de kachel. Altijd op weg.

Ons eersteklascompartiment is ook zo'n salonnetje, met twee bedbanken van pluche, rode gordijnen, witte vitrage en plastic bloemen op tafel. Mijn enige medepassagier, Andrej Morozov, handelt in scheepsbenodigdheden. De trein gaat rijden, buiten is het niets dan witte onherbergzaamheid, een enkele schoorsteen, uit de luidsprekers klinken zacht Russische liederen, al gauw valt de schemering in.

We drinken dus samen twee flesjes wodka leeg. We praten eerst over Andrejs dertienjarige dochter en haar lijfblad *Callgirl*. Dan hebben we het over de lichtheid van Poesjkin. Ten slotte informeert hij me uitvoerig over de eigenaardigheden van de treinhoeren in Litouwen.

Een wagon verder zit of ligt iedereen op uitgeklapte planken: boeren met rode koppen, verlegen soldaten en gerimpelde grootmoeders. Mijn bed schudt zachtjes, de koppelingen kraken, ergens ver uit de corridor klinkt een accordeon, aan de andere kant van het raam glijdt de eindeloze sneeuw voorbij, de lantaarns van een slapend dorp, daarboven de sterren.

In Vilnius stap ik uit. Halfvijf in de ochtend. Het is er doodstil.

Bij het station, half op de rails, kijken vier grijze mannen naar de lichten en de trein, hun gezichten strak van de kou, visgerei in de hand. Ze zeggen geen woord. Dan loop ik door de hoofdstraat en overal zijn er opeens Duitse huizen, Amerikaanse reclames, Italiaanse cafés en Zweedse hotels, alsof deze binnenstad door een onzichtbare stolp van de winter is gescheiden.

Ik neem mijn intrek in Hotel Neringa. Een paar uur later word ik wakker door het gekreun van mijn buurman en een paar keffende gilletjes van een van de hoteldames. Daarna is het een poosje stil, en dan zingen ze samen een liedje, een mooi melancholiek liedje in een onverstaanbare taal. Ondertussen lig ik onwennig in een westers bed met zachte kussens naast een douche waar helder water uit komt. Zoals mijn matras soepel terugveert, zo lijkt deze hele stad van het ene moment op het andere te zijn teruggesprongen naar het Europese leven, alsof er nooit iets anders is geweest. Toch is het nog maar tien jaar geleden dat ze hier voor het eerst weer openlijk Kerstmis durfden vieren. En dat ze die menselijke ketting spanden, dwars door de drie Oostzeestaten, zeshonderdvijftig kilometer lang, twee miljoen deelnemers. En dat ze bij de televisietoren van Vilnius fel met sovjettroepen vochten, dat is ook nog maar nog acht jaar geleden. Lenin stond al die tijd rustig op het Lukiškiu-plein te kijken.

Het is alweer eeuwen voorbij. In de hoofdstraat van Vilnius heeft de westerse tuttigheid met volle kracht toegeslagen. De gele muren zijn strak gestuukt, de oude ornamenten zien eruit als nieuw en Adidas, Benetton en andere bekenden lachen je toe. Halverwege staat de grote burgerschrik: zes jongens, twee meisjes en één gitaar, korte leren jasjes vol glimmende klinknagels, daarboven zachte blozende gezichtjes.

Met veel Europees geld is deze binnenstad verbouwd tot een kleine etalage, een baken van westerse welvaart. In hun enthousiasme hebben de Litouwers zich vorig jaar zelfs de West-Europese tijd aangemeten, met als gevolg dat hun avonden 's winters al rond een uur of vier beginnen. Maar het West-Europese beeld van de stad voelt broos aan. Zodra je een brug oversteekt ben je in de oude buurt Uzupis, het Quartier Latin van Vilnius, vol modder, afgebladderde muren, taferelen uit de boeken van Victor Hugo en Émile Zola, zelfs het rottende stro ontbreekt niet op de binnenplaatsen. Buiten de stad staan overal houten huizen, bedekt met verroeste ijzeren golfplaten, enkele balkons zijn half weggerot, rook uit de schoorsteen, een kar met een paard, kraaien op de kale velden, heel veel kraaien, kraaienland is het hier. In sommige dorpen staat een dichtgetimmerd hok, het restant van een oude, houten synagoge.

In café Afrika verzamelt zich ondertussen dag na dag de jeunesse dorée van Vilnius. Er wordt met grote ernst gerookt, zwijgend koffie gedronken, een Frans chanson beluisterd. Litouwen heeft het hoogste zelfmoordpercentage van Europa.

Het dooit. Het zonlicht op de negentiende-eeuwse straatwanden is op deze maartse dag glashelder en ongenadig. Er rijden niet veel auto's, er lopen een paar mensen die scherpe schaduwen werpen op het trottoir. Ik passeer een handelshuis uit 1902 met opvallende hekken op het dak. Dat pand moet een joodse eigenaar hebben gehad. Het buurhuis heeft in de gevel gestileerde zevenarmige kandelaars. Om de hoek een gebouwtje voor maatschappelijk werk, ooit een cheider, een joods leslokaal.

Vilnius – Wilna in het Duits en Jiddisch – was een volop joodse stad, een eeuwenoud centrum van joodse geleerdheid en cultuur. Er was een joodse universiteit, er verschenen zes joodse dagbladen. Na 1945 werden de joodse grafstenen gebruikt als traptreden voor de nieuwe Vakbondshal. Nu is er een klein joods museum met twee thorarollen, wat resten van een lessenaar, een paar portretten en een handvol herdenkingsplaten. Veel meer is het niet.

Vlak bij mijn hotel staat een zwaarmoedig overheidsgebouw, een soort belastingkantoor, een solide brok steen met enorme deuren, stoepen, trappen en galerijen. De voorgevel heeft iets van een tempel met Griekse zuilen. Het had een gymnasium kunnen zijn, of een ministerie, of de zetel van een districtsbestuur. Het is zo'n negentiende-eeuws staatsgebouw zoals er in Europa honderden zijn. Aan de voorkant zijn lege vlakken zichtbaar, de plekken waar adelaars, schilden, hakenkruisen, hamers-en-sikkels elkaar opvolgden. Verder is het uiterlijk in de loop der jaren nauwelijks veranderd.

In 1899 werd het neergezet als gerechtsgebouw van het gouvernement Vilnius van het Russische rijk. Zo heeft het gefungeerd tot 1915. Daarna werd het een Duits gerechtsgebouw: de oorspronkelijke inwoners van Vilnius vielen onder het Berlijnse oorlogsrecht, de Duitsers genoten alle voorrechten van de nieuwe kolonisator. Van januari tot april 1919 resideerde hier een bolsjewistisch revolutionair tribunaal. Even wapperde er de Poolse vlag, daarna is twintig jaar lang recht gesproken in naam van een onafhankelijk Litouwen. Tussen 1940 en 1941 werden de zalen, gangen en cellen gebruikt door de rechters en beulen van de Sovjet-Unie, met name die van de geheime dienst, de NKVD. In 1941 werd het gebouw hoofdkwartier van de Gestapo, de Sicherheitsdienst en de beruchte Litouwse Sonderkommandos. Na 1944 pakte de NKVD, later de KGB, hier zijn bezigheden weer op. Dat duurde tot augustus 1991. Nu is het een museum.

Het oude gerechtsgebouw heeft de hele gang van de Baltische staten door de twintigste eeuw meebeleefd. Litouwen heeft op dit moment ruim drieënhalf miljoen inwoners, Letland tweeënhalf miljoen (voor een derde trouwens Russen), Estland maar anderhalf miljoen (bijna de helft Russen). Net als in de Benelux komen ook in de drie Baltische staten de breuklijnen tussen een aantal Europese cultuurgebieden samen. Litouwen vormt het laatste restant van een machtig Midden-Europees rijk dat zich ooit uitstrekte tot aan de Zwarte Zee. Vilnius, Minsk en Kiev, ze werden in de vijftiende eeuw geregeerd door dezelfde vorsten. Estland hoorde meer tot de Scandinavische wereld; het was respectievelijk Deens, Duits, Zweeds en Russisch bezit.

Voor Letland was de 'Drang nach Osten' bepalend. Al vanaf de twaalfde eeuw was dit ongekerstende, heidense Koerland roofgebied van Pruisische kruisridders, en de nazaten van deze Teutoonse Orde – met namen als Von Lieven, Von der Pahlen en Von Behr – heersten tot in de twintigste eeuw over hun enorme landgoederen. Officieel was het gebied een onderdeel van het tsarenrijk, officieus was het een belangrijke Duitse kolonie.

Vilnius lag zo'n beetje tussen alles in: 40 procent van de bevolking was joods, 30 procent Pools, 2 procent bestond uit Litouwers. Zo lagen de verhoudingen toen dat oude gerechtsgebouw werd opgetrokken.

In 1918 grepen de bolsjewieken in de Baltische Staten de macht. Ze plunderden landgoederen, vermoordden een paar duizend burgers en vestigden een 'volkstribunaal' in het gerechtsgebouw. Al snel werden ze weggejaagd door een gezamenlijk legertje van Duitse grondbezitters en Baltische nationalisten. Nu begonnen de zuiveringen aan de andere kant: duizenden al of niet vermeende bolsjewieken werden zonder vorm van proces neergeschoten. De Franse gezant meldde dat in de Centrale Gevangenis van Riga iedere ochtend minstens vijftig executies plaatsvonden. Zo ontstonden cycli van moordpartijen van links naar rechts, die zich in de daaropvolgende decennia telkens weer zouden herhalen.

In 1920 erkende de Sovjet-Unie de onafhankelijkheid van de Baltische staten 'tot in alle eeuwigheid'. Het gebouw werd weer een keurig gerechtshof. Letland had inmiddels 40 procent van de bevolking verloren aan oorlogen, hongersnoden en emigratie. De handelsstroom via de haven van Riga was in 1926 nog maar een tiende van die van 1913. Hele fabrieken waren naar Rusland 'geëmigreerd'. Honderden Duitse landgoederen werden onder de kleine boeren verdeeld, en de Lievens en de Behrs trokken weg, vol bitterheid.

Geen enkele grote mogendheid beschermde de drie kleine landen. Toen een jeugdige Britse diplomaat het in 1919 op de Parijse vredesconferentie voor Estland en Letland opnam, leidde de Britse chef-staf, sir Henry H. Wilson, hem naar de enorme wandkaart van het Russische rijk. 'Kijk eens, jongeman,' zei hij. 'Kijk eens naar die kleine vlekjes. En kijk eens naar dat enorme land erachter. Hoe kunnen ze hopen dat ze niet opgeslokt worden?'

Nu dwaal ik door de kelders van dat oude gerechtsgebouw. Alles is er nog: de poeptonnen van de NKVD, de luikjes van de Gestapo, de gecapitonneerde deuren om het schreeuwen te dempen. Ik zie de 'kleine cel': officieel voor de opsluiting van één man, in werkelijkheid werden er regelmatig tien tot twintig mensen in geperst. De planken bedden, vanaf 1947 (tot die tijd werd op de stenen geslapen). De lampen, die vierentwintig uur per dag brandden. Er hangt een foto van een jong meisje met een ferme pet op het hoofd, half zittend, half liggend tegen een planken wand, een verrekijker op schoot. Ze is dood, haar borst is doorzeefd. Ze hoorde bij het Litouwse partizanenleger dat tot 1953 een guerrilla voerde tegen de sovjets. Deze Woudbroeders gingen ervan uit dat Litouwen volkenrechtelijk nog steeds onafhankelijk was. Ze hadden een ondergrondse regering met eigen wetten en een eigen bestuur. Rechtbanken werden bezet om te zorgen dat de sovjetwetten niet nageleefd konden worden. Zo'n twintigduizend Litouwers sneuvelden. Gemiddeld bleef een partizaan twee tot drie jaar in leven. De meesten waren jonger dan eenentwintig.

Een paar cellen zijn vergrendeld. Achter de deuren liggen de stoffelijke overschotten van een massaslachting van de KGB, waarbij ruim zevenhonderd Litouwse parlementsleden, priesters en andere prominente figuren werden omgebracht. De lichamen zijn in 1993 en 1994 opgegraven, slechts een stuk of veertig zijn tot nu toe geïdentificeerd.

Er loopt nog één andere bezoeker rond, een oude man. We raken wat aan de praat. Antonnis Verslawskis is hier voor het eerst sinds zijn zeventiende. Ja, hij kent de isolatiecel, hij heeft er eindeloos in het koude water gestaan, totdat hij in elkaar zakte. Zijn Duits komt van ver weg. 'Ik leerde het ooit op het gymnasium, maar ik heb het in geen halve eeuw gesproken.' Hij is vandaag speciaal hiervoor naar Vilnius gekomen, vertelt hij, hij wilde het nog één keer zien. 'Ik zat hier drie maanden in cel 19, in 1948. Met z'n zevenen waren we. Allemaal studenten. Ik zat bij de partizanen.' Hij zucht veel, tikt op zijn borst. 'Emoties, ja.' Hij wijst op de isoleercel. 'Hier zat ik drie dagen. Daarna ging ik voor twintig jaar naar Siberië. Graven. Hakken. Ik was zevenendertig toen ik vrijkwam.' Hij heeft donkere wenkbrauwen en holle ogen. 'Ja, hier begon het. Wat was ik bang!' Hij praat moeizaam, hij moet de Duitse woorden diep uit zijn lijf trekken, en hij raakt steeds meer overstuur.

Een belangrijke politieke barometer voor deze streken is The Baltic Times. Het weekblad, pas drie jaar oud, wordt gemaakt door een dozijn redacteuren in een paar rommelige kamers. Een kleine greep uit het nieuws van deze week: 'Presidente Letse Vereniging van Modellen gearresteerd wegens drugssmokkel', 'Veteranenparade van Waffen-SS verdeelt Letland'; 'Parlement Estland breidt taaleisen uit: alle Russische zakenlieden, ambtenaren, kelners en artsen moeten voortaan de Estse taal beheersen'.

Er is een bericht over anti-semitische posters op de Litouwse ambassade in Warschau. De tekst: 'Alle misdaden worden ingeblazen door joodse vrijmetselaars, en worden geleid door joden.' Een demonstratie van bejaarden: 'Mijn pensioen is net voldoende om de verwarming te betalen, maar de gemeenteraad van Riga kan het allemaal niets schelen. Waarvan moet ik eten?' De burgemeester van Visaginas heeft zich opgehangen: er was een onderzoek naar hem gestart wegens corruptie en 'pro-Moskou activiteiten'. Een reportage uit de Estse provinciestad Polva. De landbouw is zijn Russische afzetmarkt kwijtgeraakt. 'Werkloosheid, armoede, de jeugd vertrekt in drommen. De bewoners, ongerust over hun toekomst, durven geen kinderen meer te krijgen.' De premier van Letland, Vilis Kristopans, wordt geïnterviewd: 'Als u wilt weten hoe Letland eruit zou moeten zien, kijk naar Nederland.'

Steven Johnson, een jonge Amerikaan, is sinds twee jaar hoofdredacteur. De zogenaamde eenheid van de Baltische staten bestaat alleen uit de verte, vindt hij. 'Neem alleen de hoofdsteden. Vilnius is gebouwd als de hoofdstad van een groot rijk, Litouwen. Tallinn is en blijft een opgeblazen Deens dorp, net zo Scandinavisch als de rest van Estland. Letland was altijd een halve Pruisische buitenprovincie, en ook dat zie je: Riga is een echte Duitse handelsstad, altijd geweest.'

De laatste jaren komen de verschillen volgens Johnson steeds duidelijker naar boven. Estland wist direct na 1989 een uitstekend imago op te bouwen in het Westen en het loopt dan ook ver voorop. Litouwen was tot 1996 nog half communistisch. 'De drie landen werken nu wel aan een soort economische gemeenschap, maar ze ontwikkelen zich in een heel verschillend tempo. En daar vloeien veel spanningen uit voort. Regelmatig hoor je Esten in Riga of Vilnius roepen: "Wat moeten we toch met die mensen!"'

En de Russen? 'Die verwevenheid is, na al die jaren, ingewikkelder dan ooit. Ik ken een Letse stad, in het zuidoosten, waar 85 procent van de bevolking Russisch spreekt. In datzelfde gebied heb je een stadje dat draait op één melkfabriek, die het helemaal moet hebben van de zuivelconsumptie van een aantal Russische steden. Nog steeds lukt het, maar hoe lang gaat dat goed?'

Volgens Steven Johnson zijn ook in dit opzicht de verschillen tussen de Oostzeestaten groot. 'Letland heeft altijd de slechtste relaties met Rusland gehad, Litouwen de beste. Litouwen heeft direct na de onafhankelijkheid alle Russen burgerrechten gegeven. In Letland konden alleen Russen tussen de vijftien en dertig zich laten naturaliseren. Maar als je eenendertig was, en je moedertaal was toevallig Russisch, dan ging het feest niet door, al had je hier je hele leven gewoond. Letse Russen hebben het nog altijd niet makkelijk: ze hebben minder pensioenrechten, weinig of geen sociale voorzieningen, en ze hebben niets te vertellen.' Letland wil zich vooral op de zee richten en de rest vergeten, meent Johnson. 'De president praat voortdurend over de Noordse Zes. De Oostzee moet in zijn ogen de Noordelijke Middellandse Zee worden.'

Ik vraag hem naar de kwestie met de SS-veteranen, die deze weken vrolijk door Riga konden marcheren. 'Die veteranen zeggen dat ze niet voor Hitler vochten, maar voor een onafhankelijk Letland. De Letten hebben inderdaad een heel ingewikkelde en op zichzelf staande geschiedenis, maar hier zitten ze flink mee in hun maag. Voor hen is dit absoluut geen morele kwestie. Ze zien het enkel als een public-relations-probleem. Hun imago in West-Europa mag niet aangetast worden.'

Volgens Steven Johnson is de jeugd in deze contreien vol optimisme. De oudere generaties laten alle veranderingen apathisch over zich heen komen. 'Die mensen zijn cynisch geworden, die hebben te veel meegemaakt, die wantrouwen iedereen, inclusief het Westen. De laatste keer dat de Oostzeestaten onafhankelijk waren, duurde het feest maar zo'n twintig jaar. Toen werden ze alweer opgeslokt door Rusland, bij het Molotov-Ribbentrop-pact. Het Westen heeft nooit een vinger uitgestoken. Dat zijn ze niet vergeten.'

Riga heeft iets intiems, en tegelijk het transparante van de zee. Het is een echte Hanzestad, met een vleug Denemarken, en soms een stuk Deventer. Ook hier is in tien jaar tijd een fantastische Potemkinstad geschapen. Het centrum is omgetoverd tot een sfeervol oord vol aangename straatjes, gevels, restaurants en grands-cafés. Op een kleinere schaal is hetzelfde gebeurd als in Sint-Petersburg: door de armoede is in het centrum na 1918 weinig gebouwd en gesloopt, zodat er nog steeds een vrijwel gave stad uit 1900 ligt.

Het is vandaag de eerste lentedag in Riga, de eerste dag waarop de Letten in de zon op een bankje kunnen zitten. Iedereen loopt tussen de kale bomen te flaneren: een lange man met een snor en een alpinopet, een joodse vrouw met een bonthoed en een stola, een dronken arbeider met een gescheurde broek en halve schoenen.

In al dit soort Europese steden bestaat een Ring of een Sarphatistraat, korte of langere stukjes allure. Ook hier. In een verroest balkonhek staat het jaartal 1879 geschreven en ik denk: Wie hebben hier achter dit jaartal allemaal gewoond, in 1918, 1920, 1940, 1941, 1944, 1989? Een joodse zakenman, Duitse officieren, een sovjetambtenaar met zijn gezin?

Nooit waren de Baltische staten lang onafhankelijk. In 1939

werden ze alweer verdeeld tussen Hitler en Stalin, toen die hun toekomstige invloedssferen in Europa nauwkeurig vastlegden. De Baltische staten zouden, op bepaalde havens na, onder de sovjets vallen. In de middag en avond van 17 juni 1940, toen de aandacht van de hele wereld gericht was op de Duitse bezetting van Parijs, rolden de Russische tanks in een eindeloze colonne Riga binnen. Na een jaar waren er meer dan zeshonderdvijftigduizend sovjetmilitairen in de Baltische staten gelegerd. Er werd hevig geplunderd. Honderden 'vijanden van het volk' werden tegen de muur gezet. In de nacht van 13 op 14 juni 1941 werden in Litouwen ruim twintigduizend mensen opgepakt en in veewagons gedeporteerd naar de verste uithoeken van de Sovjet-Unie. In Letland werden diezelfde nacht vijftienduizend mensen opgepakt, in Estland elfduizend. Slechts enkele duizenden kwamen uiteindelijk terug.

Na een bezoek aan Litouwen in het voorjaar van 1941 schreef een Amerikaanse diplomaat: 'Mensen hebben geen gelegenheid om hun verwanten te bezoeken nadat deze eenmaal zijn gearresteerd. Ze weten alleen of ze nog in leven zijn zolang de gevangenisautoriteiten doorgaan met het accepteren van kleding en eten voor degenen die vastzitten.'

In het Bezettingsmuseum van Riga staat een originele parasja, de kern van het bestaan in alle sovjetgevangenissen. De parasja – ook wel aangeduid als Rood Moskou, een favoriet merk parfum – was een brede, vrij lage ton met een plank op de rand. In alle cellen, veewagons, scheepsruimen en kampbarakken stond in een hoek die volle bak stront waar van alles uit kon spetteren als iemand erop zat. 'Alle barakken, al onze kleren, zelfs ons eten, alles was doortrokken van die stank,' schreef ex-gevangene Martinus Melluzi naderhand. 'Die stank, die onvoorstelbare goorheid, dat was misschien wel het ergste dat ze ons aandeden.'

In de zomer van 1941 werden de Oostzeestaten bezet door het oprukkende Duitse leger, er volgden drie jaren onder een nazi-bewind, en in 1944 trok het Rode Leger het gebied opnieuw binnen. De sovjets pakten direct het oude gedragspatroon op: plunderingen, verkrachtingen, massa-executies van 'saboteurs', deportaties van 'onverbeterlijke bourgeois'. In het Bezettingsmuseum liggen foto's van de massagraven die later werden opengelegd: half opgeblazen, half vergane gezichten, soms een oog eruit, vaak de mond geopend in een laatste schreeuw.

Geen westers land bekommerde zich om de kleine vlekjes op de Russische kaart. Deze week is het precies vijftig jaar geleden dat gewapende NKVD-mannen hier in de vroege morgen bijna deur aan deur aanklopten. In de laatste dagen van maart 1949 werden alleen al uit Riga veertigduizend mannen, vrouwen en kinderen gedeporteerd naar Siberië, uit alle Oostzeelanden samen honderdvijftigduizend. Uit Litouwen zouden tussen 1947 en 1950 tweehonderdtwintigduizend mensen naar andere delen van de Sovjet-Unie worden verbannen. Bijna een half miljoen Russen werden, omgekeerd, naar de Oostzeestaten overgebracht. Aan het eind van de jaren zeventig vormden de Letten in hun eigen hoofdstad een minderheid.

In het Bezettingsmuseum is een kampbarak nagebouwd. Ik zie er een zelfgemaakte lepel, een uiteengevallen viool, een brief op boomschors geschreven en een boek met afscheidswoorden, in wanhoop uit een deportatietrein gegooid. Er is ook een smalle boekenlegger uit 1946, vol liefde gemaakt in de Centrale Gevangenis van Riga van losgetornde rode draadjes: 'Voor Jüris, van Drosma'. Maar Jüris Mucenieks heeft dit allemaal nooit geweten: hij was al gecrepeerd in de Siberische tajga. Hij was een deel geworden van dat ene cijfer, geschreven bij de uitgang van het museum: 'Tijdens de periodes van sovjet- en Duitse bezetting verloor Letland 550 000 mensen, meer dan een derde van de bevolking. Dit is het getal van de Letten die werden vermoord, in de oorlog sneuvelden, ter dood werden veroordeeld, gedeporteerd, als vluchtelingen over de wereld werden verspreid, of die verdwenen zonder een spoor na te laten.'

Goddank is het geheugen in Riga kort, anders zou het er geen leven zijn. Het is zaterdagavond. Het kraakcafé dat zich Mierikswortelsandwiches noemt maakt furore met oude sovjettroep en goedkope wodka. Restaurant Nostalgia, ooit de verzamelplaats van de sovjetelite, zit bomvol jongeren. De ruimte is ontworpen in een onnavolgbare Stalinstijl, met Romeinse pilaren, dikke kroonluchters, Franse doorkijkjes in het plafond en alles wat de partijparvenu's verder mooi vonden. Na tien jaar is dit voor de Letse jeugd 'vette camp'. Hier moet je zijn, en gezien worden. Ikzelf geef me over aan café Amsterdama. Ik kijk lang naar de twee Amsterdamse stadsgezichten aan de muur en de drie flesjes Grolsch op de tapkast.

Dit is een vreemde stad, bedenk ik, een stad die historische tijdperken wisselt als waren het decorstukken. Ik heb een dikke catalogus meegenomen uit het Bezettingsmuseum, glanzend en kleurig, gesubsidieerd door de Landtag van Mecklenburg-Vor-pommern. Een dunne, goedkope brochure heb ik ook in handen gekregen: The Jews in Riga, uitgegeven door het plaatselijke joodse documentatiecentrum. Ik begin ze te vergelijken. Wat die officiële catalogus – met een woord vooraf van de Letse president – allemaal schrijft over de sovjetbezetting is heel wat, maar het is ook opvallend wat er allemaal níet wordt genoemd.

De bloemen waarmee de Duitse 'bevrijders' in 1941 door de Letten zijn binnengehaald, worden keurig vermeld. Ik lees alles over de plannen van de Duitsers om de Oostzeestaten te 'germaniseren' en opnieuw te koloniseren. De Vrijheidsboulevard in het centrum van Riga werd omgedoopt tot Adolf-Hitler-Strasse, de traditionele feestdagen werden verboden, de economie werd onder Duitse beheerders gesteld, arbeiders werden gedwongen om in Duitsland te werken. Het succes was twijfelachtig. Toen de Nederlandse nazi-leider M.M. Rost van Tonningen ruim een half-jaar na de Duitse 'bevrijding' Estland en Letland bezocht, bespeurde hij overal alweer een 'chauvinistisch nationalisme'.

Over één kwestie lees ik echter nauwelijks iets: de enthousiaste steun die de Duitsers in de Baltische staten kregen bij hun acties tegen de joden. Die morbide geestdrift had alles te maken met de bloedige cyclus van revolutie en contra-revolutie, waarin de mensen hier al decennialang verwikkeld waren. De joodse inwoners – soms communist, soms kapitalist – waren daarvoor ideale zondebokken. In de kern herhaalde zich hier hetzelfde patroon als in Wenen. 'De jood sprak Duits en was soms meer Duits dan de Duitser,' schrijft Modris Eksteins in zijn indrukwekkende persoonlijke geschiedenis van de Baltische staten. 'De jood sprak ook Russisch en kon, opnieuw, een betere vertegenwoordiger zijn van de Russische cultuur dan de Rus. De jood was een stedeling, een kosmopoliet. De jood was van alles, maar in de ogen van veel Letten, gevangen in een stemming van groeiende paranoia en ruw nationalisme, vertegenwoordigde hij alles wat vreemd was, alles wat gevaarlijk was.'

Nogal wat joden waren bovendien prominent aanwezig in het bolsjewistische bewind. Eksteins haalt een Amerikaanse diplomaat aan die in maart 1941 de Litouwse stad Kaunas bezocht en opmerkte dat de sterkste steun voor het sovjetregime vanuit het joodse deel van de bevolking kwam. Ondanks hun voormalige rijkdom genieten de joden, zo schreef deze Amerikaan, 'blijkbaar het vertrouwen van de Roden en zijn ze op sleutelposities neergezet'. Onder de bevolking werd het regime zelfs 'de Joodse Regering' genoemd.

Zodra de sovjets zich in de zomer van 1941 terugtrokken keerde de bevolking zich dan ook tegen de joden. De vorig jaar verschenen museumcatalogus heeft het enkel over Letse 'Zelfbeschermingstroepen' die 'strijd leverden met terugtrekkende eenheden van het sovjetleger' en met 'degenen die de sovjetmacht steunden'. 'Ze doodden ongeveer zesduizend sovjetpartijactivisten van verschillende nationaliteit en herkomst: Letten, Russen en joden.'

Wat gebeurde er in werkelijkheid? Op 29 juni 1941, nog voor de aankomst van de Gestapo en de speciale Duitse Einsatzkommandos, werden in de Letse stad Daugavpils alle mannelijke joden tussen de zestien en de vijftig jaar op het marktplein bijeengebracht. Meer dan duizend van hen werden vervolgens door de Letten zelf omgebracht. In Riga werden in de nacht van 1 op 2 juli overal joodse bezittingen geplunderd en joden vermoord. Op 4 juli, 's middags om twaalf uur, werden tientallen joodse families Die Greise Hor Shul, de grote synagoge van Riga, binnengedreven. In de kelders bivakkeerden nog eens zo'n driehonderd joodse vluchtelingen uit Litouwen. Letse nazi's sloten de deuren en staken het gebouw aan. Honderden joden werden levend verbrand. Bij de Oude Joodse Begraafplaats gebeurde iets soortgelijks. Niets hierover in de catalogus van het Bezettingsmuseum. Die toont alleen een foto van de houten toren van de Sint-Petruskerk, die in die dagen bij schermutselingen rond Riga in brand werd geschoten, 'zoals ook een aanzienlijk deel van de historische gebouwen in de oude stad'. Hieraan wordt toegevoegd dat de sovjetmachthebbers 'de bijzondere bedreiging van de joodse bevolking door de nationaal-socialisten' negeerden. Daarna, aldus de auteurs, probeerden de Duitse bezetters bewust een aantal 'makkelijk te beïnvloeden Letten' in te zetten bij de terreur onder de burgerbevolking.

Opnieuw: wat was de werkelijkheid? Het percentage overlevenden van de holocaust is in Letland het laagste van heel Europa: 1,9 procent. Toen de Duitse veldpredikant Walter S. op zondag

6 juli 1941 in het Oost-Letse stadje Rezekne aankwam, was de hele bevolking uitgelopen voor een begrafenisdienst van zesentwintig slachtoffers van de sovjetterreur. Ze waren kort daarvoor aangetroffen in een massagraf. Walter S. werd direct ingeschakeld bij de schriftlezing en las, zoals hij zijn vrouw schreef, Openbaringen 21:4 ('... en Hij zal alle tranen van hun ogen afwissen, en de dood zal niet meer zijn, noch rouw, noch geklaag, noch moeite zal er meer zijn').

Direct na de kerkdienst begonnen de Letten met moorden. 'De joden, die in de hele kwestie aan de touwtjes hadden getrokken, werden doodgeslagen, waar men ze maar vond,' schreef de dominee die avond aan zijn vrouw. 'Ze 'werden eenvoudig neergeslagen, als het niet anders kon, met alleen maar een spade'. Hij zag hoe joden de lege massagraven werden binnengedreven en daar overhoop werden geschoten. Ook beschreef hij hoe sommigen de rivier in vluchtten en daar met revolvers en karabijnen werden afgemaakt. Predikant S. had overigens liever gezien dat het geheel wat ordentelijker was verlopen. 'Tegen de muur zetten, daar was iedereen het wel over eens. Maar niet dit doden in het wilde weg.'⁵

Waren er anderen? Ja. In een klein joods museum in Vilnius aanschouwde ik in de Galerij der Rechtvaardigen de portretten van de paar helden die, ondanks alle risico's, joodse gezinnen hadden beschermd en verborgen. Het waren eenvoudige gezichten, soms mooi, soms dik en goedig, altijd gewoon: boeren, houtvesters, spoorarbeiders, zorgzame buurvrouwen, eerlijke en moedige mensen. 'Het is vreemd, maar mijn vader sprak zelden over deze vreselijke dagen,' had een zoon geschreven. 'Alleen toen hij op zijn sterfbed lag, greep hij, uitgemergeld door zijn ziekte, opeens de hand van mijn moeder en riep: "Pak ons kind en ren!!!"'

In Letland werden tijdens de Tweede Wereldoorlog zeventigduizend joden vermoord, van wie dertigduizend al in de zomer en het najaar van 1941. In Litouwen werden vrijwel alle tweehonderdduizend joden omgebracht. (In Estland woonden slechts vijfduizend joden, de meerderheid wist naar de Sovjet-Unie te ontkomen.) Een Duitse officier betitelde in zijn officiële verslag de haat van de boeren jegens de joden als 'monsterlijk'. Ze hadden, zo schreef hij op 16 augustus 1941, 'veel van het vuile werk al gedaan' voordat de Duitsers tussenbeide konden komen.

Terecht schrijft Modris Eksteins, na deze en andere voorbeelden genoemd te hebben, dat de holocaust absoluut niet alleen een Duitse onderneming was. Hitler mag 'willige beulen' gevonden hebben onder zijn eigen mensen, hij trof ze ook bij de onderdanen van de door hem veroverde landen. 'De holocaust werd uitgevoerd in de koortsige droomlandschappen van Oost-Europa, waar goed en kwaad zelden precies tegenover elkaar stonden, en waar angst en haat een manier van leven vormden. Dit was een overgangswereld waar grenzen en mensen door de hele geschiedenis heen gewisseld hadden, en waar de jood en de zigeuner stonden voor vergankelijkheid en instabiliteit. De holocaust was hier een geestesgesteldheid, voordat het beleid van nazi's werd.'

In deze maartse dagen van 1999 blijft de lucht strak en blauw. Op het plein voor de Dom van Riga hoor je alleen de voetstappen van de wandelaars en de klanken van een cello. Naast de kerk zit een jongen te spelen. Bach op een oud, half-Duits plein, op een stille, zonnige middag.

Ik loop al de hele dag door de stad met dat dunne joodse gidsje in de hand. Ik probeer de plaats van Die Greise Hor Shul terug te vinden, die gruwelijke plek op de hoek van de Gogala ield, de Gogelstraat. Nu is er een plein. Een paar stenen, dat is alles wat er rest. Sinds 1992 staat er een monument ter herinnering aan alle in Letland vermoorde joden. Toen na de oorlog de resten van de synagoge werden gesloopt, lagen in de kelders nog altijd de verkoolde botten en schedels van de slachtoffers van de 4de juli 1941. De ruimtes werden zonder consideratie verder volgegooid met bouwafval en vervolgens werd daaroverheen een parkje aangelegd ter ere van de 'Frontlijnarbeiders'. Pas in 1988 verscheen er een gedenkteken.

Ook de Oude Joodse Begraafplaats werd een park, het Park van de Communistische Brigades. De muur werd neergehaald, de oude grafstenen werden langzamerhand verwijderd of gestolen, de graven werden geruimd. Bij Rumbula, op de plek waar de meeste joden van Riga werden vermoord, ongeveer dertigduizend, stond sinds de jaren zestig een gedenksteen voor 'slachtoffers van de nazi-terreur'. Pas sinds 1989 staat duidelijk aangegeven dat dit een joods massagraf is.

Het kleine joodse museum van Riga ligt vol briefhoofden en advertenties, allemaal joodse bedrijvigheid uit de jaren dertig:

Adolf Levi, kleermaker; Leibovic, fotozaak; Schenker & Co, internationale transporten; Rabinovi, bouwmaterialen; Holländer & Friedländer, teken- en schilderbenodigdheden. Daarnaast hangt een overzichtskaart uit een rapport van groep A van de Sicherheitsdienst, met daarop nauwkeurig de 'productiecijfers' uit het najaar van 1941. Litouwen: 136 421, met nog 19 500 in het getto. Letland: 35 238, met nog 25 000 in het getto. Estland: 963, en daarbij trots de vermelding 'Judenfrei'. Opvallend is dat naast deze cijfers telkens een keurig grafisch doodskistje staat, zoals ambtenaren ook een huisje afdrukken, of een boompje, of een mannetje. Iedereen die begin 1942 dit rapport onder ogen kreeg, kon dus zien dat het 'joodse vraagstuk' niet werd 'opgelost', maar dat er simpelweg werd gemoord, met tienduizenden tegelijk.

In het museum hangen ook de beroemde foto's van de kleumende joodse vrouwen in onderkleren, vier vrouwen en een meisje, zich tegen elkaar aan duwend van kou en schaamte. Aandoenlijk lange onderbroeken. Weerloze naaktheid. Op een volgende foto kleden meer mensen zich uit. Nu is er een jongen bij, in een witte broek, veertien, vijftien jaar, hij loopt voorop, handen in de zakken. Dan staat het groepje op de rand van een duin. Op de laatste plaat tuimelen ze naar beneden, tussen de andere lichamen. Daarnaast hangt nog een sterk uitvergrote foto van de jongen. Ik zie nu de blik op zijn gezicht. Grote angst, de mond open.

We kennen de namen van het tienermeisje dat verlegen langs het haar strijkt, het hoofd schuin, en de vrouw met wie ze gearmd staat. Het zijn Rosa Purve en haar moeder, beiden fabrieksarbeidster.

Alle foto's zijn genomen in de duinen, vlak achter deze stad. Op 15 december 1941 werden bij Liepaja zevenentwintighonderd mannen, vrouwen en kinderen door de SS en de Letse hulppolitie doodgeschoten. Nog lang na de oorlog spoelden op het strand de schedels aan: veel joden werden in zee gedreven en dan pas gedood. Jaren later getuigde een Duitse marineman dat ook veel gewone soldaten waren komen kijken: 'Jongens, kom, ze gaan joden schieten!'

Ik begin een gesprek met de directeur van het museum, Marger Vestermanis, een man met een gezicht vol lijnen en rimpels. 'Alles wordt hier altijd ontkend. Als een Duitse soldaat niet toevallig een paar foto's had genomen, dan was die moordpartij in de duinen er nooit geweest. Die brand in de synagoge: nog steeds wordt beweerd dat er geen mensen in het gebouw zaten. Maar wij hebben de personalia van degenen die erin zaten, we hebben ooggetuigen, alles.'

Marger Vestermanis woonde in 1941 ook in Riga. Hij was toen net zo oud als de jongen op de foto, maar hij wil niets loslaten over zijn eigen ervaringen. 'Laten we liever praten over ons onderzoek, en over de verschillen tussen Letland en Nederland.' Hij begint over de ononderbroken strijd en crisis waarin de Baltische staten vanaf het begin van de eeuw verwikkeld waren. Er bestond hier voor de Tweede Wereldoorlog, zo benadrukt hij meerdere malen, geen fel anti-semitisme. 'Er zat alleen wel onvoorstelbaar veel geweld in de lucht. Dat is het grote verschil met Nederland. Voortdurend waren er andere regimes, voortdurend moest men zich politiek heroriënteren. En toen plotseling de nazi-periode: tijd voor de grote interne afrekening. Ook van Letten tegenover Letten. Wie had de Russen eigenlijk geholpen met het opstellen van de deportatielijsten? Wie waren de communisten? Er zijn in het eerste halfjaar van de Duitse bezetting ook zo'n honderdtwintigduizend Letten opgepakt en vaak zonder vorm van proces doodgeschoten. Als je al zo gemakkelijk je eigen volksgenoten naar een andere wereld stuurt, wat bekommer je je dan om zo'n vreemde bevolkingsgroep?'

Later las ik dat Vestermanis zich als vijftienjarige jongen had uitgegeven als meubelmaker. Daarmee had hij zich het leven gered. Iedere ochtend liep hij in een grote groep mannen met gele sterren vanuit het getto naar de stad om voor het Duitse leger te werken. De mannen moesten kleding sorteren bij de Sicherheitspolizei, dweilen in de ziekenhuizen, schoonmaken op de bureaus van de staf. Vestermanis repareerde meubels voor de SS.

Toen de groep op een novemberavond in 1941 van het werk terugkwam waren alle ouderen, vrouwen en kinderen spoorloos verdwenen. Later bleek dat vrijwel de hele joodse gemeenschap van Riga, dertigduizend mensen in totaal, naar een buitenwijk was overgebracht. Hier werden de meesten aan de rand van enorme kuilen doodgeschoten.

Voor de vierduizend overlevende *Arbeitsjuden* werd een nieuw getto afgebakend, het Kleine Getto. Het oude getto werd onmiddellijk in gebruik genomen voor nieuwe groepen joden, aangevoerd vanuit Berlijn, Stuttgart, Wenen, Keulen, Praag en andere Midden-Europese steden. Voor de meesten van hen was Riga enkel een doorgangskamp naar het einde. Vestermanis zelf werd uiteindelijk op transport gezet naar Koerland. Boeren gaven hem en zijn kameraden te eten door stiekem aardappels en brood langs de weg te leggen. Uiteindelijk vluchtte hij, en in de bossen sloot hij zich aan bij een rondzwervende groep Duitse en Letse deserteurs.

Maar hij wilde er niet over praten.

Eerder, in Vilnius, had ik een vreemde ervaring. In deze stad was een derde van de joodse bevolking, zo'n zeventigduizend mensen, neergeschoten in een recreatiebos. Paneriai heet het daar, een paar kilometer van de stad. Ze liggen er nog steeds onder de grond, al die gezinnen, in massagraven. Ik vroeg drie taxichauffeurs om me erheen te brengen, maar niemand had er ooit van gehoord. Uiteindelijk wilde eentje me wel die kant op brengen.

Met veel vragen en zoeken vonden we uiteindelijk de plek. Het was een stil, hol klinkend bos, zo groot als een flinke camping, naast een spoorlijn. Overal waren kuilen en heuveltjes, overdekt met resten sneeuw. De wind waaide door de toppen van de bomen. Voor de rest was er niets, behalve een mottig paard en een klein monument. Sinds 1991 wordt daarop vermeld dat de meeste slachtoffers hier joden waren – voordien sprak men van 'Sovjetburgers'. De taxichauffeur liep mee, zichtbaar aangeslagen. 'Wat mensen elkaar toch aandoen.' Tweehonderd meter verderop begonnen de datsja's van een vakantiedorp.

In het vliegtuig naar Berlijn blader ik in het glanzende tijdschrift *Baltic Outlook*. Ik stuit op een interview met de beeldschone Inesa Misan, afkomstig uit een Lets provinciestadje, kind van een eeuwig dronken vader, nu topmodel in New York, veelgevraagd op openingen en feesten bij Madonna, Armani en Versace. 'Ik heb twee identieke Mercedessen.'

Vraag: 'Wat is belangrijk voor je?'

Antwoord: 'Geld. Ik houd ervan me alles te kunnen veroorloven wat ik wil. Daarom hou ik van Amerika. Als iemand daar geen geld heeft, is hij lui. Of hij heeft geen opleiding, hij is een alcoholist of een drugsverslaafde. Als iemand normaal is, als hij een man is en van een vrouw houdt, dan weet hij dat ze dat allemaal nodig heeft. Amerikaanse mannen leven met hun vrouwen voor vijf, zes jaar, en dan dumpen ze hen voor een jongere vrouw. Daarom had ik zoveel vrienden.'

Vraag: 'Kun je in alle eerlijkheid zeggen dat je nooit een man gebruikt hebt?'

Antwoord: 'Dat deed ik, dat deed ik, meer dan eens. Maar ik deed het niet om kwaad te doen. Ik trouwde met een Amerikaan omdat ik wist dat ik dan in Amerika kon blijven, tegelijkertijd mocht ik hem ook heel graag. Maar betekent het feit dat je een auto, een appartement en geld in New York hebt ook dat je jezelf verkoopt in New York? Natuurlijk, meisjes uit de voormalige Sovjet-Unie gaan om met rijke mannen, maar uiteindelijk trouwen ze uit liefde en niet om het geld.'

Vraag: 'Wat bevalt je niet aan Europa?'

Antwoord: 'Als ik naar Parijs ga, eindigt het altijd in een slecht humeur. Omdat de mensen zichzelf niet wassen, ze stinken, zelfs hun zogenaamde aristocraten stinken. In Amerika wassen zelfs de arbeiders zich, ze zijn schoon. Iedereen in Europa loopt rond met zijn neus in de lucht.'

Op de terrassen aan de Kurfürstendamm zitten de mensen in de lentezon. Duitsland voert voor de eerste maal sinds 1945 weer een oorlog. Kosovo wil zich afscheiden van de Joegoslavische Federatie, het Servische leger is de provincie binnengevallen en onderdrukt de opstand met harde hand, Albanese gezinnen worden vermoord of uit hun dorpen gejaagd, honderdduizenden mensen zijn op de vlucht, Europa vreest een nieuwe genocide.

En nu grijpt, sinds gisteren, de NAVO in. De Duitsers beschouwen het als een 'humanitaire oorlog'. Op het journaal zie ik vliegtuigen met een ijzeren kruis de startbaan op draaien, zwaarbewapend, klaar voor bombardementen op Belgrado en op Servische doelen in Kosovo. De *Bild-Zeitung* wordt uit de handen van de verkopers gegrist. De voorpagina is omlijst met de kleuren van de Duitse vlag. 'Onze jongens, eindelijk!'

Thuis, in mijn pension, zit de joodse eigenares met een wit gezicht voor de televisie. 'Ze zijn werkelijk gaan bombarderen,' zegt ze trillend. 'Werkelijk. Het is waanzin, allemaal waanzin.' Ze is bang, ze moet voortdurend huilen.

IV

April

EUROPA 1918 - 1938

FINLAND

Helsinki

Petrograd/Leningrad

Tallinn

ESTLAND

Riga

LETLAND

LITOUWEN

Moskou

Kaunas

...ND

SOVJET-UNIE

Warschau

POLEN

OWAKIJE

...dapest

...RIJE

ROEMENIË

...AVIË

Boekarest

Belgrado

BULGARIJE

Sofia

Istanbul

...BANIE

Ankara

...RIEKENLAND

Athene

TURKIJE

1

Het Berlijn van de jaren twintig bestond uit drie straten. Unter den Linden was voor de Berlijners de loopstraat, de boulevard waar alle buitenlanders en provincialen op en neer wandelden omdat hier alle bordkartonnen grandeur van het Duitse rijk te zien was. De Leipziger Strasse was de koopstraat: hier stonden de warenhuizen van Wertheim, Israel, Tietz en Jandorf. De Friedrichstrasse was de zuipstraat, met huis aan huis kroegen, tapperijen, grandcafés en pretsalons. In de Wilhelmstrasse zat de regering, maar dat was een ander verhaal.

In Berlijn arriveerde men per trein. Iedereen kwam per trein: de Russen in het Schlesischer Bahnhof (nu Ostbahnhof), de Fransen, Engelsen, Belgen en Nederlanders in het Potsdamer Bahnhof. Al die stationsgebieden met hun eethuizen, bordelen en goedkope hotelletjes fungeerden als magneten waaromheen zich de stad bewoog. 'Azië begint bij het Schlesischer Bahnhof,' zeiden de Berlijners, en ze wezen op de rails die helemaal doorliepen tot aan Vladivostok en ze noemden elkaar de prijs van een treinkaartje naar Tokyo: zeshonderdvijftig rijksmark. Je kon ook zeggen: 'Europa begint bij het Potsdamer Bahnhof', en wijzen op de rails naar Hoek van Holland. Hier lag het natuurlijke kruispunt van Europa. Alles en iedereen passeerde deze stad.

Berlijn was in die tijd een stad van teruggekeerde frontsoldaten. Er bestaat een foto van de troepen die in december 1918 onder de Brandenburger Tor door marcheren: de ongeschoren gezichten doorgroefd van honger en kou, de mondhoeken naar beneden, zwijgend publiek aan de kant, driftig stappen ze de vernedering weg. Hun kameraden waren kapot, invalide, wrakhout, zelf waren ze vakbekwame moordenaars geworden. Ze begrepen niets van de nederlaag die opeens over hen gekomen was. Tot in de zomer van 1918 had Duitsland immers de ene overwinning na de andere behaald? En had ooit een vijandelijke soldaat één voet op Duits grondgebied gezet? En dan toch die capitulatie, meteen nadat een nieuwe 'linkse' regering met de val van Wilhelm aan de macht was gekomen? 'Het zegerijke front is met een dolk in de rug doodgestoken,' verkondigden de voormalige opperbevelhebbers Paul von Hindenburg en Erich Ludendorff – ah, dat was het.

Berlijn was ook een stad van ballingen en ontwortelden. Na 1918 waren ruim negen miljoen Europeanen op drift. Tussen Berlijn, Wenen, Parijs, Londen en Amsterdam zwierven twee miljoen Polen rond, eenzelfde aantal Russen, één miljoen Duitsers en tweehonderdvijftigduizend Hongaren.

Berlijn was hun vanzelfsprekende centrum. Rond de Nollendorfplatz droegen de uithangborden van cafés en restaurants cyrillische letters. Als de buschauffeurs bij de Bülowstrasse stopten riepen ze: 'Russland!' In 1918 waren er vijftigduizend Russen in Berlijn, in 1924 driehonderdduizend. Dagelijks werden er zes Russische kranten gedrukt. Er waren twintig Russische boekwinkels, zeker een dozijn Russische galeries en cabarets, ontelbare cafés, en alles zat vol mislukte revolutionairen, halve bolsjewieken, dronken kunstenaars, verlopen adel en generaals zonder leger.

De eeuwige journalist Joseph Roth beschreef in zijn Berlijnse reportages het lot van deze ballingen. Bijvoorbeeld de Hongaarse jongen Geza, die in de revolutie per ongeluk aan de foute kant had meegevochten en die nu zijn hoop had gezet op een baantje als hutknecht op een lijnschip naar Amerika. Of mijnheer Schwartzbach uit Galicië, die al zijn eenzaamheid had gelegd in de bouw van een miniatuurmodel van de tempel van Salomo, compleet met talloze zelfverzonnen details. Na negen jaar was zijn levenswerk klaar, het verdween naar de achterzaal van een joods restaurant aan de Hirtenstrasse, en niemand keek er ooit naar om. Maar er waren ook anderen, zoals generaal Vasili Biskoepski, de terreurcommandant van Odessa, die samen met zijn Duitse collega Ludendorff een 'Russisch-Duits bondgenootschap' wilde sluiten voor het geval beide heren weer aan de macht zouden komen. Of Fjodor Vinberg, een voormalig tsaristisch officier en een van de eerste pleitbezorgers van de 'definitieve oplossing' van het 'joodse vraagstuk'. Hij liep de hele dag te zwaaien met de protocollen van de Wijzen van Sion, een vervalsing van de tsaristische geheime politie waarin het bestaan van een internationale joodse samenzwering 'definitief' werd bewezen.

Zo liepen er duizenden verwarde en verbitterde ballingen door Berlijn, en overal botsten ze op elkaar: anarchisten, monarchisten, zakenlieden, deftige burgers, Polen, Hongaren, Russen. Bij hun aankomst droegen ze nog hun beste kleren, maar al snel begon de neergang. De juwelen werden verpand, de hotelkamers opgezegd, de elegante kleding werd sleets, de Kurfürstendamm kreeg de bijnaam Nöpsky Prospekt en de paniek nam toe.

PROTOCOLLEN

Fjodor Vinberg was een van de eersten die openlijk verklaarden dat alle joden gedood moesten worden. *De Protocollen van de Wijzen van Sion* waren eind negentiende eeuw door tsaristische agenten gefabriceerd. Het pamflet was in werkelijkheid een samenvatting van de veertig jaar eerder verschenen roman *Biarritz* van Hermann Goodsche en Maurice Joly's verhaal *Dialogues aux enfers entre Machiavel et Montesquieu*. Al deze teksten kwamen op hetzelfde neer: via de 'truc' van de democratie en het socialisme zouden de joden van plan zijn alle staten en religies over te nemen. De *Protocollen* hadden grote invloed op het denken van de nazi-ideoloog Alfred Rosenberg en vervolgens op Adolf Hitler. Ook in Frankrijk en, veel later, in de Arabische wereld werd de tekst zeer populair. In Duitsland werden er meer dan honderdduizend exemplaren van verkocht. De Amerikaanse editie werd gesponsord door Henry Ford.

Er ontstond in datzelfde onttakelde Berlijn een wonder: het werd voor Europa ook dé stad van de moderne tijd. Misschien had dit te maken met het feit dat het Wilhelminische Berlijn in 1918 opeens als een ballon was leeggelopen, met de enorme leegte die daarvan het gevolg was en die dwong tot een nieuwe invulling, tot radicaal andere vormen en gedachten. Alleen al een korte blik op de namenlijst van degenen die in de jaren dertig wegvluchtten laat iets zien van het talent dat zich in Berlijn verzameld had: Albert Einstein, Arnold Schönberg, Alfred Döblin, Joseph Roth, Thomas Mann en zijn twee kinderen Klaus en Erica, Arthur Koestler, Marlene Dietrich, Kurt Tucholsky, Hermann Ullstein.

Berlijn was in de ogen van velen een mensenetend monster van machines, fabrieken, anonieme leeftorens en stromen van treinen en auto's. Het was de voorbeeldstad van *Metropolis*, het meesterwerk van de in Wenen geboren filmer Fritz Lang. Maar het was tegelijk de wereld waar Bertolt Brecht en Kurt Weill hun *Dreigroschenoper* schiepen. Yehudi Menuhin gaf er zijn eerste concert, op zijn dertiende. Hij vond, achteraf, het Berlijn van die jaren vooral neurotisch. 'Het was niet een authentieke maatschappij, maar een nieuwe samenleving, gebaseerd op nieuw geld, en op extravagantie, brutaliteit, show. De neurose kwam door de botsing van waarden, tussen oud en nieuw. Alles werd mogelijk. Alles werd Ervaring – met een hoofdletter E.'

Het hart van deze moderniseringsbeweging was het Café des Westens. Hier gingen de literaire tijdschriften rond, rechtstreeks van de pers. Hier hielden de aanvoerders van de avant-garde audientie, de expressionisten rond *Der Sturm* met kunstenaars als Oskar Kokoschka, Paul Klee, Vassily Kandinsky, de jonge Marc Chagall en talloze futuristen, constructivisten en dadaïsten. Een centrale figuur in het café was de dadaïstische schilder George Grosz, bekend van zijn weinig flatteuze prenten met hoeren, bedelaars, oorlogsinvaliden zonder benen op rollende plankjes en speculanten met speknekken, straattaferelen die vaak niet ver van de werkelijkheid lagen.

Toen de uitbater van het Café des Westens in 1920 een forse prijsverhoging doorvoerde, verhuisde iedereen naar het Romanisches Café, een grote, lelijke ruimte tegenover de Kaiser-Wilhelm-Gedächtniskirche. In Parijs zette de esprit van de salon de toon, in het Romanisches Café heerste de herrie van het volksoproer. Iedereen schreeuwde, iedereen wilde gelijk hebben. Rechts van de draaideur zaten de oude, gebaarde expressionistische schilders. Op het balkon werd geschaakt. Er was een beeldhouwerstafel, een filosofentafel, een krantentafel, een sociologentafel. Aanschuiven bij een vreemde tafel leidde meteen tot opschudding. George Grosz kwam binnenstormen, gekleed als een Amerikaanse cowboy, compleet met laarzen en sporen. De dichter Hendrik Marsman maakte er kalligrammen: 'Gertrude. GERTRUDE. GERTRUDE. Slet.'

Ik krijg een map in handen met *Die Pleite* uit 1919 en 1920, een provo-achtig blaadje met tekeningen van Grosz, onder het motto 'Deutschland ist pleite. Europa wird es bald sein'. '*Die Pleite* mag in de betere burgerlijke huishouding niet ontbreken!' Op de binnenpagina's staan foto's van massagraven – 'Hindenburg-ontbijten' –, een plaat van luchtende gevangenen – '1-meifeest in Plötzensee' –, commentaren op de revolutie -' Wie hongert, wordt doodgeschoten' –, sociaal-democraten met een voor eeuwig vastgeschroefde plank op het voorhoofd, eindeloze manifesten: 'Men schaffe het bezit af [...] opdat men wete dat men kunst niet meer kan kopen om zich van anderen te kunnen onderscheiden [...] opdat denken, schilderen en schrijven geen hoererij meer zijn.'

De Vlaamse dichter Paul van Ostaijen schreef in zijn Berlijnse jaren een bundel onder de veelzeggende titel *De feesten van angst en pijn*. Zijn kunstbroeder Marsman sprak van een stadsleven dat verwilderde tot 'geilheid, opium, waanzin en anarchie'. 'Berlijn,' zo schreef hij, 'hing aan een zijden draad aan den hemel: een log, zwaar kolossaal monsterdier vlak boven een kokende hel.'

Ondertussen maakte Joseph Roth een rondreis door het andere Duitsland. Op het station van Chemnitz zag hij hoe een conducteur bonbons at, de rest van een doosje dat iemand in een coupé had achtergelaten. De conducteur was een ernstige man met behaarde vuisten. Nu at hij deze 'snoeperij van lichte meisjes' met een strak gezicht, alsof het een boterham met worst was. 'Een halfjaar eerder had deze conducteur zeker geen bonbons gegeten. Nu heeft hij honger.'

In Berlijn zag hij twee gymnasiasten lopen zingen door een drukke straat:

Weg, weg, weg met de jodenrepubliek,
rot-jodenrepubliek,
rot-jodenrepubliek!

De volwassenen gingen voor die jongens een stapje opzij. 'En niemand gaf ze een draai om de oren.'

In diezelfde stad bezoekt hij het Asiel voor Onbehuisden, waar iedere middag zo'n vijfduizend daklozen, 'de armsten, de meest misdeelden van deze stad', in een stille optocht heen trekken. 'Alsof God – de achter blauwe hemelen verborgen regisseur van deze treurspelen – het die tandeloze oude vrouw had bevolen, zo blijft zij plotseling stilstaan, treedt uit het gelid. Zij heeft een vuilnishoop opgemerkt. Hoezeer wordt het oog door de armoede gescherpt!'

Hij ziet het Duitse 'bladenbosje' groeien, dat geplant is op de Potsdamer Platz. 'De jonge boompjes heten *Völkischer Ratgeber*, *Kampfbund*, *Deutscher Ring*, *Deutsches Tageblatt* en zijn van de onvermijdelijke hakenkruisen voorzien, die men tegenwoordig diep in elke schors snijdt.'

Er is nog een andere Berlijnse reportage van Joseph Roth die opvalt: zijn bezoek aan een oude arbeider die net is vrijgelaten na eenenvijftig jaar in de gevangenis te hebben doorgebracht. Een halve eeuw had hij overgeslagen: het hele laatste kwart van de negentiende eeuw en het hele eerste kwart van de twintigste eeuw. Braaf trok deze negentiende-eeuwer de jachtige straten weer in, op zoek naar werk. De man had nauwelijks weet gehad van de Eerste Wereldoorlog, hij had nooit in de U-Bahn gezeten, nooit een auto gezien, laat staan een vliegtuig, en opeens rolde dat hele moderne Berlijn op hem af. Hij was niet een halve eeuw weg geweest, het leken wel drie eeuwen.

En nu ben ik nog driekwart eeuw verder, en ik voel me bijna net zo vreemd als die oude gevangene die niets meer herkende van zijn oude stad. Want naar het Berlijn van de jaren twintig kun je in 1999 ook lang en vergeefs zoeken, naar alle oude kroegen, restaurants, winkels, warenhuizen, pensions en zolderkamertjes, naar die dolle stad van Brecht, Lotte Lenya, Erich Kästner, Roth en al die anderen.

De beroemde Alexanderplatz van de schrijver Döblin en zijn antiheld Franz Biberkopf was ooit een soort Rembrandtplein: 'Twintig Pfennig voor *Die Ehe*. Pikant en leerzaam.' 'Controleert uw gewicht. Prijs vijf Pfennig.' 'Rookt onze bekende merken: Kleine Trösterin en Liliput'. Döblin tekende het allemaal op in zijn *Berlin Alexanderplatz*: de straatverkopers, de reclames, de gele trams, de massa, het standbeeld van de stadsgodin Berolina. En daarna schreef hij: 'Blikt nog eenmaal om u heen, gij allen, die hier nu gedachteloos over de Alex krioelt, kijk nog even voordat alles voorgoed verdwenen is.'

Döblin heeft het voorzien: de Alex is inderdaad opgelost, verdwenen. Het heeft iedere pleinigheid verloren, het is nu een gat tussen een stel DDR-flats bij de Funkturm met in het midden een dom vierkant Kaufhof, een kale, toevallige ruimte waar geen mens meer een Kleine Trösterin zal vinden. 'Uit aarde zijt ge ontsproten, tot aarde zult ge wederkeren. Zo zijn ook Rome, Babylon, Ninevé, Hannibal en Caesar naar de verdommenis gegaan. Vergeet het niet.'

De sokkel van de godin Berolina heeft er nog tot 1957 gestaan, de laatste jaren als reclamezuil voor de nieuwe DDR. Op de plek van het Romanisches Café staat een jaren-vijftig-flat met kantoren en burgerwoningen. Van de oude Nollendorfplatz rest enkel de Wilhelminische waterpomp voor de paarden. In de lange Bülowstrasse daarachter staan hooguit tien vooroorlogse huizen. De drukke volksbuurten zijn compleet verdwenen, er ligt nu veel groen, het zijn stille, parkachtige wijken geworden. De voorgevel van warenhuis Tietz staat er nog, en ook de onderkant van het S-Bahnstation Jannowitzbrücke, al is het gefluit weg, en het gestoom en de opwinding van het ijzer. Enkel het oude station Hackesche Markt is intact, een rood bakstenen geval met bogen van gietijzer en ornamenten van metselwerk die als door een wonder deze eeuw hebben overleefd.

Waar dan de rest gebleven is? Heel simpel: dat Berlijn ligt tegenwoordig grotendeels in het bos van Grunewald. Het is overdekt met bomen en struiken, een puinheuvel van meer dan honderd meter hoog, de Teufelsberg. Hier en daar steken een paar brokken cement uit de grond, een stukje marmer, een verroeste pijp. In de verte schittert de nieuwe stad in de middagzon. Er klinkt een eenzame vogel, een jongensstem, het geblaf van een hond, het gekraak van een tak. In die stilte ligt nu het oude Berlijn begraven.

2

De Russische ambassade is een honderd meter breed blok Stalin langs Unter den Linden. Het gebouw dateert uit het begin van de jaren vijftig. Het is de hak van een laars die Duitsland zo ver mogelijk de grond in moet duwen. Macht, grootsheid en onverzettelijkheid, dat is de boodschap die het harde graniet, de verpletterende gevel en de strenge zuilen over de straat roepen. Het gebouw staat op de plaats van de oude ambassade, het elegante Koerlandpaleis, beroemd vanwege de uitbundigste rococozaal van Berlijn. Ook dat schitterende, lichtgroene marmer ligt tegenwoordig onder het puin in Grunewald.

Het ambassadezwembad is tegenwoordig voor iedereen opengesteld. De Berlijnse burgerij trekt er baantjes, terwijl aan de rand van het bad het beeld van Lenin star over hen wegkijkt. Rusland moet alles doen om een centje bij te verdienen. Toen hier in april 1918 de eerste sovjetambassadeur, Adolf Ioffe, arriveerde, had hij een rode vlag bij zich, plus een beginkapitaal van twaalf miljoen mark voor propagandawerk. Berlijn moest, zo meende Lenin, uiteindelijk de hoofdstad van de wereldrevolutie worden. Zo werden de Duitse revolutiesubsidies nu tegen Duitsland zelf gebruikt. Direct na aankomst van Ioffe hing het ambassadepersoneel een enorm spandoek op: 'Arbeiders van alle landen, verenigt u!' Boeken, kranten en pamfletten begonnen met treinladingen binnen te stromen. Tegelijkertijd kwam er nieuw personeel, gevraagd en ongevraagd: revolutionairen, avonturiers, profiteurs uit het oude Rusland, bureaucraten uit het nieuwe. Veel antieke meubels, gobelins, kroonluchters en schilderijen verdwenen op de zwarte markt. Een peperdure ingelegde tafel werd in de keuken neergezet. Tapijten werden versneden. Het wapengebruik in het gebouw werd een serieus probleem: vrijwel iedereen liep rond met een pistool 'om de revolutie te verdedigen'.

Ondanks deze chaos was de sovjetambassade voor het verslagen Duitsland een van de belangrijkste diplomatieke posten. Alles wat in en rond de nieuwe, revolutionaire staat gebeurde, werd vanuit Berlijn met de grootste belangstelling gevolgd. Hier lag wellicht de toekomst, ook voor de Duitse handel en industrie. Tegelijkertijd – en deze dubbelrol heeft de sovjetvertegenwoordiging altijd behouden – was de ambassade een permanente stoorzender voor de Duitse gevestigde orde, voortdurend in de weer met agitprop, openlijk en in het verborgene. In dit kader was één man van werkelijk belang: Lenins voormalige reisgenoot Karl Radek. In december 1918 was hij de stad binnengekomen, vermomd als gewonde Duitse soldaat, samen met een groep teruggekeerde krijgsgevangenen. Hij was nu een groot man in de Communistische Internationale, hij 'stotterde', zoals hijzelf zei, tien talen en volgens geruchten las hij zelfs het *Algemeen Handelsblad*. Maar tegelijk bleef hij een karikatuur van zichzelf, vol grappen en idiote invallen, altijd met bril en baard, 'de zakken uitpuilend van kranten en tijdschriften'.

Radek maakte direct contact met de radicale vleugel van de Duitse revolutionairen, de groep rond Karl Liebknecht en Rosa Luxemburg. Vrijwel iedere dag hield hij audiëntie in het Oekraïense restaurant Allaverdi, waar de sovjets een vaste tafel hadden en Radek kleine plagerijen uitwisselde met de voormalige landjonkers en grootgrondbezitters die er nu als kelner werkten. Alle paden kruisten elkaar in dit restaurant, die van het oude regime, de adel, de burgerij, de monarchistische officieren, de lokale revolutionairen en die van de nieuwe machthebbers in het oosten. Radek was de man van de zuivere bolsjewistische lijn, inclusief het gebruik van terreur tegen 'klassen die de geschiedenis ter dood heeft veroordeeld'. Rosa Luxemburg moest daar niets van hebben. Anderen voegden zich in het debat. Alles wat eerder bij de Petrogradse revolutionairen over tafel ging werd herhaald in Berlijn. Er ontstonden zo ook Duitse trotskisten, boecharinisten en zinovjevisten, en dat niet alleen. De stijlvormen van de sovjets werden geïmiteerd: de constructivistische typografie van de affiches, de mode à la russe-bolchevique, alles wat in Rusland gebeurde, herhaalde zich op verkleinde schaal in Berlijn. Behalve de revolutie zelf. Die ging haar eigen, Duitse weg.

Ieder land en iedere politieke beweging schrijft het liefst een geschiedenis die prettig aanvoelt, een portret met zachte pastellen, een verhaal dat het zelfbeeld niet beschadigt. De verliezers kunnen meestal helemaal geen geschiedenis meer vertellen. Die verdwijnen gewoon, en met hen wordt ook hun verhaal uitgewist.

Het had weinig gescheeld of Duitsland was een soort sovjetrepubliek geworden. In november 1918 begonnen in de Noord-Duitse havens matrozen van de Kriegsmarine te muiten, en deze beweging sloeg al snel over naar andere delen van het land. Vanaf dat moment ging een golf van opstanden, demonstraties en rellen door het land, van noord naar zuid, van oost naar west en terug. In Berlijn werd in het voorjaar van 1919 een complete straatoorlog gevoerd. München werd drie maanden lang geregeerd door een radenrepubliek. Pas in 1920 keerde de rust enigszins terug.

Sebastiaan Haffner heeft ooit drie legenden beschreven die rondom deze massale Duitse volksrebellie zijn ontstaan. Het zijn onuitroeibare verhalen waarbij de meerderheid van de Duitsers zich altijd goed heeft gevoeld. Ten slotte zijn ze afdoende weerlegd, maar dat kostte bijna een halve eeuw.

De eerste legende is populair bij de burgerij. Ze bestaat simpelweg uit de ontkenning van de gebeurtenissen. Men spreekt over 'chaotische maanden' en 'ineenstorting'. In werkelijkheid was er wel degelijk sprake van een massale volksopstand, in alle opzichten te vergelijken met de Februarirevolutie in Sint-Petersburg. De rebellie van de matrozen en soldaten aan het eind van de Eerste Wereldoorlog was veel meer dan enkel 'muiterij', 'crisis' of 'chaos'. Overal bezetten militairen kazernes, stations en regeringsgebouwen, overal werden arbeiders- en soldatenraden uitgeroepen. Dit gebeurde aanvankelijk zonder veel bloedvergieten, maar een revolutiepoging was het zeker: de soldaten en arbeiders wilden wel degelijk een heersende klasse ten val brengen en een nieuw staatsbestel scheppen.

De tweede legende is nog hardnekkiger, en wordt tot de dag van vandaag algemeen aangehangen in sociaal-democratische kringen. Er bestaat geen twijfel over degenen die deze revolutie hebben neergeslagen: dat waren de sociaal-democraten zelf, de leiders van de SPD die in die maanden voor het eerst regeringsverantwoordelijkheid hadden gekregen, rijkskanselier Friedrich Ebert en zijn rechterhand, de latere minister van de Reichswehr Gustav Noske. Hun legende is nu dat zij op deze wijze Duitsland voor een 'bolsjewistische chaos' hebben behoed.

Ook dit klopt niet met de feiten. De radicale spartakisten – genoemd naar de opstandige Romeinse gladiator Spartacus – speelden bij de eerste novemberopstanden van 1918 geen enkele rol van betekenis, al willen ook communistische historici ons graag anders doen geloven. De spartakistische leiders werden door de gebeurtenissen totaal overrompeld: Rosa Luxemburg zat nog gevangen, Karl Radek was in Polen en Karl Liebknecht moest alles in de krant lezen.

Het waren dan ook niet de bolsjewieken maar de sociaal-democraten die vanaf het begin de lijn van deze Duitse revolutie bepaalden. Het was de SPD-bons Noske die, meteen in november 1918, door de revolutionairen benoemd werd tot 'gouverneur' van Kiel. Het waren de SPD-afgevaardigden die onmiddellijk de meerderheid verwierven in de soldaten- en bedrijfsraden. Het was de SPD-partijkrant *Vorwärts* die massaal door de arbeiders werd verslonden. De alomtegenwoordige graaf Harry Kessler vroeg begin november aan de matrozen die zijn hotel bewaakten waar ze eigenlijk op uit waren. Gehoorzaamheid aan de nieuwe regering stond bovenaan. Deze eenvoudige mannen waren, schreef Kessler in zijn dagboek, 'gedisciplineerd, ingehouden, ordelievend, gericht op gerechtigheid, bijna uitsluitend gewetensvol'.' Het was, kortom, een revolutie van sociaal-democratische soldaten en arbeiders die door de sociaal-democratische leiding zelf is onderdrukt.

HARRY KESSLER

De dagelijkse kroniek van de elegante, kosmopolitische graaf Harry Clément Ulrich Kessler, beter bekend als de 'rode graaf', geldt als een van de belangrijkste dagboeken uit de twintigste eeuw. Kessler stamde uit een oud Duits/Frans bankiersgeslacht. Zijn moeder – half Iers, half Perzisch – had dankzij haar buitengewone schoonheid Europa aan haar voeten liggen. In haar Parijse salon ontving ze iedereen van enige betekenis: Sarah Bernhardt, de Rothschilds, Ibsen, Zola. Ook Harry Kessler was kind aan huis in de high society. Hij was bevriend met politici als Herbert Asquith, Edward Grey, Raymond Poincaré en Walther Rathenau, en even gemakkelijk ging hij om met figuren als Albert Einstein, de dichter Hugo von Hofmannsthal en de dada-kunstenaar George Grosz.

Zijn hele leven werd Kessler achtervolgd door het gerucht dat hij een onwettige zoon was van de bejaarde keizer Wilhelm I. Wat daar ook van waar mocht zijn, zijn smaak was beter dan die van de Hohenzollerns. Zijn huis was een ware kunsttempel: de muren hingen vol schilderijen van Seurat, Renoir, Van Gogh en Cézanne. 'Soms leek hij Duits, soms Engels, soms Frans, zo Europees was zijn karakter,' schreef zijn vriendin Annette Kolb later over hem. Hij leefde, zoals veel figuren van zijn stand, van een familiefortuin, richtte een uitgeverij op en scharrelde wat in de politiek. Vermoedelijk was hij, net als Rathenau, homoseksueel.

De derde legende leidde een bloeiend bestaan tot 1945. Daarna dacht niemand er meer aan. Het was het verhaal waarmee de voormalige bevelhebbers Hindenburg en Ludendorff na 1918 de publieke opinie vergiftigden. Beiden verkondigden, zoals gezegd, dat deze sociaal-democratische revolutie de Duitse nederlaag had veroorzaakt en het zegevierende front een dolkstoot in de rug had toegebracht. Daarmee werden kanselier Ebert en zijn SPD zelf aangeklaagd.

Dankzij brieven, verklaringen en dagboekfragmenten die langzamerhand boven water zijn gekomen, weten we nu wat er werkelijk is gebeurd. Op die cruciale 29ste september 1918, de dag waarop leger en keizer opeens de nederlaag accepteerden, was het niet de 'jammerende' sociaal-democraat Ebert die de capitulatie organiseerde, maar de manhaftige generaal Ludendorff zelf.

Toen Erich Ludendorff besefte dat een nederlaag onvermijdelijk was, manœuvreerde hij de zaken zo dat het leger en de keizerlijke elite buiten schot konden blijven. Hij suggereerde keizer Wilhelm om 'de regering een bredere basis' te geven door de sociaal-democraten regeringsverantwoordelijkheid toe te vertrouwen. Zo'n breed gedragen bewind zou dan een wapenstilstand moeten zien te bereiken. De verantwoordelijkheid voor de capitulatie kon worden afgewenteld op anderen. Daarmee kon de 'eer' van het leger worden gered, een zaak die voor Pruisische officieren van het allerhoogste belang was.[2] 'Zij [de sociaal-democraten] zullen de vrede moeten sluiten die thans absoluut gesloten móét worden,' zo verklaarde Ludendorff aan zijn staf. 'Zij die deze soep bereid hebben, moeten hem nu ook maar opeten.'

Dit was een regelrechte leugen – hijzelf, de belangrijkste bevelhebber, was in de eerste plaats verantwoordelijk voor 'deze soep' –

maar voor de onteerde officieren en de vernederde nationalisten was de legende te aantrekkelijk om er niet in te geloven.

Op een slaapzaal van het militaire ziekenhuis van Pasewalk, bij Stettin (Sczecin), drukte korporaal Adolf Hitler op de dag van de capitulatie snikkend zijn gloeiende hoofd in de kussens, half-blind van het mosterdgas. 'Zo was dus alles tevergeefs geweest. Tevergeefs waren al de offers en ontberingen. [...] Was dit alles werkelijk gebeurd, opdat nu een troep ellendige misdadigers de hand aan het vaderland kon slaan? Had de Duitse soldaat daar-voor de stekende zon en de sneeuwstormen verdragen? [...] Had hij daarvoor in de hel van het trommelvuur en de koortsonrust van de gasbombardementen gelegen? [...] In deze nachten groeide mijn haat jegens de aanstichters van deze daad. In de daaropvol-gende dagen besefte ik ook mijn eigen lotsbestemming. [...] Ik be-sloot politicus te worden.'

Het effect van de winter van 1918-1919 op de geschiedenis van Duitsland en Europa wordt nog altijd onderschat. In deze maan-den werd in Berlijn, net als eerder in Petrograd, de basis gelegd voor een politieke beweging die het continent tijdens de twintig-ste eeuw in vergaande mate zou bepalen. Bovendien zou deze Duitse burgerstrijd zulke diepe wonden slaan tussen gematigd en radicaal links dat geen samenwerking meer mogelijk was, zelfs niet om Hitler te keren. Het was een drama, en zoals in de meeste drama's valt de handeling te verdelen in een aantal be-drijven.

De stad Berlijn had, om te beginnen, tijdens de hele oorlog in roze illusies geleefd. Sebastian Haffner herinnerde zich hoe hij elke dag als tienjarige, op zijn tenen staand, de aangeplakte le-gerbulletins probeerde te ontcijferen. Dat gaf het leven spanning en de dag kleur. 'Was er een groot offensief aan de gang, met aan-tallen gevangenen die in de vijf cijfers liepen en met gevallen vestingen en een "enorme buit aan oorlogsmaterieel", dan was het feest, je had eindeloos veel stof voor fantasie, en je was uitge-laten blij, precies zoals later als je verliefd was.'

Die stemming had alles van doen met de merkwaardige situa-tie waarin Duitsland zich bevond. Hoewel het land, strategisch gezien, allang in de verdediging was gedrongen, leek het net als-of het nog in de aanval was. De fronten lagen immers vast en ver weg. Nog op 27 september 1918 meldden de Duitse legerbulletins dat de strijd zo goed als gewonnen was. Drie dagen later werd het tegendeel duidelijk. Wij weten inmiddels wat zich achter de schermen afspeelde, maar de toenmalige Berlijners snapten er niets van. De strakke Wilhelminische orde, de wereld van de Hauptmann van Köpenick, het stortte allemaal ineen. In de maanden die volgden, 'verdwenen' uit het leger maar liefst 1,8 miljoen geweren, 8542 machinegeweren en 4000 mortieren.

De nieuwe sociaal-democratische regering onderhandelde vlijtig over een wapenstilstand toen de eerste rebellie uitbrak, op 30 oktober 1918, op de Schillingrede voor Wilhelmshaven. Het was een muiterij van matrozen, die een antwoord was op een muiterij van de marineleiding. Ondanks het bevel van Berlijn om de zeeoorlog alvast te staken had de opperste marineleiding op eigen houtje besloten om alsnog een grote slag te leveren. De hele Duitse vloot kreeg het bevel om uit te varen. De slag kon onmogelijk nog van belang zijn voor de afloop van de oorlog. Het ging enkel om de eer van de Kriegsmarine: zonder slag of stoot wilde men zich niet overgeven. Dat de wapenstilstandsonderhandelingen daardoor zouden afbreken en de oorlog maandenlang verlengd zou worden deerde de admiraals niet. Zo'n duizend matrozen van de slagschepen Thüringen en Helgoland hadden de moed om 'nee' te zeggen tegen dit plan. Ze legden hun schepen plat. Dit was dus een muiterij vóór de regering.

De muitende matrozen kozen soldatenraden, ontwapenden hun officieren, hesen op de schepen rode vlaggen, trokken probleemloos de militaire gevangenis binnen, lieten hun kameraden vrij en bezetten de openbare gebouwen. De muiterij was een revolutie geworden, en binnen enkele dagen rolde de beweging door alle grote West-Duitse steden. Overal gebeurde hetzelfde: soldaten en arbeiders verbroederden zich, kozen eigen raden, officieren capituleerden of vluchtten, het burgerlijk gezag boog het hoofd. Op 8 november riepen de pacifist Kurt Eisner en de dichter-revolutionair Ernst Toller in München de Freie Bayerische Volksstaat uit. Deze radenrepubliek zou precies honderd dagen bestaan.

De legerleiding stuurde in allerijl het Vierde Regiment Jagers naar Berlijn, een van de betrouwbaarste legeronderdelen, om eventueel tegen de revolutionairen in te zetten. De volgende dag waren zelfs deze soldaten omgepraat. Ze posteerden zich als verdedigers rondom het bureau van *Vorwärts*. Op zaterdag 9 november trokken honderdduizenden magere mannen en vrouwen naar het centrum van de stad. Ze waren vervuld van een heilige ernst, voorbereid op het ergste, een bloedige zaterdag. In de voorste rijen werden borden gedragen met teksten als BROEDERS! NIET SCHIETEN!. Maar de kazernepoorten gingen vanzelf open. In het ouderlijk huis van Sebastian Haffner³ heette de krant opeens niet meer *Die Tägliche Rundschau* maar *Die Rote Fahne*.

De nieuwe, onwennige sociaal-democratische regering, als de dood voor wanorde en gezichtsverlies, zat met deze omvangrijke en spontane volksbeweging flink in de maag. Men vreesde voor een herhaling van de gebeurtenissen in Rusland, waar de mensjewieken en anderen door hun eigen revolutie waren verslonden. Tegelijkertijd wilde men de 'eigen' mensen in de raden te vriend houden. Daarom werd besloten om de revolutie te 'verstikken', een term die kanselier Ebert letterlijk bezigde tegenover het opperbevel van het leger. De sociaal-democratische voorlieden namen de leiding van 'hun' revolutie op zich, kalmeerden de vernederde autoriteiten, herstelden het gezag en lieten de boel vervolgens doodbloeden. Gustav Noske werd door de revolutionaire matrozen van Kiel juichend binnengehaald als 'gouverneur' en wist vervolgens binnen enkele dagen de revolutie in naam van de revolutie af te gelasten. De raden bleven, maar ze werden tandeloos gemaakt. *Die Rote Fahne* werd weer *Die Tägliche Rundschau*. Dit was het einde van het eerste bedrijf.

Die winter stroomde de stad vol met verbitterde veteranen. De meesten hadden geen werk en vaak ook geen dak boven het hoofd. De geallieerden blokkeerden nog steeds de Duitse havens. Nooit was er in Berlijn meer honger geleden dan in die wintermaanden. De stad was eind 1918 minstens zo rijp voor een bolsjewistische revolutie als Petrograd in 1917. Toch herhaalden die gebeurtenissen zich niet.

Dat kwam in de eerste plaats omdat de tegenstanders van de revolutie allesbehalve waren weggevaagd, zoals in Rusland. Vlak buiten Berlijn werden overal nieuwe troepen vrijwilligers getraind, de zogeheten vrijkorpsen, samengesteld uit de meest loyale en gedisciplineerde veteranen. Oorspronkelijk waren de korpsen opgezet om direct weer over een paar mobiele en efficiënte legeronderdelen te beschikken, maar al snel ontwikkelden ze zich tot autonome vechtgroepen, bikkelhard, zonder enig ontzag voor wie ook, behalve hun commandant. Hier werd de kiem gelegd voor de Waffen-SS.

De latere sociaal-democratische minister van de Reichswehr Gustav Noske deed alles om de orde te handhaven en daarvoor was hij bereid met iedereen in zee te gaan, inclusief de leiders van deze vrijkorpsen. Hoe die werkelijk over de sociaal-democratische regering dachten, blijkt wel uit hun dagboeken. 'De dag zal aanbreken waarop ik met deze regering afreken en al het erbarmelijke, jammerlijke gespuis de maskers afruk,' schreef bijvoorbeeld de commandant van de Eiserne Schar. De commandant van de Werwolf: 'Oorlog aan de staat van Weimar en Versailles! Oorlog – elke dag en met elk middel!' Het elitekorps van Hermann Ehrhardt, de Brigade, droeg als eerste het hakenkruis op de helm.

Rondom Karl Liebknecht was intussen ook een wild legertje ontstaan van boze veteranen die in groepen door de stad trokken, rijke huizen plunderden en belangrijke gebouwen bezetten. Samen met Karl Radek wilde Liebknecht de komende verkiezingen door een coup verstoren. Rusland moest geïmiteerd worden, de arbeiders- en soldatenraden moesten tot elke prijs de macht krijgen. Liebknecht was en bleef blind voor het feit dat de meeste Duitse raden zelf niets wilden weten van dit plan.

De sfeer in Berlijn werd ondertussen met de dag grimmiger, steeds vaker kwam het tot schietpartijen, het leek wel of iedereen rondsjouwde met een pistool of een machinegeweer. Graaf Harry Kessler liep op 28 december langs de opgebaarde doden. 'Niemand zou kunnen aangeven waarvoor deze jonge levens eigenlijk geofferd zijn, of waarvoor zij zichzelf opgeofferd hebben.' Käthe Kollwitz zag in diezelfde week voor het eerst jonge blinde soldaten met een draailier in de kou staan, bedelend. 'Ik moest aan *Simplicissimus* denken, dat jaren geleden een plaat van een invalide uit 1870 bracht, draaiend aan een draailier, zingend: "Wat ik ben, en wat ik heb, dat dank ik u, mijn vaderland!"'

Aan het eind van 1918, rond kerst en nieuwjaar, was Berlijn een dode stad. 'De geur van burgeroorlog hing in de lucht,' schreef George Grosz. 'Het stuc was van de huizen gevallen, de ramen waren gebroken, veel winkels hadden hun ijzeren luiken naar beneden gedraaid. [...] Mensen die hun bange en opgesloten bestaan niet langer verdroegen waren op de daken geklommen en schoten op alles wat ze zagen, of het nu vogels of mensen waren.'

In diezelfde dagen wist Karl Radek de Spartakusbeweging met een paar andere radicaal-linkse groepen samen te brengen onder een nieuwe partijnaam: de Kommunistische Partei Deutschlands, de KPD.

Op zondag 5 januari 1919 barstte uiteindelijk de tweede revolutie los. De aanleiding voor deze Spartakusopstand was futiel: de zelfbenoemde hoofdcommissaris van Berlijn, een radicale socialist, was door Ebert ontslagen en de spartakisten riepen op tot een demonstratie. De radicale arbeiders kwamen inderdaad de straat op, bij duizenden. De goedmoedigheid was verdwenen, velen droegen nu wapens. Karl Liebknecht verscheen. Harry Kessler hoorde hem uit de verte spreken 'als een dominee, met een zalvend pathos, lento en met veel gevoel zingt hij de woorden'. Later trof hij hem temidden van een oploopje op de Potsdamer Platz, waar hij opnieuw stond te oreren, vrijwel zonder enig weerwoord. 'Ik ging op hem af, en binnen de kortste keren was de meerderheid van de menigte op mijn hand, met name alle soldaten, omdat men vaststelde dat hij nooit onder de wapens was geweest.'

Uit al dit soort waarnemingen blijkt dat het meeste volk in de straten van Berlijn niets voelde voor een imitatie van de bolsjewistische revolutie. Zoals ook valt te lezen in de verslagen van de arbeidersvergaderingen die week[4] wilde men de Duitse novemberrevolutie herhalen, maar dan goed. De 'verraderlijke' regering-Ebert moest verdwijnen. Er werden gewapende groepen geformeerd, stations en krantenredacties werden bezet. Ondertussen werd Karl Liebknecht door zijn aanhangers triomfantelijk door de stad gereden, omringd door vrachtauto's met rode vlaggen en machinegeweren, als een Berlijnse variant op de grote Lenin. Alleen: Liebknecht was, zoals gezegd, geen Lenin. Zijn loopbaan was vanaf het begin die van een activist, een strijder, niet die van een politiek leider.

De situatie werd nu zeer verward. Op maandag 6 januari werd een algemene staking gehouden waaraan tweehonderdduizend arbeiders deelnamen. Die ochtend zag Kessler twee optochten door de Berlijnse binnenstad lopen: een van sociaal-democraten, een andere van spartakisten. 'Ze bestaan beide uit dezelfde, precies eender geklede grauwe kleinburgers en fabrieksmeisjes, zwaaien met dezelfde rode vlaggen, marcheren in dezelfde gezinsmarspas. Ze dragen alleen maar verschillende leuzen mee, bespotten elkaar in het voorbijgaan en misschien zullen ze vandaag nog op elkaar schieten.' Hij hoort opeens geschreeuw. 'De jonge Liebknecht! Liebknechts zoon!' Kesslers observatie verraadt terloops een klein persoonlijk drama: de 'jonge' Karl Liebknecht bleef, zelfs op het hoogtepunt van zijn loopbaan, in de ogen van deze arbeiders altijd de zoon van zijn vader, Wilhelm Liebknecht, een van de oprichters van de SPD. Bijna werd Karl Liebknecht, 'een tenger blond jochie', vervolgens door de sociaal-democraten gelyncht, totdat hij door een stel potige spartakisten werd ontzet.

Weer stond er een menigte op de Alexanderplatz, klaar om de regeringsgebouwen te bestormen. Iedereen wachtte op het begin van de grote Berlijnse revolutie. Er gebeurde niets.

Er was geen leiding, er vielen geen besluiten. Karl Radek, net in Berlijn, had te weinig tijd gehad om de vrijgevochten spartakisten ook maar enige discipline bij te brengen. Hij was het volstrekt oneens met de oproep om de regering ten val te brengen, en binnenskamers eiste hij dat de nieuwe KPD zich onmiddellijk uit deze 'uitzichtloze' strijd zou terugtrekken. Karl Liebknecht was een moedige, heetgebakerde advocaat, maar hij was geen groot politiek licht. Hij had iets 'donquichotterigs', schreef Kessler in zijn dagboek, en hij miste ten enenmale het strategische talent van Lenin. Rosa Luxemburg was een buitengewone vrouw, briljant en poëtisch, maar in die weken bemoeide ze zich alleen maar met haar krant en met haar schrijfwerk. Ze was zelfs woedend op Liebknecht toen ze hoorde dat hij zonder enige voorbereiding een revolutie was begonnen: 'Hoe kon je! En ons programma dan!' De soldatenraden hielden zich afzijdig: ze waren voor revolutie, maar ook voor orde. Aan het eind van de dag trokken de meeste mensen naar huis. Hun revolutie was voorbij.

Toen sloeg de stemming om: de regering-Ebert kreeg de steun van een aantal conservatieve legeronderdelen. In felle huis-aan-huisgevechten werd het ene na het andere bezette gebouw heroverd. Het gebouw van *Vorwärts* werd bestormd en toen de dienstdoende officier aan de Rijkskanselarij vroeg wat hij met de driehonderd bezetters moest doen, kreeg hij ten antwoord: 'Allemaal neerschieten.' Hij was een officier van de oude stempel en hij weigerde. Uiteindelijk werden zeven bezetters geëxecuteerd, de anderen werden zwaar mishandeld. Diezelfde zaterdagmiddag marcheerden de eerste vrijkorpsen de stad binnen, met aan het hoofd een trotse Gustav Noske. Hij was zich bewust van zijn historische rol: 'Wat kan mij het schelen! Iemand moet toch de bloedhond zijn, ik schuw de verantwoordelijkheid niet.'

Nu begon een blinde jacht op radicalen en communisten. Van de spartakisten die verzet boden, werden er alleen al in Berlijn twaalfhonderd doodgeschoten. Karl Radek kwam er genadig af. Hij werd opgesloten in de Moabit, de enorme Pruisische gevangenis midden in de stad. Hij zat er ongeveer een jaar. Al snel verwierf hij, als bijzondere vertegenwoordiger van het nieuwe Rusland, een voorkeursbehandeling. Zijn cel werd een gesmeerd lopend centrum van agitprop en hij ontving er wie hij maar wilde, van radicale activisten tot vooraanstaande figuren als Walther Rathenau. 'Radeks salon in Moabit' werd in Berlijn een begrip. Hier werden nieuwe verbindingen gesmeed tussen het Duitsland in overgang en het Rusland in overgang.

Rosa Luxemburg en Karl Liebknecht misten de rugdekking van een grote mogendheid. Zij werden op 15 januari 1919 opgepakt, bij het Eden-Hotel met geweerkolven half bewusteloos geslagen en vervolgens door het hoofd geschoten. Liebknecht werd bij het lijkenhuis afgeleverd, Luxemburg werd, stervend, in het Landwehrkanal gesmeten. De dood bracht hen voorgoed bijeen in de geschiedenisboeken, terwijl ze eigenlijk niet zoveel met elkaar van doen hadden, vaak zelfs tegenover elkaar stonden. Käthe Kollwitz kreeg toestemming om de opgebaarde Liebknecht te tekenen: 'Om het kapotgeschoten voorhoofd waren rode bloemen gelegd, het gezicht was trots, de mond iets geopend, van pijn vertrokken. Een wat verwonderde uitdrukking op het gezicht.' De soldaat die Liebknecht de hersens had ingeslagen, een zekere Runge, kreeg als enige een paar maanden cel. Luitenant Vogel, die Rosa Luxemburg had doodgeschoten, werd enkel veroordeeld voor het illegaal deponeren van een lijk; hij vluchtte naar Nederland en kreeg amnestie. Kapitein Waldemar Pabst, die het bevel had gevoerd, werd geen haar gekrenkt en stierf in 1970 rustig in zijn bed.

Dit was het einde van het tweede bedrijf.

Het derde bedrijf van het drama bestond uit een burgeroorlog die zich van de winter tot de zomer over heel Duitsland verspreidde en die, als een veenbrand, dan weer hier, dan weer daar oplaaide: in Bremen, in München, in het Ruhrgebied, opnieuw in Berlijn. Het was een burgeroorlog die grotendeels uit het Europese geheugen is verdrongen, maar die wel degelijk met grote felheid en wreedheid is gevoerd.

'Vreemde mensen werden bespuugd. Trouwe honden werden geslacht. Koetspaarden opgegeten,' schreef Joseph Roth over deze periode. 'Leraren sloegen er van honger en woede op los. Kranten verzonnen gruwelen van de vijanden. Officieren slepen de sabels. Gymnasiasten schoten. Studenten schoten. Politieagenten schoten. Kleine jongens schoten. Het was een schietende natie.'

De strijd was ongelijk: rommelige verzetsgroepen van de arbeiders- en soldatenraden tegenover uitstekend getrainde en bewapende vrijkorpsen. Soms was het zelfs volstrekt onduidelijk wie nu met wie vocht. Harry Kessler noteerde eind januari dat de socialistische beweging duidelijk in twee delen uiteen was gevallen, 'want ook de troepen die het [regerings]centrum [van Berlijn] bewaken, zijn socialistisch en zouden waarschijnlijk geen enkele burgerlijke regering hebben gesteund'.

In de hoofdstad werd de burgeroorlog een normaal onderdeel van het bestaan. Een ooggetuige beschreef hoe schoolkinderen zich verontschuldigden als ze te laat thuiskwamen omdat ze bij de Hallesches Tor in een portiek het einde van een schietpartij hadden moeten afwachten. Een S-Bahntrein die uit het oosten een station binnenreed, kon ogenschijnlijk leeg zijn, totdat hij stopte. Dan bleek hij vol. De reizigers hadden onder de banken beschutting gezocht tegen rondvliegende kogels.

Graaf Kessler noteerde tijdens die dagen:

Donderdag 6 maart
Mevrouw Ploetz vertelt me 's ochtends dat er op de Molkenmarkt en de Alexanderplatz zware schermutselingen plaatsvinden met mortieren. In de Neue Friedrichstrasse zouden verscheidene huizen verwoest zijn. In de stad zijn sinds gisteren overal barricaden opgeworpen en prikkeldraadversperringen aangebracht, deels door spartakisten, deels door regeringstroepen. Kranten zijn vanochtend niet verschenen.

Zaterdag 8 maart
Volgens de *Lokal-Anzeiger* zijn er vijf- tot zeshonderd doden gevallen. [...] De verbittering van de mensen [is] grenzeloos. Twee soldaten van het regime waren door de spartakisten in het kanaal gegooid, anderen was de keel doorgesneden. Aan beide zijden

worden alle mogelijke gruwelijkheden die gepaard gaan met een burgeroorlog van de meest genadeloze soort gepleegd. Een nieuw verschijnsel [...] is sinds de moord op Liebknecht de Duitse revolutie binnengeslopen: de vendetta, de bloedwraak, die [...] van alle revolutionaire krachten als laatste overblijft, wanneer de andere uitgedoofd of bevredigd zijn.

Donderdag 13 maart
Soldaten kwamen George Grosz arresteren, in zijn atelier. Hij zag kans om zich eruit te redden dankzij de kwaliteit van de paar valse papieren die hij bij zich droeg, en is nu een vluchteling, die iedere nacht op een andere plek slaapt. [...] Grosz noemt zichzelf nu een spartakist. De witte terreur gaat ongestoord door. De executie van vierentwintig matrozen door de regeringstroepen op de binnenplaats van een huis aan de Französische Strasse blijkt een regelrechte moordpartij te zijn geweest: de matrozen kwamen eenvoudig om soldij te innen bij het kantoor van de betaalmeester.

Ondertussen waren, ondanks alles, op 19 januari 1919 algemene verkiezingen gehouden, waarbij Eberts centrum-linkse coalitie driekwart van de stemmen verwierf. De onafhankelijken werden weggevaagd. In de Beierse Volksstaat kregen Kurt Eisner en de zijnen slechts 3 procent van de stemmen. Eisner was geen Lenin en hij trad keurig af. Hij kreeg niet eens de kans om zijn afscheidsrede te houden: vlak voordat hij de Beierse Landdag zou betreden, werd hij door een uiterst rechtse officier doodgeschoten.

Na deze verkiezingen steunde Ebert, ondanks alle straatgeweld, op een stabiele basis: het parlement, de vakbonden, de werkgevers en de generaals. Maar gevochten werd er nog altijd. Het ging nu om betere arbeidsvoorwaarden, meer geld en een grotere autonomie van de raden. De vrijkorpsen raasden op hun eigen wijze door het land. Een van hun chefs vergeleek ze, niet ten onrechte, met vijftiende-eeuwse huursoldaten: 'De landsknechten kon het ook niet veel schelen waarom ze vochten en voor wie. Het belangrijkste was dat ze vochten. Oorlog was hun roeping geworden.' Uiteindelijk waren er bijna zeventig van dit soort korpsen, in totaal zo'n vierhonderdduizend man. In veel Duitse steden vonden massaal folterpartijen en willekeurige executies plaats, gruwelijkheden die alleen nog hier en daar in familieverhalen opduiken.

Na mei werd het werk van de vrijkorpsen min of meer overgenomen door gewone en militaire rechtbanken. Er vielen nog eens honderden doodvonnissen. Dit was het derde bedrijf.

Het vierde bedrijf was eigenlijk een intermezzo. Op 18 augustus 1919 ondertekende rijkspresident Ebert de Constitutie van Weimar. Het was een grondwet waarin iedereen een beetje zijn zin kreeg: de voorstanders van de directe radendemocratie kregen het referendum, de liberale parlementaristen kregen de Rijksdag, de oude monarchisten hun president. Het parlement werd gevestigd in Weimar. Deze stad moest het symbool worden van de nieuwe Duitse eenheid, de stad van grote geesten als Herder, Goethe en Schiller, en ook van het lieflijke, onbesmette, provinciale Duitsland. Weimar was bovendien een stad die in geval van nood gemakkelijk verdedigd kon worden door een handvol loyale troepen, maar dat zei niemand er openlijk bij.

Een halfjaar later, op 10 januari 1920, trad het vredesverdrag van Versailles in werking. Het Duitse leger moest tot een kwart van de voormalige Reichswehr gereduceerd worden. Dit betekende het einde van de vrijkorpsen. De vrijgevochten landsknechten lieten dat niet zomaar gebeuren en hun generaals, onder wie Ludendorff, probeerden zelfs de macht te grijpen. Ook de eerder genoemde Brigade Ehrhardt weigerde zich te laten ontbinden. In de nacht van vrijdag 12 op zaterdag 13 maart 1920 trokken de vijfduizend man van het vrijkorps in opdracht van Wolfgang Kapp en generaal Walther von Lüttwitz in volle oorlogsformatie Berlijn binnen om de ministeries te bezetten en 'ieder verzet zonder pardon te breken'. Er volgden chaotische uren, het leger weigerde partij te kiezen en ten slotte riep de regering, ten einde raad, de hulp in van de oude revolutionaire krachten: 'Vecht met alle middelen voor het behoud van de republiek. Laat alle onderlinge twist varen! Er bestaat slechts één middel tegen de dictatuur van Wilhelm II: verlamming van het gehele economische leven!' Daarna vluchtten de ministers alle kanten op.

Toch mislukte deze Kapp-putsch faliekant. De algemene staking, waartoe de oude regering in haar wanhoop had opgeroepen, werd een daverend succes. Nooit was Duitsland zo verlamd als in de week die volgde. Geen trein of tram bewoog. Geen brief werd bezorgd. Geen fabriek draaide nog. In Berlijn was geen water, gas en licht. Bijna alle overheidskantoren waren dicht.

Geen krant verscheen. De putsch-regering miste iedere greep op de samenleving. Geen decreet kwam verder dan de werkkamers van de minister. Binnen een week was alles voorbij. Het was de laatste eensgezinde manifestatie van het socialistische Duitsland.

Vijfde bedrijf, de finale van het drama. De gewelddadige revolutie ging ondergronds. Na 1920 ontstonden er allerlei geheime groepjes uit het leger en de kring van de vrijkorpsen. Zij zagen Versailles als een poging om definitief af te rekenen met de oude Germaanse waarden. Iedereen die deze vrede wilde consolideren, was een verrader, zeker als hij jood was, en intellectueel.

'Overal klonk haatgezang,' schreef George Grosz later, 'iedereen werd gehaat: de joden, de kapitalisten, de adel, de communisten, de militairen, de huiseigenaren, de arbeiders, de werklozen, de Reichswehr, [...] de controlecommissies, de politici, de warenhuizen en nog eens de joden. [...] Het was alsof Duitsland in twee delen uiteen was gevallen en beide haatten elkaar zoals in de Nibelungensage. En wij wisten dat, of het begon ons toch langzaam te dagen.'

Het was een klimaat dat Joseph Roth perfect beschreef in zijn roman *Het spinnenweb*, een verhaal vol intriges en draden waarlangs de twee hoofdfiguren voortbewegen: een zekere Theodor Lohse, een gefrustreerde burgerjongen die zich langzaam ontwikkelt tot een politieke crimineel, en een zekere Benjamin Lenz die ongestoord 'het draaiorgel van de carrousel' bespeelt, berichten voor buitenlandse missies vervalst, papieren en stempels uit kantoren steelt en zich met mensen in voorarrest laat opsluiten, hen uithoort 'en wacht op "zijn" dag'. Het centrum van het web is München. Belangrijke bijfiguren zijn Erich Ludendorff en Adolf Hitler.

Roth construeerde zijn spinnenweb zo nauwkeurig dat er iets wonderbaarlijks gebeurde: de fictie werd ingehaald door de nonfictie. Het boek werd vanaf 7 oktober 1923 in de Weense *Arbeiterzeitung* als feuilleton gepubliceerd, de laatste aflevering verscheen op 6 november, en op 8 en 9 november 1923 deden Ludendorff en Hitler een – vergeefse – greep naar de macht. Inderdaad, in München. Maar de belangrijkste wissel was toen al omgezet.

In oktober 1914 schreef Walther Rathenau aan zijn vriend Frederik
van Eeden: 'Wie van ons weet of hij de vrede nog meemaakt. Wij
zullen moeilijker dingen beleven dan die wij zagen. Een hard geslacht zal opgroeien, misschien vertrapt het onze harten.' Tegenwoordig staat er een klein monument in de bocht van de lommerrijke Königsallee, waar hij op 24 juni 1922 door dat 'harde geslacht'
werd doodgeschoten. Hij was inmiddels minister van Buitenlandse
Zaken geworden, had de herstelbetalingen van Versailles bijna weten te halveren en probeerde op allerlei manieren het vertrouwen in
Duitsland te herstellen. Zijn grootste fout was, dat hij daarin dreigde te slagen.

Mensen als Rathenau waren permanent in gevaar. Ze waren,
in de propaganda van extreem rechts, verantwoordelijk voor alle
rampen die Duitsland hadden getroffen sinds de zomer van 1918:
de dolkstoot van de wapenstilstand, de vernedering van Versailles, en daarna ook nog eens de ineenstorting van de economie
door de wurgende herstelbetalingen. 'Knallt ab den Walther Ra-
thenau/ Die gottverfluchte Judensau', was een tekst die openlijk
door de vrijkorpsen werd gezongen. Rathenau zelf maakte zich
vooral zorgen over de haat als algemeen maatschappelijke ver-

schijnsel. 'Toen de oorlog voorbij was, waren deze mensen niet in staat de weg naar een normaal leven terug te vinden,' zei hij tegen de society-journaliste Bella Fromm. 'Nu wíllen ze niet eens meer terug naar een normaal bestaan. De zucht om te doden en te plunderen heeft bezit van hen genomen.' Twee dagen later was hij dood.

De aanslag werd gepleegd door een groepje van studenten en scholieren, aangevoerd door een jeugdige ex-luitenant. Deze officier was tegelijk lid van een spinnenweb, de Organisatie Consul, onder leiding van dezelfde kapitein Ehrhardt die ook de Kapp-putsch had georganiseerd. De schooljongens maakten elkaar wijs dat Rathenau een van de 'wijzen van Sion' was. Ze schoten hem neer vanuit een auto, terwijl hij op weg was naar zijn werk.

Rathenau werd thuis opgebaard. Graaf Kessler ging erheen: 'Hij ligt in zijn studeerkamer, waar ik zo vaak met hem vertoefd heb, in een geopende doodskist, het hoofd wat naar rechts gewend, een heel vredige uitdrukking op zijn diep doorgroefde gelaat, een zakdoek van fijne stof over het onderste, verbrijzelde deel ervan gedrapeerd.'

De drie jeugdige moordenaars sloegen op de vlucht: eentje werd snel gepakt, de twee anderen reden per fiets door half Duitsland, verscholen zich in een verlaten kasteel, werden ontdekt, het liep uit op een schietpartij, even later waren ze dood. Na een paar jaar werden ze door de nazi's als martelaren de hemel in geprezen.

Er zijn altijd van die verboden vragen voor historici. Wat zou er met Europa gebeurd zijn als Winston Churchill in 1931 niet door een New Yorkse taxi zou zijn geschampt maar zou zijn doodgereden? Of als korporaal Hitler in de nazomer van 1918 bij een laatste aanval met mosterdgas niet zou zijn verblind, maar gestikt? Of als de aanslag op Rathenau in 1922 niet...

Maar Rathenau werd gedood, Churchill niet.

De aanslag op Rathenau was wellicht de belangrijkste politieke moord van de twintigste eeuw. Hij was minstens zo'n bijzondere figuur als Churchill of Charles de Gaulle, minstens zo briljant, minstens zo charismatisch. Hij had de visie van een Jean Monnet, de eenvoud van een Albert Einstein. 'Je voelde,' schreef Sebastian Haffner, 'dat als hij niet een minister van Buitenlandse Zaken uit 1922 was geweest, hij net zo goed een Duitse filosoof uit 1800, een internationale geldkoning uit 1850, een grote rabbijn of een kluizenaar had kunnen zijn.' Hij bezat, net als Hitler, de toverkracht om massa's in beweging brengen, wat alleen al bleek uit de honderdduizenden die na de aanslag de straat op gingen. Alleen was zijn kracht een positieve, een kracht die de twintigste eeuw voor Duitsland en Europa heel anders had kunnen laten verlopen.

Rathenau had jarenlang de leiding gehad van de – mede door zijn vader opgerichte – Allgemeine Elektrizitäts-Gesellschaft (AEG), een enorm Duits concern. Als een van de weinigen had hij de Eerste Wereldoorlog zien aankomen en met alle kracht had hij geprobeerd om het onheil te keren. Daarom steunde hij ook het Engelse voorstel uit 1912 tot beheersing van de wapenwedloop; het werd door Wilhelm direct getorpedeerd. Rathenau besefte dat de invloed van een land niet alleen gebaseerd is op militaire macht, maar net zo goed op economische kracht en op moreel gezag. Eind 1913 lanceerde hij een plan om tot een economische fusie te komen van de centrale en westelijke Europese landen: 'Mitteleuropa', een vroege voorloper van de Europese Unie. Tijdens de oorlog had hij de grondstoffendistributie georganiseerd, daarna was hij een buitengewoon succesvol minister van Wederopbouw. Maar het belangrijkste was zijn visie, zijn stijl, zijn manier van denken.

Na de aanslag bezocht ook Joseph Roth het huis van Walther Rathenau. 'In het hele huis en in het hele wezen van deze man heerste een verzoenende geest.' Beneden was er de 'schrijftafel van de openbare functionaris', boven 'de stille schrijftafel van de particulier en de schrijver,' maar alles was omringd door boeken: Kant, Goethe, Plutarchus, de bijbel in allerlei vormen en vertalingen. Er was 'bijna geen naam uit de geestesgeschiedenis, de grote oneindige geschiedenis van de geest, die hier niet vertegenwoordigd was. En uit alles wat hij las en schreef, klonk steeds weer die neiging tot verzoenen.'

Roth: 'Ik kom voorbij de plaats waar hij werd vermoord. Het is niet waar dat elke moord één moord is. Deze moord hier was een duizendvoudige, niet te vergeten, niet te wreken.'

Het monument aan de Koenigsallee is pas een kwarteeuw later geplaatst. Het is klein, de oude bomen zijn omgehakt, de meeste landhuizen zijn vervangen door nieuwe villa's, alleen de bocht in de weg is nog herkenbaar. Een paar honderd meter daarvoor moet het huis van Rathenau gestaan hebben. Het is, voor zover ik kan nagaan, ergens in de jaren zeventig gesloopt. De auto's razen voorbij, de lentevogels fluiten. Zo werkt vergetelheid.

3

Ik, Bertolt Brecht, kom uit de zwarte wouden.
Mijn moeder heeft me in de stad gedragen
Toen ik in haar schoot verborgen lag. En de kilte der wouden
Zal in mij tot aan mijn sterven knagen.

In de asfaltstad ben ik thuis.

Berlijn werd cynisch. In de jaren twintig begon een apart Berlijn te ontstaan van kunstenaars en snelle rijken, met feesten die in niets meer leken op de ruige partijtjes van de Mackie Messers en de Polly Peachums van vlak na de oorlog. Nu waren er snobistische bijeenkomsten onder het motto: 'Liefde is de dwaze overschatting van het minimale verschil tussen het ene seksuele object en het andere.' Na de revolutie en de dood vonden de Berlijners, op hun eigen wijze, de seks uit.

De Oostenrijker Stefan Zweig keek verbluft toe hoe de Berlijners 'de perversie bedreven met al hun systematische grondigheid', met alle pathetische erotiek die daarbij hoorde. 'Langs de Kurfürstendamm paradeerden geschminkte jongens met kunstboezems, en niet alleen professionals: elke gymnasiast wilde wel wat verdienen. [...] Jonge meisjes gingen er prat op pervers te zijn; als men vermoedde dat je op je zestiende nog maagd was, had dat in die tijd op elke school in Berlijn als belachelijk gegolden.'

De Amerikaanse componist Nicolas Nabokov beschreef een avondje doorzakken met de exotische danseres Isadora Duncan en haar nieuwbakken echtgenoot, de briljante en zwaar getikte Russische dichter Sergej Jesenin, zeventien jaar jonger dan zijzelf. Ze liepen graaf Harry Kessler tegen het lijf, 'in het gezelschap van een donkerharig meisje, Judith of Ruth of zoiets geheten, dat enkel gekleed was in een jacquetjas, een gesteven hemd en een cilinderhoed, zodat de uiterst verleidelijke delen onder haar taille slechts zeer onvolledig verhuld waren'. De volgende avond was er bij Kessler thuis een feestje waar een jonge zwarte naaktdanseres viel te bewonderen, die net uit Parijs was gearriveerd: Josephine Baker. Jesenin zou in 1925 zelfmoord plegen, Duncan werd twee jaar later in Nice gewurgd, toen haar sjaal vastdraaide in de wielen van haar sportauto.

'De nabije toekomst heeft bepaald dat ik tot bloedworst word verwerkt,' verzuchtte een van de hoofdpersonen van Erich Kästners roman *Fabian* (1931), de veteraan Stephan Labude, tijdens zo'n dolle nacht. 'Wat zal ik in de tussentijd doen? Boeken lezen? Aan mijn karakter vijlen? Geld verdienen? Ik zat in een grote wachtkamer, en die heette Europa. Over acht dagen gaat de trein, dat wist ik. Maar waarheen hij ging en wat van mij zou worden, dat wist geen mens. En nu zitten we weer in de wachtkamer, en weer heet die Europa! En weer weten we niet wat er zal gebeuren. We leven provisorisch, de crisis heeft geen einde.'

Dit was inderdaad de kern: provisorisch. Provisorisch, omdat de politiek elke dag anders kon zijn, provisorisch ook omdat iedere economische stabiliteit begon te verdwijnen. In september 1922 klaagde Käthe Kollwitz in haar dagboek voor het eerst over inflatie en geldgebrek: 'De ongehoorde duurte. Karl verdient dit jaar ongeveer 300 000 mark, dat is minder dan de helft van wat we nodig hebben. Als ik er de andere helft niet bijverdiende, zouden we er ook onderdoor gaan, zoals tallozen. Velen verarmen.'

De cijfers over de Duitse hyperinflatie zijn welbekend: in 1918 kreeg je ruim vier mark voor een dollar, in 1922 vierhonderd mark, na de moord op Rathenau werd het al gauw duizend mark, en eind november 1923 stond de mark tegenover de dollar als 4 210 500 000 000:1. Een exemplaar van een gewone Berlijnse familiekrant als de *Deutsche Allgemeine Zeitung* kostte in mei 1921 30 pfennig. In december 1922: 50 mark, op 1 februari 1923: 100 mark, op 1 juni 1923: 300 mark, op 1 juli: 1500 mark, op 1 augustus: 5000 mark, op 15 augustus: 20 000 mark, op 29 augustus: 60 000 mark, op 12 september: 300 000 mark en op 19 september: 800 000 mark. Op donderdag 20 september 1923 werd het miljoen overschreden. Een dag later: 1,5 miljoen. De zondagskrant van 28 oktober: 2,5 miljard mark. De krant van vrijdag 8 november, met het nieuws van Hitlers putsch in München, kostte uiteindelijk 60 miljard mark.

Het belangrijkste effect van de inflatie was het verdwijnen van ieder besef van waarde. Musici en theatermensen werden na een optreden betaald in koffers vol bankbiljetten. Ze vertrokken er meteen mee naar een winkel voor de meest noodzakelijke uitgaven, de volgende ochtend zou het allemaal niets meer waard zijn. Elias Canetti beschreef hoe door de inflatie alles onzeker werd, hoe het geld geen uur meer op dezelfde plaats bleef, en hoe ook de mens zelf steeds minder waard werd. 'Hij zelf of wat hij ooit is geweest, is niets, het miljoen dat hij zichzelf altijd heeft gewenst is niets. Iedereen heeft het.' Over de bejaarde auteur Maximilian Bern ging het verhaal dat hij op een dag al zijn spaargeld opnam, honderdduizend mark, daarvoor één S-Bahnkaartje kocht, zich door de stad liet rondrijden en daarna doodhongerde.

De Russische schrijver Ilja Ehrenburg, toen in Berlijn, maakte mee dat hij op een avond werd meegetroond 'naar een interessante plaats'. Hij kwam terecht in een keurige burgerflat met aan de muren schilderijen van familieleden in officiersuniform. 'We kregen champagnelimonade met een scheutje sterkedrank. Vervolgens verschenen de twee dochters van de gastheer – naakt. Ze begonnen te dansen. Een van hen sprak over de romans van Dostojevski. De moeder keek hoopvol naar de buitenlandse gasten: misschien zouden ze verleid worden door hun dochters en betalen, in dollars natuurlijk.'

Tegelijk werden veel mensen in diezelfde periode steenrijk, met name als ze jong waren, en bedreven in het spel van de geldmarkt. Een deel van de jeugd leefde in een wereld die deed denken aan de IT-zeepbel van de latere jaren negentig: schoolfeestjes met champagne, twintigjarige miljonairs die hun ouders onderhielden. Terwijl de oude rijken hun geld hadden opgepot, gaven de nieuwe rijken het zo snel mogelijk uit. Dat zette de wereld helemaal op zijn kop. Het oude Duitsland was immers een land van spaarders. Geen meisje uit de Duitse middenklasse zou ooit trouwen zonder dat haar vader een bruidsschat betaalde. De dienstmeisjes waren berucht vanwege hun zuinigheid: ze spaarden en spaarden, totdat ook zij konden trouwen. Toen die spaarpotten opeens niets meer waard bleken te zijn, verloor het hele systeem van bruidsschatten iedere bestaansgrond. Huwelijk, kuisheid, het donderde allemaal niets meer. Meisjes en jonge vrouwen kozen hun eigen weg.

In de Berlijnse burgerkringen, met hun naoorlogse tekort aan mannen, ontstond een nieuw soort vrijgevochten vrouw. Plus het tegendeel daarvan, de gigolo, de koopbare man. Het waren vaak knappe jonge beroepsofficieren die na 1918 hun baan hadden verloren en zo een paar bankbiljetten bijverdienden. De plot van *Der blaue Engel* (1930), de eerste Duitse geluidsfilm, is niets anders dan een karikatuur van het Duitsland van de jaren twintig: een oude waardige schoolmeester Emil Jannings die door de vrijgevochten Lola-Lola (Marlene Dietrich) halfgek wordt gemaakt en vervolgens langzaam wegzinkt, van vernedering naar vernedering.

Deze krankzinnige stad werd daarbij ook nog eens voortgestuwd door een overvloed aan drugs. Veel oud-soldaten, Hermann Göring bijvoorbeeld, waren aan de morfine, een verslaving die ze meestal hadden opgedaan in de veldlazaretten. De populairste drug in de stad was in die jaren cocaïne, 'merkandijs' zoals Paul van Ostaijen het in zijn brieven noemde. 'Het maakte je zo slim, zo slim', vertelde een van de bejaarden die de Amerikaanse historicus Otto Friedrich later interviewde voor zijn boek over Berlijn. 'Je begon met heel veel te praten, en je dacht dat je de slimste dingen van de wereld zei, en dan zeiden de mensen de volgende dag tegen je: wat was er gisteravond met je aan de hand? Je praatte als een idioot!'

Wat was de economische achtergrond van deze wonderbaarlijke tijd, deze jaren waarin alles vloeibaar en betrekkelijk was, tot de liefde toe? Het komt allemaal door de herstelbetalingen van dat ellendige Versailles, riepen de rechtse Duitsers. (Ze vergaten daarbij gemakshalve dat er ook werkelijk wel wat te herstellen viel: met name in België had Duitsland zonder enige reden ongelooflijk veel schade aangericht. Het totaalbedrag was bovendien lager dan de schadevergoedingen die Frankrijk een halve eeuw eerder aan Duitsland had moeten overmaken.) Jaarlijks zou Duitsland, volgens de verdragsbepalingen, 1,8 miljard mark aan schadevergoeding moeten afdragen, tot 1988 toe.

In werkelijkheid hadden de herstelbetalingen slechts een gering effect op de inflatie. De mark stortte vooral ineen vanwege de enorme staatsschulden die de Duitsers zelf hadden gemaakt tussen 1914 en 1918, tot een totaal van 164 miljard mark. Daarvan was 119 miljard binnengehaald via vaderlandslievende obligaties – wie zijn spaargeld daarin had gestoken, zag het nooit meer terug – en de rest was gefinancierd door simpelweg de geldpers te laten draaien. De Duitsers hadden gehoopt de boel weer recht te kunnen trekken als ze Parijs hadden veroverd en ze van de Fransen en Britten schadevergoedingen konden afdwingen. Het Duitse probleem lag dus niet alleen bij de herstelbetalingen die afgedragen moesten worden, het lag vooral ook bij het gespeculeer op de verwachte herstelbetalingen die de Duitsers uiteindelijk niet kregen.

Een andere nagezonden rekening was de eigen geleden oorlogsschade. Om een indruk te geven: eind jaren twintig moest de Duitse regering betalingen verrichten aan 761 294 oorlogsinvaliden, 359 560 weduwen, 731 781 kinderen zonder vaders, 56 623 wezen en 147 230 ouders die een of meer zoons hadden verloren, in totaal een vijfde van het hele rijksbudget. En wat de Duitse economie de nekslag gaf, was de primitieve manier waarop de regering al deze problemen te lijf ging. Men liet alleen de geldpersen draaien. Almaar harder.

Opeens was het ook allemaal weer afgelopen. Binnen drie maanden zette een nieuwe rijkskanselier, Gustav Stresemann, heel Duitsland weer op poten. Op 15 november 1923 werd er een ander soort geld geïntroduceerd, kleine, grauwe biljetten waarop stond gedrukt: Eén Rentenmark. De waarde was zogenaamd gebaseerd op het onderpand van de complete Duitse goudvoorraad, de grond en de andere bezittingen. In werkelijkheid klopte hier niets van, maar de Duitsers geloofden het, en dat bleek voldoende. Op zaterdag 17 november kostte de *Deutsche Allgemeine Zeitung* '90 miljard Mark = 15 Goldpfennige'. Op vrijdag 22 november kostte de krant '150 miljard Mark = 15 Goldpfennige'. Twee weken later was het nog altijd 15 Goldpfennige. De munt hield. Binnen een maand stond de nieuwe mark weer in de normale verhouding tot de dollar van 4,2:1.

De Rentenmark bracht rust, op allerlei terreinen. De druk van de herstelbetalingen werd verlicht door een ingenieus plan van de Amerikaanse bankier Charles Dawes. Er kwam zelfs Amerikaans geld binnen voor investeringen. Kort daarna werd Stresemann weer afgedankt als kanselier, maar hij bleef tot 1929 een belangrijke rol spelen als minister van Buitenlandse Zaken. De oude veldmaarschalk Paul von Hindenburg werd in 1925 tot rijkspresident gekozen, en onder deze surrogaat-keizer kregen zelfs de conservatieven enig vertrouwen in de Republiek van Weimar.

Ook de internationale verhoudingen werden minder gespannen. Voor het eerst probeerden de Europese staten een aantal kwesties via de Volkenbond te regelen: de gevolgen van de ineenstorting van de Oostenrijkse economie, het Macedonische conflict tussen Griekenland en Bulgarije, de positie van de steden Danzig en Wilno (Vilnius), het probleem van het Saargebied en de voormalige Duitse koloniën en het bestuur over de mandaatgebieden Syrië en Palestina. Met name de Franse minister van Buitenlandse Zaken Aristide Briand stak al zijn energie in een verzoening tussen Duitsland en Frankrijk. Hij lanceerde een eerste initiatief tot een soort Europese federatie, om ook in breder verband een duurzame vrede te scheppen.

DE MORELE UNIE VAN EUROPA

Op 5 september 1929 lanceerde Aristide Briand, in een toespraak tot de Volkenbond, voor de eerste maal het idee van een soort federaal bondgenootschap voor alle Europese landen. 'Natuurlijk zal deze associatie in de eerste plaats economisch zijn,' zo meende hij, want dat zag hij als het dringendste probleem. 'Maar ik ben ervan overtuigd dat zo'n federaal verband politiek en sociaal nuttig werk kan doen, zonder de soevereiniteit van de aangesloten naties aan te tasten.' Driekwart jaar later, in mei 1930, kwam hij met een meer gedetailleerd memorandum over de 'morele unie van Europa', met een Permanent Politiek Comité voor uitvoerende beslissingen en een vertegenwoordigend lichaam, de Europese Conferentie, voor het debat. Maar toen de antwoorden van de lidstaten op zijn voorstellen binnenkwamen, accepteerde alleen Nederland dat een Europese Unie automatisch een beperking van de nationale soevereiniteit zou inhouden.

Het Briand-Kellogg-verdrag uit 1928, waarin de wereld het voeren van oorlog als politiek middel 'onvoorwaardelijk en definitief' afzwoer, werd ondertekend door vijftien staten, waaronder Duitsland en Frankrijk. De Volkenbond heeft het echter nooit ingevoerd. Dat was typerend voor de rol van deze bond: de geallieerden hadden in Versailles de oplossing van een aantal lastige en potentieel gevaarlijke problemen – Danzig werd uiteindelijk de aanleiding tot de Tweede Wereldoorlog – doorgeschoven naar de Volkenbond, maar ze hadden dit nieuwe instituut niet de mogelijkheden gegeven om beslissingen ook af te dwingen. De Verenigde Staten hadden zich op de valreep teruggetrokken uit de bond, hoewel president Wilson het als zijn levenswerk beschouwde. De twee andere initiatiefnemers, Frankrijk en Engeland, waren na de oorlog vooral op zichzelf gericht. De Volkenbond was in alle opzichten tandeloos.

De voormalige cognachandelaar Jean Monnet was bij de oprichting van de bond net dertig jaar oud. Hij werd plaatsvervangend secretaris-generaal. 'We bereikten resultaten,' schreef hij later. 'We overwonnen crises [...], we bestuurden regio's met nieuwe methoden, we stopten epidemieën. We ontwikkelden manieren van samenwerking tussen landen die tot dan toe enkel verhoudingen gekend hadden die op macht waren gebaseerd.' Maar tegelijk, zo gaf hij toe, onderschatten hij en zijn medediplomaten schromelijk het probleem van de nationale soevereiniteit. 'Op iedere bijeenkomst praatten de mensen over het algemeen belang, maar gaandeweg werd dat altijd weer vergeten: iedereen was geobsedeerd door het effect dat een mogelijke oplossing kon hebben op hemzelf, op zijn land. Het resultaat was dat niemand werkelijk probeerde om de actuele problemen op te lossen: hun belangrijkste zorg was het vinden van antwoorden die de belangen van iedereen rond de tafel zouden ontzien.' En van die onmogelijkheid om boven de nationale belangen uit te stijgen was het vetorecht, de mogelijkheid waarmee iedere staat ieder besluit kon blokkeren, 'zowel het symbool als de oorzaak'.

Op een zondagochtend wandel ik langs het Landwehrkanal achter de Tiergarten op zoek naar de resten van de gipsbeelden van de Siegesallee die ooit hier ergens stonden. Ik vind ze niet, maar ik stuit wel op iets anders, op het Bauhaus-Archiv, het museum van het Bauhaus, de kunstschool die in 1919 vanuit Weimar, Dessau en ten slotte Berlijn de wereld veroverde.

Het Archiv is een van de laatste ontwerpen van Bauhaus-oprichter Walter Gropius. Het heeft lijnen en daken die doen denken aan een fabriek en het ademt dezelfde nuchterheid en sereniteit als al die andere Bauhausvormen. Het Bauhaus was, in tegenstelling tot de nihilistische dada-beweging, een poging om na de Eerste Wereldoorlog alle onheilsgevoelens aan te wenden voor iets positiefs. Gropius zou later schrijven dat zijn eerste ideeen over Bauhaus ontstonden 'uit een combinatie van diepe neerslachtigheid als gevolg van de verloren oorlog en de verwoesting van het geestelijke en economische leven, en een gloeiende hoop om uit deze puinhopen iets nieuws te kunnen opbouwen'.

De naam Bauhaus ontleende hij aan de middeleeuwse *Bauhütte* (bouwloods), de verzamelnaam voor de arbeiders die bij de bouw van een kathedraal of ander groot gebouw betrokken waren. Zo zag Gropius zichzelf: als een middeleeuwse kathedralenbouwer, een vakman die kunstenaarschap en ambachtelijkheid op een natuurlijke manier wilde verenigen. In het Berlijn van keizer Wilhelm bestond er een wereld van verschil tussen kunst en techniek, tussen woonhuizen en fabrieken, tussen versieringen en gebruiksvoorwerpen. Uiterlijk hadden vorm en inhoud niets meer met elkaar van doen. Gropius wilde die verschillen opheffen, net als Loos al eerder in Wenen had gedaan. Hij greep terug naar de basis, de eenvoud, de puurheid. De vormgever moest, op een vanzelfsprekende manier, de techniek van auto's, stations en fabrieken combineren met esthetische principes.

In het Bauhaus-Archiv staan bijvoorbeeld een paar vitrines vol bureaulampen, en terecht, want hier werd de simpele standaard bureaulamp ontwikkeld die je op alle kantoorfoto's uit de twintigste eeuw zou waarnemen, van krantenredacties tot militaire hoofdkwartieren. Voor de komst van het Bauhaus waren de meeste elektrische bureaulampen min of meer omgebouwde gas- of olielampen, na Bauhaus waren het echte electrische lampen, helemaal vormgegeven rondom de moderne techniek.

Rond 1926 verhuisde het Bauhaus naar een brandnieuw schoolgebouw van staal en glas in Dessau. In dit laboratorium werden door architecten en kunstenaars als Ludwig Mies van der Rohe, Le Corbusier en de Nederlander Paul Citroen de moderne, strakke vormen ontwikkeld die de hele twintigste eeuw zouden bepalen: de stoelen van ijzeren buizen die je in iedere keuken ziet, de kantoorontwerpen van Mies van der Rohe, de Paul Klee-achtige stoffen, de strakke letters van de moderne typografie die in Duitsland de oude gotische letters uit de kranten verdrongen. Maar ook de vierkante asbak uit de HEMA, de glazen theepot van Blokker, de bijzettafels van Ikea, de vormen van de kunststof snelkoker, de botervloot, het wandrek dat in ieder huis staat, het is bijna allemaal te herleiden tot het pionierswerk van het Bauhaus.

Het Bauhaus kwam op met de Republiek van Weimar en ging ermee ten onder. De beweging stond bekend als links en progressief. Walter Gropius maakte in 1922 een schitterend grafmonument voor de arbeiders die omgekomen waren tijdens de Kapp-putsch, een soort bliksemschicht van beton. Mies van der Rohe ontwierp het monument voor Rosa Luxemburg en Karl Lieb-knecht. De kritiek in de kranten was vaak genadeloos. De nationalisten zagen het Bauhaus als een voorbeeld van bolsjewistische, ontaarde kunst, de absolute vijand van de 'Duits-nationale' kunst.[5]

In een catalogus in het Bauhaus-Archiv zag ik een pentekening van Paul Citroen uit 1922 met kotsende, pissende en poepende naaktfiguren. De plaat verwijst naar de vreemde zuiveringsrituelen die een leerling moest ondergaan voordat hij tot het heilige Bauhaus mocht toetreden: vasten, vegetarische voeding, elke dag collectieve lichaamsoefeningen op het dak van het complex, naaktheid, kastijding. Het ging Gropius niet enkel om de mooie vorm, het ging hem, zoals hij zei, 'om de vormgeving van levensprocessen'. Op zijn manier was ook hij een revolutionair, iemand die zocht naar een nieuwe ordening, vormgegeven in de Bauhaus-architectuur, de wolkenkrabbers van glas en staal die in Berlijn en overal elders begonnen te verrijzen, de kathedralen van de moderne tijd, zoals Gropius zelf schreef, 'architectuur en beeldhouwwerk en schilderij ineen, oprijzend naar de hemel vanuit de handen van miljoenen ambachtslieden, als een kristallen symbool van een nieuw geloof'.

4

In het Berlijnse Jüdische Museum wordt tegenwoordig permanent een stukje van de film *Menschen am Sonntag* gedraaid, een
unieke collage van Berlijnse straattaferelen, opgenomen in de zomer van 1929. We zien een kalme, welvarende stad, met volle terrassen, spelende kinderen en vredige wandelaars, zonnende
jeugd aan de oevers van de Wannsee, een kleine optocht van de
Reichswehr op Unter den Linden – met, dat is wel opvallend, vele
tientallen burgers die links en rechts over de trottoirs meemar-
cheren.

Die zomerzondagen van 1929 waren voor Berlijn de laatste vredige momenten. Na 1924 was Duitsland tot rust gekomen. De politiek was een ordelijke aangelegenheid, de lonen stegen, het
eten was goed, en zo had het altijd kunnen blijven. 'Vanaf 1926
was er helemaal niets meer dat een gesprek waard was,' herinnerde Sebastian Haffner zich. 'De kranten moesten hun koppen halen uit gebeurtenissen in verre landen.' Op straat heerste verveling en iedereen werd 'allerhartelijkst uitgenodigd' om op zijn
eigen manier gelukkig te worden. Het enige probleem – ook Walter Rathenau signaleerde dat vlak voor zijn dood – was dat aan die
uitnodiging tot braafheid over het geheel genomen geen gehoor
werd gegeven. De Duitse jeugd was verslaafd geraakt aan politieke prikkelingen, onrust en sensatie.

De socioloog Norbert Elias gaf later nog een andere verklaring.
In zijn visie had de diepe onvrede over de Republiek van Weimar
ook alles te maken met de abrupte overgang van het half-absolutistische regime van Wilhelm II naar een moderne parlementaire
democratie. Normaal is dat een proces van meerdere generaties,
nu vond de omslag plaats binnen twee, drie jaar. 'De persoonlijk-
heidsstructuur van de Duitsers was gericht op de absolutistische
traditie waardoor ze eeuwenlang ononderbroken waren gere-

geerd,' schrijft Elias. Daarbij kwam nog eens de militaire levens-houding van bevel en gehoorzaamheid die de Pruisische samenle-ving diep had doortrokken, een manier van denken die relatief simpel is in vergelijking met de ingewikkelde eisen die aan het le-ven in een parlementair systeem worden gesteld. Sterker nog: de regels binnen een meerpartijendemocratie leggen de nadruk op precies die waarden die binnen een militaire traditie laag in aan-zien staan. Weimar eiste, zoals iedere parlementaire democratie, een gecompliceerde cultuur van onderhandelingen, zelfbeper-king, bemiddeling en compromis. Het oude, half-absolutistische Duitsland moest niets hebben van een middenweg, het riep om eer, trouw, absolute gehoorzaamheid en beginselvastheid. Het schiep, in de woorden van Elias, 'een landschap waar alleen maar verboden en voorschriften stonden'. En naarmate de Weimarja-ren voortgingen, groeide bij veel Duitsers het heimwee naar die oude wereld.

Dit proces verliep langzaam, en het moderne, intellectuele, kunstzinnige Berlijn had het aanvankelijk niet in de gaten. Dr. Joseph Goebbels, vanaf 1926 Hitlers Gauleiter in de hoofdstad, werd in de eerste Weimarjaren nauwelijks opgemerkt. Van zijn blaadje, Der Angriff, werden wekelijks amper tweeduizend exem-plaren verkocht. Toen Hitlers geestverwant Erich Ludendorff zich in 1925 kandidaat stelde voor de presidentsverkiezingen, kreeg hij geen voet aan de grond. Van Mein Kampf werden in de jaren twin-tig hooguit twintigduizend exemplaren verkocht. Nog in 1928 deed de voormalige Britse ambassadeur in Berlijn, lord D'Aber-non, in zijn memoires de Duitse agitator 'Hitler, Adolf' af als een onbetekenende bijfiguur die in een voetnoot nadere uitleg be-hoefde: 'Kreeg enige bekendheid in 1922. [...] Concentreerde zich op het exploiteren van joodse en bolsjewistische spookgedachten. [...] In het najaar van 1923 leidde hij samen met generaal Luden-dorff de opstand in Beieren. [...] Raakte daarna in vergetelheid.'

Ook de verkiezingsresultaten gaven nog geen enkele indicatie voor wat er op til was. De verkiezingen van 1925 waren een triomf voor de oude orde: de in 1847 geboren Hindenburg kreeg 14,7 mil-joen stemmen, de ex-kanselier Wilhelm Marx – kandidaat van onder andere de katholieke Centrumpartij en de SPD– 13,8 miljoen en de communist Ernst Thälmann 1,9 miljoen. De nationaal-soci-alisten van Adolf Hitler kwamen niet verder dan 280 000 stem-men. Bij de verkiezingen van 1928, toen de sociaal-democraten voor de laatste maal aan de macht kwamen, stonden de nazi's er niet veel beter voor: van de ongeveer vijfhonderd zetels in de Rijksdag kregen zij er twaalf. Toen twee jaar later 'deze razend geworden postbode van het noodlot' (Ernst von Salomon[6]) doorbrak, was het denkende deel van de natie, op een enkele uitzondering na, volkomen verrast.

Het was niet alleen blindheid. Bij de intellectuelen bestond ook geen enkele geestdrift voor de bestaande orde. Niemand sprong in de bres voor de Republiek van Weimar. De meeste schrijvers zaten op de lijn van Thomas Mann, die openlijk de oorlog verklaarde aan de politiek als geheel, 'omdat het mensen arrogant, doctrinair, obstinaat en inhumaan maakt'. Later veranderde hij overigens van opvatting. In cabarets als de Tingel-Tangel werd de republiek voortdurend bespot, terwijl Hitler figureerde als een ongevaarlijke gek. Kurt Tucholsky noemde de Duitse democratie 'een façade en een leugen'.

Voor de onderstromen in de samenleving hadden de meeste behoudende *Bildungsbürger* geen oog. Ze registreerden niet dat tijdens de Kapp-putsch maar liefst vijftigduizend Berlijnse studenten de straat opgingen ten gunste van deze ultrarechtse staatsgreep. Ze wilden niet weten wat die studenten lazen: Ernst Jüngers boeken over de mystieke *Männerbund* die tussen strijders bestaat, de verhalen van Alfred Rosenberg over de joodse samenzwering, Arthur Moeller van den Brucks beschouwing over het nieuwe Duitsland, *Das Dritte Reich* (1923), een 'spirituele volksgemeenschap' onder leiding van één Führer, boeken die stuk voor stuk in grote oplagen werden verkocht. Blind waren ze ook voor de politieke moordcultuur, voor de intimidaties waaraan bijvoorbeeld iemand als Albert Einstein werd blootgesteld. 'Ik ga de keel van die smerige jood doorsnijden!' had een rechtse student tijdens een college geroepen. En evenmin hadden ze veel zicht op de wankele economische situatie van het land, ondanks de schijnbare stabiliteit.

In de kelders van het Berlijnse hoofdbureau van politie bij het vliegveld Tempelhof ligt die bruine onderwereld uit de jaren twintig nog altijd uitgestald voor de enkele bezoeker die langskomt. Kijk, daar hebben we Karl Grossmann, een dikke slager die voortdurend om dienstmeisjes verlegen zat. In drie jaar tijd verspreidde hij drieëntwintig vrouwenlijken in stukjes over Berlijn, in kanalen, in afvalbakken, overal stukjes vrouw. Hij had ook een collega, Georg Haarmann, die zich had gespecialiseerd in jongens. Na de seks beet hij hen letterlijk de keel af. Zo'n vijfentwintig knapen verdwenen in de Leine. Hij liep tegen de lamp toen spelende kinderen steeds vaker botten en schedels vonden. En daar is zelfs Horst Wessel, wiens naam nog altijd voortleeft in het bekende nazi-lied 'Die Fahne hoch' waarin hij, als heilige en martelaar van het hakenkruis, voor eeuwig is vastgelegd.

SA–Sturmführer Wessel werd op 17 januari 1930 zwaar gewond aangetroffen in zijn kamer aan de Grosse Frankfurterstrasse. Aanvankelijk dacht men aan een politieke aanslag, maar de zaak was gecompliceerder. In de onderwereld ging het gerucht dat Wessel problemen had met de pooier 'Ali' Höhler vanwege een van de door hem beschermde hoeren. Ondertussen smeedde Gauleiter Goebbels hem om tot een nieuwe held van de beweging, die door de Rode Horden was overvallen. Hij schreef een roerend verslag van een bezoek aan het ziekbed van deze 'christen en socialist', en toen Horst Wessel uiteindelijk op 23 februari stierf organiseerde hij een begrafenis zoals Berlijn zelden had gezien. Uiteindelijk bleek dat Wessel gewoon een enorme huurschuld had, en dat zijn hospita een 'proletarische afrekening' had georganiseerd die uit de hand was gelopen. Zo staat het tenminste in het politiedossier.

In 1922 verscheen een inventarisatie van gepleegde politieke moorden. In de vier jaar na 1918 werden in Duitsland door extreem links 22 moorden gepleegd en door extreem rechts 354 moorden. Van die linkse moorden werden 17 daders gestraft. Van de 354 rechtse moorden bleven 326 onopgelost. Slechts twee rechtse daders werden vervolgd. Van de linkse daders werden er tien geëxecuteerd, bij de overige zeven was de gemiddelde gevangenisstraf vijftien jaar. Voor de rechtse daders was de gemiddelde straf vier maanden. De smoes 'op de vlucht neergeschoten' was al verzonnen. In het 'mollen' van tegenstanders raakte men steeds meer bedreven.

De grote held van het Politiemuseum is de politiedetective Ernst Gennat. Het is onbegrijpelijk waarom er nog steeds niet een televisieserie over hem is gemaakt, want hij is er geknipt voor. Ernst Gennat woog 270 pond en loste samen met zijn eeuwige secretaresse 'Bockwurst-Trüdchen' tussen 1918 en 1939 bijna driehonderd moorden op. Zijn omvang wekte veel vertrouwen en ontzag, en bovendien had hij een intense hekel aan iedere vorm van beweging. Voor het buitenwerk had hij een speciale auto ingericht die fungeerde als rijdend politiebureau annex criminologisch laboratorium. Ook was Gennat de uitvinder van het 'lijkentoilet', waarmee verfomfaaide en half ontbonden lichamen weer konden worden opgelapt. Geweld was bij hem taboe: 'Wie een verdachte aanraakt, vliegt eruit. Onze wapens zijn hersens en sterke zenuwen.' Vlak voor zijn dood trouwde hij nog, vanwege het weduwenpensioen, maar niet Trüdchen was de gelukkige.

Een deel van de Berlijnse misdaad had zich in die jaren georganiseerd in sportclubs, worstelverenigingen, soms zelfs spaarclubs. In de namen werd de burgerlijke façade opgehouden: Ruhige Kugel, Immertreu en Lotterie-Verein. Ze waren georganiseerd als een gilde. Men betaalde elkaars gerechtskosten bij arrestatie, de vrouwen van gevangengenomen leden kregen een uitkering en als iemand een poosje uit het zicht moest, werd dat ook geregeld. Wie leest over deze *Ringvereine*, ziet voor zijn ogen de gangsterbendes waaruit een deel van de Berlijnse SA zou voortkomen, de clubs van werklozen die door de nazi-leiding in een uniform gestoken werden en die betaald werden in bier en worst. Noemde de eerste SA-formatie in Wedding zich niet de Roversbende? En die van Neukölln de Bende van Schavuiten? En was het geval Horst Wessel niet een typisch product van zo'n gangsterruzie?

In de loop van de jaren twintig werden sommige van deze ongeregelde bendes door voormalige legerofficieren omgesmeed tot symbolen van een nieuwe orde, militaire groepen die overal door de stad marcheerden en die met hun blinkende uniformen en hun strakke discipline een ongekend elan uitstraalden. De handvol aanhangers van de Roversbende werd een massa van duizenden, tienduizenden. 'SA marschiert' werd een begrip in de volkswijken. De werkloze huisvader die lid werd van de SA was opeens weer iemand, een onderdeel van een 'krachtige volksgemeenschap', en die verheven stemming werd bij fakkeloptochten, parades en andere rituelen flink aangewakkerd. Er was een eigen taal waarin woorden als 'zuiver', 'plicht', 'soldatesk' en 'fanatiek' een speciale, positieve betekenis hadden. En er was gelijkheid. Binnen de SA waren geen standen; ook dit was een deel van de aantrekkingskracht. 'Daar was de zoon van de dominee, de zoon van de rector, de zoon van de postbode, de zoon van de arts en de zoon van de bankwerker en van de werkloze,' herinnerde een voormalig SA-lid zich jaren later. 'We marcheerden allemaal in één rij, in hetzelfde uniform, bezield van dezelfde ideeën, schouder aan schouder, zonder sociaal onderscheid, zonder de geest van de klassestrijd.'

Op 17 augustus 1924 maakte Harry Kessler voor het eerst uitgebreid kennis met deze 'nieuwe orde'. In Weimar was hij verzeild geraakt op de 'Duitse dagen' van de nationaal-socialisten. De winkelstraten hingen vol wimpels en hakenkruisvlaggen, maar toch zag hij onder de bevolking weinig enthousiasme. Op het balkon van het Nationaal Theater verscheen, omgeven door een twintigtal hakenkruisvaandels, generaal Ludendorff. Iemand begon een woeste toespraak tegen de 'jodenrepubliek' van Stresemann. Ludendorff sprak ook, maar verloor de draad van zijn betoog en bleef steken. Hij werd gered doordat de muziek snel een mars begon te spelen. Daarna was er een optocht van de 'hakenkruisers': veel oude heren met stramme pas en paraplu, weinig veteranen, weinig IJzeren Kruisen, veel onnozele studenten.

De nazi's beweerden dat er zeker dertig- tot zestigduizend aanhangers naar Weimar waren gekomen, maar Kessler telde er hooguit achtduizend. Volgens hem was de oorzaak duidelijk: geldgebrek en slechte sprekers. 'Geen geld en geen geest, zo maak je geen volksbeweging, laat staan een revolutie.' Hij voorzag het goed. Juist ten aanzien van die twee punten zou de nazi-beweging onherkenbaar veranderen.

Op 'zwarte vrijdag' 13 oktober 1929 stortte de beurs van Wall Street in. De crisis raakte de hele wereld, maar voor Duitsland was de klap fataal. Het voorzichtige herstel van dit land werd namelijk grotendeels gefinancierd door Amerika. Het Dawes-plan was in de praktijk weinig meer dan een rondpompen van geld: Duitsland betaalde aan Engeland en Frankrijk, deze landen betaalden daarmee aan Amerika hun oorlogsschulden af, Amerika leende dat geld vervolgens weer aan Duitsland, enzovoort. Na 1929 hield Amerika opeens alles voor zichzelf, de pomp stopte, en de Duitse economie stortte opnieuw ineen.

In één maand, in januari 1930, steeg de werkloosheid van anderhalf naar tweeënhalf miljoen. Rond april waren er alleen al in Berlijn zo'n zevenhonderdduizend werklozen. Winkels sloten bij honderden. De kleine burgers die net wat welvaart hadden geroken, werden weer teruggedreven naar de huurkazernes, de arbeiders belandden op straat. Graaf Harry Kessler verloor bijna zijn hele vermogen, hij moest zijn uitgeverij verkopen, zijn Renoirs en Van Goghs, en ten slotte zelfs zijn boeken. In de bossen rondom de stad leefden duizenden werklozen in tentsteden, met collectieve keukens, schooltjes en speeltuinen. In 1931 waren er vier miljoen werklozen, in 1933 zes miljoen.

Het is, achteraf, verbazingwekkend hoe losjes de onttakeling van de vrede van Weimar eigenlijk verliep. Je ziet het beginnen met de cijfers. In de zomer van 1929 had Hitlers Nationalsozialistische Deutsche Arbeiterpartei (NSDAP) zo'n honderdtwintigduizend leden. Een jaar later waren dat er bijna een miljoen. Bij de verkiezingen van 14 september 1930 verwachtten de nazi's een stevige winst, maar zelfs zij voorzagen niet dat hun partij omhoog zou schieten van twaalf naar meer dan honderd zetels. Na de sociaal-democraten was de NSDAP plotseling de tweede partij van Duitsland. Financiers, met name uit de zware industrie, stroomden toe. De heren van Krupp, Glöckner en IG Farben waren goed voor zeker een miljoen rijksmark' per jaar. Na 1930 stegen de geheime bedragen nog aanzienlijk.

1932 werd het jaar van de grote wedloop. Eerst waren er presidentsverkiezingen. Hitler nam het – na veel aarzeling – op tegen de vermoeide Hindenburg. Hij verloor de eerste ronde, maar kreeg wel 11,3 miljoen stemmen, wat betekende dat zijn aanhang in twee jaar tijd opnieuw verdubbeld was. Nu zetten de nazi's alles op alles. De partij bediende zich van de modernste campagnetechnieken. Hitler werd rondgevlogen in een eigen vliegtuig, waardoor hij twintig steden per week kon bezoeken en een kwart miljoen mensen per dag kon toespreken. Joseph Goebbels liet films maken van Hitlers toespraken, plus vijftigduizend grammofoonplaten, zodat zelfs de kleinste zaaltjes en cafés bediend konden worden. Op het hoogtepunt van de campagne had Goebbels, omgerekend naar huidige valuta, meer dan een half miljoen euro per week te besteden: de industriële financiers werden blijkbaar steeds enthousiaster. Uiteindelijk werd Hindenburg herkozen (19,4 miljoen stemmen), maar Hitler had er nog eens twee miljoen kiezers bij (13,4 miljoen).

De campagne ging non-stop door. Nu werd alles gericht op het grote bolwerk van de sociaal-democraten, Pruisen, waar tweederde van de Duitse bevolking twee weken later naar de stembus zou gaan. De nazi's werden er in één klap de grootste partij. Samen met de communisten dienden ze direct een motie van wantrouwen in tegen minister-president Otto Braun. Deze wijze sociaaldemocraat trok zich terug. Er kwam een overgangsregering, de SA provoceerde steeds meer ongeregeldheden, en na een paar maanden greep rijkskanselier Franz von Papen zijn kans om, samen met Hitler, Pruisen onder curatele te stellen. De maatregel – in feite een ordinaire coup – was volstrekt ongrondwettig, maar protesten hadden geen enkele zin. Ondertussen nam het politieke geweld snel toe, met name vanuit de SA. Alleen al in de maand juli werden achtenzestig mensen vermoord en vele honderden zwaar mishandeld. De slachtoffers waren voornamelijk communisten en socialisten.

Op 31 juli 1932 waren er verkiezingen voor de Rijksdag. De NSDAP werd ook hier veruit de machtigste partij: het zeteltal verdubbelde tot 230 van de 604. Volgens de normale constitutionele verhoudingen moest Hitler nu rijkskanselier worden: de Duitsers hadden zijn partij de meeste stemmen gegeven. Voor de politieke top was die situatie onacceptabel. Hindenburg weigerde Hitler te benoemen als rijkskanselier. Hij kon het niet verantwoorden, zei hij, 'tegenover God, zijn geweten en het vaderland' om alle macht in handen van één partij te leggen, een partij die bovendien zeldzaam onverdraagzaam was tegenover mensen met andere denkbeelden. Binnenskamers zei hij dat hij 'dat korporaaltje' alleen tot postbode wilde benoemen, nooit tot kanselier.

De dreiging van de nazi's bracht de sociaal-democraten en de communisten geen centimeter dichter bij elkaar. Hun oude twisten bleven de verhoudingen bepalen. KPD-voorzitter Ernst Thälmann betitelde de sociaal-democraten begin 1932 zelfs als 'de gematigde vleugel van het fascisme'.[8] Dat belette de communisten niet om tien maanden later, op 4 november, samen met nationaalsocialisten een wilde staking van de Berlijnse trams en bussen te organiseren tegen de gematigde voorstellen van de 'reformistische' vakbonden. 'Nazi's' en 'Kozi's' bestormden op de Alexanderplatz gezamenlijk een tramstel van lijn 3, vochten samen bij de remise in Schöneberg met de politie en plunderden samen de auto van *Vorwärts*. Honend schreef de krant: 'Gisteren was het nog "Bruine Moordpest" hier en "Rode Ondermensen" daar! Vandaag in het trouwste bondgenootschap verenigd! Welke klassebewuste arbeider zou het schaamrood niet naar het gezicht vliegen!'

Papen bleef ondertussen aan de macht met een 'nationaal kabinet' en regeerde per decreet. Hitler was woedend. Uiteindelijk nam de Rijksdag een motie van wantrouwen tegen Papen aan. Op straat bleef de gewelddadigheid toenemen. Er werden nieuwe verkiezingen uitgeschreven. Op 6 november, twee dagen na de Berlijnse verkeersstaking, verloren de nazi's zo'n twee miljoen stemmen, maar bleven veruit de grootste partij in de Rijksdag, met 196 van de 584 zetels.

Opvallend genoeg raakte de NSDAP weinig stemmen kwijt in de Berlijnse arbeiderswijken. De communisten hadden door hun kortstondige samenwerking met de nazi's ongewild een signaal gegeven dat vergaande gevolgen zou hebben: de nazi's waren, althans in bepaalde arbeiderskringen, geen paria's meer. Ze hoorden erbij.

De dag na de verkiezingen werd op de sovjetambassade aan Unter den Linden met grote pracht de vijftiende verjaardag van de Oktoberrevolutie gevierd. De komst van de nieuwe orde was al voelbaar. Het was – voorlopig – de laatste grote ontvangst van de sovjets in Berlijn. Zelfs Papen kwam even langs. De kaviaar was ingevlogen uit Moskou, de wijnen kwamen van de Krim. Honderden gasten, diplomaten, militairen en journalisten verdrongen zich bij de buffetten, terwijl Lenin soeverein toekeek.

Het succes van Stalins eerste vijfjarenplan was dat hele jaar een van de belangrijkste gespreksonderwerpen geweest in de Berlijnse diplomatieke en financiële wereld: hele steden werden in de Sovjet-Unie uit de grond getrokken en er verrezen enorme fabrieken voor machines en tractoren. Hier werd de basis gelegd voor een razendsnelle industrialisatie. In het oosten groeide zo een – in de ogen van veel Europeanen – aantrekkelijk en verleidelijk alternatief: energiek, modern, betrokken, saamhorig. Zelfs de nazi's koesterden een grote belangstelling voor wat daar in Rusland gebeurde: Görings vierjarenplan uit 1936, waarmee hij het sterkste militair-industriële complex van Europa wilde opbouwen, was duidelijk geïnspireerd op het sovjetmodel.

De Duitse politiek zat tijdens de winter van 1932 in een patstelling. De nieuwe kanselier, generaal Kurt von Schleicher, probeerde een soort nationale coalitie te smeden uit alle partijen van de Rijksdag. Aan de rechterzijde wilde hij de redelijkste nazi's zijn kabinet binnenhalen, aan de linkerkant de meest gematigde sociaal-democraten. Hij wilde zo ook een splitsing teweegbrengen onder de nazi's zelf. Hitler had na de novembernederlaag grote problemen binnen zijn partij, zijn aanhang kalfde snel af en bovendien waren er forse schulden. Schleicher had daarentegen alle macht en bovendien de volle steun van het leger.

Achteraf gezien is Hitler vooral dankzij deze tijdelijke verzwakking van zijn positie aan de macht gekomen: een deel van de conservatieve top achtte hem begin 1933 ongevaarlijk genoeg om mee samen te werken. Op 4 januari arrangeerde de bankier Kurt von Schröder in zijn Keulse villa een intiem diner met Franz von Papen en Adolf Hitler. Later die maand kwamen ze opnieuw bijeen, in het huis van de champagnehandelaar Joachim von Ribbentrop in de Berlijnse voorstad Dahlem. Hitler werd binnen de politieke elite salonfähig, een omgeving waaruit hij eerder altijd zorgvuldig was geweerd.

Papen verried daarmee zijn voorganger en oude vriend Kurt von Schleicher. Hij vertelde Schleicher over de ontmoeting, en hij beweerde dat hij Hitlers steun had proberen te verwerven voor Schleichers regering. In werkelijkheid hadden beide heren besloten om een nieuwe coalitie te vormen en om Schleicher bij de eerste gelegenheid te laten vallen. Hitler mocht kanselier worden en Papen zou dit 'neutraliseren' door ministers van eigen signatuur. 'Hij wordt door ons in dienst genomen,' zei hij letterlijk over Hitler.

De grootste barrière was nog de rijkspresident. Papen had een soort zoon-vaderverhouding met Hindenburg. Hij was daarom de figuur bij uitstek om diens verzet tegen Hitlers komst als kanselier te breken. Hoe hem dat lukte, is tot de dag van vandaag onduidelijk. Vermoedelijk maakte Papen de oude heer wijs dat dit de enige manier was om een staatsgreep te voorkomen. Bovendien hing de familie een belastingschandaal boven het hoofd, waarmee waarschijnlijk Hindenburgs zoon Oskar onder druk is gezet.[9]

Zo werd de oude veldmaarschalk deelgenoot van de samenzwering tegen Schleicher. Toen deze eind januari aan Hindenburg meedeelde dat zijn plan was mislukt, verwachtte iedereen dat de rijkspresident de Rijksdag zou ontbinden en nieuwe verkiezingen zou uitschrijven. Dat deed hij echter niet. Hij gaf Papen de opdracht om een nieuw kabinet te formeren. Zo ontstond de opening waardoor Hitler eindelijk de Rijkskanselarij binnen kon glippen.

Nu kon Göring een dag later de hakenkruisvlag hijsen op het ministerie van Binnenlandse Zaken. Nu kon de Rijksdag in brand vliegen, een wilde eenmansactie van de Nederlandse radencommunist Marinus van der Lubbe die door de nazi's direct werd uitgebuit. Nu konden tal van decreten en noodmaatregelen van kracht worden. Nu konden de kritische journalisten, communisten, sociaal-democraten, kunstenaars, joden en alle andere lastpakken worden opgepakt en gemold.

Was Berlijn in 1933 nu een pro- of een anti-nazi-stad? Nog vijf dagen voor de machtsovername, op 25 januari, organiseerden de communisten een enorme demonstratie tegen het 'opkomende fascisme'. Er liepen ruim honderdduizend mensen mee, en zelfs de verslaggever van *Vorwärts* was onder de indruk: 'Door bijtende vorst en snijdende wind trokken ze uren voort, in sleetse mantels, dunne jekkers en op kapotte schoenen. Tienduizenden bleke gezichten, waaruit de nood sprak, waaruit ook offervaardigheid sprak voor de zaak die ze voor de ware houden.'

Vijf dagen later, op de avond van de 30ste januari, defileerden tienduizenden bruinhemden met hun fakkels langs de kanselarij, terwijl Hitler in avondkleding voor een open raam stond. Harry Kessler signaleerde op de straten 'een complete carnavalssfeer'. De nazi's waren extatisch over deze 'dag van nationale verheffing' met zijn 'kokende, rode, helder brandende zee van fakkels'. Het andere deel van de stad was totaal overdonderd. Het 'denkende' Berlijn had nooit gedacht dat Hitler aan de macht kon komen. Nog even hoopte iedereen dat het allemaal wel mee zou vallen. Vervolgens begon de grote uittocht. Bertolt Brecht was een van de eersten die zijn koffers pakte, direct na de Rijksdagbrand. Kessler ging begin maart naar Parijs en kwam nooit meer terug: hij stierf vier jaar later, vergeten en berooid, in een klein Frans dorpspension. De oude André Gide zag op Kesslers begrafenis geen van de kunstenaars die hij 'tijdens zijn leven zo gulhartig aan zich had verplicht'. De familie Mann vertrok naar Frankrijk en later naar Californië. Mies van der Rohe weigerde om Bauhaus-docenten te vervangen door nazi's en sloot de kunstschool, voorgoed. Veel Bauhaus-mensen volgden Walter Gropius naar Amerika. Ernst Toller hing zich in New York op aan de haak van zijn badkamerdeur. Kurt Tucholsky pleegde zelfmoord in Zweden. Joseph Roth begon aan een treurige zwerftocht door Europa en zou in het Parijse Café de la Poste ten onder gaan aan wijn, pernod en cognac.

Het Romanisches Café liep leeg. De schrijver Hans Sahl zag hoe de laatste stamgasten kranten lazen, schaak speelden, zich over landkaarten bogen, spoorboekjes raadpleegden en brieven schreven. 'Gezegend hij die een oom in Amsterdam, een neef in Shanghai of een nicht in Valparaíso had.' Sebastian Haffner beleefde in maart 1933 nog idyllische middagen met een joods vriendinnetje in Grunewald. 'De wereld was heel vredig en voorjaarsachtig.' Elke tien minuten kwam een blijde schoolklas langs onder leiding van een brave leraar met een knijpbrilletje en elke klas groette hem in koor, vol enthousiasme: 'Juda verrecke!' Haffner was lid van een vriendenclubje van veelbelovende studenten. 'Wie hen anno 1932 om een ronde tafel, rokend en vurig debatterend, bij elkaar had zien zitten, zou waarschijnlijk niet hebben geloofd dat de leden een paar jaar later tegenover elkaar op de barricades zouden staan, klaar om te schieten.' Eind jaren dertig leefden van deze zes vrienden drie in ballingschap, twee waren hoge nazifunctionarissen geworden en eentje was ertussenin blijven zwalken, geen echte nazi, wel advocaat, wel lid van de Nationaal-Socialistische Juristenbond. Uiteindelijk wist Haffner zelf, met zijn jonge gezin, in 1938 naar Londen te ontsnappen.

Sommigen hadden hun conclusies al getrokken na de verkiezingsuitslag van 1932. Albert Einstein vertrok definitief naar Californië. George Grosz, die al eerder bedreigingen ontving, kreeg een nachtmerrie over de komende ramp en boekte, impulsief als hij was, direct een ticket naar Amerika. Marlene Dietrich koesterde vanaf het eerste begin een diepe haat jegens de nazi's. Na 1932 zette ze geen voet meer in Berlijn. Ze werd een baken voor de Duitse ballingen in Hollywood en Parijs, en in de oorlog trad ze aan alle geallieerde fronten op, soldaat met de soldaten. Pas na haar dood, zestig jaar later, kwam ze terug in haar stad, op begraafplaats Schöneberg. Ze kreeg bloemen en mooie woorden, er werd bij de Tiergarten een plein naar haar genoemd, maar er werd ook op haar graf gespuwd, en in de kranten stonden woedende brieven: 'Hoer!' 'Verrader!'

Een maand na Hitlers machtsovername waren er voor de laatste keer min of meer normale Rijksdagverkiezingen: de nazi's kregen nu 43,9 procent van de stemmen. Er werd een nieuwe Geheime Staatspolitie gevormd, de Gestapo. Twee weken later werd in Dachau het eerste concentratiekamp ingericht. De joodse hoogleraar Victor Klemperer meldde in zijn dagboek dat het brave dienstmeisje van een joodse collega alvast ontslag had genomen.

'Er was haar een veilige baan aangeboden, en mijnheer de professor zou binnenkort waarschijnlijk toch niet meer in staat zijn om er een dienstmeisje op na te houden.' In een apotheek zag hij een tube tandpasta met een hakenkruis erop. 'Men vreest nóg niet voor zijn leven – maar wel voor zijn brood en vrijheid.'

Een paar dagen later, op 31 maart, gaf de Rijksdag – door arrestaties van communisten en sociaal-democraten reeds flink uitgedund – Hitler dictatoriale bevoegdheden. Nu kwamen er ook speciale 'Sondergerichte' en er werd een nieuwe categorie misdaden uitgevonden, *heimtückische Angriffe*, ofwel kritische opmerkingen over de regering. De eerste anti-semitische maatregelen werden afgekondigd: joden werden verwijderd uit het onderwijs en de openbare dienst, joodse zaken werden geboycot.

Overal weerklonken nieuwe woorden: *Gleichschaltung*, *Rassenschande*, *Belange*, *Artfremd* en andere. Käthe Kollwitz werd uit de Academie voor Kunsten verwijderd. Haar man Karl verloor, als lid van de sociaal-democratische artsenvereniging, in één klap al zijn ziekenfondspatiënten. De pers werd onder een strikt regime gesteld. 'De eindredacteur krijgt te horen welke woorden er in een artikel moeten staan, maar het staat hem vrij daar zelf een bepaalde volgorde in te kiezen,' meldde journaliste Bella Fromm. Op 11 april werd het Bauhaus door de SA en de politie bezet, tweeëndertig studenten werden gearresteerd. Een maand later werden op de Opernplatz, schuin tegenover de universiteit, de boeken verbrand van Walther Rathenau, Heinrich Heine, de gebroeders Mann, Alfred Döblin, Stefan Zweig en anderen. Bella Fromm: 'Er gaat geen dag voorbij zonder een arrestatie van een "onbetrouwbare" collega door de Gestapo.' Het 'Heil Hitler' was inmiddels de verplichte groet, het Horst-Wessel-Lied de verplichte hymne:

> *Die Strasse frei den braunen Bataillonen!*
> *Die Strasse frei dem Sturmabteilungsmann!*
> *Es schaun aufs Hakenkreuz voll Hoffnung schon Millionen.*
> *Der Tag für Freiheit und für Brot bricht an.*

In de zomer dook in de nazi-toespraken voor het eerst de term 'totale staat' op. Kort daarop werd de NSDAP uitgeroepen tot enige legale partij in Duitsland. Onder druk van de nazi's verving de Duitse Evangelische Kerk de pasgekozen Reichsbischof Friedrich von Bodelschwingh door de legerpredikant Ludwig Müller. Dominee Müller liet zich na zijn kerkelijke verkiezing fotograferen in toga, de gestrekte arm schuin omhoog; uit verzet tegen deze machtsgreep werd de Bekennende Kirche opgericht.

Met het Vaticaan sloot Hitler in juli 1933 een concordaat, waarbij de autonomie van de Duitse katholieke Kerk werd gegarandeerd zolang die zich niet met staatszaken bemoeide. (Dit belette het Vaticaan overigens niet om in 1937 de anti-nazi-encycliek *Mit brennender Sorge* in alle Duitse katholieke kerken te laten voorlezen.) Eind november werd de Gestapo officieel boven de wet gesteld. Ruim een jaar na de machtsovername werden Kurt en Elisabeth von Schleicher door zes SS'ers in hun villa bij de Wannsee afgemaakt.

Ik moet lang wachten op het vliegveld Tempelhof. Het is alsof ik zestig jaar terugglijd in de tijd. Tempelhof is een kleine luchthaven en een groot museum ineen. Het is het meest letterlijke vliegveld dat ik ooit zag: vroeger was het een marsveld waar men vliegtuigjes liet landen, en zo ligt het er nog steeds bij, midden in de stad. In 1934 is er een hypermodern stationsgebouw neergezet. Met zijn enorme halfronde luifel is het een van de weinige nog gave voorbeelden van nazi-architectuur.

Het ronde plein aan de voorzijde hoort erbij, en de voormalige overheidsgebouwen maken er een mooi stukje theater van. Eerst is het: maak je klein, hier heerst de nieuwe orde, hup, omhoog die arm! Dan zijn er de deftige geluiden van de vliegveldhal, en daarna die imposante halve cirkel van gebouwen, het gebaar naar de rest van de wereld: hier komt het nieuwe Duitsland!

En nu zit ik in de wachtkamer boven, met zijn bakelieten intimiteit van de jaren dertig. Ik herken bijna alles uit krantenfoto's en filmfragmenten: Hitler die onder de luifel uit zo'n vierkante Junckers stapt, de juichende massa's, Göring die op werkbezoek naar het oostfront gaat, Hitlers vriend Albert Speer in zijn Engelse tweed jas op een vliegtuigtrap, veldmaarschalk Wilhelm Keitel die op 8 mei 1945 met stevige passen over het platform loopt, omringd door geallieerde officieren, de Amerikanen en de Berlijnse luchtbrug: het is hier allemaal gepasseerd.

Ik ben hier nooit eerder geweest, maar alles op deze plek staat in het geheugen gebrand, alsof het mijn eigen herinneringen zijn.

5

De foto van Anne Frank, haar moeder en haar zusje Margot is onge-
dateerd. Anne lijkt een jaar of drie. Het is nog winterjassentijd,
maar de meisjes hebben al blote knieën. De plaats is door de mensen van het Historisches Museum in Frankfurt nauwkeurig vastgesteld: vlak voor het Café Hauptwache, in het winkelcentrum van
de stad. De kleine automatenfoto van moeder en dochters, genomen in het naburige warenhuis Tietz, heeft wel een datum: 10
maart 1933. Ze dragen precies dezelfde kleding, vermoedelijk zijn
beide foto's bij hetzelfde winkeluitstapje gemaakt. Het waren de
laatste onschuldige dagen van Frankfurt.

Drie dagen later hees de SA vanaf het stadhuisbalkon de hakenkruisvlag, drie weken later werd een boycot voor de meeste
joodse winkels en bedrijven afgekondigd, en na de paasvakantie
bleek de 'niet-arische' klasselerares van Margot spoorloos verdwenen. In diezelfde weken begon vader Otto Frank emigratieplan-
nen te maken. Binnen een jaar woonde de hele familie aan het
Merwedeplein in Amsterdam. De verdere geschiedenis kennen
we.

Als de Franks in Duitsland gebleven waren, zou, opvallend genoeg, de kleine Margot het eerst de dupe zijn geweest van de
vloed aan maatregelen die na januari 1933 werden afgekondigd.
Ik zie haar op een andere plaat uit het archief: een zomerse foto
van de eerste klas van de Ludwig-Richter-Schule, genomen tijdens een schooluitstapje in juni 1932. De meisjes hebben dunne
jurkjes aan, sommige hebben zonnehoedjes op. De vijf joodse
kinderen staan gewoon tussen de anderen, er is niets aparts of
opvallends aan hen te zien. Margot staat gebogen naar een vriendinnetje, een typisch Duits-blond meisje.

Een jaar later was alle vanzelfsprekendheid voorbij. Margots 'democratische' rector werd in april 1933 vervangen door een nazi. De

joodse meisjes uit haar klas bleven weg, de een na de ander. En met de meeste vriendinnetjes zou ze niet meer mogen omgaan, uit angst voor buren en verklikkers.

Het familiehuis van de Franks aan de Ganghoferstrasse 24 is gebleven, met een dikke steen namens de stadsjeugd – 'Haar leven en sterven, onze verplichting' – en dezelfde bomen rondom, nu breed en oud.

Ik had, op doorreis in Amsterdam, de beschikking gekregen over een busje, een klein geval waarin je koffie kunt zetten, een stukje kunt tikken en zelfs kunt slapen. Daarmee moet ik het de komende maanden doen, dat wordt zo'n beetje mijn Europese huis.

Het is helder lenteweer en rustig stuur ik mijn aanwinst over de binnenwegen van het oude Duitsland, door al die heuvels vanwaar onze grootouders in de jaren dertig hun ansichtkaarten stuurden – pension Die Fröhlichen Wanderer, 'Gutbürgerlicher Abendtisch!' –, langs vakwerkstadjes, geurend naar verse broodjes en pasgestreken schorten. Het staat er onveranderd, de rotsen waarop Duitsland bouwt. De bossen hebben een lichtgroene waas, de akkers zijn bruin, overal ploegen de boeren, op het dorpsplein malen de soldaatjes van de klokkentoren de uren weg.

Ik passeer Keulen-Klettenberg, de plek waar een Amsterdamse kennis in de jaren dertig opgroeide. Truusje Roegholt woonde indertijd op nummer 1 van de Lohrbergstrasse, op de andere hoek woonden haar vriendinnetjes Anna en Lotte Braun in een huis vol portretten van nazi-leiders en een hakenkruisvlag met vlekken van echt mensenbloed, waarschijnlijk een of ander straatgevecht. 'Die Braun was een beest van een man, die lag zelfs met een hakenkruisarmband op zijn sterfbed,' vertelde ze later. 'Maar wat wisten we verder, en wat niet? Er werd gewoon niet gepraat. Het Derde Rijk was een dictatuur die in sterke mate was gebaseerd op zwijgen. Maar je zag een hoop, ook als kind.'

Ze herinnerde zich bijvoorbeeld scherp de eerste triomfantelijke beelden. 'Direct al in het begin zag je iedereen marcheren in mooie, nieuwe uniformen. Waar het geld vandaan kwam, de hemel mag het weten. Maar het had een verpletterend effect. Al die arme mensen, die nog nooit fatsoenlijke kleren hadden gehad, die waren opeens iemand. Ze zongen de grootste onzin, maar ze hadden nieuwe schoenen!'

Ze vertelde over het grote meisjesgeheim van het Derde Rijk, de campagne om de Führer een kind te schenken. 'Er werden zonnewendefeesten georganiseerd met geselecteerde blonde meisjes en jongens om zo'n kind te fokken. Een fanatieke vriendin wilde ons erbij halen, wij vonden het om te kotsen. Nu wordt dat ontkend, iedereen zweeg erover, maar die campagnes hebben bestaan.'

Direct na de grote pogrom in de Kristallnacht van 9 op 10 november 1938 – bijna honderd joden werden vermoord, zevenhalfduizend joodse winkels werden in puin geslagen – lazen de leraren een gedrukte verklaring voor: de joodse leerlingen moesten de school verlaten. Alles was duidelijk tot in de puntjes voorbereid. Ingeborg Goldstein en Edith Rosenthal pakten hun schooltassen, keken om zich heen en liepen toen samen de deur uit. 'Het was doodstil.' Truusje stond op en protesteerde, het waren toch hun medescholieren. Toen werd ze zelf ook de klas uit gestuurd.

In de Luxemburger Strasse zag ze hoe de joodse winkels geplunderd waren. 'Een jood had zich in een kast verstopt, hij was met kast en al van driehoog naar beneden gegooid en doodgeslagen. Het was onvatbaar in deze vredige stad. Een paar mensen stonden te kijken, een vrouw zei: "Die arme joden", een ander legde haar direct de hand voor de mond. Je liep als in een droom.'

Die winter sneeuwde het, en in het park was ze aan het sleeën met haar vriendinnetje Myriam Meyer. Toen ze de volgende dag langs de Brauns liep, ging er een raam open. Lotte riep: 'Truusje, is het waar dat je gisteren met de slee in het park was?' 'Ja.' 'Dan is het: of ik, of dat jodenwijf!'

Er rijst een vraag waarover men zelden spreekt: hoe kon die mentaliteitsomslag, zowel in Frankfurt als in Keulen, na 1933 zo snel plaatsvinden? Waar bleven in 's hemelsnaam al die honderdduizenden actieve communisten, sociaal-democraten en christenen die kort tevoren nog in protestdemonstraties meeliepen, die 56,1 procent van de kiezers die op 5 maart 1933 nog tegen de nazi's stemden?

Er was natuurlijk de snel toenemende intimidatie. Meteen na de machtsovername kregen de SS en de SA de status van 'hulppolitie'. Dagelijks vonden gruwelijkheden plaats. In Berlijn waren meer dan honderd tijdelijke martelkamers, verspreid over alle 'rode' buurten. In Breslau (Wrocław) en München werden joodse rechters en advocaten letterlijk het gerechtsgebouw uit geslagen.

Alleen al in Beieren werden in het voorjaar van 1933 naar schatting tienduizend communisten en socialisten opgepakt. In Pruisen ging het om zo'n vijfentwintigduizend mensen. Daarnaast werden zeker nog eens honderdduizend dissidenten mishandeld en geterroriseerd.

Een maand na Hitlers benoeming tot rijkskanselier kwam de Rijksdagbrand. Toevallig had Marinus van der Lubbe precies de meest kwetsbare plekken van het gebouw aangestoken, het grote gordijn achter in de vergaderzaal plus de kurkdroge eikenhouten wand daarachter. Binnen de kortste keren was de gigantische zaal 'een oven van brandende banken en katheders', zoals de kranten de volgende dag zouden schrijven.

Van der Lubbe had zijn tegenstanders geen groter geschenk kunnen toewerpen.

VAN DER LUBBE

Decennialang werd verondersteld dat Marinus van der Lubbe (Leiden, 1909) door de nazi's als zondebok was gebruikt, en dat de Rijksdag in werkelijkheid door de bruinhemden was aangestoken. Tegenwoordig wordt deze opvatting algemeen verworpen. Van der Lubbes verhoren maken nergens melding van enige betrokkenheid van anderen, communisten dan wel nazi-provocateurs. Alles wijst op een pure eenmansactie.

Uit dagboeken en latere verklaringen van prominente nazi's als Goebbels en Göring blijkt bovendien dat ze totaal verrast waren door de brand. Wel beseften ze onmiddellijk dat dit een politieke buitenkans was die ten volle uitgebuit moest worden. Al snel werden, behalve Van der Lubbe, nog drie Bulgaarse communisten opgepakt die samen met de KPD-fractievoorzitter Ernst Törgler dit 'bolsjewistische complot' gesmeed zouden hebben. Het viertal wist zich echter met zoveel verve te verdedigen, dat ze moesten worden vrijgesproken. Met name de Bulgaar Georgi Dimitrov verwierf hierbij wereldfaam: hij zag kans, als een van de weinigen in de geschiedenis, een showproces zo om te draaien dat de aangeklaagde langzaam veranderde in een aanklager.

Een ander misverstand bestaat over Marinus van der Lubbe zelf. Van der Lubbe was allerminst een halve dwaas. Zijn korte, treurige leven is in later jaren door, onder anderen, de journalist Martin Schouten nauwkeurig onderzocht en beschreven. Al zijn oude vrienden betitelden hem als een helder denkende jongen. Hij was alleen erg fel en radicaal, en hij kon niet tegen onrecht. Van der Lubbe was een typische man van de daad, een gevoelsmatige actievoerder. Ook deze brand stichtte hij in een impuls. Hij had onderweg naar Berlijn een film gezien waarin een brandstichting voorkwam, en hij meende dat een brand in de Rijksdag het Duitse proletariaat in opstand kon doen komen. Toen de ongelooflijke consequenties van zijn daad tot hem doordrongen, stortte hij in.

Van der Lubbe werd op 10 januari 1934 onthoofd. Zijn stem is bewaard gebleven in het Stadtgeschichtliche Museum van Leipzig. Hier liggen nog altijd de wasplaten van het hele proces. Hij ligt begraven op het Südfriedhof in dezelfde stad.

Hoewel Van der Lubbe niets met het Duitse communisme had te maken, eiste de nieuwe rijkskanselier dat alle parlementsleden van de KPD onmiddellijk zouden worden opgehangen. Bovendien had Hitler nu een alibi om een reeks decreten uit te vaardigen, de burgerlijke vrijheden verder te beknotten en talloze politieke en journalistieke kopstukken op te sluiten. De linkse bewegingen waren daarmee in één klap van hun kader beroofd, en dat niet alleen. De arrestatiegolf zette een nieuwe norm: wie lastig is, kan voortaan zonder slag of stoot in een concentratiekamp verdwijnen.

Niemand kon zeggen dat hij het niet wist: wie de toenmalige kranten nog eens doorloopt, leest voortdurend berichten over arrestaties, concentratiekampen en executies. Ik stuitte op het nationaal-socialistische dagblad *Das Hakenkreuzbanner* van vrijdag 7 april 1933.Onder de kop 'Mit dem Kommando z.b.V. auf Sonderaktion' schrijft een verslaggever: ''s Morgens in alle vroegte gaat het los. In een razend tempo jagen we door de vroege ochtend, door Moabit, over de Alexanderplatz. Opeens een piepend remmen, de mannen springen met scherpe karabijnen uit de wagens. Dan begint de razzia. Systematisch wordt ieder huis stuk voor stuk van boven tot onder uitgekamd, op zoek naar hoogverraderlijke voorwerpen en, vooral, naar zijn Oost-Galicische bewoners. Benauwde, verstikkende lucht slaat ons tegemoet, de woningen zijn vervuilde strontholen, de inwoners zien er navenant uit. Vuil en smerig worden ze uit alle mogelijke hoeken en gaten getrokken.

Met knikkende knieën staan ze voor de beambten, niet als mensen maar als mensachtigen.'

Het was zonneklaar dat dit alles plaatsvond zonder enige vorm van proces. In Hitlers ogen was fysieke vernietiging een normaal middel om volk en politiek te 'zuiveren' van ongewenste invloeden. Al op 30 april 1933 bracht de *Berliner Illustrierte Zeitung* een uitvoerige reportage over het kamp Oranienburg (het latere Sachsenhausen), met foto's van sportende en gebruinde 'staatsvijanden'. De SS-bewakers werden betiteld als 'opvoeders'. De eerste bewoners van de concentratiekampen bestonden voor een aanzienlijk deel uit 'asocialen': 'zigeuners', 'werkschuwen' en 'zwervers'. In een kamp als Buchenwald vormden ze in 1938 bijna de helft van de kampbevolking. Het aantal doodvonnissen waarover de kranten berichtten, vloog omhoog, ook voor niet-politieke misdrijven. Uiteindelijk werden onder Hitler ongeveer vijftienmaal zoveel mensen ter dood veroordeeld als in de Weimartijd.[10]

Het effect van alle intimidatie werd nog versterkt doordat de bevolking van de concentratiekampen in de beginjaren voortdurend rouleerde. In Dachau zaten bijvoorbeeld gemiddeld zo'n vierduizend gevangenen, van wie maandelijks een kwart tot de helft weer werd vrijgelaten, terwijl eenzelfde aantal weer werd opgepakt. Zo maakten tienduizenden dissidenten al binnen een jaar kennis met het fenomeen nazi-kamp. Naar schatting zijn honderdduizend al of niet vermeende communisten tijdens het Derde Rijk omgebracht. Een veelvoud daarvan kwam kortere of langere tijd in een concentratiekamp terecht.

Bijna alle politieke partijen werden in de zomer van 1933 opgeheven. De meeste sociaal-democraten vochten tot het laatst. Eind maart 1933 hadden ze in de Rijksdag dapper gestemd tegen de Machtigingswet waarmee Hitler alle macht naar zich toe trok. Van de 120 fractieleden waren toen al 26 afwezig omdat ze gearresteerd waren of naar het buitenland gevlucht. De sociaal-democratische top ging kort daarna in ballingschap. Opvallend genoeg steunde het restant van de fractie wel de 'vredestoespraak' van Hitler op 17 mei 1933. Het is nog te lezen in het zittingsverslag van de Rijksdag: alle partijen staan op als voorzitter Göring oproept om voor steun aan Hitler te stemmen, 'inclusief de sociaal-democraten'.[11] 'Luide bijvalsbetuigingen klinken door het huis. Ook rijkskanselier Hitler neemt deel aan het applaus.' De nationaal-socialistische fractie zet het Deutschland-lied in, dat volgens het officiële verslag 'door álle fracties en alle aanwezigen in de overvolle zaal met geestdrift wordt meegezongen'.[12]

De zitting van 17 mei 1933 was het begin van een nieuw, breed gedragen, positief gevoel over 'deze Hitler' die 'toch maar' enzovoort. Hitler appelleerde met een feilloze intuïtie aan de Pruisische vraag naar een sterke figuur waaraan de burgers, in de woorden van Norbert Elias, 'zich blindelings konden onderwerpen, die op magische wijze de last van verantwoordelijkheid van hun schouders kon overnemen, die zichzelf verantwoordelijk maakte voor alle nationale wensen en verwachtingen, alle verlangen naar een einde van Duitslands vernedering, naar een nieuwe grootheid, een nieuwe macht'.

En ze hebben inderdaad bestaan, 'de goede nazi-jaren van 1935 tot 1937', een tijd waar tegenwoordig niemand meer iets van wil weten, maar die er wel is geweest. Hitler kreeg in deze jaren namelijk twee dingen voor elkaar die niemand voor mogelijk had gehouden: de zes miljoen werklozen van 1933 waren in 1937 allemaal weer aan het werk en Duitsland werd opeens weer beschouwd als een serieuze mogendheid.

AUTOBAHNEN

De propaganda van de nazi's beschreef de aanleg van de Reichsautobahnen als een historisch project. Het was Hitlers Piramide van Cheops, zijn Akropolis, zijn Chinese Muur. En nog altijd krijgt Hitler daarvoor het krediet.

In werkelijkheid was het legendarische programma van openbare werken en werkloosheidsbestrijding grotendeels door zijn voorganger Kurt von Schleicher ontwikkeld. Twee dagen voor de machtswisseling was het hele plan goedgekeurd. Steeds meer historici menen dan ook dat de economische opleving in de jaren dertig geen verdienste is van de nazi's, maar dat de grondslag al in de jaren daarvoor werd gelegd. Dit gold ook voor de aanleg van de Autobahnen. Gedetailleerde plannen daarvoor dateren al uit de jaren twintig. Hoewel Fritz Todt, de nazi-ingenieur die met de aanleg was belast, veronderstelde dat ze op den duur de mogelijkheid zouden scheppen om tweehonderdduizend man in twee etmalen van het westen naar het oosten te transporteren, zijn ze niet in de eerste plaats ontworpen als voorbereiding op een oorlog. Todts opvolger, Albert Speer, wees er later op dat het patroon van de snelwegen in dat geval immers vooral oost-west zou hebben gelopen, in plaats van noord-zuid. Hitlers bevoorrading en troepenbewegingen gingen in 1940 nog altijd grotendeels per spoor. Slechts 5 procent vond plaats via de autosnelwegen.

Het was niet de oorlogsindustrie die de Duitse economie in de beginjaren aanjoeg. Dat kwam pas later. De economie kreeg vooral een impuls door de aanleg van enorme infrastructurele projecten – havens, autowegen die de bestaande industrie niet beconcurreerden, maar wel miljoenen arbeidersgezinnen aan werk en nieuwe welvaart hielpen. Het was een voor die tijd zeer gewaagde politiek – in Amerika gebeurde met de New Deal in zekere zin hetzelfde – die goed uitpakte. In 1938 lag de werkloosheid in Duitsland op 3 procent, tegen 13 procent in Engeland en 25 procent in Nederland.

Voor het eerst waren de Duitsers niet alleen boeren, arbeiders, moeders en soldaten, maar ook consumenten. Hitler pakte de Duitse massa in met niet eerder gekende luxe. De Volksempfänger, een eigen radio, kwam binnen het bereik van vrijwel iedereen. De eerste Volkswagens liepen van de lopende band. Bij de Olympische Spelen van 1936 experimenteerde de Reichspost – een wereldprimeur – in Berlijn met live-televisie-uitzendingen. De nazi-organisatie Kraft durch Freude (KdF) ontwikkelde, in die tijd uniek, een soort goedkoop massatoerisme met weekendtripjes naar München, treinreizen naar het Gardameer en cruises naar Madeira die zelfs voor fabrieksarbeiders betaalbaar waren. Miljoenen Duitsers maakten er gebruik van: KdF-cruiseschepen als de Robert Ley en de Wilhelm Gustloff waren een begrip. Het aantal geboorten, de beste maatstaf voor vertrouwen in de toekomst, was binnen een jaar na Hitlers machtsovername met bijna een kwart gestegen.

De adembenemende opeenvolging van successen brak vrijwel alle innerlijke reserves van de gematigde Duitsers. Talloze liberale, sociaal-democratische, christelijke en communistische kiezers van 1933 veranderden vanaf het midden van de jaren dertig in opgewekte Führer-adepten. Zelfs de concentratiekampen vervulden veel Duitsers met een zekere tevredenheid: eindelijk werden de 'asocialen', 'mee-eters', 'misdadigers', 'werkschuwen' en 'vreemde elementen' van de straat gehaald.[13]

Zo werd het mogelijk dat vanaf de zomer van 1933 zonder noemenswaardige protesten een enorme sterilisatiecampagne van start kon gaan. Dat zo'n vierhonderdduizend 'recidivisten' en 'gedegenereerden' onder dwang onvruchtbaar werden gemaakt was allesbehalve geheim: er werden talloze krantenartikelen, pamfletten, voorlichtingsbijeenkomsten en zelfs films aan dit 'herstel van de raszuiverheid' gewijd. Bedelaars, psychiatrische patiënten, prostituees, homo's en zigeuners konden zonder vorm van proces van de straat worden gehaald om 'afgezonderd' of 'heropgevoed' te worden. Er verschenen ambtelijke nota's over de *Bekämpfung der Zigeunerplage*, waarbij lang werd stilgestaan bij de positie van *rassenreinen Zigeuner* en *Mischlinge*. 'Levens die niet waard zijn geleefd te worden' konden zelfs worden beëindigd.[14]

Vanaf de zomer van 1939 startten de nazi's een speciaal euthanasieprogramma voor geestelijk en lichamelijk gehandicapten. De operatie vond plaats onder de codenaam T-4 (het adres van het hoofdkantoor was Tiergartenstrasse 4 in Berlijn, een elegante villa die nu verdwenen is), onder leiding van een stuurgroep van artsen, hoogleraren en hoge ambtenaren. In het begin van de operatie had men berekend dat er ongeveer zeventigduizend kandidaten waren voor deze 'genadige dood': één op elke vijf psychiatrische patiënten. Het zou te bewerkelijk worden om zo'n grote groep met injecties om te brengen, zo hadden de ambtenaren van T-4 bedacht. Vergassing paste beter in de planning. Uiteindelijk werden over het hele land zes inrichtingen bestemd voor vergassingen, en elf 'speciale ziekenhuizen' om kinderen 'in slaap te brengen'.

Al snel was het bestaan van het euthanasieprogramma een publiek geheim. In de kranten verschenen opvallend veel rouwadvertenties voor gehandicapten die allemaal onverwacht 'aan een hartstilstand' waren gestorven. Sommige families haalden hun verwanten uit de ziekenhuizen, maar over het algemeen werd op deze stille massamoord met gelatenheid gereageerd. Kenmerkend is het verzoek dat de moeder van een mogelijk slachtoffer aan de leiding van de kliniek Eckhardsheim in het verpleegtehuis Bethel schreef: 'Mocht mijn jongen het verdere leven onthouden worden, zorgt u er dan voor dat hij in [zijn paviljoen] Tannenwald bij een toeval inslaapt, laat u hem daarvoor iets geven. Ik weet dan dat de meest toegewijde handen tot zijn laatste ademtocht over hem hebben gewaakt. Hoe zou ik ooit in mijn levensdagen anders weer blij kunnen worden?'

Het moorden werd een onderdeel van het grote zwijgen. Artsen en verplegers – er moeten honderden, zo niet duizenden medische hulpverleners bij deze operatie betrokken zijn geweest – werkten keurig mee. Wel kwamen er vanuit de kerken protesten. Bij de begrafenissen van de slachtoffers stelden sommige predikanten openlijk de doodsoorzaak aan de orde. In augustus 1941 trok de Münsterse bisschop Clemens August von Galen in een stampvolle Sint-Lambertuskerk van leer tegen de euthanasiepraktijk. Er is één geval bekend waarbij de bevolking de bussen met gedoemde patiënten tegenhield: begin 1941 in het Beierse stadje Absberg. Een veel genoemde verzetshaard was ook het genoemde verpleeghuis Bethel.

Tegenwoordig is Bethel een enorm ziekendorp aan de rand van de stad, en ik zou er nooit zijn beland als het op de grote oorlogskaart van Simon Wiesenthal niet was aangemerkt als een van de weinige plaatsen van Duits verzet tegen de nazi's. Dit vanwege de principiële weigering van de directeur, de eerder genoemde Reichsbischof Friedrich von Bodelschwingh, om ook maar één euthanasiearts op het terrein toe te laten. Toen de overvalwagens 'zijn' patiënten kwamen halen, ging hij zelfs lijfelijk voor de poort staan, spreidde zijn armen en riep: 'U kunt dit huis alleen binnenkomen over mijn lijk.' Zo was me dat verteld. De Duitse kerken betitelden hem na de oorlog als 'een groot zielenherder van de christenheid', 'de man met de helderste blik binnen de kerken' en een voorbeeld van 'onbuigzaam verzet, zonder oog te hebben voor zijn eigen persoon'.

In het archief van het ziekenhuis word ik gastvrij ontvangen. Als de bibliothecaris mijn verhaal hoort wordt er verlegen geglimlacht. 'Tja, we moeten helaas eerlijk zijn.' De ouderen hadden misschien een heldengeschiedenis nodig, de jongere generatie wil gewoon de waarheid weten. 'Het is grondig uitgezocht, een jaar of tien geleden. Afijn, kijkt u zelf maar.'

Ik krijg een dik rapport in handen, geschreven door Stefan Kühl, uitgegeven door de studentenvereniging van de Universiteit van Bielefeld. Het onderzoek is een onderdeel van een reeks studies naar het nationaal-socialisme in de eigen regio, en uit alles blijkt dat Kühl bij zijn archiefonderzoek geen steen op de andere heeft gelaten. Ik begin te lezen. Het verhaal van Bethel gaat inderdaad over moed, maar ook over gebrek aan moed. Het gaat over weten, bewust weten. En het gaat over zwijgen, vooral over zwijgen.

'Het kwaad besmet; een onmens ontmenselijkt de anderen, elke misdaad zaait zich uit, plant zich voort,' schreef de Italiaanse kampgevangene Primo Levi. En het ontkracht ons oordeelsvermogen. 'Het algemeen verbreide besef dat je voor geweld niet wijkt maar je ertegen verzet is van nu, niet van toen.' Verzet moest geleerd worden, het was in de jaren dertig een zeldzaam vermogen van enkelingen.

Het dossier-Bethel is een duidelijk voorbeeld van dat moeizame leren.

Bethel is een evangelisch-christelijke instelling. De paviljoens dragen namen uit het Beloofde Land: Emmaus, Kapernaum, Karmel. Bethanien, voorheen Patmos, bestaat uit een achttal aaneengesloten gebouwen waar tegenwoordig een neurologische afdeling gevestigd is. In de jaren dertig en veertig woonde hier een honderdtal epileptische en meervoudig gehandicapte jongeren. Zij waren het directe doelwit van de nazi-zuiveringscampagnes.

De eerste campagne betrof, zoals gezegd, de sterilisatie van 'gedegenereerden'. De leiding van Bethel protesteerde niet. Iedereen die ervoor in aanmerking kwam, werd in 1933 plichtsgetrouw gesteriliseerd. De staf werd onrustiger toen zes jaar later de euthanasiecampagne van start ging. Eind 1939 kreeg de Brandenburgse dependance van Bethel bevel om voor alle patiënten 'meldingsformulieren' in te vullen. Het ging, zo werd gezegd, enkel om een 'statistische maatregel'. De chef van de kliniek, de predikant Paul Braune, kreeg echter bange voorgevoelens toen hij de aard van de vragen zag. Hij weigerde de papieren in te vullen, en de leiding van Bethel weigerde eveneens.

Een paar maanden later, in maart 1940, kreeg Braune het verzoek om de onverwachte dood van dertien epileptici te onderzoeken. Braunes naspeuringen, ook bij andere instellingen, bevestigden zijn vermoedens: er was in stilte een grootschalige moordcampagne in gang gezet. Toen hij alarm sloeg bij de autoriteiten, werd hem te verstaan gegeven dat hij zich hier beter niet in kon verdiepen.

Braune en Bodelschwingh alarmeerden in de daaropvolgende weken iedereen die ze maar konden bereiken, collega's bij andere instellingen, overheidsfunctionarissen, kerkelijke gezagdragers.

In de zomer van 1940 waren alle hoge kerkelijke autoriteiten op de hoogte, inclusief de Geestelijke Vertrouwensraad van de Duitse Evangelische Kerk. Op 9 juli 1940 schreef Braune een notitie aan de hoogste kerkleiding: 'We smeken u om zo snel mogelijk op te treden, nu het grootste gevaar ophanden is.' De volgende dag schreef de evangelische bisschop van Württemberg, Theophil Wurm, een persoonlijke brief van tien kantjes aan het ministerie van Binnenlandse Zaken, waarin hij zijn verontrusting uitsprak over de geruchten die hij hoorde.[15]

Als de kerkleiding op dat moment een openlijk protest had laten horen, was, naar alle waarschijnlijkheid, het leven van tienduizenden gehandicapten gered. Hitler bleek – ook later – in deze kwestie heel gevoelig voor de Duitse publieke opinie. Braune kreeg een nietszeggend antwoord. Een maand later werd hij door de Gestapo opgepakt. Bodelschwingh hoorde dat er ook tegen hem een arrestatiebevel liep.

Deze eerste verzetsfase kenmerkte zich door geheimhouding. Alles bleef achter de schermen. Het belangrijkste en meest voor de hand liggende wapen, de publieke opinie, werd niet benut. Ook heeft Bodelschwingh nooit gebruik gemaakt van zijn vele buitenlandse contacten. Opvallend was het vertrouwen van beide predikanten in de staat. Beiden bleven ervan uitgaan dat het nationaal-socialistische Duitsland een rechtsstaat was, beiden zagen het euthanasieprogramma enkel als een aberratie, een kleine misstand in een verder goed geregelde samenleving.

De tweede fase begon. Eind oktober 1940 werd Paul Braune weer vrijgelaten. Hij moest beloven dat hij zich niet meer zou verzetten 'tegen de maatregelen van staat en partij'. Iedereen in zijn wijde omgeving wist waarom hij was opgepakt, en waarom hij moest zwijgen. De aandacht van Bodelschwingh beperkte zich nu tot de eigen inrichting. In tegenstelling tot sommige van zijn collega-predikanten liet Bodelschwingh geen enkel openlijk protest meer horen.[16]

Bethel had inmiddels zeven joodse patiënten op transport gesteld. Zij vormden het allereerste doelwit van de nazi's. Ze zijn vrijwel zeker vergast in het voormalige tuchthuis Brandenburg. Vijf andere joodse patiënten waren nog net op tijd door de familie weggehaald. Niet veel later zijn zij vermoedelijk ook omgebracht. Bethel beschermde geen enkele jood.

Voor de niet-joodse patiënten lag de situatie heel anders. Bodelschwingh en de zijnen bleven halsstarrig weigeren om de meldingsformulieren in te vullen. Ze beriepen zich daarbij op hun christelijke geweten, maar ze zochten, zo blijkt uit Kühls onderzoek, wel een vorm van samenwerking met de artsen van T-4. Uiteindelijk werd een compromis gevonden. Een commissie van achttien euthanasieartsen mocht in maart 1941 naar Bethel komen om een aantal patiënten nader te bekijken. Bodelschwingh hoopte hiermee tijd te winnen, maar het had ook iets dubbelzinnigs: wij hebben gewetensbezwaren en juridische problemen, aan jullie het vuile werk. Bovendien liet hij zich verleiden tot een tweede concessie: de patiënten mochten door hun eigen artsen worden voorgeselecteerd. Die deden dat zo vakkundig dat de euthanasieartsen vrijwel al hun aanbevelingen overnamen en veel sneller klaar waren dan ze hadden verwacht.

Er was dus geen sprake van een directeur die bijna lijfelijk de poort dichthield om zijn patiënten te redden. Integendeel. Uit de documenten blijkt dat de euthanasiedoktoren de hele expeditie naar Bethel als een feestelijk uitje beschouwden. Al op de eerste middag aten ze 'zeer goed' in de Ratskeller, zo schreef dokter Mennecke in een brief aan zijn 'liebe Putteli', en op zondag maakten de heren gezamenlijk een busritje naar het monument voor de Germaanse veldheer Hermann Arminius in het Teutoburger Wald. Bij dit alles staken ze de aanleiding van hun verblijf in Bielefeld niet onder stoelen of banken. Met name het personeel van de Ratskeller hoorde veel. 'Het ging als een lopend vuurtje door stad en land,' klaagt Bodelschwingh in een brief aan Hitlers lijfarts Karl Brandt, een kennis van hem. 'Al de tweede dag na de komst van de artsen kwamen boeren naar onze patiënten die op het veld werkten met de vraag: "Weten jullie dat de moordcommissie in Bielefeld is aangekomen?"' In het licht van die onrust vraagt hij dan ook: 'Kunt u de Führer niet vragen om de zaak minstens zo lang te laten rusten totdat er na de oorlog een heldere wettelijke basis voor gegeven is?'

Na het bezoek van de artsen werden plannen gemaakt om familieleden van de bedreigde patiënten te waarschuwen. In het archief van Bethel bevindt zich inderdaad een ontwerp-brief van Bodelschwingh waarin hij wijst op de mogelijkheid dat 'de komende tijd verpleegden uit Bethel naar andere inrichtingen verplaatst zullen worden'. Hij benadrukt daarbij dat het 'bij veel van onze patiënten niet meer mogelijk zal zijn om de overeengeko-men verplichtingen te vervullen'. Stefan Kühl vermoedt echter dat deze waarschuwing nooit is verstuurd: nergens zijn brieven aangetroffen met vragen en reacties van geschrokken familiele-den. Er blijkt trouwens nog iets anders uit de ontwerp-brief: Bo-delschwingh verwachtte binnen afzienbare tijd zijn verzet te moeten staken.

Wat moet ik nu, na een dag studeren, uit het geval-Bethel conclu-deren? Die ereplaats op de verzetskaart van Simon Wiesenthal is niet terecht, dat is duidelijk. Friedrich von Bodelschwingh pro-beerde in moeilijke omstandigheden zijn kliniek, zijn geweten én zijn huid te redden. Dat is allemaal heel menselijk en begrijpe-lijk. Het is echter misleidend om hem na de oorlog te verheffen tot protestantse verzetsheilige. Hij behoorde niet tot de 'enkelin-gen met het zeldzame vermogen tot verzet'. Die onbekende Paul Braune behoorde daar vermoedelijk wel toe, en zo waren er nog een paar predikanten en artsen. Waren die niet geschikt als ver-zetsheld? Of ligt het anders? Had met name de elite van de Evan-gelische Kerk een held nodig, om na de oorlog het morele gezag te kunnen handhaven?

Bodelschwinghs opvolgers hebben jarenlang ieder archief-onderzoek naar het 'verzet' in Bethel geblokkeerd omdat, zoals een van hen in 1964 met grote openhartigheid verklaarde, het ge-vaar bestond dat dan 'een troebele geschiedenis over het falen van veel christelijke kringen' naar buiten zou komen. Dat klopte. Bo-delschwingh was, zoals we dat in Nederland noemen, een typi-sche burgemeester-in-oorlogstijd. Hij was allesbehalve principi-eel, hij was ook geen held en bij Bethel zitten ze tegenwoordig zelfs met die heroïeke nagedachtenis in de maag. Zijn grootste probleem was de wettelijke grondslag, niet de ethiek. Hij stond daarin niet alleen; zelfs nazi's vonden dat hiervoor eigenlijk een speciale wet nodig was.

Toch bereikte deze predikant-directeur met al zijn gedraai uit-eindelijk zijn doel: hij won inderdaad tijd, en men liet hem met rust. In de zomer van 1941 werden uit Westfalen nog 27 zieken-transporten met 2890 patiënten naar de gaskamers van Hadamar gestuurd. Bethel werd ontzien. Eind augustus werd het programma op bevel van Hitler – voorlopig – stopgezet. Het protest van de kerken, onrust zoals in Bethel, het zinde de Führer niet. Bovendien was het oorspronkelijke plan vrijwel helemaal uitgevoerd: er waren op dat moment exact 70 273 Duitse gehandicapten 'gedesinfecteerd'. De ambtenaren van T-4 rekenden uit dat het programma het Duitse volk 885 439 800 Rijksmark aan verdere verzorgingskosten had bespaard. De Duitse kerkleiding had toegekeken, met de ogen wijd open.

Vanuit dezelfde Tiergartenstrasse 4, de onopvallende villa in de keurige Berlijnse wijk Tiergarten werd na de zomer van 1941, met dezelfde bureaucratische rust, de Endlösung van de Europese joden en zigeuners op poten gezet. Uit de vierhonderd personeelsleden werd bijna een kwart geselecteerd om leiding te geven aan Aktion Reinhardt, het uitroeiingsprogramma voor Poolse joden. De vergassingsinstallatie in Schloss Hartheim, ontwikkeld voor het massaal doden van gehandicapten, werd vanaf november 1941 volop gebruikt voor politieke gevangenen uit Mauthausen. De techniek werd overgenomen door alle andere concentratie- en vernietigingskampen. De geharde mannen van de crematoria, de *Brenner*, werden gezochte krachten.

Het euthanasieproject fungeerde als proeftuin voor de industriële vernietiging van miljoenen mensen die daarna zou plaatsvinden. Ook in psychologisch opzicht. De nazi's beseften maar al te goed dat de kwestie gevoelig lag. Ze waren dan ook hoogst verbaasd over het feit dat volgens hun inlichtingen slechts 10 procent van de familieleden protesteerde.[17] Terecht konden ze daaruit de conclusie trekken dat de overgrote meerderheid van de Duitse bevolking wegkeek als zoiets gebeurde, zelfs als het om hun eigen familieleden ging. Hiermee lag de weg open voor de fysieke eliminatie van veel grotere bevolkingsgroepen.

De taal fungeerde daarbij als verdovingsmiddel. *Sauberkeit, Ballastexistenzen*, dat waren de termen waarmee het euthanasieprogramma werd omhuld. 'Het nationaal-socialisme stroomde het vlees en het bloed van de massa binnen via de afzonderlijke woorden, de zinswendingen, de zinsvormen; het drong zich op door miljoenen herhalingen, die automatisch, onbewust, werden overgenomen,' schreef Victor Klemperer in die jaren. 'Taal dicht en denkt niet alleen voor mij, ze stuurt ook mijn gevoel, ze stuurt mijn hele psychische wezen, naarmate ik me vanzelfsprekender en onbewuster aan haar overgeef.'

Klemperer besloot elk nieuw modewoord te noteren, een project dat uiteindelijk zou uitgroeien tot zijn belangrijkste weten-schappelijke werk: LTI, *Lingua Tertii Imperii*, de taal van het Derde Rijk. Op 10 april 1933 was het *Weltjude* – om het niet-Duitse van jo-den te accentueren. 20 april: 'Het woord *Volk* wordt nu in toespra-ken en geschriften even vaak gebruikt als zout in het eten.' In la-tere maanden en jaren volgden al die andere begrippen, zoals *Weltanschauung, Total, Blitzkrieg, Nervenkrieg, Endsieg*. Daarbij hoorde de stijl van spreken die nog altijd te beluisteren valt bij sommige historische filmfragmenten, een wat schelle, afgebeten manier van praten die kracht en dynamiek suggereerde. Klemperer: 'Woorden kunnen nietige stukjes arsenicum zijn; ze worden on-gemerkt ingeslikt en lijken geen uitwerking te hebben, maar na enige tijd is de gifwerking er toch. Als iemand maar lang genoeg "fanatiek" zegt in plaats van "heldhaftig" en "deugdzaam", ge-looft hij ten slotte echt dat een fanaticus een deugdzame held is en dat je zonder fanatisme geen held kunt worden.'

In Bethel stuitte ik op een preek van Reichsbischof Ludwig Müller. Zo klonken zijn woorden door de kerk: 'Als wij ons Duitse bloed van vreemdrassig [*fremdrassig*] bloed willen zuiveren en als we in het bijzonder de ons wezensvreemde joodse invloed uit het gehele Duitse levensgebied [*Lebensbereich*] willen verbannen, zo staat daar als laatste motief achter alles niets anders dan de liefde voor het Duitse vaderland en het Duitse volk. Deze opofferingsge-zinde [*opferbereite*] liefde heeft een hard, strijdbaar [*kämpferisch*] ge-zicht. Al het weke en zwakke haat ze, want ze weet dat al het le-ven alleen dan gezond en opgewassen tegen het leven [*lebenstüch-tig*] blijft, als al het levensvijandige, het vermolmde en vreemde uit de weg wordt geruimd en vernietigd.'

Zo was de taal van alledag.

6

Inmiddels is het, terwijl ik in mijn eigen tijd rondreis, al weer een paar weken oorlog, werkelijk oorlog. Gezamenlijk trekken Europa en de Verenigde Staten ten strijde om Kosovo te bevrijden van de Serviërs. Er gaan geruchten over bloedige etnische zuiveringen in Kosovo, er zijn zeker driekwart miljoen vluchtelingen op drift, honderdduizenden Albanezen melden zich aan de grenzen met gruwelijke verhalen. In de rest van Europa heerst verontrusting, maar strijdlustig is men allerminst, zeker niet in Duitsland. Het buitenlands beleid leek de enige sector waarin we nog durfden denken in termen van maakbaarheid. De Balkan is dus niet maakbaar. Bovendien wil geen westerse soldaat meer sneuvelen voor welk ideaal dan ook. Dat laten we liever aan anderen over. Hij biedt op zijn hoogst nazorg na de toepassing van het afstandelijke luchtwapen. Ook dat beperkt de mogelijkheden zeer.

In 1933 was het omgekeerde aan de hand. De werkelijke strijd was nog niet begonnen, maar in vorm en taal heerste de oorlog al volop. Nu, in 1999, vecht half Europa mee, maar noch in slogans, noch in kleding of gedrag is het merkbaar dat je door landen in oorlog rijdt. Op de Autobahn geen legercolonnes maar trailers met plezierboten. In de lucht alleen maar witte strepen van en naar vakantielanden. Nee, hier wordt de oorlog gevoerd in de krantenkoppen, op de televisie, in de nachtelijke herinneringen, aan de tafels van de wegrestaurants.

Opvallend is het gebrek aan Europese eensgezindheid, terwijl er toch een oorlog gaande is omwille van Europa. Ieder wij-gevoel, iedere vorm van Europees patriottisme, ontbreekt. In Amsterdam proefde ik, ondanks het vlammende nieuws, een merkwaardige loomheid. Voor het eerst sinds een halve eeuw voerde Nederland weer een oorlog, een offensieve oorlog nog wel, maar de minister-president had het niet eens nodig gevonden om dat persoonlijk aan het parlement te melden. Veel Nederlanders accepteerden de bombardementen op Belgrado en Novi Sad als een vanzelfsprekendheid. Ze deden eraan mee omdat ze bij Europa en de NAVO wilden horen. Verder was het een kwestie waar ze, als inwoners van een klein land, toch weinig aan konden veranderen. Ze leefden al zo lang met hun rug naar Europa gekeerd, vol bewondering voor het grote Amerika dat Europa voor de zoveelste keer uit de puree trok. Termen als 'holocaust' en 'genocide' waren voldoende om vrijwel iedere discussie te smoren.

Hier in Duitsland hoor ik op de lokale radio hoe de belangrijkste sociaal-democraat van een streekraad al zijn functies opgeeft. Allemaal vanwege de oorlog, zegt de SPD'er Fabian von Xylander. 'Ik kan het niet verantwoorden dat voor de eerste maal in de honderdvijfendertigjarige geschiedenis van de Duitse sociaal-democratie een SPD-bondskanselier en een SPD-minister van Defensie bevel geven om Duitse soldaten in te zetten, buiten het volkenrecht, en in strijd met de Duitse grondwet.' Overal waar ik beland, komt binnen een kwartier de nieuwe oorlog ter sprake. De Nederlands-Duitse grens blijkt opeens een diepe kloof te zijn, een wijde zee, een scheiding tussen twee werelden. Volgens een opiniepeiling denkt meer dan de helft van de Duitsers dat een grote Europese oorlog nabij is. Op een terras raak ik aan de praat met een ouder echtpaar uit Düsseldorf. Ze slapen slecht, zeggen ze. Kosovo doet alles weer bovenkomen. ''s Avonds zwierven hele gezinnen door de stad, mijn vader heeft ze wel in huis gehaald,' zegt de vrouw. 'Ik heb thuis nog altijd de fiets waarmee ik me toen heb gered, keihard jakkerend op houten banden, vlak voor de Russische opmars uit. Iedereen van mijn generatie is wel op de vlucht geweest, en bijna iedereen heeft wel een bombardement meegemaakt.' Haar man, een gepensioneerde aannemer: 'Het nooit- meer-oorlog staat in de ziel gekerfd.' Zijn vader bevroor in het oosten.

Een weekend in Neurenberg, de stad van de koekoeksklokken, het speelgoed, de rassenwetten, de rijkspartijdagen van de NSDAP, het oorlogstribunaal en de grootste braadworstenhal op aarde. Er is een echte *Altstadt* en overal rijden toeristische neptrammetjes rond. In werkelijkheid is vrijwel geen stuk cement ouder dan vijfenvijftig jaar. Het hele oude Neurenberg is van de aardbodem weggebombardeerd, maar toch telt de oorlog in de meeste lokale geschiedenisboeken niet meer dan een pagina of twee. In de gerechtszaal van het tribunaal worden weer gewone boeven veroordeeld. Het grote marsveld van de nazi's is gedeeltelijk behouden als levend memoriaal. De rest is volgebouwd met woningwetwoningen.

Ik breng een regenachtige ochtend door in Café Kröll op de Hauptmarkt. De houten stoelen zijn bekleed met stemmig bloemborduursel, de kleedjes zijn van kant, de kroonluchters fonkelen, de vitrine staat vol stralende Sahne- en Sachertorte. Hier is het zwijgen verheven tot een hogere kunst.

In de zaal nippen twintig grijze dames aan hun koffie. Tussen de zuilen hangen spiegels... Nee, ik vergis me, daarachter is nog zo'n zaal met identieke dames en heren op leeftijd. Schuin voor me zit een vrouw alleen: bruine mantel, een pikant hoedje op de grijze lokken. Met haar rode lippen eet ze een groot bord goulash met stamppot. Er komt een heer binnen met een witte sik en een hoofd vol boeken. Ze kijkt op: nee, hij is niet haar slag.

Zo gaat het hier de hele dag. Ach, wat hebben ze al niet gezien en meegemaakt in hun leven. De nieuwe oorlog blijft binnen de pagina's van de *Frankfurter Allgemeine*: 'Eindelijk kan het soevereine Duitsland de oude droom van een versmelting tussen moraal en politiek verwerkelijken.' Ik lees het streeknieuws. 'Resten van marihuana gevonden bij twee Portugezen: drie gram.' 'Groen Landsdaglid Hartenstein eist verbod op mobiele telefoons: "De technologie moet zo lang gestopt worden tot bewezen is dat daarvan geen gevaar voor mensen, planten en dieren uitgaat."' 'Crucifix uit schoolklas verwijderd na vonnis van Bundesverwaltungsgericht.' 'Joodse begraafplaats geschonden. Neurenbergers ontzet over de verwoesting van 85 graven.' 'Maak een millennium-baby!' 'Zondag 11 april: hét moment voor Baby-2000!'

's Avonds zit ik op de eretribune, een van de weinige bouwsels die zijn overgebleven van het nazi-complex. De regen is weggetrokken. Het is zo'n stille, zachte, veelbelovende lenteavond. De journaliste Gitta Sereny, de latere biografe van Albert Speer, belandde hier per ongeluk in 1934 midden in een nazi-manifestatie. Ze was op dat moment elf, een keurig Engels kostschoolmeisje op doorreis naar haar moeder in Wenen. Later zou ze haar indrukken opschrijven, ze begreep er niets van, maar ze was overdonderd door het drama, het theater, 'de symmetrie van de marcherende massa, de blijde gezichten overal om me heen, het ritme van de geluiden, de plechtigheid van de stiltes, de kleuren van de vlaggen, de magie van de lichten'.

Het Colosseum staat er ook nog, een immens congresgebouw van dode natuursteen en geschilderd beton. Hitler en Speer wilden er een stadion bouwen voor vierhonderdduizend toeschouwers, tweemaal zo groot als het Circus Maximus in Rome, een halve kilometer lang, ruim vierhonderd meter breed, de hoogste rand zou bijna honderd meter van de grond komen. Hier konden in de toekomst álle Olympische Spelen gehouden worden. In navolging van keizer Wilhelm II moest men, in de woorden van Speer, 'het gevoel voor nationale grootheid opnieuw ontsteken', en daarbij zouden 'de monumenten der voorvaderen de indringendste tekens' moeten zijn. Die 'brug der traditie' moesten Speer en Hitler in dit geval zelf scheppen: hun bouwwerken wilden ze zelfs zo construeren dat ze over honderden jaren, ingestort en overwoekerd door klimop, nog altijd een speciale 'ruïnewaarde' zouden hebben. Er werden zelfs fantasietekeningen gemaakt van de Neurenbergtribunes na lange eeuwen van verwaarlozing.

Die 'ruïnewaarde' begint nu al goed zichtbaar te worden. Voor me ligt de nooit voltooide 'grote straat', een kilometers lange zesbaansweg, aangelegd voor de grote overwinningsparades van de Wehrmacht die in het verschiet lagen. De paradestraat fungeert tegenwoordig zo'n beetje als parkeerterrein. Helemaal achteraan wordt deze weken kermis gehouden, een gigantische kermis zelfs, met een driedubbelloopse achtbaan, een torenhoog lichtblauw reuzenrad, twee spookhuizen, een eethal voor zeker driehonderd worstliefhebbers en daartussen ontelbare kramen, gokhallen en snoeppaleizen.

De grote tribune, ooit het middelpunt van Leni Riefenstahls spectaculaire nazi-film *Triumph des Willens*, is ook al aardig aan het aftakelen. De pseudo-klassieke muren zijn zwart en groen uitgeslagen, overal groeit gras, sommige treden beginnen los te raken. Bovenaan zit een groepje kaalhoofdige jongeren in de avondschemer bier te drinken. Merels fluiten. Op de voormalige paradegrond wordt gejogd. Naast me oefenen vier jongetjes met een skateboard, wijde broeken, honkbalpetjes omgedraaid, jakkerend over de verweerde banken van de tribunes, springend van de ene trede naar de andere, dansend op dit beladen beton.

Schuin over Europa, vanaf Holland, over Friesland en Denemarken tot aan Oostenrijk, ligt een gigantische driehoek van orde en reinheid. Ik rijd nu langs de zuidflank van dit gebied, van het ene Beierse dorpje naar het andere, door een landschap met groene weiden en zachte hellingen, zo nu en dan een kerkje met een ui op de toren. De God die dit bijna hemelse stukje van Europa regeert, houdt van tucht: geen pad dat niet is aangeharkt, geen huis dat niet fris en rechtvaardig overeind staat, geen grasperk dat niet is gemaaid en gekamd. Ik rijd via Eichstätt en Markt Indersdorf, en sta dan opeens voor de afslag naar Dachau, en daar is Dachau zelf al, ook zo'n keurig stadje. Het ligt een beetje tegen München aangeplakt, zoiets als Schiedam tegen Rotterdam.

Het concentratiekamp blijkt een doodgewoon onderdeel te zijn van het industrieterrein, daar heeft men nooit geheimzinnig over gedaan, het hoorde bij het bedrijfsleven van de stad. Toen het werd aangelegd sprak de *Dachauer Zeitung* over nieuwe 'hoop voor de Dachause zakenwereld', een 'economisch keerpunt' en het 'begin van gelukkige tijden' voor het stadje. Kort daarop bleken de eerste twaalf gevangenen te zijn omgekomen. De krant meldde dat de bewakers 'uit noodweer' gehandeld hadden en dat de slachtoffers 'toch al sadistische neigingen hadden'.

Nu, zo'n zesenzestig jaar later, bericht de lokale pers over een gemeenteraadsvergadering in Waakirchen, een dorp ten zuiden van München. Begin mei worden hier de zogeheten dodenmarsen uit Dachau herdacht, waarbij vlak voor de bevrijding nog een groot aantal gevangenen omkwam. Bij die plechtigheid zijn ook een paar voormalige gevangenen uit het kamp uitgenodigd. Het verzoek om hun verblijfskosten te betalen heeft de gemeente van de hand gewezen. 'We hebben al royaal gemeentegrond ter beschikking gesteld voor een gedenkteken,' zegt burgemeester Peter Finger, 'en bovendien moeten we voor deze herdenking ook nog extra bloemperken aanplanten.'

Dachau beschouwt de resten van het kamp voornamelijk als een public-relations-probleem. Nergens vind je hier namen van Europese zustersteden, terwijl je daar verder overal in Europa mee wordt geconfronteerd. Niemand wil bevriend zijn met deze stad.

In de jaren vijftig zijn meerdere pogingen ondernomen om het complex te slopen, en de eerste tijdelijke tentoonstelling werd zelfs door de politie verwijderd. Volgens de toenmalige burgemeester – hij was tijdens de oorlog loco-burgemeester – was de op-winding daarover volstrekt overdreven: het kamp was groten-deels bevolkt geweest met gewone criminelen en 'politieke sub-versieven'. Nu staan er bij de uitgang van het kamp grote borden die de bezoeker wijzen op de werkelijke geneugten van Dachau: een mooie kerk, een oud kasteel, prettige restaurants.

Andere geluiden zijn er ook. 'Ik ben waarschijnlijk de enige van jullie die de dodenmarsen en de uitgemergelde KZ-gevange-nen nog echt gezien heeft, met hun linnen kleren en hun houten schoenen,' zei het Waakirchner raadslid Michael Mair van de SPD. En Sepp Gast van de CSU werd zelfs emotioneel: zijn eigen vader had in Dachau gezeten. Die twee hebben nu aangekondigd een deel van de kosten van de gasten uit eigen zak te zullen betalen.

Wie het kampcomplex betreedt, komt op een enorm binnen-terrein met daaromheen een vierkant van barakken. Het geheel is, in zijn huidige gedaante, het best te vergelijken met een vor-mingscentrum, een museum dat je doorbladert als een boek, een nuttige, frisse les in geschiedenis waaruit op het eerste gezicht alle dood en stank zijn weggeboend.

Ik zie het houten schavot. Het heeft de vanzelfsprekendheid van een stuk gereedschap, krassen en slijtplekken op het hout, butsen in het voetenbankje. In de zalen zie je de bekende beelden: de honger, de executies, de zogeheten hoogteproeven. Een serie foto's: een man wordt in een kleine cabine geplaatst, een leven-dig gezicht, donkere ogen, een Fransman misschien? Dan wordt de luchtdruk verlaagd, of verhoogd. Je ziet hem verschrikt kijken, naar zijn hoofd grijpen. Dan zakt hij ineen. De druk wordt weer genormaliseerd. Een nieuwe sessie. Uiteindelijk is de man dood. De laatste foto: zijn hersenpan, opengesneden. Bij andere proe-ven werd gekeken hoe lang iemand het volhield in ijskoud water. Sommigen leefden na een dag nog. Bij weer andere gevangenen werden leverpuncties uitgevoerd. Zonder verdoving.

Er hangt een brief aan de kampleiding van dr. med. Sigismund Rascher, Troger Strasse 56, München, 16 april 1942: 'De laatste proefpatiënt Wagner liet ik na een ademstilstand door drukver-hoging weer tot leven komen. Omdat proefpatiënt W. voor een terminale proef bestemd was, omdat verdere experimenten geen nieuwe resultaten beloofden en omdat bovendien uw brief op dat moment nog niet in mijn handen was, startte ik direct een nieu-we proef die patiënt W. niet doorstond.' Rascher had nu een dringend verzoek: zou hij in het kamp de sectiepreparaten mogen fotograferen, 'om de zeldzame opbouw van een multiple luchtembolie te kunnen vastleggen'?

Gedetineerde Walter Hornung schetst een beeld van het kampleven in Dachau anno 1936. De SS stampt door het kamp:

Als de messen spatten van het jodenbloed,
Dan gaat 't nog eens goed!

Vervolgens is er appèl. Gevangenen worden geselecteerd voor het zware werk. Steeds wordt een andere categorie naar voren geroepen: 'Volksvertegenwoordigers en secretarissen voor!' 'Redacteuren en journalisten voor!' En uiteindelijk: *'Münchener Post* voor!' Uit de laatste groep stapt een kleine, kreupele man. Hij is het ultieme doelwit.

Waarom de *Münchener Post?* Omdat de journalisten van dit sociaal-democratische dagblad, meer dan wie ook, de nazi's vanaf het begin in de gaten hadden gehouden, alles hadden onthuld wat ze maar te weten hadden kunnen komen en hen hadden behandeld voor wat ze waren: een troep tuig.

Hitler noemde de krant 'de gifkeuken'. Als de Führer zich te Berlijn een kleine uitspatting permitteerde in een luxehotel, stond de rekening de volgende dag in de *Post* onder de kop: 'Hoe Hitler leeft'. Toen Hitlers nicht en geliefde, de jeugdige Geli Raubal, in september 1931 zelfmoord pleegde, gaf de *Münchener Post* onmiddellijk alle achtergrondinformatie. De redacteuren hielden de stand van de politieke moorden nauwkeurig bij. Als een morbide feuilleton stonden ze iedere dag op de voorpagina: 'Nieuwe slachtoffers van bruine moorddrift', 'Brandbom tegen sociaal-democratische redacteur', 'Nazi-terreur tegen landarbeiders: zes jongens vermoord', 'In het teken van de kerstvrede: nazi's doden een communist'. Op 14 december 1931 publiceerde de krant de paginagrote lijst 'Twee jaar nazi-moorden'. Daaronder een citaat van Adolf Hitler: 'Er gebeurt niets binnen de beweging zonder dat ik het weet, en zonder dat ik het goedkeur. Sterker nog: er gebeurt helemaal niets zonder dat ik het wens!' Daaronder zestig namen van slachtoffers, merendeels arbeiders, vermoord of aan de gevolgen van mishandeling overleden.

Er zou een monument moeten worden opgericht voor de *Mün-*

chener Post, schrijft de Amerikaanse historicus Ron Rosenbaum in zijn gedenkschrift over de krant, en ik kan dat alleen maar beamen. De nazi's haatten haar tot in het diepst van hun hart, en zodra ze de macht in handen hadden maakten ze er korte metten mee. Op de avond van de 9de maart 1933 sloeg een SA-bende de redactielokalen kort en klein, smeet de schrijfmachines op straat en vernielde de persen. Dat was het einde van de krant. De redacteuren belandden in Dachau, verdwenen in ballingschap of zagen kans, met veel geluk, het Derde Rijk ongedeerd te overleven.

Ik maak een kleine bedevaart naar de Altheimer Eck, een kronkelig parkeerstraatje achter de grote warenhuizen in het hart van München. Op nummer 13 (ooit 19) herken ik de poort. Dit was de binnenplaats waar de *Post* werd gemaakt. De drukkerij in de kelder is pas een jaar geleden verdwenen, en er wordt nog altijd een krant gemaakt, de *Abendzeitung*, een luchtig dagblad met hier en daar een voorzichtige vrouwenborst. De mensen die er werken, vertellen me dat hier na de oorlog de *Süddeutsche Zeitung* zat, maar niemand weet meer iets van de *Post*. De naam op de poort is verdwenen onder een dikke laag stuc. Van alle heldenmoed is niets meer terug te vinden, geen plaquette, zelfs geen stip op de heldenkaart van Simon Wiesenthal.

De enige plek waar nog iets van de *Münchener Post* rest, is de Beierse Staatsbibiotheek. Ik breng er een volle dag door, tussen ijverige en flirterige studenten, rollen microfilms en slecht gedrukte pagina's van de *Post*. In de jaren twintig is de toon van de krant ronduit slaapverwekkend, met openingen als 'De toekomst van de woningbouw', 'Overeenstemming over het financieringsprogramma' en 'De werkgelegenheid bij de sociaal-democratie'. De activiteiten van de nazi's werden meestal kort afgehandeld bij het gemengde stadsnieuws.

Maar vanaf 1929 wordt de redactie wakker. De koppen hebben steeds vaker uitroeptekens: 'Kiezers, bezint u!', 'De ambtenaren ontwaken!' De krant raadt op 20 december 1929 aan om, 'als terreur in het stembureau daartoe dwingt', het stembiljet ongeldig te maken door zowel 'ja' als 'nee' door te strepen. De nazi-moorden krijgen alle aandacht, en de *Post* ontwikkelt zich razendsnel van een braaf partijblad tot een felle journalistieke krant, met bijna elke week wel nieuwe onthullingen. Op 5 juli 1932 biedt de voorpagina bijvoorbeeld een nauwkeurig overzicht van de bedragen die de nazi's aan sommige militairen betaalden voor hun bijdrage aan de novemberputsch van 1923. Een zekere Oberleutnant Kriegel kreeg tweehonderd Zwitserse frank voor zijn medewerking, een gewone soldaat zo'n vijftien frank. In totaal is er 1173 frank uitgekeerd, een kapitaal bedrag in die tijd. Het geld was grotendeels afkomstig van Helene Bechstein en haar echtgenoot, de bekende pianofabrikant.

Ook in voorspellingen is de *Münchener Post* onthullend. Al op 9 december 1931 weet de krant de hand te leggen op een geheim plan dat binnen de top van de SA circuleert en waarin met verbazingwekkende precisie alle maatregelen staan opgesomd die later inderdaad tegen de joden genomen zouden worden, tot en met vage plannen voor een 'definitive Endlösung' toe: 'arbeidsdienst' in moerasgebieden, waarbij 'met name de SS een toezichthoudende taak kan verrichten'.

Een maand later volgen de eerste plannen voor de sterilisatiecampagne. Op 12 januari 1932 maakt de krant melding van een toespraak van ene dokter Stammberg uit Chemnitz, 'Rassenhygiëne in het Derde Rijk', waarin deze een heel puntensysteem ontwikkelt. Zware invaliden, prostituees en beroepsinbrekers tellen voor min honderd punten, mensen van een niet-Europees ras min vijfentwintig, niet-intelligenten voor min zes punten. Wie meer dan vijfentwintig punten heeft, valt in de categorie 'personen met ongewenst nageslacht'.

Op 8 april 1932 onthult de *Post* vrij gedetailleerd wat de nazi's van plan zijn om te doen zodra ze aan de macht gekomen zijn: de lokale SA krijgt 'vierentwintig uur lang de vrije hand' om de hun bekende tegenstanders op te pakken en 'zich van hen te ontdoen'.

Het meest intrigerende van de *Post* is en blijft het uitgangspunt van de redacteuren: ze beschouwden de nazi's niet alleen als een politiek verschijnsel, maar bovenal als een onderdeel van hun misdaadverslaggeving.[18]

In zijn Hitler-biografie citeert Ian Kershaw de nazi-topman Hans Frank, die al in 1920, als twintigjarige, naar Hitler kwam luisteren. Hij zag een man in een versleten blauw pak, de knoop van zijn das wat omlaaggetrokken, flitsende blauwe ogen, het haar naar achteren gestreken, heldere taal. Adolf Hitler zat op dat moment nog geen halfjaar in de politiek, maar het publiek hing aan zijn lippen, burgers schouder aan schouder met arbeiders, soldaten en studenten. 'Hij sprak alles uit wat hem en wat ons ten diepste bezighield.' Zijn rede van vrijdag 13 augustus 1920 – 'Waarom zijn wij anti-semieten?' – werd achtenvijftig maal onderbroken door het gejuich van de tweeduizend toehoorders. De stadspagina van de *Post* maakt de volgende dag melding van 'een nieuwe attractie, die de laatste tijd de vergaderingen van de Duitse Nationaal-Socialistische Arbeiderspartij opluistert', 'een Heinz Bothmer-achtige jongen die men fris en vrolijk heeft gelanceerd', 'een bescheiden schrijver zoals hij zichzelf noemt', een 'ijverige mijnheer Hitler'.

In de jaren daarna verrijst uit de pagina's van de *Münchener Post* langzamerhand het beeld van een beweging die nauw verstrengeld is met het criminele circuit, met alles wat daarbij hoort: intimidatie, mishandeling, chantage, valsheid in geschrifte, zelfs moord. Op 12 juli 1931 publiceert de krant onder de kop 'Dat is Hitlers garde' een brief van een teleurgestelde nazi uit de gevangenis, die zijn vroegere kameraden betitelt als 'inbrekers, pooiers, tasjesdieven, bedriegers, afpersers, straatrovers en meineedplegers'. Korte tijd later is er een geval van een buffetjuffrouw die door leden van de SA tot prostitutie wordt gedwongen. 27 december 1932: 'Kerstviering besmeurd door bloederige schiet- en steekpartij tussen SS- en SA-mannen in nazi-lokaal in de Anhalter Strasse.' 29 december: 'Hitlerjongen als valsemunter.' Ik doe maar een greep.

Geweld hoorde bij de politieke cultuur van die jaren, maar de nazi's gingen verder. Gangsterpraktijken vormden vanaf het begin een onlosmakelijk onderdeel van de beweging. Op de eerste grote bijeenkomst van Hitlers pas opgerichte NSDAP (24 februari 1920) in het Hofbräuhaus te München kreeg Hitler direct een paar bierpullen naar het hoofd, een gebruikelijke discussiemethode binnen de lokale kroegpolitiek. Hitler brak zijn verhaal af en liet zijn *Saalschutz* los op de opponenten. Met zwepen en gummiknuppels werden ze kapotgeslagen. Daarna sprak hij weer rustig verder. Nog geen jaar later beschikte Hitler over een vaste *Turn- und Sportabteilung*, een sportschool van zo'n driehonderd leden, die een centrale rol speelde binnen zijn beweging. Eind 1921 kreeg die versterking van een stel leden van de beruchte Brigade Ehrhardt die naar München waren uitgeweken, onder leiding van dezelfde luitenant Johann Klintzsch die later medeverdachte was van de moord op Walther Rathenau. Net als in Berlijn vormden halve gangsters en jonge militanten de kiem van de Sturmabteilung. Ze werden gefinancierd via Ehrhardts geheime 'spinnenweb'-

fondsen. Hitlers boezemvrienden waren in deze fase SA-chef Ernst Röhm, een verlopen 'frontzwijn' met een weggeschoten neus, en de 'vleesberg' Christian Weber, een voormalige uitsmijter die meestal gekleed was in aangepaste Lederhosen en Tiroler hoed en die iedereen in elkaar tremde die zijn Leider te na kwam.

Deze duistere geboortegrond van het nationaal-socialisme is tegenwoordig bedekt door een kale parkeerplaats naast het Hilton-hotel aan de Rosenheimer Strasse, vakkundig opgeblazen, weggesloopt en gladgestreken. Hier lag de befaamde Bürgerbräukeller, de grote feestzaal waar meestal stevig gegeten en gedronken werd en waar Adolf Hitler zijn showtalenten verder ontwikkelde. Van hieruit organiseerde hij ook zijn – mislukte – machtsgreep met generaal Ludendorff, op 8 november 1923. Het liep allemaal op niets uit. De schadeclaim van de Bürgerbräukeller over deze dronkenmansrevolutie: 143 kapotte pullen, 80 gebroken glazen, 98 krukken, 148 verdwenen bestekken, en dan zweeg men nog over de kogelgaten in het plafond.

In diezelfde jaren vond Hitler zijn weg naar de betere kringen. Hij mocht een kroegredenaar zijn, hij was ook een fervent Wagner-liefhebber. Daardoor raakte hij al snel bevriend met de rijke jonge uitgever Ernst 'Putzi' Hanfstaengl, en die introduceerde hem vanaf 1922 in de society. Een jaar later maakte hij kennis met Siegfried en Winifred Wagner in Bayreuth, waar hij een geliefde huisvriend werd. In München ontfermden twee deftige dames zich over de veelbelovende introducé Adolf Hitler, in een niet-aflatende rivaliteit. De eerder genoemde Helene Bechstein inviteerde hem bij al haar ontvangsten. Ook kocht ze voor hem nette schoenen en fatsoenlijke avondkleding. Elsa Bruckmann, Roemeense prinses van geboorte, leerde hem dat je geen suiker in de wijn moest doen, en meer van zulke regels. Beiden stoomden hem, kortom, klaar voor de grote wereld.

De jonge Baldur von Schirach – later een prominente nazi – zag hoe zelfs zijn gereserveerde, aristocratische vader voor Hitlers charmes bezweek. Achteraf had hij maar één verklaring voor dit merkwaardige verschijnsel: in de ondergangsstemming van het oude Duitse rijk zochten ook mensen van dit niveau wanhopig naar een redder. En Hitler wist, 'als een tovenaar', twee begrippen samen te smelten die tot dan toe 'als water en vuur voor onverenigbaar hadden gegolden: nationalisme en socialisme'.

De eeuwige vraag rond München is altijd weer: hoe is het in 's hemelsnaam mogelijk dat deze vriendelijke, zuidelijke stad, dit
zeldzaam prettige oord, dit centrum van kunstzinnigheid en vrolijkheid, de bakermat kon zijn van zo'n fanatieke en destructieve
beweging? Hier werd immers de NSDAP opgericht, hier ontdekte
Hitler zijn charismatische krachten, hier vielen in 1923 de eerste
martelaren van de beweging, hier werd de vredesconferentie van
1938 gehouden.

München, de hoofdstad van het conservatieve koninkrijk Beieren, was aan het eind van de negentiende eeuw uitgegroeid tot
een barokke vrijplaats met brede boulevards en schitterende paleizen, het toevluchtsoord van schrijvers, kunstenaars en thea-
termakers voor wie Berlijn te benauwd was geworden. De buurt
Schwabing gold als een tweede Montmartre. Er werkten meer
schilders en beeldhouwers dan in Wenen en Berlijn: traditionele
kunstenaars, maar ook mensen als Franz Marc, Paul Klee en andere avant-gardisten rond de almanak *Der Blaue Reiter*. Het was
niet toevallig dat de vierentwintigjarige kunstschilder Adolf Hitler in 1913 besloot om van Wenen naar Schwabing te verhuizen.
'Schwabing was een spiritueel eiland in de grote wereld, in Duitsland, en vooral in München zelf,' schreef de Russische schilder
Vassily Kandinsky. Het was vanaf 1896 de thuisbasis van het befaamde *Simplicissimus*, een satirisch blad met als vignet een losgeslagen rode hond, vol grappen over keizer en kerk, en advertentiepagina's met 'krachtpillen' voor mannen en ontwenningskuren
'voor alcohol, morfine, opium en cocaïne'. Na een verbod steeg de
oplage binnen een maand van vijftien- tot vijfentachtigduizend.

Nog geen twintig jaar later was München de officiële partij-
stad van de nazi's, de tweede hoofdstad van het Derde Rijk. Maar
tegelijk was datzelfde München ook de stad van Die Weisse Rose,
een van de zeldzame verzetsgroepen in nazi-Duitsland. In deze
stad floten studentes midden in de oorlog de Beierse Gauleiter uit
toen deze hen opriep de studie te staken en baby's voor de Führer
te baren. En uitgerekend in de Bürgerbräukeller werd in het najaar van 1939 de eerste aanslag op Hitler gepleegd, een tijdbom in
een vakkundig uitgeholde zuil, een eenmansactie van meubelmaker Johann Georg Elser.

BOMAANSLAG

Hitler ontsnapte op woensdagavond 8 november 1939 ternauwernood aan een aanslag in de Münchener Bürgerbräukeller. Acht minuten na zijn vertrek explodeerde een zware bom, waardoor het spreekgestoelte bedolven werd onder een metershoge laag puin. Acht mensen kwamen om het leven, drieënzestig raakten gewond. In normale omstandigheden zou Hitler vrijwel zeker zijn omgekomen – hij zou nog volop met zijn rede bezig zijn geweest – maar juist deze avond hield hij het voor zijn doen bijzonder kort, hij wilde nog terugvliegen naar Berlijn, en dat redde hem. Die haast had alles te maken met het Plan Gelb: de voorgenomen aanval op Nederland, België, Luxemburg en Frankrijk, vastgesteld voor zondag 12 november 1939, en op het laatste moment afgeblazen wegens de slechte weersomstandigheden.

Georg Elser werd bij de grens direct opgepakt. Hij vertelde, naar waarheid, dat hij op eigen houtje had gehandeld. Meer dan een maand was hij, nacht na nacht, bezig geweest met het uithollen van de zuil en het plaatsen van de bom. De Gestapo kon zich echter niet voorstellen dat hij zo'n complexe operatie alleen had uitgevoerd. Zelfs de communisten achtte men hiertoe niet in staat. Alleen de Britse Secret Service zou zoiets kunnen. Himmler vermoedde dat de Britten in samenwerking met Otto Strasser, een oude nazi-rivaal van Hitler, de hele zaak hadden opgezet. Diezelfde week nog werden twee Britse geheime agenten bij Venlo, in het kader van een andere operatie, door Gestapo-agenten naar Duitsland gesleept. De agenten bleken echter van niets te weten.

Himmlers theorie redde jarenlang Elsers leven. Hij werd opgesloten in Sachsenhausen, later in Dachau, maar bewust in leven gelaten omdat men hoopte ooit nog eens van hem de waarheid over dit complot te horen. Hij mocht er zelfs een timmerwerkplaats beginnen en er een replica van de Bürgerbräubom bouwen, enkel om te bewijzen dat hij het werkelijk in zijn eentje kon. Op 9 april 1945, twintig dagen voor de bevrijding van Dachau, werd hij alsnog geëxecuteerd.

Schwabing is nu een halfluxe buurt met brede straten, bijna Parijse appartementsgebouwen en talloze restaurants, winkeltjes, boekhandels en galeries. Opvallend zijn de massieve kantoren en schoolgebouwen uit het begin van de negentiende eeuw, met een

omvang die je zelden ziet in zo'n omgeving. Het zijn klaroensto-
ten uit het verleden: hier zijn wij en hier blijven wij, wij koningen van Beieren.

München is – met Amsterdam – de enige grote Europese stad
waar zelfs de burgemeester zich op een fiets voortbeweegt. Overal
zijn de laatste jaren fietsroutes aangelegd en daarover wordt nu
door een minderheid van de bevolking gedreven gefietst, op professionele fietsen, in adembenemende vaart. Deze Duitsers hebben het fietsen op hun eigen, grondige wijze aangepakt. Als er
gefietst wordt, wordt er Gefietst. Het fietsen is hier een Daad, een
Geloofsbelijdenis.

Mijn eigen fiets hangt gewoon achter op mijn busje. Het is een
eerlijke Amsterdamse fiets, een gebruiksvoorwerp vol butsen en
roestplekken, een simpele jongen tussen de perfecte racemodel-
len van de gelovigen. We voelen ons allebei wat onwennig, mijn
fiets en ik.

Zo beweeg ik me voorzichtig door het Athene aan de Isar, zoals
München tot de Eerste Wereldoorlog vaak werd genoemd, de culturele lusthof van Henrik Ibsen, Wagner en de Beierse vorsten
Ludwig II en Luitpold. Met een hoop gekraak fiets ik door oude
poorten, langs sierlijke fonteinen, het pseudo-Romeinse Nationale Theater en de strakke, negentiende-eeuwse Ludwigstrasse.
Kijk eens, daar staat nog altijd Der Bayerische Hof, het hotel waar
Adolf Hitler van mevrouw Bechstein leerde hoe je oesters en arti-
sjokken moest aanpakken. En kijk, daar heb je zijn Münchense
appartement, op de tweede etage van de Prinzregentenplatz
nummer 16. Nu leeft er gewoon weer een deftige Münchense familie. En, hier, de straat in Schwabing waar hij begon, nu vol
exotische geuren van Chinese, Indische, Russische, Italiaanse en
Mexicaanse restaurants, Schleissheimer Strasse 34. De enorme
gedenkplaat die hier ooit hing, zit onder een dikke laag kalk.

Schwabing was een eiland, schreef Kandinsky terecht. Het gaf
München tot ver in de twintigste eeuw een bepaalde faam, maar
het bleef een eiland. De gewone burgers van München vonden
het maar niets, die wijk vol hoeren, studenten en anarchisten.
De Schwabinger keken, op hun beurt, met verachting neer op de
plompe Müncheners die enkel leefden voor een vet huwelijk en
drie literpullen bier per dag. Volgens de Beierse historicus Georg
Franz is dat in zichzelf tegengestelde München te herleiden tot
het trauma van de burgerij over 1919, tot de – kortdurende – Volks-

staat Beieren van Kurt Eisner. Volgens hem is de opkomst van de nazi's in München een rechtstreeks gevolg van die bloedige burgeroorlog. David Large gaat in zijn beschrijving van Hitlers München een paar stappen verder. Hij meent dat de veelgeprezen Münchener stadscultuur altijd al een anti-kosmopolitische en anti-liberale keerzijde heeft gehad.

In die zin leek München op Wenen: onder de harmonie en gemoedelijkheid ging een scherp verdeelde samenleving schuil, met grote spanningen tussen arm en rijk. Tussen 1880 en 1910, binnen amper drie decennia, was München uitgegroeid van een provinciestad tot een metropool. De bevolking was verdubbeld, de huisvesting was even erbarmelijk als in Wenen, maar de immigranten bleven komen. Joodse zakenlieden, wetenschappers en bankiers zetten de toon in dit nieuwe stedelijke klimaat. Hermann Tietz, van joodse komaf, begon er zijn warenhuisketen: de kleine winkeliers waren woedend. De prijzen van de huizen stegen: de joodse financiers kregen de schuld. De prostitutie nam toe: Tietz werd ervan beschuldigd dat hij zijn winkelmeisjes de baan opjoeg omdat hij ze te weinig betaalde. De deftige *Staatsbürgerzeitung* begon te klagen over de 'schrikbarende toename van het joodse element' in de stad en voorspelde 'de ondergang van de beste kant van de Münchener middenstand'. In 1891 werd Münchens eerste anti-semitische partij opgericht. Toen kwam de oorlog, daarna sloop het geweld de politiek binnen. Ten slotte nam de sjofele trommelaar uit het Hofbräuhaus de stad over.

München is gebouwd om het oog te behagen en de gedachten tot ontzag te stemmen, en de nazi's wisten dat. Vanuit hun Braunes Haus aan de Brienner Strasse breidden ze hun territorium steeds verder uit. Rond 1940 was naast het centrum van München een heel nazi-kwartier ontstaan van ruim vijftig gebouwen, waar zo'n zesduizend mensen werkten. Men had grootse plannen voor de toekomst; op de hoek van de Türkenstrasse zou onder andere de monumentale graftombe voor Hitler gebouwd worden.

Het Braunes Haus is in 1945 gebombardeerd en opgeblazen, op het geheime gangen- en bunkerstelsel na. Van de rest van het nazi-kwartier staat echter nog vrij veel overeind. In de Führerbau, een bouwsel aan de Cheisstrasse dat van binnen voornamelijk lijkt te bestaan uit een waanzinnig grote staatsietrap, werd in 1938 de vredesconferentie met Chamberlain, Daladier en Mussolini gehouden. Nu is het een huis vol liederen en pianoloopjes, de Academie voor Theater en Muziek, maar de geschiedenis verraadt zich in het chique stukje trottoir dat er nog altijd ligt, speciaal aangelegd ter ere van de Führer. Het Haus der Deutschen Kunst, aan de andere kant, valt ook nog te bewonderen: een galerij van stampende zuilenblokken, snel gemaakte ornamenten, façadebouw, niks eeuwigheid. Van de twee Pantheons van de nazi's op de hoek van de Königsplatz staan enkel nog de fundamenten, overwoekerd door struiken. Het plein zelf is ontdaan van de granieten platen die de nazi's er hadden neergelegd. Er groeit nu veel pacifistisch gras, het is weer de Atheense agora die de Beierse vorsten zich gedroomd hadden. Alles is weer teruggedraaid en overdekt.

Later fiets ik over de monumentale Ludwigstrasse naar de Prof.-Huber-Platz, de Geschwister-Scholl-Platz en de Ludwig-Maximilians-Universität. De namen spreken voor zich. Hier komt alles bij elkaar: de pompeuze trappen, de pseudo-Romeinse beelden daarnaast – in werkelijkheid zijn het twee verklede Beierse vorsten –, de machtige koepel boven de hal, maar ook die nietige, onschuldige, wanhopige pamfletten die de Münchense studenten Hans en Sophie Scholl hier op 18 februari 1943 vanaf de gaanderijen naar beneden lieten dwarrelen. 'In naam van de Duitse jeugd eisen we van Adolf Hitlers staat onze persoonlijke vrijheid terug, de kostbaarste schat van Duitsland, waarmee hij ons op de ellendigste manier bedrogen heeft.'

Ze hadden al eerder vlugschriften verspreid en leuzen gekalkt: 'Vrijheid', 'Weg met Hitler'. Dat was alles wat Die Weisse Rose deed. Ditmaal werden ze door de conciërge gepakt en aan de Gestapo overgeleverd. Vier dagen later werden ze onthoofd, samen met hun kameraad Christoph Probst. De overige actievoerders – de studenten Alexander Schmorell, Willi Graf, Christoph Probst en hun hoogleraar Kurt Huber – werden in de loop van het jaar opgepakt en vermoord. Een paar Münchener scheikundestudenten probeerden de pamflettenactie voort te zetten. Ook zij werden ter dood gebracht. Daarna nam niemand de fakkel over.

Het grote auditorium van de universiteit ligt verderop aan de gang. Op deze aprilochtend valt het zonlicht er in grote banen naar binnen. Ik doe voorzichtig een deur open. Er is geen mens. Op het podium, achter de vleugel, zit een jongen in zijn eentje te spelen. Bach. Hij is alles om zich heen vergeten. Zijn vrienden glippen naar binnen, ze blijven ademloos luisteren, ze zijn jong, ze hebben sterke ogen. De ruimte is vol licht en klanken, beelden die terugkeren, niemand kan eraan ontkomen.

In München denk je dat Italië binnen handbereik ligt. Het leven is er gemakkelijk, een beetje lui zelfs. De stad heeft al iets on-Duits, ze lijkt meer op Bologna dan op Berlijn. Maar als je dan naar het zuiden trekt rijzen ze opeens in de verte op, de Alpen, de wachters, de massieve grijswitte muur die dit vlakke land afsluit van het warme licht. Het is allang lente, maar hier sneeuwt het weer. De lucht is bijna zwart. De bomen worden met het kwartier zwaarder, mijn busje zwoegt over de gladde hellingen, de wegen worden wit en stil.

Ik neem mijn intrek in Hotel Lederer am See, in het dorpje Bad Wiessee, met uitzicht op de donkere Tegernsee. In de verte stuift zo nu en dan een lawine van de bergwand. Mijn gezelschap bestaat uit gepensioneerde echtparen en de achtergrondmuziek is geheel afgestemd op hun gelukkigste jaren: Glenn Miller, schlagers uit de jaren dertig. In een jubileumboek lees ik dat het hotel toen nog Pension-Kurheim Hanselbauer heette. De pagina's vertellen over de oprichters, over feesten en partijen, over de hobby's van het personeel, kortom, over alles wat met deze 'heerlijke wereld aan de Tegernsee' te maken heeft. Merkwaardig genoeg wordt één feit niet genoemd, juist de gebeurtenis waarmee dit hotel voor eeuwig een plaats verwierf in de Europese geschiedenis: de zogenaamde Röhm-putsch.

Hotel Lederer am See is de plek waar Adolf Hitler in het morgengrauw van de 30ste juni 1934 Ernst Röhm en andere leden van de SA-top eigenhandig uit bed haalde, een bed dat een enkeling ook nog deelde met een knappe SA-jongen. Ze werden gearresteerd en tijdens de daaropvolgende dagen één voor één afgemaakt. Tegelijkertijd werd met een reeks andere oude vijanden afgerekend, met name in conservatief-nationale kring. Naar schatting werden er tijdens deze 'nacht van de lange messen' – in werkelijkheid duurde alles een vol weekend – zo'n honderdvijftig à tweehonderd politieke tegenstanders van Hitler vermoord. Röhm was de laatste. Hitler aarzelde aanvankelijk, het was toch zijn oude strijdmakker. Tenslotte kreeg Röhm in zijn cel een exemplaar van de *Völkischer Beobachter* met het verhaal over zijn 'verraad', plus een pistool. Hij begreep de hint niet, ging de krant zitten lezen, en moest door twee SS-officieren alsnog worden doodgeschoten.

De 30ste juni 1934 is vrijwel net zo'n belangrijk moment in de loopbaan van Adolf Hitler als de 30ste januari 1933. In 1933 greep hij de macht, maar pas in 1934 wist hij die te verankeren en te consolideren. Dat is de diepere betekenis van de gebeurtenissen in Pension Hanselbauer.

De nazi's motiveerden de 'nacht van de lange messen' als een daad van politieke en morele zuivering. De homoseksuele praktijken van Röhm en de zijnen waren echter allang bekend. Al op 22 juni 1931 bracht de *Münchener Post* onder de cynische kop 'Warme broederschap in het Bruine Huis', een pakkend verhaal over de seksuele voorkeuren van een aantal hoge nazi's en de daaruit voortvloeiende chantagepraktijken. Daar ging het in werkelijkheid nauwelijks om.

De manier waarop veel slachtoffers werden afgemaakt – in hun huiskamer, in hun deuropening, op straat – deed denken aan een gangsteroorlog, en gedeeltelijk was het dat ook. Hitler gebruikte de moordcampagne om definitief af te rekenen met een reeks oude politieke tegenstanders, maar de meeste slachtoffers kwamen uit zijn 'eigen' SA. Röhms mannen hadden vlak na de machtsovername enige tijd hun gang mogen gaan, maar al snel regende het klachten over het geweld en de willekeur van de SA'ers. Bella Fromm beschrijft in haar dagboek hoe een cocktailparty die ze organiseerde, druk bezocht door diplomaten en andere hoge functionarissen, verstoord dreigde te worden door enkele SA'ers die haar huis wilden 'uitroken' omdat het een 'niet-Arisch' spionnenhol was. Alleen een snelle interventie van Hitlers persoonlijke staf kon een diplomatieke ramp voorkomen. Zo waren er talloze incidenten, gebeurtenissen die de revolutionair Hitler zou hebben toegejuicht maar die de kanselier Hitler veel last bezorgden. De SA werd, kortom, ook voor de nazi's een grote stoorzender. In 1934 telde de beweging vier miljoen leden, en Röhm had aspiraties om het leger opzij te schuiven. Onder de gewone SA'ers werd al gesproken over 'de noodzaak van een tweede revolutie'. Bovendien: waar bleven de mooie banen, de functies, de beloningen voor hun inspanningen? Waar bleef, in gangstertermen, hun deel van de buit?

Daarnaast werd Hitlers machtspositie ook vanuit de politiek bedreigd. De nationalistische en conservatieve elite begon te beseffen dat er ongekende krachten waren losgemaakt, ontembare bewegingen die zij niet meer onder controle konden houden. Men voelde zich verantwoordelijk voor het feit dat 'deze kerel' aan de macht was gekomen, en hij moest die macht zo snel mogelijk weer kwijtraken. Kringen rond Franz von Papen en de legerleiding wilden van de SA-crisis gebruik maken om Hitlers positie te verzwakken. Rijkspresident Hindenburg werd steeds ouder en zwakker, en die functie mocht beslist niet ook in handen van Adolf Hitler vallen. Sommigen dachten zelfs aan een herstel van de monarchie. Alles was mogelijk, als Hitler maar niet de absolute macht zou krijgen.

Op 17 juni hield Papen een voor zijn doen sensationele toespraak. Hij hekelde alle 'egoïsme, karakterloosheid, onoprechtheid, aanmatiging en gebrek aan ridderlijkheid', en hij uitte zelfs kritiek op de 'valse persoonlijkheidscultus'. Hitler sloeg nog diezelfde dag terug: 'Dit is de gebalde vuist van de natie die iedereen zal neerslaan die het waagt om ook maar de kleinste poging tot sabotage te ondernemen.' Toen de nazi-top zich op 29 juni 1934 bij Hitler voegde om eindelijk in actie te komen, dacht Goebbels dan ook dat het om een afrekening ging met de deftige conservatieve kring rond Papen. Tot zijn verbazing bleek het om de 'eigen' SA te gaan. Het 'hoogverraad' van Röhm is echter nooit aangetoond. Niets wijst op serieuze SA-plannen voor een coup. De 'bewijzen' hiervoor zijn vrijwel zeker vervalst.

In het buitenland zag men gangsters bezig, nu openlijk. Er werd onthutst gereageerd. In Duitsland zelf was er weinig protest. Zelfs de kerken zwegen, hoewel ook Erich Klausener, voorzitter van de Katholische Aktion in Berlijn, was afgemaakt. De legerleiding verbood officieren om de begrafenis van generaal Kurt von Schleicher en zijn vrouw bij te wonen.

Zonder rugdekking van het leger, dat alles te winnen had bij de ontmanteling van de SA, zou Hitlers 'nacht van de lange messen' onmogelijk zijn geweest, stelt Hitler-biograaf Ian Kershaw terecht. De gevolgen waren ingrijpend: 'Door de medeplichtigheid aan de gebeurtenissen van 30 juni 1934 was het leger nog meer dan voorheen gebonden aan Hitler.'

Zo overkwam de generaals hetzelfde als Papen een jaar eerder. Ze meenden Hitler voor hun karretje te kunnen spannen, in werkelijkheid werd het leger zelf een werktuig van de nazi's.

Ik logeer aan de gang waar het gebeurde, in de mooiste hoekkamer, tussen de warme eiken wanden van het oude hotel. De sneeuw komt met bakken uit de hemel. De vlokken vallen in het zwarte water, op de bomen en de gazons, op de zwemsteiger waar ooit de jongens van Röhm in het water doken. Sliepen ze hier, in deze kamer? Kwam Hitler hier letterlijk schuimbekkend binnenstormen?

De echte historische sensatie blijft uit. Het doet me weinig. Zestig jaar lang hebben hier de ijverigste werksters gepoetst, en poetsen verdrijft het kwaad, sneeuw overdekt alles, stilte en zwijgen en tijd doen de rest.

7

Het lijkt wel of er geen ontsnapping mogelijk is, aan die lange winter. Onderweg naar Oostenrijk en Italië is het opnieuw gaan sneeuwen, en hoe. Op de snelweg rijden de vrachtwagens steeds langzamer, grommend blazen ze grote wolken rook in de koude lucht. In de verte flikkeren blauwe lichten, een witbesneeuwde politieman zwaait ons naar een zijweg, de Brennerpas is een chaos, zelfs de sneeuwploegen komen er niet doorheen.

In Innsbruck valt de avond. In de straten is het doodstil, de vlokken blijven vallen tussen de oude gele en roze huizen, langs de bogen, tegen de ramen van de lege Weinstuben, want wie gaat nu bij dit weer naar buiten? Een paar jongens zijn op de Marktgraben aan het voetballen, een kind vliegt naar buiten om de vlokken op de tong te proeven, verder is alles eenzaam en een beetje droevig, deze nieuwe winter in de lente.

Ik was onderweg twee eigenzinnige geesten tegengekomen, eerlijk gezegd op plekken waar ik ze helemaal niet verwachtte.

De eerste trof ik bij de Obersalzberg, aan het begin van de Alpen, waar ooit Hitlers vakantieverblijf stond, de Berghof. Sinds vier jaar is het vrijgegeven door de Amerikanen. Hitler bracht er vanaf 1923 veel van zijn tijd door, eerst in een houten vakantiehuisje op het terrein van pension Moritz, later in een gehuurde villa, vanaf 1933 in zijn eigen Berghof. In de loop van de jaren dertig werd het een complete nazi-berg, geregeerd en geëxploiteerd door Hitlers secretaris en rechterhand Martin Bormann. De hele partijtop betrok er villa's. Pension Moritz werd een Volkshotel voor partijgenoten, Hotel Zum Türken werd door Bormann voor een schijntje aan de eigenaar ontfutseld. Toen er boven de grond niets meer te doen viel, begon hij met de bouw van een enorme Alpenfestung, een systeem van talloze bunkers en zeker vijf kilometer tunnel. Het grootste deel ligt er nog steeds.

Hoog op de rotsen staat ook nog het Kehlsteinhaus, ofwel het Adelaarsnest. De uitkijkpost plus lift, van buiten grimmig, van binnen gemeubileerd in 'stoombootstijl met boerse inslag', is in 1938 met ongelooflijk veel moeite en risico's door honderden arbeiders aangelegd, een presentje voor Hitlers vijftigste verjaardag. Een paar honderd meter daaronder ligt de Scharitzkehlweide, en daar staat de oude uitspanning van de houthakkersfamilie Hölzl. In het halletje trof ik een oud, ingelijst ontruimingsbevel, gericht aan grootvader Simon Hölzl, getekend door M. Bormann. Het bleek dat de nazi's de uitspanning om veiligheidsredenen wilden weghalen, maar Hölzl vertikte dat, zijn handeltje in melk, koffie en bier aan die bergweide liep veel te goed. De eerste zin van Bormanns laatste aanmaning luidt: 'Uw schrijven van 10-2-1940 zou slechts beantwoord kunnen worden door u naar het concentratiekamp Dachau te sturen.'

De verbouwing van de Berghof tot een soort bergpaleis was kenmerkend voor Hitlers verandering in levensstijl. Na 1936 begon hij zich meer en meer terug te trekken. Van een populaire partijleider veranderde hij in een grillige koning die een steeds grotere hofhouding om zich heen schiep, die leefde als een spin in dat zelfgesponnen web en die enkel nog een vaste coterie van een paar dozijn mensen om zich heen duldde. Omdat hij na 1935 in toenemende mate last kreeg van heesheid en maagklachten, zocht hij zijn heil bij de alternatieve arts dr. Theodor Morell, die hem injecties gaf met darmbacteriën, gekweekt 'uit de beste stam van een Bulgaarse boer'. Hij meende niet lang meer te zullen leven: 'Mijn plannen moeten worden uitgevoerd zolang ik die met mijn steeds slechtere gezondheid nog kan verwerkelijken.'

Albert Speer beschrijft in zijn memoires een fotoboek over Hitler uit 1937. Stuk voor stuk vertoonden de foto's een joviale, ongedwongen, gewone man, in een roeiboot, liggend in een weiland, op bezoek bij kunstenaars. 'Het was bij verschijning al verouderd. Want deze Hitler, die ik nog had meegemaakt in het begin van de jaren dertig, was zelfs voor zijn naaste omgeving tot een gesloten despoot geworden, die met anderen nauwelijks meer contact had.'

Als medebewoner van de berg was Speer verplicht om talloze saaie middagen en avondjes met Hitler te delen: maaltijd, wandeling, thee, slaapje, diner, film. Hitler verpletterde het gezelschap met zijn monologen, Göring met zijn wrede grappen, Bormann vergreep zich tijdens het middagtukje aan de secretaressen, Eva Braun was stil en ongelukkig. 'Moe van het nietsdoen' kwam hij iedere avond thuis; hij noemde het 'de bergziekte'.

In het voorjaar van 1999 was het uitzicht op de Untersberg en Berchtesgaden nog altijd even indrukwekkend, maar dat was ook het enige punt van herkenning. Er hing een diepe stilte. De Berghof was in 1945 platgebombardeerd, in 1952 waren de restanten opgeblazen. De 'heldere en frisse chalet' waarin Hitler – 'een komieke verteller' – in november 1938 voor de lezers van *Homes and Gardens* poseerde, de eetzaal met het haardvuur, de conferentiekamer met de beroemde glaswand en 'het zuiverste uitzicht van Europa', het terras waar Eva Braun zo vaak was gefilmd: er waren alleen nog betonbrokken van over, plus een paar bunkers en een raampje van de garage. (In die befaamde conferentiekamer kon het overigens gruwelijk naar uitlaatgassen en benzine stinken vanwege de garage eronder, een ontwerpfoutje van architect Hitler.) In het bos naast de weg trof ik een vreemde betonconstructie, een soort terras leek het wel, overgroeid met gras en bomen. 'Ja, daar woonde Göring,' zei een vriendelijke dorpsbewoonster die passeerde. 'Van de rest zult u niets meer terugvinden. Alleen het atelier van Speer is er nog.'

De Hölzls hadden alles doorstaan. Ze woonden er nog steeds, op die vroege voorjaarsdag in 1999. Een paar dozijn wandelaars zat in grote vriendelijkheid in de zon bijeen op het terras aan de Scharitzkehlweide, de sneeuw smolt weg in klaterende stroompjes, de vogels floten, een bol jongetje leerde lopen.

Een dag later reed ik langs een smal weggetje Sankt-Radegund binnen, een lieflijk grensdorpje tussen de Oostenrijkse heuvels. Twee katten staken de straat over. Een kaars flakkerde in de Mariakapel op de hoek. In een tuin was een oude vrouw met een bonte hoofddoek aan het werk, ze bloeide letterlijk op uit de aarde. Een paar dagen later zou hier de tweeënvijftigste bedevaart van Soldaten-Heimkehrer gehouden worden, met een veldmis en een toespraak van de legercommandant, maar daar ging het mij niet om. Dit was een van de zeldzame plekken waar iemand zich openlijk had verzet. En ik was op zoek naar zijn graf.

In maart 1938 stond heel Oostenrijk juichend aan de weg toen de nazi-troepen het land kwamen overnemen. Bepaalde groepen hadden decennialang gedroomd van een pan-Germaans rijk, en die gevoelens waren alleen maar sterker geworden na de ineenstorting van het Habsburgse rijk. Al in 1919 stemde 90 procent van de kiezers in Salzburg en Tirol voor een Anschluss. Toen Hitler aan de macht kwam, werd de geestdrift nog groter. Bij de verkiezingen van 1932 kregen de Oostenrijkse nazi's 16 procent van de stemmen, nog een jaar later haalden ze bij de gemeenteraadsverkiezingen in Innsbruck zelfs 40 procent. Met succes zetten ze hun andere troeven in: straatgeweld, aanslagen, intimidaties. Op 25 juli 1934 werd de katholieke kanselier Engelbert Dollfuss bij een mislukte coup doodgeschoten.

De Oostenrijkse nazi-revolutie bestond uit drie fasen. Allereerst werd er een pro-Duitse volksbeweging georganiseerd. Begin 1934 schreef een Engelse correspondent dat een buitenstaander die het Oostenrijkse Graz binnenreed zou denken dat hij in een Duitse nazi-stad was beland. Overal beheersten marcherende nazi's en wapperende hakenkruisvlaggen de straten, en hun aantal nam in de loop der jaren alleen maar toe.

Vervolgens werd op regeringsniveau een ogenschijnlijk legale machtswisseling afgedwongen. Voor zondag 13 maart 1938 was een volksstemming uitgeroepen over het handhaven van Oostenrijks onafhankelijkheid. Hitler vond dat een veel te groot risico. Daarom organiseerde Hermann Göring vanuit Berlijn op 11 maart fase twee van de coup. Met een reeks telefoontjes zette hij de zittende kanselier Kurt Schuschnigg zo onder druk dat die zich ten slotte liet vervangen door de nazi-advocaat Arthur Seyss-Inquart. Ondertussen hadden de nazi's alle centrale punten van de grote steden bezet. Het referendum werd afgeblazen. De coup werd afgerond door fase drie, de macht van buitenaf, het Duitse Achtste Leger, dat die vroege zaterdagochtend vanaf alle grensposten Oostenrijk binnenstroomde, zogenaamd om op verzoek van de nieuwe Oostenrijkse regering 'de orde te herstellen'.

Eén ding hadden de nazi's echter in al hun minutieuze planning niet voorzien: het weergaloze enthousiasme van de bevolking. De binnentrekkende Duitse troepen werden, tot hun verrassing en verbazing, overladen met bloemen en gejuich. Duitse legerrapporten spraken over 'gezang en gelach' en 'een ongelooflijke euforie'. Amerikaanse en Engelse correspondenten beschreven hoe in Wenen hele menigten dansten en zongen, met daartussen kreten als 'Neer met de joden!' en 'Sieg Heil!'.

Hitler zelf maakte die zaterdagmiddag, onder het gebeier van alle kerkklokken, een triomfantelijke intocht in Linz. Vanaf de katholieke en protestantse preekstoelen werd God gedankt voor deze bloedeloze revolutie. De daaropvolgende maandag maakte Hitler zijn entree in Wenen. Honderdduizenden mensen waren op de been, volgens een ooggetuige 'de grootste menigte die ik ooit in Wenen heb gezien'. 'De statige bomen op de trottoirs bogen letterlijk naar beneden door het gewicht van de talloze mensen die erin geklommen waren om een beter zicht te hebben,' schreef de correspondent van *The Manchester Guardian*.

Datzelfde weekend begonnen de arrestaties. Zeker twintigduizend Oostenrijkers werden opgepakt, communisten, journalisten, joodse bankiers, arbeiders, aristocraten, anti-nazi's uit alle lagen van de bevolking. Tegelijkertijd startte 'een middeleeuwse pogrom in een modern jasje'. Zodra de nazi's de macht gegrepen hadden, op vrijdagavond 11 maart, trokken enkele tienduizenden Weners naar Leopoldstadt, de joodse wijk aan de Donau. Families werden in hun huizen overvallen, zakenlieden werden uit taxi's gesleept, honderden joden pleegden zelfmoord.

De Amerikaanse correspondent William Shirer bezocht het hoofdkwartier van de SS in het Rothschild-paleis. 'Toen we binnenstapten, botsten we bijna tegen een paar SS-officieren aan die bezig waren om zilver en andere buit uit de kelder te slepen. Eentje had een foto met een gouden lijst onder de arm. De ander was de commandant. Zijn armen waren vol zilveren messen en vorken, maar hij geneerde zich niet.'

Gitta Sereny, toen veertien jaar oud, hoorde door de hele stad talloze stemmen roepen: 'Deutschland erwache! Juda verrecke!' In de Graben stuitte ze, met haar vriendin, op een paar mannen in bruin uniform, omringd door een grote groep lachende Weense burgers. In het midden van de oploop zag ze een dozijn mannen en vrouwen van middelbare leeftijd op de knieën zitten. Ze schrobden het plaveisel met tandenborstels. Een van de mannen herkende ze als dr. Berggrün, de kinderarts die haar leven had gered toen ze vier was en difterie had. 'Ik had die nacht nooit vergeten, hij had me telkens opnieuw in koude, warme lakens gewikkeld, en het was zijn stem die ik die ochtend vroeg had horen zeggen: "Zij zal leven."'

De dokter zag haar naar de mannen in het bruin lopen, hij

schudde zijn hoofd, maar ze schreeuwde: 'Hoe durven jullie!' Ze riep dat hier een groot dokter vernederd werd, een redder van levens. 'Is dit wat jullie onze bevrijding noemen?' voegde haar beeldschone vriendin daaraan toe, terwijl de tranen haar over de wangen liepen. Sereny: 'Het was heel bijzonder: binnen twee minuten was de honende groep verdwenen, de bruine wachters waren weg, de "straatschrobbers" waren opgelost in de menigte. "Doe dat nooit meer," zei dr. Berggrün streng tegen ons, terwijl zijn kleine, ronde vrouw naast hem hevig knikte, haar gezicht ingevallen van wanhoop en uitputting. "Dit is erg gevaarlijk!"'

Het echtpaar werd in 1943 in Sobibor vergast.

Op zondag 10 april werd een referendum gehouden om de Anschluss te bevestigen. Wie niet openlijk 'ja' invulde was al verdacht. De opkomst was onnatuurlijk groot en 99,73 procent stemde 'ja'. Vermoedelijk was inderdaad een grote meerderheid van de Oostenrijkers oprecht voor de Anschluss. Het was immers allang de droom van de meeste Duitssprekende Oostenrijkers, het had de steun van de belangrijkste kerkelijke en politieke groeperingen, bovendien gold Duitsland als een voorbeeld van wonderbaarlijk economisch herstel. In Hitlers geboorteplaats Braunau stemden vijf van de zesendertighonderd bewoners tegen.

In het dorpje Sankt-Radegund, vijfendertig kilometer verder, was er precies één tegenstemmer, Franz Jägerstätter, een van de meest invloedrijke figuren van het dorp. Ik zag een foto van hem: een mooie, trotse man in een glanzend motorpak, op een fonkelende motorfiets, daarnaast, wat schutterig, zijn ouders en een zusje. Jägerstätter was een eenvoudige boer en tegelijkertijd een non-conformist: hij las en studeerde, hij was de eerste in het dorp die een motorfiets had, hij was ook de eerste man die achter een kinderwagen liep. Met zijn scherpe, nuchtere kijk op de wereld besefte Jägerstätter direct dat de nazi-leer vloekte met zijn katholieke geloof. Hij probeerde steun te krijgen bij de katholieke Kerk, maar die erkende op 27 maart 1938, ik citeer de herderlijke brief die overal werd voorgelezen, 'met vreugde wat de nationaal-socialistische beweging heeft bereikt'.

Toch ging hij in 1940 gewoon in militaire dienst. Na een halfjaar kreeg hij buitengewoon verlof. Hij verkondigde nu aan iedereen dat hij niet meer terug zou gaan. Het meevechten in Hitlers leger beschouwde hij als een persoonlijke schuld en een zware zonde. 'Welke katholiek waagt het om deze rooftocht, die Duitsland al in meerdere landen heeft ondernomen en die nog altijd doorgaat, te betitelen als een rechtvaardige en heilige oorlog?' Zijn eigenzinnige houding leidde tot hevige ruzies in de familie.

Begin 1943 werd Jägerstätter, vader van drie kleine kinderen, opnieuw opgeroepen voor het leger. De kerkelijke autoriteiten zetten hem nu ook onder druk, maar hij bleef weigeren, in de zekerheid dat het zijn dood zou betekenen. Zijn brieven uit de gevangenis getuigen van een grote sereniteit. Terecht stelt de Amerikaanse historicus John Lukacs de katholieke boer Franz Jägerstätter op één lijn met de evangelische theoloog Dietrich Bonhoeffer, die vlak voor zijn executie schreef: 'De weg van Christus leidt niet van deze wereld naar God, maar van God naar deze wereld.' Op 9 augustus 1943 werd Franz Jägerstätter in Brandenburg onthoofd.

Zijn weduwe zette de boerderij alleen met haar drie dochters voort. Ze kreeg na de oorlog aanvankelijk geen oorlogspensioen omdat Jägerstätter zijn landgenoten 'in de steek had gelaten'. In het portaal van het witte dorpskerkje van Sankt-Radegund zag ik een lezing aangekondigd van Martin Bormann jr., de oudste zoon: 'Leven tegenover de schaduw'. Op het kerkhof bloeiden de viooltjes, het graf van Franz Jägerstätter stond er vol mee.

Ik moet hierbij een kanttekening maken. Jägerstätter was een katholiek, en zijn eenzame verzet was vooral gericht tegen Hitlers aanvalsoorlog. Het lot van de joden speelde bij hem, voor zover ik kan nagaan, een minder grote rol.

In Wenen had ik drie maanden eerder een ander monument gezien, een herdenkingsmonument voor de holocaust. Het stelde een jood voor die bezig was met een tandenborstel de straat te schrobben. De makers van het gedenkteken hadden ongetwijfeld de beste bedoelingen, maar ze vergisten zich gruwelijk. Dit leek meer een monument voor de Weners, niet voor de joden. Het was een monument voor al diegenen die machteloos hadden moeten wegkijken, die zich doodschaamden, die er nog van dromen. Maar wat moet de rest hiermee? Waren er ook niet talloze oudere Weners bij wie deze gebeurtenis enkel vrolijke herinneringen opriep? Weners die het prachtig vonden, die dagen dat de joden de straten poetsten, die erbij stonden te schateren?

Het was in Wenen, in tegenstelling tot de meeste Duitse steden, niet een kleine groep die geweld pleegde en erbij stond te juichen. In de Oostenrijkse hoofdstad ging het, volgens de meeste getuigen, bij de pogroms om tienduizenden deelnemers; sommige schattingen komen zelfs op honderdduizend.[19] In de weken daarna ging het door, avond na avond. Het was alsof alles wat Schönerer en Lueger hadden opgebouwd zich eindelijk ontlaadde. Warenhuizen, winkels en synagogen werden geplunderd, appartementen werden leeggehaald, meubels kapotgeslagen, huizen leeggestolen. Onder luide aanmoedigingen werden de baarden van rabbijnen afgesneden. Na een paar weken was het overgrote deel van de joodse bedrijven 'geariseerd'. Van de zesentachtig joodse banken waren er nog maar acht over. Eind 1938 waren vierenveertigduizend van de zeventigduizend joodse woningen in Wenen door Oostenrijkers overgenomen.

Van het poetsen met tandenborstels kon men niet genoeg krijgen: vrouwen en kinderen werden de straat op gesleept en een enkele maal zelfs overgoten met zuur. Honderden joden werden door de bruinhemden naar het Prater gesleept en bij de grote carrousel geslagen en rondgejaagd, sommigen moesten zelfs gras eten. Het publiek keek toe.

De latere Duitse Kristallnacht van november 1938 was slechts een imitatie van de pogrom die de Oostenrijkers driekwart jaar eerder in Wenen hielden. De Kristallnacht moest strak georganiseerd worden, terwijl de Weense pogrom grotendeels spontaan oplaaide. In *Das Schwarze Korps* schreef de Weense SS-correspondent met bewondering: 'De Weners hebben kans gezien om van de ene dag op de andere iets op touw te zetten wat wij in het trage, bedachtzame noorden tot vandaag toe niet bereikt hebben. In Oostenrijk hoeft een boycot van de joden niet georganiseerd te worden – de mensen doen het uit zichzelf.'

Al deze plotselinge ellende had voor de Oostenrijkse joden één pluspunt: ze wisten onmiddellijk waar ze aan toe waren. In Duitsland kon een enkele naïeveling nog hopen dat het mee zou vallen, in Oostenrijk was het voor iedere jood zonneklaar dat hij moest maken dat hij wegkwam.

De theaterschool van Gitta Sereny liep leeg. De leraar drama, een buitengewoon zachtzinnig mens, sprong uit een raam op de vierde verdieping. Twee andere leraren vertrokken naar de Verenigde Staten. Daarna was zijzelf aan de beurt. Op een avond in mei kreeg Gitta's moeder een waarschuwing dat zij en haar joodse levensgezel niet langer veilig waren. Die nacht pakten ze hun spullen, de volgende dag zaten ze in de trein naar Genève.

Ook de tweeëntachtigjarige Sigmund Freud werd lastig gevallen in zijn huis aan de Berggasse 19. Op 4 juni kreeg hij toestemming om de stad, waar hij vanaf zijn vroegste jeugd had gewoond, te verlaten. Hij vertrok naar Londen, waar hij ruim een jaar later zou sterven. De nazi's eisten dat de wereldberoemde arts voor zijn vertrek schriftelijk zou verklaren dat hij uitstekend was behandeld. Freud tekende zonder een spier te vertrekken, en voegde er één zin aan toe: 'Ik kan de Gestapo iedereen ten zeerste aanbevelen.'

In mei 1939, ruim een jaar na de Anschluss, was meer dan de helft van de Oostenrijkse joden vertrokken.

V

Mei

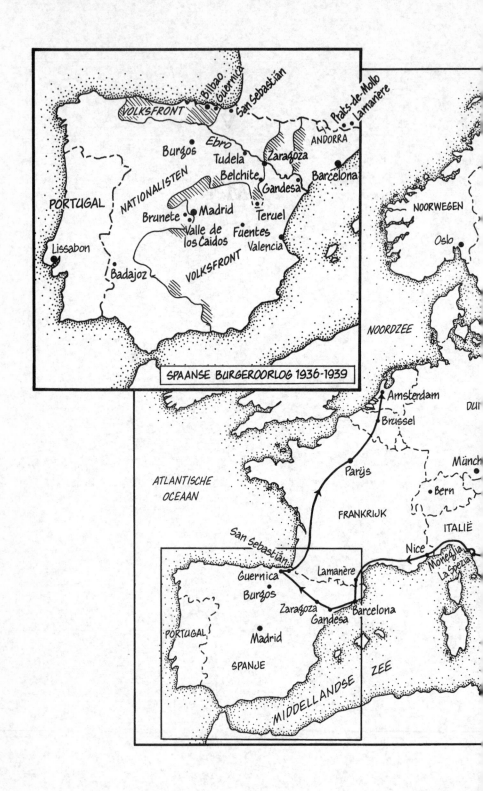

SPAANSE BURGEROORLOG 1936-1939

EUROPA 1922 - 1939

WEDEN

FINLAND

Helsinki

Leningrad

kholm

ESTLAND

LETLAND

OOSTZEE

LITOUWEN

Moskou

Danzig DUITSLAND

ijn

SOVJET-UNIE

Warschau

POLEN

Praag

TSJECHOSLOWAKIJE

nen

k

Budapest

Odessa

ROEMENIË

JOEGOSLAVIË

Boekarest

appio

Belgrado

ZWARTE ZEE

BULGARIJE

ne

Sofia

Istanbul

ALBANIË

GRIEKENLAND

Ankara

Athene

TURKIJE

1

'Mijn naam is Vittorio Foa. Ik ben van 1910, dus ik loop nu tegen de negentig. Ze noemen me wel de grootvader van progressief Italië, maar dat slaat natuurlijk nergens op. Ik heb jarenlang de vakbond geleid, dat wel. En ik was een anti-fascist, ja, dat was ik, vanaf de eerste tot de laatste dag.

Mijn grootvader was opperrabbijn van Turijn. Een kwestie van familietraditie, niets anders. Wij hoorden tot de hogere burgerij van de stad, zoals de meeste joodse families in Noord-Italië. Alleen in Rome had je een groot joods proletariaat. Nee, mijn anti-fascisme had weinig te maken met mijn joodse achtergrond. Ik voelde me een zoon van Italië, van de Renaissance, van de Verlichting, van de vrijheid. Pas de Duitsers dreven ons joden weer bij elkaar.

Wanneer ik tot enig bewustzijn kwam? Ik denk zo rond mijn dertiende, in 1924, toen Giacomo Matteotti werd vermoord, u weet wel, die socialistische partijsecretaris die de moed had om in het parlement openlijk tegen de terreur van de fascisten te protesteren. Hij werd prompt ontvoerd en doodgestoken. Die hele geschiedenis hield me enorm bezig. Ik was nog maar een jongen, maar ik begreep heel goed dat die moord niet alleen een aanval was op de democratie, maar ook op de arbeidersbeweging.

Daarna zag ik het ware gezicht van het fascisme overal, ook in mijn eigen stad. Ik zag het geweld op straat, de arrogantie van de zwarthemden, het nationalisme. De fascisten hadden de vakbondsschool in brand gestoken, ik zag hoe de arbeiders zwijgend rond hun verbrande huis stonden.

Toen ik wat ouder was, ben ik gaan schrijven, boekjes, pamfletten. Ze werden in Frankrijk gedrukt. Ik maakte deel uit van de ondergrondse beweging Giustizia e Libertà van Carlo Rosselli, samen met, onder anderen, de uitgever Leone Ginzburg, de schrijver Cesare Pavese en Alessandro Pertini, die heel veel later nog president van Italië zou worden. Wij werkten in Turijn, Rosselli woonde in ballingschap in Parijs. Het fascisme zag ik in die tijd als een verkrachting van de Italiaanse geschiedenis, een exces, iets wat niets met Italië te maken had. Nu denk ik daar anders over. Het fascisme wortelt diep in de Italiaanse geschiedenis. Het heeft hier twintig jaar geheerst, het nationaal-socialisme in Duitsland maar twaalf jaar. Het liberalisme, de vrijheid, de rechtsstaat, het heeft Italië moeten veroveren, en we zijn er nog lang niet.

Op mijn vijfentwintigste, in het voorjaar van 1936, werd ik door een fascistische rechter veroordeeld tot vijftien jaar cel. Alleen om wat ik geschreven had. De geheime politie had overal informanten en een 'strijder' aan onze kant bleek een fascist te zijn. Ik had geen aanslag gepleegd of zoiets, het ging alleen om woorden en papier. In 1943 werd ik weer vrijgelaten. Ik was nog net op tijd om aan het verzet te kunnen meedoen. Het was wel gek: niemand in de gevangenis heeft me ooit gevraagd of ik een jood was. Ik zat er eigenlijk heel veilig.

Al die zeven jaren hoorde ik vrijwel niets van de buitenwereld. We zaten totaal geïsoleerd: geen familiebezoek, geen kranten, geen radio. Eens per week een gecensureerde brief van je ouders. Toen ik eruit kwam, stond ik verbluft te kijken. Wat was de wereld veranderd! Duitsland zat overal in Europa, in Frankrijk, in België en Nederland, ze hadden zelfs een stuk van Italië bezet. In 1936 waren er in Italië bijna geen anti-fascisten. We voelden ons erg alleen. Maar toen ik werd vrijgelaten, wilden alle jongens tegen Duitsland vechten.

Daarna organiseerde ik de politieke acties en de propaganda van onze verzetsgroep. Wij wisten natuurlijk dat onze strijd er in die hele oorlog weinig toe deed, dat de Russen en de Amerikanen de doorslag gaven. Toch vochten we mee, omdat we er óók wilden zijn. Wij wilden dat het nieuwe Italië niet alleen zou bestaan bij de gratie van andermans strijd en andermans beslissingen. We wilden dat de nieuwe democratie sterker zou zijn dan de vorige.

En we voelden een nieuwe eenheid. Ik raakte in het verzet bevriend met mensen als Andreotti en Cossiga. Na de oorlog werden we lid van de assemblee die de nieuwe grondwet moest opstellen. 's Ochtends maakten we ruzie, 's middags schreven we hard aan onze teksten, en 's avonds stemden we allemaal voor. Die eenheid kwam voort uit het verzet.

Het liberalisme en de democratie hebben het hier zwaar gehad. De Italianen hebben het fascisme uitgevonden. Dat waren wíj! Die verantwoordelijkheid moeten we niet uit de weg gaan. Maar die anti-fascistische grondwet die we toen hebben opgesteld, die hebben ze ons nooit meer kunnen afpakken.

Ik ben nu bijna blind van ouderdom. Toen mijn ogen zich openden naar de wereld, in 1915, waren alle Europese landen bezig om elkaar uit te moorden. En ieder land vond dat het recht aan zijn kant stond. Ik heb nog een paar herinneringen aan de Eerste Wereldoorlog. Er hangt voor mij een sfeer omheen van emotie en tragiek, ja, in onze familie waren ze er hevig bij betrokken. Ik weet nog dat Italië in 1915 de oorlog in ging. Ik was toen vier, en die hele oorlog ben ik bang geweest.

Nu mijn ogen vrijwel gesloten zijn, zie ik, in mijn laatste licht, dat de Europese landen elkaar omhelzen en hun grenzen vergeten. In mijn bijna negentig levensjaren heeft die ommezwaai plaatsgevonden. Dat blijft ongelooflijk. Maar ik weet hoe moeilijk het is geweest.'

2

Als autowegen de kathedralen van de twintigste eeuw zijn, dan is de Brennerpas de Sint-Pieter, een wonder van wegenbouw, de halsslagader van Europa. Na dagen wachten kon ik eindelijk het noorden verlaten, de pas over, in een lange, slome karavaan. Overal waren nog enorme oranje sneeuwschuivers aan het werk, de mannen zaten in T-shirt achter het stuur, ze waren de helden van de berg. Tegen de top stonden de vrachtwagens in een eindeloze file te ronken en te stomen, zeker tien kilometer met wasmachines uit Holland, kaas uit Denemarken, Velux-dakramen uit Duitsland, een verhuizing uit Almelo, Ikea-meubels uit Zweden, koelwagens met bevroren varkens, kippen en koeien, tankwagens vol wijn en smeerolie, alles wat Europa in de aanbieding heeft, wordt heen en weer gesleept over deze pas.

En dan rijd ik naar beneden, en opeens trekt de laatste winter weg, de wereld wordt ruim en helder, bij Trento staan de wijnboeren vrolijk te spuiten, het gras begint te bloeien en bij Verona is het Pinksteren.

In Bologna loop ik vast. Voor de eerste keer stuit ik op de nieuwe oorlog. Terwijl Noord-Europa stilletjes naar de televisie kijkt, naar verre slachtoffers in onbekende steden, galmt hier het protest door de straten. Voorop rijdt een wrakkig Fiatje met drie op het dak geplakte luidsprekers, spandoeken, rode vlaggen, en daarachter lopen zo'n tweeduizend socialisten, communisten, anarchisten, zigeuners zelfs. Op één weekend tel ik in de Italiaanse kranten zo'n veertig van dit soort volksoplopen: in Milaan, Rome, Genua, Napels, Cremona, noem maar op. Arbeiders van Fiat en Alfa Romeo organiseren steun voor hun collega's van de gebombardeerde Zastava-fabrieken. De collectebussen rammelen voor Belgrado en Novi Sad.

In het oude centrum van Bologna weerkaatsen de strijdliederen in de galerijen, overal klinken trommels en trompetten, en een paar proletarisch-linkse kameraden hebben een antieke sirene bij zich, zodat we ons echt in Belgrado voelen. De groep bestaat grotendeels uit oudere strijders, die tussen de leuzen door – 'Adolf Clinton, go home!' – rustig converserend over straat wandelen. De begroetingen zijn innig – 'mio caro', 'dat is lang geleden' – en tussen de klanken van de Internationale hoor je de zoenen klappen. Voortdurend klatert uit de menigte het geluid van weer een zaktelefoon. Regelmatig staat alles stil, als de jongens vooraan hun Fiatje weer moeten opduwen. De communisten zingen 'Bella ciao', de Gezamenlijke Feministen en Lesbiennes van Bologna vormen een stevig blok bloemetjesjurken, twee blinden proberen daardoorheen de straat over te steken, tastend met hun witte stokken, de proletarischen loeien met hun sirene, de anarchisten zwaaien met hun zwart-rode vlaggen, dit is hogere demonstratie-kunde, de specialiteit van Bologna.

Ik overnacht in mijn busje in de buurt van het Jaarbeurster-rein. Er is een massabijeenkomst aan de gang voor alle parfum- en lippenstifthandelaren van Italië. Bij de ingang staat een enorme man met een vriendelijk gezicht, die per auto tienduizend lire parkeergeld vraagt en een vaag bonnetje afscheurt. Een uur later wordt hij gearresteerd, in alle rust, hij mag nog een broodje kopen voordat hij wordt afgevoerd. Dit is duidelijk een dagelijks ritueel. 's Avonds is het terrein leeg, maar een bepaalde onrust blijft: prostituees, duistere transacties, jongetjes, afwerkcampers. Onveilig is het niet, alles gebeurt kalm en routineus.

De volgende dag is er de snelweg naar Ravenna, de heuvels en de lichtgroene lente, richting Predappio, het geboortedorp van Mussolini. Bij het binnenrijden van het plaatsje bots ik bijna tegen een vuilniscontainer, verbluft als ik ben over wat aan de overkant te zien valt. Etalage na etalage staat hier te koop wat in de rest van Europa sinds 1945 is vervloekt en uitgebannen: uniformen van de SS en de Wehrmacht, fascistenpetten, wapens, boeken, haken-kruisen. Het is hier één grote souvenirwinkel van alles wat fout is.

De bouwstijl van Predappio heeft een merkwaardige uniformiteit. Deze gebouwen moesten modelfascisten kweken: de woonblokken met de typische vierkante-kinnen-stijl, de loodsen van de vliegtuigfabriek Caproni, de – nu lege – Casa del Fascio aan het dorpsplein. Mussolini heeft zijn geboorteplaats verwend.

Tussen 1926 en 1938 is het hele plaatsje op zijn kop gezet voor de bouw van de fascistische *città ideale*. Overal heerst de orde van een blokkendoos, de zuilen staan stram in de houding, de ramen blikken arrogant naar de hemel, de carabinieri-kazerne groet het robuuste partijgebouw aan de andere kant van het dorpsplein, hand omhoog, hakken klappen.

De ondergrondse bunkers worden nu gebruikt voor de champignonteelt. Van de gebouwen is iedere verwijzing naar de Duce zorgvuldig weggesloopt, maar zijn dikke kop – kin naar voren – komt in duizendvoud terug op asbakken, bloemenvazen, aanstekers, speldjes, affiches, T-shirts en wijnflessen. Zijn geboortehuis wordt perfect onderhouden en op verzoek zijn er rondleidingen. Op het meterkastje voor de deur staat het vol inscripties: 'Duce, ik hou van je.'

Was het fascisme een incident, een rare kronkeling in de loop van de Italiaanse geschiedenis, een soort ziekte die de Italianen rond 1920 overviel en waarvan ze in 1945 weer genezen waren? Of was het fascisme, zoals de liberaal Giustino Fortunato in 1924 schreef, 'geen revolutie, maar een openbaring', een beweging die ongenadig de zwakke plekken van de Italiaanse samenleving blootlegde? Wat zegt het fascisme over Italië?

Sinds het moment waarop de lijken van Mussolini en zijn maîtresse Claretta Petacci ondersteboven aan een reclamebord bij een Milanees benzinestation bungelden, sinds die 29ste april 1945, hebben vrijwel alle Italiaanse historici zich hier het hoofd over gebroken.

Van buitenaf werd en wordt 'het fascisme' altijd als één begrip, één beweging gezien. In werkelijkheid vormden de fascisten, met hun vele verbindingen en achtergronden, een uiterst gevarieerd gezelschap. Ze waren in alle opzichten een afspiegeling van het onrustige Italië van de jaren twintig. Er zaten gefrustreerde officieren en industriëlen bij, maar ook veel bange burgers en boze boeren. Er waren felle nationalisten, maar ook talloze Italianen die weinig of niets van de staat moesten hebben. Alleen naar buiten toe was Mussolini de onbetwiste leider, in werkelijkheid moest hij voortdurend schipperen tussen al deze stromingen.

'Wat alle Italianen dreef, in hoop en woede, was vooral de factor achterstand: voortdurend viste Italië achter het net. Toen de grote Europese landen zich in de tweede helft van de negentiende eeuw concentreerden op de uitbreiding van de industrie, het veroveren van nieuwe koloniën en de opbouw van legers en vloten, moesten de Italianen hun eigen eenheid nog bevechten. Toen Italië eindelijk als één staat op de kaart stond miste het ten enenmale de militaire en economische kracht om alle hoge aspiraties waar te maken. 'De Italianen hebben zoveel eetlust, en zulke slechte tanden,' zei Bismarck, en zo was het.

In 1914 was het Italiaanse aandeel in de industriële wereldproductie 2,4 procent, tegenover Engeland 13,6 procent en Duitsland 14,8. (Tegenwoordig is de verhouding 3,4, 4,4 en 5,9 procent.) Grootgrondbezitters en speculanten hadden landerijen van de kloosters opgekocht, honderdduizenden hongerige boeren waren naar de steden getrokken of geëmigreerd. Op het platteland waren de traditionele verhoudingen voorgoed verstoord, zonder dat daarvoor een nieuwe structuur in de plaats was gekomen. In Rome was de stadsbevolking binnen twee decennia verdubbeld. Tussen 1900 en 1910 waren jaarlijks zeshonderdduizend Italianen naar de Nieuwe Wereld vertrokken. Het waren jaren van ambitie, armoede en frustratie. Nu is Italië een van de sterkste economieën van Europa, toen was Italië het land dat altijd en eeuwig de boot miste.

Was het fascisme dus enkel een fase in de ontwikkeling van de Italiaanse natie, een groeistuip die nu alweer een halve eeuw voorbij is? In Predappio blijkt het tegendeel. Ditzelfde fascisme leeft nog steeds, het kan hier met een onschuldige trots worden uitgevent. Bepaalde elementen blijven doorklinken in de Italiaanse politiek en ook binnen Europa vormt het nog altijd een belangrijke onderstroom. Het fascisme was, en is, meer dan een historische vergissing.

Al in de jaren dertig gebruikte de *Münchener Post* termen als 'fascisten' en 'nazi's' klakkeloos door elkaar, en nog altijd worden beide bewegingen meestal op één hoop gegooid. Toch moest Mussolini aanvankelijk weinig van Hitler hebben. Hij vond hem een 'seksueel gedegenereerd' type en zijn jodenhaat vond hij ronduit krankzinnig. Toen de nazi's in juli 1934, na de moord op kanselier Dollfuss, in Oostenrijk probeerden om de macht te grijpen, trok hij dreigend zijn troepen samen op de Brennerpas. Hij had bovendien een persoonlijke band met Dollfuss: op de dag van de moord waren diens vrouw en kinderen op vakantie met de familie Mussolini, en de Duce zelf moest hun vertellen wat er gebeurd was. Een jaar later besloot hij haast te maken met de invasie van Abessinië omdat hij meende dat hij binnen twee, drie jaar in een oorlog met Duitsland verwikkeld zou zijn.

De verovering van Abessinië was de eerste stap in Mussolini's streven om, net als de Britten en de Fransen, een eigen imperium te scheppen. Het moest een snelle en gemakkelijke overwinning worden, en de Italianen gooiden alles in de strijd, verboden of niet: gas, chemische wapens, willekeurige bombardementen op de burgerbevolking. De Abessijnen waren vrijwel weerloos. Ze werden bij tienduizenden afgeslacht. Uiteindelijk werd de expeditie Mussolini's grootste diplomatieke vergissing. De hele wereld vond het een laf en misdadig avontuur, en tot zijn schrik keerde zijn vermeende bondgenoot Engeland zich ook nog tegen hem. Daarna moest hij Hitler wel omarmen, in een onzalig samengaan.

Hitler, van zijn kant, was van het begin af aan een groot bewonderaar van Mussolini. In het Braunes Haus in München stond een levensgroot borstbeeld van de Duce. Hij was voor de nazi's hét voorbeeld van een dynamische redder van een verscheurd vaderland. Nog geen week na Mussolini's befaamde Mars op Rome werd in het bomvolle Münchener Hofbräuhaus geroepen: 'Duitslands Mussolini heet Adolf Hitler!' Vanaf dat moment werd Hitler, in navolging van de Duce, aangesproken met 'Führer'. En toen hijzelf, een jaar later, in München zijn eerste couppoging deed, sprak hij direct van een Mars op Berlijn.

Leken ze inderdaad niet ontzettend op elkaar, het nationaal-socialisme en het fascisme? Kwamen beide bewegingen niet voort uit dezelfde voedingsbodem? Het ging immers zowel bij Duitsland als bij Italië om jonge, uit kleine staatjes geboren naties die nog hun eigen vorm moesten vinden. In beide gevallen speelde gefrustreerd nationalisme een belangrijke rol: ook voor de Italianen was Versailles een vernederende ervaring geweest. De Duitsers treurden luidop over Saarland en Elzas-Lotharingen, de Italianen hadden hun 'onderdrukte' minderheden in Oostenrijk en langs de Dalmatische kust.

Beide bewegingen koesterden ook een dolkstootlegende. Bij de Italianen ging het om de nederlaag bij Caporetto, waar de Oostenrijkers en de Duitsers in oktober 1917 het Italiaanse Tweede Leger verpletterend versloegen. De oorzaak van dit debacle lag grotendeels bij opperbevelhebber Luigi Cadorna zelf. Hij had geen heldere en doelgerichte strategische plannen, en bovendien weigerde hij de berichten over een komende aanval serieus te nemen. Maar net als generaal Ludendorff miste Cadorna de moed om de verantwoordelijkheid voor eigen falen op zich te nemen. Hij verweet het leger 'slapheid' en schoof de schuld voor de nederlaag op 'de socialisten' en 'de paus' die de soldaten 'gecorrumpeerd' zouden hebben met hun pacifistische propaganda. Ook hier was de legende voor de nationalisten te profijtelijk om er niet in te geloven.

Een belangrijke overeenkomst was, ten slotte, het geweld. Geen taal kent zoveel woorden voor 'bende' of 'gang' als het Italiaans. Al in 1887 was er een grote opstand van boerengenootschappen of *fasci* tegen de grootgrondbezitters en de staat. Belastingkantoren werden geplunderd, het land van de grondbezitters werd bezet, en dat alles onder de vaandels van Marx, de heilige Maagd en 'onze goede koning Umberto'. Mussolini bouwde voort op deze rebelse tradities, op het boerenanarchisme van Michail Bakoenin, op het verzet tegen de 'vreemde', 'niet-eigen', elitaire staat. De Italiaanse tegenhangers van de Duitse vrijkorpsen waren de Arditi, de 'onverschrokkenen', elite-eenheden die in de Eerste Wereldoorlog gevormd waren en sindsdien een losgeslagen leven leidden. De ongeveer tienduizend manschappen waren zwart gekleed, droegen een doodskop met gekruiste beenderen als embleem en spraken enkel in geschreeuwde dialogen tussen commandant en troepen. Hun taal, kleding en folklore werden als 'typisch Italiaans mannelijk' overgenomen door Mussolini, en later door fascisten en nazi's over heel Europa.

Na de oprichting van de Fasci di Combattimento door Mussolini op 23 maart 1919 op het Milanese Piazza San Sepolcro waren zijn Fasci al snel niet meer te onderscheiden van de Arditi. Nog geen maand na hun oprichting sloegen de Milanese Fasci de burelen van *Avanti!* kort en klein, het socialistische partijblad dat Mussolini in zijn jonge jaren met zoveel verve had geleid. Drie jaar later hadden ze, met de hulp van grondbezitters, in grote delen van Italië de socialistische en katholieke arbeidersbeweging met bruut geweld gebroken en hun vertegenwoordigers met moord, mishandeling, brandstichting en intimidatie uit de lokale politiek verjaagd.

Terreur loonde: ook dit leerde Hitler van Mussolini. Op 16 oktober 1922 besloot Mussolini, onder druk van zijn bendes, om binnen twee weken met zijn mannen Rome te bezetten. Op 27 en 28 oktober 1922 vond deze legendarische Mars op Rome inderdaad plaats. Ongeveer twintigduizend slecht bewapende fascisten trokken op naar de hoofdstad, stopten dertig kilometer voor Rome, waarna de helft weer naar huis ging. (Mussolini zelf had gewoon de *direttissimo* Milaan-Rome genomen.) De regering raakte echter zo in paniek dat ze aftrad. Koning Victor Emanuel III weigerde de staat van beleg af te kondigen. In plaats daarvan vroeg hij de volgende dag aan Mussolini om een nieuwe regering te vormen. Net als Franz von Papen later in Duitsland hoopte de koning zo het fascisme te kunnen inkapselen. Maar Mussolini dacht er niet over om zijn knokploegen te ontmantelen. Bij de verkiezingen van april 1924 kreeg zijn regering tweederde van de stemmen. Toen de socialist Giacomo Matteotti in het parlement opstond en verklaarde dat de verkiezingsuitslag gebaseerd was op fraude en terreur, wat niets anders dan de waarheid was, kostte hem dat het leven.

Alles waarvan de nazi's in de jaren twintig alleen maar konden dromen, was in Italië rond 1925 al bereikt.

MATTEOTTI

Op 30 mei 1924 hield Giacomo Matteotti in het Italiaanse parlement een historische rede over de ware aard van het fascisme. Na afloop zei Mussolini woedend tegen zijn lijfwacht dat 'niemand de moed gehad zou hebben om zo'n toespraak te houden, als jullie niet zulke lafaards waren'. Die hint was voor de 'gorilla' Albino Volpi en zijn kameraden voldoende om Matteotti ruim een week later te ontvoeren en dood te steken. Er was echter nog een reden om hem te vermoorden: Matteotti had overtuigende bewijzen verzameld over een omvangrijke fascistische corruptiezaak. De Amerikaanse Sinclair Oil – met verbindingen naar J.P. Morgan en Samuel Guggenheim – zou grote sommen aan steekpenningen hebben betaald voor de rechten op oliedistributie in Italië. Mussolini werd vanwege de zaak-Matteotti in de pers fel aangevallen, en de kwestie kostte hem bijna de kop. Het daaropvolgende jaar sloeg hij terug door de dagbladen *Il Corriere della Sera* en *La Stampa* gelijk te schakelen, *Avanti!* op te heffen en de waarborgen van de liberale rechtsstaat in Italië de nek om te draaien.

Voor de meeste Italianen braken de jaren van onverschilligheid aan, van *Gli Indifferenti*, zoals de titel luidde van Alberto Moravia's roman uit 1929. Vanaf 1925 was op scholen en universiteiten de 'Romeinse groet' verplicht, en bijna iedereen schikte zich daarin. De schoolboeken werden onder strikte staatscontrole gesteld, iedere ambtenaar moest een loyaliteitsverklaring jegens Mussolini afleggen, slechts een enkeling onttrok zich eraan. In de woorden van de Amerikaanse auteur Alexander Stille, die veel over deze periode schreef: 'Compromissen sluiten en inschikken was de norm in fascistisch Italië, en de meeste mensen leidden hun leven in een wereld van morele grijsheid, tastend naar manieren om hun morele integriteit te bewaren – hun werk goed te doen, de ergste vormen van slaafsheid te vermijden, een moreel onberispelijk leven te leiden – in plaats van te kiezen voor de weg van direct verzet.'

Des te uitzonderlijker waren de paar jongeren die wel tot actief verzet kwamen, bijvoorbeeld rond Vittorio Foa's beweging Giustizia e Libertà. De leiders, de broers Carlo en Nello Rosselli, werden, nadat ze hadden opgeroepen tot de strijd tegen het fascisme in Spanje – 'Vandaag in Spanje, morgen in Italië' – al in 1937 in opdracht van de Italiaanse geheime dienst door Franse fascisten vermoord. Foa zelf zat acht jaar in de gevangenis, hoewel hij zijn vrijheid ieder moment had kunnen terugkrijgen door een gratieverzoek aan Mussolini te sturen. Zijn vriend, de briljante Leone Ginzburg, verloor in 1933 zijn baan aan de Turijnse universiteit omdat hij weigerde de fascistische eed af te leggen. In 1934 werd hij twee jaar lang gevangengezet vanwege zijn activiteiten voor Giustizia e Libertà, vanaf 1940 woonde hij met zijn jonge gezin in binnenlandse ballingschap in de afgelegen Abruzzen. Hij zou de oorlog niet overleven. Vittorio Foa vroeg zich later weleens af waarom Ginzburg wachtte tot hij Italiaans staatsburger was, voordat hij deelnam aan 'de samenzwering'. Zijn antwoord: 'Hij beschouwde juist de Italiaanse traditie als het fundament van zijn anti-fascisme.'

LEONE GINZBURG

'Op een of andere manier slaagde Ginzburg erin om zijn leven als geleerde, vertaler, schrijver, politiek leider, echtgenoot en vader in slechts vierenveertig jaar te proppen.' Zo karakteriseert Alexander Stille het bijzondere bestaan van Leone Ginzburg. Ginzburg, geboren in Odessa in 1909 en opgegroeid in een joods gezin, was docent Russische letterkunde aan de universiteit van Turijn. Hij had al op zijn achttiende Tolstojs *Anna Karenina* vertaald, schreef talloze essays, was medeoprichter van uitgeverij Einaudi en hoofdredacteur van het tijdschrift *La Cultura*. Na zijn gevangenschap, in 1936, kwam Ginzburg in een sociaal isolement terecht. 'Hij werd niet meer uitgenodigd in de salons, de mensen ontliepen hem zelfs,' herinnerde zijn vrouw Natalia zich. 'Hij stond nu immers in Turijn bekend als een gevaarlijke samenzweerder.' Alleen Cesare Pavese bleef hem bezoeken. Hij kwam daar niet uit moed, legde Pavese uit, want moed had hij niet, en ook niet om te horen praten over politiek, 'want hij had maling aan de politiek'.

De jaren vanaf 1940 leefde Leone Ginzburg in ballingschap in het stille dorpje Pizzoli. De winters bracht de familie door rondom de kachel, de boeren kwamen bij 'de professor' voor hun brieven en problemen en de enige politieke conversatie die de Ginzburgs hadden was met de smid en de plaatselijke communist. In juni 1943 schreef hij aan een vriend: 'Ik ben hier nu drie jaar (gisteren vond die verjaardag plaats), maar het lijkt wel drie eeuwen; en toch voel ik me nog geen driehonderdvierendertig jaar oud. Ik kan niet eens zeggen of ik een goed of een slecht humeur heb.' Natalia: 'Wanneer de eerste sneeuw begon te vallen, maakte zich een trage droefheid van ons meester.' Toch, schreef ze later, was dit de beste tijd van haar leven, 'en alleen nu deze tijd voorgoed door mijn vingers is geglipt weet ik dat.'

Direct na de val van Mussolini, in augustus 1943, trok Ginzburg naar Rome om een nieuw illegaal blad op te zetten, *L'Italia Libera*. In november werd hij wederom door de fascisten gearresteerd en overgedragen aan de Duitsers. Op 5 februari 1944 stierf hij in de Romeinse Regina Coeli-gevangenis aan de gevolgen van marteling en mishandeling.

Uit de laatste brief aan Natalia, vlak voor zijn dood: 'Over een paar dagen zijn we zes jaar getrouwd. Hoe en waar zal ik zijn op die dag? In wat voor stemming zal jij zijn? Ik heb deze laatste tijd veel nagedacht over ons leven samen. Onze enige vijand – heb ik geconcludeerd – was mijn angst. Die keren dat ik om een of andere reden overvallen werd door angst, dat ik al mijn krachten moest bundelen om deze angst te overwinnen en mijn plicht niet te verzaken, zodat er geen enkele andere vorm van vitaliteit in mij overbleef.'

Toch werd Mussolini's experiment, in tegenstelling tot het nationaal-socialisme, aanvankelijk in Europa met een zekere waardering gevolgd. Veel intellectuelen vonden het fascisme, net als het communisme, een interessant alternatief voor de 'slappe' democratie. De terreur nam men daarbij voor lief. Mussolini's nieuwe samenleving leek uit te stijgen boven verlammende partijpolitiek, boven godsdiensttwisten, boven klassestrijd. Overal werd de dictator geprezen om zijn bestrijding van de 'politieke corruptie, de sociale anarchie en de nationale degeneratie'. De kranten verwonderden zich over het tempo waarmee hij bouwprojecten liet uitvoeren, pensioenfondsen en andere sociale voorzieningen op poten zette, en aan alle borreltafels van Europa werd geroepen dat in Italië 'de treinen tenminste weer op tijd reden'. Winston Churchill noemde hem een 'Romeins genie' en in 1927 verzekerde hij Italiaanse journalisten dat als hij een Italiaan was geweest, hij Mussolini 'van ganser harte zou hebben gevolgd, van begin tot eind, in uw triomfantelijke strijd tegen de beestachtige voorkeuren en hartstochten van het leninisme'. Mahatma Gandhi, de Indiase onafhankelijkheidsstrijder, prees hem als de redder van Italië. In Nederland werd hij in oktober 1927 door de lezers van het *Algemeen Handelsblad* verkozen, na Thomas Edison, 'als de grootste figuur van zijn tijd'.

Mussolini's grootste diplomatieke triomf was het concordaat in 1929, waarbij de verhoudingen tussen het Vaticaan en Italië eindelijk werden vastgelegd.¹ Toen hij zich in 1935 in het Abessijnse avontuur stortte – zoals de Duitsers naar het oosten trokken, zo wilde Mussolini rondom de Middellandse Zee een koloniaal rijk stichten –, werd de expeditie door paus Pius XI toegejuicht. In de kathedraal van Milaan zegende kardinaal Alfred Schuster de banieren 'die het kruis van Christus naar Ethiopië zouden dragen'.

Daarna was het voorbij met de internationale waardering voor het fascisme. Mussolini wisselde van kleur als een kameleon; dat had hij altijd gedaan, maar nu werd het zelfs duidelijk voor iedere oppervlakkige waarnemer. Vanaf eind 1937 bekeerde hij zich tot het anti-semitisme. Hij wilde bij Hitler in het gevlij komen, maar hij was ook kwaad over de toenemende kritiek in de 'joodse' internationale pers over Abessinië. Zoiets was hij niet gewend. In navolging van Duitsland werden huwelijken tussen joden en 'Arische personen' verboden, joodse leraren en studenten werden uit het onderwijs verbannen, joodse ondernemers kregen beperkingen opgelegd. Leone Ginzburg, die als jood nog in 1931 zonder problemen de Italiaanse nationaliteit had gekregen, verloor zijn staatsburgerschap weer in 1938.

Toch werden Foa en hij onder Mussolini nooit vervolgd omdat ze joden waren. Italië werd nooit een anti-semitisch land. De tegenzin waarmee veel Italiaanse ambtenaren en politiemensen – ook fascistische – de anti-semitische maatregelen uitvoerden, staat in schrille tegenstelling tot de nauwgezetheid van, bijvoorbeeld, de Duitse, Oostenrijkse en Nederlandse beambten. De deportatie van joden uit Italië vond pas plaats nadat de Duitsers de macht hadden overgenomen, vanaf september 1943. Het aantal joodse slachtoffers was in Italië dan ook opvallend laag: rond de zevenduizend, in totaal 16 procent van de joodse bevolking. (Ter vergelijking: in Frankrijk kwam bijna 25 procent van de joden om, in België 40 procent, in Nederland ongeveer 75 procent.) In weinig Europese landen is de holocaust zo gesaboteerd als in het fascistische Italië.

Het racisme van de fascisten was net zo hol als veel van hun andere slogans. Het was niet fanatiek en principieel, zoals bij de nazi's, maar opportunistisch. Vanaf het eerste moment kende de fascistische beweging joodse leden en joodse financiers. Tweehonderddertig joden liepen mee in de Mars op Rome, daarna steeg het joodse ledental tot boven de tienduizend. Anti-semitische theoretici als Giovanni Preziosi hadden weinig invloed. Toen de Duce en paus Pius XI elkaar in 1932 ontmoetten, was het niet Mussolini maar de paus die zich openlijk anti-semitisch uitliet. In een verslag dat Mussolini's biograaf Richard Bosworth opdook, werden, in de woorden van de paus, de problemen van de Kerk in de Sovjet-Unie, Mexico en de Spaanse Republiek, 'versterkt door de anti-christelijke geest van het judaïsme'. Mussolini zelf had jarenlang een joodse minnares, en nog in 1932 benoemde hij een jood tot minister van Financiën. Tijdens de eerste jaren van de Duitse jodenvervolging verleende hij zeker drieduizend joden asiel in Italië. De Duitse nazi-pionier Anton Drexler sprak openlijk het vermoeden uit dat Mussolini zelf een jood was.

Het fascisme was hierin een typisch Italiaanse beweging. 'Italië kent geen anti-semitisme, en we geloven dat het dat ook nooit zal kennen,' schreef Mussolini in 1920. Italianen hebben nooit een nostalgie gecultiveerd naar een verloren 'Italiaanse' stam, zoals de Duitsers droomden van een 'Germaanse stam' en van een etnisch zuivere 'volkse gemeenschap'. Het land was in de loop der eeuwen bevolkt door een wisselende mengeling van Etrusken, Kelten, Grieken, Visigoten, Lombarden, Franken, Saracenen, Hunnen en andere volkeren, voor een deel oorspronkelijke bewoners, voor een veel groter deel veroveraars die waren blijven hangen. Toen Italië zich in de negentiende eeuw omvormde tot één natie, kon men, voor het smeden van een 'verbeelde gemeenschap', zelfs met de beste wil van de wereld niet terugvallen op termen als 'volk', 'ras' en 'stam'. De Italianen kozen daarom andere symbolen van eenheid: taal, cultuur, de vrijheid van de Franse Revolutie, de *virtù*, de creatieve beschaving waarmee de Italianen zich al eeuwen superieur voelden ten opzichte van de barbaren uit het noorden.

Het fascisme leek ook om een andere reden niet op het nationaal-socialisme: in tegenstelling tot de Duitsers moesten de Italianen weinig hebben van het verschijnsel staat. Vanaf de zestiende eeuw werd Italië bijna continu geëxploiteerd door Spanje en Oostenrijk. Bovendien zat de geest van het land in een houdgreep van het Vaticaan, dat alle vreugde van Renaissance en barok vakkundig wist te smoren. Zo leerden de Italianen drie eeuwen lang de staat haten. Voor de gemiddelde Italiaan werd de staat een vreemde overheerser, meestal corrupt, altijd inefficiënt, een instituut dat het best vermeden kon worden, tenzij je er iets van kon plukken. Bovendien had zich in Italië geen aparte ondernemersklasse ontwikkeld: het bedrijfsleven bleef altijd nauw verweven met politiek en staat, iedere onderneming was onderdeel van een systeem van protectie en begunstiging, iedere zakenman had een politieke connectie, soms tot aan de president toe. In die situatie werd de familie het belangrijkste toevluchtsoord, het enige bondgenootschap waarop men werkelijk kon vertrouwen.

Het op wantrouwen gestoelde Italiaanse staatsbeeld is het absolute tegendeel van het Pruisische, waarin juist de totale overgave aan 'het vaderland' centraal staat. Hitler was dan ook een heel andere leider dan Mussolini. De eerste kon over een perfect functionerend staatsapparaat beschikken, de tweede kon daar alleen maar van dromen. De een leidde een beweging van gefrustreerde militairen en middenstanders, de ander beschikte, althans in de beginjaren, vooral over bendes van boze boeren. De wortels van de ene beweging lagen in de stad. Die van de andere op het platteland.

Donald Sutherland heeft in de film *Novecento* voorgoed de ideale fascist neergezet: grote handen, valse ogen, gemene tanden, door en door slecht. Zulke mooie fascisten zie je in Predappio niet. Het zijn voornamelijk zeventienjarige jongetjes die tegenwoordig hun neuzen platdrukken tegen de etalage en die beleefd vragen of ze even voor je langs mogen reiken naar *Mein Kampf* of *De leugen van Auschwitz*.

Voor honderdvijftig euro kun je hier een Waffen-SS-jas krijgen, voor twintig euro heb je al een fonkelnieuw zwart hemd, maar dan moet je nog wel het dubbele betalen voor een pet en een koppelriem.

De Duce zelf valt ook te bezoeken. Mussolini bevindt zich in een riante crypte bij de kerk. Hij ligt er in een grote, ruwe sarcofaag, met zijn eigen forse kop erboven, handenvol kaarsen aan zijn voeten, twee dozijn verse boeketten om hem heen, en altijd bezoek.

Links en rechts liggen moeder en vrouw. 'Hij hield van stevige vrouwen,' zou Rachele Mussolini, zijn weduwe, na de oorlog verkondigen. 'Vandaag kan ik schrijven dat de veroveringen van Mussolini net zo talrijk waren als die van een gemiddelde Italiaanse man die bij vrouwen in de smaak valt.' Wel wenste ze dat de waarheid werd vastgelegd: dat haar man altijd thuis had geslapen, behalve wanneer hij op reis was. Waar en wanneer deed hij het dan? 'Waar? Ik denk dat ik dat wel weet: op zijn kantoor, waar hij een zitkamer had ingericht, zonder bed, maar wel met een canapé om te kunnen uitrusten. En wanneer? Gewoon, tussen de bedrijven door.'

Hitler en Mussolini waren ook als persoon elkaars tegenpool. De een was een ongetrouwde artiest, een vegetariër met smetvrees, de ander een familieman met vijf kinderen en een aantal maîtresses. De een vertoonde alle frustraties van een mislukt kunstschilder, de ander was op zijn dertigste al succesvol hoofdredacteur van een van de grootste landelijke dagbladen. De een bleef in de ogen van de Europese elites een zonderlinge dwaas. De ander werd al voor de Eerste Wereldoorlog beschouwd als een veelbelovend politicus. Na Mussolini's afscheid van het socialisme maakte Lenin zijn Italiaanse partijgenoten grote verwijten dat ze hem hadden laten schieten: hij zou in de ogen van Moskou de aangewezen leider zijn geweest voor de grote socialistische revolutie in Italië.

De mythe leeft, zelfs zestig jaar later. Vier jongens met kale koppen staan elkaar te fotograferen, fluisterend vragen ze of ik misschien een kiekje van hen wil maken, voor de tombe van de Duce. Op de knielbank ligt het dikke gastenboek met duizendmaal: 'Duce, dank!' Ettelijke malen per dag draait een touringcar met bejaarden de parkeerplaats op. 'Duce, u leeft voort in ons hart!'

Buiten raak ik aan de praat met een souvenirverkoopster. 'Nu zijn het allemaal communisten hier in het dorp,' zucht ze tussen haar collectie IJzeren Kruisen. 'Vroeger liepen ze met hem weg.'

Een jongetje wil drie ansichtkaarten afrekenen: een vrouw die het fascistische vaandel kust, een oproep voor het Italiaanse SS-legioen en een plaatje waarop Stalin en Uncle Sam elkaar over de oceaan de hand reiken: 'Le Complot Juif'. De vrouw roept me na: 'Zo zijn de Italianen! Een grote leider erkennen ze niet!'

3

De volgende avond logeer ik in Moneglia, een leeg toeristendorpje aan zee, niet ver van Genua. Het zijn van die depressiedagen. De wind rukt aan mijn busje, de regen klettert op het dak en alleen café Derna biedt warmte en veiligheid.

Dit dorp wordt beheerst door een wel heel merkwaardige toegangsweg: een smalle strook asfalt langs de kust die vrijwel helemaal uit tunnel bestaat. Alle verkeer, heen en terug, wordt geleid met stoplichten die slechts driemaal per uur, op exacte tijden, een ogenblik de weg openen naar de buitenwereld. Die lichten bepalen zo ook het ritme van het dorpsleven: 'Haast je, straks mis je nog het groen van kwart voor vier.'

Deze vreemde weg, vertelden ze me in het café, is het restant van een spoorlijn die in het begin van de eeuw met veel moeite langs de kust was aangelegd. Een enorme klus, waar generaties profijt van zouden hebben. In werkelijkheid is de lijn nauwelijks vijfentwintig jaar gebruikt. Toen was er alweer een nieuwe verbinding, even verderop, elektrisch, met twee sporen. Ook alweer voor de eeuwigheid.

Ik zag elders hetzelfde: spoorwegviaducten, doorbraken, leeg in het land, voor altijd gebouwd. De afgelopen halve eeuw is dit continent doortrokken en doorploegd met tunnels, bruggen en betonbanen, het is ongelooflijk wat er gepresteerd is. De Romeinse aquaducten zijn eeuwenlang in bedrijf geweest. De twintigste-eeuwse tunnels en betonbanen zijn morgen alweer antiek. Nooit sleet de vooruitgang zo snel.

Ik reed verder door de regen, langs de kust, voorbij Nice, de Franse Rivièra. In Aix-en-Provence joeg de mistral kranten en plastic zakken als kleine geesten over het asfalt. Ik had weleens gehoord dat oude dames flauwvielen van onrust als de mistral woei: nu kan ik me er alles bij voorstellen. Niets blijft op zijn plaats, alles jaagt in het rond als deze lawaaiwind waait: takken, bladeren, vogels, gedachten, stemmingen.

De dagen daarna waren er de troostende, kleurrijke heuvels van Zuid-Frankrijk, de geuren van aarde en zon. Bij Perpignan draaide ik de Pyreneeën in. Ik reed langs lome dorpspleintjes met oude mannen en hoge platanen, daarna was er een smal weggetje, vijftien kilometer omhoog en zo belandde ik in het zuidelijkste dorp van Frankrijk.

'Iedere vallei,' schreef een econoom in 1837 over de Pyreneeën, 'is een kleine wereld die verschilt van de naburige wereld zoals Mercurius verschilt van Uranus. Ieder dorp is een clan, een soort staat met een eigen patriottisme.' Dorpen haatten elkaar sinds onheugelijke tijden, en gezamenlijk haatten ze de adel, de stad en de staat, want alles wat daarvandaan kwam kon alleen maar onheil betekenen.

Ook Lamanère is zo'n dorp geweest. Het gehucht bestaat uit een handvol huizen die rondom een kloof zijn gestrooid. In de jaren vijftig woonden hier nog vijfhonderd mensen, nu zijn het er zesendertig. Ik logeer bij vrienden. We gaan op bezoek bij de buren, Michel en Isabelle, vrolijke mensen van nog geen vijftig. In hun warme, eikenhouten keuken vertellen ze het eentonige verhaal van alle kleine Europese dorpen: een school, een levendige middenstand, en binnen twintig jaar alles weg. 'Hier waren ook nog twee espadrillefabriekjes,' zegt Michel. 'Toen die rond 1970 dichtgingen, is het hele dorp in één klap leeggelopen naar het dal, de jeugd voorop.'

'Maar we waren ook arm,' zegt Isabelle. 'Paddestoelen, bosbessen, alles wat uit de aarde gehaald kon worden aten we op. En elk dier dat we zagen bewegen probeerden we te vangen.'

Michel: 'Iedereen had van tijd tot tijd honger. We smokkelden varkentjes over de bergen. Mijn moeder maakte ook espadrilles, zes franc per dozijn.'

'En van alles wat het land opbracht, ging de helft naar de grondeigenaar,' zegt Isabelle. 'Had je twee varkens, was er één van meneer Cassu. Aardappels, de helft. Dat was in de jaren zestig nog zo. We werkten als zwarten.'

'Geiten gaan naar boven en meisjes gaan naar beneden,' zeiden ze hier altijd. Om aan het slavenbestaan 'boven' te ontsnappen lieten in de negentiende eeuw duizenden Franse boerenmeisjes zich zwanger maken, om vervolgens naar de stad te trekken en met hun moedermelk de kinderen van de rijke families te zogen. In sommige streken, zoals de Morvan, werd dat na de aanleg van de eerste spoorlijnen zelfs een belangrijke lokale inkomstenbron. Later bestelden meisjes zich als dienstbode, of ze belandden in een fabriek, wat nog altijd beter was dan in een stal. De metselaars uit de Creuse, de houthakkers uit de Tarn, de loodgieters uit de Livradois, ze werkten, woonden en leefden samen als streekgenoten, in kleine gemeenschappen, met als enig doel de instandhouding van de familieboerderijen thuis. Toch werden ze, ongewild, door de stad betoverd. Ze raakten gewend aan meer comfort, meer licht, hoger loon en betere arbeidstijden. In de Creuse schreef iemand: 'De ongehoorzaamheid van de arbeiders groeit naarmate ze meer in contact komen met de emigranten.' Het was niet dat er opeens zoveel reden bestond voor ontevredenheid, schrijft Eugene Weber in zijn studie over het Franse platteland rond de vorige eeuwwisseling, *Peasants into Frenchmen*, 'het was eerder dat er nooit reden had bestaan tot enige hoop op verandering. De arbeider die thuiskwam, leerde zijn kameraden bovenal dat de dingen elders anders waren, en dat veranderingen niet helemaal onmogelijk waren.'

'Alle ouders in Lamanère dreven hun kinderen naar de post, de douane, de politie of het leger,' vertelt Isabelle. 'De jeugd is het dorp gewoon uit gejaagd. Ambtenaar worden, het dal in, dat was de enige manier om van de feodaliteit af te komen. Daarna kregen we de stedelingen en de hippieboeren. Ze genoten een tijdje van het leven hier, investeerden nergens in, vertrokken weer. De mensen die hier geboren zijn, die blijven van het land houden, en van de oude bomen. Maar het geld bederft alles.'

Ik kijk uit op de besneeuwde toppen. De stilte is ongekend: zoiets bestaat alleen aan de uiteinden van Europa. 's Avonds hoor je de vleugelslag van een uil. De sterrenlucht maakt je duizelig. Het lijkt van alle tijden, de eindeloze bossen, het dorp, de rustige adem van het land.

Ik maak een praatje met een andere buurman, Patrick Barrière. Als iedere boer begint hij eerst met verhalen over beesten. 'Ik had van de week een dood kalf,' zegt hij. 'Ik dacht: daar komt een deltavlieger aan, was het een arend. Hij stond naast dat kalf, als een bouvier zo groot. Toen kwamen de vossen en de lynxen: dat kalf was in drie dagen schoon.'

Dan vertelt hij over het land, dat er niets eeuwigs aan is. 'Ach meneer, die bossen, die waren vroeger lang niet zo uitgestrekt. In de tijd van mijn vader was dit dal nog vol mensen, en ieder stukje grond werd bebouwd. Het landschap was gemengd: bossen, maar ook veel grasland en akkertjes. Laatst hadden we een bosbrand. Toen zag je overal die oude terrassen weer te voorschijn komen. Ja, die ouwelui van ons hebben wat afgeploeterd. En waarvoor? Armoe en een beetje leven, dat was alles.'

Eugene Weber vergelijkt het wereldbeeld van deze boeren met de blik van doodsbange mannen in wanhopige omstandigheden. In hun ogen was het dorp 'een reddingsboot die uit alle macht probeerde om in zware zeeën te blijven drijven, de dorpscultuur een combinatie van discipline en geborgenheid, bedoeld om de opvarenden in leven te houden. Onzekerheid was regel, het bestaan onverbiddelijk marginaal. Enkel traditie, routine en onvoorwaardelijke loyaliteit jegens de familie en de gemeenschap – en aan hun regels – maakten het mogelijk om te overleven.'

In Lamanère kwam de grote omslag rond 1940. Terwijl de rest van de Europese boeren mechaniseerde, kon men in deze bergen niet anders dan met hand- en ossenkracht blijven werken. Daarmee viel niet te concurreren. De boerenkinderen werden als lammeren de fabrieken in gelokt. De genadeklap kwam toen de regering aanbood om het land tegen aantrekkelijke voorwaarden over te nemen om er bossen van te maken. Binnen tien jaar was de helft van de boerderijen, de tuinen en de boomgaarden verdwenen. Nu wordt, aangejaagd door zakken vol Europees geld, een eenvormige laag 'nieuwe natuur' over het land gelegd. Oude eiken en kastanjes worden genadeloos omvergehaald. Er worden boomsoorten geplant die hier nog nooit gestaan hebben, snelle en efficiënte groeiers. Patrick Barrière heeft nauwelijks meer buren. Ook dat is ongekend in deze boerenfamilies: eenzaamheid.

We drinken nog een pastis, en de geschiedenis komt aan de orde. 'Ik heb in het land altijd kogels gevonden,' zegt Patrick. 'Er is hier wat gebeurd, praat me er niet van! In de winter van '39 kwamen er zelfs een paar honderdduizend Spanjaarden de bergen over. Die hadden de burgeroorlog verloren en konden kiezen: kop eraf, of wegwezen. Het was daar in Prats-de-Mollo net Kosovo: voor alles moesten ze betalen, al die rijke Catalanen werden hier door de boeren uitgeschud. Voor een brood werd een stuk goud betaald. Logies kostte een schilderij.'

'Ik ben het kleinkind van een van die vluchtelingen,' had Isabelle gezegd.

Patricks vader had het allemaal meegemaakt, het dramatische einde van de Spaanse Burgeroorlog in 1939, toen na de val van Barcelona duizenden republikeinen over deze bergen naar Frankrijk vluchtten. Het hoofd van hun diplomatieke dienst, José Lopez Rey, zou later vertellen hoe hij de sleutel van het laatste republikeinse ministerie van Buitenlandse Zaken, een dorpsschool aan de grens, in zijn zak stak en wankelend van de scheurbuik over de grens strompelde. De laatste zes maanden had hij in Barcelona alleen maar droge rijst gegeten.

Hier vlakbij, in Coustouges, boven aan de ijzige pas, moesten de republikeinse soldaten hun wapens afgeven. Sommige boerenjongens hadden de aarde van hun geboortedorp nog in de vuisten geklemd, een graai in de grond als souvenir. Anderen zongen. Franse grenswachten schudden hun plunjezakken leeg op de vuile weg, hun laatste kleinigheden verdwenen in de modder, foto's vlogen weg langs de helling. Even verderop stonden treinwagons vol Russische munitie, vliegtuigonderdelen, artillerie, hulp die de Fransen hadden tegengehouden. De republikeinen hadden in Europa alleen gestaan.

Nu staat naast de asfaltweg een klein monument, opgericht op de vijftigste verjaardag van de 'Retirada', februari 1939. 'Over deze pas zijn zeventigduizend Spaanse republikeinen gepasseerd. Van één op elke twee Spanjaarden bevroor het hart.' Als je dan verder rijdt, komen er bossen met kurkeiken en korenvelden met klaprozen, en daarna wordt de aarde droog en rood.

Rechtse bewegingen komen van het platteland, linkse bewegingen horen thuis in de stad, dat is zo het idee. Boeren, en zeker grootgrondbezitters, hebben belang bij het handhaven van bezit en status-quo, arbeiders hebben alles te winnen bij verandering en zonodig revolutie. De sociaal-democraten en de communisten richtten zich van oudsher vooral op het stadsproletariaat, met boerenproblemen wisten ze niet zoveel raad, daar werkte hun theorie niet. De bolsjewieken losten het conflict stad-platteland simpelweg op door de boeren samen te brengen in kolchozen, te deporteren of uit te hongeren. De rest van links liet dit politieke terrein grotendeels liggen, ten gunste van de christen-democraten, de conservatieven, extreem-rechts en de talloze boerenpartijen die na 1918 opkwamen.

Er waren uitzonderingen. In Frankrijk verwierf de linkse Radicale Partij behoorlijk wat aanhang onder de kleine boeren, omdat zij het klassieke links-republikeinse gedachtegoed vermengde met bescherming van de kleine grondbezitter. In Italië hadden de communisten en de socialisten de landarbeidersbonden vast in handen: op het platteland van Toscane en Emilia Romagna ontstond rond 1920 zelfs een boerenoorlog tussen de fascisten en de 'rode baronnen'. En in Spanje waren er de anarchisten.

In 1935 en 1936 zwierf een jonge Engelse violist, op zoek naar de zin van het leven, al musicerend door Spanje. *Die zomerochtend waarop ik van huis wegwandelde* heet het boek dat deze Laurie Lee later schreef, en zijn verslag heeft dezelfde nonchalance als de titel. Zijn verhaal is intrigerend. Het Spanje dat Lee in de jaren dertig doorkruiste, was geen ander land, het was zelfs geen andere wereld, het was een ander tijdperk. Hij beschrijft de zelfgemaakte boerenhutten in de bergen, de huizen die niet meer bevatten dan voor een simpel leven nodig was: overdag het werk en de dieren, 's avonds het eten en de verhalen. 'En zo was het met ons in dat naamloze dorp: duisternis vond ons geborgen in die knus verlichte stal – gezin en vreemdeling om de lange kale tafel geschaard, gehuld in de geur van rokend hout, voedsel en dieren.'

In de Sierra Morena belandde hij na drie uur lopen 'over een touwladder van geitensporen' in een hooggelegen, kil, nevelig 'gehucht van uit ruwe steen opgetrokken stulpen die ongelijk rond waren en begroeid met druipend mos'. Voor een fles wijn en een stuk keiharde kaas speelde hij op zijn viool. 'Ik had me net zo goed onder het restant kunnen bevinden van een overgebleven stam uit het zeventiende-eeuwse Schotland, gedurende een van hun rustpauzes tussen hongersnood en bloedbad – met kinderen die op blote voeten in plasjes dauw stonden, oude vrouwen gewikkeld in ranzige schapenvellen en gedrongen, ruigbehaarde mannen wier scheve gezichten het midden hielden tussen een lach en een grijns.'

Spanje was, in bepaalde opzichten, een buiten-Europees gebied. Wie de Pyreneeën over trok, kwam in een land terecht dat een eigen weg was gegaan en dat belangrijke Europese ontwikkelingen gewoon had overgeslagen. Karl Marx noemde Spanje ooit 'het minst begrepen land van Europa'. Alles was er eerder, later of extremer: de invasie van de Moren in de Middeleeuwen, feodale verhoudingen die te laat en met veel geweld moesten worden opgelegd, een Kerk die de Verlichting en geestelijke vernieuwing onderdrukte, een machtige groep grootgrondbezitters die iedere economische modernisering blokkeerde, de eeuwige haat tussen de regio's en het centrale gezag, de liberalen en de traditionele Carlisten, de boeren en het enorme dode gewicht van adel, Kerk en leger, de obsessie om een wereldrijk te blijven, terwijl het land in feite allang onder die ambitie was bezweken.

'De helft van Spanje eet maar werkt niet, de andere helft werkt maar eet niet.' Dit gezegde is al eeuwenoud en stemt met de feiten overeen: volgens de volkstelling van 1788 hield bijna 50 procent van de mannelijke bevolking zich niet bezig met enige vorm van productief werk, en in de negentiende eeuw veranderde dat nauwelijks. Ooit was het land een van de belangrijkste graanproducenten van Europa, nu waren de bossen gekapt, de landerijen uitgeput. Nog in 1930 kon een derde tot de helft van de bevolking niet lezen of schrijven. 50 procent van de grond was eigendom van minder dan 1 procent van de bevolking. Tussen 1814 en 1874 waren er zevenendertig pogingen tot een staatsgreep, waarvan twaalf succesvol. Aan het begin van de twintigste eeuw was Spanje vrijwel failliet: het leger had één generaal per honderd soldaten, de helft van de boeren leefde op de rand van de hongerdood. Bij stakingen in Barcelona tussen 1918 en 1920 lieten de werkgevers en de politie *pistoleros* (huurmoordenaars) op de vakbondsleiders los. De vakbonden vochten op dezelfde manier terug, met eigen scherpschutters. Politiecommissaris Miguel Arleguí maakte ten slotte in twee dagen tijd een eind aan de opstand door eenentwintig vakbondsleiders dood te schieten, gewoon thuis en op straat.

De Spaanse Burgeroorlog was niet de eerste, maar de vierde burgeroorlog binnen één eeuw. Het land vocht al meer dan anderhalve eeuw met zichzelf, in een voortdurende slinger tussen absolute monarchisten en vrije burgers, tussen oerconservatieven en communisten, tussen niets veranderen en alles veranderen.

In deze tegenstrijdige wereld, waarin alle betrokkenen bij het Spaanse drama van 1936-1939 opgroeiden, speelde het anarchisme een centrale rol. De filosofie van Michail Bakoenin greep, net als die van Tolstoj, terug op het ideaal van de 'mir', de vrije, autonome Russische dorpsgemeenschap. Zijn gedachtegoed had overal aanhangers op het Zuid-Europese platteland, maar in Spanje werd 'Het Idee' algemeen omhelsd als een nieuwe godsdienst. Zowel in de stad als op het platteland waren de anarchisten veruit de belangrijkste revolutionaire beweging.

Al in 1873 waren er in Spanje zo'n vijftigduizend bakoenisten. Anarchistische onderwijzers en studenten trokken door de dorpen, op dezelfde manier als eeuwenlang de bedelmonniken, organiseerden avondscholen, en leerden de boeren lezen. Rond 1918 verschenen meer dan tweehonderd anarchistische kranten en periodieken. De anarchistische vakbond CNT had ruim zevenhonderdduizend leden, de socialistische UGT had er op dat moment nog geen tweehonderdduizend.

Het anarchisme sloeg vooral zo aan omdat het in de kern een nostalgische boerenbeweging was. Het voedde een heimwee dat minstens zo sterk leefde bij de boeren als bij de arbeiders in Barcelona, Bilbao en Madrid; meestal waren zij immers kinderen of kleinkinderen van boeren. Grootgrondbezit was diefstal. Grond en bedrijven behoorden aan degenen die er werkten. Er moest een gelijkwaardige uitruil komen van goederen en diensten. De centrale staat was, net als in Italië, vreemd en vijandig. Daarvoor in de plaats moest een systeem komen van gemeenschappen – dorpen, buurten, bedrijven – die zichzelf bestuurden en op vrijwillige basis onderlinge afspraken maakten. (Later zouden de stedelijke anarchisten een gecompliceerder samenwerkingsmodel ontwikkelen van 'syndicaten', terwijl de boerenanarchisten vasthielden aan het oorspronkelijke dorpsmodel.) Een algemene opstand was het enige dat nodig was om, zoals Bakoenin het noemde, 'de spontane creativiteit van de massa's' los te maken.

Het leek een paradijselijke droom: het definitieve antwoord op het starre centralisme van Madrid, de corruptie van Kerk en overheid, de onderdrukking door adel en grootgrondbezitters. Maar tegelijk was het een beweging waarvan het ideaal in het verleden lag, in de tijd van voor de modernisering van Europa, in de middeleeuwse stads- en dorpsgemeenschappen. 'Degenen die rond 1840 bandiet zouden zijn geworden, werden rond 1880 anarchist,' schrijft de historicus en Spanje-specialist Hugh Thomas. 'Het anarchisme was ook meer een protest tegen de industrialisatie dan een methode om de samenleving zo te organiseren dat het algemeen belang erbij gebaat was.'

Soms denk ik: links heeft de burgeroorlog meer verloren dan rechts hem ooit gewonnen heeft.

Als ik in Barcelona wakker word is het zondag. Ik heb mijn busje geparkeerd op een camping in een niemandsland achter de stad, een oord waar alleen nog maar reclameborden gedijen. Honderden tenten en rijdende huisjes staan in de zon te blinken, pal naast de plaatselijke Bulderbaan. Elke vijf minuten glijdt er een glanzende Boeing-buik over ons heen.

Het is warm. Voor me is 'Das rollende Hotel' neergestreken, een bus met drie dozijn Duitsers die allemaal slapen in een enorme aanhangwagen, in kleine hokjes boven en naast elkaar, als kroketten in een automatiek. Gezamenlijk trekken ze drie weken door Spanje en Portugal. 'Het valt wel mee,' zegt een oudere man. 'Het is zoiets als een scheepshut.' Sommigen komen nauwelijks de bus uit, stil staren ze uit het raam naar de nieuwe ochtend.

In de namiddag wandel ik over de Ramblas, de grote flaneerboulevard en markt ineen. Er worden bloemen en vechthanen verkocht, er zitten bedelaars met blote beenstompen en kleine hondjes, er zijn buiksprekers en dansende zigeuners, en daardoorheen trommelt de processie van de Maagd van Guadalupe.

Op de Plaça de Catalunya speelt een Zuid-Amerikaans bandje. Een gepensioneerd echtpaar danst de sterren van de hemel, hij heeft ouderdomsvlekken op zijn kale hoofd, zij draagt een kapsel als een lammetje, samen maken ze alle passen en pirouettes van vijftig jaar geleden, midden op straat, en alle tijd vergeten.

Op de stille morgen van 19 juli 1936 fietste een jongeman over deze zelfde Ramblas, zijn piekerige rode haar wapperend naar alle kanten, almaar schreeuwend: 'De soldaten zijn op het universiteitsplein!' Iedereen begon te rennen. 'Het was alsof de jongen een enorme bezem voor op zijn fiets had, die de mensen van de Ramblas naar de universiteit veegde,' vertelde een ooggetuige later. Dat was het begin van het linkse volksverzet tegen generaal Franco, die datzelfde weekend zijn militaire opstand begonnen was.

Een politieofficier deelde wapens uit. Havenarbeiders begonnen in allerijl een barricade te bouwen van net geloste balen papier. Overal rond de Ramblas werd gevochten. Opeens verscheen een grote formatie van de Guardia Civil. 'Ik dacht, wat gebeurt er nu?' vertelde de ooggetuige. 'De Guardia, de historische vijand van het volk!' Ze marcheerden tot het politiebureau, de spanning was om te snijden, hun kolonel wendde zich naar het balkon, naar de president van Catalonië, en salueerde. 'Toen wisten we dat ze aan onze kant stonden. Het was onvergetelijk.'

Toen het laatste militaire verzet gebroken was, hadden de Catalaanse arbeiders de wapendepots van het leger al geplunderd.

Laurie Lee bracht zijn laatste Spaanse maanden door in een vissersdorpje dat opeens volstroomde met pistolen en geweren, en waar de pamfletten van hand tot hand gingen, slordig gedrukt op asgrauw papier. Alle vissers bestudeerden ze grondig. 'Ze streken over de letters of spelden langzaam de woorden. De broederlijke aanhef in scharlakenrood en de tekeningen van heroïsche werkers met vaandels waren in hun leven vreemde en nieuwe mythen.'

In het café werd vaak gepraat over de nieuwe wereld die komen ging. Later in het voorjaar werd het dorp onrustiger. Er was een tijdje geen censuur: er verschenen boeken, films en kranten die door de Kerk noch door de staat verminkt waren. Er kwamen steeds meer vrijheden, en de dorpsjeugd gedroeg zich opeens 'alsof intimiteit een nieuwe uitvinding was'. 'Het was vooral de sfeer van zinnelijkheid, de korte opheffing van taboes, die het dorp scheen te beheersen – een onverhoeds wilde, zelfs woeste jacht op seks, ontstaan uit een gevoel van naderend onheil.'

Spanje had het ongeluk een burgeroorlog te beginnen op het moment dat overal in Europa de spanningen tussen links en rechts tot een kookpunt waren gekomen. Alle partijen zagen Spanje als een toetssteen voor goed en kwaad, als een proeftuin voor nieuwe tactieken en wapensystemen, als een generale repetitie voor wat komen ging. De communisten, de fascisten en de nationaal-socialisten creëerden al snel hun eigen Spaanse oorlog. Alle tegenstellingen werden vervolgens naar hun model gekneed. De burgeroorlog werd zo de eerste grote confrontatie tussen de nieuwe Europese ideologieën, en tussen de herboren grootmachten Duitsland en Rusland.

Toch was en bleef de burgeroorlog bovenal een Spaanse aangelegenheid. Het was een ongekend wrede en apocalyptische oorlog, een strijd die door alle partijen beleefd werd als een worsteling met het kwaad. De anarchisten vochten met een bijna religieuze overgave voor hun Nieuwe Jeruzalem, de communisten, socialisten en liberalen verdedigden met alle kracht de verworvenheden van de Verlichting, de rebellen van Francisco Franco voelden zich kruisvaarders die de heilige waarden van het oude Spanje verdedigden. Nooit eerder werd 'de vijand' zo gedemoniseerd als in de Spaanse Burgeroorlog.

De coup van generaal Franco, waarmee de strijd op 17 juli 1936 begon, had een lange voorgeschiedenis. Tijdens de chaotische jaren twintig hadden de militairen al eens eerder de macht gegrepen door, in september 1923, generaal Miguel Primo de Rivera als dictator aan te stellen – naast de koning. 'Mijn Mussolini', zo stelde koning Alfons XIII hem ooit voor aan een buitenlandse gast, en dat tekende de nieuwe verhoudingen.

Primo de Rivera was alleen geen fascist, en al helemaal geen Mussolini. Hij was een aristocraat uit een geziene familie, een vaderlijke figuur die voorzichtig een begin maakte met de modernisering van het land. Hij vervolgde anarchisten en liberalen met harde hand, maar hij was niet, zoals Hitler en Mussolini, uit op hun fysieke vernietiging. Zijn persoonlijkheid was sympathiek en bizar: als weduwnaar kon hij zich wekenlang opsluiten in zijn werk, om zich daarna dagenlang te verliezen in drink- en danspartijen, zwervend van het ene Madrileense café naar het andere.

Nooit wist Primo de Rivera een grote volksbeweging achter zich te krijgen. Hij regeerde zoals hij gewend was te leven, als een ouderwetse grootgrondbezitter, een verlicht despoot, die lak had aan de wet en de subtiliteiten van het establishment. Toen hij genoeg vijanden had gemaakt kwam zijn val vanzelf: hij had het opgenomen voor een Andalusische courtisane, een zekere La Caoba (letterlijk: De Mahoniehouten), beval de rechter de zaak – het ging om narcotica – te seponeren, toen die tegenstribbelde liet hij hem overplaatsen, daarna ontsloeg hij de president van het Hooggerechtshof omdat die de rechter steunde, en ten slotte liet hij de paar journalisten die aan de bel trokken naar de Canarische Eilanden deporteren. Op 28 januari 1930 werd hij door de koning ontslagen. Zijn laatste communiqué luidde: 'En nu, nu een beetje rust, na 2326 dagen van voortdurend onbehagen, verantwoordelijkheid en inspanningen.' Hij verliet Spanje. Nog geen zeven weken later stierf hij, eenzaam, in hotel Pont-Royal te Parijs.

Nu besloot koning Alfons om de stemming in het land te peilen. De gemeenteraadsverkiezingen van zondag 12 april 1931 beschouwde hij als toetssteen voor zijn populariteit. De uitslag was verwarrend. Over het hele land hadden zijn aanhangers hun meerderheid behouden, maar in de steden hadden de republikeinen duidelijk gewonnen. Bovendien waren, zo vermoedde men, veel dorpelingen door de grootgrondbezitters onder druk gezet om op de koningsgezinden te stemmen.

De volgende dag werd in sommige provinciale hoofdsteden de republiek uitgeroepen. Weer een dag later stroomden de straten van Madrid vol demonstranten. Uiteindelijk zwichtte Alfons voor de eis om 'voor zonsondergang de stad te verlaten'. Alleen zo kon, naar hij zei, een burgeroorlog worden voorkomen: 'De verkiezingen van afgelopen zondag hebben aangetoond dat ik niet langer de liefde van mijn volk geniet.'

Vanaf dat moment lag de macht, voor het eerst, bij de vernieuwers, bij 'het jonge en gretige Spanje'. Overal werd begonnen met de bouw van scholen, ziekenhuizen, kinderspeelplaatsen, woonwijken en vakantiecentra. Toch werd het land al snel onbestuurbaar. De aartsbisschop van Toledo weigerde de nieuwe republiek te erkennen – hij werd prompt verbannen. Nieuwe onderwijs- en echtscheidingswetten werden niet uitgevoerd. Landeigenaren joegen de kleine boeren liever van hun landerijen dan dat ze ook maar enige landhervorming accepteerden. Een algemene staking en een mijnwerkersopstand in Asturië werden met geweld onderdrukt.

Na vijf jaar, bij de parlementsverkiezingen van februari 1936, deed rechts een poging om de macht op een legale manier terug te winnen. De rechtse partijen, monarchisten en Carlisten vormden gezamenlijk een Nationaal Front. De opzet mislukte: het Volksfront, de linkse coalitie, kreeg de absolute meerderheid. Daarna namen de spanningen snel toe. In de vier maanden na de verkiezingen vonden, volgens een opsomming van een oppositielid in de Cortes, 269 politieke moorden plaats, 1287 gevallen van mishandeling, 160 kerken werden in brand gestoken, 69 politieke centra en 10 kranten werden geplunderd, 113 algemene en 228 kleinere stakingen legden het land plat. De cijfers mogen niet allemaal even betrouwbaar zijn, ze zijn tekenend voor de sfeer in de eerste helft van 1936.

Het is een vreemde tegenstrijdigheid: Spanje, het land dat het langst heeft geleefd onder een fascistische dictatuur, kende eigenlijk geen rijke voedingsbodem voor een fascistische ideologie. Het land miste de ingrediënten die elders het fascisme tot bloei brachten: verbitterde veteranen, massale werkloosheid in de steden, gefrustreerde nationale ambities. Bovendien waren er traditionele machten die het land in balans konden houden, met name de Kerk en de koning. Bij de gemiddelde Spanjaard sloegen de ideeën van de radicaal-rechtse Falange Española aanvankelijk dan ook nauwelijks aan: bij de verkiezingen van 1936 kreeg de beweging vierenveertigduizend stemmen (0,6 procent). De rechtse burgerij voelde zich beter thuis in de traditionele katholieke en monarchistische partijen.

In tegenstelling tot Italië, Duitsland, Hongarije en Roemenië was het beginnende Spaanse fascisme vooral een intellectuele beweging. De grondlegger, de filosoof Ramiro Ledesma Ramos, was een van de meest belezen figuren van Madrid. Ook de rest van het jonge gezelschap dat, opgewonden over de machtsovername in Duitsland, in de zomer van 1933 de Falange Española stichtte, bestond voor een belangrijk deel uit nationalistische schrijvers en intellectuelen. Het partijblad FE deed die eerste jaren denken aan een literair magazine; een boze falangist schreef zelfs dat 'als FE zo'n literaire en intellectuele toon zou houden, het niet de moeite waard was om er als verkoper je leven voor te wagen'. Dit was geen demagogie: het eerste dodelijke slachtoffer in Madrid was een student die – enkel uit nieuwsgierigheid – het eerste nummer van het blad gekocht had en prompt werd neergeschoten. Weinig aandacht gaf het blad aan het militaristische Duitsland, bijna de helft van de buitenlandse berichtgeving ging over Italië. Anti-semitisch was het blad nauwelijks; wel wees het erop dat het 'joodse probleem' in Spanje geen rassenprobleem was, maar een godsdienstkwestie.

De belangrijkste leider van de Falange werd José Antonio Primo de Rivera. Ook hij was een typische intellectueel, een jonge, succesvolle advocaat, een man zoals er zoveel in het Europa van de jaren dertig rondliepen: lezend, denkend, zoekend. José Antonio was een zoon van de oude Primo de Rivera en daar kwam hij ook graag voor uit: met zijn non-conformisme, met zijn verachting voor politieke partijen, met zijn geloof in leiderschap en 'intuïtie'. Zijn enige werkelijke ambitie lag, zo verkondigde hij openlijk, in de voortzetting van het werk van zijn vader. Zijn tragiek was de liefde. Hij verslingerde zich hopeloos aan een jonge hertogin, een zekere Pilar Azlor de Aragón. De genegenheid was wederzijds, maar de vader van het meisje, een uiterst conservatieve monarchist, blokkeerde ieder huwelijksaanzoek. Hij vond de oude Primo de Rivera een parvenu die de monarchie te schande had gemaakt, en met de jonge Primo de Rivera wilde hij al helemaal niets te maken hebben. Toch bleef José Antonio jarenlang via allerlei kanalen contact houden met de liefde van zijn leven.

José Antonio was het prototype van de klassieke Spaanse held: de man die niet voor het geluk kiest, maar voor zijn noodlot, iemand voor wie de woorden 'eer' en 'pijn' een bijzondere waarde hebben. Bang was hij allerminst, en van vechten hield hij ook: toen in april 1934 twee bommen naar zijn auto werden gegooid – ze ontploften niet – sprong hij eruit, joeg zijn aanvallers door de straten en wisselde zelfs een paar schoten met hen. In de Cortes ging hij op de vuist met een socialistische afgevaardigde die zijn vader van 'roverij' betichtte, wat het begin was van een massale vechtpartij tussen links en rechts.

Toch miste José Antonio, zoals Stanley Payne terecht schrijft in zijn biografische schets, 'het fascistische temperament'. Hij was te genereus, te breed van geest, te liberaal. Hij bleef omgaan met andersdenkende vrienden, zag de menselijke kant in zijn tegenstanders, worstelde met de tegenstrijdigheden in zijn eigen denken.

De belangrijkste ideologische discussies in die jaren vonden niet plaats tussen links en rechts, maar bínnen rechts: tussen oude aristocraten en technocraten, tussen racisten en niet-racisten, tussen elitaire conservatieven die het voorbeeld van de Portugese professor-dictator António Salazar wilden volgen en moderne jongeren die een massabeweging à la Mussolini nastreefden. Daardoorheen liep dan weer de tegenstelling tussen radicaal en niet-radicaal. Salazar, Franco, de Griekse dictator Ioannis Metaxas en zelfs Mussolini lieten de oude, bestaande machten grotendeels voortbestaan, ontleenden daaraan zelfs hun gezag. De Duitse en Oostenrijke nazi's waren veel radicaler, die wilden geen enkel compromis, noch met de Kerk, noch met andere gevestigde machten.

José Antonio stond daar middenin, maar hij was niet onder de indruk van de nazi's – hij vond ze 'een turbulente expressie van de Duitse romantiek'. Mussolini vond hij interessanter: die wist werkelijk een moderne rechtse staatsvorm te ontwikkelen, zonder de kwalen van klassestrijd en democratie. Toch meed hij in zijn latere artikelen en redevoeringen systematisch de term 'fascisme'. Hij streefde naar een eigen, Spaanse vorm voor zijn beweging, waarbij hij een verzoening nastreefde tussen traditie en moderne tijd, secularisering en godsdienst, regionale autonomie en een centraal gezag, mystiek en rationaliteit.

Vanaf 1934 begon José Antonio steeds meer te denken aan een gewapende opstand. Aan het eind van dat jaar schreef hij aan een paar hoge legerofficieren een 'briefkaart aan een Spaanse soldaat': de Spaanse bourgeoisie was vergiftigd met vreemde ideeën, de proletarische massa's waren betoverd door het marxisme, de militairen waren de enigen die in staat waren 'om deze niet-bestaande staat' te vervangen. Weinig generaals schonken hem aandacht, en de belangrijkste onder hen, Franco, al helemaal niet. In september 1935 werden de plannen serieuzer. In de Parador de Gredos, bij Madrid, ontwikkelde hij met het kader van zijn beweging een compleet scenario voor een staatsgreep onder aanvoering van de Falange. (Onderdelen van het plan werden een jaar later inderdaad uitgevoerd, maar nu onder leiding van de militairen.) Alsof de duivel ermee speelde: in datzelfde hotel, tijdens diezelfde dagen, bracht zijn grote liefde Pilar Azlor de Aragón de eerste huwelijksnacht door met haar nieuwe echtgenoot, een aristocratische marineofficier. Ze had eindelijk gecapituleerd. Het was voor José Antonio, in zijn eigen woorden, 'de gruwelijkste nacht van zijn leven'.

Een halfjaar later, in februari 1936, werd de jonge Primo de Rivera gearresteerd, samen met een paar andere falangisten. De aanleiding was een bagatel: ze zouden de verzegeling van hun afgesloten hoofdkantoor hebben verbroken. Maar daarna volgden nieuwe beschuldigingen: illegale vereniging, verboden wapenbezit en – na een woedeuitbarsting – minachting voor de rechtbank. Ten slotte spuwde José Antonio op 6 juni vanuit zijn cel een pure oorlogsverklaring aan de republikeinse regering: 'Er bestaan niet langer vreedzame oplossingen.' En: 'Dus laat daar nu deze oorlog zijn, dit geweld, waarin we niet alleen het bestaan van de Falange verdedigen, maar ook het bestaan van Spanje zelf.' Toch bleef hij vol innerlijke twijfel. Hij besefte heel goed dat de opstand kon mislukken, en dat dan alles klaarlag voor een lange, rampzalige burgeroorlog.

Ondertussen bereikte het straatgeweld een climax. In de nacht van 12 op 13 juli 1936 werd het monarchistische parlementslid José Calvo Sotelo door een handvol socialistische militieleden ontvoerd en, in de ware sovjetstijl, met een schot in het achterhoofd afgemaakt. De aanslag was in bepaalde opzichten het spiegelbeeld van de moord op het Italiaanse parlementslid Giacomo Matteotti, twaalf jaar eerder. Calvo Sotelo speelde, net als Matteotti, een vooraanstaande rol, en de reacties waren even fel. Er was één verschil: Mussolini wist zijn regering door deze crisis te loodsen, de Spaanse republikeinse regering verspeelde met deze moord de laatste mogelijkheid tot vrede.[2] Nog geen week later begon de burgeroorlog.

Het waren zeer uiteenlopende mensen die in Spanje tegen elkaar ten strijde trokken. Er waren gezagsgetrouwe katholieken die de republiek verdedigden. Er waren even keurige katholieken die meevochten met Franco. Via de Comintern, de door de Sovjet-Unie beheerste Communistische Internationale, waren zo'n veertigduizend Internationale Brigadisten geworven. Zij trokken op tegen 'het fascisme'. De jonge anarchisten wilden meer: zij streefden naar een eigen revolutie. De Spaanse boerenjongens vochten tegen hun grootgrondbezitters. De conservatieve Franco-aanhangers vochten tegen 'het communisme', maar ze bedoelden daarmee de vooruitgang. Hun Duitse bondgenoten waren juist heel vooruitstrevend en wilden vooral nieuwe wapens uitproberen. De Italianen deden mee uit prestige. Zo vocht iedereen in Spanje een eigen oorlog.

Tijdens de Spaanse Burgeroorlog vonden zeker drie grote botsingen plaats. Er was een oorlog aan de gang tussen Franco en de republiek. Tegelijkertijd was er een revolutie gaande bínnen de republiek, een zeer strijdbare anarchistische volksbeweging die uiteindelijk gesmoord is door de communisten en de burgerij.[3] Bovendien speelde, op de achtergrond, nog een derde conflict: tussen oud-rechts en nieuw-rechts, tussen het rechts dat enkel de oude orde wilde verdedigen, en het rechts dat met autoritaire, niet-democratische middelen de maatschappij juist wilde veranderen en moderniseren. Kortom, tussen Franco en José Antonio Primo de Rivera.

De coup van Franco was bedoeld als een simpele staatsgreep die binnen een paar dagen moest zijn afgerond. Doordat Franco's greep naar de macht half mislukte liep hij uit op een langdurige burgeroorlog. De generaals wisten niet meer dan een derde van het land in handen te krijgen. Daardoor wonnen de republikeinen voldoende tijd om hun milities op te roepen en een eigen leger op poten te zetten. Bovendien kreeg de smeulende anarchistische revolutie alle kans om op te laaien en zich over het land uit te breiden. De 'linkse' chaos, die de generaals hadden willen voorkomen, werd mede door hun eigen coup juist ontketend.

Al deze gebeurtenissen volgde José Antonio vanuit een republikeinse gevangeniscel in Alicante. Hij was erin beland voor een onnozelheid, maar langzamerhand werd zijn zaak een cause célèbre. Voordat de burgeroorlog uitbrak waren al diverse ontsnappingsplannen bedacht, en er was genoeg welwillend gevangenispersoneel om daarbij een handje te helpen. Toen Franco zijn rebellie begon, hoopte men dat hij vanzelf vrij zou komen. Uitgerekend in Alicante slaagde de militaire coup echter niet; hier bleef het garnizoen trouw aan de regering.

José Antonio zag ondertussen, met vooruitziende blik, wat de consequenties waren van deze halve staatsgreep: een burgeroorlog die het land voor generaties zou verdelen en ruïneren. Er zijn sterke aanwijzingen dat er tijdens de eerste weken van de burgeroorlog een complete omslag in zijn denken plaatsvond. Hij schreef brieven aan de republikeinse regering, bood zich aan als bemiddelaar – zijn familieleden zouden in dat geval als gegijzelden achterblijven – en deed een voorstel voor een regering van 'nationale verzoening'. Hij probeerde, kortom, al het mogelijke om de krachten in te tomen die ook hijzelf wakker had geroepen.

De republikeinse regering was niet blind voor de kansen die Primo de Rivera bood. De situatie was alleen te chaotisch om van zijn aanbod gebruik te maken. Vanaf september kwam er bovendien een andere, meer radicale regering aan de macht. De meeste ministers wilden toen van geen compromis meer weten. Er was al te veel bloed gevloeid.

Het proces tegen José Antonio, dat uiteindelijk op 16 november van start ging, vond plaats in een buitengewoon grimmige stemming. Hij werd beschuldigd van 'muiterij', wat – eerlijk gezegd – niet ver bezijden de waarheid was. Als ervaren advocaat voerde hij zijn eigen verdediging. Toch leek het alsof alles langs hem heen ging, 'zoals iemand luistert naar de regen'. Pas toen hij zijn doodvonnis hoorde uitspreken, brak zijn zelfbeheersing. De executie vond plaats in de vroege ochtend van 20 november door een vuurpeloton, op de binnenplaats van de gevangenis van Alicante, samen met vier andere politieke gevangenen. Er valt alleen nog maar dit over te melden: ze gingen alle vijf tegen de muur staan met de fatalistische waardigheid waarmee duizenden Spanjaarden, rechts en links, in die jaren de dood tegemoet traden.

In de Valle de los Caídos, de Vallei der Gevallenen, bij Madrid zou ik ze later samen zien liggen, in die gruwelijke knekelkerk van de falangisten: José Antonio Primo de Rivera aan de ene kant van het altaar, generaal Francisco Franco aan de andere kant. Bij Franco lagen drie bloemstukken, Jose Antonio had er één. Ze werden bewaakt door engelen met stenen gezichten, de lippen dun, het haar strak, de neus puntig, de vleugels scherp, tussen de voeten een zwaard. Bezoekers liepen af en aan, iedere ochtend werd er een mis gelezen.

Aan het graf herkent men het karakter. De basiliek rondom hun laatste rustplaats zag eruit als een Russisch metrostation, maar dan driemaal groter en tienmaal beklemmender, met ruimte voor veertigduizend nationalistische gevallenen. Het uithouwen in de rotsen kostte veertien mensenlevens, 'strafdetachementen' en 'werkbataljons' van ex-republikeinen waren er zestien jaar mee bezig, de resten van de barakken van de twintigduizend dwangarbeiders liggen nog verscholen in het bos. Voor verzoening was hier geen plaats: de republikeinen bleven liggen in hun onbekende graven, aan de wegen en in de akkers, rottend in de hel.

Het was die dag toepasselijk weer: dikke nevels hingen over de heuvels, het kruis op de berg was slechts nu en dan zichtbaar tussen de wolken, stortbuien kletterden over de immense voorhof. De bezoekers keken met ontzag naar de met bloed beschilderde crucifixen, de starre Mariagezichten, de lampen in de vorm van scherp geslepen zwaarden, de uitgestrekte lichamen op het altaar van de gevallenen, de eindeloze lege stenen vlakte daarvoor, deze godslasterlijke tempel waar Spanje nog steeds bidt.

Het is een van de meest macabere grappen van de geschiedenis, de gezamenlijke rustplaats voor twee mannen die elkaar tijdens hun leven niet konden luchten of zien. Deze martelaarscultus, zonder weerga in het moderne Europa, past totaal niet bij de intellectueel José Antonio. Franco is een ander geval: hem kon het allemaal niets schelen, hij had een symbool nodig en zonder enige terughoudendheid annexeerde hij alle eigenschappen van José Antonio die hijzelf niet bezat.

José Antonio hield van uitgaan, risico's en vrouwen. Franco was een moederskind, een zoon die de escapades van zijn rokkenjagende vader verafschuwde. José Antonio was een gepassioneerd politicus. Franco was een gewetenloze pragmaticus die zijn machtspositie boven alles stelde, een briljante opportunist, en tegelijk een typische burgerman, altijd getekend door het venijn van de lagere middenklasse jegens de vanzelfsprekende voorrechten van de aristocratie. 'Weg met de intellectuelen.' Met dit credo was hij in het vreemdelingenlegioen grootgebracht.

José Antonio probeerde, aan het eind van zijn leven, wanhopig en tevergeefs om de geesten te beheersen die hijzelf had opgeroepen. Franco hield een ijzeren greep op de gebeurtenissen, hij was daarin een buitengewoon knap manipulator. Zijn militaire carrière tijdens de republiek, de coup, de bloedbaden na afloop van de burgeroorlog, de nederlaag van zijn geestverwanten in de Tweede Wereldoorlog, de Amerikaanse plannen om in 1945 ook Spanje te bevrijden – ternauwernood door Churchill voorkomen –, een dictatuur van bijna veertig jaar, met alles kwam Francisco Franco weg.

Ook met de erfenis van José Antonio. Tot aan het moment van de staatsgreep zag Franco niets in de Falange Española. Zijn belangstelling werd gewekt toen de beweging opeens enorm begon te groeien. Binnen enkele weken bestond meer dan de helft van Franco's vrijwillige troepen uit falangisten. Uiteindelijk zouden meer dan honderdzeventigduizend Spanjaarden zich aanmelden voor de falangistische militie.⁴ Tegelijk raakte de beweging, na de dood van José Antonio, het spoor steeds meer bijster. De partijbonzen pronkten met fascistische symbolen, trokken uitbundige uniformen aan en terroriseerden de steden vanuit gestolen limousines. De partijpers begon zelfs de anti-semitische propaganda van de nazi's over te nemen. De *Protocollen van de Wijzen van Sion* werden gretig geciteerd.

Het was voor Franco geen enkel probleem om deze stuurloze beweging al na een paar maanden te annexeren en in te lijven bij zijn nieuwe Falange. Opeens ging de generaal prat op zijn nauwe banden met José Antonio, opeens werd een hele mythe geschapen rondom de falangistische pionier en zijn 'natuurlijke opvolger' Franco. In werkelijkheid had de generaal geen vinger uitgestoken om José Antonio te redden; hij had er ook geen enkel belang bij. Sterker nog, toen begin oktober 1936 een uitgelezen mogelijkheid bestond om hem met hulp van de Duitse marine te bevrijden, wierp Franco zoveel problemen op dat de operatie ten slotte werd afgeblazen. De executie van zijn falangistische rivaal, een maand later, hield hij geheim. In de tussentijd werd José Antonio's eindeloze afwezigheid door Franco's propaganda kundig geëxploiteerd. In kleine kring beweerde Franco zelfs dat José Antonio waarschijnlijk was uitgeleverd aan de Russen, 'en mogelijkerwijs hebben die hem vervolgens gecastreerd'. Pas in november 1938 werd zijn dood officieel bevestigd.

In zijn cel, vlak na het uitbreken van de burgeroorlog, schreef José Antonio Primo de Rivera een analyse van de toekomst van Spanje, voor het geval de nationalisten zouden winnen. Hij noteerde: 'Een groep generaals met de beste bedoelingen, maar met een treurige politieke middelmatigheid. [...] Achter hen:

1. Het oude Carlisme, onverzoenlijk, saai, antipathiek;
2. De conservatieve klassen, gefixeerd op hun eigen belangen, kortzichtig, lui;
3. Het agrarische en financiële kapitalisme, dat wil zeggen: het einde, voor vele jaren, van iedere mogelijkheid om een modern Spanje op te bouwen; het gebrek aan ieder nationaal besef van langeafstandsperspectieven.'

Zijn Falange werd de dekmantel van dit alles. Het werd uiteindelijk de langst levende rechts-totalitaire beweging van Europa, van de eerste groepjes in 1931 tot de ontbinding in 1977, zesenveertig jaar lang.

4

Barcelona is als een slonzige vrouw met prachtige ogen. Het is een lelijke stad met mooie buurten en soms schitterende gebouwen. Het is een stralende stad met vreselijke wijken. Het is ook een stad die moeizaam omgaat met zichzelf. Als je door het centrum loopt, beginnen drie dingen al snel op te vallen.

Ten eerste is daar de, zelfs voor een toeristengebied, verbluffende eenvormigheid. De schoenlappers, kappers, kruideniertjes, krantenwinkels, cafés en garen-en-bandzaakjes, de eindeloos gevarieerde middenstand die vroeger de Ramblas domineerde, is grotendeels vervangen door mode- en souvenirzaken. De kiosken hebben exact hetzelfde assortiment kranten, bladen en ander drukwerk als hun concurrenten, de restaurantjes serveren vrijwel allemaal één merk instant-paella, de souvenirwinkels hebben een vrijwel identieke collectie.

Ten tweede is er de afwezigheid van Spanje. Barcelona is Frans, Italiaans, mediterraan, en vooral zichzelf. Opschriften, gebruiksaanwijzingen, kinderboeken, kranten, alles is in het Catalaans, zelfs de instructies op de betaalautomaten. De Spaanse natie, daar doen ze hier niet aan.

Het derde opvallende feit is de afwezigheid van historische merktekens. Net als de Spaanse staat is de twintigste eeuw hier gewoon weggepoetst, overgeslagen. Er is de afgelopen honderd jaar in veel Europese steden gevochten, en elke stad gaat anders om met haar kogelgaten. In het voormalige Oost-Berlijn kun je ze bijvoorbeeld nog steeds vinden, vooral op straathoeken en in portieken, al wordt het snel minder. Ah, weet je dan, daar zat in '45 een lastige scherpschutter. In Barcelona moet je wel heel goed kijken, wil je nog iets terugvinden. Aan de Ramblas bijvoorbeeld, in de portiek van een kledingzaak op de hoek van de Carrer Deca Canula, is door de stuc nog heel vaag een schietpartij zichtbaar.

Of het Telefoongebouw aan de Plaça de Catalunya: nu een kantoor met een zelfbedieningsrestaurant en een winkel in mobiele telefoons, toen het centrum van alle communicatie en het toneel van een historische schermutseling. Alleen als je de gevel heel nauwkeurig bekijkt, zie je nog de schaduwen van een paar inslagen. Geen gat te bekennen, geen gedenksteen te zien. Nergens zag ik zoveel oorlog zo grondig weggepolijst.

De Engelse schrijver en vrijbuiter Eric Blair, beter bekend als George Orwell, had eind december 1936 het gevoel voor het eerst een stad te betreden waar de arbeidersklasse echt in het zadel zat. Hij was naar Barcelona gereisd om zich als vrijwilliger te melden bij de militie. De stad was toen vijf maanden in revolutionaire handen, en de anarchisten lieten duizend collectieven bloeien. Alle blinde muren waren ondergeplakt met revolutionaire posters. Vrijwel ieder gebouw van enige omvang was bezet door arbeiders en behangen met rode of zwarte vlaggen. Ieder café en iedere winkel was gecollectiviseerd. Niemand zei 'señor' of 'don', iedereen sprak elkaar aan met 'kameraad' en 'je'. Fooien waren verboden. Zogenaamd goedgeklede dames en heren zag je nergens meer, iedereen droeg arbeiderskleren, blauwe overalls, een militie-uniform. In de stad werden nauwelijks nog stierengevechten gehouden. 'Om de een of andere reden waren de beste matadoren allemaal fascisten.'

'Het was eigenaardig en ontroerend,' schreef Orwell. 'Er was veel wat ik niet begreep, op een bepaalde manier hield ik er zelfs niet van, maar ik herkende het onmiddellijk als een stand van zaken waarvoor het de moeite waard was te strijden.' Hij meldde zich bij een van de milities van de links-radicale Partido Obrero de Unificación Marxista, POUM, een keuze waar hij toen nauwelijks over nadacht, maar die vergaande consequenties zou hebben. Bij de POUM-militie kon over ieder bevel gediscussieerd worden. De training die het meest nodig was – hoe je dekking moest zoeken, hoe je met wapens moest omgaan – werd nergens gegeven. De jeugdige rekruten mochten alleen maar paraderen. 'Deze troep gretige kinderen, die over een paar dagen naar de frontlinie zou worden gestuurd, werd zelfs niet geleerd hoe een geweer af te vuren of hoe de pin uit een granaat te trekken.' Later merkte hij waarom: in het hele oefenkamp was geen geweer te bekennen. Na veel moeite wist Orwell uiteindelijk voor zichzelf een wapen te versieren: een roestige Duitse mauser, jaartal 1896. Maar, schreef hij nuchter, een modern gemechaniseerd leger krijg je niet een-twee-drie van de grond, en als de republikeinen gewacht hadden tot hun troepen goed getraind waren, dan zou Franco helemaal niets in de weg zijn gelegd.

De frontlinie waarin Orwell belandde, lag in het zicht van Zaragoza, een dunne strook lichten 'als de patrijspoorten van een schip'. De daaropvolgende maanden gebeurde er weinig, op een enkele nachtelijke aanval na. 'In een loopgravenoorlog komt het op vijf dingen aan: brandhout, eten, tabak, kaarsen en de vijand,' noteerde Orwell. 'In die winter aan het Zaragoza-front waren ze belangrijk in die volgorde, met de vijand op de allerlaatste plaats.' Bij gebrek aan munitie bestookten beide partijen elkaar met woorden: 'Viva España! Viva Franco!' Of: 'Fascistas – maricones!' Er ontstond op den duur zelfs een speciale roepdienst, met megafoons, en aan de republikeinse kant ontwikkelde dit geroep zich tot een ware kunst. Orwell beschreef hoe iemand uit een naburige loopgraaf tijdens de ijskoude nachten zijn fascistische overburen enkel toeriep wat hij – zogenaamd – zat te eten. 'Toast met boter!' hoorde je dan zijn stem weerkaatsen door het donkere dal. 'We zitten hier net rustig toast met boter te eten. Heerlijke stukken toast met boter!' Niemand, aan beide zijden, had in weken of maanden boter of toast gezien, maar het water liep alle partijen in de mond.

In april 1937 kwam Orwell terug in Barcelona: in drieënhalve maand tijd was de stad compleet veranderd. Er waren opeens weer heel gewone avenues, waar de rijke burgerij elegante zomerkleren droeg en in glanzende auto's rondreed, en waar officieren flaneerden in goed gesneden kaki-uniformen van het Volksleger, met automatische pistolen aan hun gordel die aan het front bijna niet te vinden waren. Het leek alsof er nooit een revolutie had plaatsgevonden. De burgerij had zich gewoon een half-jaar gedeisd gehouden en overalls aangetrokken.

Wat Orwell het meest schokte, was de verharding van het politieke klimaat. Aan het front had hij nooit iets gemerkt van enige rivaliteit tussen anarchisten, communisten en andere politieke facties. In het verre Barcelona bleek echter een systematische campagne in gang te zijn gezet tegen de milities van de anarchisten en de POUM ten gunste van het Volksleger. Niemand keek meer om naar de bemodderde soldaten die terugkwamen van het front. Op de radio en in de communistische pers werden de meest kwaadaardige verhalen verteld over de 'slecht getrainde' en 'onge-disciplineerde' milities, terwijl het Volksleger volgens de regels van de beste sovjetpropaganda stelselmatig werd aangeduid als heroïsch. In werkelijkheid hadden de milities ruim een halfjaar het front overeind gehouden, terwijl de militairen van het Volksleger in de achterhoede hun training kregen.

Nu had Orwell, zoals veel internationale vrijwilligers, aanvankelijk geen idee van het soort oorlog waarin hij terecht was gekomen. Hij was eenvoudig naar Spanje getrokken om 'tegen de fascisten' te vechten, en min of meer toevallig was hij in een POUM-militie beland. Hij zag daar pas dat er binnen de republiek zelf ook een revolutie gaande was, dat de anarchisten omwille van de oorlog de ene na de andere revolutionaire 'verworvenheid' moesten loslaten en dat de communisten in deze interne strijd niet aan de revolutionaire kant stonden maar, integendeel, aan de kant van uiterst rechts. Zowel in Madrid als in Barcelona waren talloze gevechten gevoerd om de macht over bepaalde bedrijven en comités. Er vonden steeds meer onderlinge moordpartijen plaats, en langzaam verloren de anarchistische ministers de greep op hun volgelingen.

Al deze onderlinge spanningen kwamen tot een hoogtepunt in het voorjaar van 1937. In Barcelona was het Telefoongebouw al sinds de staatsgreep in handen van de anarchisten. Een collectief luisterde alle telefoongesprekken af, en als een gesprek de toehoorders niet beviel, verbraken ze gewoon de verbinding. Dat werd, zelfs in het revolutionaire Barcelona, op een gegeven moment te gek. Op maandag 3 mei, tijdens de siësta, probeerde de communistische politiecommissaris met zijn mannen het gebouw te bezetten, het kwam tot een schietpartij met de anarchisten en al gauw verrezen er barricades. De communisten verschansten zich in hotel Colón, schuin tegenover het Telefoongebouw.

De volgende dagen werden er felle straatgevechten gevoerd tussen de communisten en de politie aan de ene kant, en de anarchisten en de links-radicalen aan de andere kant. De POUM, die in Barcelona behoorlijk wat aanhang had, stond vooraan op de barricades. Ten slotte beval de anarchistische minister Frederica Montseney in een radiotoespraak haar eigen mensen om de strijd te staken. De plaatselijke anarchisten waren woest, 'ze trokken hun pistolen en schoten de radio in flarden', aldus een ooggetuige. 'Ze waren absoluut razend, en toch gehoorzaamden ze.'

Volgens de meest gangbare mening was deze mini-burgeroorlog weinig meer dan een afrekening van de politie met de anarchisten. Volgens de anarchistische strijders ging het om meer: het was de botsing tussen degenen die wilden dat de revolutie doorging, en degenen die haar wilden beheersen en afremmen. In de communistische pers werd de affaire nog zwaarder aangezet. Er zou een plan zijn geweest om de regering ten val te brengen, voorgekookt door de POUM. Sterker nog: het was een fascistisch complot om verdeeldheid te zaaien en uiteindelijk de republiek lam te leggen. De POUM werd betiteld als 'Franco's vijfde colonne', een 'trotskistische' organisatie van infiltranten en overlopers die nauwe banden onderhielden met de fascisten.

Degenen die er zelf bij waren, vertellen een ander verhaal. Er was geen sprake van een vooropgezet complot. Er waren vooraf geen extra troepen de stad binnengebracht, er waren geen voorraden aangelegd, er was niets merkbaar geweest van enige voorbereiding, er bestond geen enkel plan. Het was niets anders dan een straatrel, schrijft Orwell, die er middenin zat, 'een heel bloedige straatrel omdat beide partijen vuurwapens in de hand hadden en bereid waren om die te gebruiken'.

Toen de gevechten eenmaal aan de gang waren, probeerden de anarchisten en de POUM er wel politieke munt uit te slaan. Maar ook dat mislukte. 'Langzamerhand werden we gereduceerd tot toeschouwers bij onze eigen slachting,' vertelde de anarchistische vakbondsleider Josep Costa jaren later. 'Ons bloed kookte. Barcelona hadden we omsingeld; we hadden maar één woord nodig, en we zouden de stad gezuiverd hebben van de communistische samenzweerders en hun misdeelde, intrigerende, kleinburgerlijke lakeien, die de revolutie saboteerden. De oorlog zou sneller zijn afgelopen – met de overwinning van Franco –, ongetwijfeld, maar het zou ons twee jaar strijd bespaard hebben, met hetzelfde resultaat. En het zou ons er ook voor behoed hebben dat we de zondebok werden voor zoveel dingen die we nooit gedaan hebben, en die later tegen ons werden gebruikt.'

Zo ging het inderdaad. Voor de communisten was dit 'complot' een ideaal voorwendsel om definitief af te rekenen met hun anti-stalinistische rivalen. Een paar weken later werd de hele leiding van de POUM gearresteerd. De POUM zelf werd tot illegale organisatie verklaard, alle kantoren, ziekenhuizen, hulpcentra en boekwinkels van de POUM werden bezet en de POUM-milities werden ontbonden. Overal begon de jacht op voormalige POUM-aanhangers, niet zelden militieleden die net maanden frontdienst achter de rug hadden. Honderden, zo niet duizenden mensen van de POUM, onder wie zeker een dozijn buitenlandse vrijwilligers, verdwenen onder mysterieuze omstandigheden. De leider van de POUM, Andrés Nin, werd door de communisten zwaar gemarteld, maar weigerde om welke 'bekentenis' ook te tekenen. Een showproces in sovjetstijl tegen de POUM-leiders was daarom onmogelijk. In arren moede werd een zogenaamde nazi-bevrijdingsactie geënsceneerd, uitgevoerd door een handvol Duitssprekende leden van de Internationale Brigade, waarbij Nin 'op de vlucht' werd neergeschoten.

Orwell wist ternauwernood aan deze heksenjacht te ontkomen. Zijn commandant en kameraad, de Belgische ingenieur George Kopp, had minder geluk. Kopp had alles opgegeven om in Spanje tegen de fascisten te vechten, hij was de hele winter aan het front geweest, tijdens de rel in Barcelona had hij bemiddeld en tientallen levens gered, en als beloning hadden de Spaanse en Russische communisten hem in een gevangenis opgesloten, zonder beschuldiging, zonder proces. Orwell en zijn vrouw bewogen hemel en aarde om Kopp vrij te krijgen. In de eerste maanden ontvingen ze nog een paar brieven van hem, naar buiten gesmokkeld door vrijgelaten gevangenen. Ze vertelden telkens hetzelfde verhaal: smerige, donkere cellen, te weinig eten, chronische kwalen, geen medische zorg. Later verdween hij vermoedelijk in een van de geheime gevangenissen. De brieven hielden op, niemand heeft ooit meer iets van hem vernomen.

Aan het eind van zijn boek *Saluut aan Catalonië* doet George Orwell iets unieks: hij waarschuwt de lezer. 'Pas op voor mijn partijdigheid, mijn feitelijke vergissingen en de misleiding die onvermijdelijk wordt veroorzaakt doordat ik slechts één kant van de gebeurtenissen heb meegemaakt.' Zoveel eerlijkheid kom je zelden tegen.

Nooit is er na een oorlog zoveel gelogen als rondom de Spaanse Burgeroorlog. Alles, maar dan ook alles is overdekt met een dikke laag propaganda, en tot de dag van vandaag hebben historici de grootste moeite om ook maar in de buurt te komen van enige waarheid. Al die mensen als Nin en Kopp, die honderddertigduizend slachtoffers van de terreur van links en rechts, we weten nauwelijks hoe ze aan hun einde zijn gekomen, en waarom, en waar hun getormenteerde lichamen zijn gebleven.

Het enige concrete dat we hebben, zijn de verslagen van directe ooggetuigen. Lees bijvoorbeeld het verslag van de toen dertien jaar oude Carlos Castilla del Pino uit het dorpje San Roque, bij Gibraltar, over de begrafenis van zijn ooms: 'Het hele kerkhof was bezaaid met lijken, er lagen er minstens tweehonderd.' Allemaal vermoord door Franco's binnentrekkende troepen. 'Een van de lichamen had zijn pijp nog in de mond.' Of het verhaal van Obdulia Camacho uit Poyales del Hoyo, toen veertien, die zag hoe haar moeder werd opgepakt en weggevoerd, voorgoed. Haar misdrijf: ze was de enige vrouw in het dorp die kon lezen en schrijven, en ze had weleens een links krantje aan de buren doorgegeven. Of de falangistische ambtenaar Pedro Juarez, die bij het tramstation van Valladolid toekeek hoe iedere ochtend minstens een dozijn socialisten werd geëxecuteerd. 'Er waren drie vrouwen bij. Twee van hen tilden hun rokken op toen het vuurpeloton de geweren richtte, en trokken die over het gezicht, waarbij ze zichzelf compleet lieten zien. Was het een gebaar van verachting? Of van wanhoop? Ik weet het niet: het was vanwege dit soort scènes dat de mensen kwamen kijken.' Of neem Juana Alier, die in Barcelona een groep mensen een huis aan de Ramblas zag binnenstormen. Bijna direct daarop verscheen een man op een balkon: hij viel – geduwd, een sprong? – te pletter voor haar ogen. Of Juan Riog, een bedrijfsleider en een man van het midden, die bij de kapper een militair hoorde opscheppen over de nachtelijke executies waar hij aan deelnam. 'Hij vertelde tot in detail hoe de gevangenen hele pleidooien hielden om in leven te kunnen blijven, hoe hij deed alsof ze vrijgelaten werden en ze dan in de rug schoot.' Het plezier op zijn gezicht.

Op een begraafplaats in Granada executeerden de nationalisten ruim eenentwintighonderd artsen, advocaten en andere intellectuelen. Het beroemdste slachtoffer was de dichter Federico García Lorca. De enigen die hadden geprobeerd om hem te redden waren een paar falangisten; García Lorca vond zelfs enige tijd een schuilplaats in het huis van een van de belangrijkste falangistische leiders. De grootste slachting aan de kant van de republikeinen vond plaats bij het dorpje Paracuellos de Jarama, vlak bij de huidige luchthaven van Madrid. Hier werd in november 1936, in de paniek rond de dreigende val van de hoofdstad, een belangrijk deel van het falangistische kader afgeslacht. Meer dan duizend politieke gevangenen zaten in de Modelgevangenis in Madrid: ze werden zogenaamd op transport gezet naar een nieuwe gevangenis, maar bijna allemaal werden ze op deze treurige plek door hun bewakers vermoord.

De haat jegens de Kerk was primitief en verbijsterend fel. Alleen al in Barcelona werden naar schatting zevenhonderd geestelijken vermoord. De verbrande en geplunderde kloosters en kerken waren niet te tellen. Orwell kwam, gedurende al die maanden dat hij door republikeins Spanje trok, welgeteld twee onbeschadigde kerken tegen. María Ochoa, toen een jong meisje, herinnerde zich hoe de anarchisten in Barcelona de lijken van nonnen opgroeven en aan het publiek toonden. 'Ik vond dat heel amusant, net als de andere kinderen.' Maurici Serrahima, een progressieve christendemocraat: 'Ik heb altijd volgehouden dat, ten diepste, deze kerkverbrandingen een daad van geloof waren. Het was een daad van protest omdat de Kerk in de ogen van de mensen niet was wat ze zou moeten zijn.' Jaume Miravitlles: 'Een man werd vermoord, enkel omdat zijn zuster een non was. Ze noemden iemand een fascist, alleen omdat hij naar de mis ging.'

Direct na de val van de grensplaats Badajoz, in de eerste weken van de burgeroorlog, werden in totaal zo'n vierduizend republikeinse, communistische en socialistische militieleden door Franco's troepen afgemaakt, enkel omdat ze hun republiek verdedigd hadden tegen de staatsgreep van de generaals en de grondeigenaars. Vlak buiten de stad, aan de grens, stuurde de Portugese politie ondertussen honderden republikeinse vluchtelingen terug, recht in de armen van de nationalistische vuurpelotons. Jay Allen, verslaggever van The Chicago Tribune, zag rijen mannen de plaatselijke arena binnenlopen, de armen omhoog, 'jong, meestal boeren in een blauw overhemd'. 's Ochtends vroeg werden ze de stierenring ingedreven, daar wachtten de machinegeweren. 'Na de eerste nacht stond, naar men zegt, het bloed aan de verste zijde handdiep. Ik twijfel daar niet aan. Achttienhonderd mannen – er waren ook nog enkele vrouwen bij – werden in één etmaal neergemaaid. Er is meer bloed dan je denkt in achttienhonderd lichamen.'

De enige oud-Spanjestrijder die ik goed heb leren kennen, woonde in Californië, in Oakland. Hij reed in een roomkleurige sportauto, hij droeg een oosters sjaaltje en hij had het almaar over Betsy, Betsy, zijn nieuwe liefde. Hij heette Milton Wolff, hij was over de tachtig, en hij was de laatste commandant geweest van het Abraham Lincolnbataljon van de Amerikaanse vrijwilligers. Hij was toen drieëntwintig.

Het bataljon had in twee jaar tijd acht commandanten versleten – vier waren er dood, vier waren er zwaar gewond – en Milton was de negende. Ernest Hemingway schreef in 1938 over hem dat hij enkel nog in leven was 'door hetzelfde toeval dat één hoge palmboom overeind laat als een orkaan is gepasseerd'. Milton was overeind gebleven in het hete bloedbad bij Brunete, bij het slachthuis van Fuentes en in de sneeuw van Teruel. Dat was diezelfde man in die auto van room.

Milton zag ik voor het laatst in 1993, tijdens een zonnige maaltijd bij Californische vrienden. Hij was nog een lange, knappe man, en ook nu was er weer iets met een vriendin, als altijd half zo oud als hij. In de Tweede Wereldoorlog had hij voor de Britse geheime dienst gewerkt, onder andere in Birma, later was hij verbindingsofficier voor de Amerikaanse inlichtingendienst bij het communistische verzet in Joegoslavië en Italië. Na de oorlog werd hij door de Amerikaanse regering, net als veel andere Spanjestrijders, geëerd met de fascinerende titel *premature anti-fascist*, (voortijdige anti-fascist). In het leger had hij daarom geen voet meer aan de grond gekregen. Nog altijd maakte hij zich druk over de wereld: door het inzamelen van medicijnen voor Cuba en het financieren van ambulances en kliniekjes in Nicaragua.

Milton was somber die middag. 'Ze sterven nu als vliegen, al mijn oude kameraden.' Hij mompelde iets over de 'bastards' die het verpest hadden en concentreerde zich vervolgens weer op de blonde lokken van mijn vriendin. In de tuin renden de eekhoorns over de schuttingen. Vanuit de keuken hoorden we hoe onze gastvrouw de gebruikte blikjes met een hamer platsloeg, stuk voor stuk, voor de collectieve milieu-ophaaldienst: blik bij blik, groen bij groen, oud papier bij oud papier.

'De Spaanse Burgeroorlog was simpelweg een tijdelijke en plaatselijke fase in een enorm spel dat wordt gespeeld over het hele oppervlak van de aarde,' schreef George Orwell achteraf. 'Maar het duurde lang genoeg om effect te hebben op iedereen die het meemaakte. Hoe je ook op dat moment vloekte, je realiseerde je achteraf dat je in contact was geweest met iets bijzonders en waardevols. Je was in een gemeenschap geweest waar hoop normaler was dan apathie en cynisme, waar het woord "kameraad" voor kameraadschap stond en niet, zoals in de meeste landen, voor humbug. Je had de lucht van gelijkheid geademd.'

Direct na het uitbreken van de burgeroorlog was Duitse en Italiaanse hulp voor Franco binnengestroomd: Junkers, Heinkels en Messerschmitts, technici en piloten, geweren en munitie, duizenden vrijwilligers. Gedeeltelijk was het pure handel: Franco verkocht de Duitsers de ene mijnconcessie na de andere. De Amerikanen, ogenschijnlijk neutraal, leverden olie en vrachtwagens, twaalfduizend stuks. In hun ogen was een 'fascistische' staatsgreep minder gevaarlijk dan een 'communistische' revolutie.

De republiek kreeg steun van Mexico, dat onmiddellijk twintigduizend geweren stuurde. Alle republikeinse ogen waren gericht op Frankrijk, waar op dat moment het linkse Volksfront aan het bewind was. Franse vrienden van de republiek regelden in allerijl het transport van ruim zeventig vliegtuigen, maar daarna hield de hulp op. Engeland was vastbesloten zich ditmaal niet te laten meezuigen in een onoverzichtelijk conflict op het continent, en Frankrijk volgde dit standpunt. 'Appeasement' was het motto in die jaren, te weten het indammen van de nieuwe dictaturen met geduld en bezonnenheid, het tegenbeeld van de oorlogszucht van 1914.

Zo gebeurde het dat Frankrijk op 8 augustus 1936 de Spaanse grens voor alle militaire verkeer sloot. De republiek werd daardoor onvermijdelijk in de armen geduwd van de enige bondgenoten die ze verder nog had: de communisten en Stalins Sovjet-Unie. Daarmee was haar lot al in die eerste weken bezegeld.

De streken waar Milton Wolff ooit vocht, liggen langs de huidige N420, zo'n honderd kilometer ten zuidoosten van Barcelona, achter de bungalows en de benzinestations. Hier waren zijn stellingen, in die stille heuvels bij Gandesa, tussen de olijfbomen. Uit zijn memoires: 'Een eenzaam vliegtuig verscheen en draaide een rondje om de heuvels. Een pauze. En [opeens] scheen de hele heuvel tot leven te komen met geschreeuw en geschiet en de explosies van granaten, en toen was het voorbij.' Het was voor hem een cruciaal moment: hij verloor er het contact met zijn bataljon. Ascó, dit moet het 'arme bruine dorp' zijn waar hij zich schuilhield. Daarachter de Ebro, die hij uiteindelijk over zwom om door de linies te komen. Het water is wild en rood.

Verderop liggen Calaceite en Alcañiz stil in de zon te koken, met alle luiken dicht. Twee moedertjes zitten nog op de stoep, in gebreide vesten, de rest van de stad slaapt of is dood, dat valt niet te zeggen. Om de haverklap kom je langs de weg platgereden vossen, konijnen, dassen, wezels en patrijzen tegen. Boven de bergtoppen hangt een onafzienbare rol wolken, opgevouwen als een dekbed. In het wegrestaurant zitten vertegenwoordigers en vrachtwagenchauffeurs, je krijgt zwijgend de dagpot voorgeschoteld, iets anders is er niet: sla, gevulde aubergine, gestoofd konijn.

Naar het westen wordt het land ruiger. De heuvels gaan over in een eindeloze, vrijwel boomloze vlakte. De aarde is hard en stoppelig, de hete wind fluit om mijn busje. Zo nu en dan draait de weg door een bruin, zwijgend dorp. Overal in dit gebied liggen de kadavers van verlaten boerenbedrijven, huizen, winkels, kloosters. Achter bijna iedere ruïne schuilt een tragedie, al weet je niet welke. Wat is het verhaal van dat rijtje half ingezakte huizen, een kilometer of tien voorbij Gandesa? Zijn ze in de burgeroorlog in brand gestoken, of zijn ze in de jaren zestig verlaten omdat de betere tijden nooit kwamen? En dat enorme ingeplofte huis bij Alcañiz, is dat zomaar ingezakt, of door soldaten opgeblazen? Dit is het oude Ebro-front, waar de republikeinen in de zomer van 1938 alle krachten bundelden en vier maanden lang hun laatste uitputtingsslag vochten. Alleen in Belchite, een verlaten dorp verder naar het oosten, is de oorlog nog tastbaar: een verzameling puinheuvels en ingestorte muren, een dakloze kerk, anderhalve boom, een ijzeren kruis. Milton Wolff hoorde in maart 1938 met zijn Abraham Lincolnbataljon bij de laatste republikeinse soldaten in het dorp, zijn commandant sneuvelde, daarna werden ze weggevaagd door de tanks van Franco. Aan beide kanten vielen meer dan zesduizend man. De ruïnes werden gebruikt als decor voor reclamespotjes van het Nederlandse leger: 'Wij verrichten vredestaken.'

Al die andere fel bevochten heuvels staan er roemloos bij. De doden zijn weggestopt in de aarde, zonder enig gedenkteken. Vergeten is hier het motto. Niemand wil de oude geesten wekken.

Aan het eind van de dag duikt in de trillende vlakte een handvol fabrieken en containers op, vervolgens is er de goudgerande Club 69, en na nog eens dertig kilometer verschijnt het silhouet van de onmogelijkste stad van Europa. Wat is precies de lelijkheid van Zaragoza? Zijn het de te hoge flats, die net te dicht opeen staan?

Zijn het de doodgeboren boulevards? Is het de stuiptrekkende schoonheid van de halfgesloopte binnenstad? Is het de basiliek, dat 'eindstation voor veetransporten'? Dit zei overigens iemand uit Amerika, waar alle stations op kerken lijken.

Zaragoza was Franco's lievelingsstad, en als de gangbare opinie van de jaren twintig en dertig zich had doorgezet was half Europa zo volgebouwd. De parlementaire democratie bestond aan het eind van de jaren dertig alleen nog aan de noordrand van het continent. Links was uitgeput, de elites richtten zich op niet-democratische alternatieven, beter passend bij de moderne tijd: het fascisme in Italië, het nationaal-socialisme in Duitsland en Oostenrijk, het Portugese corporatisme van Salazar, het falangisme van Primo de Rivera en Franco, de 'nationale' dictaturen van de Griek Metaxas en de Hongaarse admiraal Miklos Horthy.

De paradeplaats voor de basiliek in Zaragoza is, naar men zegt, ontworpen door de generalissimo zelf, als onderdeel van een mislukt plan om een 'Romeinse allee' te trekken van het centrum van de stad naar de militaire academie. Op de vlakte zitten twaalf blanken aan de koffie, die twaalf verschillende kranten lezen. Vier zwarte mannen willen ons een zakkam verkopen, ieder halfuur proberen ze het weer. Dat is het enige dat hier gebeurt.

Na Tudela wordt het land zachter. Ik overnacht bij een paar huizen op een heuvel, nog voor Bilbao, een dorp met een plein, een kerk, een rivier, een oude brug, een nieuwe brug en een verlaten spoorlijn. Uit de cafés klinkt het gerammel van kopjes en glazen, soms roept een oude man 'Olé', de ogen strak gericht op een stierengevecht in Pamplona dat zich op het scherm afspeelt. Na het gevecht zitten de roden voor het café van de Post, de conservatieven voor het café van de Kapitein, de fontein klatert, de kinderen rennen in het rond, de zwaluwen gieren over de daken, de ooievaars kijken toe vanaf de televisie-antennes. Hoog in de lucht rommelt het, de eerste droppels, opeens hoost het van de regen, de goten worden beken, het water golft in de volle breedte over de straten. Na een felle klap is het plotseling ook weer voorbij. Daarna is er alleen een stille avondlucht, helder, vol geuren.

De volgende dag een vlakte als de bodem van een drooggevallen binnenzee, met zachtgroene, afgeplatte heuvels als oude eilanden.

5

Jean-Jacques Rousseau schreef in het midden van de achttiende eeuw: 'Guernica is de gelukkigste stad van de wereld. De burgers regelen hun eigen zaken in een vergadering van vertegenwoordigers die elkaar ontmoeten onder een eik en ze nemen altijd de meest wijze besluiten.'

Euskadi, ofwel Baskenland, heeft iets van een droom. Je valt in een diepe kloof, en op de bodem blijkt opeens een weelderige tuin te liggen, een andere wereld met andere mensen en een andere taal. Na de dorre Spaanse steppe is hier opeens een groen, klein Zwitserland, bewoond door een vreemd, oud volk. Hun taal knarst als een spijkerschrift. Buitenstaanders begrijpen niets van wat deze mensen schrijven en zeggen. Hun communicatie verloopt grotendeels via geuren en smaken: achter een fornuis worden de Basken tovenaars. De heuvels zijn bezaaid met witte boerderijen en koeien met bellen, je kunt de oceaan ruiken. Madrid is ver, heel ver weg.

De gemiddelde Bask verschilt niet van de gemiddelde Europeaan. Hij woont in een villa of in een schurftige flatwijk rondom Donostia (San Sebastián) of Ibaizabel (Bilbao), hij brengt zijn dagen door op kantoor, in een winkel, op school of aan de lopende band, hij besteedt zijn weekeinden bij familie of met vrienden, in restaurants of in de disco. Toch, als je hem vraagt naar het ideale leven, dan begint hij over een stukje dal met wat koetjes en een boerderij, over het bestaan van zijn grootouders en zijn overgrootouders.

Voor iedere Bask heeft de Baskische afscheidingsbeweging een ander gezicht. Er zijn anti-nationalisten, radicale nationalisten, theoretisch-nationalisten, licht-nationalisten, gewelddadige nationalisten, pacifistische nationalisten, nationalisten die bommen leggen en op straat vechten, en nationalisten die daar een bloedhekel aan hebben. Scheer ze nooit over één kam, de Basken niet, en ook niet de Baskische nationalisten. Al vanaf de vijftiende eeuw streden de Baskische provincies – net als andere Spaanse regio's – voor de rechten van de lokale adel en burgerij, en voor de tradities die daarbij hoorden. Het ging meestal om praktische zaken: privileges, eigen wetten en belastingen. Aan het eind van de negentiende eeuw kreeg dit onafhankelijkheidsgevoel, zoals overal elders in Europa, een meer romantische invulling. De grondlegger van deze nieuwe beweging, Sabino de Arana, streefde naar een volkseigen staat voor alle Basken, katholiek en raszuiver. In zijn studeerkamer sleutelde hij een hele natie in elkaar: hij construeerde uit de verschillende Baskische dialecten een officiële Baskische taal, hij componeerde een volkslied en creëerde zelfs een eigen, 'typisch Baskische' typografie. Zijn laatste toneelstuk, Libe, ging over een vrouw die de dood verkoos boven een huwelijk met een Spanjaard. Zelf trouwde hij met een boerenmeisje, enkel vanwege de 'puurheid' van haar bloed. Na zijn dood vond ze al snel een nieuwe man: een Spaanse politieagent.

De Arana noemde zijn nieuwe natie Euskal Herría, 'het land waar Baskisch wordt gesproken', een gebied dat de drie Baskische provincies moest omvatten, plus Navarra en de Baskische delen van Frankrijk. Hij wordt nu door veel Baskische nationalisten als een halve gek beschouwd, maar zijn Partido Nacionalista Vasco (PNV) is nog altijd de belangrijkste partij van Baskenland, zijn buste pronkt prominent in het hoofdkantoor van de PNV, de belangrijkste nationalistische prijs draagt zijn naam en zijn racistische praatjes zijn ook nooit helemaal verdwenen.

In de tijd van de burgeroorlog veranderde het Baskische nationalisme in een militante verzetsbeweging. Aanvankelijk werden de aartskatholieke Basken door de Spaanse nationalisten als vanzelfsprekende bondgenoten gezien, maar dat veranderde snel. Franco en zijn aanhang streefden naar een sterke eenheidsstaat, en dat was nu juist iets waar de Baskische nationalisten fel tegen waren gekant. De republikeinse leiders gaven de Basken, in ruil voor hun loyaliteit, de eigen republiek waar ze van droomden. Het onafhankelijke Euskadi leefde maar kort. Al na een paar maanden, in mei 1937, werd het land onder de voet gelopen door Franco's troepen. De nationalistische leiders gingen in ballingschap of werden gevangengezet, er kwam een einde aan alle vormen van autonomie, de Baskische taal werd verboden en Baskische onderwijzers en onderwijzeressen werden ontslagen. Duizenden Basken werden omgebracht: er worden aantallen tot boven de vijfentwintigduizend genoemd. In de gevangenis van San Sebastián gingen de executies dag na dag door, tot 1947.

De PNV overleefde en groeide uit tot een gematigd christelijkconservatieve partij die nu al jaren in Baskenland aan de macht is. Voor een groepje marxistische studenten in Bilbao was dat allemaal veel te braaf. In 1959 zetten ze een meer radicale lijn in: ze vormden de Euskadi Ta Askatasuna (Baskenland en Vrijheid), ofwel de ETA. Een van de eerste aanslagen, in 1961, betrof een trein met Franco-veteranen op weg naar San Sebastián. Franco reageerde fel: zeker honderd mensen werden opgepakt, veel arrestanten werden gemarteld, sommigen werden ter dood gebracht, anderen kregen tientallen jaren gevangenisstraf. De meest legendarische ETA-actie vond plaats op 20 december 1973, toen Franco's kroonprins, admiraal Luis Carrero Blanco, werd opgeblazen. De klap was zo hevig dat de admiraal met auto en al vijftien meter omhoogvloog en op de binnenplaats van een naburig jezuïetenklooster belandde. De zwart gebutste Dodge, kenteken PM 16416, staat nu uitgestald in het Legermuseum van Madrid. Carrero Blanco was Franco's laatste hoop op een eigen opvolger.

Volgens sommige Basken is er nooit een 'goede' ETA geweest die later het foute pad op ging. 'De ETA is altijd fout geweest,' meende de schrijver en ETA-pionier Mikel Azurmendi later, en dat had te maken met het totale gebrek aan evenwicht tussen doel en middelen. De ETA ontaardde zo, na de dood van Franco en na talloze afsplitsingen, langzamerhand in een machtige terreurgroep die zichzelf financierde via afgeperste 'belastingen', die niet schroomde om in Barcelona een supermarkt vol vrouwen en kinderen op te blazen, die iedereen met de dood bedreigde enkel omwille van het feit dat hij andere ideeën had, en die desondanks een aanzienlijke aanhang behield, met name onder de Baskische jeugd.

In mei 1999, toen ik in Baskenland rondreisde, was er even pauze. De ETA had een wapenstilstand afgekondigd, er kon gepraat worden. Ik was in contact gekomen met Monica Angulo, een Baskische sociologe die de helft van haar tijd in Amerika woonde. Samen met een vriend toonde ze me alles wat er in Guernica te zien viel: de stomp van de legendarische eik van Rousseau – nu verscholen in een Grieks koepeltje –, de oude zaal waar de vrije Basken vergaderden en nog steeds vergaderen, het museum met schilderijen van priesters, banieren en eedafleggingen en de nieuwe eik die er ook alweer honderdveertig jaar staat. 'Het Baskische nationalisme is vooral anti-Madrid,' zei Monica. 'Het heeft een heel concrete achtergrond. Bijna iedereen hier heeft wel een vriend, een broer of een neef die in de gevangenis heeft gezeten of andere grote problemen met Madrid heeft gehad. Dat maakt mensen vanzelf nationalistisch.'

Al pratend en rondwandelend merkte ik dat mijn Baskische kennissen niet alleen gedreven werden door een streven naar politieke onafhankelijkheid. Ik proefde voortdurend ook iets anders. Monica en haar vriend waren zeldzaam aardige, intelligente, betrokken mensen, maar op een bepaald moment liep ik tegen een muur. 'Waarom hechten jullie zo aan die rituelen? Waarom is die onafhankelijkheid zo belangrijk dat al het andere ervoor moet wijken?' Ik kreeg geen antwoord.

Hun nationalisme was een mengeling van oud en nieuw, van verzet, maar ook van nostalgie. Aan de ene kant was het een laat product van de negentiende eeuw, aan de andere kant hoorde het bij de bewegingen die aan het eind van de twintigste eeuw in Europa opkwamen, merkwaardige en belangrijke tegenhangers van de modernisering en de globalisering. 'De Baskische beweging is een typische boerenbeweging,' zei Monica. 'Dat is ook het verschil met het Catalaanse nationalisme.'

Vandaar, wellicht, de populariteit van deze beweging in het alternatieve jongerencircuit, ook in de rest van Europa. Nostalgie was – en is – een belangrijk signaal: in wezen is het een aanklacht tegen een moderne tijd die enkel vervuld is van materialisme en een blind geloof in alles wat nieuw is. Maar nostalgie kan ook monsters voortbrengen. Van Kosovo en Roethenië tot Baskenland, overal zijn Europeanen gek gemaakt van verlangen naar een vaderland dat niemand ooit heeft gekend, dat in veel opzichten zelfs nooit heeft bestaan.

Dit alles geeft Baskenland iets dubbelzinnigs. Het kent de vrije lucht van de oceaan, maar tegelijk is het in zichzelf geklonken als een Oost-Europees bergdorp. Het is vermoedelijk de meest autonome regio van heel Europa, het heeft een status waar Noord-Ierland alleen maar van kan dromen, het is modern en geïndustrialiseerd, het heeft flink geput uit Spaanse en Europese subsidies, maar dat heeft geen kosmopolitisme en verdraagzaamheid gebracht: Madrid blijft in de ogen van de nationalistische Basken een kolonisator die met alle middelen bestreden mag worden. Hoe moet dat nu met die taal en die onafhankelijkheid, vraag ik mijn kennissen, nu een aanzienlijk deel van de bevolking tegenwoordig bestaat uit niet-Basken, nu bijna tweederde van de Basken geen woord Baskisch meer spreekt, nu uit vrijwel alle opiniepeilingen blijkt dat het aantal tegenstanders van een afscheiding het aantal voorstanders ruimschoots overtreft?[5] Ik vraag: 'Kan jullie gedroomde Baskenland ooit democratisch tot stand komen, als ieder oppositielid alleen campagne kan voeren met tien lijfwachten om zich heen? Wat voor soort land zal dat in 's hemelsnaam worden?' Er komt geen antwoord.

Het beruchte Duitse bombardement van 26 april 1937 wordt in Guernica herdacht met een onopvallend monumentje bij de Mercuriusfontein, een grote steen met een gat erin, 'ter ere van de slachtoffers'. Dat is de enige tekst waarover iedereen het eens kan zijn.

Guernica wordt door iedere bril anders bekeken. Voor de meeste Europeanen was het een typische nazi-misdaad jegens een onschuldig Spaans stadje, een generale repetitie voor Warschau en Rotterdam. Voor de doorsnee Spanjaard was het vooral een schurkenstreek van Franco. De Baskische nationalisten zien Guernica tot de dag van vandaag als de schending van hun 'heilige stad' door Madrid. De oude aanhangers van het Franco-regime koesteren nog een vierde lezing: het hele bombardement heeft nooit plaatsgevonden. Guernica is volgens hen in brand gestoken door de 'rode' Basken zelf. De Duitsers erkenden al jaren geleden hun verantwoordelijkheid, de Spaanse regering heeft de Francolezing nooit officieel willen intrekken. 'Zand erover' bepaalt hier de omgang met het verleden.

De kwestie Guernica is tekenend voor de relatie tussen Madrid en de Basken. Beide partijen hebben een hardheid die alle wonden open houdt, en daarmee lijken ze meer op elkaar dan hun lief is. Vermeende ETA-terroristen – en zelfs de hoofdredacteur van een Baskischtalig dagblad wordt daar al snel toe gerekend – kunnen zonder vorm van proces maanden- tot jarenlang worden vastgezet. Regelmatig beschuldigt Amnesty International de Spaanse politie van martelpraktijken. Maar als een slachtoffer een klacht indient wordt zelfs die aangifte door de Spaanse regering beschouwd als indicatie dat iemand bij de ETA behoort.[6]

Is hier nu sprake van het klassieke drama van een vergeten etnische groep die door de betrekkelijke willekeur van een staatsgrens is verdeeld en binnen de Spaanse natie voor eeuwig gedoemd is tot de rol van 'nationale minderheid'? Is dit het oude conflict tussen 'natie' en 'volk' dat hier opspeelt, dezelfde wonden als die van de Hongaren, de Lappen, de Friezen, de Welsh, de Schotten, de Ieren en al die kleinere Europese volken die zich op een dag realiseerden dat ze, om welke reden ook, op de Europese kaart achter de foute stippellijn terecht waren gekomen? Ten dele wel, ten dele ook niet. Historisch gezien is er nooit sprake geweest van 'de' Baskische provincies die eensgezind ten strijde trokken tegen 'Frankrijk' of 'Spanje'. De onderlinge tegenstellingen waren minstens even groot en even talrijk. Vrijwel alle grote conflicten, inclusief de burgeroorlog, waren – ook – interne Baskische burgeroorlogen. Etnisch gezien kan evenmin nog gemakkelijk gesproken worden van 'de' Basken: door alle migratiestromen, vooral de laatste halve eeuw, is Baskenland een etnische mengelmoes geworden waar je de 'echte' Basken nog hooguit kunt herkennen aan hun Baskische achternaam. Het Baskische nationalisme vertoont dan ook trekken van een wanhoopsbeweging: te laat, te zwak, dromend van een land dat nooit bestaan heeft en vermoedelijk ook nooit kan en zal bestaan.

Dat neemt niet weg dat ook de Spaanse natie een probleem heeft. De ETA maakte de laatste decennia van de twintigste eeuw, na de Noord-Ierse IRA, de meeste terreurslachtoffers van Europa: ongeveer achthonderd. (Ter vergelijking: de Italiaanse Rode Brigades doodden in de jaren zeventig ongeveer vierhonderd mensen, de Duitse Rote Armee Fraktion achtentwintig.) Bovendien verkeert de groep niet in een isolement, de achterban is aanzienlijk, en zelfs de geweldloze nationalisten liften, als dat zo uitkomt, graag mee op de 'successen' van de ETA.

Dat levert een pijnlijke, zeer gecompliceerde situatie op, die geen enkele regering blijvend kan negeren. Iedere democratische staat heeft een legitimatievraagstuk als op een deel van zijn grondgebied zo'n felle afscheidingsbeweging actief is. Iedere verstandige regering doet daarom haar uiterste best om dit soort kwesties op de lange duur via onderhandelingen af te wikkelen. Dat deed Charles de Gaulle met de terroristen van de oas en de Britten deden dat met de ira. Vrede sluiten doe je niet met mensen die je aardig vindt, maar met je vijanden.

Spanje wijkt van die regel af. Het wil een moderne, krachtige natie zijn, het kent sterke autonome regio's, maar ten diepste lijkt de mentaliteit nog altijd feodaal. Lijkt, want het kan ook zijn dat die ogenschijnlijke hardheid voortkomt uit angst, uit het gevoel dat het land uiteen zal vallen als de laatste verbanden verdwijnen. Op een bepaalde manier is hier het proces van natievorming, dat alle Europese landen vroeger of later hebben doorgemaakt, nooit voltooid. Madrid is Madrid, Catalonië is Catalonië, en Baskenland is Baskenland. Iedere volwassen democratie met zo'n probleem zou een eta-bestand en alle discussies binnen het nationalistische kamp niet nuffig hebben genegeerd, maar juist tot het uiterste hebben benut om althans de mogelijkheden voor een overeenkomst af te tasten, officieel, officieus, wat maar het beste past. Madrid kwam ten aanzien van het Baskische vraagstuk de laatste jaren niet verder dan één, vruchteloze, bijeenkomst, in diezelfde maand mei 1999.[7]

De houding van de Spaanse regering doet denken aan de reactie van mannen, die bij een relatieprobleem tegen hun schreeuwende en depressieve vrouw roepen: schat, er is niets aan de hand, waar maak je je druk over, wij hebben een uitstekende verhouding! En inderdaad: de Spanjaarden waarderen de Basken van oudsher hogelijk, als loyale en harde werkers, oerdegelijke bestuurders, geliefde heiligen en excellente koks.

Aan de Baskische kant ligt de relatie gecompliceerder. Toen de Basken in 1978 moesten instemmen met de nieuwe Spaanse grondwet bleef, na een boycotcampagne van de nationalisten, 40 procent van de bevolking thuis. 11 procent stemde tegen. Een jaar later werd het 'Statuut van Guernica', waarin de Baskische autonomie was vastgelegd, bij referendum wel weer door een grote meerderheid van de Basken omhelsd. Toch kunnen het statuut en de grondwet niet los van elkaar worden gezien, beide maken deel uit van hetzelfde staatsrechtelijke bouwwerk. Diezelfde innerlijke verwarring is zichtbaar bij de eta. Er worden zo langzamerhand bijna meer aanslagen in Baskenland en tegen Basken gepleegd dan tegen Spaanse doelen. Sommige auteurs komen dan ook tot de conclusie dat het Baskische conflict in wezen niet gaat tussen Spanje en Baskenland, maar tussen de Basken onderling, en wel om de vraag: tot welk vaderland behoren wij eigenlijk?

'Basken roepen in Spanje een diep gevoel van onveiligheid op,' meent Mark Kurlansky, de Amerikaanse auteur van *De wereldgeschiedenis volgens de Basken*. 'De in Spanje rechtsgeldige beschuldiging dat Basken het land hebben "beledigd" is een symptoom van dat gevoel.' Sterker nog: het lijkt wel of bepaalde regeringskringen het wel prima vinden, dit spel van terreur en contra-terreur, van bommen, liquidaties, repressie en rechteloosheid. Zoals een van de regeringsadviseurs openlijk zei: 'Deze aanslagen stellen ons in staat om de rol van slachtoffers te spelen. Slachtoffer! Wij zijn aan de macht en toch lijken we tegelijk slachtoffer te zijn. Dat is in de politiek zeker geen slechte positie.'

Spanjaarden zijn, in hun trots, bijzonder behendig met de doofpot. Een sterk staaltje is de misleidingscampagne die generaties lang werd gevoerd ten aanzien van Guernica. Na het bombardement werden alle sporen van bomkraters zo snel mogelijk weggewerkt om de suggestie te wekken van brandstichting. In het museum van Guernica hangt de Franco-gezinde *Heraldo de Aragón* van 30 april 1937: 'Na hevige gevechten veroverden onze troepen Guernica, waar onze soldaten met verontwaardiging waarnamen hoe hele wijken vernietigd waren door de roden.' De *Diario de Burgos* van 4 mei 1937 kopte: 'De verschrikking van Guernica, het werk van rode brandstichters.' Toen eind jaren zestig ergens in de modder een Duitse vliegtuigbom gevonden werd, zetten militairen het gebied razendsnel af, en van die bom hoorde men nooit meer iets. Die bom mocht er niet zijn.

'Mijn moeder kwam vlak na het bombardement een Franco-officier tegen,' vertelde Asunción Garmendia me. '"Wie vernietigde Guernica?" dreigde hij. Ze deed alsof ze niets gezien had. "De roden, dat weet je, de roden!"' Ze zweeg. Ze zou de sleutel van hun kapotgebombardeerde huis in haar schortzak dragen tot haar dood.

Asunción is tegenwoordig een beroepsoverlevende van het bombardement. Ze hoort bij de Baskisch-nationalistische groep van slachtoffers, en dat is andere koek dan de Guernica-slachtoffers van die slappe Eurovredesgroep op het plein. Dat moet eerst even duidelijk gesteld worden. Ze is een kleine grijze dame, maar op die 26ste april van 1937 was ze een mooie meid van zeventien. 'Ik werkte in de wapenfabriek,' vertelt ze. 'We maakten bommen, halvemaantjes noemden we die dingen, net grote wafels waren het. Het was maandag, marktdag. Er waren wachtposten op de bergen en als die vliegtuigen zagen, vlagden ze naar een wachtpost op de kerktoren. Die begon dan de klok te luiden, en dan namen de fabriekssirenes dat over. Zo werkte hier het luchtalarm. Maar die middag gingen ze opeens tekeer, nou, en direct komt er al zo'n groot vliegtuig aan, trong, trong, trong, en die gooit één bom. Onze baas zegt: "Gauw de schuilkelder in, dit is goed mis." En zo zaten we daar, vier uur lang. De hele tijd hoorde je wooems, wooems, er drong rook de kelder in, de mensen huilden en baden, en ik dacht alleen maar: wat moet ik straks doen, waar is mijn familie?

Uiteindelijk kwam er een man naar binnen, die zei: "Jullie kunnen eruit. Maar Guernica is verdwenen, er is geen Guernica meer." We gingen naar buiten, en daar zag je een hand, daar een voet, daar een hoofd. En de hele stad was rood. Alles was alleen maar stil en rood, rood als dit.' Ze wijst op een colablikje.

's Avonds zitten we op het terras van café Arrien: Monica, een Baskische schrijver en ik. Het is warm, de bomen staan in bloei en bij de fontein wemelt het van de kleine kinderen die rennen, dollen en rondedansjes maken. Daarachter ligt het nieuwe centrum van Guernica, gebouwen in een pseudo-antieke stijl, rond 1950 neergezet door gevangenen uit de burgeroorlog.

We praten over de 'samenleving van zwijgen', de manier waarop Spanje probeert met het verleden om te gaan. 'Mijn vader vertelde later alleen over de honger,' zegt Monica. 'Nooit over de oorlog. Bijna alle goede boeken over Franco en de burgeroorlog zijn door buitenlanders geschreven. Het blijft taboe.'

'Hier heb je twee soorten stilte binnen een huwelijk: echtelieden die weigeren om hun eigen taal te spreken, en mensen die weigeren om over de oorlog te praten,' zegt de schrijver. 'Mijn ouders hoorden tot beide categorieën. Mijn vader was een linkse politieke gevangene, een arbeider uit het zuiden die hier in ballingschap verzeild was geraakt. Mijn moeder was een echte Baskische, zwaar katholiek. Eén keer hebben ze er een enorme ruzie over gemaakt, op een kerstavond. "Jullie communisten en anarchisten, jullie vermoordden onze priesters en verkrachtten onze nonnen!" schreeuwde mijn moeder. "Niet genoeg!" schreeuwde mijn vader terug. "Nog lang niet genoeg!" Dat was de enige keer.'

Aan de overkant stroomt de plaatselijke jeugd het jongerencafé binnen. Aan de muur hangen foto's van Cubaanse, Ierse en Palestijnse helden. Dit is het miniwereldje van de ultranationalisten, het gesloten circuit waarin ongeveer 15 procent van de Basken leeft, het hart van de eigen partij, de eigen vakbond, de eigen sport-, taal-, geschiedenis- en kookclub, de eigen krant, de eigen feesten. Iedere Spaanse bestuurder heet hier een 'fascist', iedere gematigde journalist een 'collaborateur'. Overal in de stad zie je hun leuzen: 'Model A is genocide voor de Baskische taal!' En: 'Maak dat je wegkomt!'

'Houdt het nooit op bij jullie?' vraag ik.

'De ETA is voorlopig gestopt,' zegt de schrijver. 'Dat is geen stunt, daar zijn eindeloze discussies aan voorafgegaan. De weg van geweld leidde nergens meer toe.' We praten over de IRA die nu de politieke weg bewandelt, en over de ETA die dat ook probeert, maar die veel ongedisciplineerder is. De politieke achterban van de ETA bestaat grotendeels uit jongeren tussen de achttien en vijfentwintig; voor de meeste Basken boven de dertig speelt het probleem van de Baskische zelfbeschikking geen centrale rol in het leven. Mijn gezelschap vindt dat de ETA nauwelijks meer strategisch denkt, en langzamerhand alleen maar aanslagen pleegt om het eigen, geïsoleerde wereldje in stand te houden. 'Neem die executie in juli 1997 van Miguel Ángel Blanco, dat gemeenteraadslid,' zegt de schrijver. 'Dat was een gewone jongen als iedereen. Je ziet hoe de beweging moreel vergiftigd is. Bij iedere aanslag gaat het verder. De aanslag op het Guggenheimmuseum, een Baskische instelling, een Baskische agent die erbij omkomt. Dat we zover zijn gekomen.'

De schrijver weet veel meer, dat is duidelijk, maar op een zeker punt aangekomen zwijgt men liever bij Arrien.

Een halfjaar later zouden de aanslagen opnieuw beginnen. Een volgende generatie was aangetreden.[8]

6

Sinds 29 september 1938 draaien discussies over oorlog en vrede in Europa altijd om dezelfde angstige vraag: wordt dit een Sarajevo of een München? Anders gezegd: kan met veel diplomatie een wankele balans behouden blijven, of moet hier het kwaad met harde hand worden gestuit? We weten dat er in beide gevallen een oorlog uit is voortgevloeid, we weten dat daarna alles is misgelopen, maar telkens keren we weer terug naar deze twee steden, deze tegenstrijdige ijkpunten van de twintigste eeuw.

In het Londense Imperial War Museum ligt in een onopvallende vitrine vliegbiljet nummer 18249, de ticket van British Airways waarmee de Britse premier Neville Chamberlain op de ochtend van 29 september 1938 naar München vertrok. Hitler had met oorlog gedreigd omwille van de 'onderdrukte' Sudetenduitsers, Mussolini had een conferentie georganiseerd, Groot-Brittannië en Frankrijk wilden van Hitler de garantie van vaste grenzen, de Tsjechoslowaakse delegatie zat in een zijkamer te wachten op de afloop. Onder zware geallieerde pressie offerde de Tsjechoslowaakse president Edvars Beneš uiteindelijk een deel van zijn land op, omwille van de vrede. De rest zou spoedig volgen. In diezelfde vitrine ligt het beroemde papier waarmee Chamberlain zwaaiend weer thuiskwam: 'Peace for our time!' Voor het eerst lees ik hier de slappe zinnen van het akkoord: 'de wens om nooit meer tegen elkaar ten oorlog te gaan', 'deze methode van consultatie wordt de wijze waarop we voortaan met problemen zullen omgaan'.

Sudetenland werd door Duitsland geannexeerd, er was geen enkele Duitse garantie gegeven voor de onafhankelijkheid van de rest van Tsjechoslowakije, maar West-Europa bejubelde de vrede. De Franse premier Édouard Daladier meende bij zijn terugkeer dat het publiek naar het vliegveld was gekomen om hem uit te fluiten. Hij was verbijsterd toen hij het gejuich hoorde – 'Die mensen zijn gek,' zei hij tegen zijn adjudant. Maar zo was het niet. Ze waren goedgelovig, zoals zoveel Europeanen.

München was een klassiek geval van het winnen van de vorige oorlog. Bijna iedereen meende oprecht dat een nieuw Sarajevo was voorkomen. In het Britse Lagerhuis was Harold Nicolson een van de zeer weinigen die Chamberlains politiek openlijk afkeurde. Chamberlain en Daladier kenden hun kiezers uitstekend. De Britten en Fransen kon je in september 1938 met geen stok een oorlog indrijven vanwege zo'n onbenullig stukje Sudetenland. Alle vaders hadden in de Eerste Wereldoorlog gevochten en die wisten genoeg.

MÜNCHEN

De overeenkomst van München is de geschiedenis ingegaan als een schoolvoorbeeld van slapte en verraad. De enige held was Churchill, die fel en tevergeefs protesteerde. Toch had Chamberlain niet helemaal ongelijk. Er bestonden vanuit de Britse optiek wel degelijk goede redenen om tot iedere prijs met Hitler tot een akkoord te komen.

In de zomer van 1938 verwachtten de meeste politici niet dat er snel een oorlog tussen Duitsland en Groot-Brittannië zou uitbreken. Hitlers expansiedrift richtte zich ogenschijnlijk vooral op Midden- en Oost-Europa, en de Britten wilden dat graag zo houden. Ze hadden daar ook alle belang bij. Chamberlain wist immers, beter dan wie ook, dat het Britse rijk alle reserves had uitgeput tussen 1914 en 1918. Engeland – en dat gold ook voor Frankrijk – was zowel economisch als militair absoluut niet klaar voor een nieuwe oorlog. Mede dankzij 'de schande' van München kreeg het Verenigd Koninkrijk voldoende respijt om leger en marine daarop voor te bereiden. Ook Frankrijk gebruikte dit uitstel onmiddellijk: direct na het sluiten van het verdrag, in oktober 1938, werden onderhandelingen geopend met de Verenigde Staten over grootscheepse wapenleveranties.

Zonder München zouden de Spitfires nooit op tijd van de band zijn gerold om de Slag om Engeland te winnen, zonder München zou ook de Amerikaanse oorlogsindustrie in 1941 nooit klaar zijn geweest om de geallieerden met alle kracht te steunen. De Amerikaanse historicus John Lukacs trok dan ook, na meer dan een halve eeuw, de nuchtere conclusie: 'Churchill had het mis. Het zou rampzalig zijn uitgepakt als de westerse democratieën in oktober 1938 ten strijde zouden zijn getrokken. Hij mag in moreel opzicht gelijk hebben gehad, praktisch gezien zat hij ernaast.'

München was de grootste triomf van de 'appeasers' – zoals Chamberlains medestanders werden aangeduid. Tegelijk was het hun einde. Het akkoord bracht Hitler in de waan dat zijn vredesagressie door het Westen niet gestuit zou worden. In werkelijkheid gebeurde het omgekeerde: na het fiasco van München zag het Westen geen heil meer in onderhandelen. Er werd een nieuwe toon gezet. Groot-Brittannië had, in de woorden van Winston Churchill, de keuze gehad tussen 'schande of oorlog'. 'Dit is enkel de eerste teug, de eerste voorsmaak uit de bittere beker die ons jaar na jaar zal worden voorgezet. [...] We kozen voor de schande, en we zullen de oorlog krijgen.'

In de zijkamers van München werd ook het lot van de Spaanse Republiek besproken. De grote mogendheden waren de oorlog zat. Mussolini zei letterlijk tegen Chamberlain dat hij genoeg had van Spanje, dat hij er tienduizenden mannen had verloren en dat Franco zo langzamerhand te veel kansen had verprutst. Chamberlain wilde zijn 'Tsjechoslowaakse oplossing' ook op Spanje toepassen. Stalin had minder illusies. Voor hem betekende de overeenkomst van München niets anders dan de capitulatie van de oude democratieën voor Hitler. Daarom begon hij vanaf oktober 1938 een andere koers te varen om een oorlog te voorkomen: vriendschap met Hitler. Die nieuwe lijn had onmiddellijk effect op de Spaanse oorlog. De sovjetwapenleveranties verminderden, totdat ze uiteindelijk helemaal stopten. De Internationale Brigades werden teruggetrokken.

De republiek liet de buitenlandse vrijwilligers zonder veel problemen gaan. Ze hadden hun propagandistische effect gehad, de meest geharde strijders waren gesneuveld of gevlucht, zelfs het Abraham Lincolnbataljon van Milton Wolff bestond uiteindelijk voor driekwart uit Spanjaarden. Op 15 november 1938 hielden de buitenlandse vrijwilligers in Barcelona een afscheidsparade. De menigte juichte, er werden bloemen geworpen, tranen vloeiden. Dolores Ibárruri, beter bekend als La Pasionaria, sprak de vrouwen van Barcelona toe: 'Moeders! Vrouwen! Als de jaren voorbij-

gaan en de wonden van de oorlog zijn geheeld; als de duistere herinnering aan de smartelijke, bloedige dagen verandert in een heden van vrijheid, liefde en welvaren; als de gevoelens van haat
zijn uitgedoofd, en als de trots op een vrij land gelijkelijk wordt
gevoeld door alle Spanjaarden, spreek dan tot je kinderen. Vertel
hun over de Internationale Brigades!'

De jaren van oorlog gingen niet voorbij. Medio januari 1939 hadden bijna vijfduizend vrijwilligers uit negenentwintig landen
Spanje verlaten. De overige zesduizend – Duitsers, Joegoslaven,
Tsjechen, Hongaren – bleven. Ze konden niet terug naar huis, ze
konden geen kant op. Ze gingen ten onder met Catalonië, en ten
slotte met de republiek. Eind januari viel Barcelona, eind maart
Valencia. Toen was het voorbij.

Tsjechoslowakije is het bekende slachtoffer van de 'appeasers',
Spanje het onbekende. De Spaanse Burgeroorlog was beslist op
het moment dat de democratische landen hun handen ervan af-
trokken en een wapenembargo instelden. De oorlog zou ook niet
gewonnen zijn als de rode revolutie was geslaagd, zoals anarchisten en trotskisten later wel beweerden. Franco beschikte al
snel over een professioneel leger en de modernste wapens, en dat
compenseer je niet met manifesten en genationaliseerde fabrieken. De steun vanuit Duitsland en Italië voor Franco was concreet
en direct, die vanuit de democratische landen voor de republiek
was ambivalent of afwezig, die vanuit de Sovjet-Unie vol opportunisme.

Zoals de Vietnamoorlog de mentaliteit van de jeugd van de jaren zestig zou bepalen, zo bleef de Spaanse Burgeroorlog het ijk-
punt voor de politiek bewuste jeugd van de jaren dertig. Over de
Sovjet-Unie mocht je denken wat je wilde, maar toen het erop
aankwam, zo ging het gezegde, hadden de sovjets in Spanje aan
de goede kant gestaan. Ook dat bleek, achteraf, grotendeels
schijn. Stalin handelde voornamelijk uit machtspolitieke overwegingen, enkel gericht op de invloed van de Sovjet-Unie in Europa. Een slimme tsaar zou, als hij de kans had gehad, niet anders
hebben geopereerd.

Na de ontsluiting van de Russische militaire archieven, in de
jaren negentig, kwam een vloed aan bewijzen te voorschijn over
het dubbele spel van de communisten in Moskou. Niets van de
communistische 'hulp' bleek te zijn geschonken. Alle sovjetwa-

pens waren met harde valuta betaald, de prijzen werden tot ongekende hoogte opgeschroefd, en uiteindelijk wist Stalin zo een
aanzienlijk deel van de republikeinse goudreserves in handen te
krijgen. Een Maksim-machinegeweer kostte de republiek het
dubbele van de marktprijs, op twee vliegtuigen werd zelfs een
winst van meer dan vijftig miljoen dollar gemaakt.

Bovendien dwong Stalin, in ruil voor deze hulp, de republiek
steeds meer in het model van een satellietstaat, een soort DDR
avant la lettre. Het moreel van de republikeinen werd daardoor op
den duur zwaar ondermijnd. Anarchisten werden in de eerste
rapporten direct al beschreven als 'pionnen van het fascisme',
'provocateurs' op wie het 'revolutionaire recht' moest worden toegepast. Vervolgens doken overal in het leger en het bestuur Com-
intern-agenten en -commissarissen op, die andersdenkenden in-
timideerden, arresteerden en liquideerden. Lees de snauwerige
toon van een instructie uit het verre Moskou aan José Díaz, voorzitter van de Spaanse communistische partij, gedateerd 24 juli
1936, vlak na Franco's staatsgreep. 'Diaz. Uw informatie is onvoldoende: het is niet concreet, maar sentimenteel. Opnieuw vragen we u ons serieus en effectief nieuws te sturen. We bevelen u
dringend aan et cetera.'

Het ging niet, zo blijkt uit deze recent vrijgegeven documenten, om de vraag wat prioriteit had: oorlog of revolutie. De sovjet-
communisten wilden helemaal geen revolutie: die anarchistische
neigingen moesten tot elke prijs worden onderdrukt. Aanvankelijk werden de militaire tegenslagen van de republiek nog toegeschreven aan slechte training en onvoldoende bewapening, later
vervielen de geheime rapporten tot pure paranoia, panklare documenten voor de Moskouse showprocessen die tegelijkertijd in de
mode raakten. Neem generaal Karol Swierczewski, de Poolse commandant van de 35ste Brigade, die op 2 augustus 1938 melding
maakte van meer dan dertig gevallen van 'sabotage', 'terrorisme',
'vernieling' en 'verraad' door 'fascistische agenten'. Toeval bestond voor hem niet: een officier die zijn eenheid naar het front
stuurde zonder patronen voor het machinegeweer was geen gewone stommeling, nee, hij vormde een onderdeel van een enorme
samenzwering. Als de Poolse communist een onjuist telegram
kreeg was dat niet een onnozele fout, nee, het was een bewust
plan om hem 'te misleiden'.

Uiteindelijk slokte de Comintern haar eigen kinderen op. Aan het eind van de burgeroorlog waren bijna alle belangrijke adviseurs en commissarissen van Moskou niet meer in leven. Geen van hen sneuvelde aan het front. Ze waren één voor één teruggeroepen, veroordeeld in showprocessen of vermoord bij een van de talloze politieke intriges binnen de internationale communistische gemeenschap.

Spanje werd weer een vergeten uithoek. Na de overwinning brachten de nationalisten nog zo'n honderdduizend politieke tegenstanders om, maar daar kraaide geen haan naar. Nog altijd ligt het land bezaaid met hun vergeten graven. Er werd een slavenleger gevormd van zeker vierhonderdduizend dwangarbeiders, dat tot ver in de jaren zestig ingezet werd bij de bouw van wegen, stuwdammen en luxe villawijken. Minstens dertigduizend kinderen verdwenen. Ze werden bij hun 'rode' ouders weggehaald, in weeshuizen geplaatst, geadopteerd door politiek correcte families. De meisjes kwamen meestal in een klooster terecht, ze kregen een andere naam en werden zo vaak overgeplaatst dat ze nooit meer terug te vinden waren.[9] Europa richtte zich op andere zaken.

De Spaanse bourgeoisie en de oude feodale machthebbers hadden een democratisch gekozen regering om zeep geholpen. Daarna hadden ze een massale volksopstand weten te onderdrukken. Bovendien was een gelijktijdige revolutie door de anarchisten opgeblazen en door de bolsjewieken verraden. Voor twee, drie generaties was een vrij Spanje een illusie. Dat was de simpele waarheid aan het einde van de burgeroorlog.

De grote denkers en redenaars van links en rechts waren afgemaakt of in ballingschap gegaan: Andrés Nin, José Antonio Primo de Rivera, La Pasionaria, Gil Robles, José Calvo Sotelo. De hele oorlog kostte naar schatting een half miljoen levens. Tweehonderdduizend Spanjaarden stierven op het slagveld, dertigduizend kwamen om van de honger, de rest werd vermoord. Nu kwamen de lange, dorre jaren van de statistieken, de gebeden en het zwijgen.

VI

Juni

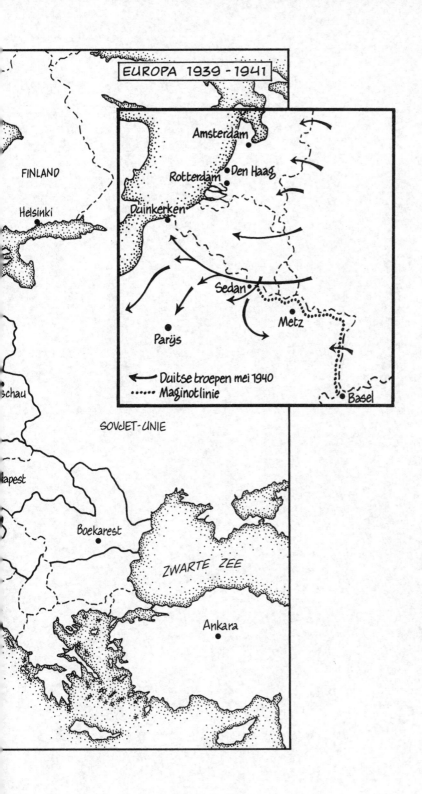

EUROPA 1939 - 1941

FINLAND

Helsinki

Amsterdam

Rotterdam • Den Haag

Duinkerken

Sedan

Metz

Parijs

⟵ Duitse troepen mei 1940
••••• Maginotlinie

Basel

schau

SOVJET-UNIE

lapest

Boekarest

ZWARTE ZEE

Ankara

1

'Ik ben de zoon van Ernst von Weizsäcker. Mijn vader was ambtenaar op het ministerie van Buitenlandse Zaken, later staatssecretaris en ambassadeur. Hij was de drijvende kracht achter de Overeenkomst van München. Toen Hitler aan de macht kwam, was ik nog geen dertien jaar oud.

Het is moeilijk om een onderscheid te maken tussen alles wat er later over deze periode is gezegd en geschreven, en alles wat je je zelf nog voor de geest kunt halen. Wat ik me duidelijk herinner, is het standpunt van mijn vader in die beginjaren. Hij vond, zoals vrijwel iedereen op Buitenlandse Zaken, de nazi's gevaarlijke dilettanten. Herziening van het Verdrag van Versailles, maar onder alle omstandigheden met vreedzame middelen, dat was de politieke lijn van de hele Duitse diplomatie in die jaren. Bijna alle diplomaten gruwden van het amateurisme van de nazi's. Met hun agressieve gedrag dreigden ze immers iedere mogelijkheid tot een vreedzame herziening van Versailles de grond in te boren.

Dat was het grote probleem van mijn vader en zijn collega's, toen. Voor de gevaren en de verderfelijke moraal van het nationaal-socialisme in zijn algemeenheid hadden ze nog niet veel oog. Ze hadden er ook geen voorstelling van, het paste totaal niet in hun denkwereld.

Ik herinner me heel goed die mooie, zomerse junidagen van 1934, dat beruchte weekend van "de lange messen". Toen werd voor het eerst zonneklaar dat het nieuwe Duitse regime zich, als het zo uitkwam, niets van de rechtsstaat aantrok. Mijn vader werkte op dat moment in Bern, ik was blijkbaar dat weekend bij hem, want ik weet nog hoe hij me opdroeg om naar de radio te luisteren: "Richard, meld me direct alle nieuws uit Duitsland!" Als ik aan die dagen denk, voel ik nog altijd de diepe verontrusting die me toen overviel.

Ik kom uit een beschaafde, degelijke Duitse familie. Rijk waren we die eerste jaren zeker niet. De huishouding was sober en bescheiden. Alleen op zondag kregen we boter op ons brood. Toen ik een keer mijn arm gebroken had, kon de familie nauwelijks de dokterskosten betalen.

Mijn moeder was een sociaal bewogen en praktisch aangelegde vrouw. Tijdens de Eerste Wereldoorlog was ze verpleegster en operatiezuster in veldlazaretten. Ze speelde binnen de familie een liefdevolle, centrale rol. We hadden een sterke onderlinge band. Vooral mijn idealistische broer Heinrich stond me zeer na. Er werd veel muziek gemaakt en er ontstond zelfs een trio, met mijn zus piano, Heinrich cello en ik viool. Met Kerstmis voerden mijn ouders met een oud poppentheater hele toneelstukken op. Op zondagmiddag werden er klassieke drama's gelezen, waarbij we elk een rol kregen. Het heeft lang geduurd voordat we vrienden buiten onze familiekring begonnen te maken.

Mijn moeder verzette zich al vroeg tegen de vervolging van bepaalde predikanten, ze was heel fel. Ze kende Martin Niemöller, een voormalige duikbootcommandant die dominee was geworden en die van zijn hart geen moordkuil maakte. Hij had een boek geschreven, *Van de duikboot naar de preekstoel*, maar mijn vader zei altijd: "Dat boek moet heten: 'Met de duikboot op de preekstoel'!" Zo'n man was dat. Al snel werd hij opgepakt. Met een paar anderen heeft mijn moeder zich enorm ingespannen om hem vrij te krijgen. Ik heb in die periode weinig van Duitsland meegemaakt, ik zat meestal in het buitenland, op school. We hadden binnen onze familie wel codes in onze onderlinge brieven: een gedachtestreep aan het eind van een zin bijvoorbeeld betekende dat het tegendeel bedoeld werd van wat er stond.

Mijn vader bleef werken voor de Duitse regering. Hij was ondertussen een belangrijke onderhandelaar geworden. Net zoals Hitler later de generaals liet zien hoever je in de oorlog kon komen als je allerlei klassiek-militaire mores liet vallen, zo blufte Hitler tegenover de diplomaten met zijn buitenlandse politiek. De bezetting van het Rijnland en de aansluiting van Oostenrijk waren typisch politieke successen die behaald waren dankzij Hitlers buitengewone brutaliteit en agressie.

München wordt in dit verband altijd als het grootste voorbeeld genoemd, hoewel Hitler zelf later meermalen verklaarde dat München een van zijn grootste fouten was. Hij had, meende hij achteraf, in de herfst van 1938 alle compromissen opzij moeten schuiven en direct een oorlog moeten beginnen. De andere grootmachten waren daar op dat moment nog helemaal niet op voorbereid, en hij zou een overrompelende voorsprong hebben gehad.[1]

Mijn vader heeft in München achter de schermen alle mogelijke moeite gedaan om een verdrag tot stand te brengen dat de vrede zou bewaren. Hij had intensief contact met de Britse en Italiaanse ambassadeurs. Uiteindelijk wisten ze Mussolini een compromisvoorstel toe te spelen, en dat werd tijdens de topontmoeting tussen Hitler, Daladier en Chamberlain de basis van de Overeenkomst van München. Joachim von Ribbentrop, voormalig champagnehandelaar, minister van Buitenlandse Zaken en chef van mijn vader, was woedend. Het had zich allemaal achter zijn rug afgespeeld. In de ogen van mijn vader was de uitspraak van Chamberlain, "Peace for our time!", volkomen legitiem. Later zou hij zeggen: "München was de laatste gelukkige dag van mijn leven."

Toen kwam de Duitse intocht in Tsjechoslowakije, ondanks alle toezeggingen in München. Daarna zijn er nog voor de allerlaatste keer uitgebreide onderhandelingen geweest om een oorlog vanwege Polen te voorkomen, maar toen voorvoelde mijn vader al dat hij had gefaald. Hij ondernam in die tijd allerlei stappen die, als ze bekend geworden waren, hem ongetwijfeld wegens landverraad voor de rechter hadden gebracht. Diverse malen zei hij bijvoorbeeld tegen bevriende buitenlandse diplomaten: "Jullie moeten nú optreden. Jullie moeten Hitler de illusie ontnemen dat hij altijd maar verder kan gaan zonder dat de rest van de wereld reageert. Jullie moeten een generaal naar Duitsland sturen, en die op de tafel laten slaan dat het nu afgelopen is." En werkelijk, het was begin september 1939 voor Hitler en Ribbentrop een verrassing dat de Britten Duitsland écht de oorlog verklaarden.

Daarom was de beschuldiging, later in Neurenberg, dat hij meegedaan zou hebben aan de voorbereiding van een aanvalsoorlog, een volledige omkering van de werkelijke gang van zaken. Hij, en nog een paar collega's, hebben werkelijk alles geprobeerd om een oorlog te vermijden.

Waarom hij daarna toch nog jarenlang voor het nazi-regime bleef werken? Tja... weet u, de ontwikkeling van je eigen bewustzijn gaat altijd verder. Er is ondertussen zoveel over geschreven.

Mijn vader was een hoge ambtenaar, hij moet veel gehoord hebben. En al waren zijn informatievoorziening en zijn voorstellingsvermogen niet in staat om zoiets als de holocaust te bevatten, als je de documenten leest die toen door hem gezien en ondertekend zijn, dan moet hij toch genoeg geweten hebben om zijn eigen beslissingen te kunnen nemen. Hij heeft – dat is aangetoond – een groot aantal mensen gered en hij moet zeker geweten hebben van de misdaden tegen de joden. Maar toen in 1945 de complete en verschrikkelijke waarheid over Auschwitz bekend werd, toen was hij daar net zo ontdaan over als ik, jong militair. Hij heeft de volle omvang van de holocaust werkelijk niet geweten, daar ben ik van overtuigd.

De enige reden waarom hij bleef zitten, was, denk ik, de hoop dat hij op een bepaald moment een gunstige invloed kon uitoefenen op de buitenlandse politiek. Eerst hoopte hij zo het uitbreken van de oorlog te kunnen voorkomen, later dacht hij de aanval op de Sovjet-Unie te kunnen verhinderen. De meeste historici hebben dat later ook bevestigd: eentje schreef zelfs dat mijn vader "met gepaste verbetenheid en sluwheid" had geprobeerd de oorlog te voorkomen.

Ik heb me zeer verdiept in die tijd, maar je zult nooit alles weten. Eén ding weet ik wel: ik heb mijn vader vrij goed gekend zoals hij wezenlijk was. En ik weet ook dat die diepste kern van hem, daar in Neurenberg, onrecht is aangedaan.

Wat mezelf betreft, in 1938 ging ik naar Potsdam om mijn militaire dienst te vervullen. Ik was toen achttien. Het ging er – ik zat in een mitrailleurcompagnie van het Negende Infanterieregiment – ouderwets Pruisisch toe, maar niet nationaal-socialistisch. De nazi's waren een heel ander soort mensen. Net als tussen de diplomaten en de nazi's bestonden er ook tussen de Wehrmacht en de nazi's grote spanningen. De meeste officieren waren blij dat er weer een sterk Duits leger werd opgebouwd, maar ze beschouwden de nazi's als doorgedraaide parvenu's.

Mijn broer Heinrich was ondertussen luitenant geworden in hetzelfde regiment. Hij had eigenlijk middeleeuwse geschiedenis willen studeren. Die studie was door de nazi's al gepolitiseerd, en daar moest hij niets van hebben. Het regiment was voor hem een soort geestelijk eiland, een vorm van innerlijke emigratie, zou je kunnen zeggen. En zo waren er meer voor wie de Wehrmacht, vreemd genoeg, een soort toevluchtsoord was.

Hadden we twijfel over wat we deden? Er werd hier en daar binnen de Wehrmacht wel gepraat, maar veel kwam dat niet voor. Tijdens mijn rekrutentijd had ik het met mijn kameraden in de kazerne nooit over de dingen die ik thuis hoorde. Wel was er forse kritiek op het grove optreden van de SA en de SS. Bij Pruisen hoorde immers wel een rechtsstaat. U moet begrijpen: we waren nog heel jong, we leefden die jaren in een mengeling van zorgeloosheid en dodelijke ernst. Pas langzamerhand drong het tot ons door dat we ook op ethisch terrein in een veldslag waren beland, een moreel dilemma waar we moeilijk vat op konden krijgen. In 1941 werden we bijvoorbeeld door de legerleiding zo ver richting Moskou gecommandeerd dat we daar uiteindelijk midden in december zonder winteruitrusting bevroren en vastliepen. We kregen bevelen van hogerhand om stellingen te verdedigen waarvan ieder normaal mens kon zien dat ze onhoudbaar waren. Konden we die bevelen nog wel doorgeven aan de mensen voor wie we verantwoordelijk waren? En al wisten we niet zoveel van alle gepleegde misdaden, één ding was inmiddels wel duidelijk: door onze plicht te vervullen werden we zelf een instrument van het kwaad. In die situatie kwamen we uiteindelijk terecht.

Later, in oktober 1942, zag mijn vriend Axel von dem Bussche[2] met eigen ogen hoe, ver achter het front, weerloze joden massaal werden doodgeschoten. Toen hij terugkwam in het regiment, vertelde hij me daarover. Langzaam groeide bij hem het besluit om een aanslag op Hitler te plegen en daarvoor zo nodig zijn leven op te offeren. Via andere vrienden kwamen we in contact met graaf Claus von Stauffenberg. Die bedacht dat zich in december 1943 een uitstekende gelegenheid voordeed bij de presentatie van de nieuwe uniformen van de Wehrmacht in Berlijn. Axel Bussche zou daarbij, als jonge, zwaar gedecoreerde officier, Hitler het nieuwe uniform aanbieden en vervolgens zou hij zichzelf dan samen met de Führer opblazen. Ik regelde de reispapieren en de communicatie met graaf Stauffenberg. Maar vierentwintig uur voordat de presentatie zou plaatsvinden kwam er een Britse luchtaanval, de nieuwe uniformen gingen verloren en de hele zaak werd afgeblazen. Het is, eerlijk gezegd, een wonder dat de Gestapo nooit lucht heeft gekregen van deze eerste geplande aanslag van de groep Stauffenberg.

Maar goed, in 1939 waren we nog niet zover. Vlak voor de oorlog uitbrak, zat ik thuis om te herstellen van een operatie. Opeens werd ik door mijn onderdeel opgeroepen, ik moest direct komen. En zo marcheerden Heinrich en ik, drie dagen voordat het allemaal zou beginnen, van de kazerne naar het station. De sfeer was totaal anders dan in de verhalen die je altijd hoorde over het uitbreken van de Eerste Wereldoorlog. Er was geen spoor van openlijke geestdrift. Nu ging het allemaal heel geheimzinnig, bedrukt, letterlijk bij "Nacht und Nebel". We werden vlak bij Polen uitgeladen, en op die 1ste september van 1939 werden we 's morgens vroeg over de grens losgelaten.

Ik besefte nauwelijks wat voor land ik binnentrok. In de kranten had ik gelezen dat er grote minderhedenproblemen waren, over en weer, en dat er conflicten waren over Danzig. Dat was het. In mijn latere bestaan, als politicus en Bondspresident, zou het herstel van de relatie tussen Duitsland en Polen, naast uiteraard de voortdurende zorg over de DDR, mijn belangrijkste politieke thema worden. Als soldaat deed het me allemaal weinig.

Ik herinner me niets van een grenspaal of zoiets. Ik weet nog wel dat er een stille, bedrukte stemming hing. Dat gevoel raakte ik pas kwijt op de avond van de tweede dag, toen ik de scherpe knallen van geweervuur hoorde, en we voor het eerst op Poolse soldaten stuitten. Het was in de buurt van de spoordijk van Klonowo, op de Tucheler Heide, in een bos. Een paar honderd meter bij me vandaan stond Heinrich. Hij was de eerste officier van ons regiment die omkwam.

De volgende ochtend begroeven we hem met de andere gesneuvelden aan de rand van dat bos. Ik heb die hele nacht bij hem gewaakt, bij mijn geliefde broer.

Mijn moeder schreef: "Kan God toestaan dat één man die catastrofe over Duitsland en heel Europa afroept? En onze zonen? Ik ben niet bereid er één voor deze oorlog op te offeren. Onze familiekring, de eindeloze weelde van onze kinderen, onze hele trots – ik weet nog van de vorige oorlog wat dat betekent: verdwenen. Dan gaat het leven verder en wat van ons was komt nooit, nooit meer terug. Er komen nieuwe mensen die degenen op wie wij trots waren, niet hebben gekend."

Dat schreef ze twee dagen voor zijn dood.'

2

Een vredig landschap verandert in een slagveld, en even later lijkt het weer alsof er niets is gebeurd. Ik rijd over de N43 van Sedan naar de zee, door zachtglooiende koolzaadvelden, door kleine dorpen, huis na huis verstopt achter diepe, weelderige voortuinen. De kastanjes bloeien, de koeien staan tot hun buik in de boterbloemen. Ergens bij Luxemburg is deze weg ontsprongen als een smal riviertje, en nu kronkelt hij door landerijen en bedeesde Maigret-stadjes: een kruispunt, een hôtel de ville, een gare, drie cafés, een hotel bij het station, een bakkerij. De huizen dateren uit de schimmige bouwperiode tussen 1880 en 1920. Ze zijn beroet en verweerd, ze hebben heel Europa voorbij zien komen.

Om acht uur stop ik in Longuyon. De straten liggen vol plassen, de bomen druppen nog van de voorjaarsregen. Zwaluwen gieren over de daken, tussen de huizen koeren de duiven, een heldere klokslag, éénmaal. Een late visser loopt over het grind aan de rivieroever. In de moestuinen geurt de aarde, de bonen komen al flink op. Uit het café komt bulderend gelach.

Wie zou op zo'n avond oorlog willen voeren? 'Waarom sterven voor Danzig?' hadden de Fransen zich in september 1939 afgevraagd, en in de schitterende voorjaarsdagen van 1940 was hun tegenzin nog even groot. Ze twijfelden niet aan de kracht van hun leger, defaitistisch waren ze niet, maar ze waren wel als de dood voor een herhaling van '14-'18. Meer dan twee decennia lang hadden broers, vaders en ooms verteld over de loopgraven en de brandende en donderende slagvelden. Zeven van de tien Franse soldaten hadden Verdun persoonlijk meegemaakt.

La dernière des ders noemden de Fransen de oorlog van '14-'18, de laatste van de laatsten. Ze hoopten in die winter van 1939, toen de oorlog op papier al gaande was maar in werkelijkheid nog niet, op la Marne Blanche, een diplomatieke en platonische herhaling van de vorige oorlog, ditmaal zonder hartstocht of bloed. In Longuyon stond al een oorlogsmonument uit 1919, type 'vallende-soldaat-met-vlag', met vijfhonderd namen – het stadje telde zevenduizend inwoners – en niemand moest eraan denken om er nog één naam aan toe te voegen. Het zouden er uiteindelijk toch honderdvijftig worden.

Vlak bij Longuyon liggen de kille gangen van fort Fermont, dertig meter onder de grond. Het fort was een vitaal onderdeel van de Maginotlinie, de Franse muur van Basel tot voorbij Luxemburg die het land moest beschermen tegen de Hunnen uit het oosten. Je ziet hier de droom van de frontsoldaat uit 1916: een superloopgraaf met slaapkamers, kantines, werkplaatsen, elektrische treintjes, geheime valkuilen, ziekenzalen, bakkerijen en zelfs een bioscoop tegen de claustrofobie. Zo'n zevenhonderd man konden het hier, afgesloten van de buitenwereld, maandenlang volhouden. Op een plank staat een totaal beschimmelde radio, ingepakt in witte vlokken.

Het hele bouwwerk stond in het teken van het winnen van de vorige oorlog. Dat zou je trouwens net zo goed kunnen zeggen van de toenmalige Franse leiders: ook dat waren mannen van gisteren en eergisteren. De Franse opperbevelhebber, generaal Maurice Gamelin – ook wel aangeduid als generaal Gagamelin – was bijna achtenzestig, zijn opvolger, generaal Maxime Weygand, was ver over de zeventig en maarschalk Pétain was op het moment van zijn benoeming tot vice-premier vierentachtig.

Terwijl de jonge stafleden van de Wehrmacht allerlei nieuwe wapensystemen en tactieken ontwikkelden, gebeurde er in Frankrijk niets. Rond 1937 bezat de Luftwaffe meer dan duizend Messerschmitt-jagers, snellere toestellen dan welk Frans of Engels vliegtuig ook. In datzelfde jaar verklaarde een rapporteur van de Defensiecommissie van de Franse Senaat: 'De Duitse luchtmacht is in staat om compleet ongestraft over Frankrijk heen te vliegen.' De enorme kansen die de tank bood, de snelheid van een gemotoriseerd leger, de ongekende mogelijkheden van de duikbommenwerper op het slagveld, de Franse legerstaf wilde er niets van weten. Tanks veranderen het basisprincipe van de oorlog niet, verzekerde Pétain nog in 1939. Nadat majoor Charles de Gaulle in 1934 in zijn boek *Vers l'armée de métier* had gepleit voor de opbouw van een modern en gemechaniseerd leger, werd zijn promotie tot kolonel drie jaar uitgesteld. Het levenswerk van André

Maginot bleek één groot, nutteloos oorlogsmonument. Het stelsel hield abrupt op bij de Belgische grens – de bouw was niet verder voortgezet wegens geldgebrek – waardoor de Duitsers gewoon om de linie heen konden trekken.

Nog altijd functioneren in Fermont deuren, kleppen, lichten, hef- en draaisystemen. Boven het fort, tussen de grazende koeien, gaat ettelijke malen per dag een ijzeren deksel omhoog. De loop van een kanon wordt zichtbaar en draait rond. Alles aan dit fort en dit mechaniek heeft iets tragisch, net als het clipperzeilschip: het modernste van het modernste, en toch één grote vergissing omdat het uitgangspunt voorgoed verleden tijd was.

Dan de Duitsers. In 1916 probeerden ze tien maanden lang tevergeefs Verdun in te nemen. In 1940 kostte het hun minder dan een dag. Hoe was dat mogelijk?

In Berlijn stuitte ik op het verhaal van de latere vice-president van Bell Aircraft Co., Walter Dornberger, die in 1927 als jeugdig luchtmachtofficier geestdriftig meedeed met de Berlijnse Vereniging voor Ruimtereizen, en uiteindelijk in 1932, in een verlaten bos bij Kummersdorf, de eerste Duitse raket probeerde te lanceren. Zijn meest bevlogen pupil, de latere NASA-chef Wernher von Braun, toen een twintigjarige student, gebruikte een lange stok met een blik benzine aan het eind als een soort gigantische lucifer om de raket aan de gang te krijgen. Het geval barstte uiteen als een tankgranaat. 'Kabels, platen, stukken staal en aluminium vlogen fluitend in het rond. [...] Dikke, zwarte, bijtende rookwolken van brandend rubber vulden de lucht. Von Braun en ik keken elkaar aan met opengesperde ogen.'

Interessant in Dornbergers geschiedenis is vooral de rol van het Duitse leger. Die hele club van Berlijnse ruimtevaartenthousiastelingen werd namelijk op alle mogelijke manieren gesteund door de Reichswehr. Raketten en straalmotoren werden immers niet genoemd in de bepalingen van Versailles, niemand besteedde er aandacht aan, behalve een paar jonge uitvinders. Het was dit mechanisme van de 'winnende achterstand' waardoor de Duitse invasie van Nederland, België, Luxemburg en Frankrijk militair gezien zo'n succes werd. Juist omdat het Duitse leger door het Verdrag van Versailles sterk was ingekrompen, waren de Duitse generaals gedwongen geweest om met zo min mogelijk manschappen een zo efficiënt mogelijk leger op te bouwen. Iedere vinding die van pas kon komen, werd daarbij uitgeprobeerd. Op die manier had Duitsland, dankzij Versailles, in 1931 al de basis gelegd voor een ultramoderne luchtmacht.

Vier jaar later had von Braun wel succes. Het Duitse leger lanceerde de eerste raket van de twintigste eeuw. Hij bereikte een hoogte van ruim twee kilometer.

Lessen hadden de Duitsers ook getrokken uit hun vroegere diplomatieke fouten. Het gevaar voor een nieuwe oorlog op twee fronten was, althans voorlopig, vakkundig bezworen. In augustus 1939 hadden Ribbentrop en zijn sovjetcollega Vjatsjeslav Molotov in Moskou totaal onverwacht een akkoord gesloten. Ribbentrop had zich onder Stalins medewerkers 'op zijn gemak gevoeld als onder partijgenoten'. Als blijk van hun goede wil stuurden de sovjets een paar honderd joodse en anti-fascistische vluchtelingen terug naar Duitsland. Half november werden Molotov en zijn delegatieleden op het Anhalter Bahnhof in Berlijn begroet met de plechtige tonen van de Internationale. In normale omstandigheden was het ten gehore brengen van de melodie al voldoende voor een enkele reis Dachau, nu stonden alle hoge nazi's stram in de houding. Uit de ramen van het naburige fabrieksgebouw zwaaiden arbeiders met rode zakdoeken.

Pas in de jaren negentig, na de ineenstorting van de Sovjet-Unie, kwamen de geheime protocollen van dit Molotov-Ribbentrop-pact boven water. (President Michail Gorbatsjov zou nog in 1990 het bestaan ervan ontkennen.) Daarin werden de invloedssferen van de beide grootmachten in het toekomstige Europa nauwkeurig afgebakend. De Sovjet-Unie zou de vrije hand krijgen in een deel van Polen, Finland, Estland, Letland, Litouwen en Bessarabië. Duitsland mocht zijn gang gaan in de rest van Polen, en in Denemarken, Noorwegen, Nederland, België, Luxemburg, Frankrijk, Joegoslavië en Griekenland. In naam was het een niet-aanvalsverdrag. In werkelijkheid was het een zuiver agressieverdrag, een nauwkeurig draaiboek voor de komende veroveringsoorlogen.[3]

Polen werd, na de Duitse inval op 1 september 1939, binnen enkele weken door de Duitsers en de sovjets veroverd, verdeeld, geplunderd en geterroriseerd. Dankzij het Molotov-Ribbentrop-pact konden de Duitsers ongehinderd een begin maken met het arresteren en vermoorden van de Poolse elite en de drie miljoen Poolse joden. Het westelijke gedeelte werd ingelijfd bij het Groot-

Duitse Rijk, het gebied rond Warschau, Krakau, Radom en Lublin werd omgevormd tot SS-land. Dit zogeheten Generalgouvernement moest een gebied worden waarheen op den duur alle Polen, joden en andere 'niet-Duitse elementen' zouden worden gedeporteerd, en dat door de SS zou worden 'geregeerd'.

West-Europa verkeerde nog in een halfslaap. België, Nederland en de Scandinavische landen koesterden hun neutraliteit. Churchill verweet de Lage Landen op 20 januari 1940 dat ze telkens weer toegaven aan Hitlers intimidaties. 'Ieder land hoopt dat als hij de krokodil genoeg te eten geeft, de krokodil hem het laatst zal opeten,' zei hij voor de BBC. 'En allemaal hopen ze dat de storm voorbij zal zijn voordat het hun beurt is om verslonden te worden.' De Nederlandse kranten waren woedend. Het *Algemeen Handelsblad* schreef dat Churchill 'ver over de schreef' ging met zijn opmerkingen, en dat Duitsland en Groot-Brittannië samen dit onheil hadden aangericht. Niemand kon van de Nederlanders vergen 'dat wij ons plotseling laten inschakelen, nu uit de wederzijdse fouten een vuurzee is ontstaan'. Churchill kon, aldus de krant, Nederland niet dwingen om partij te kiezen.

De Britten zouden de winter van 1939 later betitelen als de *phony war*, de schemersituatie tussen vrede en vechten, de stilte voor wat ging komen. De Fransen wilden die rust het liefst eeuwig laten voortduren. Een voorstel van Churchill om de aanvoer van het Ruhrgebied te blokkeren door de Rijn vol mijnen te leggen wezen ze verontwaardigd af: dat zou maar tot oorlog leiden. Op sommige plaatsen aan het front hadden hun soldaten zelfs borden omhoog gestoken met: NIET SCHIETEN, A.U.B., WIJ SCHIETEN OOK NIET!. Wel organiseerden de Britten en de Fransen in maart 1940 een gezamenlijke troepenmacht van honderdduizend man om de Finnen te hulp te komen tegen de Sovjet-Unie, een beslissing die, in de woorden van de grote Britse oorlogshistoricus A.J.P. Taylor, 'iedere rationele analyse' te buiten ging. Het besluit om een oorlog te beginnen met de Sovjet-Unie terwijl de geallieerden al de oorlog hadden verklaard aan Duitsland, was in Taylors ogen 'het product van een gekkenhuis', tenzij er iets heel anders achter zat: een bewuste poging om deze beginnende oorlog direct al in een anti-bolsjewistische richting te duwen, en het conflict met Duitsland te vergeten en zo snel mogelijk te beëindigen. Wat de achtergrond ook was, de actie was te laat en leidde tot niets. De Finnen capituleerden diezelfde maand.

Uiteindelijk was het Hitler die de stilte doorbrak. Op 9 april 1940 viel hij Denemarken en Noorwegen binnen. Voor de Britten was dat een akelige verrassing. Zelf hadden ze de hele winter aan een soortgelijk aanvalsplan gewerkt. Het neutrale Noorwegen was voor de Duitse oorlogsindustrie van vitaal belang, omdat alle grote ertstransporten vanuit Zweden 's winters via Noorse havens liepen. Zodra Churchill minister van Marine was geworden, in september 1939, opperde hij het idee om bij verrassing de Noorse havens te veroveren en de Duitse route met mijnen te blokkeren. Begin april zouden de Britten hun plannen uitvoeren. Admiraal Erich Raeder, Churchills Duitse tegenstander, had in oktober echter hetzelfde bedacht: overval Noorwegen om de havens veilig te stellen. De Duitsers wonnen, enkel omdat ze sneller en veel beter georganiseerd waren. De Britten landden in het winterse Noorwegen zonder ski's en met alleen maar toeristenkaarten van het land. 'Missed the bus!' schreeuwden woedende Lagerhuisleden naar Chamberlain. De kwestie kostte hem zijn post als minister-president, waardoor de weg werd vrijgemaakt voor Churchill.

In Nederland werd de discussie over de opkomst van Hitler bijna alleen gevoerd bij links en ultralinks, plus een handvol intellectuelen en een paar mensen uit de kerkelijke wereld. De socialisten en communisten kregen in het voorjaar van 1933 al gauw de eerste Duitse vluchtelingen op hun dak. 'Ik herinner me een jongen die om hulp kwam, een hele intelligente knaap die bijna niet meer kon lopen,' vertelde een bejaarde Amsterdamse kennis me. 'Die hadden ze opgehangen met een vleeshaak achter zijn achillespezen. De rest van Nederland reisde ondertussen vrolijk langs de Rijn, langs al die cafés met "Juden nicht erwünscht", alsof er niets aan de hand was. Het gros van de mensen had geen idee van wat er vlak over de grens aan de gang was. Nederland was in de jaren dertig een vreemd, geïsoleerd land.'

Ze herinnerde zich dat ze begin september 1939, toen de wereldoorlog uitbrak, in Loosdrecht aan het zeilen was. Ze was toen een mooie, wilde, linkse meid. 'Een paar dagen later was er een feestje aan de Herengracht, met Vic van Vriesland, Jan Campert en nog zo wat literaire figuren, en niemand sprak erover. Dit volk geloofde gewoon niet in oorlog, zoals je ook niet in spoken of heksen gelooft.' Tot aan de lentenacht van de 9de mei 1940, de vroege ochtend van de 10de. Ze begeleidde toen een paar Amerikaanse journalisten. 'Ik zie mezelf nog met de jongens door het nachtelijke Amsterdam wandelen, en dan opeens dat gebrom van Duitse vliegtuigen, in drommen kwamen ze over ons heen, het hield niet op. Het was zo'n mooie, lichte nacht, je zag ze zo vliegen. Op de stille Nieuwezijds Voorburgwal jakkerde Piet Bakker van *Het Volk* op zijn fiets voorbij: 'Schatje, the show is on!' *De Telegraaf* had nog een open lijn met Engeland. Iedereen trok naar het Carlton Hotel, daar zaten de buitenlandse journalisten. Op het dak stonden we te kijken naar al die strepen in de lucht. Joop Lücker, toen van *De Telegraaf*, zat te snikken. Hij riep alleen nog maar: "Verdomme! Verdomme! Verdomme!" Een van de Amerikanen, een oude rot in de journalistiek, stond naast me te kijken. Hij mompelde: "I think this is the real thing, babe. Yes, this must be the real thing..."'

De strategie van Hitlers grote offensief deed sterk denken aan het oude Schlieffenplan.[4] Net als in 1914 bewogen de Duitse legers als een *Sichelschnitt* (sikkelsnede) door Noordwest-Europa, maar ditmaal zwaaide hun sikkel met een veel wijdere boog, dwars door de Lage Landen. Hitler had de 'platonische weg' van de Fransen kunnen volgen, de phony war van de Engelsen eindeloos kunnen rekken, de hele Poolse kwestie uiteindelijk via onderhandelingen uit de weg kunnen ruimen, maar dat lag niet in zijn aard. Zijn uiteindelijk doel lag in het oosten: het scheppen van Duitse *Lebensraum* in Polen en de Sovjet-Unie. Maar om te voorkomen dat Duitsland opnieuw in een tweefrontenoorlog zou belanden moest hij eerst Frankrijk en de Lage Landen uitschakelen.

Om kwart over drie 's ochtends vielen de eerste schoten: in het Nederlandse grensstation Nieuweschans werd de wacht overvallen, zodat een Duitse pantsertrein ongehinderd kon doorstomen naar Groningen. Parachutisten landden achter de linies om vitale punten in Den Haag en Rotterdam te bezetten. De Nederlandse regering had de waarschuwingen van een verzetsgroep binnen de Abwehr, de Duitse militaire inlichtingendienst, naast zich neergelegd.

VERZET
De Nederlandse regering werd van de Duitse aanvalsplannen nauwkeurig op de hoogte gehouden door een verzetsgroep binnen de Abwehr. Die informatie bereikte via de Nederlandse en de Belgische militaire attachés in Berlijn ook de Franse en de Britse generale staf.

De contactpersoon was Abwehrkolonel Hans Oster, de zoon van een lutherse predikant die zijn officierseed aan de vroegere keizer niet had vergeten. Oster had een grote sympathie voor Nederland omdat het 'zijn' keizer asiel had geboden en hem nooit aan diens vijanden had uitgeleverd. Osters 'verraad' was een onderdeel van een brede verzetsbeweging binnen de top van de Wehrmacht, waarbij ook zijn chef, admiraal Wilhelm Canaris, actief betrokken was. De legerleiding was in toenemende mate bezorgd over Hitlers 'avonturen', zoals zijn voorstellen intern vaak werden aangeduid. Zelfs Göring en Goebbels meenden, althans in het begin, dat een oorlog tegen Frankrijk en Engeland buitengewoon riskant was, en dat Duitsland daarvoor nog absoluut niet klaar was.

Vanaf de zomer van 1938 bestonden binnen de Wehrmacht en de Abwehr zelfs vergevorderde plannen voor een machtsovername, waarbij de nazi-top zou worden opgepakt en aan de geallieerden een vredesvoorstel zou worden gedaan. Ze werden nooit uitgevoerd, maar de groep – die in contact stond met onder meer Ernst von Weizsäcker en stafchef Ludwig Beck – bleef de acties van Hitler saboteren. Ieder aanvalsplan werd onmiddellijk overgebriefd aan de vijand.

Na Hitlers militaire successen verdween, althans voorlopig, bijna alle verzet. Dezelfde generaals die in het najaar van 1939 nog tegen Hitler complotteerden namen in juni 1940 buigend de onderscheidingstekens van hem in ontvangst.

Hans Oster bleef alles doen om Hitlers regime van binnenuit te saboteren, mede geïnspireerd door het kerkelijke verzet rondom Dietrich Bonhoeffer en de zogeheten Kreisauer Kreis. Een dag na de mislukte aanslag op Hitler op 20 juli 1944 werd hij ten slotte gearresteerd. Op 9 april 1945, vlak voor de bevrijding, werd hij in het concentratiekamp Flossenbürg opgehangen. 'Wij blijven allemaal tot onze laatste snik fatsoenlijke kerels, zoals ons in de kinderkamer en door de militaire tucht werd geleerd,' schreef hij in de afscheidsbrief aan zijn zoon. 'Kome wat komen moet!'

Hier en daar werd fel verzet geboden: bij de Afsluitdijk, rondom Rotterdam en Den Haag, bij de Moerdijk en bij de Grebbeberg, in het midden van het land. Maar over het algemeen verkeerden de Nederlanders, die in geen anderhalve eeuw een oorlog op hun grondgebied hadden meegemaakt, in een shock: altijd hadden ze gedacht dat hun land een soort Zwitserland was, neutraal en onaantastbaar, een hoek van het continent dat dankzij de Hollandse waterlinie in noodgevallen kon worden herschapen tot een eiland als Engeland. Op die tiende mei beseften de Nederlanders dat ze die speciale positie in Europa – half erbinnen, half erbuiten – voorgoed waren kwijtgeraakt.

Daarbij kwam het niet-militaristische karakter van Nederland. Het verschijnsel 'vijand' was voor veel mensen totaal nieuw. De auteur Antoon Coolen beschreef hoe zijn Brabantse buren zich die zondag uitsloofden om een paar Duitse soldaten de weg te wijzen. 'Ze komen haastig en bereidwillig en reikhalzend rond de auto om de vraag in het Duits te verstaan. [...] Een aantal vrouwen is buiten haar huizen gekomen met schalen waarop koffie dampt, zij gaan er mee naar de Duitsers, die hun kaarten opvouwen en lachen.' Mijn buurman in Friesland, een oude boer, herinnerde zich voornamelijk de Duitse paarden: 'Ze reden allemaal op paarden, overal waren paarden. Ja, het was schandalig, maar we keken vooral naar die paarden. Wat een prachtige dieren waren dat.' Ik vond een brief die mijn grootvader kort na de inval aan zijn dochter, mijn moeder, had verzonden. ''t Tuintje ziet er op het ogenblik keurig uit, de afrikaantjes bloeien al,' schreef hij. 'Nu zit ik als een koning in mijn kantoor. En ik ga me oefenen in 't mij verzoenen met de nieuwe omstandigheden. Je oefenen in 't tevreden zijn met alles wat je overkomt.'

Op maandagochtend 13 mei werd de Britse koning George VI om vijf uur 's ochtends door koningin Wilhelmina uit bed gebeld met de vraag of hij haar onmiddellijk een aantal vliegtuigen kon leveren. 'Ik gaf de mededeling door aan iedereen die het aanging, en ging weer naar bed,' schreef de verblufte koning later in zijn dagboek. 'Het gebeurt niet vaak dat men op dat uur wordt opgebeld, en al helemaal niet door een koningin.' Op het eind van de dag zat de Nederlandse koninklijke familie al in Engeland aan de thee.

De volgende middag werd Rotterdam gebombardeerd, na Guernica en Warschau het derde grote bombardement van de Luftwaffe. Het overgrote deel van de binnenstad werd in puin gelegd. Negenhonderd Rotterdammers kwamen om. Diezelfde middag – de Duitsers bedreigden ook Utrecht – gaf de Nederlandse generaal Henri Winkelman zich over. Zijn leger had precies vijf dagen oorlog gevoerd. De volgende dag gaf de minister van Buitenlandse

441

Zaken Eelco van Kleffens in Parijs een persconferentie. 'De minister, een blonde man met een lang gezicht, had een lievelingszin die hij vele malen herhaalde, als een man die te moe is om nieuwe vormen voor zijn gedachten te verzinnen,' schreef Abbott Joseph Liebling, correspondent voor de *The New Yorker*. '"We zullen doorvechten" was zo'n zin.' Toen de internationale pers hem vroeg of de Nederlanders nog een vliegtuig hadden om mee door te vechten, moest Van Kleffens dat ontkennen: 'We hadden vijftig bommenwerpers. De laatste vloog weg en gooide zijn laatste bom en keerde nooit meer terug.' Het commentaar van Liebling: 'Holland, met een tiende van de bevolking van Duitsland maar per hoofd meerdere malen rijker, presenteerde vijftig bommenwerpers, tegenover vijfduizend. Het was heel gerieflijk geweest om in neutraliteit te geloven, en goedkoop. Noorwegen, met de vierde handelsvloot ter wereld, had verzuimd om de handvol goede lichte kruisers en fregatten te bouwen die de zwakke Duitse marine wellicht buiten zijn havens zou hebben gehouden. Frankrijk zelf had bezuinigd op de Maginotlinie, had besloten dat het te duur was om de fortificaties van Luxemburg door te trekken naar de zee. De democratieën hadden allemaal de gemakkelijkste weg gekozen, geldbelust als ze waren. Ik kreeg een onbehaaglijk gevoel toen ik aan de Verenigde Staten dacht.'

Twee weken later capituleerde de Belgische koning Leopold III. Zeker anderhalf miljoen Belgen waren toen al op de vlucht geslagen, richting Frankrijk. Door de beslissing van de koning viel een gat in de verdediging van Noord-Frankrijk, en de positie van het Franse 1ste Leger rondom Lille werd zelfs onhoudbaar.

Tegelijkertijd ontstond er een diep conflict tussen de koning en zijn ministers. Voor de Belgische regering was de neutraliteit een politieke vanzelfsprekendheid geweest, een kwestie van verstandig opportunisme, opgelegd door de Europese machtsverhoudingen. Nu wilde men vechten tot het uiterste. Voor koning Leopold was neutraliteit echter een heilig principe, een gedragslijn die beantwoordde aan zijn diepste gevoelens. Hij was slechts van één ding bezeten: het voorkomen van een herhaling van 1914. Iedere vernielde straat en iedere gedode soldaat was, in zijn visie, één te veel. In tegenstelling tot de strijdbare koningin Wilhelmina zag hij niets in een voortzetting van de Europese oorlog. 'Frankrijk zal aan de strijd verzaken, binnen enkele dagen misschien al. Engeland zal de strijd in zijn koloniën en op zee voortzetten. Ik kies de lastigste weg.' Vanaf 28 mei beschouwde de Belgische koning zich als Hitlers krijgsgevangene.

KONING

In tegenstelling tot de koningin van Nederland en koning Haakon VII van Noorwegen weigerde Leopold van België naar Engeland te gaan om daar een regering in ballingschap te vormen. 'Ik ben vastbesloten om te blijven temidden van mijn troepen, het is een gevoelskwestie.' Zijn ministers, die de oorlog vanuit Frankrijk wilden voortzetten, dachten daar heel anders over. Er zouden zo immers twee regeringen komen, waardoor een zeer 'compromitterende positie' zou ontstaan als de ene regering de andere zou moeten aanvallen. Nog geen week na de proclamatie van de koning kwam in het Franse Limoges bijna de helft van het Belgische parlement bijeen, plus het vrijwel voltallige kabinet. Unaniem werd de capitulatie veroordeeld. België moest doorvechten.

Deze defaitistische houding – op 19 november 1940 bracht Leopold zelfs een bezoek aan Adolf Hitler in Berchtesgaden – is de koning zeer kwalijk genomen. Zelf eiste hij later, in een concept-proclamatie van 25 januari 1944, de excuses van alle naoorlogse ministers voor hun kritiek in mei 1940, want anders zou 'de dynastie' niet meer met hen willen samenwerken. Met geen woord uitte de vorst enige vorm van respect of erkentelijkheid voor de strijd die het verzet, het leger en de geallieerden tegen de nazi's hadden gevoerd. Leopolds gedrag leidde na de oorlog tot een langdurige constitutionele crisis, en even dreigde in België zelfs een burgeroorlog. Uiteindelijk, in 1951, zou kroonprins Boudewijn de troon overnemen.

Op de middag van diezelfde historische vrijdag 10 mei 1940 werd Winston Churchill benoemd tot minister-president van het Verenigd Koninkrijk. Vijf dagen later, op woensdagochtend om halfacht, werd hij door de Franse premier Paul Reynaud uit bed gebeld. Er was een ramp gaande. Zeker zeven Duitse pantserdivisies waren onverwacht door de Ardennen gebroken, en nu rolden de tanks bij Sedan het land binnen. Daarachteraan kwamen vrachtwagens vol infanterie. Dit was, vreesde Reynaud, het begin van het einde.

Die Duitse verrassingsaanval via de Ardennen was een nieuw idee, uit nood geboren. Het oude aanvalsplan, Fall Gelb, was een variant op de traditionele sikkelsnede, en de Fransen hadden zich daar min of meer op voorbereid. Begin januari 1940 waren echter grote delen van het Duitse plan in handen gevallen van de geallieerden. Een slordige officier, majoor Helmuth Reinberger, was met het hele aanvalsplan in zijn tas op reis gegaan en zijn vliegtuigje had een noodlanding moeten maken op Belgisch grondgebied. De Fransen zagen in Fall Gelb niets anders dan een bevestiging van hun strategie. Voor Hitler was deze precaire kwestie aanleiding om de voorgenomen aanvalsdatum – 17 januari 1940 – te verschuiven en een heel ander plan op te stellen.

In deze nieuwe strategie gingen de Duitsers ervan uit dat de Fransen bij een aanval hun belangrijkste troepen in Noord-Frankrijk en Vlaanderen zouden inzetten om de Duitse Sickelschnitt te keren. Dat was een logische reactie, dat hadden ze altijd gedaan. Als een snelle Duitse legermacht echter, na een paar dagen, ook nog eens een verrassingsaanval zou inzetten ten zuiden van de Franse legermacht, richting het Kanaal, dan zou er iets totaal onverwachts gebeuren. Een groot deel van het Franse leger zou dan tussen de twee aanvallende Duitse legers klem komen te zitten, de Kanaalhavens zouden snel in Duitse handen vallen, de Britse hulptroepen zouden in zee worden gedreven. Zo werd Frankrijk inderdaad overrompeld: door de meer dan achttienhonderd tanks van generaal Gerd von Rundstedts Heeresgruppe A, die, gesteund door ruim driehonderd Stuka-duikbommenwerpers, dwars door de zogenaamd onbegaanbare Ardennen kwamen binnenstormen.

Toen Churchill, die na Reynauds telefoontje inderhaast naar Parijs was gevlogen, de volgende dag vanuit het Franse ministerie van Buitenlandse Zaken naar buiten keek, zag hij een veelzeggend tafereel: 'In de tuin aan de Quai d'Orsay verrezen wolken rook van grote vuren, en vanuit het raam zag ik eerbiedwaardige functionarissen af en aan lopen met kruiwagens vol archieven.' Hij stuurde de Fransen nog tien squadrons gevechtsvliegtuigen, met tegenzin, wetend dat hij binnenkort zelf alles nodig zou hebben om te overleven.

3

Midden in de uitgestrekte bossen van de Ardennen, bij het dorpje Brûly-de-Pesche, ligt een metershoog betonblok tussen de bomen, verweerd en begroeid, met twee dikke ijzeren deuren en een mager kijkluikje. In de omgeving noemt men het bouwsel 'l'Abri de Hitler', en het was inderdaad tijdens de eerste juniweken van 1940 het provisorische hoofdkwartier van de Führer. Eind mei werd het dorp ijlings ontruimd, en vervolgens zetten een paar werkploegen van de Organisation Todt er razendsnel een paar houten barakken en een bunker neer. Voor Hitler werden twee Tiroler chalets gebouwd, een boerderij werd ingericht als kaartenkamer, en in de toren kwam een reservoir om het geheel van stromend water te voorzien.[5]

Op de foto's in het kleine museum lijkt het tussen de bomen van Brûly wel vakantie: Hitler, die bij de barak ontspannen met zijn generaals zit te overleggen; het hele gezelschap voor de dorpskerk, waar ze dagelijks nieuwsfilms bekijken; dezelfde groep, lachend aan de rand van het naburige weilandje waar Göring bezig is om zijn vliegtuig te starten; Hitler die met twee oude kameraden uit '14-'18 een toertje maakt langs de oude Vlaamse slagvelden om de tijd te passeren; de hele staf die, op 17 juni, naar de radio staat te luisteren als Pétain de overgave van het Franse leger aankondigt. (Hitler zou zich daarna op de dijen kletsen van plezier, zijn gebruikelijke wijze om vreugde te tonen, maar daarvan ontbreken helaas de beelden.)

Zelden verliep een militaire campagne zo volgens plan als de Duitse inval van mei 1940. De geallieerde troepenmacht was, in tegenstelling tot wat vaak wordt aangenomen, minstens zo sterk als de Duitse, zo niet sterker. Hitler vocht met nog geen negentig divisies. De Fransen alleen al hadden aan de oostgrens meer divisies tot hun beschikking, en daar kwamen nog eens ruim veertig divisies bij van de Britten, de Polen, de Belgen en de Nederlanders. Gezamenlijk beschikten de geallieerden over tweemaal zoveel zware artillerie en bijna anderhalf keer zoveel tanks. Wel hadden de Duitsers een imposante luchtmacht van zeker vierduizend toestellen, terwijl de geallieerden niet verder kwamen dan zo'n twaalfhonderd. Dat was tekenend voor het doorslaggevende verschil: de geallieerden dachten in termen van de vorige oorlog, de Duitsers in die van de volgende.

De Franse inlichtingendiensten hadden hun werk goed gedaan: alles wees erop dat er een aanval ophanden was tussen 8 en 10 mei, en dat er aan de Luxemburgse grens een enorme troepenmacht werd verzameld. De oude Franse generaal Gamelin wilde er alleen niets van horen. Hij veranderde niets aan zijn plannen, sterker nog, hij gaf zijn militairen op 7 mei toestemming om weer normaal op verlof te gaan. Sedan werd – Reynaud gaf het later in zijn memoires toe – ondanks alle waarschuwingen verdedigd door een legerkorps dat noch over antitankgeschut beschikte, noch over luchtafweerbatterijen. De omvangrijke Britse troepenmacht in Frankrijk kreeg, zo klaagde Churchill, een volle week lang geen enkele order van het Franse opperbevel, zodat alle mogelijkheden voor een succesvolle tegenaanval werden gemist.

De Fransen hadden zich met hun Maginotlinie voorbereid op een ouderwetse *Sitzkrieg*, de Duitsers kwamen met een concept dat draaide om beweeglijkheid en snelheid: de *Blitzkrieg*. Hun leger trok niet meer op in het looptempo van man en paard, maar met de vaart van een auto, dertig, veertig kilometer per uur. Hun luchtlandingen en hun parachutistenacties – bijvoorbeeld in het westen van Nederland – waren nergens eerder vertoond. Overal zaaiden hun ultramoderne Stuka's paniek. In het spoor van de opmars hing een doordringende lijklucht, door de Duitse officieren betiteld als 'het parfum van de slag'. Twee tankdivisies van generaal Heinz Guderians negentiende legerkorps rolden op 20 mei 1940, om zeven uur 's ochtends, vanuit Péronne naar het westen. Om tien uur bereikten ze het stadje Albert. Een groepje Engelsen probeerde hen daar te stoppen met een barricade van kartonnen dozen. Om elf uur bereikten de Duitsers Hédauville, waar ze geconfronteerd werden met een Britse artilleriebatterij die enkel kon schieten met oefengranaten. Om twaalf uur nam de eerste divisie Amiens in, waar Guderian een ogenblik rust nam om de beroemde kathedraal te bekijken. De tweede divisie denderde door. Om vier uur 's middags waren ze in Beauquesne, waar hen de hele kaartenvoorraad van het Britse expeditieleger in handen viel. Om negen uur 's avonds bereikten ze ten slotte Abbeville, en in het laatste avondlicht zagen ze de zee.

Op die ene meidag hadden ze, in één beweging, de geallieerde stellingen doorsneden. De Britten, de Belgen en het Franse zevende leger – samen meer dan een miljoen man – waren omsingeld, hopeloos vastgedrukt tegen de Noordzeekust.

De Fransen wisten zich geen raad. Het kwam voor dat Franse soldaten Duitse troepen aanzagen voor hun Britse bondgenoten, omdat ze niet beseften dat het front hen al voorbij gerold was. Al in de eerste week wist generaal Erwin Rommel tienduizend Fransen gevangen te nemen, terwijl hijzelf maar veertig man verloor. De burgers sloegen massaal op de vlucht: een kwart van de Fransen was in juni 1940 op drift.

In Picardië kwam ik in contact met Lucienne Gaillard, presidente van de Association Nationale des Anciens Combattants de la Résistance, ofwel de bond van oud-verzetsmensen. 'Kom direct maar langs,' zei ze door de telefoon, 'we hebben toch net een bestuursvergadering.' Ze woonde niet ver van Abbeville, naast de kleine, grijze kerk van Saint-Blimont, in het huis waar ze opgroeide. De bijeenkomst liep ten einde. Rond de huiskamertafel zaten drie oudere mannen. Ik werd aan hen voorgesteld, op de rij af: 'Hij zat in de Maquis, hij in de résistance, en hij mag erbij zijn omdat zijn vader is geëxecuteerd.' 'En u?' 'Dit hele huis zat op den duur vol Engelse en Amerikaanse piloten. U moet begrijpen, ik was pas vijftien, maar ik zag er wel rijp uit.' De tafel lag vol papieren, keurig geschreven notulen, nauwkeurige berekeningen van de boekhouder. 'Tja, het geld. In de jaren vijftig hadden we wel duizend leden, nu amper honderddertig, en ieder jaar wordt het minder.'

Lucienne Gaillard vertelde: 'Voor de mannen in Saint-Blimont begon de oorlog toen de mobilisatiebiljetten werden aangeplakt, op 2 september 1939. Mijn vader werkte op de suikerbietenfabriek, die hoefde niet te gaan. Voor de rest merkten we er weinig van, ja, tot 26 mei 1940. Ik weet het nog precies, het was de zondag van mijn heilig vormsel. We kwamen uit de kerk, en toen hoorden we de kanonnen bij Abbeville. Een paar dagen later zijn we vertrokken, net als iedereen. Iedereen vluchtte naar het zuiden, met auto's, paarden, karren, kinderwagens. De paniek was werkelijk onvoorstelbaar, alle angst uit '14-'18 kwam weer boven. Mijn vader had een auto. We sliepen onderweg in vuilniskarren, in het stro. Mijn moeder was hoogzwanger. Ze heeft uiteindelijk haar kind gekregen in Limoges.'

Saint-Blimont liep vrijwel helemaal leeg. Van de twintigduizend inwoners van Évreux bleven amper tweehonderd thuis. In Lille stonden negen van de tien huizen leeg. In Chartres waren nog maar achthonderd mensen over. Op maandag 10 juni stonden zeker twintigduizend mensen voor het Parijse Gare d'Austerlitz, wachtend op een van de schaarse treinen naar het zuiden. De middagkranten hadden grote koppen: Italië had zich in de oorlog gemengd, Italiaanse troepen waren Zuid-Frankrijk binnengevallen. Twee dagen later stuitte de Zwitserse journalist Edmond Dubois in het centrum van Parijs op een verlaten kudde koeien, hun geloei weerkaatste in de verlaten straten. Aan het eind van die week, toen de Duitsers Parijs binnentrokken, was van de drie miljoen Parijzenaars bijna driekwart gevlucht.

De verlaten steden boden een sinistere aanblik: huisdieren zwierven rond, losgelaten kanaries en papegaaien kwetterden in de bomen, dode paarden lagen langs de weg. Van veel huizen stonden de ramen en deuren open, de kelders en kasten waren leeggehaald door langstrekkende vluchtelingen. Toen Albert Speer op 26 juni Reims bezocht, trof hij een spookstad, waar de vensterluiken klapperden in de wind. 'Alsof het leven van de burgers voor een dwaas moment was blijven stilstaan, zo zag men op de tafels nog glazen, serviesgoed, onaangeroerd voedsel.'

Naar schatting zes tot tien miljoen Fransen ontvluchtten hun huis. Op de wegen naar het zuiden heerste een complete chaos. Boerenkarren bezweken onder het gewicht van passagiers en bezittingen, er waren voortdurend verkeersopstoppingen, ieder geluid van een naderende Duitse bommenwerper – of wat erop leek – veroorzaakte dolle paniek. De Amerikaanse journaliste Virginia Cowles reed van Parijs naar Chartres en zag overal auto's zonder benzine aan de kant van de weg. Oude mensen, te moe of te ziek om verder te lopen, lagen uitgeput op de grond. Halverwege een heuvel bleef een bakkersauto stilstaan. Aan het stuur zat een vrouw. Terwijl iedereen toeterde, klom ze uit haar auto en smeekte, omringd door haar vier kinderen, om wat brandstof. Niemand deed iets. Uiteindelijk duwden drie mannen de bakkersauto in de diepe greppel naast de weg. De wagen viel met een klap naar beneden, de spullen op het dak rolden over het veld. De vrouw schreeuwde het uit. Iedereen reed verder. Het was moeilijk te geloven, schreef Virginia Cowles, dat dit de burgers van Parijs waren, de nazaten van degenen die als tijgers voor hun vrijheid hadden gevochten en die de Bastille met hun blote handen hadden bestormd. 'Voor de eerste keer begon ik te begrijpen wat er met Frankrijk was gebeurd. Moraal was een kwestie van vertrouwen.'

In Limoges sliepen op een gegeven moment bijna tweehonderdduizend mensen in de straten en de parken. Overal op de muren stonden boodschappen als: 'Edmond, ga verder, we wachten op je in Rouen.' Later verschenen de kleine advertenties: 'Madame Cissé, vluchteling in Loupiac-de-Cadillac, zoekt haar drie kinderen, Hélène, Simone en Jean – zoekgeraakt in Saint-Pierre-des-Corps, 15 juni. Postbusnummer...' Amélie Adde uit de Champagne, moeder van twaalf kinderen: 'Mijn lieve echtgenoot, mijn lieve kinderen. Ik weet niet waar jullie zijn. In de vreselijke omstandigheden ben ik jullie kwijtgeraakt...'

Daartussen probeerden talloze joden en politieke vluchtelingen een goed heenkomen te vinden. Op initiatief van Eleanor Roosevelt, de vrouw van de Amerikaanse president, werd het Emergency Visum gecreëerd, waardoor iemand buiten alle regels om in Amerika kon worden toegelaten als hij zich in direct levensgevaar bevond. Een comité onder leiding van Thomas Mann startte die zomer in Marseille, in kamer 307 van Hotel Splendide, het Centre Americain de Secours, in de woorden van de Duitse schrijver Hans Sahl: 'een NV ter redding van in gevaar verkerende mensen, en dat onder het oog van de Gestapo en de Franse Sûreté!' Onder leiding van een beminnelijke Harvard-man, Varian Fry, werden in 1940 en 1941 zo'n vijftienhonderd prominente Europese politici, schrijvers en kunstenaars van geld en valse paspoorten voorzien en over de Pyreneeën naar het neutrale Lissabon gesmokkeld. Onder hen bevonden zich de schilder Marc Chagall, de filosofe Hannah Arendt, de schrijvers Golo en Heinrich Mann en de Tsjechische Duitstalige schrijver Franz Werfel, inclusief zijn vrouw Alma plus twaalf koffers. 'U moet zich voorstellen,' schreef Sahl, 'de grenzen waren gesloten, je zat in de val, je kon ieder ogenblik opnieuw gearresteerd worden, het leven was afgelopen – en dan staat er plotseling een jonge Amerikaan in hemdsmouwen voor je, stopt je zakken vol met geld, legt een arm om je heen en lispelt met een slecht gespeeld samenzweerdersgezicht: "O, er bestaan mogelijkheden u hieruit te halen", terwijl verdomme tranen over je wangen lopen, ja, afschuwelijk, echte dikke tranen.'

In Londen had Jean Monnet, inmiddels hoofd van het Anglo-French Co-ordinating Committee, op het laatste moment een opzienbarend noodplan gelanceerd: hij wilde Frankrijk en Groot-Brittannië laten fuseren. Er was alweer een gemeenschappelijke 'pool' van scheepsruimte opgezet, net zoals in de Eerste Wereldoorlog, maar ditmaal wilde Monnet veel verder gaan. In een notitie van amper vijf pagina's stelde hij voor om beide landen met elkaar te verenigen: hun legers, hun regeringen, hun parlementen, hun economieën, hun koloniën, alles. De landen zouden zich ook niet meer apart kunnen overgeven. In het uiterste geval konden de tweehonderdvijftigduizend Fransen die nog in West-Frankrijk vochten, naar Engeland worden geëvacueerd, en doorgaan onder de vlag van de nieuwe unie. De Franse vloot kon, op dezelfde manier, naar de Engelse havens varen om van daaruit opnieuw de strijd te beginnen.

Gezamenlijk, zo redeneerde Monnet, hadden Frankrijk en Groot-Brittannië zoveel meer hulpbronnen dan Duitsland dat ze op langere termijn een oorlog nooit konden verliezen. Zeker als ze ook nog op de steun van de Verenigde Staten konden rekenen. Monnets bedoeling ging verder dan een groots gebaar, uit nood geboren. 'Voor ons,' meende hij later, 'was het plan niet enkel een opportunistisch appèl of een formele tekst: het was een daad die, met enig geluk, de loop der dingen zou veranderen voor het welzijn van Europa. En dat is mijn mening vandaag nog.'

Monnet had een uitstekende relatie met zowel Churchill als Reynaud, en zijn idee, hoe ongebruikelijk ook, werd buitengewoon serieus genomen. 'Mijn eerste reactie was negatief,' schreef Churchill in zijn oorlogsmemoires. Maar toen hij het voorstel in het kabinet bracht, zag hij tot zijn verrassing hoe 'bezadigde, degelijke en ervaren politici van alle partijen zich opeens hartstochtelijk op dit enorme concept wierpen, waarvan de consequenties nog op geen enkele manier waren doordacht'. Uiteindelijk ging Churchill akkoord, net als de Gaulle – die op eigen gezag naar Engeland was gekomen – en Reynaud.

De besluitvorming ging die junimaand opeens bijzonder snel. Monnet noteerde zijn voorstel op donderdag 13 juni. In de daaropvolgende nacht moest hij gelijk al een zin corrigeren: 'Parijs kan binnenkort vallen' werd 'Parijs is gevallen'. Op zondag 16 juni werd de definitieve verklaring opgesteld. 'In dit meest noodlottige moment in de geschiedenis van de moderne wereld...' 'De twee regeringen verklaren dat Frankrijk en Groot-Brittannië niet langer twee naties zullen vormen, maar één Frans-Britse unie.'

In het begin van de avond vloog de Gaulle uit Londen met het document naar Bordeaux, waarheen de Franse regering ondertussen was uitgeweken. Churchill en een aantal leden van het kabinet zouden diezelfde nacht met een kruiser naar Frankrijk oversteken voor de ondertekening. Toen de Britse ministers al op Waterloo Station in de trein naar Southampton zaten, kwam het bericht dat Reynaud was afgetreden. De Franse regering had de unie afgewezen, en daarmee was ook de oorlog beslecht. Vicepremier Pétain was benoemd tot premier. 'Het is allemaal voorbij,' meldde de Gaulle telefonisch aan Monnet. 'Verdere moeite heeft geen zin. Ik kom terug.' Churchill stapte weer uit en ging naar huis. Diezelfde nacht vielen honderdtwintig Duitse bommenwerpers voor het eerst Engeland aan. Er vielen negen doden, de eerste negen Britse burgers.

Paul Reynaud had voor Frankrijk een leider als Churchill kunnen zijn. Hij zag Hitler als de Djingis Khan van de moderne tijd, eiste een totale inzet en beloofde dat zijn regering 'alle krachten van Frankrijk zou bundelen en aanvoeren' om de strijd voort te zetten. Zijn probleem was dat de meeste Fransen hem niet lustten. Hij was tegen München geweest – dit kostte hem de steun van de gematigde conservatieven. Hij was voor oorlog – dit kostte hem de steun van rechts. Hij was een centrum-democraat, maar hij overleefde alleen dankzij de steun van de socialistische oppositie.

Met allerlei kunstgrepen – de benoeming van maarschalk Pétain tot vice-premier was er een van – probeerde hij de basis van zijn kabinet te verbreden. Maar hij was zo onhandig om steeds meer vermoeide defaitisten binnen te halen. 'U hebt geen leger,' schamperde Pétain tegen de Britse minister van Oorlog, Anthony Eden. 'Wat kunt u bereiken, nu het Franse leger heeft gefaald?' Churchill vloog in die weken zeker viermaal op en neer naar Frankrijk in een wanhopige poging de Fransen te laten doorvechten. Hij suggereerde ze om, met grootscheepse steun van de Britten, een gigantische guerrilla op touw te zetten: 'Het is mogelijk dat de Duitsers Europa domineren, maar het zal een opstandig Europa zijn.' Het was tevergeefs. Maarschalk Pétain meende dat een guerrillastrijd 'de vernietiging van het land' zou betekenen. Generaal Weygand beweerde dat, na een capitulatie van het Franse leger, Groot-Brittannië binnen een week onderhandelingen met Hitler zou beginnen en dat het 'als een kip de nek zou worden omgedraaid'.

Toen Reynaud op zondag 16 juni het plan van Jean Monnet, Churchill en de Gaulle aan het Franse kabinet voorstelde, werd hij dan ook met gehoon begroet. Pétain noemde de unie met Groot-Brittannië 'een huwelijk met een lijk'. Andere kabinetsleden vreesden dat Frankrijk de status zou krijgen van een Britse kolonie. 'Dan liever een nazi-provincie. We weten tenminste wat dat inhoudt.' Vervolgens werd voorgesteld om onderhandelingen met de Duitsers te beginnen. Het idee om in Noord-Afrika een regering in ballingschap te vormen – Reynaud hield een vurig pleidooi voor de 'Nederlandse oplossing' – was al eerder door Pétain van tafel geveegd. Hij wilde, zo zei hij, altijd 'bij het Franse volk blijven, om zijn leed en ellende te delen'. Onmerkbaar begon hij de zaken om te draaien: hij was de echte patriot, degenen die in ballingschap gingen en vanuit het buitenland de strijd voortzetten waren de verraders. De Gaulle zou later zelfs – bij verstek – ter dood veroordeeld worden.

Reynaud wilde het allemaal niet meer meemaken. Maandagochtend 17 juni hoorden de Fransen de hoge stem van Pétain op de radio verkondigen dat Reynaud was afgetreden, dat hij hem was opgevolgd en dat hij zo spoedig mogelijk een wapenstilstand met de Duitsers wilde sluiten. Het Franse leger gaf zich over, verbrandde de vaandels, begroef de doden en sloop, voor zover mogelijk, stilletjes naar huis.

Voor me ligt een slordig en vergeeld boekje, in 1946 uitgegeven door de Société des Éditions Franc-Tireur, onder de titel L'étrange défaite (Vreemde nederlaag). Het is niet meer dan een essay, in de zomer van 1940 'in hevige woede' geschreven door de Franse mediëvist Marc Bloch. Bloch, jood en verzetsman, zou vier jaar later worden gefusilleerd. Maar zijn briljante, onversneden driftbui uit die zomer van 1940 vormt nog altijd de basis voor bijna elke historische analyse van de mei-oorlog. Al weten we nu veel meer, met name over de Duitse kant van het verhaal, deze mottige brochure uit 1946 vertelt in hoofdlijnen precies waar het om ging.

De Franse nederlaag van 1940 wordt tegenwoordig algemeen beschouwd als een van de grootste militaire catastrofes uit de wereldgeschiedenis. Het was een van de belangrijkste wendingen in de Tweede Wereldoorlog. Het maakte niet alleen de weg vrij voor Hitlers bezetting van West-Europa, maar ook voor zijn veldtocht naar het oosten, zijn deportaties, zijn slavenkampen en zijn vernietigingsindustrie. Het is zo'n centrale gebeurtenis in de twintigste eeuw dat we haar onontkoombaar zijn gaan vinden. Niets is minder waar.

Uit Blochs verhaal blijkt, allereerst, volslagen verbijstering. De Duitse overwinning kwam voor het toenmalige Europa totaal onverwacht. Niemand vermoedde dat deze veldtocht zo gemakkelijk zou verlopen, ook de Duitsers niet. De chef-staf van de Wehrmacht, generaal Franz Halder, schreef nog op 11 mei aan zijn vrouw dat de meeste van zijn collega's de hele expeditie 'idioot en roekeloos' vonden. Zelfs Hitler rekende op een vrij langdurige strijd.

Bij de Fransen heerste daarentegen – Bloch benadrukt dit vergeten aspect keer op keer – een immens zelfvertrouwen. In september 1939 meldde een hoge Franse ambtenaar aan zijn chefs dat 'niemand, of bijna niemand, onder de bevolking twijfelt aan de overwinning, ook al is men bang voor de prijs die betaald moet worden'. Men vroeg zich zelfs af of Hitler ooit een aanval tegen Frankrijk zou wagen. De verwachtingen in Nederland en België sloten daarbij aan. In beide landen rekende men op een strijd van minstens enkele weken, en intussen zouden de Engelsen en de Fransen zeker te hulp schieten. Achteraf gezien was deze blinde arrogantie een van de hoofdoorzaken van de nederlaag.

Andere oorzaken lagen, aldus Bloch, op het militair-strategische vlak: de starheid van de Franse legerleiding, de slechte samenwerking met de Britten en het negeren van de gegevens van de inlichtingendiensten. Aan moed ontbrak het de Fransen niet. Bij Lille vochten de Fransen in juni fel om de aftocht van de Britten bij Duinkerken te dekken. Bij Saumur wisten de vijfentwintighonderd cadetten van de militaire academie de opmars van een Duitse pantserdivisie, ondanks hun lichte bewapening, twee dagen tegen te houden, zij het met zware verliezen. Ook uit de cijfers blijkt veel vergeten heldenmoed. Tijdens deze eerste zes oorlogsweken sneuvelden honderdvierentwintigduizend Fransen, meer dan tweehonderdduizend raakten gewond: grofweg tweemaal zoveel als bij de Duitsers, driemaal zoveel als bij de Engelsen.[6]

Er was wel een sterke neiging om, in de woorden van Marc Bloch, 'zuiniger om te gaan met menselijk bloed dan in 1914'. Anders gezegd: de wereld, en dus ook de oorlog, was ondertussen gedemocratiseerd, de Franse en Britse weduwen, kinderen, ouders en verloofden van de gesneuvelden waren kiezers geworden aan wie uiteindelijk verantwoording moest worden afgelegd. De aanleg van de Maginotlinie moet mede in dit licht gezien worden. Op de keper beschouwd was dit stelsel vooral een middel om het aantal gesneuvelden drastisch te verminderen, een voorloper van alle latere methodes om in een oorlog mankracht te vervangen door technologie. Het was, zoals de militair historicus Ernest May schrijft, 'een voorloper van de strategische bommenwerper, de geleide raket en de slimme bom'.

Ten slotte stipt Bloch nog een derde oorzaak aan: Frankrijk was in mei 1940 allerminst een verenigd en saamhorig land, vastbesloten om de indringer tot de laatste man te bestrijden. Bloch beschrijft de rangorde van het Franse leger, zoals hij en zijn mede-officieren die beleefden: 'Luitenants: vrienden. Kapiteins: kameraden. Commandanten: collega's. Kolonels: rivalen. Generaals: vijanden.' In de politiek was het niet anders. De communisten hadden de socialistische leider Léon Blum nooit vergeven dat hij vier jaar eerder de Spaanse Republiek in de steek had gelaten. De vakbonden waren nog altijd woedend over het stopzetten van de arbeidshervormingen in 1938. De anti-fascistische beweging was zwak: de meeste politieke leiders wilden Mussolini niet van Frankrijk vervreemden. Overal circuleerden samenzweringstheorieën, met name rond het leger. Sommige respectabele kranten sneerden over 'de jood Blum'.

Marc Bloch vat het kort samen: een zwak parlementair systeem, een cynisch militair en ambtenarenapparaat en een sterke politieke polarisatie na de mislukking van het linkse Volksfront in 1939. En daarbij kwam nog eens het probleem van de oude mannen.''Weygand was, net als Pétain, oud genoeg om herinneringen te hebben aan de Parijse Commune van 1871,' merkt de historicus Tony Judt terecht op. En die linkse Commune was een spookbeeld dat hele generaties van reactionaire officieren zou achtervolgen. Dat was niet het Frankrijk dat ze gezworen hadden te verdedigen.

Bekijk maar eens de foto van de ministerraad van Vichy van september 1940, nog geen drie maanden na de Franse verpletterende nederlaag. Let eens op de tevreden gezichten, schrijft Judt. Kijk eens naar generaal Charles Huntziger, die weigerde luchtsteun te geven aan de troepen bij Sedan en zo de Duitsers de vrije doortocht liet. Of generaal Weygand, die zich tijdens de laatste dagen van de strijd vooral bezorgd maakte over een mogelijke communistische opstand in Parijs. 'Zulke mannen hadden de oorlog niet hoeven te verliezen, maar ze gaven hun nederlaag wel des te sneller toe omdat ze de Duitsers niet als hun grootste vijanden beschouwden.'

Lucienne Gaillard zou met haar familie pas begin augustus de demarcatielijn tussen Vichy-Frankrijk en Duits-Frankrijk weer oversteken. 'Het was geen grapje om thuis te komen. Ons huis was in de tussentijd geplunderd. Alles lag ondersteboven.' Haar vader kon het idee dat zijn land was bezet niet verdragen, al was hij wel teruggegaan naar het Duitse deel van Frankrijk. Al snel begon hij met kleine sabotagedaden, in zijn eentje. Later vormde hij een groep, hij liet Duitse munitietreinen ontsporen, sloot zich aan bij de Gaulle, ving gestrande piloten op. Maar in die eerste jaren was hij vooral eenzaam en bitter. 'Vichy stond voor hem gelijk aan verraad.'

In deze zes noodlottige weken deed zich één wonder voor: Duinkerken. De Duitse opmars verliep zo vlug dat niet alleen de Belgen en de Fransen, maar ook de Duitsers zelf door het tempo overdonderd werden. Net toen de eerste pantserdivisie van generaal Guderian op het punt stond om de val dicht te laten klappen en de Britten het Kanaal in te drijven, gaf Hitler bevel om halt te houden. 'We stonden sprakeloos,' zei Guderian later. Er was bijna geen tegenstand. De voorste posten konden de torens van Duinkerken al zien. Het oponthoud duurde drie dagen. Daarmee gaf Hitler de Britten precies genoeg tijd om hun verslagen leger uit Duinkerken weg te halen.

De reddingsoperatie had alle elementen van een heldenverhaal. In allerijl was een bizarre vloot opgetrommeld van marine-

schepen, gammele vissersboten, oude reddingssloepen, plezier-
vaartuigen, Theemsaken met bruine zeilen en een zee vol privé-
jachtjes. Op die manier konden tussen 28 mei en 4 juni 1940 tweehonderdtwintigduizend Britten en honderdtwintigduizend
Fransen plus vierendertigduizend voertuigen worden teruggehaald naar Engeland. Plus honderdzeventig honden, want geen
Britse militair wilde zijn mascotte achterlaten.

Het eerste schip was een eenvoudige pakketboot, Mona's Isle.
Het verliet Duinkerken bij zonsopgang met twaalfhonderd uitgeputte mannen aan boord. Vanaf de kust werd het schip beschoten. Het roer werd weggeblazen, maar manœuvrerend met de
twee schroeven kon het schip verder varen. De uitgeputte soldaten vielen in slaap. Halverwege de dag werden ze wakker van het
geluid van hagelstenen op het dek: zes Messerschmitts probeerden het schip te mitrailleren. Vanaf het voordek bleef een boord-
schutter fel terugvuren, hoewel hijzelf ettelijke malen werd geraakt. Na elf uur – de heenreis duurde amper drie uur – dobberde
Mona's Isle uiteindelijk Dover binnen, met drieëntwintig doden
en zestig gewonden.

Er ligt nog een houten privéscheepje in het Imperial War Museum, een dingetje waarmee je op z'n best het Sneekermeer be-
zeilt, maar dat toen vol soldaten het Kanaal op en neer pendelde,
tussen de bommenregens door.

De Fransen herinneren zich echter ook iets anders: hun soldaten hebben deze aftocht gedekt, en dertigduizend man werden in
Duinkerken achtergelaten. In Boulogne-sur-Mer hadden de Britten zelfs met opzet een schip in de havenmond laten zinken, zodat de moedig vechtende Fransen van daaruit bevoorraad noch
geëvacueerd konden worden. De Britse commandanten hadden
strikte instructies om hun Franse bondgenoten niets te vertellen
over de voorgenomen evacuatie. Pas toen de uittocht al in volle
gang was en een derde van het Britse leger was vertrokken, kreeg
de Franse generale staf er lucht van.

Het nieuwe collaborerende Vichy-regime haastte zich om duizenden propaganda-affiches te drukken: de Britten hadden hun
biezen gepakt en de Fransen in de ellende laten zitten. Verraad!
(Over de ruim honderdtwintigduizend Fransen die door de Britten met gevaar voor eigen leven wel naar de overkant waren gehaald, werd uiteraard nooit gerept.)

De bitterheid over het 'perfide Albion' werd een maand later nog verder aangejaagd. Op 3 juli, om 5.55 uur, opende de Britse marine het vuur op de Franse oorlogsvloot die in Mers el-Kebir bij Oran lag. Na vijf minuten was een slagschip in de grond geboord, een kruiser was in de lucht gevlogen en dertienhonderd Fransen waren omgekomen, zeelieden die twee weken eerder nog Britse bondgenoten waren.

'Oran' werd een groot Frans trauma. Algemeen werd het incident beschouwd als exemplarisch voor de Britse hardheid en meedogenloosheid. Alleen: wie verraadde hier eigenlijk wie? Eerst hadden de Fransen gecapituleerd. Vervolgens betrokken ze ook hun Noord-Afrikaanse troepen in die capitulatie, hoewel die de Duitsers en de Italianen nog enorme schade hadden kunnen toebrengen. En ten slotte negeerden ze de smeekbeden van de Britse regering om tot elke prijs hun oorlogsvloot uit handen van de Duitsers te houden, terwijl ze wisten dat zo'n onverwachte versterking van de Duitse vloot een enorm extra risico betekende voor de Britten. Vandaar dat de regering-Churchill vastbesloten was om deze overdracht, voor zover mogelijk, tegen te gaan.

Sommige Franse vlootonderdelen, zoals die in Toulon en Dakar, lagen buiten het bereik van de Britten. Het onderdeel in Alexandrië kon gemakkelijk worden overgenomen door de Britse troepen die daar al waren. De kruisers en slagschepen bij Oran waren een probleem. Ze lagen in het schootsveld van de Britse marine, maar ze konden niet gemakkelijk veroverd worden. Vandaar dat de Franse commandant, admiraal Marcel Gensoul, van de Britten een keuze kreeg uit vier mogelijkheden: naar een Britse haven varen en blijven meevechten als een bondgenoot; naar een Britse haven varen en de schepen daar overgeven aan een Engelse bemanning; naar een haven varen in Frans-West-Indië en een demilitarisering accepteren, waarbij de bemanningsleden, desgewenst, direct naar Frankrijk konden terugkeren; en ten slotte, als al het andere niet mogelijk was, de schepen in de haven van Mers el-Kebir laten zinken.

Admiraal Gensoul weigerde alle opties. De minister van Marine van de regering-Pétain, admiraal François Darlan, telegrafeerde dat hij en zijn mannen 'geen aandacht moesten besteden' aan de Britse eisen en dat zij zich 'waardig moesten tonen Fransen te zijn'.

Altijd blijft het verbazingwekkend hoe de Fransen kans hebben gezien uit de Tweede Wereldoorlog te voorschijn te komen als medeoverwinnaars.

Geschiedenisverhalen kennen grote tegenstrijdigheden. 'Ik voel voornamelijk walging als ik aan Duinkerken terugdenk,' schreef een Britse veteraan jaren later aan Walter Lord, een van de geschiedschrijvers van Duinkerken. 'Ik zag officieren hun revolvers weggooien. Ik zag soldaten de lafaards neerschieten die probeerden zich het eerst een boot in te vechten.' 'Hun moed maakte ons werk gemakkelijk,' schreef een marineman over exact dezelfde situatie. 'Ik was trots hen te hebben gekend en tot hun generatie te behoren.' Volgens twee officieren in het hoofdkwartier was de organisatie rondom Duinkerken een 'absolute chaos', een 'ramp', een 'schande'. Maar een koerier zag in Duinkerken het bewijs 'dat de Engelsen een onoverwinnelijk volk zijn'.

Duinkerken is anno 1999 een badplaats als alle andere, met een Kurzaal waar Les Colettes optreden, met een groot plastic speelkasteel, krijsende kinderen, bezwete moeders, ijstenten en lelijke appartementen, alles met een routineuze opwinding die dag aan dag doorgaat, een leven waar het verleden langsglijdt als waterdruppels.

Het strand van Duinkerken is een van die plekken uit de Europese geschiedenis waar het werkelijk een dubbeltje op zijn kant was, waar een kleinigheid, een taxatiefout van één persoon de loop van de historie in een ander spoor bracht. Want wat bezielde Hitler om zijn troepen halt te laten houden, uitgerekend op het moment dat ze hun tegenstanders de genadeslag konden toebrengen? Wat moeten we denken van deze *halt order*?

Allereerst: voor de Britten stond Duinkerken centraal, voor de Duitsers was het enkel een marginale kwestie. De ogen van de hele Duitse staf waren gericht op Parijs. Die stad wilde men, na het debacle van 1914, zo snel mogelijk in handen krijgen. Andere redenen liggen op het militair-strategische vlak: Guderians Negentiende Pantserkorps ging gewoon te snel, er was te weinig flankdekking, de bevoorrading kwam in problemen, een korte pauze was noodzakelijk. Generaal Erwin Rommel van de Zevende Pantserdivisie was zelfs al even in paniek geraakt toen hij onverwacht was aangevallen door twee colonnes geallieerde tanks. Bovendien – zo blijkt uit later teruggevonden stafkaarten – verkeerde de Duitse legertop ten onrechte in de veronderstelling dat het gebied rond Duinkerken buitengewoon moerassig was, en dat de tanks daar onherroepelijk zouden wegzakken. Hitler was uiterst ontvankelijk voor dit soort waarschuwingen: hij had immers met eigen ogen tijdens de Eerste Wereldoorlog hele divisies zien vastlopen in de modder van deze streken.

Er speelde een andere kwestie mee: de rivaliteit tussen de 'gewone' Wehrmacht en de nieuwe Luftwaffe van Hermann Göring, het paradepaard van de nazi's. Tot Duinkerken was de opmars van de Duitsers vooral een succes van de Wehrmacht geweest. Nu eiste Göring zijn deel van de roem: de Luftwaffe moest het terugtrekkende Britse leger de laatste slag toebrengen. Drie dagen voor de 'halt order' liet Hitler zich door hem overtuigen. Ernst von Weizsäcker, op 23 mei, in zijn dagboek: 'Duinkerken wordt overgelaten aan de Luftwaffe. Als de inname van Calais moeilijk blijkt, wordt deze haven ook overgelaten aan de Luftwaffe.'

Volgens sommige Duitse historici speelde bij Hitler ook een psychologisch motief: wellicht wilde hij het Britse leger bewust een ontsnappingsmogelijkheid bieden omdat hij in deze beginfase van de oorlog nog hoopte op een vergelijk met de Britten. Ze moesten het continent uit, op welke manier dan ook, maar ze mochten hun onafhankelijkheid en hun imperium houden. Een vernietigd en uiteenvallend Verenigd Koninkrijk vond hij gevaarlijker. De evacuatie van de Britse troepen bij Duinkerken was, zo schreef later onder anderen Runstedt, daarom ook geen fout van Hitler, maar, diep in zijn hart, een wens.[8]

Wat bleef was de verpletterende Franse nederlaag, een ramp in alle opzichten. Hitlers succes verleidde Benito Mussolini om Italië ook in de Tweede Wereldoorlog te storten. (Spanje en Portugal bleven neutraal.) Voor veel Duitsers was de overwinning – ik volg nu Tony Judt – de definitieve bevestiging van het 'genie' van Adolf Hitler. Als de aanval zou zijn vastgelopen, zou dat zijn positie sterk hebben ondermijnd. Nu had hij zo'n vaste greep op zijn generaals dat hij alles kon doen wat hij wilde: even deed hij nog een poging om Engeland binnen te vallen en, toen dit te moeilijk bleek, concentreerde hij zich op Zuidoost-Europa en de Sovjet-Unie.

Het debacle betekende de val van de Franse Derde Republiek en de vestiging van een regering van collaborateurs in Vichy. Decennialang zou deze nederlaag de Britse en Amerikaanse houding tegenover de Fransen bepalen. En bovenal: het Franse zelfbeeld, vol 'glorie' en 'eer' en 'vaderland', was gebroken.

4

Meer dan een halve eeuw geleden, in de zomer van 1947, werd in Londen het toneelstuk *Peace in Our Time* van Noël Coward opgevoerd. Het was een soort historische sciencefiction. Het speelde in een pub in Kensington tussen november 1940, vlak na de Duitse verovering van Groot-Brittannië, en mei 1945, toen de geallieerden het eiland weer hadden bevrijd. Het vertelde het verhaal van het Engelse verzet, de Engelse collaboratie en de rol van de Duitse bezetters in Engeland – geestig, en angstig dichtbij.

Het toneelstuk is allang weer vergeten. Nu, aan het eind van de twintigste eeuw, koesteren we het verhaal dat uiteindelijk toch goed afliep, door John Lukacs in één zin samengevat: 'Hitler was een fanaticus, een dictator die een oorlog begon en die de hele wereld tegen zich in het harnas joeg, een oorlog die hij gedoemd was te verliezen.'

Daar zit iets in, maar het is ook iets te gemakkelijk. Hitler was namelijk helemaal niet gedoemd om de oorlog te verliezen. In de zomer van 1940 heerste vrede in Europa. Het grootste Europese conflict, tussen Duitsland en Frankrijk, was beslecht en alleen de Britten voerden nog een achterhoedegevecht tegen de Duitse suprematie. Sterker nog, Hitler dreef in 1940, zoals Lukacs het uitdrukt, op het opkomend tij van de wereldgeschiedenis, op een enorme vloed van welwillendheid en succes. Hij had, als geen andere leider voor hem, de Duitsers samengebracht en begeesterd, en hij kon volop beschikken over hun energie, discipline, vertrouwen en herwonnen vitaliteit. Hij bezat een leger dat tot verbluffende prestaties in staat bleek. En bovenal vertegenwoordigde Hitlers regime voor veel Europeanen een nieuwe drijvende kracht, tegenover het armoedige communisme en de versleten democratie.

'De val van Frankrijk,' schreef de Amerikaanse journaliste Rosie Waldeck in 1940 vanuit Boekarest, 'vormde de climax van twintig jaar falende beloften van de democratie, beloften om de werkgelegenheid aan te pakken, de inflatie, de deflaties, de arbeidsonrust, het partij-egoïsme en wat al niet. Europa, moe van zichzelf en twijfelend aan de principes waarvoor het geleefd had, voelde zich bijna opgelucht nu alles geregeld was, niet naar tevredenheid, maar wel op een manier die het ontsloeg van alle verantwoordelijkheid.'

Gravin Rosie Waldeck was het Amerikaanse equivalent van Bella Fromm. Het was de schuilnaam van Rosie Goldschmidt-Graefenberg-Ullstein, een joodse bankiersdochter die na een aantal echtscheidingen in de societyjournalistiek was beland, die zich met groot gemak in de beste kringen bewoog, maar die onder alle charme een helder oordeel en een grote scherpzinnigheid verborg. Haar Europese ervaringen legde ze in 1942 vast onder de titel *Athene Palace*, de naam van het huidige Hilton-hotel in Boekarest waar ze zeven maanden lang bivakkeerde.

Roemenië kende al jaren een gewelddadige fascistische beweging, de IJzeren Garde. Vanaf 1938 bestond er een strenge anti-semitische wetgeving. Tegelijkertijd probeerde koning Carol II zichzelf dictator te maken, zoals admiraal Miklós Horthy dat vanaf 1920 in Hongarije had gedaan, en Ioannis Metaxas vanaf 1936 in Griekenland. Sinds het voorjaar van 1940 heerste in Boekarest een coalitie van fascisten en generaals onder leiding van maarschalk Ion Antonescu. In september nam Duitsland het land – vitaal voor de energievoorziening van Das Reich – min of meer over, Roemenië stond grote gebieden af aan Hongarije, Carol trad af, de werkelijke macht kwam bij Antonescu, de IJzeren Garde kreeg de vrije hand en organiseerde de ene bloedige pogrom na de andere.[9] Vanaf juni 1941 verbond Roemenië zich volledig met het Duitse avontuur in de Sovjet-Unie.

In 1940 was het land echter nog neutraal, en in juni van dat jaar zat heel Europa in de lobby van het Athene Palace bijeen alsof er niets aan de hand was: de oude Roemeense excellenties, de machthebbers van de nieuwe rechts-radicale regering, de Amerikaanse journalisten en diplomaten, de wanhopige Franse gezant. De 'elegant verveelde' Britten – diplomaten, oliemannen, journalisten en inlichtingenmensen – hadden er een eigen tafel, de jonge Roemeense adel zat aan de bar, er was altijd een tafel met een delegatie van fluisterende Wehrmachtofficieren, industriëlen, bankdirecteuren en militaire attachés, een andere Duitse tafel was gereserveerd voor nazi's, Gestapo-agenten en luidruchtige vrouwen. Later kwam daar nog eens de tafel van de Duitse generaals bij, die allemaal even beleefd waren. Rosie Waldeck: 'Als je hen zag zitten, zou je nooit geloven dat ze hier waren om een oorlog voor te bereiden. Er was niets van spanning of opwinding bij hen te bespeuren, niets dat erop wees dat ze hele nachten opbleven om op hun kaarten te turen.'

Gravin Waldeck hoefde het hotel niet uit voor haar verhaal: alles kwam binnenwaaien in de lounge. Afgezien van een paar cafés in Lissabon was Athene Palace de enige plek in Europa waar Britten en Duitsers nog ongestoord van gedachten konden wisselen. 'Iedereen zat op een gegeven moment wel in de lobby van Athene Palace, tussen treinen of vliegtuigen, alsof men aangetrokken werd door het intense en kleurrijke leven dat in Boekarest naar buiten kolkte, op de manier waarop een mooie vrouw, die weet dat ze spoedig zal sterven, haar gaven uitstrooit over alles en iedereen. Maar in werkelijkheid kwamen de mensen naar Boekarest omdat de stad het eindpunt was van alle verkeer tussen Europa en de Oriënt, en een kort verblijf hier noodzakelijk was op de weg naar welke mysterieuze missie ook.'

Waldecks waarnemingen zijn ook nu nog hoogst interessant omdat ze, ondanks haar Amerikaanse afstandelijkheid, bij alles en iedereen in het hotel sterk betrokken was. Ze zat avond na avond te praten met Duitsers die in een overwinningsroes verkeerden, met generaals, diplomaten en jonge officieren, terwijl ze niet onder stoelen of banken stak dat ze een jodin was. Wat haar in die maanden vooral trof, was het enorme elan van vrijwel alle Duitsers die ze sprak, 'de dynamiek van de nationaal-socialistische revolutie, de dynamiek die door de hele militaire en bureaucratische machinerie van Hitlers Duitsland trok'. Het was veel meer dan de roes van de overwinning, schrijft ze. 'Ze zeiden allemaal dat ze zich nog nooit zo vrij in hun werk hadden gevoeld als nu.'

Tegelijk zag ze de Duitsers ook aanmodderen: hun diplomatie was niet echt briljant. 'De nazi's waren goed in het veroveren maar wanhopig slecht in het exploiteren van hun veroveringen, zelfs in hun eigen belang, laat staan in het belang van de veroverde gebieden.' Ze besefte bovendien dat deze jonge, intellectuele generatie Duitsers vroeg of laat in conflict zou komen met de beperkingen van partij en staat.

Maar vooralsnog zag ze, in die zomer van 1940, een continent dat oprecht onder de indruk was van die ongekende Duitse vitaliteit: 'Hitler was een slimme jongen, onaangenaam, maar slim. Hij was een heel eind op weg om zijn land sterk te maken. Waarom zou men het niet eens op zijn manier proberen?'

PERVITINE

De opvallende Duitse vitaliteit in de zomer van 1940 had, deels, een triviale achtergrond. Rosie Waldeck schreef hoe ze opeens hele dagen energiek kon doorwerken dankzij een stimuleringsmiddel dat een Duitse diplomaat haar had toegestopt: pervitine: 'De Duitsers begonnen pervitine te geven aan piloten en soldaten die inspannende taken voor de boeg hadden, wat een verklaring kan zijn voor de verhalen uit Frankrijk over de "vechtextase" van de nazi-soldaten. Inmiddels wordt pervitine door iedereen in Duitsland gebruikt die wil doorgaan met weinig slaap, en dat betekent in de praktijk dat de hele bovenlaag van de Germaanse natie, onlosmakelijk verbonden aan de nazi-veroveringsmachine, weinig tijd overheeft voor ontspanning of zelfs slaap.'

Zo lag de stemming bij veel Europeanen, en iedereen uitte dat op zijn eigen manier. In Frankrijk werd gesproken over de 'Pax Hitlérica'. In de betere kringen was het al snel mode om jonge SS- en Wehrmachtofficieren als tafelgasten uit te nodigen. Ze vertegenwoordigden een nooit vertoonde dynamiek, die het stoffige Frankrijk wellicht nieuw leven in kon blazen. Mijn Amsterdamse kennis: 'Wij, jonge vrouwen, kleedden ons die zomer volgens de laatste Engelse mode, en daarna trokken we naar een café in de Amstelstraat waar een pianist alle liedjes van de BBC speelde en waar de hele tent uit volle borst meezong: "Yes, my darling daughter..." We zaten daar naast jonge Wehrmachtofficieren, nette blonde jongens die hun ogen uitkeken en het allemaal even fantastisch vonden. Dit was immers échte jazz, en er zat een échte neger aan de piano. De bar bediende hen gewoon, wij bleven aardig en zij hielden ook hun kiezen op elkaar, zo ging dat die eerste tijd.'

De Nederlandse ARP-voorman en voormalige minister-president Hendrik Colijn schreef in juni 1940: 'Tenzij er werkelijk wonderen gebeuren [zal] het vasteland van Europa geleid worden door Duitsland. Het is gezonde en dus geoorloofde *Realpolitik* om de feiten te aanvaarden zoals zij voor ons liggen.' Hij hoopte, als de rust was weergekeerd, op de komst van een nieuw Europees handelssysteem onder Duitse leiding, een soort vroege voorloper van de Europese Unie. In België publiceerde de socialistische voorman Hendrik de Man een soortgelijk manifest, waarin hij de ineenstorting van de verrotte democratieën omschreef als 'een bevrijding'. Een 'realistisch' alternatief – het woord 'realisme' viel opvallend vaak in die zomer – was in zijn ogen een autoritaire regering onder koning Leopold III.

Soortgelijke gevoelens leefden in Groot-Brittannië. In een memorandum aan het oorlogskabinet beschreef het conservatieve Lagerhuislid Robert Boothby – een aanhanger van Churchill – Hitlers Duitsland als 'een beweging – jong, viriel, dynamisch en gewelddadig – die onweerstaanbaar voortschrijdt en de ontbindende oude wereld omverwerpt'. Lord Halifax, minister van Buitenlandse Zaken onder Neville Chamberlain, had het nieuwe Duitsland begroet 'als een bastion tegen het bolsjewisme'. De hertog van Windsor, de voormalige koning Edward VIII, was op 22 oktober 1937 in Berchtesgaden bij Hitler op bezoek geweest.[10] Nog in juli 1939 had de British Union of Fascists van het voormalige Labour-Lagerhuislid sir Oswald Mosley in Londen een manifestatie gehouden met zo'n twintigduizend deelnemers. Al deze signalen brachten Hitler in de waan dat Churchill een incident was, een wildeman die slechts kort aan de macht zou blijven.

Op 13 mei had deze zelfde Churchill voor het Lagerhuis zijn legendarische 'blood, sweat and tears'-rede gehouden: 'U vraagt: wat is ons doel? Ik kan met één woord antwoorden: de overwinning, de overwinning tot elke prijs, de overwinning ondanks alle vrees, overwinning, hoe lang en zwaar de weg ook mag zijn; want zonder overwinning is er geen overleving.' Later gold deze toespraak als een klassiek voorbeeld van vastberadenheid en heldenmoed, maar toen ze werd uitgesproken, waren de reacties helemaal niet zo enthousiast. Harold Nicolson noteerde in zijn dagboek: 'Als Chamberlain het Huis betreedt, krijgt hij een daverende ontvangst, en als Churchill binnenkomt is het applaus minder.' Veel Britten, inclusief koning George VI en de meeste conservatieven, beschouwden Churchill in die dagen nog als een oorlogshitser en een gevaarlijke avonturier. Er bestond een sterke neiging om met Hitler tot een akkoord te komen.

Five Days in London heet de nauwkeurige reconstructie die John Lukacs maakte van de beraadslagingen in het Britse oorlogskabinet tussen vrijdag 24 en dinsdag 28 mei, vijf dagen die de wereld hadden kunnen veranderen. Lukacs' conclusie is onontkoombaar: nooit was Hitler zo dicht bij de volledige beheersing van West-Europa als in die laatste week van mei 1940, er was bijna een Brits vredesvoorstel aan hem gedaan dat hij vermoedelijk zou hebben geaccepteerd, en er was slechts één man die dat uiteindelijk wist te blokkeren: Winston Churchill.

Het nationale oorlogskabinet bestond in die maanden, naast Churchill, uit vier leden, van wie zeker twee tot de 'appeasers' behoorden, Neville Chamberlain en lord Halifax. De andere twee leiders, Clement Attlee en Arthur Greenwood namens Labour, hadden nog geen enkele regeringservaring. Op 25 mei, toen de Franse nederlaag zich aftekende, begon lord Halifax voorzichtig bij de Italiaanse ambassadeur te peilen met welke concessies Italië kon worden 'omgekocht' om buiten de oorlog te blijven. Gibraltar, wellicht, of Malta? Hij hoopte dat Italië het initiatief kon nemen voor een vredesconferentie met Hitler, leidend tot een 'algehele Europese regeling': Engeland mag de zee en zijn imperium houden, als Duitsland de vrije hand krijgt op het continent. Hitler zou op zo'n voorstel waarschijnlijk zijn ingegaan: het was in grote lijnen de rolverdeling die keizer Wilhelm II en zijn ministers rond 1914 ook al voor ogen hadden." Het gevolg was geweest dat Nederland, België, Luxemburg, Frankrijk, Polen, Tsjechoslowakije, Denemarken en Noorwegen – het grootste deel van Europa – grotendeels zouden zijn omgevormd tot een federatie van nazi-landen onder de straffe leiding van Berlijn en onder de tucht van de SS en de Gestapo.

Het was voornamelijk Churchill die zich verzette tegen ieder compromis, die dagenlang op zijn medekabinetsleden inpraatte en die uiteindelijk Chamberlain – die na 1938 ook overtuigd was geraakt van Hitlers kwaadaardigheid – aan zijn zijde kreeg. 'Hitlers vredesvoorwaarden zullen ons volledig aan zijn genade overleveren,' meende Churchill. En: 'Naties die strijdend ten onder gingen, herrezen opnieuw; met naties die zich braaf overgaven, was het afgelopen.'

Het was in mei 1940 blind optimisme om te denken dat Groot-Brittannië de Duitsers zou kunnen verslaan zonder massieve steun van de Sovjet-Unie en de Verenigde Staten. Maar de Britten waren er diep van overtuigd dat Duitsland opnieuw in de problemen zou komen door het gebrek aan eigen grondstoffen. In diezelfde maand kwam de Britse generale staf met een oorlogsplan dat erop speculeerde dat Duitsland eind 1941 in een diepe crisis terecht zou komen en vervolgens vanzelf zou ineenstorten. De Britten hoefden zich dus niet voor te bereiden op een oorlog met grote veldslagen als in '14-'18. Vanaf 1942 zouden ze zich vooral moeten richten op de stervensbegeleiding van een uit zichzelf desintegrerend nazi-rijk.

Uiteindelijk wist Churchill zo alle vijfentwintig leden van zijn regering te overtuigen. 'Ik weet zeker,' zo besloot hij op 28 mei 1940 zijn betoog, 'dat u één voor één zou opstaan en mij van mijn plaats zou scheuren als ik voor één ogenblik zou overwegen om onderhandelingen te beginnen, of te praten over een capitulatie. Als deze lange geschiedenis van onze eilanden ten slotte tot een eind moet komen, laat die dan alleen voorbij zijn als ieder van ons op de grond ligt, stikkend in zijn eigen bloed.'

In zijn oorlogsmemoires beschreef hij het pandemonium dat vervolgens losbrak onder deze ervaren politici, afkomstig uit alle politieke richtingen. 'Heel wat mannen sprongen op van tafel en renden naar mijn stoel, ze riepen en klopten me op de rug. Het was buiten kijf dat, als ik op dat vitale moment gefaald had om de leiding van de natie op me te nemen, ik uit mijn functie gezet zou zijn. Ik was er zeker van dat iedere minister eerder bereid was om zijn leven te offeren, en zijn hele familie en bezittingen te laten wegvagen, dan de strijd op te geven.'

Een halve eeuw eerder, op precies zo'n zomeravond in 1891, hadden twee kostschooljongens van Harrow zitten praten over hun toekomst. Met grote openhartigheid biechtten ze elkaar hun grootste ambities op. De een – Murland Evans, die deze conversatie vastlegde – zag voor zichzelf een carrière in de diplomatieke dienst, of misschien in de City. De ander dacht, na een paar avontuurlijke jaren, misschien in het leger te gaan. De politiek, dat zat er ook wel in. 'Ik heb een prachtig idee over de plek waar ik ooit zal belanden,' zei de zestienjarige Winston Churchill. 'Ik zie enorme veranderingen komen over de wereld die nu zo vredig is;

grote opstanden, vreselijke gevechten; oorlogen zoals men zich die niet voor kan stellen; en ik vertel je dat Londen in gevaar zal zijn: Londen zal aangevallen worden, en ik zal heel belangrijk zijn bij de verdediging van Londen.'

'Zul je dan een generaal zijn, bevelhebber van de troepen?'

'Ik weet het niet; dromen over de toekomst zijn vaak wazig, maar het belangrijkste is duidelijk. Ik herhaal: Londen zal in gevaar zijn, en op de hoge post die ik dan zal bekleden, zal het aan mij zijn om de hoofdstad en het imperium te redden.'

Het verhaal – hoe gekleurd wellicht ook – tekent Churchill ten voeten uit: in zijn visionaire kracht, in de brede penseelstreken waarmee hij de wereld neerzette, in de heroïsche rol waarin hij zichzelf plaatste, in de hoogst verbaasde toeschouwer die hij tenslotte ook altijd weer was.

In Kent, een klein uur ten zuiden van Londen, ligt Chartwell, het landhuis waar een groot deel van Churchills leven zich afspeelde en waar zijn hart lag, veertig jaar lang, van 1924 tot 1964. Dit is de plek waar hij zijn militaire campagnes bedacht, lunchte en confereerde met zijn politieke medestanders, waar hij zijn memoires en historische boeken schreef, waar hij zich in zijn schildersatelier terugtrok als de spanning hem te veel werd en waar hij zomers lang metselde en dakpannen legde in tijden van politieke luwte. Het is een complex van bakstenen huizen op de rand van een heuvelrug, met een schitterend uitzicht over de bossen van Kent. De Chart Well, de bron van het landgoed, had er een meer gevormd, en later zou Churchill er nog van alles bij bouwen, deels eigenhandig: een zwembad, dammen, natte tuinen en nog een tweede meer.

Hij had daarvoor in de jaren dertig alle tijd, toen zijn politieke lot buitengewoon onzeker was. Zijn tirades tegen het loslaten van de gouden standaard, de appeasement-politiek en de Indiase verzetsleider Gandhi – 'een rebelse advocaat die eruitzag als een fakir en halfnaakt de trappen van het paleis op liep' – maakten hem lange tijd tot een politieke outsider. 'Je realiseert het je waarschijnlijk niet, maar hij weet niets van het leven van gewone mensen,' liet zijn vrouw Clementine zich ooit ontvallen. 'Hij heeft nog nooit in een bus gezeten, en maar één keer in de ondergrondse.'

Toen Churchill in 1934 de zestig had bereikt, was hij in de ogen van zijn tijdgenoten een curiosum, een romantische reactionair die de realiteit niet meer begreep. Het is door meer dan één historicus opgemerkt: als Hitler en Churchill beiden voor het uitbreken van de oorlog zouden zijn gestorven, dan was Hitler vermoedelijk de geschiedenis ingegaan als de man die, ondanks zijn merkwaardige anti-semitisme, het ingestorte Duitsland weer op de kaart had gezet. Churchill zou, daarentegen, in een voetnoot zijn weggeschreven als de zoveelste veelbelovende mislukkeling in de Britse politiek.

Chartwell is nog altijd de weerspiegeling van Churchill zelf: de speeltuin van een aristocraat met te veel energie, de bibliotheek van een begaafd geschiedschrijver, het schildersatelier van een niet ongetalenteerde amateur, het familiehuis van een gevoelsmens.

Het gebouw is teruggebracht in de staat van de jaren dertig, en omwille van het museum zijn hier en daar kamers samengetrokken en voorwerpen verplaatst. Toch is Churchill nog overal aanwezig: in de doorleefde bibliotheek, in een potje met kwasten op de vensterbank van het atelier, in het eigenhandig gemetselde speelhuisje voor dochter Mary, in het bloemetjesbehang op de bovenverdieping, in de bizarre verzameling wandelstokken in de hal, in een schilderij van de familie aan het ontbijt met de rode kat op tafel. Churchills slaapkamer, achter de studeerkamer, is een van de kleinste in het huis. Naast zijn ledikant hangt zijn leesplank, een soort tafeltje dat handig uitgedraaid kon worden. Hij regeerde 's ochtends meestal vanaf dit bed, lezend, dicterend, telefonerend, gekleed in een gigantische babyhansop met grote knopen, slappe whisky en sigaar onder handbereik. Toen zijn biograaf, Martin Gilbert, er in 1970 voor het eerst binnenstapte, hing er nog de geur van tabaksrook.

Het huiselijk leven kende twee centrale plekken: de lage, intieme eetzaal waar meestal feestelijk en uitvoerig werd geluncht, en de grote studeerkamer op de bovenverdieping. Hier lag Churchills *factory*, zijn fabriek, zoals hij deze knusse zaal letterlijk noemde, met zijn dikke balken, houten dak, lichte ramen, boekenkasten en een open haard, beheerst door een weelderig schilderij van zijn geboorteplaats Blenheim Palace. In Churchills dagen zaten in deze zelfde ruimte de secretaressen en assistenten die brieven beantwoordden, research deden en Churchills onophoudelijke woordenstroom – hij dicteerde zelfs brieven vanaf zijn metselsteiger – omzetten in correspondentie, nota's en boeken. Trots verwelkomde hij zijn bezoekers: 'Do come in and see my factory.'

Tussen 1929 en 1939, het decennium waarin Churchill alleen maar conservatief Lagerhuislid voor het district Epping was, vormde de 'factory' het centrum van al zijn activiteiten. Hij voerde er, zoals Martin Gilbert schrijft, een soort 'onofficiële oppositie', inclusief een 'kabinet' van oud-collega's, vrienden, dissidente ambtenaren en politieke medestanders. Hij was in die jaren half politicus, half journalist en produceerde bijvoorbeeld een alomgeprezen, vierdelige biografie *Marlborough: his Life and Times*. Geïsoleerd leefde hij niet. Zijn kennis van defensie en de buitenlandse politiek was formidabel, iedereen wilde zijn mening weten en zijn talrijke krantenartikelen werden in heel Europa afgedrukt. De latere premier Harold Macmillan was toevallig in de 'factory' toen, op 7 april 1939, het bericht kwam dat Italië Albanië was binnengevallen. De energie die losbarstte was verbluffend, alsof Chartwell een regeringscentrum was: er werd geroepen om kaarten, direct werd de premier gebeld, er ging een dringende boodschap uit naar de minister van Marine, een strategie werd ontwikkeld om Mussolini af te houden van verdere agressie. 'Alleen hij had de touwtjes in handen,' herinnerde Macmillan zich, 'terwijl iedereen verbijsterd was, en aarzelde.'

In de 'factory' bereidde Churchill ook de confrontatie met Hitler voor, een oorlog die volgens hem onvermijdelijk was, en die niet vermeden mocht worden. Churchill was namelijk – bijna al zijn biografen wijzen daarop – ten diepste een krijgsman. Hij was geen staatsman, zoals Roosevelt, die gedwongen was een oorlog te voeren en die begreep dat bij politiek soms ook oorlog hoorde. Bij Churchill was het omgekeerd: hij was een krijgsman die besefte dat bij oorlogvoering ook politiek hoorde. Alle militaire operaties moesten minutieus met hem worden doorgesproken. Hij was ruig en romantisch, een typische oorlogsleider, en hij werd na de overwinning in 1945 ook direct door de Britten weggestemd. Dat was geen ondankbaarheid, maar een logische reactie op Churchills bijzondere karakter.

Al vanaf 1935 maakte Churchill zich gereed voor de slag. Hij ontving in het diepste geheim informatie van bezorgde ambtenaren en militairen over de werkelijke stand van de Britse defensie. Martin Gilbert kon bijvoorbeeld aan de hand van het gastenboek van Chartwell een bezoek reconstrueren van het hoofd van de Duitse afdeling van het ministerie van Buitenlandse Zaken,

Ralph Wigram, op 7 april 1935. Wat had deze man opeens met Churchill te bespreken? Dat werd duidelijk uit documenten van het ministerie die een paar decennia later werden vrijgegeven: de Britse geheime dienst had plotseling nieuwe informatie gekregen over de onrustbarend snelle opbouw van de Duitse luchtmacht, die al bijna op oorlogssterkte zou zijn. Volgens nieuwe berekeningen hadden de Duitsers zo'n achthonderdvijftig toestellen direct tot hun beschikking, terwijl de Britten niet verder kwamen dan vierhonderdvijftig. Tot wanhoop van de ambtenaren deden hun chefs niets met deze alarmerende informatie. Op 2 mei 1935 sloeg Churchill in een felle toespraak de regering met deze gegevens om de oren.

Andere belangrijke klokkenluiders waren sir Desmond Morton en Frederick Lindemann, de latere lord Cherwell. Morton, het hoofd van de Britse Industriële Inlichtingendienst, woonde slechts een paar kilometer van Chartwell en in het weekeind liep hij regelmatig over de kerkpaden en de groene velden naar Churchill, een tas onder de arm met ultrageheime gegevens over de Duitse productie, of over de Kriegsmarine, de Wehrmacht of de Luftwaffe. Lindemann, hoogleraar natuurkunde in Oxford, was een van Churchills beste vrienden en een graag geziene familiegast. Hij was uitstekend op de hoogte van alle wetenschappelijke vondsten die misschien militaire gevolgen konden hebben. Vurig pleitte hij voor steun aan Robert Watson-Watt, de uitvinder van de radar, die zich in juni 1936 direct tot Churchill wendde toen de verdere ontwikkeling van zijn vinding dreigde vast te lopen in de militaire bureaucratie. Lindemann was ook de man die Churchill wees op de enorme mogelijkheden van kernsplitsing. Churchill was zo onder de indruk van Lindemanns verhaal dat hij in *Pall Mall* een artikel schreef over een toekomstige bom, niet groter dan een sinaasappel, die in staat was 'een heel stuk stad in één klap' weg te blazen. Grootse mogelijkheden zag hij ook voor de raket. Hij dacht aan 'vliegende machines, automatisch geleid door radio- of andere stralen, zonder een menselijke piloot' die explosieven 'in een onophoudelijke reeks naar een vijandelijke stad, arsenaal, kamp of haven' zouden overbrengen. Dit schreef hij in 1924.

Op het terrein van de oorlogsproductie was Jean Monnet een van de centrale figuren achter de schermen. 'Daladier was in 1938 naar München gegaan in het zekere besef dat de Duitsers Parijs konden bombarderen wanneer ze maar wilden,' zou hij in zijn memoires schrijven. Een week na de Overeenkomst van München stuurde de Franse regering Monnet al op een geheime missie naar de Verenigde Staten. Half oktober had hij zijn eerste gesprek met president Franklin D. Roosevelt, in het rommelige vakantiehuis van de Roosevelts aan de Hudson, vol gasten en kinderen. Toen al beschouwde Roosevelt Hitler als de aartsvijand van de vrijheid, en dus van de Verenigde Staten, maar de meeste Amerikanen moesten daarvan nog overtuigd worden. De steun aan West-Europa werd dus in het diepste geheim voorbereid. Monnet en Roosevelt berekenden dat de geallieerden, om Duitsland te verslaan, zo'n zeventigduizend vliegtuigen per jaar moesten produceren. Dat betekende dat in de Verenigde Staten zo'n twintig- tot dertigduizend vliegtuigen per jaar moesten worden bijgekocht. Er werden plannen gemaakt om alvast drie vliegtuigfabrieken te bouwen en om de assemblage in Canada te laten plaatsvinden, zodat een eventueel wapenembargo door een neutraal Congres omzeild kon worden.

De Amerikaanse vliegtuigproductie speelde nog nauwelijks een rol in mei 1940, maar aan de Slag om Engeland, twee maanden later, deden al honderden Amerikaanse toestellen mee. Op 24 juli 1940 tekenden de Verenigde Staten en Groot-Brittannië een geheime overeenkomst voor de levering van zo'n vijftienduizend vliegtuigen, plus een enorme hoeveelheid ander oorlogsmaterieel. In ruil daarvoor beloofden de Britten om onder andere hun geheime radartechnologie met de Amerikanen te delen. Vanaf het najaar van 1940 rolden de vliegtuigen bij duizenden uit de Amerikaanse fabrieken, en dat gold ook voor vrachtwagens, jeeps en tanks. Zonder dat het Amerikaanse volk het besefte, werd zo een oorlog voorbereid. De macht waarmee Amerika zich eind 1941 direct in de strijd kon storten was voornamelijk te danken aan de productielijnen die dankzij Roosevelt, Monnet en een handvol anderen al vanaf 1938 waren opgezet, een periode waarin de meeste Amerikanen zich nauwelijks of niet bewust waren van de gevaren die dreigden.

'Ik wist dat we nog maar aan het begin stonden van een enorme krachtsinspanning,' schreef Monnet over het voorjaar van 1940. 'Maar de machinerie om te handelen stond op haar plaats, en ze zou niet meer ophouden te draaien.'

5

Nooit was het Britse gevoel van eigenzinnige saamhorigheid zo sterk als in de zomer van 1940. Opgelucht schreef koning George VI zijn moeder, na de val van Frankrijk, hoe prettig het was 'nu we geen bondgenoten meer hebben waarvoor we beleefd en zorgzaam moeten zijn'.

Churchills gedragen woorden op 4 juni 1940 weerspiegelden de stemming in het land: 'We shall fight on the beaches, we shall fight on the landing grounds, we shall fight in the fields and the streets, we shall fight in the hills, we shall never surrender.' En niemand vergat zijn voorspelling dat 'in God's good time' de nieuwe wereld 'met al zijn macht en kracht' naar voren zou komen en de oude zou redden en bevrijden.

Voor de eerste maal sinds vele generaties verwachtten de Britse eilanden weer een invasie vanaf het vasteland. Wegwijzers en straatnamen werden weggehaald. Om de landing van zweefvliegtuigen te voorkomen werden golf- en cricketvelden versperd met oude paardenkarren, auto's, bedden en houtblokken. Burgers kregen de instructie om, bij een eventuele landing, omgekeerde soepborden op de weg te leggen: de Duitsers zouden die aanzien voor antitankmijnen. Iedereen was verdacht. Toen een Engelse piloot tussen de groene hagen van Kent een noodlanding moest maken, werd hij direct onder schot genomen door een 'tamelijk bejaarde verpleegster' die met een speelgoedgeweer over een hek was geklommen en 'het wapen op de meest schrikwekkende manier op hem richtte'.

Medio mei kwam de Britse ambassadeur uit Nederland terug met verhalen over de dreiging van de zogeheten vijfde colonne. Het was de klassieke paranoia die altijd weer opduikt: als Hitler een geheime code zou uitzenden, zo beweerde hij, zouden overal Duitse burgers opeens veranderen in 'tentakels van het monster', die 'over het hele land' aanslagen zouden plegen. Groot-Brittannië raakte in de ban van een ernstige vorm van xenofobie. Om de onrust te sussen werden, nogal willekeurig, tienduizenden Duitsers en Oostenrijkers opgepakt als 'vijandelijke vreemdelingen'. Half juni kwamen daar nog eens vierduizend Italianen bij, 'verdachte fascisten'. Voor al die geïnterneerden was in Groot-Brittannië nauwelijks plaats, in Canada was volop ruimte, en zo vertrok op 1 juli de Arandora Star uit Liverpool met aan boord zo'n vijftienhonderd verdachte figuren. Ten noordwesten van Ierland werd het schip getorpedeerd. Ongeveer de helft van de passagiers verdronk. Uit de dodenlijst bleek pas welke personen het schip in werkelijkheid aan boord had gehad: de secretaris van de Italiaanse Vereniging van Mensenrechten, een aantal bekende leden van de Duitse socialistische oppositie, een stel joodse schooljongens, zeker drie topkoks van het Ritz- en het Savoy-hotel, enzovoort, enzovoort.

Tegelijkertijd kwamen er tienduizenden 'bevriende vreemdelingen' het land binnen. Ook zij werden, zoals dat altijd met vluchtelingen gaat, door de Londenaren met gemengde gevoelens begroet. Niemand vertrouwde de 'Vrije Fransen' met hun eeuwige geklets en geflirt. Bij de Belgische en de Nederlandse 'Engelandvaarders' waren alleen de zeelieden populair, zo meldt Philip Zieglers kroniek London at War. 'Wie betaalt hun eigenlijk?' werd er gevraagd. 'Als het onze regering is, is het een schande!' In het arme East End sprak men van 'Bleeding French' en 'Stinking Dutchmen': 'Wij willen werk, maar die schoften krijgen de banen!' 'Waarom zouden we ze houden? Het zijn allemaal joden die altijd alles voor niets krijgen.'

Op de universiteit van Sussex zijn opiniepeilingen bewaard gebleven, uitgevoerd door de Britse Mass Observation, een van de eerste bureaus voor opinieonderzoek ter wereld. Op 16 mei noteerden de waarnemers van 'Moral Today': 'Het komt bij de mensen nog niet op dat we weleens verslagen zouden kunnen worden. De vroegere rust is verstoord, maar houdt nog steeds stand. Als die plotseling in duigen valt, zal er een morele explosie plaatsvinden.' 19 mei: 'Uiterlijk kalm, innerlijk ongerust, dat staat voor de algemene sfeer van vandaag.' 21 mei: 'De vrees dat een nazi-invasie mogelijk is begint nu op te duiken. De angst en verbijstering is vandaag groter dan ooit. [...] De toespraken, de laatste dagen, van Churchill [...] hebben een gevoel van opluchting gegeven, niet omdat de situatie minder serieus is, maar omdat de mensen het gevoel hebben dat ze nu het ergste weten, wat een nieuwe ervaring voor hen is.'

De schrijfster en journaliste Rebecca West zag tijdens die juni-avonden de mensen met witte gezichten in Regent's Park zitten. Sommigen, schreef ze, liepen naar de rozen met een merkwaardige ernst, ze snoven de geur op, alsof ze wilden zeggen: 'Zo zijn rozen dus, zo ruiken ze. Dat moeten we onthouden, straks in de duisternis.'

De eerste Duitse bommen in de Londense regio vielen op 8 juni 1940 op een stuk open land bij Colney. Een geit werd gedood. In de daaropvolgende maanden zagen de Engelsen hoe zich boven hun hoofd een enorme luchtslag ontwikkelde, dag na dag. Harold Nicolson schrijft in zijn dagboek dat hij met vrienden in de tuin van Sissinghurst zit en de Duitse toestellen ziet aankomen: 'twintig kleine zilveren visjes in de vorm van een pijl'. Tijdens de lunch vindt een luchtgevecht plaats: 'Er is geratel van machinegeweren en we zien twee Spitfires een Heinkel aanvallen. De laatste zwaait weg, duidelijk getroffen.' Een Londenaar die in zijn club had zitten praten met een jongeman met de arm in het verband, noteert in zijn dagboek: 'Het leven is zeker opwindend als een jongeman 's ochtends op zee kan worden beschoten en dezelfde avond alweer in een club op Berkeley Square kan rondlopen.'

De Slag om Engeland – de Battle of Britain – was eigenlijk de slag om het Kanaal. Voor de Duitsers was een invasie onmogelijk zolang de veel sterkere Britse vloot vrij rondvoer. Met hun Luftwaffe hoopten ze die kreupel te schieten, zodat ze hun landingstroepen ongehinderd over het Kanaal konden zetten. Maar allereerst moest daarvoor de Britse luchtmacht worden uitgeschakeld.

De opzet mislukte. De mythe die nu in tal van Londense musea wordt uitgedragen, vertelt het verhaal van de jonge piloten – vaak studenten uit Oxford en Cambridge, standsverschil speelde bij de Royal Air Force (RAF) nog een flinke rol – die met ongelooflijke inzet en heldenmoed het vaderland verdedigden tegen de 'Huns' van het vasteland. In de taal van Winston Churchill: 'Nooit eerder hebben, op het terrein van het menselijke conflict, zovelen zoveel te danken aan zo weinigen.' Dat is waar, maar je kunt het ook omdraaien, zoals de kroniekschrijver van de slag Angus Calder doet. 'Nooit hebben zo weinigen oorlog kunnen voeren dankzij de inzet van zovelen': het grondpersoneel, de vrouwen van de vluchtleiding, de mannen en vrouwen in de vliegtuigfabrieken die dag en nacht doorjakkerden. De vinding van Robert Watson-Watt speelde een grote rol bij het winnen van de slag. Aan de kust was, in het diepste geheim, een hele keten van radarstations gebouwd, de eerste ter wereld. Daardoor bleef de RAF perfect op de hoogte van de komst van iedere nieuwe golf Duitse vliegtuigen, zonder dat er voortdurend gepatrouilleerd hoefde te worden. Verrassingsaanvallen waren niet meer mogelijk, piloten en vliegtuigen bleven beschikbaar voor de strijd zelf.

Tijdens de slag om Frankrijk waren de Britten meer dan vierhonderddertig vliegtuigen kwijtgeraakt, waardoor de verhouding tussen de Duitse en de Britse luchtmacht nog schever werd dan ze al was: ongeveer drie op één. Maar de Britse fabrieken draaiden op volle toeren, en vanaf juni 1940 rolden er zo'n vier- tot vijfhonderd toestellen per maand van de lopende band. Er werd een Spitfire-Fonds opgericht, waarbij dorpen, buurten en bedrijven een 'eigen' Spitfire konden adopteren. Individuele schenkers konden zelfs onderdelen 'kopen': voor een sixpence had je een klinknagel, voor tweeduizend pond een vleugel, voor vijftien shilling had de liefhebber de loop van een machinegeweer, voor tweeëntwintig pond een kleine bom.

De Britten hadden bovendien een aantal grote voordelen op technisch gebied. De Luftwaffe had zich, ondanks de enorme hoeveelheden toestellen, niet voorbereid op een typische luchtoorlog, en al helemaal niet op een luchtoorlog tegen Engeland. De Duitse jager, de Messerschmitt 109, was beter dan de Britse Hurricane en minstens zo goed als de Spitfire, maar het toestel was niet geschikt voor langeafstandsvluchten: de brandstoftanks waren zo klein dat de vliegtuigen slechts een halfuur boven Brits grondgebied konden blijven. De Stuka's hadden de Franse grondtroepen doodsangsten bezorgd, maar de RAF zag ze, langzaam en slecht bewapend als ze waren, voornamelijk als oefendoel voor beginnende piloten. Steun van de Kriegsmarine was er niet bij. De Duitsers beschikten in 1940 over geen enkel vliegdekschip. Ze bezaten slechts tweeëntwintig onderzeeërs die geschikt waren voor operaties in de oceaan. De paar Duitse slagschepen koesterde Hitler als kroonjuwelen: hij hield ze zorgvuldig in de havens. De piloten van de Luftwaffe hadden nooit samen met de marine getraind.

Ook de latere *Blitz*, de reeks Duitse bombardementen op Londen en andere steden, was een geïmproviseerde affaire. De Duitse piloten hadden nooit geoefend in nachtelijke bombardementsvluchten over een lange afstand. Hun Heinkel-, Dornier- en Junker-bommenwerpers waren ontworpen om in samenspel met grondtroepen te opereren, en om vijandelijke tanks en infanterie vanuit de lucht aan te vallen. Ze bleken in de praktijk niet geschikt om de enorme hoeveelheden bommen te kunnen vervoeren die nodig waren om een groot industrieel land werkelijk de genadeslag te kunnen toebrengen. Het waren de Britten, en later de Amerikanen, die het bombarderen van steden en burgers als strategie hadden ontwikkeld. Hun luchtvloot was daarop ook ontworpen, met zware bommenwerpers, geschikt voor de lange afstand.

Bovendien was, ondanks alle wilde verhalen over een 'vijfde colonne', de kwaliteit van de Duitse inlichtingendiensten bedroevend. De Duitsers hadden lange tijd niet in de gaten welke rol de radar voor de Britten speelde, ze beseften niet dat de enige Spitfirefabriek in Southampton lag – een gemakkelijk doelwit – en ze hadden evenmin enig idee van het belang van de beroemde Rolls-Roycefabrieken in Derby, waar de meeste motoren voor de Spitfires en de Hurricanes vandaan kwamen. Hoeveel ellende de Luftwaffe dus ook aanrichtte, de Duitsers slaagden er niet in om de Britse oorlogsindustrie lam te leggen. Zoals Angus Calder terecht schrijft: 'Ondanks alle wonden en blauwe plekken bleef Londen een administratieve en economische hoofdstad, Portsmouth en Plymouth bleven de Royal Navy dienen, de havens van Liverpool bleven open en Coventry bleef een bloeiend en vitaal centrum van de Britse oorlogsproductie.'

Uiteindelijk bleek het Duitse invasieplan niet meer dan een oprisping. De Wehrmacht had geen enkele training gehad in landingsoperaties, er was niet voldoende scheepsruimte, zelfs landingsvaartuigen waren er nauwelijks. Nu openbaarde zich, voor het eerst, de keerzijde van de Blitzkrieg: de Wehrmacht en de Duitse oorlogseconomie waren gericht op korte, verrassende explosies van energie, niet op een langdurige, uitputtende strijd. Volgens getuigen uit zijn directe omgeving besloot Hitler al eind juli 1940 om zijn aandacht op iets heel anders te richten: de veldtocht naar Rusland.

Na de oorlog vertelde veldmaarschalk Wilhelm Keitel uitvoerig over de invasieplannen voor Engeland. Uit zijn verhoor in Neurenberg blijkt dat er nooit sprake is geweest van een degelijk voorbereide Duitse 'D-day'. De Duitse legerstaf was daarover pas na Duinkerken serieus gaan nadenken. De optie was verleidelijk, omdat de oorlog dan wellicht binnen een paar weken beslecht zou zijn, maar het was de vraag of er voldoende scheepsruimte was. De Luftwaffe was aanvankelijk positief gestemd, maar kon niet garanderen dat de Britse vloot uit de buurt kon worden gehouden. Keitel: 'Daarop zei de marine: "In dat geval kunnen we het Kanaal niet oversteken." Bij de landmacht zeiden ze: "Kijk, als er iets misgaat, wordt het voor ons moeilijk om onderweg van boord te gaan."'

Uiteindelijk werd het plan door Hitler afgeblazen. Groot-Brittannië zou worden aangepakt met een blokkade en via bombardementen. Vanaf de nazomer van 1940 verschoof alle aandacht naar het oosten, naar de opbouw van de troepenmacht voor de inval in de Sovjet-Unie.

De pub White Heart in Brasted, vlak achter het Kentse vliegveld Biggin Hill, was het stamcafé van de RAF-piloten. Het lokaal is nu vergroot, maar de ruimte rond de bar, waar de jonge piloten hun 'hits' noteerden, is onveranderd. Ze waren vaak te moe om nog dronken te worden, met af en toe dagen waarin ze wel zes keer vlogen, met schietpartijen en bombardementen terwijl ze opstegen, jachtpartijen op Me 109's, gevechten, verwondingen, sprongen uit het toestel, terugliften naar de basis en de volgende ochtend weer de lucht in. Aan de wand hangt nog altijd het krijtbord met hun namen. 'Hou m'n glas even vast, ik ben zo weer terug,' zeiden ze voordat ze in de lucht verdwenen.

Tijdens de zomer van 1940 was de levensverwachting van de gemiddelde Britse piloot vier, hooguit vijf weken.

6

De werkelijkheid van de Blitz leeft vandaag alleen nog in de nacht-merries van een kleine groep ouderen en in een paar legermusea. Opvallend is hoe snel in Londen de mythe en het spektakel de plaats hebben ingenomen van de normale historische beleving. In de stadsmusea op het Europese vasteland heerst, wat deze periode betreft, stilte en sereniteit. Je ziet foto's, een grijs-zwarte maquette van een zwaar gewonde stad, een handvol geblakerde voorwerpen, dat is het meestal. In Londen niets van dit alles.

Een topattractie is op dit moment de Britain at War Experience, een 'realistische ervaring' waarbij je, na betaling van een paar pond, door een oorlogsstraat mag lopen, oorlogsnieuws mag horen en in een Anderson-schuilhut mag zitten onder het gehuil van sirenes en het gedreun van Heinkel-bommenwerpers. Het hoogtepunt is de kunstig nagebouwde puinhoop van een huizenblok, met flitsend afweergeschut, wat verspreide ledematen en een treurig klaterende waterleiding. 'Jolly good!' roepen de schooljongetjes naast me.

Londen was in de zomer van 1940 de grootste metropool ter wereld. De stad had ruim acht miljoen inwoners. (New York was tweede, met bijna zeven miljoen.) Het was de woonplaats van één op de vijf Britten. Alle lijnen van het Britse imperium kwamen er samen. Het was, nadat Hitler zijn invasieplannen had opgegeven, het meest voor de hand liggende doel voor de Duitse bombardementen.

De Duitsers begonnen de Blitz min of meer uit frustratie, zonder duidelijke planning, als uitloop van de Slag om Engeland. De eerste helft van die zomer hadden ze zich enkel gericht op het veroveren van het Britse luchtruim, als voorbereiding op een mogelijke landing. Hun bombardementen hadden zich voornamelijk beperkt tot vliegvelden en andere militaire installaties. Op 24 augustus gooiden, min of meer bij vergissing, een paar Stuka's de eerste bommen op centraal Londen. Churchill zag zijn kans schoon: als 'wraak' bestookten tachtig bommenwerpers van de RAF Berlijn.[12] Hitler was woedend. Bijna zeshonderd Duitse bommenwerpers teisterden daarna twee weken lang Engelse steden, fabrieken en vliegvelden. Vervolgens, op 7 september om vijf uur 's middags, begon de eerste grote aanval op Londen. De havens vormden het voornaamste doel, maar ook volksbuurten werden zwaar getroffen, met name East End. Driehonderd mannen, vrouwen en kinderen kwamen om. De volgende ochtend bracht Churchill een bezoek aan een schuilkelder die was geraakt door een voltreffer. Veertig doden. Churchill barstte in tranen uit. De mensen riepen: 'We wisten dat je zou komen. We kunnen het aan. Pak hem terug!'

Vijf dagen later werd Buckingham Palace voor het eerst geraakt. 'Ik ben blij dat we gebombardeerd zijn,' zei Elizabeth, de latere Queen Mum: 'Nu heb ik het gevoel dat we East End in het gezicht kunnen kijken.' Op zondag 29 september regende het brandbommen op de City. Het hele gebied, ooit bij The Great Fire van 1666 in de as gelegd, stond opnieuw in lichtelaaie. Negentien kerken gingen in vlammen op, eenendertig gildehuizen, de hele Paternoster Row, inclusief vijf miljoen boeken. Eind september waren al bijna zesduizend Londenaren omgekomen, nog eens twaalfduizend waren zwaar gewond. Harold Nicolson vergeleek zichzelf met een gevangene in de Conciergerie tijdens de Franse Revolutie: 'Iedere ochtend ben je blij als je je vrienden weer ziet verschijnen.'

In 1931 verscheen, onder het pseudoniem Miles (S. Southwold), *The Gas War of 1940*, een sciencefictionroman waarin nauwkeurig de vernietiging van Londen werd beschreven, het instorten van muren, de stad vol vlammen en explosies, die duizenden 'aan flarden bliezen'. Een citaat: 'In de donkere straten vochten en worstelden de verbranden en gewonden als beesten, wild en dol van paniek, struikelend over de doden en de stervenden, totdat ze vielen en op hun beurt onder de voet werden gelopen door de almaar groeiende menigte om hen heen.'

De auteur was geen eenzame fantast.[13] Al in 1925 had de Britse luchtmachtstaf berekeningen gemaakt over de aantallen slachtoffers – twee- tot vijfduizend per dag – en de mate van ontwrichting – totaal – bij een massale luchtaanval op Londen. In de jaren dertig waren verschillende plannen opgesteld om de ergste chaos het hoofd te bieden. Zodra de oorlog begonnen was, in de nazomer van 1939, waren zo'n drieënhalf miljoen inwoners van kwetsbare stadsdelen – merendeels moeders en kinderen – naar het platteland geëvacueerd. De Britten hebben dus ook een exodus gekend, al was die beter geregeld dan de Franse. Legio zijn de verhalen over kinderen uit Londense volkswijken die in een Schots dorp belandden en nog nooit een koe hadden gezien: 'Wat is dat voor grote hond?' Een jongen schreef: 'Ze noemen dit lente, mama, en ze hebben hier ieder jaar zoiets.' Toch prefereerden de meeste gezinnen het riskante leven in hun eigen stad. Tegen kerst 1940 was ruim de helft van de kinderen alweer terug.

Hoe verweerden de achterblijvers zich? De foto- en filmtaferelen die we meestal voor ogen hebben – vredig door elkaar slapende huismoeders en kantoorheren op de perrons van de ondergrondse – kloppen niet helemaal. In werkelijkheid gebruikte slechts 4 procent van de Londenaren ooit de ondergrondse als schuilplaats. Het was er te vol, te smerig en bovendien was het er ook niet veilig. In het station Marble Arch vlogen bij een voltreffer de scherpe tegels in het rond (twintig doden), in het Bank Station stortte het plafond in (honderdelf doden), en in Balham gebeurde hetzelfde: hier vielen zelfs zeshonderd slachtoffers.

Veel Londenaren probeerden zich thuis te redden. Allereerst was daar de Anderson-schuilhut, waarvan er in de winter van 1939 honderdduizenden waren uitgedeeld: een simpele constructie van twee halfronde stukken ijzer, half onder de grond ingegraven, met veel aarde eroverheen, zeer effectief, maar je kreeg wel natte voeten. Wie geen tuin had voor een Anderson, en ook geen kelder of station naast de deur, nam zijn toevlucht tot het meest optimistische voorwerp dat ik ooit zag: de schuiltafel. In de Britain at War Experience staat nog zo'n speciale tafel van plaatstaal waar je met de hele familie onder kon kruipen. Men maakte zenuwachtige grappen, zong een liedje en na afloop schaarde het gezin zich weer rond de tafel om bij te komen, met 'a cup of tea to talk things over'. Bombardementen hoeven het moreel niet te breken, en als één volk zich daarvan bewust was, dan waren het de Britten. Dat is zo langzamerhand het ingesleten beeld.

Nog een paar van die herinneringen: de onverzettelijke, achttiende-eeuwse zinnen van Winston Churchill, of die van zijn stand-in, de acteur Norman Shelley, die Churchills Lagerhuistoe-spraken zo nu en dan nadeed voor de radio. De melkboer die tussen het puin zijn flessen kwam afleveren. De treinen en de rode dubbeldeksbussen die door alle ravage heen bleven rijden. De man die in zijn kapotgeschoten kamer rustig zijn belastingformulier zat in te vullen. De kinderbendes van East End die, vaak gekleed in halve vodden maar strak georganiseerd, met emmers en zandzakken de branden te lijf gingen, gewonden wegsleepten, tijdbommen in de Theems smeten en vriendjes verloren bij explosies, maar die altijd weer de trappen van brandende gebouwen op renden, 'bereid, naar het scheen, om de vlammen op te eten'.

Zo waren de beelden.

Iets van de werkelijke geschiedenis valt af te lezen uit de rapporten van Mass Observation. De reacties op de eerste bombardementen waren gemengd. Sommige burgers lieten zich gaan in hun angst. Anderen probeerden op een koppige, bozige manier het gewone leven door alles heen voort te zetten. Weer anderen hielden hun doodsangst in bedwang met grappen en liedjes. Barbara Nixon, een vrijwilligster bij de luchtbescherming, zag haar eerste slachtoffer: 'Midden op straat lagen de resten van een baby. Het kind was dwars door het raam gevlogen en uiteengespat toen het de weg raakte.' Celia Fremlin, een waarneemster van Mass Observation, beschreef de stemming in een schuilkelder in Cable Street, bij het begin van de aanvallen: 'Ze schreeuwden en riepen: "Ik ga dood, ik hou het niet vol."' Toen ze drie nachten later weer in dezelfde kelder kwam, zaten de mensen te zingen. Alles was kalm. De reden was simpel: 'Wanneer je eenmaal drie nachten met bombardementen hebt meegemaakt, en je komt er levend doorheen, dan ga je je onvermijdelijk de vierde keer veilig voelen.' Bernard Kops, toen een jongen van veertien, herinnerde zich de eerste grote aanval van 7 september 'als een vlammende wond': de benedenverdieping van een flat, bevolkt met hysterische vrouwen en huilende baby's. De mannen begonnen te kaarten, de vrouwen zongen wat liedjes. 'Maar ieder ogenblik vlogen weer twintig vrouwenvuisten naar het plafond, vloekend op de explosies, Duitsland, Hitler.'

Uit het rapport van een verpleegster, over een nachtdienst in Hampstead:

Het Sloopteam van de reddingsbrigade vroeg dokter en mij om in de buurt te blijven, terwijl ze probeerden een vrouw te bereiken in een toilet (ze zat vast met haar benen). Ze was erg vrolijk en bleef converseren met de mannen en ook met mij. Ik kon haar niet zien, en ze was nog niet gered toen ik om zeven uur 's ochtends vertrok. Geschreeuw kwam ook uit de puinhopen in de buurt; mannen waren bezig om ingesloten mensen los te krijgen. Ook zij zaten nog vast om zeven uur.

Daarna werden we bij een puinhoop geroepen – op het hek stond nummer 16 – waar een meisje vastzat. Met A. en S. nam ik een kortere weg, en S. struikelde over een lijk; het was een vrouw, ze was onthoofd, de darmen hingen uit haar buik. We hielpen om haar op een brancard te leggen en gingen toen door naar het meisje dat vastzat; ze was er te slecht aan toe om haar naam te zeggen. Dr. S. beval haar 1/2 gram morfine te geven (we controleerden dit, en ik gaf het haar. Gegeven om 05.43 uur). Ze kreeg ook warme thee. De sloopmannen kregen het puin tot haar voeten weg en ik kon haar warme waterkruiken geven (aangedragen door de buren). Om 06.34 uur bestelde dr. S. opnieuw een kwart gram morfine (gecontroleerd door dr. S. en door mij gegeven). Het meisje bleef bij bewustzijn, maar ze had pijn en was erg dapper.

Toen ik uit het gat kwam, zag ik de rug van een lichaam in een groene jurk bij de klemzittende benen van het meisje, en meldde dit aan de sloopmannen. De sloopmannen groeven vervolgens de hand van een meisje op – maar niet van het meisje in de groene jurk. De mannen maakten een gat, en het meisje maakte geluiden, ik gaf hun een rubberslang die het meisje in haar mond wist te krijgen om haar te helpen ademen.

Branden begonnen op te laaien onder in deze puinhoop en de brandweerlieden kregen bevel het vuur onder controle te houden met een zachte straal water. We hielpen tot zeven uur, toen werd ik afgelost door zuster S.

Amerikaanse radiojournalisten als Ben Robertson en Ed Murrow van CBS versloegen dagelijks de Blitz. Soms organiseerden ze rechtstreekse radioreportages, vanuit meerdere plekken in de stad, toen een novum: 'Hier is Londen. De luchtaanval is nog gaande. Ik zal zachtjes praten omdat drie of vier mensen op de vloer van deze studio liggen te slapen.'

'Ik sta nu op een dak, met uitzicht over Londen. Op dit moment is alles rustig. Aan mijn rechterhand gaan de zoeklichten aan. Ik denk dat we over een minuut het geluid van afweergeschut in deze buurt te horen krijgen. De lichten komen nu deze kant op. U hoort zo twee explosies. Daar zijn ze!'

Dertig miljoen Amerikanen hingen aan hun lippen, hoorden de bommen vallen, ondertussen vroeg een Londenaar kalm om een vuurtje. De ochtend na de aanval van 7 september zag Robertson de chef-ober en de schoonmaker van zijn hotel rustig aan het werk. De chef-ober was zijn huis kwijtgeraakt, de schoonmaker was drie uur lang in een kelder begraven geweest, maar ze gingen door alsof er niets was gebeurd. 'De burgers werden een leger,' schreef Robertson later. 'Ze wisten dat ze de straten open moesten houden, de lichten aan, het water stromend, de voedselaanvoer op gang.'

In de loop van oktober 1940 verlegde de Luftwaffe zijn aandacht naar steden als Birmingham, Sheffield, Hull, Glasgow en Plymouth. Op 14 november werd Coventry tien uur lang gebombardeerd. Na afloop lag de kathedraal in puin, een derde van de huizen was onbewoonbaar, vijfhonderdvijftig inwoners waren dood, bijna negenhonderd ernstig gewond. Het psychologische effect van de aanval was veel groter dan in andere steden, omdat Coventry zoveel kleiner was en iedereen het gevoel had zelf geraakt te zijn. De rapporteurs van Mass Observation maakten melding van meer uitingen van angst, paniek en hysterie dan ze tijdens alle voorafgaande aanvallen hadden gezien. 'Vrouwen zagen we huilen, schreeuwen, over hun hele lichaam trillen, op straat flauwvallen, brandweerlieden te lijf gaan enzovoort.'

Tijdens de wintermaanden konden de Duitsers weinig ondernemen, maar vanaf maart 1941 gingen de Heinkels en Junkers weer op volle kracht tekeer. Op zaterdag 10 mei 1941 vond de zwaarste en langste aanval plaats. Londen werd, zoals men het noemde, 'Coventrated'. De Westminster Abbey, de Tower en de Mint werden zwaar beschadigd, een kwart miljoen boeken in het British Museum gingen in vlammen op, de noordvleugel van het Palace of Westminster – het Lagerhuis – werd vernietigd, vijftienhonderd Londenaren verloren het leven, een derde van de straten werd onbegaanbaar, alle stations werden, op één na, geblokkeerd, honderdvijftigduizend families kwamen zonder gas, water en licht te zitten.

Daarna hielden de aanvallen op. De Luftwaffe stuurde alle toestellen naar het oosten voor de aanval op de Sovjet-Unie. Er begon een rustpauze van bijna drie jaar, een sombere, smoezelige, gefrustreerde periode uit de stadsgeschiedenis die later wel werd aangeduid als 'het lichtloze midden van de tunnel'.

Hele stukken van het centrum, zoals het drukke winkel- en kantoorgebied tussen St Mary-le-Bow en St Paul's Cathedral, keerden terug tot de oerstaat van het oude Londen, een wildernis van modder, puin en hoog gras, een vlakte waar enkel nog losse voetpaden de namen droegen van voormalige straten. In de Bread Street en de Milk Street groeiden wilde bloemen die er niet gezien waren sinds de dagen van Hendrik VIII: lelietjes-van-dalen, kruiskruid en andere soorten.

In februari 1944 begon de 'little Blitz', zoals de vermoeide Londenaren deze periode noemden, de vergelding voor de bombardementen op de Duitse steden. Daarna, in de laatste oorlogszomer, gebeurde er iets ongekends. Vanaf juni kwamen onbemande straalvliegtuigjes de stad binnenvliegen, ofwel V1's, herkenbaar aan het scherpe gezoem van de motor, gevolgd door een plotselinge stilte: dan hield de machine op en viel de bom. De Londenaren konden er nu opeens niet meer tegen: de willekeur van deze ongenadige, dodelijke 'robot-bombs' bracht een grotere nervositeit teweeg dan de zwaarste Blitz-aanvallen.

Een paar maanden later verscheen nog een nieuw wapen, uit de koker van Wernher von Braun en zijn enthousiaste technici, de V2, de eerste langeafstandsraket ter wereld. Afgeschoten vanuit onder andere Wassenaar en Den Haag raasde het ding met een snelheid van ettelijke malen het geluid in een paar minuten naar Londen. De V2 was technisch zeer geavanceerd; de raket bereikte de rand van de stratosfeer en bezat zelfs al ingenieuze geleidingssytemen. Radar, luchtalarm, afweergeschut, Spitfires, hier was niets tegen bestand. Eén V2 kon een hele straat platgooien met iedereen die er leefde. Eind maart 1945 kwam de laatste neer, ongeveer de duizendste, aan de Tottenham Court Road, op de achttiende-eeuwse kapel van dominee George Whitefield, op de plek waar nu de Whitefield Memorial Chapel staat.

In totaal zijn in Londen meer dan honderdduizend huizen platgegooid, bijna dertigduizend mannen, vrouwen en kinderen gedood. Een van de belangrijkste doelwitten hebben de Duitsers echter nooit weten te raken: de Cabinet War Rooms. De geheime kelderruimte waarvandaan de Britse regering de oorlog leidde ligt er nog vrijwel net zo bij als op 16 augustus 1945, twee minuten voor vijf, toen de lichten er doofden. Decennialang wisten alleen insiders van het bestaan, nu zijn ze open voor iedereen. Je kunt ze zelfs huren, voor een middag of avond, om er een bedrijfsfeestje te houden.

Dit knooppunt, waar tijdens de oorlog alle lijnen samenkwamen, is niet groter dan de centrale redactie van een krant, en zo ziet het er ook uit: houten bureaus, kaarten, metalen lampen, rode, groene, zwarte en witte telefoons, punaises, touwtjes. Churchills werkkamer is kleiner gemaakt om de bezoekersstroom in goede banen te leiden, die van lady Clementine is zelfs helemaal verdwenen. Ook zijn privéruimte hangt vol kaarten, hoewel er bij hoog buitenlands bezoek discreet een gordijn voor de opstelling van de Britse kustverdediging werd geschoven.

Geheimzinniger nog waren de afgesloten gele dozen die hier dagelijks binnenkwamen en die alleen Churchill in eigen persoon mocht openmaken. Ze bevatten een selectie van alle onderschepte Duitse radio-orders voor leger, marine en luchtmacht. Het Duitse opperbevel had die op zeer ingenieuze wijze versleuteld via de Enigma-codeermachine, een apparaat dat alle geheime teksten voor buitenstaanders volstrekt onleesbaar maakte. De Duitsers hadden een enorm vertrouwen in het toestel. Ze hadden geen enkel vermoeden dat de Polen al in 1928 een van de Enigma-machines in handen hadden gekregen, dat ze na zes jaar studeren de code hadden weten te kraken en dat ze die kennis sinds de zomer van 1939 met hun Franse en de Britse bondgenoten deelden. De Britten vervolmaakten het decodeersysteem met een van de eerste computerachtige machines, de ultrageheime Colossus. Vrijwel alle Duitse plannen en troepenbewegingen lagen vanaf de zomer van 1940 voor Churchill en enkele vertrouwden binnen enkele dagen – of zelfs uren – open en bloot op tafel, al mocht natuurlijk niemand dat weten. Het gaf de Britten een enorme voorsprong. Ze waren dankzij operatie Enigma nauwkeurig op de hoogte van, bijvoorbeeld, het afblazen van de Duitse invasie in Engeland, de luchtlandingen op Kreta, de scenario's voor de Sovjet-Unie (en het mislukken daarvan) en de Duitse plannen met Italië en Griekenland. Ze konden zich beter concentreren op de werkelijke gevaren en ze hoefden minder troepen achter de hand te houden 'voor het geval dat'.

COMPUTER

Het enige bekende exemplaar van de originele Enigma-machine hebben de Amerikanen meegenomen. Het kan worden bezichtigd in het National Security Agency Museum in Fort Meade (Maryland). Operatie Enigma was het grootste en best bewaarde geheim van de Tweede Wereldoorlog. De Enigma-informatie stond centraal bij talloze belangrijke beslissingen, maar nog een kwarteeuw later werden alle verwijzingen naar Enigma uit historische bronnen verwijderd. Dit merkte bijvoorbeeld Martin Gilbert, toen hij begon met zijn Churchill-biografie. Ook de memoires van figuren als Eden en Montgomery bevatten soms vreemde hiaten. Pas in 1979, met de publicatie van de officiële geschiedschrijving van de Britse inlichtingendiensten in de Tweede Wereldoorlog, werd operatie Enigma officieel openbaar gemaakt.

Door deze geheimzinnigheid is al die tijd de rol van de Poolse inlichtingendienst onderbelicht gebleven. Toch waren het de Polen die als eersten het bestaan van Enigma op het spoor kwamen, die daarna zo'n machine te pakken wisten te krijgen, die vervolgens de werking minutieus reconstrueerden en die ten slotte de code kraakten – dankzij de zevenentwintigjarige mathematicus Marian Rejewski.

Tijdens de oorlogsjaren vond het decoderen plaats in Bletchley Park, zeventig kilometer van Londen, door een selecte groep wiskundigen en decodeer-experts. Ze maakten daarbij gebruik van de Colossus, het eerste elektronische apparaat ter wereld dat duidelijke kenmerken van een computer vertoonde. De eerste machine woog een ton en was ontworpen door Tommy Flowers, een elektrotechnisch ingenieur die voor de Britse PTT al in de jaren dertig experimenteerde met elektronische telefoonschakelingen. Het ding was in staat om elektronisch allerlei bewerkingen te verrichten die voordien alleen maar traag en mechanisch konden worden uitgevoerd. In 1945 stonden in Bletchley tien van zulke machines te draaien, die inmiddels vijfmaal sneller werkten dan de eerste Colossus.

Na de oorlog keerde Flowers terug naar de Britse post, waar hij zijn chefs jarenlang ervan probeerde te overtuigen dat zijn elektronische technologie uitermate geschikt was voor telefoonschakelingen. Het lukte hem niet. Hij mocht immers het doorslaggevende argument nooit noemen: dat hij in Bletchley Park al tien van zulke machines had gemaakt.

Een bizarre plek in de Cabinet War Rooms is de kleine ruimte achter een toiletdeur. Dit was niet de wc van Churchill, maar het eindpunt van de supergeheime telefoonlijn waarmee Churchill en president Roosevelt rechtstreeks en – dankzij waanzinnige codeermachines en meer dan zeventig radiofrequenties – vertrouwelijk met elkaar konden overleggen. Hier werd tussen 1943 en 1945 de wereld geregeerd, in dit hokje dat iedereen aanzag voor Churchills privétoilet.

In geen onderdeel van de oorlog stak Churchill meer energie dan in zijn verhouding met Roosevelt, en met de Verenigde Staten in het algemeen. Die behoefte was wederzijds. Begin 1941 had Roosevelt zijn vriend en naaste adviseur Harry Hopkins naar Engeland gestuurd om uit te vinden wat voor soort man deze drinkende en sigaren rokende Britse premier eigenlijk was. Het was een gouden greep: vanaf het eerste moment ontstond er een intense genegenheid tussen beide mannen, een vriendschap die zich uitbreidde tot de persoonlijke relatie tussen Churchill en de Amerikaanse president. 'Ik ben u buitengewoon dankbaar dat u mij zo'n opmerkelijke figuur hebt gezonden, iemand die in zo'n mate uw intimiteit en vertrouwen geniet,' schreef Churchill aan Roosevelt. Hopkins was diep onder de indruk van het staatsmanschap van Churchill en de gemoedsrust waarmee de Britten de voortdurende bombardementen ondergingen. Churchill, schreef hij aan Roosevelt, is niet alleen minister-president maar 'de leidende kracht achter de strategie en het verloop van de oorlog op alle essentiële punten. Hij heeft een verbazingwekkende greep op het Britse volk, op alle rangen en standen.'

Hopkins bleef meer dan een maand in Groot-Brittannië, tweemaal zo lang als hij van plan was. Churchill en hij trokken veel samen op, praatten nachtenlang met elkaar en draaiden samen de nieuwe Amerikaanse dansplaten die Hopkins had meegenomen: Churchill stond soms met kleine pasjes mee te wiegen. 'Het was een keerpunt in de Anglo-Amerikaanse relaties,' schreef Jean Monnet, die beiden goed kende. 'Het lot van de twee landen was nu op het hoogst verantwoordelijke niveau verbonden.' Vlak voor zijn vertrek citeerde Hopkins tijdens een diner in Glasgow een vers uit het Boek der Boeken: 'Waar gij gaat zal ik gaan; en waar gij verblijft zal ik verblijven; uw volk zal mijn volk zijn, en uw God de mijne.' En hij voegde er rustig aan toe: 'Zelfs tot het einde.' Churchill was in tranen.[14]

Ondanks deze persoonlijke banden bleven er grote geschilpunten tussen de Britten en de Amerikanen. Churchill droomde, groots en meeslepend als hij dacht, van een toekomstige eenheid van alle Engelssprekende democratieën, onstuitbaar, zegerijk en majestueus 'als de Mississippi'. Hij was ervan overtuigd – zo bleek ook uit zijn redevoeringen – dat de Verenigde Staten vroeger of later Groot-Brittannië te hulp zouden komen. Voor de Amerikanen was er in zijn ogen, los van alle moraal en ideologie, geen alternatief: ze konden zich niet permitteren dat Hitler de Britse vloot in handen zou krijgen, en daarmee de heerschappij over de Atlantische Oceaan. En uit die gezamenlijke strijd zou, in Churchills visie, een ongekende machtsbundeling van alle Engelssprekende volkeren kunnen ontstaan.

De meeste Amerikanen hadden, daarentegen, weinig zin om Europa opnieuw te redden. De stemming in het Congres was tot eind 1941 ronduit isolationistisch. In september 1940 dacht 67 procent van de Amerikanen dat het land afstevende op een oorlog, maar 83 procent was daar eigenlijk tegen. President Roosevelt moest dus heel voorzichtig opereren om zijn herverkiezing in november 1940 niet in gevaar te brengen. Hij deed zijn best om de besluiten van het Congres te omzeilen, hij zette de wapen- en vliegtuigproductie in gang, ruilde vijftig overtollige Amerikaanse fregatten tegen een aantal Britse marinebases, begon wapens en munitie te leveren, maar het was niet de substantiële hulp waar Churchill voortdurend om smeekte. Daar kwam pas in 1942 werkelijk vaart in.

Achter de schermen speelde bovendien een ernstig financieel probleem. De toestand van de Britse schatkist was buitengewoon precair. Churchills oorlogsdoel reikte verder dan enkel het winnen van de strijd. Wat hij vooral voor ogen had, was de redding van het Britse rijk. Hij was zelf door en door een kind van dat imperium, van de Victoriaanse tijd, van ijzeren zekerheden uit het Cuming Museum. 'Ik ben niet 's konings eerste minister geworden om de liquidatie van het Britse imperium te regelen,' zei hij in november 1942.

Toch dreigde zo'n catastrofe voortdurend. De Britten waren berooid uit de Eerste Wereldoorlog gekomen, en eigenlijk konden ze zich helemaal geen lange oorlog veroorloven. Dat was, mede, de achtergrond van de appeasement-politiek. Chamberlain en de zijnen vreesden dat een tweede oorlog in financieel opzicht de genadeslag voor het Britse rijk zou betekenen, en die vrees werd bewaarheid. Alle wapenaankopen in de Verenigde Staten moesten de Britten immers contant betalen. Al in de zomer van 1940 berekende de minister van Financiën dat Groot-Brittannië in december door alle goud- en dollarreserves heen zou zijn, en dat het Verenigd Koninkrijk daarna bankroet zou gaan. Roosevelt redde de situatie met het Lend-Lease-systeem, waardoor Amerikaanse militaire goederen ook op krediet geleverd konden worden. Zoals Roosevelt het uitdrukte: als het huis van de buurman in brand staat, ga je ook niet eerst onderhandelen over de prijs van je brandspuit, die leen je, en later reken je weleens wat af. Dat afrekenen, na 1945, vond echter wel degelijk plaats.

De verhouding tussen beide bondgenoten deed zo in de verte denken aan de verhouding tussen de Sovjet-Unie en de Spaanse Republiek in de jaren dertig. De Lend-Lease Act redde Groot-Brittannië, maar tegelijk werd het land daardoor, in de woorden van A.J.P. Taylor, 'een arm familielid, geen gelijkwaardige partner'. Er was geen sprake van het samenvoegen van hulpbronnen. De Britten werden, integendeel, genadeloos beroofd van hun laatste dollars en goudreserves. Churchills visionaire beeld ging uit van een Amerika dat unaniem pro-Engels was. In werkelijkheid hielpen de Amerikanen hem om Hitler te verslaan, niet om het Britse wereldrijk overeind te houden. Groot-Brittannië, schrijft Taylor, 'offerde zo zijn naoorlogse toekomst op omwille van de oorlog'.

Het enorme Britse imperium, waarover Winston Churchill zulke grootse visioenen had en dat voor eeuwig vast leek te liggen, beheerste nog geen honderd jaar de wereldzeeën. Churchill leefde van 1874 tot 1965. Nog tijdens deze periode zakte zijn land, in militaire en wereldpolitieke termen, af tot een vazalstaat van de Verenigde Staten.

Buiten de Cabinet War Rooms ligt Whitehall, met de enorme Victoriaanse kantorencomplexen van het imperium, de ministeries, Admiralty, Treasury, Foreign and Commonwealth Office, de Cenotaph – het grote oorlogsmonument –, het standbeeld van lord Mountbatten of Burma en de dozijnen antennes op de daken. Vanaf hier werd ooit een wereldrijk geregeerd, en de gebouwen scheppen de illusie dat dit imperium nog altijd bestaat.

In de Britain at War Experience loop je door een kermis met veel muziek, filmpjes, gefluit en gedreun. De muren hangen vol affiches, nazi's zijn hier torren met een hakenkruis: 'Kill them

with War-savings!' Een schoolklas struikelt langs een nagebouwde metro-ingang, poppen liggen met open mond in een eeuwige
slaap, ondanks de almaar herhaalde, dreunende zinnen van
Churchill. In een nagemaakte kleedkamer zingt Vera Lynn. Oorlog is voor deze kinderen een kluwen van liedjes, bommen, toespraken van Hitler, Roosevelt en lord Haw-Haw, en tot slot de
woedende stem hun juffrouw: 'And now out! Out! Out!!'

Wat is hier aan de hand? De Blitz-specialist bij uitstek, Angus
Calder, spreekt van 'de mythe van de Blitz', een mengeling van
werkelijkheid en propaganda die tijdens de oorlogsjaren diende
om de Britten overeind te houden en de Amerikanen tot steun te
verleiden. Hij analyseert beelden die de boodschap brachten van
dappere normaliteit: een vrouw achter een naaimachine in een
verder kapotgeschoten fabriek, mensen die naast een puinhoop
in de rij staan voor een Milkbar. (Wie goed kijkt, ziet dat de rest
van de fabriek van de vrouw leeg is en dat het bord MILKBAR erbij
is getekend.) Hij beschrijft het effect van de radioreportages van
Ed Murrow, die overal ter wereld gevoelens van solidariteit met de
Londenaren opwekten. 'This is London!' – en in Amerika hing iedereen aan de radio. 'This is London!' – en na een jaar had rijks-
maarschalk Hermann Göring de rest van de wereld vakkundig
pro-Engels gebombardeerd.

Nu stond die stugge, dappere normaliteit inderdaad centraal
in de overlevingstactiek van de Londenaren – vrijwel alle ooggetuigen maken er melding van –, maar gaandeweg werd die houding omgesmeed tot iets nog veel groters, tot een heldenverhaal,
een nationale smaakversterker die alles doortrok. Hier gebeurde
het omgekeerde van wat zich in Frankrijk afspeelde. Verdrongen
werd alle angst en hysterie, het debacle van de Arandora Star, de
onzekerheid van Chamberlain en Halifax, het diepe en altijd kna-
gende klasseverschil. (De waarheid was dat in 1941 het aantal
Britse stakingsdagen alweer boven het miljoen lag, en in 1942
werd er zelfs meer gestaakt dan voor de oorlog.) Hier werden alle
trots en vernedering door de Britten herschapen tot een nieuwe
'verbeelde gemeenschap', die in talloze boeken, films, radio-uit-
zendingen, krantenartikelen en toespraken langzamerhand
vorm kreeg. Hier werd, in de woorden van Angus Calder, met alle
kracht het feit verdoezeld dat in 1940, toen Frankrijk viel en Churchill weigerde te buigen, 'de wereldmacht definitief verschoof
van Groot-Brittannië naar de Verenigde Staten'.

De nieuwe mythe was in de eerste plaats gericht op het buitenland. De Engelsen waren voor 1940 helemaal niet zo geliefd in de rest van de wereld. Ze golden als typische veroveraars: hard, arrogant, gewelddadig, koel, overgedisciplineerd, onbegrijpelijk vaak. Sebastian Haffner beschreef ooit de Engelse upper class als de 'in model geschoren boompjes in de Franse tuinen uit de barok', mensen die hun 'niet onaantrekkelijke maar gekunstelde tweede persoonlijkheid' hadden meegekregen van hun kostscholen, waar men het er doelbewust op aanlegde 'om de leerlingen kapot te maken en vervolgens weer anders in elkaar te zetten'.

Zo zagen de Europeanen en de Amerikanen de Engelsen. Dankzij de mythe van de Blitz, schrijft Calder, kon het volk nu geportretteerd worden als pacifistisch, dapper, solidair, sociaal, en eventueel bereid om voor Europa en de hele wereld de strijd aan te gaan tegen de duivel. Tegenover de Duitse tirannie werd de Britse vrijheid gesteld, tegenover de starre Pruisische berekening de Britse overlevingskunst, tegenover het drillen de geest van vrijwilligheid, tegenover de arrogantie de vriendelijkheid, tegenover de vervolging de tolerantie, tegenover de Berlijnse machines het tijdloze Britse landschap, tegenover de agressie het geduld, tegenover het nazi-fanatisme de Engelse kalmte, tegenover het Duizendjarige Rijk de duizendjarige vrede.

In de mythe van de Blitz werden, kortom, de beelden en symbolen geschapen die de visie van miljoenen Europeanen over de Tweede Wereldoorlog, Duitsland en Engeland zeker een halve eeuw lang zouden bepalen. Beelden die, voor de Britten zelf, bovendien fungeerden als een probaat verdovingsmiddel, waardoor hun gespleten samenleving voor even een eenheid leek.

Zo werd de mythe van de Blitz in het Europese geheugen gebrand, en ieder land ging er op een eigen manier mee om. En dat terwijl het werkelijke heldenverhaal, los van alle propaganda, indrukwekkend genoeg is: namelijk dat de Britten, *standing alone*, hun wereldrijk economisch ruïneerden om het democratische Europa te redden. Dit was en bleef de grote morele overwinning, nadat de lichten in Whitehall waren gedoofd.

VII

Juli

1

Zijn moeder verzuchtte toen de oorlog uitbrak: 'Gelukkig is onze Wolf te jong!' Hij was dertien, hij zat net op het gymnasium. Maar zijn vader gromde: 'Die gaat het nog wel meemaken.'

Ik zit in de tuin bij Wolf Jobst Siedler (1926), gepensioneerd uitgever, in de oude Berlijnse villawijk Dahlem. Siedler woont nog steeds in het huis van zijn jeugd, en dat is merkbaar: in de talloze prenten en schilderijen, de boeken, de warme beslotenheid van de kamers, de sobere luxe, de stille tuin. Dahlem was ooit de buurt van Walther Rathenau, van de joodse zakenlieden en industriëlen, later van hoge nazi's die hun intrek namen in de joodse landhuizen. Himmler, Dönitz, Ribbentrop, de halve rijksregering woonde hier tijdens de oorlogsjaren, in zo'n keurige Blaricumse straat waar de vogels altijd floten en waar nooit een bom zou vallen.

Siedler vertelt hoe opgewonden ze allemaal waren in de meidagen van 1940. 'Veel jongens op school dachten dat het net zoiets zou worden als de Eerste Wereldoorlog. Loopgraven, lang wachten, zo nu en dan een veldslag. Een oude huisvriend zei tegen mijn vader: "Ja, die Hitler, die heeft iedereen behekst. De generaals staren naar hem als een konijn naar een slang." Ik hoor die zinnen nog, het gesprek brak af, het avondeten werd opgediend. Daarna kwam, later in die meimaand, het ene overwinningsbericht na het andere. Iedereen juichte. Verdun werd genomen, Sedan, oud-strijders vielen elkaar op straat in de armen.'

De zomer van 1940 beleefden de meeste Berlijners als een roes. Bij de overwinningen in Frankrijk werd op straat gezongen en gedanst. Toen op 18 juli de grote zegeparade met ganzenpas voorbijmarcheerde, stond de juichende menigte twintig rijen dik, tot in de bomen en lantaarnpalen zaten de mensen, vrouwen vielen soldaten om de hals, het regende bloemen en confetti. 'Wij, Berlijnse jongens, vonden de Engelsen net zo goed fantastisch. De Slag om Engeland was in onze ogen een riddergevecht. Er werd gesproken over de "veldtocht tegen Frankrijk" en de "veldtocht tegen Holland". Oorlog, nee, dat woord kenden we niet.'

De eerste buit stroomde binnen: bont uit Noorwegen, kunst, tabak en Bols-jenever uit Nederland, wijnen en parfums uit Frankrijk, glas uit Bohemen, wodka uit Polen. In de bezette gebieden begonnen Sonderkommando's bibliotheken en musea uit te kammen op zoek naar de beste Europese kunst voor de grote Berlijnse musea en voor Hitlers geplande Führer Museum en Görings Karin-Halle. De 'bezettingskosten' die Frankrijk moest opbrengen, waren zo hoog dat de franc bijna niets meer waard was tegenover de Reichsmark. Franse wijnen en parfums kostten de Duitsers bijna niets.

'De verovering van Frankrijk betekende een wijd open schatkist voor de Duitse burgerij,' schreef CBS-correspondent Howard K. Smith. 'Berlijnse werksters en dienstmeisjes, wier benen nooit door zijde waren gestreeld, begonnen zijden kousen uit de warenhuizen van Boulevard Haussmann te dragen als alledaagse kledij – "van mijn Hans aan het front". Kleine straatkroegjes pronkten met rijen armagnac, Martell en Courvoisier uit de kelders van de beste wijnhuizen. Iedere kleine bureaucraat in de hoofdstad kon aan tafel een mooie, dikke fles van de beste Franse champagne te voorschijn toveren. Oorlog was bijna een pleziertje.' Wolf Siedler: 'Er viel weleens een Engelse bom, maar dat vonden we voornamelijk spannend. We fietsten zelfs naar een bepaald huis dat geraakt was, dat wilden we met eigen ogen zien. En op school spaarden we granaatscherven van het afweergeschut. Die ruilden we.'

Tegen Kerstmis 1940 had de stad voor het eerst te kampen met een tekort aan koffie en chocola. Sigaretten mochten niet meer aan vrouwen worden verkocht. Steeds meer gezinnen begonnen met het fokken van konijnen, 'balkonvarkentjes' voor eigen gebruik. Maar de naaktshows gingen onverminderd door, de restaurants serveerden oesters, kreeften en de beste wijnen en ook de gewone Berlijner had het goed. Het rantsoen bestond wekelijks uit een pond vlees, een kwart pond boter, drie pond brood.

Het volgend voorjaar werd er weer gesproken van een 'veldtocht', nu naar Rusland, in een paar maanden uit en thuis. Overal in de stad werden luidsprekers aangebracht om de opmars uit te bazuinen. Muziek, dan een krakerige stem: 'Van het hoofdkwartier van de Führer', dan de mededeling dat Riga was gevallen, of Minsk, of Kiev, of Odessa. Tot de nazomer van 1941 bleef de stad in een vrolijke stemming. Aan de verlaten sovjetambassade aan Unter den Linden hadden de nazi's een enorm spandoek gehangen: 'Pas op! Dit gebouw wordt uitgerookt!' Wolf Siedler herinnerde zich een generaal die voorspelde dat de veldtocht na een week of zes zou zijn afgelopen. 'Eigenlijk hebben we al gewonnen. We zijn nu alleen nog maar bezig om losse verzetsnesten op te rollen.'

Pas in de herfst van 1941, toen de soldaten almaar wegbleven en de winter inzette, pas toen daalde een onbehagen over de stad. De luidsprekers meldden geen overwinningen meer. De etalages stonden vol lege koekjesdozen en wijnflessen met water. De enorme kaart van Rusland voor het warenhuis Wertheim, waarop iedere dag de voortgang van de Duitse troepen werd aangegeven, was weggehaald. Voor het front werden handschoenen, mutsen en bontjassen ingezameld; uiteindelijk zouden zeker honderdduizend Duitse soldaten letterlijk doodvriezen.

Er kwamen krijgsgevangenen uit de Sovjet-Unie naar Berlijn om in de fabrieken te werken, in totaal zo'n driehonderdduizend. Ze werden, onder de ogen van de Berlijners, als beesten behandeld. De helft kwam om van de honger of bij de bombardementen, een tweemaal zo hoog percentage als bij de beruchte Japanse Birmaspoorweg. Op de Berlijnse ministeries stroomden de rapporten binnen over de Russische veldtocht, en talloze ambtenaren kregen ze onder ogen. Eén voorbeeld: de notitie van SS-Standartenführer Jäger van 1 december 1941 uit Litouwen over de 'productie' van Einsatzkommando 3 van Einsatzgruppe A. Vanaf 4 juli tot 21 november had EK 3 in totaal 99 804 burgers, meest joden, 'geëlimineerd'. Een fragment uit deze boekhouding, in Berlijn teruggevonden:

Teilkommando des EK.3 in Dünaburg, vom 13.7-21.8.41:
9012 Juden, Jüdinnen und Judenkinder,
573 aktive Kommunisten   9585
Teilkommando des EK.3 in Wilna, 2.9.41
864 Juden, 2019 Jüdinnen, 817 Judenkinder   3700

Een citaat uit de toelichting: 'Het doel, Litouwen jodenvrij maken, kon alleen bereikt worden door het instellen van een *Rollkommando* met uitgelezen mannen onder leiding van SS-Obersturmführer Hamann, die zich met hart en ziel op deze taak stortte en er, in samenwerking met de Litouwse partizanen en de verantwoordelijke civiele overheden, een succes van maakte.'

Ongemerkt groeide Berlijn uit tot een nieuw zenuwcentrum: de stad werd het administratieve hart van de Duitse moordindustrie. Bijna alle grote ministeries waren erbij betrokken, plus een stuk of twaalf SS-hoofdkwartieren. Op het ministerie van Landbouw en Voedselvoorziening werd met grote nauwkeurigheid berekend op hoeveel calorieën voedsel elk concentratiekamp recht had, – waarbij de verwachte 'uitval' door ziekte en gaskamers al werd ingecalculeerd. Op het kantoor van de Reichsbahn schreven de ambtenaren duizenden rekeningen voor de joodse treintransporten, allemaal het tarief van een enkele reis. Al die Berlijnse kantoormensen hebben, schrijft Alexandra Richie in haar stadsgeschiedenis, 'nooit een trekker overgehaald of een ovendeur gesloten, maar ze hebben wel een enorme logistieke operatie als de holocaust mogelijk gemaakt: ze hadden de macht om een heel volk te vernietigen, enkel van achter hun bureaus'.

In de Berlijnse ziekenhuizen verschenen de eerste soldaten met psychische problemen. De jurist Helmuth James graaf von Moltke, achterneef van de chef-staf Helmuth von Moltke en later een belangrijke figuur binnen het Duitse verzet, noteerde op 13 november 1941 in zijn dagboek dat hij uit het oosten 'niets dan slechts' hoorde: 'Russische gevangenen, geëvacueerde joden, neergeschoten gijzelaars, weer geëvacueerde joden.' In de tram was hij een verpleegster tegengekomen, dronken als een tempelier. Hij had haar geholpen met uitstappen. Ze verontschuldigde zich, vertelde hem dat ze werkte in een SS-ziekenhuis en dat ze de hele dag moest omgaan met mannen 'die hun mond niet kunnen houden over wat ze gedaan en gezien hebben, en die de hele tijd roepen: "Ik doe dit niet langer, ik doe dit niet langer!" Als je daar de hele dag naar hebt moeten luisteren, dan grijp je 's avonds wel naar de fles.'

Wolf Siedler werd naar een internaat gestuurd, eerst in Weimar, daarna op het waddeneiland Spiekeroog. Van zijn klas, een groep jongens van veertien, vijftien jaar, zouden vier hun achttiende verjaardag niet halen. Zijn moeder had zich vergist: ze waren niet te jong voor deze oorlog. Bij Wolfs vertrek naar het front, in de zomer van 1944, zat de familie voor het laatst samen in de tuin van de villa in Dahlem. Er was zelfgebakken taart en – inmiddels

zeldzame – echte koffie. Plotseling begon het te sneeuwen, as-
deeltjes uit de brandende binnenstad dwarrelden over de koffie-
tafel, iedereen vluchtte halsoverkop naar binnen, giftig gele wolken schoven voorbij.

Wat voor de Randstad de Kagerplassen zijn, dat is voor Berlijn de
Wannsee. In deze warme julidagen zitten de terrassen aan de oevers vol en overal dobberen fleurige zeilbootjes. Ik vraag aan de buschauffeur naar het monument. 'Welk monument?' 'Van de Wannseeconferentie.' 'Welke conferentie?' Hij zet me af bij Biergarten
Sanssouci, waar dit weekend het Detlev Becker Trio optreedt, een
gebeurtenis die ik volgens hem zeker niet mag missen.

Am Grossen Wannsee nr. 56/58, in deze villa met zijn beschaafde Pruisische rondingen en zijn rustgevende uitzicht op het water,
werd op 20 januari 1942 zo'n typische hoge-ambtenarenvergade-
ring gehouden, zo'n losse brainstorm met aansluitend, aldus de
uitnodiging, een kleine maaltijd. De vergaderzaal is nu een museum en de belangrijkste documenten hangen er aan de muren.
De bezoekers lopen er stilletjes langs, het is allemaal keurig en degelijk, geen schreeuw is te horen, geen traan vloeit.

Het onderwerp van de vergadering was het 'joodse vraagstuk'.
Sommige historici hebben wel beweerd dat de massale moord op
de joden vanaf het begin onderdeel was van Hitlers masterplan,
van een strakke en bewuste strategie. In werkelijkheid is het pad
dat uiteindelijk leidde tot de holocaust veel kronkeliger geweest
dan men gewoonlijk denkt.

'Het wezen van Europa is niet geografisch,' zei Hitler ooit,
'maar raciaal.' Anders gezegd: de nazi's dachten niet in staten,
maar in volkeren, en Europa moest op die basis opnieuw geordend worden. Juridische grenzen, internationale afspraken over
minderheden, de gelijkwaardigheid van staten, de Volkenbond,
het telde voor hen niet: staat en volk moesten weer samenvallen.
Waar het Franse, Engelse en ook Nederlandse staatsidee gebaseerd was op de wil van alle ingezetenen, was het Duitse staatsidee gebaseerd op bloed, afkomst, ras. 'Bloed is sterker dan een
paspoort', dat was de kern van hun ideologie. De Duitse minderheden in Polen, Tsjechoslowakije, de Oekraïne en elders waren
de 'rassenvrienden' van het rijk, die hoognodig 'bevrijd' moesten
worden door hun 'volksgenoten'.

Tegelijkertijd werd het belang van de rassenleer bij de nazi's versterkt door het 'zuiverheidsdenken' dat vanaf 1900 de hele Europese cultuur doortrok. De bacterie als oorzaak van talloze kwalen, het belang van hygiëne, frisheid en zuiverheid, al die nieuwe ontdekkingen zetten vanaf de eeuwwisseling een stempel op de manier van denken van talloze intellectuelen. Het zuiverheidsdenken had een invloed die veel verder reikte dan enkel de medische wetenschap. Geen achttiende- of negentiende-eeuwer zou 'schoon' en 'vuil' of 'gezond' en 'ziek' hebben verheven tot zinnebeelden die op het hele maatschappelijke leven van toepassing waren. Maar tijdens de eerste helft van de twintigste eeuw werd deze tegenstelling in veel kringen de kern waar alles om draaide. 'Zuiverheid' groeide uit tot een begrip dat overal de discussie beheerste, bij rabiate racisten maar net zo goed bij antroposofen, politici, kunstenaars, ontwerpers en stedenbouwkundigen. Half Europa leek opeens aan smetvrees te lijden. Er is bijna geen culturele beschouwing uit de jaren dertig te vinden of woorden als 'zuiver' en 'gezond' komen erin voor. Het was de grondtoon van de moderne tijd.

Voor de nazi's betekende dit zuiverheidsdenken dat ze hun rijk 'gezond' moesten maken, onder andere door het te 'reinigen' van 'volksvreemde' smetten. Vandaar hun pogingen om naties opnieuw te ordenen, de bezette gebieden te *entjuden* en om miljoenen Untermenschen te verjagen naar het Generalgouvernement in Polen en andere randgebieden van het rijk. Deze *hinausgesauberten* joden, Polen en zigeuners konden vervolgens fungeren als 'reservoir' van goedkope arbeidskrachten.

Dat was het systeem dat de nazi's tot 1940 in grote lijnen voor ogen hadden. Aanvankelijk wilden ze de joden naar Palestina sturen. Dit was in de jaren dertig nog een geïsoleerd gebied, economisch onbelangrijk, bestuurd door de Britten, ver weg van Europa. In de zomer van 1933 werd zelfs een overeenkomst gesloten met het Duits Zionistisch Verbond. Ongeveer zestigduizend joden hebben daarvan gebruik gemaakt, totdat de Britten alle joodse immigratie stopzetten.

Na 1939 bestemden de nazi's het Generalgouvernement voor de opvang van joden, maar al snel bleek dat het daarvoor veel te klein was. Vervolgens stelde SS-chef Heinrich Himmler voor om het 'joodse vraagstuk' op te lossen door 'een massale emigratie naar een kolonie in Afrika of elders'. Hij dacht daarbij met name aan de Franse kolonie Madagaskar. In zijn beleidsnota *Enkele gedachten over de behandeling van vreemde bevolkingen in het Oosten* (mei

1940) stipte hij de mogelijkheid van 'fysieke verdelging' even aan, om die direct weer te verwerpen. Gedwongen emigratie was in Himmlers ogen verreweg het beste: 'Hoe wreed en tragisch elk individueel geval ook moge zijn, deze methode is toch de mildste en de beste, zeker als men de bolsjewistische methode van fysieke uitroeiing van een volk afwijst vanuit de overtuiging dat zoiets on-Germaans is, en onmogelijk."

De deportaties gingen ondertussen gewoon door, het Generalgouvernement raakte overbevolkt door alle binnenstromende Polen en joden, de economieën van de omliggende steden en dorpen raakten volledig verstoord, er rezen grote problemen rond de voedselvoorziening, de geplande vestiging van nieuwe Duitse kolonisten was daardoor bijna niet mogelijk. Al snel ontstonden er binnen de nazi-top hooglopende conflicten tussen de 'ideologen' en de 'technici'. Door het Blut und Boden-gedram van Heinrich Himmler werd het Generalgouvernement immers een soort etnische opbergplaats, terwijl Göring en gouverneur-generaal Hans Frank er een pragmatisch georganiseerde slavenstaat van wilden maken. Alle hoop was gevestigd op de snelle verovering van grote delen van de Sovjet-Unie.

De mythe van het Duitse superras, gekoppeld aan deze tijdsdruk, leidde tot een nieuwe strategie: de oorlog van alles-of-niets, de oorlog waarin alles leek te zijn toegestaan. De inval in de Sovjet-Unie leek in niets op de veldtocht van een jaar eerder in West-Europa. Het werd al snel een *Vernichtungskrieg*, een radicalisering waarvan geen terugkeer meer mogelijk was. Dorpen werden platgebrand, honderdduizenden Sovjetburgers werden genadeloos afgeslacht, krijgsgevangenen werden door de Wehrmacht als beesten afgebeuld. Binnen zes maanden na het begin van de oorlog waren al meer dan twee miljoen Sovjetburgers in Duitse gevangenschap gestorven.

Het was een volkerenmoord met voorbedachten rade. De Duitse troepen moesten gevoed worden met de plaatselijke voedselproductie omdat anders de rantsoenen voor de gewone Duitse burgers in gevaar zouden komen. Al voor het begin van de strijd had het Berlijnse ministerie van Landbouw en Voedselvoorziening uitgerekend dat daarom tien miljoen Russen van de honger moesten sterven. Maar het hinderde niet, er zouden immers toch 'vele tientallen miljoenen mensen overbodig worden'.

Deze radicalisering gold ook de behandeling van de joden. In

1940 werden in totaal honderdduizend – merendeels Poolse – joden vermoord, in 1941 ging het om meer dan het tienvoudige. Het zogeheten *Kommissarbefehl* van 6 juni 1941 eiste dat 'alle bolsjewistische leiders en commissarissen' onmiddellijk 'geneutraliseerd' moesten worden. In de praktijk werden op basis van deze order door de Wehrmacht en door speciale rondtrekkende Einsatzgruppen tienduizenden officieren, echte en vermeende partizanen en honderdduizenden joden zonder vorm van proces omgebracht. In Litouwen en Wit-Rusland werden al snel hele joodse gemeenschappen geëxecuteerd, later werkten de moordcommando's ook het bezette Polen en Rusland systematisch af. 'De jood is een partizaan, de partizaan is een jood,' luidde een veel gehoord motto. Moord werd zo, geleidelijk, een deel van de bevolkingspolitiek, en daarmee een moreel geoorloofd beleidsinstrument dat openlijk kon worden besproken.

In het najaar van 1941 bleek dat de snelle verovering van het oosten allesbehalve naar wens verliep. Er zijn duidelijke aanwijzingen dat Hitler, Himmler en Heydrich al in oktober 1941 tot de conclusie waren gekomen dat geen van de deportatieschema's werkte en dat massamoord het enige antwoord was. Uit dezelfde periode dateren de eerste experimenten met het gebruik van gifgas. Himmler, die in Minsk persoonlijk een massa-executie door Einsatzgruppe 8 had meegemaakt, vond de schietpartijen veel te langzaam verlopen. Er kwamen bovendien te veel emoties bij los, ook dat was minder gewenst. Hij zocht naar een sneller en beter alternatief. In allerijl werd materieel en personeel van het euthanasieprogramma T-4 naar het oosten gebracht. Op 3 september 1941 werd in Auschwitz het gifgas Zyklon-B uitgeprobeerd op zeshonderd krijgsgevangenen uit de Sovjet-Unie en kort daarop begon het proefdraaien op grote schaal met twee mobiele gaskamers, eigenlijk omgebouwde vrachtauto's: een voor dertig personen en een voor zestig.

De euthanasiespecialisten – ze droegen witte jassen en stethoscopen om hun slachtoffers te misleiden – waren buitengewoon tevreden. De letterlijke tekst van hun dienstrapport: 'Sinds december 1941 zijn er zevenennegentigduizend verwerkt, met gebruikmaking van drie vrachtauto's, zonder dat de machines enig defect vertoonden.'

Zo veranderden de plannen voor gedwongen emigratie, deportatie en nationale 'zuivering' langzaam in één groot, bureaucratisch project, gericht op een 'definitieve oplossing van het joodse vraagstuk'.[2]

De Wannseeconferentie vond plaats rond het scharnierpunt van de Tweede Wereldoorlog. De eerste uitnodiging voor de bijeenkomst – ze werd uitgesteld – dateerde van 29 november 1941. Een week later waren de Duitse troepen voor Moskou vastgelopen, Japan had de aanval geopend op Pearl Harbor en Hitler had de Verenigde Staten de oorlog verklaard. Daarmee kreeg de moordcampagne op de Europese joden een krachtige politieke en ideologische lading. 'De wereldoorlog is daar!' riep Joseph Goebbels op 12 december. 'De vernietiging van de joden moet de consequentie zijn.'

De oorspronkelijke deportatieplannen 'naar de randen van het rijk' waren nu van de baan. Schietpartijen waren niet 'productief' genoeg en brachten bovendien veel onrust onder de bevolking en de gewone Duitse troepen. Hans Frank was op 16 december tegenover zijn Gauleiter glashelder: 'In Berlijn zeiden ze tegen ons: we kunnen niets met hen beginnen in het Ostland en in het Rijkscommissariaat [de Oekraïne]. Maak ze zelf af!' Hij wist alleen niet hoe hij dat moest aanpakken. 'We kunnen die drieënhalf miljoen joden niet doodschieten, we kunnen hen niet vergiftigen, maar we moeten in staat zijn tot maatregelen die op een of andere manier tot een succesvolle vernietiging leiden.' Op 18 december krabbelde Himmler in de kantlijn van zijn dagboek, naast een verslag van een gesprek met Hitler: 'Joden moeten uitgeroeid worden als partizanen.'

De topbijeenkomst met lunch aan de Wannsee vond uiteindelijk plaats op 20 januari. Deelnemers waren, onder anderen, de staatssecretaris van Binnenlandse Zaken Wilhelm Stuckart, de directeur-generaal voor Bezette Oostgebieden Georg Leibbrandt, SS-Oberführer Gerhard Klopfer van de partijkanselarij, Gestapochef Heinrich Müller en SS-Gruppenführer Otto Hofmann van het Rasse- und Siedlungshauptamt. Vijftien topbureaucraten in totaal. De bijeenkomst werd voorgezeten door het hoofd van de Sicherheitsdienst, Reinhard Heydrich. Notulist was SD-Obersturmbannführer Adolf Eichmann, hoofd van de Joodse Emigratie-afdeling van de Gestapo.

Eichmanns *Besprechungsprotokoll* is bewaard gebleven: vijftien keurig getikte vellen ambtelijke sluiertaal. Heydrich opende de vergadering en deelde mee dat hem, met toestemming van de

Führer, opgedragen was om de 'eindoplossing van de Europese joodse kwestie' in goede banen te leiden. Het doel was om 'op legale wijze' het Duitse Lebensraum van joden te zuiveren. De 'evacuatie van de joden naar het oosten' was al begonnen, 'als mogelijke oplossing in plaats van emigratie'. Nauwkeurige lijsten gingen nu over tafel – er werd ondertussen cognac gedronken – met de aantallen joden per land: het Oude Rijk 131 800, Frankrijk Bezet Gebied 165 000, Frankrijk Onbezet Gebied 700 000, Nederland 160 800, Letland 3500, Estland 0 (jodenvrij), Italië 58 000, Albanië 200, USSR 5 000 000, enzovoort. In totaal elf miljoen. Opvallend is de enorme ambitie die uit de telling naar voren komt: ook Europese gebieden waarop Duitsland geen greep had, werden rustig meegerekend, zoals Engeland (330 000), Zwitserland (18 000) en Spanje (6000).

Afgesproken werd om Europa 'van het westen naar het oosten door te kammen'. In grote colonnes zouden de arbeidsgeschikte joden naar het oosten worden vervoerd waar, aldus de notulen, 'een groot deel door natuurlijke vermindering zou uitvallen'. Het 'restbestand' zou 'overeenkomstig behandeld moeten worden' omdat er anders, zoals de ervaring leert, weer 'kiemcellen' voor een joodse herrijzenis zouden kunnen ontstaan. Voor joodse veteranen, oorlogsinvaliden en bejaarden zou een speciaal getto geschapen worden, Theresienstadt, de oude vestingstad ten noordwesten van Praag. Allerlei klachten en vragen zouden zo 'in één klap' kunnen worden voorkomen.

Er ontstond vervolgens een hevige discussie over de status van kinderen uit gemengde huwelijken, de zogeheten Mischlinge. Ten slotte werden, aldus het verslag, 'de verschillende vormen van oplossing [*Lösungsmöglichkeiten*] besproken', waarbij de vertegenwoordigers van de Oost-departementen erop aandrongen om vaart te maken met 'zekere voorbereidende werkzaamheden in het kader van de definitieve oplossing [*Endlösung*]'. 'Wel zou verontrusting van de bevolking daarbij vermeden moeten worden.'

Al deze ambtelijke taal betekende, kort samengevat, dat de loslopende moordcommando's vervangen werden door enorme doodsfabrieken met snelle, efficiënte aanvoerlijnen. Er werden speciale vernietigingskampen ontwikkeld die, anders dan normale concentratiekampen, nauwelijks cellen en barakken kenden. Het hele systeem was erop gericht om grote aantallen gevangenen, direct nadat ze gedesoriënteerd uit de trein waren getuimeld, binnen enkele uren na aankomst te 'verwerken'. Liefst zonder enig opzien te baren.

De Berlijnse bureaucraten zorgden ervoor dat de hele operatie vervolgens ongekend snel en geolied verliep. In mei 1942 begon Operatie Reinhard, de massale moord op de Poolse joden. In Auschwitz arriveerden de eerste treinen met Slowaakse joden. Die zomer volgden de Nederlanders, de Belgen en de Fransen. Eind 1942 waren er volgens cijfers van de SS al vier van de elf miljoen Europese joden vermoord.

Over het lot van de ongeveer achthonderdduizend Roma- en Sinti-zigeuners reppen de notulen van de Wannseeconferentie met geen woord. Na veel ambtelijke discussie werd uiteindelijk in november 1943 besloten dat zigeuners met een vaste woonplaats zouden worden behandeld als de plaatselijke bevolking, terwijl rondtrekkende zigeuners dezelfde status zouden krijgen als de joden. In de praktijk was de jacht op zigeuners minder systematisch: er bestond geen krachtig ideologisch motief, Himmler en Hitler interesseerden zich niet voor hen en bovendien waren ze meestal straatarm. Er viel dus niets te plunderen. Toch zijn enkele honderdduizenden Sinti en Roma tijdens de Tweede Wereldoorlog omgebracht.

In de beruchtste vergaderzaal uit de Europese geschiedenis hangen nu de portretten van de vijftien deelnemers. Vijf zijn niet of nauwelijks gestraft. Gestapochef Heinrich Müller zag in 1945 kans te ontkomen, hij werd geworven door de CIA en bouwde vermoedelijk een tweede leven op in Amerika. Wilhelm Stuckart werd na de oorlog vier jaar geïnterneerd, maar was vanaf 1951 alweer voorzitter van de Bund Heimatvertriebenen und Entrechteten. Georg Leibbrandt stierf in 1982, op drieëntachtigjarige leeftijd, zonder ooit vervolgd te zijn geweest. Gerhard Klopfer zou na de oorlog een normaal bestaan leiden als advocaat. Otto Hofmann kreeg in 1954 gratie. Hij werd koopman in Württemberg. Ook deze laatste twee stierven pas in de jaren tachtig, als brave burgers in hun bed.

In die tuin in Dahlem vertelde Wolf Siedler over zijn ouderlijk huis in de beginjaren van de oorlog en wie er toen allemaal over de vloer kwamen. Ernstel Jünger bijvoorbeeld, de zoon van Ernst Jünger, zijn beste schoolkameraad. De familie Hahn, de meest vertrouwde vrienden van zijn ouders, net zo anti-nazi als zijzelf.

'Hij was de uitvinder van de kernreactie, maar de ontwikkeling van een Duitse kernbom heeft hij volgens mij vakkundig getraineerd.'

ATOOMBOM

Gedurende de hele Tweede Wereldoorlog werd in het diepste geheim een strijd gevoerd die wellicht net zo belangrijk was voor de afloop van de Tweede Wereldoorlog als Stalingrad en de invasie in Normandië.

Vanaf het begin van de jaren dertig werd in het Dahlemse Kaiser-Wilhelm-Institut für Physik door onder anderen Otto Hahn zeer geavanceerd atoomonderzoek verricht. Er was een met lood beklede bunker – het 'Virushuis' genoemd, om nieuwsgierigen af te schrikken – en daarnaast stond de *Blitzturm* waarin een kleine cyclotron was ondergebracht. Tijdens de oorlog ging dat werk gewoon door, al waren een paar belangrijke joodse medewerkers naar Amerika weggevlucht. Nadat de uitgeweken Nobelprijswinnaar Albert Einstein president Roosevelt in 1939 per brief had gewezen op de enorme mogelijkheden én risico's van de kernsplitsing werd – met twee jaar vertraging – in Los Alamos een tegenhanger van Dahlem opgezet. Zo begon vanaf 1941 tussen Dahlem en Los Alamos een adembenemende wedloop: wie beschikt als eerste over een atoombom? Het Dahlemse onderzoek werd door Speer – toen bewapeningsminister – met alle middelen gesteund. Op 4 juni 1942 kreeg hij van Otto Hahn en Werner Heisenberg te horen dat een atoombom theoretisch mogelijk was, maar dat de vervaardiging nog zeker enkele jaren zou duren. Hitler en Speer schreven daarop de bom als mogelijk nieuw wapen af, ook omdat de grondstoffen voor het maken van zo'n bom nauwelijks beschikbaar waren. Alle aandacht werd gericht op de rakettechnologie van Wernher von Braun.

De Duitse wetenschappers hebben nooit geweten hoe ver hun Amerikaanse collega's ondertussen waren gevorderd. Ze waren volkomen overtuigd van hun eigen superioriteit. Heisenberg, die na de oorlog de Amerikanen van advies wilde dienen, was diep geschokt toen hij hoorde dat ze de bom al hadden en hem op Hiroshima en Nagasaki hadden gegooid.

Decennialang hebben historici en wetenschappers zich afgevraagd waarom Hahn en Heisenberg, ondanks het feit dat Duitsland in de jaren dertig vooropliep op het gebied van kernfysica, geen kans zagen om voor Hitler een atoombom te maken. Sommigen menen dat ze hem best hadden kunnen bouwen maar hun eigen onderzoek op morele gronden saboteerden (wat zeker bij iemand als Hahn het geval was). Anderen menen dat de Duitse atoomwetenschappers allerlei problemen nog niet hadden opgelost, dat ze de benodigde materialen niet hadden, kortom, dat het hun gewoon niet op tijd lukte om een werkende atoombom te produceren.

Speer steunt deze laatste opvatting in zijn *Herinneringen*: in de Duitse gebieden was slechts één cyclotron van beperkte capaciteit beschikbaar, waarmee men nog lang geen bom kon maken. Daarom had hij de kleine Duitse uraniumvoorraad in 1943 al voor andere doeleinden vrijgegeven. Speer: 'Zeker is dat bij de maximale concentratie van alle krachten in 1947 een Duitse atoombom ter beschikking had kunnen staan, maar beslist niet tegelijk met de Amerikaanse bom in augustus 1945. Het verbruik van onze laatste reserves aan chroomertsen zou intussen de oorlog op zijn laatst op 1 januari 1946 hebben laten eindigen.' Volgens sommigen had Speer dat echter niet zelf bedacht: Heisenberg en Hahn hadden bewust iedere hoop van de nazi's op een atoombom de grond in geboord. De morele claim werd zwakker toen in 2002 een brief werd gepubliceerd van de Deense fysicus Niels Bohr, geschreven na een merkwaardige ontmoeting met Heisenberg in september 1941. Heisenberg had hem verteld dat Duitsland 'volop in de race lag om de eerste met atoomwapens te zijn' en hij liet duidelijk merken dat hij daar hard aan meewerkte. De oorlog zou volgens hem daardoor wellicht beslist worden. Van morele scrupules was op dat moment geen sprake, integendeel, Heisenberg wilde dat ook Bohr zou meedoen. Het kostte hem Bohrs vriendschap.

Naar de exacte gang van zaken op die septemberdag heeft niemand beide mannen ooit durven vragen. Bohr stierf in 1962, Hahn in 1968, Heisenberg in 1976, alle drie kregen de Nobelprijs.

En dan was er Else Meyer, een bejaarde joodse officiersweduwe, een oude vriendin van Siedlers grootouders. Vanaf de zomer van 1941 mocht de familie officieel niet meer met haar omgaan. 'Mijn ouders deden dat natuurlijk toch, de dienstmeisjes moesten dan de deur uit, zo'n bezoek gaf altijd veel opwinding. In 1942 vertelde ze dat ze zich moest melden op S-Bahnhof Grunewald. Verhuizing (*Umsiedlung*) naar het oosten. Vlak voordat ze vertrok, kwam ze nog een cadeautje brengen: een kopje met de Brandenburger Tor erop. Ze was ervan overtuigd dat ze alleen maar moest verhuizen, naar Łódź of zoiets. "Tot gauw weer," riepen we tegen elkaar. "Ik heb het huis brandschoon gemaakt," zei ze. "Ik wil niet dat de mensen denken dat ze in een jodenbende terechtkomen."'

Omstreeks 1930 woonden er honderdzestigduizend joden in Berlijn. Begin 1941 waren dat nog zo'n zeventigduizend. In 1945 waren er zesduizend van over: merendeels partners in 'geprivilegieerde gemengde huwelijken'. Op zondag 19 oktober 1941 begonnen de nachtelijke deportaties naar de Poolse getto's. Twee dagen later schreef Helmuth James von Moltke in zijn dagboek: 'Men wil het ons besparen, we hoeven niet te zien hoe men ze eenvoudig in honger en koude laat verrekken, en daarom doen ze dat in Litzmannstadt (Łódź) en Smolensk.' Maar iedereen had het begin van hun marteltocht gezien, hoe de joden de treinen en vrachtwagens in werden geschopt. Hoe konden zijn mede-Berlijners, zo vroeg hij zich af, met deze kennis nog vrolijk doorleven? 'En dit is alleen nog maar het weerlicht, de storm moet nog komen.'

De meeste joden wisten zo langzamerhand wel wat hun lot zou zijn: zo'n 10 procent van de Berlijnse joden, zesduizend mensen in totaal, pleegde zelfmoord voordat ze op transport werden gezet. Bij één transport, voor Estland, kozen van de negenhonderd gearresteerde joden ruim tweehonderd de dood door eigen hand. Het duurde anderhalf jaar, tot mei 1943, voordat Goebbels trots kon verklaren dat Berlijn 'Judenfrei' was. De verlaten joodse huizen werden direct opengebroken, alles werd ter plekke geveild. De Berlijners kochten gretig.

'Mijn vader heeft geprobeerd, via zijn oude connecties uit de diplomatie, om uit te zoeken wat er met Else Meyer was gebeurd,' vertelde Wolf Siedler. 'Het bleek dat, niet ver van Berlijn, de wagons al van de locomotief waren gekoppeld. Men had die locomotieven veel harder nodig voor troepentransporten. Het was winter. Toen ze die wagons drie weken later openmaakten, was iedereen natuurlijk dood. Mijn ouders hadden, na dit soort ervaringen, geen enkele illusie over het lot van de joden. Ze werden uitgeroeid, dat was duidelijk. We hoorden via verlofgangers steeds meer over de massa-executies in Polen. Daar waren te veel soldaten bij geweest, dat konden de nazi's niet geheimhouden.

Maar dat men de joden zo massaal en fabrieksmatig ter dood zou brengen, dat ging zelfs ons voorstellingsvermogen te boven. In mijn milieu kon niemand zich indenken dat er zoiets als Auschwitz of Majdanek bestond.'

Er was een enkel moment van verzet. Toen in februari 1943 bijna tweeduizend joodse arbeiders werden opgepakt, liepen hun niet-joodse echtgenotes bij de geïmproviseerde gevangenis aan de Rosenstrasse te hoop, en ook andere Berlijnse arbeidersvrouwen begonnen mee te doen. De unieke demonstratie duurde enkele dagen, de SS dreigde de vrouwen met machinegeweren, uiteindelijk werden de mannen vrijgelaten. Men durfde het risico niet aan om midden in de hoofdstad enkele duizenden Duitse huisvrouwen overhoop te schieten.

Van onderduiken op grote schaal was in Berlijn echter geen sprake. Van de vier miljoen Berlijners verleenden hooguit enkele duizenden op een of andere manier hulp aan de joden die clandestien in de stad waren achtergebleven, verstopt in kolenkelders en vergeten zolders. Siedler: 'Mevrouw Hahn zat in de organisatie die voor hen levensmiddelen verzamelde, en zo raakte mijn familie er ook enigszins bij betrokken. We hielpen haar met bonkaarten, en ik verzamelde voedsel. Ik was zestien, zeventien, het was vooral heel spannend, een soort indianenspel.'

Uiteindelijk overleefden zo'n tweeduizend Berlijnse joden als 'U-boten' de oorlog.

Naast de vroegere kunstacademie, vlak bij de Wilhelmstrasse en de voormalige Muur, ligt een kleine heuvel, overgroeid met onkruid. Hieronder bevinden zich de resten van het voormalige hoofdkwartier van de Gestapo aan de Prinz-Albrecht Strasse. Het gebouw overleefde de oorlog, maar werd in 1949 alsnog opgeblazen. Er werd een weg overheen gelegd, voor de rest was het braakliggend land. In mei 1985 begonnen een paar jonge onderzoekers er te graven. Al snel stuitten ze op een netwerk van ruïnes, een deel van de kelders en keukens van het voormalige Gestapohoofdkwartier. Sinds 1987 ligt er een sobere herdenkingsplaats, een pad langs de stenen fundamenten, met resten van leidingen en oude deuren, een vorm van moderne archeologie. Op en rond die muren wordt met foto's en documenten verteld wat hier is gebeurd. Niets meer, niets minder.

Er liggen onder de Berlijnse bodem veel meer resten uit de

nazi-tijd, en voor de liefhebber worden naar deze vormen van 'niet geliefde bodemvervuiling' zelfs excursies georganiseerd. Maar de *Topographie des Terrors* is in alle eenvoud verreweg het beklemmendst. De stenen zijn echt, de stukken leiding, de brokken beton, hout, documenten, hier is niets verzonnen. Alleen: gebruikte het nazi-regime ten aanzien van het eigen volk eigenlijk wel zoveel terreur?

Bij alle historische onderzoeken valt telkens weer op hoe gering in omvang de Gestapo eigenlijk was, met welk relatief klein apparaat – in vergelijking met bijvoorbeeld de latere Stasi in de DDR – de nazi's het hele Duitse volk eronder konden houden. De Stasi had ruim honderdduizend mensen in dienst om zeventien miljoen Oost-Duitsers te bewaken, de Gestapo kon volstaan met veertig- tot zestigduizend mensen voor een rijk van zo'n tachtig miljoen inwoners. Zoals elders in Europa verzetsgroepen meestal konden rekenen op een stille welwillendheid bij de rest van de bevolking, zo behield Hitlers bewind in Duitsland bijna tot het laatst toe een algemeen gezag. Sterker nog, door grote delen van de bevolking werd het regime hartstochtelijk gesteund. Verzet was blijkbaar zo uitzonderlijk dat het gemakkelijk in de kiem kon worden gesmoord. Propaganda werd graag geloofd, repressie was een kwestie van vaderlandsliefde, gehoorzaamheid was regel, klikken een patriottische plicht.

In zijn reconstructie van de werking van de nazi-terreur beschreef Eric Johnson aan de hand van teruggevonden Gestapo-dossiers nauwkeurig de verfijning van het kliksysteem in een stadje als Krefeld, vlak bij de Nederlandse grens: een zestienjarig joods dienstmeisje werd verklikt omdat ze een relatie had met een arische arbeider; een joodse huisschilder die grappen maakte over Hitler, werd aangegeven door een buurvrouw; een chauffeur briefde door dat zijn joodse baas illegale blaadjes uit Nederland had gesmokkeld. Van alle Gestapozaken tegen joden bleek maar liefst 41 procent te zijn begonnen met klikken of een aangifte. Slechts 19 procent was aan het licht gekomen door activiteiten van de Gestapo zelf, 8 procent kwam bij nazi-organisaties vandaan. (Bij een soortgelijk dossieronderzoek in Würzburg bleek dat zelfs 57 procent van de opgepakte joden was aangegeven door gewone Duitse burgers.)

GESTAPOMAN

De Gestapo was binnen nazi-Duitsland geen geïsoleerd instituut zoals bijvoorbeeld de latere Stasi of de KGB. Neem bijvoorbeeld de lokale Gestapochef van Krefeld, Richard Schulenburg, de man die belast was met de deportaties van de joden uit het stadje. Eric Johnson schetst, na uitvoerig onderzoek, zijn levensverhaal.

Schulenburg was een joviale man die Krefeld uitstekend kende en die de beste maatjes was met iedereen. Hij hield van zijn werk. Hij zeulde enthousiast een oude joodse mevrouw achter op zijn fiets naar het station, zodat ze nog op tijd de trein naar Theresienstadt kon halen. Hij bracht een leuk joods meisje in zijn eigen auto naar het kamp Moringen. Hij zette persoonlijk de vierennegentigjarige Josef Gimnicher op het laatste transport, met zijn krukken en oorlogsdecoraties. In die trein zat het vol hoogbejaarden van wie iedereen wist dat ze niets te zoeken hadden in een 'werkkamp in het oosten'.

Schulenburg droeg dus medeverantwoordelijkheid voor de dood van duizenden joden. Toch werd hij in 1947 door de Engelsen slechts geclassificeerd als een oorlogsmisdadiger in de categorie III – een kleine vis dus. Het kostte hem zijn pensioen. Hij accepteerde dat niet. De burgemeester getuigde dat Schulenburg een 'humane en onschuldige man' was, 'oprecht en bescheiden'. Door de gezeten burgerij van Krefeld werd met succes een solidariteitsactie op touw gezet: in 1950 zakte hij naar categorie IV. Nu kreeg hij wel pensioen. Dat was hem niet genoeg, hij wilde naast zijn achtentwintig politiejaren ook de tien Gestapojaren in zijn pensioen verdisconteerd zien. Die kreeg hij in 1955. Daarna bleek dat zijn promotie bij de Gestapo tot Oberkriminalsekretär uit 1941 niet was meegerekend, een bevordering die hij enkel en alleen te danken had aan zijn enthousiaste bijdrage aan de holocaust. In 1958 werd ook dit laatste onderdeel van Schulenburgs rehabilitatie met succes bekroond.

Wolf Siedler bezit nog een jolige groepsfoto van zijn internaatsklas op Spiekeroog, hoogstwaarschijnlijk gemaakt in de winter van '43-'44. De jongens hebben een marine-uniform aan, iemand wordt met een bijl onthoofd door Ernstel Jünger, Wolf zelf staat links van het duo, de rest kijkt geamuseerd toe. De meeste jongens op deze foto waren marinehelpers, *Flakhelfer* in de volksmond. 'Dat hield in dat we bij een stuk afweergeschut hand- en spandiensten moesten verrichten, en dat we een uniform droegen. We zaten in de tussentijd gewoon op school, maar als er luchtalarm kwam, sprongen we – vrolijk vanwege de onderbreking – uit onze schoolbanken, vlogen naar ons geschut, en hielpen mee met schieten.'

Begin januari 1944 verschenen opeens twee mannen om Wolf Siedler en Ernstel Jünger te arresteren, en met nog een aantal andere kameraden werden de twee voor een marine-tribunaal gesleept.'

'Onderling praatten we er toen openlijk over: dat de oorlog verloren was, dat de misdaden van de SS ongelooflijk waren, en dat Hitler opgeknoopt moest worden.' Een van hun schoolkameraden bleek die gesprekken wekenlang woordelijk te hebben verklikt aan de Gestapo. 'Als ik dingen ontkende, zeiden ze ook voortdurend: "Maar u hebt toch op 17 november, 's middags om drie uur, bij het gymnastieklokaal dat en dat gezegd?" Dat was typerend voor de situatie. Het was heus niet zo dat de gemiddelde Duitsers een gesloten front vormden, en dat ze werden geterroriseerd door de SS en de Gestapo. Welnee, 60 procent van de burgerij was zelf nazi.'

Het vonnis ligt nog altijd in een kast in het Dahlemse huis. Er valt in te lezen dat Ernstel Jünger, tijdens een gevecht tussen enkele Duitse onderscheppingsjagers en honderden Britse bommenwerpers, zou hebben gezegd dat de Duitse luchtoorlog meer leek op een wedstrijd kleiduivenschieten. Wolf Siedler had bij een alarm in de barak beweerd dat achter de 'evacuatie' van de joden niets anders schuilging dan vernietiging. 'Ik zei ook nog: "En als Hitler dan opgehangen wordt, trek ik de strop aan! Ik loop voor mijn part op blote voeten van Berlijn naar Potsdam om hem de strop te brengen!"'

Gelukkig stond de klas als één man achter de beschuldigden: niemand had iets gehoord. Wolf Siedler: 'Dat redde mijn leven. Het is eigenlijk een wonder hoe de marinekrijgsraad te velde het heeft klaargespeeld om Ernstel Jünger en mij uit de buurt te houden van de nazi-justitie en ons met een paar maanden gevangenisstraf liet wegkomen.'

Wellicht had dat wonder te maken met het feit dat Ernstels vader binnen de Wehrmacht een legendarische reputatie bezat. 'De oude Ernst Jünger, de schrijver, de held van de Eerste Wereldoorlog, kwam in uniform bij ons in de cel op bezoek. Toen iemand hem daarover aansprak, zei hij: "In deze tijd is de enige gelegenheid waarbij men zijn ridderordes nog met ere kan dragen, wanneer men zijn zoon in de cel bezoekt."'

Uiteindelijk werden de twee jongen in het najaar van 1944 met een zogeheten *Himmelfahrtkommando* naar het Italiaanse front gestuurd. Wolf raakte snel gewond. Dat redde zijn leven. Ernstel sneuvelde al op de eerste dag, zijn ouders hoorden het pas weken later. De dagboekaantekening van de oude Jünger, op 11 januari 1945: 'Ernstel is dood, gevallen, mijn goede kind, al sinds de 29ste november van het vorig jaar dood!'

Wolf Jobst Siedler zou de lange maanden in de marinecel bij Wilhelmshaven nooit vergeten. Tijdens het luchtalarm zaten ze met alle terdoodveroordeelden bijeen in dezelfde schuilkelder; dit was de enige gelegenheid waarbij de gevangenen elkaar zagen. Iedere dinsdag- en donderdagochtend tussen drie en vier hoorden de jongens weer een paar lotgenoten die uit hun cellen werden gehaald, hun voetstappen op de stenen gang. Eentje hoorden ze zeggen: 'Jullie kunnen me nu ophangen, maar over een halfjaar heeft Duitsland de oorlog verloren, en dan worden júllie opgehangen.' Een jongen schreeuwde: 'Laat me toch leven, ik heb niets gedaan!' Een blonde matroos, een jongen met zomersproeten en een kindergezicht, had zich tegenover zijn kameraden laten ontvallen dat de 'bonzen' wel 'villa's in Zwitserland' zouden hebben, voor het geval alles mis zou gaan. Daarom wachtte hij daar op zijn dood, dat was alles. 'Toen hij werd weggesleept, hoorden we hem wanhopig smeken of hij niet nog een kans kon krijgen: "Jullie kunnen me toch naar het front sturen, in plaats van me op te hangen?"'

Vrijwel al deze mannen werden vanwege een paar uitspraken omgebracht. Ze hadden gezegd dat de oorlog toch verloren was, ze hadden gepraat over de misdaden van de ss, misschien had iemand naar de BBC, de *Feindsender*, geluisterd. Zulke dingen waren tegen het eind van de oorlog genoeg voor een doodvonnis wegens 'defaitisme'. Niemand had een actieve verzetsdaad gepleegd. En ze waren allemaal door hun vrienden of hun buren verklikt.

Wolf Siedler: 'Ik herinner me dat we praatten met een jonge officier die zich alleen nog maar druk maakte of hij doodgeschoten zou worden, of opgehangen. Ophangen, dat vond hij een eerloze dood, dat was iets voor verraders. Hij vertelde ons tijdens zo'n luchtaanval – we zaten in een klein groepje – dat er in het oosten onvoorstelbare wreedheden werden begaan. Daar werden mensen om niets doodgeslagen, opgehangen, gefolterd, verbrand, gruwelijke dingen. "Maar," zei deze officier, "die verhalen over doodsfabrieken, dat is pure Engelse propaganda." Dat zei deze officier, in diep vertrouwen, een week voor zijn executie.'

2

Op de vroege dinsdagmorgen van 25 februari 1941 brak in Amsterdam en de Zaanstreek een wilde staking uit. Trampersoneel weigerde uit te rijden, arbeiders op de scheepswerven in Amsterdam-Noord blokkeerden de poorten, fabrieken aan de Zaan bleven dicht. In de loop van de ochtend sloeg de staking over naar de kantoren en bedrijven in het centrum. Het was een zonnige dag. Over het IJ voeren afgeladen ponten van Noord naar het Centrum, vol juichende arbeiders. De Internationale werd gezongen, jongens tilden de fabrieksmeisjes op en zwaaiden ze onder gelach in het rond.

Ten slotte lag een groot deel van de stad plat, zelfs de beurshandel werd stilgelegd. Er gingen geruchten over een landelijke stakingsgolf, ook in Haarlem, Utrecht en het Gooi werd niet gewerkt. De politie sympathiseerde, greep niet in, of veel te laat. Overal werden pamfletten verspreid:

> *Onttrekt de joodse kinderen aan het nazi-geweld, neemt ze in uw gezinnen op!*
> *Weest eensgezind, weest moedig! Staakt! Staakt! Staakt!*

De Amsterdamse Februaristaking was een uniek gebaar van solidariteit met de joden. En het was, binnen nazi-Europa, een geval van ongehoorde opstandigheid. De Duitsers reageerden onmiddellijk: de Generalkommissar zur besonderen Verwendung F. Schmidt stuurde twee regimenten van de SS-Totenkopf-Standarte naar Amsterdam en de Zaanstreek, overal werd geschoten, een aantal stakers werd opgepakt, achttien verzetsmensen werden geëxecuteerd, de stakingsleiders – merendeels communisten – gingen ondergronds, binnen een paar dagen was alles voorbij. Op zaterdag 1 maart noteerde Goebbels in zijn dagboek: 'Rust volledig hersteld in Nederland. Schmidt kreeg zijn zin met behulp van de door mij voorgestelde maatregelen. Ik raad hem dringend aan ze in toom te houden. Wat hij gedaan heeft. Die jodentroep moet de grootte van onze tanden zien.'

Meer aandacht wijdde hij niet aan de kwestie. We zullen dus nooit weten of er enige waarheid school in de verhalen die na de oorlog de ronde deden. Daarin werd gesproken over een uitzinnige woede van Hitler, en over plannen om de Nederlandse en Vlaamse bevolking massaal naar de Poolse provincie Lublin te deporteren. De Nederlanders zouden vervangen worden door 'flinke jonge Duitse boeren', de Hollanders, op hun beurt, zouden in Polen voor een stevige portie Germaans bloed kunnen zorgen.

Er hebben inderdaad plannen bestaan om zo'n drie miljoen Nederlanders naar Polen te laten emigreren en even zoveel Duitsers naar Holland te brengen. Op 11 juni 1940, toen iedere nazi meende dat de oorlog vrijwel gewonnen was, schreef de Reichskommissar für die Festigung deutschen Volkstums, Ulrich Greifelt, in een brief aan Himmler dat, 'gezien de sterke overbevolking van Nederland', het mogelijk moest zijn om op den duur een groot deel van de Nederlanders en Vlamingen 'als arbeider en kolonist in Noord- en wellicht ook Oost-Duitsland in te zetten'. 'Zonder het volkse karakter van de Nederlanden (rond dertien miljoen inwoners) te verzwakken kunnen twee tot drie miljoen mensen weggehaald worden.' Het cijfer van drie miljoen Nederlanders bleef zo nu en dan opduiken in de nazi-plannen. Men dacht op den duur aan een Ostsiedlung bij de Bug, de Weichsel en de Warthegau, in West-Polen. De deportaties zouden met zachte drang plaatsvinden, via een combinatie van propaganda en bewuste verarming van Nederland.

Twee weken na de Februaristaking hield rijkscommissaris Seyss-Inquart een rede in het Amsterdamse Concertgebouw. Hij waarschuwde bij die gelegenheid de Nederlanders voor de gevolgen van hun 'onneutrale' houding: in zo'n gevecht 'op leven en dood', zei hij, kon het gebeuren dat zo'n 'partijdig geïnteresseerde toeschouwer' op een gelegen moment 'van het strijdtoneel' kan worden verwijderd. Bij de Nederlandse regering in Londen werd deze passage in 1941 opgevat als een dreigement met massale deportaties. Daarna hoorde niemand er meer van, en alle plannen voor een vrijwillige volksverhuizing werden uitgesteld tot na de overwinning op Rusland. Het Nederlandse deportatieproject paste echter wel volledig in het nazi-gedachtegoed en in het bevolkingsbeleid van het Derde Rijk. Miljoenen Nederlanders en Vlamingen zouden, als de oorlog voor Duitsland voorspoediger was verlopen, hetzelfde hebben meegemaakt als de talloze Volksduitsers uit Letland, Estland, Polen en Bessarabië. En in een nog slechter scenario waren de Nederlanders en Vlamingen er wellicht nauwelijks beter aan toe geweest dan de miljoenen gedeporteerde Polen.

WONDERARTS

De Finse wonderarts Felix Kersten, die de overwerkte SS-chef Heinrich Himmler regelmatig masseerde, beweerde na de oorlog dat er inderdaad sprake is geweest van een massale deportatie van het 'verraderlijke Nederlandse volk' naar het oosten. Een paar dagen na de Februaristaking zou Himmlers secretaris Rudolf Brandt hem een dergelijk plan hebben laten zien. Drie miljoen mannen zouden er te voet heen moeten trekken, hun gezinnen – vrouwen, kinderen en ouden van dagen – zouden in Nederlandse havens ingescheept worden met bestemming Königsberg om vandaar per spoor naar Lublin vervoerd te worden. Kersten zou, zo beweerde hij later, Himmler het plan uit het hoofd hebben gepraat. Het project werd na een maand weer afgeblazen, en sindsdien is de bijna-deportatie van Nederland omgeven met mythen en speculaties.

Nu is het buiten kijf dat Felix Kersten een gunstige invloed uitoefende op Himmler. In samenwerking met zijn Nederlandse en Zweedse connecties heeft hij, vooral aan het eind van de oorlog, tienduizenden joden het leven kunnen redden. Maar het verhaal over de redding van Nederland heeft hij vrijwel zeker uit zijn duim gezogen, vermoedelijk omdat hij na de oorlog in Zweden beschuldigd werd van collaboratie met de nazi's. Toen de nationale oorlogshistoricus Lou de Jong in 1972 de kwestie minutieus onderzocht, bleken Kerstens documenten en getuigenverklaringen te vaak dubieus en onderling tegenstrijdig. De nazi-top heeft de meest krankzinnige plannen verzonnen, maar nergens blijkt iets van een project om negen miljoen Nederlanders en Vlamingen als collectieve straf in 'dertien maanden en vier dagen' naar het oosten te verslepen. In de praktijk had de rijkscommissaris Greifelt in 1941 al de grootste moeite om een paar honderdduizend geëmigreerde Volksduitsers te transporteren en ergens onder te brengen, zeker toen in de loop van dat voorjaar alle energie gericht werd op het komende offensief in Rusland.

Het is midden juli 1999. Voor deze etappe van de reis heb ik mijn busje thuisgelaten. Mijn huis is ingekrompen tot een koffer, een tas en een notebook. Over het scherm rolt het zomernieuws van mijn krant. De Kosovo-oorlog is voorbij, het Nederlandse bedrijfsleven staat direct vooraan om een centje mee te pikken bij de wederopbouw: 'Er moet stevig gelobbyd worden. De BV Nederland moet er als de kippen bij zijn, anders is de koek al verdeeld.' Tussen de overvloedige komkommerkopij staat een merkwaardig bericht: een vrouw uit Kollum beweert dat ze de reïncarnatie is van een Pools jongetje dat in Auschwitz is vergast. Ze vraagt om erkenning, steun en subsidie van de Nederlandse overheid, en ze wil bovendien een stichting oprichten om hulp te verlenen aan gereïncarneerde holocaustslachtoffers.

Vanuit het Berlijnse Ostbahnhof heb ik de trein genomen naar het oosten, en nu reis ik door glooiende bossen en velden vol klaprozen en korenbloemen. Het is een warme middag, de trein deint door het land, een meisje tegenover me slaapt vredig en diep. Witte dorpen glijden voorbij, de huizen hebben grote bruinhouten schuren, dan weer een halfuur korenvelden. We rijden langs een meer, vissende en kamperende mensen aan de oever, het vee sluimert onder een bosje. Op de velden zijn de boeren aan het maaien, blote bovenlijven, paardenkarren hoog van het hooi, ze hebben zichtbaar haast, er hangt onweer in de verte.

Ik moet overstappen op een station dat vermoedelijk ooit een centrale rol vervulde in een ijzeren raderwerk en dat nu is overgroeid en verroest. Een lange kolentrein sloft langs. In de restauratie worden vette pasteitjes verkocht. Er staat een speelautomaat waarmee je in drie minuten tijd honderd Arabieren met buitengewoon semitische neuzen kunt doden. Je hoort ze ook: Aagh! Whuuu! Grachchch! Daar wordt weer iemand elektronisch de keel afgesneden.

Na Lublin, later op de avond, waait een koele wind de coupé binnen. We passeren een beek, een fabriek, moestuinen en boomgaarden, het ruikt naar gras, hooi en kolenfornuizen. Dit is het land dat in 1941 betiteld werd als het Generalgouvernement, het gigantische laboratorium waar de nazi-theorieën over Blut und Boden, Volksgemeinschaft en Untermenschen voor het eerst in de praktijk zouden worden gebracht, het gebied waar de meeste vernietigingskampen waren geconcentreerd en dat daarna was gereserveerd voor de hervestiging van Volksduitsers.

Het eindpunt van de trein is Zamość, de geboorteplaats van Rosa

Luxemburg, een schitterend renaissancestadje in Zuidoost-Polen. Op het grote plein is het al donker, er zijn bijna geen straatlantaarns, maar vanaf de terrassen klinkt het gemurmel van tientallen bierdrinkende toeristen. Zamość is door een enthousiaste Poolse kanselier gebouwd als *città ideale*, als kleine volmaakte gemeenschap volgens de Italiaanse normen van de zestiende eeuw. De roze en lichtblauwe huizen zijn als door een wonder de oorlog doorgekomen, en tegenwoordig zien ze er weer net zo uit als toen ze in 1605 door de Italiaanse bouwmeesters werden opgeleverd. De tussenliggende eeuwen van armoede en morsigheid zijn vergeten.

Zamość was ooit een springlevend stadje. Het telde in 1939 achtentwintigduizend inwoners, waaronder ongeveer tienduizend joden. Er was een gymnasium, een kathedraal, een rechtbank, een synagoge, een orkest en er verschenen maar liefst twee lokale kranten, de *Zamosjki Kurier* en de *Gazeta Zamojska*. Tegenwoordig staat de kleine, verstilde binnenstad op de werelderfgoedlijst van de Unesco, en iedereen is daar erg trots op. Er is een intiem stadsmuseum met een grote archeologische afdeling en tientallen portretten van Poolse landjonkers. Buiten de stad ligt de Rotunda, een rond cellencomplex waar de Gestapo huishield en waar nu de partizanen herdacht worden. Achter het prachtige raadhuis staat de oude synagoge, nu een onderdeel van de bibliotheek. Er woont geen enkele jood meer.

Dat is nog het meest opvallende van Zamość: het museum houdt op in 1939, de Rotunda roemt en gedenkt – terecht – de partizanen, maar nergens wordt het werkelijke drama van Zamość verteld en herdacht.

Zamość moest het model worden voor de eerste nazi-volksplantingen. Het plaatsje was beeldschoon, het lag aan de geplande Autobahn naar de pas veroverde Oekraïne en het vormde het centrum van Himmlers *Germanisierungsgürtel*, een duizenden kilometers lange strook door Europa, vanaf Leningrad tot de Krim, die binnen vijftien jaar volledig *eingedeutscht* moest worden. Bovendien lag het naast Himmlers industriegebied van dood en verderf, zijn netwerk van zo'n tweeduizend grotere en kleinere concentratie-, straf-, doorgangs- en werkkampen, plus nog eens honderden gevangenissen en politieposten. Dit alles maakte Zamość bij uitstek geschikt voor de vestiging van de eerste nieuwe, zuiver Duitse SS-kolonie in Polen: Himmlerstadt.

Op 16 oktober 1942 werden alle joden van Zamość op vrachtauto's geladen en naar het vernietigingskamp Belzec gebracht. Een maand later, bij het begin van de winter, kregen ook de overige inwoners van het stadje en van meer dan honderd omliggende dorpen plotseling de aanzegging om te vertrekken naar elders, ze moesten zelf maar uitzoeken waarheen. Het ging om honderdtienduizend mensen in totaal, grotendeels boeren. Ze moesten plaats maken voor vijfentwintigduizend Volksduitsers uit Tirol, Estland en Bessarabië. Daarbij kwamen nog eens enkele duizenden *Deutschstämmigen*, afstammelingen van Duitsers die een eeuw eerder naar Polen waren geëmigreerd en die bij 'zoekacties naar Duits bloed' zouden worden teruggevonden. Een scherpe scheidslijn, een *Blutwall*, zou hen ver houden van de Poolse Untermenschen in het Generalgouvernement. Zij waren, zo riep de Duitse propaganda, 'de eerste Duitse cel van de moderne oostelijke kolonisatie, ontwaakt tot een pulserend Germaans koloniaal leven'.[4]

De oorspronkelijke Poolse bewoners van Zamość stierven tijdens de winterse uittocht bij duizenden. De meerderheid vluchtte. Ongeveer vijftigduizend kwamen terecht in overvolle dorpen bij Lublin of Warschau, in doorgangskampen, in Auschwitz of Majdanek, of als dwangarbeider in Duitsland. Meisjes belandden vaak als dienstertje bij een familie in Berlijn of Hamburg. (Dankzij deze slavenarbeid hadden Duitse moeders nooit gebrek aan goedkoop huispersoneel.) De wreedheid jegens de kinderen was opvallend groot. Van de jongere kinderen uit Zamość en omgeving overleefden ongeveer tienduizend de deportaties niet, naar schatting dertigduizend werden bij hun ouders weggehaald vanwege hun blauwe ogen, blond haar en andere 'zuivere' raskenmerken. Ze belandden in Lebensborn-centra die overal in Duitsland waren opgezet. Hier werden ze 'genazificeerd' en 'gegermaniseerd', en vervolgens ondergebracht in SS-gezinnen. Een groot deel van deze kinderen is nooit meer in Polen teruggekeerd.

Zamość was een eigenmachtig project van de SS, van de fanatieke raszuiverheidsideologen. Gouverneur Hans Frank had grote bedenkingen bij dit soort 'volkspolitieke' experimenten zolang de oorlog nog gaande was. Eerst moest die gewonnen worden, en daarvoor kon iedere Pool, jood of niet, die aan het werk bleef, gebruikt worden. De Wehrmacht wilde geen onrust vlak achter het front en keerde zich ook fel tegen de SS-plannen.

De SS drukte ze toch door, en de gevolgen lieten niet lang op zich wachten. Overal rond Zamość zwierven partizaneneenheden, die aanslag op aanslag pleegden. Om de kolonie te verdedigen moesten steeds meer eenheden van de Wehrmacht en de SS worden ingezet, tientallen dorpen in de omgeving werden, bij wijze van 'collectieve straf', van de aardbodem weggevaagd, de bewoners werden geëxecuteerd of weggevoerd. De partizanen bleven. De Wehrmacht moest uiteindelijk hele divisies inzetten om het gebied onder controle te houden.

Na anderhalf jaar, in het voorjaar van 1943, smeekten de Duitse kolonisten om terug te mogen keren naar het westen. Hun boerderijen werden voortdurend aangevallen, 's nachts sliepen ze in de velden uit angst afgemaakt te worden door de partizanen. De Wehrmacht brak de militaire operaties af: de divisies waren hard nodig aan het front. De stad werd uiteindelijk in juli 1944 door het Rode Leger heroverd.

Buiten Polen is niet veel over Zamość en de omliggende dorpen bekend. Toch vond hier veruit de grootste stads- en dorpsmoord uit de twintigste eeuw plaats.

Bij de meeste etnische zuiveringen begint na de deportaties een tweede activiteit: de culturele reiniging. Er wordt bij de nieuwe toekomst een nieuw verleden verzonnen, en iedere herinnering aan de oorspronkelijke bewoners wordt zo grondig mogelijk weggepoetst. Monumenten worden neergehaald, opschriften worden verwijderd, het onderwijs wordt aangepast, oorspronkelijke talen worden verboden, soms worden zelfs de kerkhoven niet met rust gelaten.

In Polen en de Baltische staten kregen de Gauleiter opdracht om van de bezette gebieden binnen tien jaar Duitse provincies te maken. Verwacht werd dat de Letten hierin gemakkelijk mee zouden gaan, voor Estland zouden 'uitgebreide deportaties' nodig zijn. Nederlanders mochten, als stam-Germanen, aan de kolonisaties meedoen. Bij Vilnius kreeg de Nederlandsche Oost Compagnie twee landgoederen toegewezen, plus een paar moerassige gebieden om turf te winnen.

Tegelijkertijd begon een enorme germaniseringscampagne. Alle dorpen en steden kregen hun oude Duitse namen terug, of er werden nieuwe voor verzonnen: Łódź werd Litzmannstadt, Poznań werd weer Posen, Zamość werd Himmlerstadt. De universiteiten werden gesloten, de straatnamen werden veranderd, in het openbaar mocht enkel nog Duits worden gesproken, intellectuelen werden opgepakt en vermoord, de staf van de Universiteit van Kraków werd in zijn geheel naar Sachsenhausen gestuurd, schoolboeken werden onder Duitse censuur gesteld, ieder spoor van de eigen cultuur en taal werd weggevaagd, zelfs Goethes *Faust* mocht niet meer verschijnen in de Letse taal.

ZUIVERINGEN

Gedurende de hele twintigste eeuw zijn pogingen gedaan om de etnische en staatkundige kaart van Europa te 'zuiveren' of te 'verhelderen'. De Grieken zetten na de Eerste Wereldoorlog honderdduizenden Turkse families het land uit, de Turken deporteerden minstens zoveel Grieken uit Anatolië, de sovjets stuurden honderdduizenden Esten, Letten, Litouwers, Tsjetsjenen en Kalmukken naar Siberië, Polen zijn naar het zuiden gedreven, joden en zigeuners werden uit het westen weer naar Polen gedeporteerd, twaalf miljoen Volksduitsers moesten na 1945 Oost- en Midden-Europa verlaten, honderdduizenden Kroaten, Serviërs, Bosniërs en Kosovaren raakten op drift tijdens de Balkanoorlogen van de jaren negentig. Etnische zuiveringen hebben miljoenen Europese families verscheurd. Meer nog dan alle oorlogen, revoluties en politieke verschuivingen hebben ze het karakter van het continent veranderd.

Bijna altijd werd zo'n wisseling van bevolking gevolgd door culturele zuiveringen. Tussen 1941 en 1944 werd geprobeerd om grote delen van Polen te 'germaniseren', en het omgekeerde gebeurde in 1945, toen veel voormalige Duitse steden weer in Poolse of sovjethanden vielen. Talloze Duitse evangelische kerken werden omgebouwd tot bioscopen of warenhuizen.

Een Pools/Duits plaatsje als Głogów, dat voor de oorlog meer dan dertigduizend inwoners telde, was rond 1960 niet veel meer dan een ruïne met hooguit vijfduizend inwoners. In Kaliningrad verdwenen de meeste herinneringen aan het befaamde Oost-Pruisische Königsberg van Immanuel Kant. In Gdańsk, eeuwenlang de grote Duitse havenstad Danzig, trof ik pas na lang zoeken nog iemand die een mondje Duits sprak, een bejaarde taxichauffeur. In Wrocław, het voormalige Breslau, kwam op straat een oude vrouw bedelend op me af: 'Help me, ik ben een oude Volksdeutsche!'

Ook uit de sovjetzone van Polen werden in diezelfde periode honderdduizenden mensen gedeporteerd. Tussen augustus 1943 en juli 1944 zouden bovendien honderdduizenden Volksduitsers uit de Krim, de Oekraïne en Wit-Rusland naar West-Polen worden geëvacueerd, daarna zouden miljoenen Volksduitsers naar het westen worden gejaagd, in ellendige hongertochten. Toch was de achtergrond anders. Bij de bolsjewieken ging het om botte terreur, om het breken van volkeren die op een of andere manier hun maakbare wereld bedreigden. Bij de nazi's was deze 'zuivering' van de 'Volksgemeinschaft' veel meer dan dat, het was een bijna religieuze daad, en sommigen wierpen er zich op met de ijver van overtuigde wereldverbeteraars.

Toen honderdduizenden Duitssprekenden uit Zuid-Tirol, Bessarabië, Polen en de Oostzeestaten moesten vertrekken vanwege een reeks verdragen tussen Duitsland, de Sovjet-Unie en Italië, maakte Himmler er dan ook een glorieus verhaal van: hier kwamen de oude bloedbroeders terug in hun Volksgemeenschap. Een praktisch probleem – waar moeten we met deze mensen heen? – kreeg zo een ideologische lading. Er werden voor deze migranten honderden riante opvangcentra gebouwd en op allerlei manieren werden ze in de watten gelegd.

Rosie Waldeck, die eind 1940 een opvangkamp voor Bessarabische Duitsers in Roemenië bezocht, beschreef hoe oude mensen in de zon op hun bankje zaten, hoe de veranda's met groen waren overgroeid, hoe de vrouwen babbelden onder de was, hoe de jeugd ondertussen vrolijk zong en marcheerde onder supervisie van de SS. 'Nu en dan pakte een jonge SS'er liefkozend een klein kind op en droeg het rond op zijn schouders of hield het op zijn knie.' De maaltijden werden gebruikt aan lange tafels in de warme middagzon. 'Deze typische afstammelingen van typische kolonisten, die het antieke Duits van Württemberg spraken uit de tijd van Schiller, keerden terug naar Hitlers Duitsland als naar het beloofde land.' Uiteindelijk waren bij deze volksverhuizingen bijna een half miljoen Duitssprekende Europeanen betrokken, waarvan ruim tweehonderdduizend een nieuwe woonplaats kregen aangewezen in Oost-Europa.

Tegelijk vormde het Generalgouvernement de keerzijde van deze idylle. Hier lag immers het centrum van Himmlers zwarte koninkrijk. Bij het begin van de oorlog telde het gebied vijfentwintigduizend inwoners, in 1945 ruim zevenhonderdduizend, verspreid over tweeëntwintig grote en zo'n achthonderd kleinere instellingen: psychiatrische inrichtingen, kindertehuizen en dergelijke. In totaal hadden toen 1,6 miljoen Europeanen kortere of langere tijd Himmlers rijk bewoond, waarvan een miljoen het niet overleefden, nog afgezien van de miljoenen joden en anderen die onmiddellijk vermoord waren in speciale vernietigingskampen als Auschwitz en Belzec. Ongeveer honderdveertigduizend gevangenen werden door Albert Speer ingezet in de oorlogsindustrie, tweehonderddertigduizend werden gebruikt voor slavenarbeid bij Duitse bedrijven in de private sector. Tallozen kwamen daarbij om. Himmlers Waffen-SS groeide ondertussen uit tot een privéleger waarin bijna een half miljoen Duitsers dienden. In 1939 bestonden er nog geen kampen waar op industriële schaal mensen werden omgebracht. In 1942 waren er acht, waar jaarlijks meer dan een miljoen mensen werden vermoord.

Een onderdeel van dit imperium vormden de ongeveer vierhonderd getto's, op middeleeuwse wijze afgesloten stadsgedeelten waar de joden vrijwel zonder voedsel of brandstof aan hun lot werden overgelaten. Nu is het voormalige getto van Lublin een brandschoon poppenhuis, een vrolijk plein vol toeristenterrassen. Het getto van Warschau is vrijwel helemaal neergehaald, er staan nu flats als in een willekeurige naoorlogse buitenwijk. In 1942 bedroeg hier het máándrantsoen een kilo brood en vijftig gram vet, gemiddeld woonden er vijftien mensen in één woning, in de zomer van 1941 stierven er maandelijks ongeveer vijfenvijftighonderd mensen aan ziekte en ontbering.

Zelfs in het diepst van deze hel bestonden nog verschillen. De nazi-technocraten wilden de gettobewoners als dwangarbeiders gebruiken, en gaven hun daarom een minimumrantsoen. De ideologen beschouwden de getto's enkel als verzamelplaatsen waarbinnen de opeengepakte bevolking zo snel mogelijk aan honger en ziekte diende te creperen. Het getto van Lublin was een voorbeeld van het eerste soort, dat van Warschau van het tweede.

Vanaf 1942 kwam de ellende in de praktijk overal op hetzelfde neer.

Op vrijdag 27 maart 1942 schreef Goebbels in zijn dagboek:

Uit het Generalgouvernement worden nu, beginnend met Lublin, de joden naar het oosten weggeschoven. Er wordt hierbij een tamelijk barbaarse en niet nader te beschrijven methode toegepast, en van de joden zelf blijft niet veel meer over. Over het geheel kan men wel constateren dat 60 procent van hen moet worden geliquideerd, terwijl nog slechts 40 procent voor arbeidsdienstplicht kan worden gebruikt. [...] De voorspelling die de Führer hen voor het ontketenen van de nieuwe wereldoorlog heeft gedaan begint op de meest vreselijke manier werkelijkheid te worden. [...] De in de steden van het Generalgouvernement vrijkomende getto's worden nu met uit het rijk weggevoerde joden bevolkt, en hier moet dan na een bepaalde tijd de procedure worden herhaald.

In Auschwitz bloeit de vlier. Oświęcim, zoals het op zijn Pools heet, is een gewoon stadje waar de gelieven 's avonds langs de rivier flaneren en waar de rest van de stadsjeugd bij de brug rondhangt, de jongens kaal, de meisjes giechelend. Ze drinken samen uit één bierglas, met een rietje, 'dan word je gauwer dronken'. Achter hotel Glob dreunen de kolentreinen. Voor het voormalige kamp staat zeker een dozijn toeristenbussen. Op de oude joodse begraafplaats schiet het fluitenkruid hoog op tussen de bomen en de vervallen graven. Ja, inderdaad, ook Auschwitz heeft een gewone, oude joodse begraafplaats, met een hoge muur en tientallen scheefgezakte namen, vredige doden die door alles hebben heen geslapen.

Auschwitz is de kern van alles. Het is de plek waar Europa het liefst omheen loopt, een zwerende wond die we bedekken met symbolen, een verleden waar enkel zwijgen past. Oud-gevangenen en hun familieleden schamen zich omdat ze het leven hebben behouden, alle anderen schamen en verwonderen zich, generatie na generatie, dat dit in Europa kon gebeuren.

'Wij overlevenden zijn behalve een heel kleine ook een niet-representatieve minderheid: wij zijn degenen die, door misbruik of handigheid of geluk, het ergste niet hebben gekend,' schreef Primo Levi, een van de zeldzame overlevenden van Auschwitz, later. 'Zij, de "muzelmannen", de overweldigden, zijn de echte getuigen, wier getuigenis alles en allen zou hebben omvat. Zij zijn de regel, wij de uitzondering.'

Op het immense terrein van Birkenau liggen onder een stuk gaas hun roestige etenspannen en hun lepels, nu ogenschijnlijk voor het grijpen, toen zo kostbaar. In de oude barakken zijn nog hun tandenborstels te zien, hun krukken en kunstbenen, hun kinderkleertjes, hun verstofte haarlokken en hun schoenen. De koffers met al die gewone namen: 'Judith van Gelder-Cohen, Den Haag,' 'Hanna Feitsma, Holland'. Drie schoollokalen vol schoenen, die meer dan wat ook de gezichten van de dragers weerspiegelen: werkmansschoenen, klompen, kantoorschoenen, daartussen een elegant zomersandaaltje met een hoge kurken zool en vrolijke wit-rode leren riempjes.

Ook dat is een deel van de schaamte: de absolute onschuld waarin al die honderdduizenden de dood zijn ingegaan.

Onwetendheid was niet alleen tijdens de oorlog een essentieel element van de Duitse vernietigingsmachinerie, maar ook daarna. 'Hoe deze oorlog ook afloopt, de oorlog tegen jullie hebben we gewonnen,' zo hoonden de SS'ers volgens Levi soms hun gevangenen. 'Niemand van jullie zal overblijven om te getuigen, en ook al zou er iemand ontkomen, dan nog zal de wereld hem niet geloven.'

De gevangenen beseften dat de gebeurtenissen in de kampen te ongehoord waren om geloofd te kunnen worden. Primo Levi beschrijft dat hij en zijn vrienden tijdens hun gevangenschap bijna allemaal geteisterd werden door een weerkerende nachtmerrie: dat ze thuiskwamen en de doorstane verschrikkingen aan iemand die hun lief was vertelden, opgelucht en hartstochtelijk, maar dat er niet naar hen werd geluisterd. In de wreedste variant van deze droom keerde de aangesprokene zich zelfs zwijgend af en liep weg.

Die droom is gedeeltelijk uitgekomen. Auschwitz is zo langzamerhand voor de rest van de wereld meer symbool dan realiteit. Toch ligt het er allemaal nog steeds, gewoon tussen de fabrieken op het industrieterrein van het huidige Oświęcim. En even verder, aan de overkant van de spoorlijn, ligt bijna terloops het bekende poortgebouw van Birkenau. Even wil je nog denken dat het een schoolgebouw is uit de jaren dertig, maar het ligt er onmiskenbaar en echt, het gebouw uit al die films en al die beelden, de poort met de rails eronder en het perron daarna.

AUSCHWITZ

Het Auschwitzcomplex lag op een spoorwegknooppunt tussen Duitsland en Oost-Europa. Het oorspronkelijke kamp (ook wel Auschwitz I genoemd) ziet eruit als een kazernecomplex met stenen gebouwen van een paar verdiepingen hoog. Ooit was het een opvangcentrum voor Galicische seizoenarbeiders en landverhuizers naar Amerika. In 1918 bood het ruimte aan twaalfduizend migranten. Het plaatsje Auschwitz had toen tienduizend inwoners, de helft bestond uit joden.

Na 1940 groeide Auschwitz I uit tot een gigantisch bedrijf van vier kampen: Auschwitz, Gleiwitz, Monowitz en Birkenau, deels werkkampen, deels vernietigingskampen. Tot 1942 zaten er vooral Polen, zo'n honderdvijftigduizend gedurende de hele oorlog, waarvan ongeveer de helft stierf. Primo Levi zat in het naburige werkkamp Monowitz (Auschwitz III), waar I.G. Farben de Buna-fabriek had opgezet voor de productie van synthetisch rubber. Veel gevangenen werkten in de naburige Bata-schoenenfabriek. Ik liet me met een taxi naar de plaats van Levi's kamp rijden, maar er was geen spoor meer van terug te vinden.

Birkenau (Auschwitz II), een enorm veld met gaskamers, crematoria en vele tientallen lage houten barakken, was het grote vernietigingsbedrijf. Het hele complex is tweeëndertig maanden in bedrijf geweest. Op basis van de capaciteit van de verbrandingsovens schat men tegenwoordig het totale aantal mensen dat in die periode is omgebracht op 1 tot 1,1 miljoen. Vijf van de zes omgekomen Europese joden zijn dus elders vermoord.

Het kamp Auschwitz I werd geopend op 14 juni 1940, toen er ruim zevenhonderd Polen arriveerden om, onder meer, het crematorium te bouwen. Op 15 augustus konden de eerste lijken verbrand worden. De oven, geleverd door J.A. Topf & Söhne uit Erfurt, had een capaciteit van honderd lichamen per dag. Auschwitz was aanvankelijk vooral een werkkamp, onder andere voor I.G. Farben en de Weichsel-Metall-Union. Het grote Auschwitz II, ofwel Birkenau, werd in 1941 opgezet. Auschwitz werd daarmee een werk- annex vernietigingskamp, net als Majdanek. Daarnaast bestonden er ook nog eens vier pure doodsfabrieken: Belzec, Sobibor, Chelmno en Treblinka. Daar is weinig over bekend, omdat vrijwel geen gevangene deze vernietigingskampen levend heeft verlaten.

Het eerste grote transport van joden arriveerde in Auschwitz op 15 februari 1942. De misleiding was tot in de details geregeld. Men mocht naar dit nieuwe bestaan meenemen: proviand voor twee dagen, een etensbak, geen messen, één lepel, twee dekens, warme kleding, een paar stevige schoenen, een koffer met persoonlijke bezittingen waarop men de naam moest schrijven. En de meeste mensen geloofden het, het museum ligt nog vol pannen, emmers, teilen, scheppen, gereedschappen en andere nuttige zaken om in het oosten een ordelijk leven op te bouwen.

Nederlandse gedeporteerden verstopten briefjes in de treinwagons voor de 'thuisblijvers': de gevangenen hadden al snel in de gaten gekregen dat het almaar dezelfde trein was die uit opvangkamp Westerbork naar het oosten heen en weer reed. Een paar van die reisnotities zijn bewaard gebleven. Eentje beschrijft het dringen en persen in een tjokvolle goederenwagon. 'De stemming is nu al vreselijk, iedereen kijft en maakt ruzie.' Een ander schrijft: 'Door enkele geestige opmerkingen van een rasechte Amsterdammer was er al spoedig een goede stemming, maar naarmate de grens naderde werden de mensen stil.' Een jonge vrouw meldt dat er in de wagon zo'n 'uitstekend humeur' heerste dat er de avond van de eerste dag in haar wagon een 'cabaret' werd georganiseerd. 'Eén lied zal me altijd bijblijven, dat bij het schemerlicht van het op de grond geplaatste waxinelichtje door een meisje van zestien jaar werd gezongen, namelijk "Nederland".' Van een andere reis weten we dat een kapper de mannen schoor en dat een leraar een 'boeiende voordracht hield over het Zionisme, waardoor het reisdoel geheel vergeten werd'. En altijd was er een laatste zin als: 'We staan stil in Auschwitz, we moeten uitstappen. Het is een grote fabrieksstad, want je ziet veel schoorstenen.' Of: 'In de verte staat een verlicht gebouw. Dag jongens, we zijn gauw weer terug hoor.'

Het terrein van Birkenau is nu bont van de margrieten en de klaver. Zwaluwen buitelen boven de paar barakken die over zijn, de kale rode schoorstenen, de berkenbosjes die groeien op mensenas. In het puin van crematorium III zit een vogelnest. Boven de poort kleeft nog altijd het roet van de honderden stoomlocomotieven die hier binnentrokken.

Op 3 november 1945 stond de tolk Eugen Horak, beklaagde voor het Neurenbergtribunaal, in de badruimte tegenover een medebeklaagde herinneringen op te halen aan zijn tijd in Auschwitz. Ze werden afgeluisterd, het gesprek werd zelfs opgenomen. Een paar fragmenten.

Eugen Horak: 'Ik heb ongelooflijke dingen gezien in Auschwitz. Sommige SS-bewakers konden er niet langer tegen en moesten naar een zenuwinrichting in Giessen worden gebracht. [...] Een SS-compagnie kwam zelfs in opstand en probeerde naar het front overgeplaatst te worden. Maar ze waren verplicht om hun bevelen uit te voeren. [...] De bewakers moesten erop toezien dat de negen [gevangenen] die [in het crematorium] dienst hadden niet door de ventilatieroosters ontsnapten. En ze keken toe als ze de beenderen en stukken vlees die niet verbrand waren uit de ovens haalden en de lijken uit de gaskamer sleepten en in de ovens propten. Er was in elke oven maar plaats voor één lichaam. Er hing een verschrikkelijke lucht van kalk en brandend vlees, zoiets als een sterke urinelucht (beiden lachen). Maar je raakte er zo aan gewend dat je daar binnen ook je boterhammen opat. [...] Er was Untersturmführer Müller, of net zo'n gewone naam, een grijze, oudere man, die de ongelooflijkste obsceniteiten met de lijken uithaalde als hij dronken was. Hij stond algemeen bekend als de "crematoriumclown".'

Horaks gesprekspartner: 'Het enige écht goede aan de hele zaak is dat een paar miljoen joden niet meer leven.'

Horak: 'Maar degenen die daarvoor verantwoordelijk waren zitten nu in de puree.'

Fragmenten uit het verhoor van Otto Moll, hoofd van een bewakingseenheid in Auschwitz, afgenomen 16 april 1946 in Neurenberg:

Otto Moll: 'Het gas [in de vorm van kristallen] werd door een opening gegoten. Ongeveer een halve minuut nadat het gas naar binnen gegoten was, [...] hielden de ergste geluiden op en kwam er helemaal geen geluid meer uit de gaskamer.'

Ondervrager: 'Wat voor geluiden waren er daarvoor te horen?'

Moll: 'De mensen huilden en krijsten.'

Ondervrager: 'U hebt ons verteld over bepaalde problemen die u had om vast te stellen dat iedereen vernietigd was. Moeders verborgen bijvoorbeeld hun kinderen onder hun kleren nadat ze zich uitgekleed hadden. [...] U, Moll, zei dat uw ploeg u respecteerde omdat u hen hielp. Was dit werkje van kleine kinderen oppakken en vergassen een deel van de hulp die u hun verleende?'

Moll: 'Daar waren de gevangenen verantwoordelijk voor. Ze moesten de ruimte opruimen nadat de mensen eruit waren, ze raapten dan de baby's op en wierpen ze in de gaskamer. Er was een strikt bevel dat SS-mensen geen van deze eigendommen mochten aanraken.'

Ondervrager: 'We hebben het niet over eigendommen. We hebben het over mensen.'

Uit het dagboek van de kamparts, SS-Haupsturmführer prof. dr. Kremer:

Auschwitz, 31 augustus 1942
Tropenklimaat bij 38 graden in de schaduw, stof en ontelbare vliegen! Verzorging in officiersmess uitstekend. Vanavond was er bijvoorbeeld zure eendenlever voor o,40 RM, daarbij gevulde tomaten, tomatensalade enzovoort. Eerste inenting tegen vlektyfus. Foto-opname voor het kampidentiteitsbewijs.
1 september 1942
In Berlijn schriftelijk officierspet, koppel en bretels besteld. 's Middags bij de vergassing van een blok met Zyklon-B tegen de luizen.
6 september 1942
Vandaag, zondag, uitstekend middageten: tomatensoep, halve kip met aardappels en rode kool (20 gr vet), zoetigheid en heerlijk vanilleijs. Na het eten begroeting van de nieuwe arts, Obersturmführer Wirths, die uit Waldbröhl afkomstig is. [...] Vanavond om acht uur weer naar een *Sonderaktion* buiten.
9 september 1942
Vanochtend vroeg vernam ik van mijn advocaat in Münster, prof. dr. Hallermann, de zeer verheugende mededeling dat ik op de eerste van deze maand van mijn vrouw ben gescheiden. Ik zie weer kleuren: een zwarte sluier over mijn leven is weggetrokken. 's Avonds bij Sonderaktion aanwezig (vierde keer).
10 september 1942
's Morgens bij Sonderaktion aanwezig (vijfde keer).
20 september 1942
Vandaag, zondagnamiddag van 3-6 uur, concert van de gevangenenkapel in heerlijke zonneschijn beluisterd: kapelmeester dirigent van de Warschauer Staatsopera. Tachtig musici. 's Middags was er gebraden varkensvlees, 's avonds gebakken zeelt.

Het kamp Birkenau is nu langzaam bezig te vergaan. Na een halve eeuw kruimelt het roestige prikkeldraad weg onder je handen, de schoenenbergen zijn enkel nog grijs en zwart, de meeste houten bouwsels zijn weggerot. Alleen de schoorstenen steken nog omhoog, in lange rijen, de laatste resten van de honderden barakken die ooit het mannen- en familiekamp vormden. De inwoners van Oświęcim zelf zijn alweer een stap verder. Aan de rand van Birkenau, nog geen honderd meter van het terrein, staat een splinternieuw appartementsgebouw, onder architectuur gebouwd, met grote ramen die vanuit de woonkamer uitzien op de bruin-groene vlakte van het voormalige kamp. Het complex wordt algemeen aangeduid als 'het museum', en ook in de beleving van veel bewoners is het dat geworden, een soort park dat veel toeristen trekt, meer niet.

Ik raak in gesprek met Adriana Warno. Ze is een jaar of achttien en ze heeft een vakantiebaantje bij de poort van Birkenau. 'We hebben hier altijd gewoond, mijn ouders ook, en het bevalt ons,' zegt ze. 'Voor ons is het museum hetzelfde als voor de Parijzenaars de Eiffeltoren. Het museum is de ene kant op, en Oświęcim de andere, en die twee hebben weinig met elkaar te maken. Het is een heel normale stad, hoor, dat vroegere Auschwitz. Wij gaan gewoon uit, niks aan de hand.'

Er is voor haar maar één probleem: de wurgende verveling die het stadje de laatste jaren in zijn greep heeft. In de meeste etalages liggen alleen nog maar stoffige schooltassen, haakwerkjes en goedkope serviezen. Oświęcim heeft nu vijftigduizend inwoners, maar vervolgopleidingen zijn er niet. 'Voor alles moeten we naar Kraków.' Werk is schaars, en ook het Lager-toerisme loopt terug. Dit jaar komen opvallend weinig Amerikanen naar Auschwitz, vanwege de Kosovo-oorlog wordt gezegd. Op straat staan de muren vol anarchistentekens en Keltische kruisen.

'Natuurlijk ben ik er weleens mee bezig,' zegt Adriana. 'Zeker als ik in het museum sta. Het is ook geen taboe. "Tja, dat was die tijd," zeggen mijn ouders meestal. Iedereen hier wist wat er in het kamp gebeurde, je zag het gewoon, en anders rook je het wel. Maar nu wijdt niemand er ooit nog een gedachte aan. Je wordt anders gek. En je wilt ook leven, en het leven is hier al zwaar genoeg.'

Ik loop verder. Het is een broeierige middag. Een paar keer begint het wat te regenen, maar het houdt direct ook weer op. Ondertussen wordt de ene Poolse schoolklas na de andere door de barakken gedreven, voortgejaagd op de woordenstroom van een enorme vrouwelijke gids. In de kantine zitten twee Limburgse dames te praten over de prijs van een kopje koffie. Er worden ansichtkaarten verkocht. Nummer 19 heeft een onweerslucht op de achtergrond. Bij nummer 18 staat een bloemetje op de voorgrond. Bij nummer 22 een haasje. Bij nummer 20 vuur en rook.

Op een hoek, vlak bij het kamp, staan een paar forse kruisen. Later zie ik een warrige man met een groepje discipelen, en nog meer kruisen. Er worden pamfletten uitgedeeld. Er schijnt een conflict aan de gang te zijn tussen een aantal Poolse activisten en de joodse gemeenschap.[5] In de jaren tachtig had een aantal karmelietessen in een paar oude kampgebouwen, vlak buiten de omheining, een klooster gesticht. Na tien jaar ruzie waren de nonnen, onder druk van joodse organisaties, weer vertrokken. Vervolgens hadden de Polen een torenhoog kruis bij het kamp neergezet, en dat stoorde de religieuze joden opnieuw. De Poolse regering heeft nu bepaald dat er binnen een straal van honderd meter rondom de voormalige vernietigingskampen niets meer gebouwd mag worden.

De kruisen moeten dus weg. Maar deze Poolse profeet, zo begrijp ik, ziet het als een strijd op leven en dood tegen de joden en de vrijmetselaars die in Polen de macht opnieuw willen overnemen. 'Die man is gek,' zegt Adriana als ik haar er later naar vraag. 'Maar zo zijn er zoveel. De echte slachtoffers en hun familie, die hoor je niet. Maar als je eens wist wat hier verder allemaal langskomt.' Ze vertelt over de vrouwenclubjes met tamboerijnen, de goeroes die kwade krachten komen uitdrijven, de Amerikaanse dames die snikkend hun vorige levens komen verwerken, de schoolklassen met Poolse vlaggen, de schoolklassen met Israëlische vlaggen, de Franse, Belgische, Hollandse en Italiaanse touringcarbedrijven die vanuit Kraków een 'driekampentocht' aanbieden. 'Allemaal claimen ze Auschwitz voor zichzelf. Nooit iets meegemaakt, maar wat willen ze graag met de echte slachtoffers meeliften. Ziek word je ervan.'[6]

3

Eén keer eerder was ik in Auschwitz geweest, als radioverslagge-
ver, in januari 1995, bij de herdenking van de vijftigste verjaardag
van de bevrijding van het kamp. Ik herinner me dat ik aan het
eind van een donkere wintermiddag verdwaalde in de bosschages
achter het Birkenau-complex. Ik belandde in een gehucht zoals er
zoveel zijn in Polen: kippen, ganzen, een kettinghond, drie oude
vrouwen en een boer op een kar. Rechts voor me lagen de betonresten van crematorium annex gaskamer nummer II. Links de
vijvers waarin de as werd gegooid; later werden trouwens overal
in deze bosjes asresten en botten gedeponeerd. Er lichtte wat
sneeuw op tussen de bomen, en over het stille water van de vijvers
lag een dunne laag gelig ijs.

Pal voor me verrezen de masten van de schotelantennes, over
de voormalige gaskamers waren kabels getrokken en uit de caravans van de televisietechnici klonk vrolijk gepraat. Toen ik me
nog eens omdraaide, merkte ik dat vlak achter me een boerderij-
tje stond dat er al die jaren gelegen moet hebben. Uit het raam
stroomde een vriendelijk licht, daarachter zag ik een huiskamer,
een tafel, een vloerkleed en een kachel, en buiten een waslijn en
een omgevallen kinderfietsje. De afstand tot het crematorium
was, hemelsbreed, nog geen driehonderd meter.

Wat wist men? Wat wisten de omwonenden, de leveranciers, de
treinmachinisten, de ambtenaren? En wat konden ze weten? En
wat wilden ze weten?

In het kampmuseum van Majdanek zou ik later een brief aan-
treffen van Technisches Büro und Fabrik H. Kori GmbH, Denne-
witzstrasse 35, Berlijn, gespecialiseerd in *Abfallverbrennungsöfen aller
Art*, gedateerd 25 oktober 1941, gericht aan de SS Obersturmführer
Lenzer in Lublin. De inhoud handelt over het bouwplan voor een

aantal ovens in het *Lager*, plus een aansluitende *Abtrockenraum* en een *Desinfektionsraum*. 'Onze tekening blad 2 CJ nr. 9079 toont de oplossing van het ruimteprobleem voor in totaal vijf stuks crematoriumovens, waarvan nr. 5 in het midden als reserve-oven is bedoeld.'

Het is een brief die in je hoofd blijft spoken. Net als de rekening die ernaast ligt: aan de firma Paul Reimann in Breslau, 200 kg mensenhaar, 100 mark, 50 pfennig per kilo. Het valt niet te ontkennen: duizenden hebben op afstand actief aan de holocaust deelgenomen. Zoals eerder gezegd: alleen al in Berlijn werd in tientallen zoemende kantoren dag in dag uit aan deze operatie gewerkt. Bij de SS, het ministerie van Economische Zaken en de Reichsbank werden sieraden, kleren en andere bezittingen in enorme aantallen geregistreerd en gedistribueerd. Bij de Pruisische Munt hielden tientallen Berlijners zich bezig met het omsmelten van gouden kiezen. Banken en verzekeringen stortten de tegoeden van joden in de staatskas of op de rekening van nazi-organisaties. Persoonlijke bezittingen werden als kerstcadeautjes naar de Volksduitse kolonisten gestuurd. Joodse huizen werden geplunderd in de zekerheid dat de bewoners nooit meer terug zouden komen. Iedereen 'wist' het op een bepaalde manier.

Aanvankelijk werd het bestaan van de vernietigingskampen slechts in een zeer kleine kring openlijk besproken. Vanaf het najaar van 1943 werden vrijwel alle hooggeplaatste nazi's op de hoogte gebracht. Die voorlichting vond plaats uit tactische overwegingen: niemand kon daarna nog deserteren door zich te beroepen op onwetendheid of onschuld, ze waren nu allemaal deel van het complot. Vandaar dat Himmler op 6 oktober 1943 op een besloten bijeenkomst van Reichsleiter en Gauleiter in Posen (Poznań) met zoveel woorden vertelde dat de joden werkelijk vernietigd werden.

Letterlijk zei hij: 'Het zinnetje "de joden moeten vernietigd worden" is gemakkelijk uit te spreken, maar de eisen die het stelt aan degenen die dat in de praktijk moeten brengen, behoren tot de zwaarste en moeilijkste ter wereld.' Hij benadrukte dat ook de vrouwen en kinderen omgebracht moesten worden: 'Ik ben van mening dat het niet terecht is om de mannen te vernietigen – en dat betekent, mijne heren, moord of opdracht tot moord – maar de kinderen te laten opgroeien, zodat zij wraak kunnen nemen op onze kinderen en kleinkinderen.' Te zijner tijd, zo zei hij, zouden al deze zaken misschien openbaar gemaakt kunnen worden. Vooralsnog vond hij het beter 'dat we het geheim met ons meenemen in het graf'. Drie maanden later kreeg een groep hoge Wehrmachtofficieren diezelfde waarheid te horen.

Toch weigerden veel hoge nazi's voor het latere oorlogstribunaal in Neurenberg te accepteren dat er inderdaad een volkerenmoord was gepleegd. Toen bijvoorbeeld de nazi-minister van Binnenlandse Zaken Wilhelm Frick geconfronteerd werd met een mogelijk dodental van negen miljoen, verklaarde hij dat dit zeker 'twee nullen te groot was'. Hij schatte het totaal op hooguit negentigduizend, en zelfs dat cijfer vond hij 'verschrikkelijk hoog en hoogst onwaarschijnlijk'.

Albert Speer was een soortgelijk geval, en zijn glasharde ontkenningen redden hem in Neurenberg het leven. Hij was, met Goebbels en Göring, de meest nabije medewerker van Hitler en een van de belangrijkste functionarissen binnen het Derde Rijk. In de zomer van 1944 kreeg hij, zo schrijft hij in zijn *Herinneringen*, bezoek van zijn mentor Karl Hanke. De oude nazi was totaal in de war: nooit, nooit moest Speer gevolg geven aan een uitnodiging om in de gouw Opper-Silezië een concentratiekamp te komen bezichtigen. Daar had deze vriend dingen gezien die hij niet mocht en ook niet kon beschrijven. Hij moet op Auschwitz gedoeld hebben. Speer: 'Ik vroeg hem er verder niet naar. Ik vroeg Himmler er niet naar, ik vroeg Hitler er niet naar, ik sprak er niet over met mijn vrienden. Ik liet het ook niet onderzoeken: ik wilde niet weten wat er aan de hand was.'

Jaren later kon Gitta Sereny in haar imposante studie over Speer overtuigend aantonen dat Speer niet alleen meer had kunnen weten, maar ook veel meer wíst. Dat stellige weten heeft hij echter na de oorlog vakkundig weten te verdringen, zoals talloze Duitsers met hem.[7]

Speer zelf verklaarde zijn niet-willen-weten uit het feit dat in het systeem van Hitler – zoals trouwens in elk politiek systeem – met de hoogte van de positie ook het isolement toeneemt; dat door de vergevorderde moordtechnieken het aantal deelnemers en getuigen sterk verminderd werd, en daarmee ook de kans op onthulling; dat de manier van geheimhouding een rangorde van ingewijden deed ontstaan, waardoor iedereen die er niet direct bij betrokken was, de kans kreeg om weg te kijken. Maar uiteindelijk doet het er niet toe, schrijft hij, omdat hij geen verontschuldiging heeft. 'Of ik geweten of niet geweten en hoeveel of hoe weinig ik geweten heb, het wordt volstrekt onbelangrijk wanneer ik bedenk wat ik aan verschrikkelijks had moeten weten en welke consequenties reeds door het weinige dat ik wist vanzelfsprekend zouden zijn geweest.'

Hoe ging het 'weten' en het 'niet-weten' bij de lagere machthebbers in zijn werk? Een indicatie over de praktijk bij de Wehrmacht geeft het dagboek van Ernst Jünger. Hij beschrijft daarin de oudejaarsviering 1942-1943 in een stafkwartier ergens in Rusland. Een van zijn collega-officieren vertelde over de 'ongehoorde schanddaden' van de SD in Kiev. 'Ook werd weer melding gemaakt van de gifgastunnels, waarin de treinen met joden binnenrijden. Dat zijn geruchten, maar het is zeker dat er moordpartijen op zeer grote schaal plaatsvinden.' Driekwart jaar later, op 16 oktober 1943, beschrijft Jünger de situatie rondom Łódź: 'Er leven daar honderdtwintigduizend joden, vreselijk samengeperst.[...] Ondertussen stromen uit de bezette landen almaar nieuwe gedeporteerde joden toe. Om die uit de wereld te helpen zijn in de buurt van het getto crematoria gebouwd. Men rijdt de slachtoffers daarheen met auto's, die een uitvinding van de chefnihilist Heydrich moeten zijn – daarin worden de uitlaatgassen naar binnen geleid, en zo verandert de auto in een dodencel.'

In werkelijkheid hadden de experimenten met uitlaatgassen twee jaar eerder plaatsgevonden. Toen Jünger dit schreef, draaiden de grote vernietigingskampen al ruim een jaar op volle toeren. Een hoge Wehrmachtofficier als Ernst Jünger was daarvan dus, als we hem mogen geloven, ondanks al zijn connecties eind 1943 nog niet op de hoogte. Interessant is ook Jüngers toon: de situatie wordt met afgrijzen beschreven, een voorbeeld van de weerzinwekkendheid van de nazi's, maar er wordt door hem geen enkele consequentie uit getrokken. Later wordt er ook niet op teruggekomen. Al deze gruwelijkheden gebeurden gevoelsmatig buiten hen om en beschaafde Wehrmachtofficieren als Jünger wilden daar ook verder niets mee te maken hebben.

Primo Levi, die in een werkkamp zat, schreef over een Duitse collega-chemicus onder de titel 'Auschwitz, een rustig stadje'. Levi en zijn Duitse collega werkten naast elkaar in hetzelfde laboratorium, deden dezelfde proeven, overlegden als gelijken over de vragen van hun vak. Er was één verschil tussen beiden: Levi zat 's avonds binnen het prikkeldraad en zijn collega erbuiten. Deze Oberingenieur zei later dat hij van de gaskamers niets had geweten, hij had er nooit iemand naar gevraagd. 'Hij trakteerde zichzelf niet op leugens,' schreef Levi, 'maar op lacunes, blanco spaties.'

Met hoeveel 'blanco spaties' kon een mens leven tussen 1940 en 1945?

Het pamflet dat de Münchener studenten van Die Weisse Rose in juni 1942 verspreidden maakte melding van 'de meest beestachtige moord' op driehonderdduizend Poolse joden. Anne Frank schreef, weggestopt in een achterhuis aan de Amsterdamse Prinsengracht, op 9 oktober 1942: 'We nemen aan dat de meesten vermoord worden. De Engelse radio spreekt van vergassing. Misschien is dat wel de vlugste sterfmethode.' In Dresden betitelde Victor Klemperer een week later het kamp Auschwitz 'als een snel werkend slachthuis'. Op 27 februari 1943 was het volgens hem 'niet meer aannemelijk dat er joden levend uit Polen zullen terugkeren'.

Zij wisten het dus. Waren zij de enigen met ogen en oren?

Lange tijd meenden de meeste historici dat de nazi's hun activiteiten vrij goed verborgen hadden weten te houden, en dat de gemiddelde Europeaan er inderdaad weinig of niets van wist.

Voor Duitsland hebben studies van historici als Walter Laqueur, Robert Gellately en anderen definitief afgerekend met deze mythe. Zoals eerder gezegd: al vroeg in de jaren dertig werd in de massamedia onverbloemd geschreven over de jacht op joden, de razzia's, de deportaties en de concentratiekampen. Gellately onderzocht systematisch de *Rheinische Landeszeitung*, een groot provinciaal dagblad: er ging nauwelijks een week voorbij of er werd wel melding gemaakt van de executies van *Volksschädlinge* of *Defätiste*. De opening van kampen als Dachau en Sachsenhausen werd breed uitgemeten in de pers.

Na 1939 veranderde dat. De massa-executies in Polen kwamen niet meer in de kranten. Maar nog altijd waren hierbij tienduizenden gewone Wehrmachtsoldaten betrokken, indirect of direct. In zijn klassieke studie over het doen en laten van een typisch moordcommando, Reserve Politie Bataljon 101, toont Christopher Browning aan dat de samenstelling van het bataljon sterk rouleerde: keurige Hamburgse huisvaders meldden zich aan, namen deel aan massa-executies, en keerden vervolgens weer terug naar huis om het gewone leven voort te zetten. Een van de commandanten nam, pas getrouwd, zelfs zijn jonge bruid mee: de vrouw was op het marktplein van Miedzyrzec direct getuige van de moordpartij op de plaatselijke joden. De verhalen zongen dan ook door het land: via brieven die door de censuur glipten, via soldaten op verlof, via foto's die naar huis werden gestuurd. Pas in november 1941 kwam er een verbod om dit soort executies te fotograferen.

Vanaf 1943 wist iedereen die in Duitsland ook maar enigszins om zich heen keek voldoende om, zoals ik ooit een jonge Duitser onnavolgbaar hoorde formuleren, 'zeker te weten dat hij niets meer wilde weten'. Britse en Amerikaanse bommenwerpers strooiden in datzelfde jaar miljoenen pamfletten boven Duitsland uit met exacte informatie over de systematische moord op de Europese joden, de vernietigingskampen en de gaskamers. Eric Johnson enquêteerde oudere Duitsers uit Keulen en Krefeld naar wat ze voor 1945 wisten over de holocaust. 66 procent gaf toe in meer of mindere mate geïnformeerd te zijn.

Zeker de helft van de Keulse ondervraagden bleek regelmatig naar de Duitse uitzendingen van de BBC geluisterd te hebben, waar vanaf de zomer van 1941 stelselmatig melding werd gemaakt van de moordpartijen op joden. Vanaf het voorjaar van 1942 werd die informatie, dankzij Poolse verzetsmensen, steeds concreter.

NIEUWS

De vroegste onthullingen over de holocaust werden door de meeste buitenlandse media beschouwd als een staaltje van ouderwetse gruwelpropaganda. Zelfs de verzetskranten in de bezette gebieden hadden twijfels; *Vrij Nederland* en *Het Parool* brachten de eerste berichten opzettelijk niet op de voorpagina. Dat gold ook voor *The New York Times*. Toen op 2 december 1942 functionarissen van het State Department aan een delegatie rabbijnen hadden bevestigd dat, volgens hun inlichtingen, al twee miljoen joden waren vermoord en dat nog eens vijf miljoen ernstig 'gevaar liepen uitgeroeid te worden', wijdde de krant er welgeteld één commentaar aan, het enige in al die jaren. Voor de rest bleef het bij berichten op de binnenpagina's.

In dit geval leek het alsof de feiten niet spraken maar het ongeloof voedden. Op 30 juni 1942 maakte *The New York Times* voor het eerst melding van een rapport van het Joods Wereldcongres over een massamoord op meer dan een miljoen joden in de door Duitsers bezette gebieden. Het rapport sprak over een 'enorm slachthuis voor joden' in Oost-Europa, en over massale deportaties uit Polen, Duitsland, Oostenrijk en Nederland. Ook de ontberingen in het getto van Warschau werden genoemd: meer dan tienduizend joden zouden daar zijn omgekomen. De joodse bevolking van Duitsland zou zijn gedaald van zeshonderdduizend naar honderdduizend.

Bijna een jaar later, op 20 april 1943, sprak de krant van moord op twee miljoen joden. Dit gebeurde terloops, in een kort stukje van vijf alinea's, als bijlage bij een artikel over de algemene vluchtelingenproblematiek. Pas in juli 1944 begon de *Times*-correspondent in Genève uitvoerig over Auschwitz te publiceren: 'Men zegt dat tot en met 15 april 1 715 000 joden door de Duitsers ter dood zijn gebracht.' Deze feiten waren, zo benadrukte de correspondent, 'onweerlegbaar' bevestigd. Op 30 augustus bereikte de eerste verslaggever van de krant, W.H. Lawrence, een vernietigingskamp, het net bevrijde Majdanek: 'Dit is een plaats die je moet zien voordat je het kunt geloven.'

De onderzoekster Laurel Leff, die alle oorlogsjaargangen van *The New York Times* naliep, concludeerde: 'Je kon de voorpagina's van de *Times* in 1939 en 1940 gelezen hebben zonder te weten dat miljoenen joden naar Polen werden gestuurd, in getto's werden opgesloten, en bij tienduizenden stierven aan ziektes en gebrek. Je kon de voorpagina's in 1941 gelezen hebben zonder te weten dat de nazi's honderdduizenden joden in de Sovjet-Unie voor hun machinegeweren zetten. Je kon de voorpagina's in 1942 gelezen hebben en niet weten, tot de laatste maand, dat de Duitsers een plan uitvoerden om het Europese jodendom geheel weg te vagen. In 1943 zou je slechts één keer verteld zijn dat joden uit Frankrijk, België en Nederland naar slachthuizen in Polen werden gestuurd en dat meer dan de helft van de joden in Europa al dood was. Dat verhaal zou je alleen hebben kunnen lezen in de context van een artikel over een manifestatie van joodse groepen, een stuk dat meer ruimte gaf aan degenen die er spraken dan aan degenen die stierven. In 1944 zou je via de voorpagina het bestaan van vreselijke oorden als Majdanek en Auschwitz te weten hebben kunnen komen, maar alleen binnen in de krant had je kunnen lezen dat de slachtoffers joden waren. In 1945 stonden het bevrijde Dachau en Buchenwald op de voorpagina, maar de joden waren binnen in de krant begraven.'

Op 17 december 1942 zond de BBC een speciale waarschuwing van de elf geallieerde regeringen uit: de Duitsers waren nu bezig om 'Hitlers veelvuldig herhaalde voornemen het joodse volk in Europa uit te roeien ten uitvoer te brengen'. In de verklaring werd gesproken over massale deportaties, kampen in Polen en 'vele honderdduizenden' slachtoffers. In werkelijkheid waren op dat moment al bijna vier miljoen joden omgebracht. 'Van hen die weggevoerd worden, wordt later taal noch teken meer vernomen.' In de dagen daarna wijdde de BBC een hele reeks Duitstalige uitzendingen aan de massamoord.

Ook elders in Europa was de kennis over de holocaust redelijk verbreid. Een halve eeuw na dato onderzocht een groep studenten zeventig oorlogsdagboeken van niet-joodse Nederlanders. Ze wilden achterhalen wat gewone mensen in bezet gebied wisten van de jodenvervolging, en wanneer ze dat wisten. Vierentwintig dagboekschrijvers, dus meer dan een derde van het totaal, bleken al snel te vermoeden dat de joden massaal werden vermoord. Een doktersvrouw schreef op 9 november 1941: 'De meeste joden uit onze omgeving, die zo plotseling zijn weggehaald, zijn al dood – in een paar weken tijd dus.' Een rechtenstudent, op 26 november: 'Ik dacht dat alle joden inmiddels wel waren afgemaakt.'

Op 17 oktober 1942 sprak koningin Wilhelmina voor de BBC expliciet over 'het stelselmatig uitroeien van de joden'. Vanaf dat moment doken in de dagboeken steeds vaker termen op als 'vermoorden', 'afmaken', 'uitroeien' en zelfs 'gaskamers'. Op 15 november hoorde een jonge Leidse student NSB'ers roepen dat het 'joodse probleem' in Nederland binnenkort was opgelost: 'Ze worden vermoord in het moordhol Polen.' Op 13 december schreef een Rotterdamse kantoorklerk: 'In Polen gaat de massamoord op de joden verder. Himmler zou er alle joden voor 1943 willen doden.' Vanaf begin 1943 valt ook in Nederland regelmatig de naam 'Auschwitz'. Een Rotterdammer op 14 februari 1943: 'Executies van joden en Polen gaan door: in één plaats zesduizend per dag; eerst kleren uit; dan... (gas?).'

Al deze dagboekschrijvers waren zeer verontwaardigd, en ze geloofden de geruchten over het gebruik van gaskamers wel degelijk. Toch was de schok enorm toen na de oorlog de kampen opengingen en duidelijk werd dat deze onvoorstelbare massamoord werkelijk had plaatsgevonden. Ook bij overtuigde anti-nazi's en verzetsmensen. Het was alsof men het wist en het tegelijk niet wilde weten, alsof men de miljoenenmoord rationeel erkende, maar hem innerlijk niet kon aanvaarden omdat het elk bevattingsvermogen te boven ging, ook na de oorlog. De groep vrouwen met hun wapperende ondergoed in de duinen bij het Letse Liepaja hadden een gezicht. De 1,1 miljoen doden van Auschwitz vormden enkel nog een cijfer.

Veelzeggend is het feit dat in 1946 wel de concentratiekampen een hoofdonderwerp vormden van de Neurenbergse processen, maar niet de planmatige moord op de zes miljoen joden. In de preambule van het eindoordeel, waarin de aard van de misdrijven werd beschreven, besloeg de holocaust niet meer dan vijf van de honderd pagina's. Pas jaren na de oorlog liet het brede publiek de holocaust in de volle omvang tot zich doordringen.

In 1960 werd Adolf Eichmann door de Israëlische geheime dienst in Argentinië teruggevonden en ontvoerd. Tijdens zijn maandenlange proces in Jeruzalem kwam eindelijk alles voor het voetlicht: de verhalen van de overlevenden, de bureaucratie, de tienduizenden medeplichtigen. Vanaf 1965 groeide ook in Nederland, dankzij de publicatie van Jacques Pressers *Ondergang*, het besef van wegkijken, schuld en medeverantwoordelijkheid. In Frankrijk startte het debat in de jaren zeventig, na de film van Marcel Ophüls' *Le chagrin et la pitié* en de felle acties van het echtpaar Serge en Beate Klarsfeld. In Duitsland gebeurde iets soortgelijks in 1979 bij de uitzending van de Amerikaanse televisieserie *Holocaust*. De jonge generaties begonnen vragen te stellen.

In Nederland, op doorreis, had ik een namiddag zitten praten met Arie van Namen, advocaat in ruste. Rond zijn dertigste hoorde hij tot de centrale figuren van het verzet. Hij was een van de stuwende krachten achter het illegale blad *Vrij Nederland*. Zijn geheugen begon hem in de steek te laten. Soms moest hij zich een weg vechten door flarden nevel. 'Is het al 1999? Ik ben van 1913. Dus ik ben nu zesentachtig?' Het maakte niets uit. We dronken een glaasje, keken zwijgend naar de vallende schemering buiten.

'Ik heb er nooit één nacht slecht van geslapen,' vertelde hij. 'Mijn familie wel, al die verzetsfamilies hebben er enorm onder geleden, maar daar werd nooit over gesproken.' Behalve toen hij werd verraden en opgepakt. 'Toen heb ik hem wel flink geknepen, in die cel, goeiemorgen! Vooral 's ochtends tussen vijf en zes. Dan werden ze opgehaald.' De bevrijding redde hem.

Eind september 1943 gaf de verzetskrant *Het Parool* voor het eerst een gedetailleerde beschrijving van een vernietigingskamp: 'Zo'n gaskamer maakt de indruk een badlokaal te zijn.' Het verhaal werd met opzet níet op de voorpagina gezet, omdat men bang was voor paniek onder de ondergedoken joden. 'Bij ons werkte dat net zo,' zegt Arie van Namen. 'Wij waren bang, we vermeden dat soort publiciteit. Er heerste al genoeg spanning binnen die onderduikgezinnen.'

In diezelfde week wijdde Arie van Namen, als enige, een apart artikel aan het verdwijnen van de laatste joden uit Amsterdam. 'Hoe nabij de bevrijding ook komt, zeker is dat zij voor duizenden joodse landgenoten te laat komt,' schreef hij toen.

'Duizenden?' vroeg ik nu. 'Jullie dachten niet aan tienduizenden?'

'Wij waren in 1943 goed bij,' zei hij na lang nadenken. 'Maar aanvankelijk wisten we er niet veel van. Het begin van deze geschiedenis is, althans mij, grotendeels ontgaan. Later kregen we Engelse kranten, toen liep de informatievoorziening prima.'

'Geloofden jullie die verhalen eigenlijk zelf wel?'

'Ergens wel, ergens ook niet. Ook wij waren na de oorlog, toen alles onthuld werd, verbijsterd. Ondanks alles wat we wisten en wat we zelf hadden ervaren. Het was namelijk écht onvoorstelbaar. Zoiets had de mensheid nooit eerder meegemaakt.'

Hoeveel mensen trokken consequenties uit dit weten? Hoeveel Europeanen gingen over tot handelen?

In Engeland telde alleen de oorlog, en niets anders. 'Voor de ontwikkelde Engelsman is het bijna nog gemakkelijker zich de levensomstandigheden op deze eilanden onder koning Knut voor te stellen dan de levensomstandigheden in, laten we zeggen, het Polen van deze tijd,' zei Arthur Koestler in een van zijn radiopraatjes. Hij had drie jaar lang lezingen gegeven voor de soldaten en hun houding was al die tijd dezelfde gebleven: ze geloofden niet in concentratiekampen, in de massagraven van Polen, in Lidice, Treblinka of Belzec. 'Je kunt ze een uur lang overtuigen. Dan schudden ze zich uit als een hond die uit het water komt.'

De geallieerden concentreerden zich op een 'totale overwinning', niet vanwege de nazi-misdrijven, maar om het risico van aparte vredesverdragen tot een minimum te beperken en de onderlinge band zo sterk mogelijk te houden. Alleen op die manier zou, zoals een Britse beleidsnotitie schreef, 'het hele complex van menselijke problemen dat wordt veroorzaakt door de Duitse overheersing' kunnen worden opgelost. Alles wat de aandacht van dit doel afleidde, zou ook de joodse zaak schaden, zo was de redenatie.

Tekenend is de geschiedenis rond de paar zeldzame luchtfoto's van Auschwitz. Ze werden op 31 mei en 25 augustus 1944 vanuit een Brits verkenningsvliegtuig gemaakt dat op pad was gestuurd om een indruk te krijgen van het nabijgelegen I.G. Farben-complex waar synthetisch rubber werd geproduceerd. Bij toeval had de bemanning de camera nog laten draaien toen men al boven de vernietigingskampen vloog. Aan het eind van de filmrol van 25 augustus staan zelfs heldere beelden van het perron van Birkenau, waar net een trein is aangekomen en waar een rij gevangenen duidelijk zichtbaar op weg is naar Crematorium II. Pas dertig jaar later werd het negatief bij toeval ontdekt. Rond 1944 had niemand bij de luchtmachtstaf er oog voor gehad.

De Britten en Amerikanen hadden bovendien besloten om niet in te gaan op 'chantagepolitiek' van de Duitsers en hun bondgenoten. Nog in februari 1943 bood de Roemeense regering onder leiding van Ion Antonescu de geallieerden aan om zeventigduizend joden naar Palestina te laten vertrekken. De Britten wezen het voorstel direct af. Iedere koehandel met mensenlevens zou immers al hun militaire strategieën doorkruisen. Hoewel ze erkenden dat er een massamoord plaatsvond – op 17 december 1942 had het Britse Lagerhuis zelfs een minuut stilte gehouden voor de slachtoffers – werd het restrictieve vluchtelingenbeleid onverkort gehandhaafd.

Momenten van moed en verzet waren er overal in Europa, tot in de gaskamers van Auschwitz toe. In de zomer van 1952 werd op het terrein van Crematorium III een Jiddisch handschrift opgegraven, vermoedelijk van een joods lid van een Sonderkommando, waarin melding werd gemaakt van een hele reeks incidenten. Tegen het eind van 1943 werden bijvoorbeeld bijna tweehonderd Poolse partizanen naar de gaskamers gebracht, samen met enkele honderden Nederlandse joden. Toen ze allemaal geheel waren uitgekleed, hield, aldus het manuscript, een jonge Poolse vrouw een vurige redevoering, die ze besloot met de woorden: 'We zullen nu niet sterven, de geschiedenis van ons volk zal ons vereeuwigen, onze wil en onze geest zal leven en opbloeien.' Ze wendde zich ook tot de joden van het Sonderkommando die erbij stonden:

'Vertel onze broeders, ons volk, dat we bewust en vol trots onze dood tegemoetgaan.' Daarna zongen ze het Poolse volkslied, de joden zongen de Hatikva en gezamenlijk zongen ze de Internationale. 'Tijdens het gezang kwam de auto van het Rode Kruis [waarin het Zyklon-B werd getransporteerd] aanrijden, het gas werd in de kamer gegooid en allen gaven de geest onder gezang en extase, dromend van verbroedering en verbetering van de wereld.'

Een klein jaar later, op 7 oktober 1944, kwam het in Auschwitz tot een vrij omvangrijke opstand. Een grote groep gevangenen probeerde uit te breken, maar ondanks de zorgvuldige voorbereiding mislukte het plan. Vier SS-bewakers kwamen om het leven, twaalf raakten gewond, vierhonderdvijfenvijftig gevangenen werden met machinegeweren afgemaakt. Nog begin januari 1945 werden vier vrouwen opgehangen omdat ze explosieven uit het magazijn van de Union-fabrieken het kamp hadden binnengesmokkeld.

Tegenwoordig maakt men wel verschil tussen actief verzet en 'resistentie', dat wil zeggen de brede weerstand binnen een normale samenleving tegen deportaties en andere vormen van naziterreur. Vaak – zie bijvoorbeeld Frankrijk, Denemarken, Nederland, België, Italië – was de mate van 'resistentie' minstens zo belangrijk voor de overlevingskansen van de joden als het openlijke verzet.

In Duitsland bleven moedige *Gruppen* van communisten en christenen ondergronds actief, en ook binnen de Wehrmacht bestonden enkele verzetskernen. De omvang van dit stille verzet moet niet worden onderschat: een indicatie is het aantal Duitse politieke gedetineerden dat in de concentratiekampen is omgekomen en dat de honderdduizend overschrijdt. Het werkelijke aantal Duitsers dat, in welke vorm ook, het regime saboteerde, moet een veelvoud zijn geweest.

Van een massaal, breed gedragen volksverzet was in Duitsland echter geen sprake. Ondanks het succes van de vrouwenactie in de Rosenstrasse bleef het in Berlijn bij deze eenmalige demonstratie. Het ongenadige optreden van de Gestapo, vooral na 1941, had hier zeker mee te maken: de studenten van Die Weisse Rose werden enkel vanwege een handvol pamfletten onthoofd. Aan de andere kant werd bijvoorbeeld de Berlijnse politieman Wilhelm Krützfeld, die de Grote Berlijnse Synagoge tijdens de Kristallnacht dapper had verdedigd tegen de SA, geen haar gekrenkt: hij werd vijf jaar later op eigen verzoek gepensioneerd, 'met dank van de Führer voor zijn bewezen diensten'. Opvallend is ook de houding binnen Reserve Politie Bataljon 101 ten opzichte van dissidenten. Bij de eerste moordpartijen in Polen weigerde ongeveer 20 procent van de mannen om mee te doen. Deze weigeraars kregen, op zijn hoogst, langere wachtdiensten of vervelende corveetaken, voor het overige liepen ze geen enkel risico. Christopher Browning stelt nadrukkelijk, in navolging van anderen, dat 'er geen enkel geval is gedocumenteerd waarbij Duitsers die weigerden ongewapende burgers te doden zwaar moesten boeten'. Dat betekent dat bij de Duitsers die wel aan de moordpartijen deelnamen een grote mate van vrijwilligheid bestond. Deels was die houding, vermoedelijk, gebaseerd op groepsdwang, deels op de typisch Duitse discipline, deels op anti-semitisme – hoewel het bataljon ook geen scrupules kende toen het, bijvoorbeeld, rond Zamość opereerde en opdracht kreeg om dorpen met enkel Poolse inwoners uit te roeien.

Bij een van de weinige harde verzetskernen in Duitsland, de groep Wehrmachtofficieren die de aanslag op Hitler van 20 juli 1944 beraamden, speelde de jodenvervolging zeker een rol. Het ging hun echter vooral om de redding van Duitsland als natie. (Sommigen hoopten bovendien dat de geallieerden samen met Duitsland zouden optrekken tegen de Sovjet-Unie.) Eric Johnson ondervroeg vijfenveertig joodse overlevenden uit Krefeld. Op de vraag of men in belangrijke mate hulp of steun had ondervonden van de plaatselijke bevolking, antwoordde bijna 90 procent ontkennend. Ook uit het dagboek van Victor Klemperer blijkt geen spoor van systematisch verzet; wel was er regelmatig sprake van individuele sympathiebetuigingen – bijvoorbeeld een openlijke handdruk – als hij met zijn jodenster op straat liep. In de fabriek waar hij sinds 1943 was tewerkgesteld, kon hij bij de Duitse arbeiders geen greintje anti-semitisme ontdekken. Volgens hem had iedere jood die overleefde 'wel ergens een arische engel'.

In de laatste fase van de oorlog, toen de bombardementen dag en nacht doorgingen, voelden de meeste Duitsers zich echter vooral zelf oorlogsslachtoffer. Tijdens de grote dodenmarsen in het voorjaar van 1945, toen alle gruwelen van de kampen openlijk zichtbaar werden, bekeek de bevolking de colonnes broodmagere gevangenen over het algemeen met onverschilligheid. Er zijn meldingen van Duitse vrouwen die de gevangenen wat eten probeerden toe te stoppen, of die hen luidop beklaagden, maar het bleef bij een incidenteel geval.

In de rest van Europa was de 'resistentie' van de burgersamenleving aanmerkelijk sterker, verzet werd in veel kringen als een normale zaak gezien, vaak was het zelfs een burgerplicht, hoe groot de risico's ook waren. In Auschwitz wist een dappere officier van de Poolse ondergrondse, Witold Pilecki, al in september 1940 het kamp binnen te dringen en er twee jaar lang verzetscellen te organiseren, voordat hij in 1942 weer ontsnapte. In Amsterdam riep de communist Piet Nak openlijk op tot de Februaristaking. De bankiers Walraven en Gijs van Hall zetten er de grootste bankfraude uit de Nederlandse geschiedenis op touw: met de opbrengst kon hun organisatie tienduizenden onderduikers en verzetsmensen jarenlang in leven houden.

In Marseille liet de Amerikaan Varian Fry honderden prominente Europese intellectuelen ontsnappen. In het geïsoleerde Franse dorpje Le Chambon-sur-Lignon (Haute-Loire) verborgen de drieduizend inwoners, onder aanvoering van het predikantenpaar André en Magda Trocmé, in de loop der jaren meer dan vijfduizend joden. In Vilnius wist een sergeant-majoor van de Wehrmacht, Anton Schmidt, duizenden joden voor het vuurpeloton te behoeden. In Kaunas liet de Japanse consul Sempo Sugihara zeker zestienhonderd joodse vluchtelingen ontsnappen door transitvisa naar Japan uit te delen. In Kraków redde de industrieel Oskar Schindler het grootste deel van zijn joodse arbeiders. In de Skodafabriek in het Tsjechische Plzeň deed Albert Göring, de broer van Hitlers rechterhand Hermann Göring, iets soortgelijks.[8]

In het departement Alpes-Maritimes verbrandde prefect Jean Chaigneau eigenhandig alle adreslijsten van joden die zich op zijn kantoor bevonden. Bij Mechelen lieten drie jonge verzetsmensen tweehonderd joden ontsnappen door een trein op weg naar Auschwitz tot stoppen te dwingen. In Hongarije wisten de non Margit Slachta en haar orde van Grijze Zusters duizenden joden te redden door ze te laten onderduiken of door hen van valse papieren te voorzien. In Warschau kwam in 1943 het getto in opstand, een jaar later probeerde de hele stad zich vrij te vechten.

In Denemarken konden in oktober 1943 de meeste joden naar Zweden ontkomen op een aantal vissersboten, dankzij de hulp van de politie, de kerken, de Deense kustwacht en talloze gewone Denen. In Marokko, dat onder Frans protectoraat stond, blokkeerde sultan Mohammed V alle deportaties door het Franse Vichy-regime, hoewel dat bijna leidde tot een burgeroorlog: 'Dit zijn mijn joden!' In Bulgarije werden bijna alle vijftigduizend joden tot het einde van de oorlog ongemoeid gelaten doordat de publieke opinie zich in kranten, kerken en vergaderingen met ongekende felheid keerde tegen alle deportaties, een volkswil die het nazi-regime niet durfde trotseren. Ook in de door Italië beheerste gebieden werden de joden over het algemeen beschermd; de Italiaanse officieren vonden de anti-semitische politiek van de Duitsers 'onverenigbaar met de waardigheid van het Italiaanse leger'.

In Hongarije zag de Rode-Kruisvertegenwoordiger Friedrich Born samen met de diplomaten Carl Lutz (Zwitserland) en Raoul Wallenberg (Zweden) kans om vele tienduizenden joden te redden door een levensgevaarlijk spel met Zweedse paspoorten en Britse immigratievergunningen voor Palestina.

VERDWENEN

Raoul Wallenberg (1912-?) was een Zweedse diplomaat en zakenman die in zijn eentje tienduizenden Hongaarse joden wist te redden. Omdat zijn land neutraal was, kon hij tijdens de oorlog vrij door Europa reizen, en dat maakte hem tot een geliefd zakenpartner voor Midden-Europese bedrijven, met name in Hongarije. De situatie in dit land leek enigszins op die in Italië. De Hongaren, die in Rusland meevochten met de Duitsers, hadden in 1943 meer dan genoeg van de oorlog. Dictator Miklós Horthy probeerde tot een aparte vrede met de geallieerden te komen, maar in maart 1944 vielen de Duitsers zijn land binnen. Kort daarop begonnen, onder leiding van Adolf Eichmann, de deportaties van de ongeveer zevenhonderdduizend Hongaarse joden. In juli 1944 waren al vierhonderdduizend van hen weggevoerd, vrijwel allemaal naar het vernietigingskamp Auschwitz-Birkenau.

In 1944 was zoveel bekend over de vernietigingskampen dat Eichmanns Hongaarse project ook in de vrije wereld grote onrust veroorzaakte. Met name de Zweedse regering kwam, voor het eerst, openlijk in actie. De Zweedse ambassade in Budapest had al op kleine schaal aan joden Zweedse passen verstrekt die de dragers dezelfde bescherming boden als een neutrale Zweedse onderdaan, en die erkend werden door de Duitsers. In juni 1944 besloot de Zweedse regering meer te doen. Raoul Wallenberg werd benoemd tot eerste secretaris van de ambassade in Budapest, met als enige opdracht alles in het werk te stellen om zo veel mogelijk joden te redden. Wallenberg eiste bovendien de vrijheid om daarbij alle middelen in te zetten, geoorloofde en ongeoorloofde. Binnen enkele weken verzamelde hij een staf van ruim driehonderd joden om zich heen, die zo als eersten beschermd werden door hun nieuwe diplomatieke status.

Door zijn zakenreizen had Wallenberg een scherp inzicht ontwikkeld in de manier van denken van Duitse en Hongaarse autoriteiten. Hij wist dat ze uiterst gevoelig waren voor imposante symbolen en documenten, en het eerste dat hij deed was het aanmaken van duizenden passen vol stempels en Zweedse kronen. Daarmee alleen redde hij zeker tienduizend joden.

Belangrijker was nog dat, vooral door zijn interventie en die van de Zweedse koning Gustaaf v, de deportatie van de hele joodse bevolking van Budapest op het laatste nippertje werd geblokkeerd. Horthy schreef de Zweedse koning dat hij 'alles zou doen wat in [zijn] macht lag om de principes van rechtvaardigheid en menselijkheid zeker te stellen'. De deportaties werden inderdaad stopgezet. Een trein met zestienhonderd joden werd nog net aan de grens tegengehouden en vervolgens teruggestuurd naar Budapest.

De Duitse autoriteiten accepteerden, merkwaardig genoeg, deze situatie. De oorzaak ligt wellicht in het feit dat ook Himmler inzag dat de oorlog verloren was. Zoals meer hoge nazi's speelde hij met de gedachte om met de westelijke geallieerden aparte vredesonderhandelingen te beginnen, en het voortzetten van de jodenvervolging zou daarbij een grote hindernis kunnen zijn.

Na augustus 1944 verbeterde de situatie voor de Hongaarse joden aanzienlijk. Het Rode Leger trok snel op naar Hongarije, Horthy verklaarde dat hij met de sovjets een vredesverdrag wilde sluiten, Eichmann was teruggekeerd naar Berlijn. Wallenberg stond op het punt om weer naar Zweden te vertrekken, zijn missie was voltooid. Half oktober namen de Duitse troepen echter opeens het heft in handen. Horthy werd afgezet en vervangen door Ferenc Szálasi, de leider van de fel anti-semitische Pijlkruisers, Eichmann kwam terug naar Budapest en de vervolging van de joden begon opnieuw, feller en wreder dan ooit. Nu volgden ook de ambassades van andere neutrale landen Wallenbergs voorbeeld. Overal werden beschermende passen uitgereikt. Wallenberg stichtte bovendien zo'n dertig 'Zweedse huizen', panden die de diplomatieke status van een ambassade hadden en waar uiteindelijk zo'n vijftienduizend joden een schuilplaats vonden.

In november 1944 begon Eichmann met zijn dodenmarsen. Hij wilde koste wat het kost zijn 'productiequota' halen door tienduizenden joden te voet naar de vernietigingskampen te sturen. De condities op de tweehonderd kilometer lange route tussen Budapest en de Oostenrijkse grens waren zo gruwelijk dat zelfs de SS begon te klagen.

Wallenberg was overal aanwezig, en zijn persoonlijke moed was opvallend. Langs de route van de dodenmarsen deelde hij voedsel, medicijnen en passen uit, hij klom langs de wagons van de deportatietreinen, liep over de daken, werd er bijna afgeschoten, om maar passen te kunnen uitdelen. Duitse en Hongaarse officieren werden in groten getale omgekocht. Midden januari 1945 wist hij op het laatste moment de uitroeiing van het grootste getto van Budapest te verhinderen, enkel door de Duitse opperbevelhebber, August Schmidthuber, duidelijk te maken dat hij hiervoor door de geallieerden persoonlijk verantwoordelijk werd gesteld en na de oorlog gegarandeerd zou worden opgehangen. In totaal hebben, dankzij Wallenberg, zeker honderdduizend Hongaarse joden de oorlog overleefd.

Raoul Wallenberg kwam uit een rijke en bekende familie van bankiers en industriëlen, hij had bij zijn activiteiten voortdurend contact gehad met nazi's en westerse leiders, en voor de immer paranoïde sovjetagenten van de NKVD was dit voldoende om hem als spion te bestempelen. Hij werd direct na de Russische bezetting, in januari 1945, met zijn chauffeur opgepakt. In het Goelagsysteem werd hij geregistreerd als 'krijgsgevangene', daarna waren er regelmatig geruchten van vrijgelaten gevangenen die hem hier of daar zouden hebben gesignaleerd. Ze zijn echter nooit bevestigd. In 1957 kwamen de sovjets met een document uit 17 juli 1947 waarin werd verklaard dat 'de u bekende gevangene Wallenberg vannacht in zijn cel is overleden'. Het was ondertekend door Smoltsov, het toenmalige hoofd van het ziekenhuis van de Loebjanka-gevangenis in Moskou. Wallenberg zou aan een 'hartaanval' zijn bezweken. In november 2000 erkende de voorzitter van een nieuwe Russische onderzoekscommissie dat de diplomaat in 1947 vermoedelijk is geëxecuteerd. Zweedse onderzoekers verklaarden in 2001 dat ze nog altijd niet zeker weten of Wallenberg dood is dan wel nog ergens leeft.

In Italië, Joegoslavië en elders vonden duizenden joden bescherming bij de partizanen in de wouden en de bergen. Tienduizenden Europese families boden joden een onderduikplek, honderdduizenden waren betrokken bij de voedselvoorziening, talloze grotere en kleinere verzetsgroepen vochten voor en samen met de vervolgde joden. De risico's waren groot, de sancties waren enorm, toch gebeurde het.

In België werden op die manier 35 000 van de ruim 60 000 joden gered: 60 procent. In Frankrijk overleefden 270 000 van de 350 000 joden: meer dan 75 procent. In Noorwegen haalden 1000 van de 1800 joden het eind van de oorlog: ongeveer 60 procent. Van de 7500 Deense joden stierven er ruim 100: 98 procent werd gered. Elders lagen de overlevingspercentages veel lager: In Nederland werden van de ongeveer 140 000 joden slechts 40 000 gered: nog geen 30 procent. Van de 2,7 miljoen Poolse joden overleefden amper 75 000: 2 procent. Tegelijkertijd telden diezelfde twee landen de meeste hulpverleners die, wegens hun grote dapperheid in de oorlog, van het Israëlische holocaustmuseum Yad Vashem de eretitel Rechtvaardige onder de Volken kregen: respectievelijk 5373 en 4289, gevolgd door Frankrijk, Oekraïne en België, met 1913, 1403 en 1172, Duitsland met 336, Denemarken met 14 en de Verenigde Staten met één: Varian Fry.

Het is, zoals hier en daar wel gebeurt, veel te simpel om dergelijke cijfers te verbinden met waarden als 'dapperheid' of 'humaniteit' of, omgekeerd, met de mate van 'anti-semitisme' in een bepaald land. De overlevingskansen van een joodse familie waren in Frankrijk tweemaal zo groot als in Nederland. Dit verschil had weinig te maken met anti-semitisme – Nederland had in dit opzicht een vrij beschaafde traditie – maar alles met de diverse zones waarin Frankrijk verdeeld was, en met het grote, ruige, dunbevolkte Franse binnenland.[9]

Wie in Duitsland een joodse familie verborg, liep oneindig meer risico om verklikt te worden dan in België. In Polen stond op het verbergen van joden de doodstraf, in Vichy-Frankrijk kwam je er met een korte gevangenisstraf af. Alleen al in het getto van Warschau woonden meer joden dan in heel Frankrijk. Waar moesten die heen? In het veelgeprezen Denemarken ging het daarentegen om erg weinig joden die – zonder iets af te doen aan de moed van het Deense verzet – relatief gemakkelijk in veiligheid konden worden gebracht.[10] Vergelijk daarmee de problemen waarmee het Nederlandse verzet worstelde, waar tienduizenden gezinnen verborgen moesten worden in een dichtbevolkt land dat onder een strak regime van de SS en de SD stond, zonder enige uitweg naar niet-bezet gebied.

En dan waren er nog de enorme mentaliteitsverschillen. Bij de Italianen was weerstand jegens de overheid met de paplepel ingegoten. Bij de calvinistische Nederlanders moest, na een eeuwenlange traditie van relatief fatsoenlijk burgerbestuur, het begrip verzet opnieuw worden uitgevonden. Bij de meeste Duitsers zou het zover zelfs nooit komen.

De diepste motivatie van de meeste verzetsmensen was en bleef bovendien patriottisch: het vaderland, de oorlog om het eigen bestaan, stond centraal, niet de bescherming van de joodse medeburgers. Het Nederlandse verzet kwam bijvoorbeeld pas goed op gang na 1943, toen ook honderdduizenden niet-joodse Nederlanders moesten onderduiken om aan gedwongen tewerkstelling in Duitsland te ontkomen. Een predikant verklaarde later: 'Je kon in één huis wel tien Engelse piloten kwijt, maar in tien huizen nog niet één jood.'[11]

Lucienne Gaillard en haar verzetsvrienden uit Saint-Blimont vertelden hetzelfde: ze werden vooral gedreven door vaderlandsliefde en woede jegens de Duitsers, het lot van de joden stond bij hen nooit voorop. Bisschop Clemens August von Galen van Münster, die openlijk en fel de euthanasiepraktijk van de nazi's veroordeelde, sprak zich alleen uit ten gunste van de gedoopte joden. De 'Germaanse kruistocht' tegen het bolsjewisme steunde hij ten volle. Ook de bekende Duitse verzetspredikant Martin Niemöller vond dat alleen tot christen bekeerde joden geholpen moesten worden. Andere joden droegen, in zijn opinie, Gods vloek omdat ze 'de vergeving hadden verworpen'. In dat verband vond hij 'bepaalde beperkingen jegens joden' te tolereren, 'gezien de grootse doelen waarnaar de nazi's streven'.

Van de zevenenhalf miljoen joden in het door Duitsland bezette Europa was in 1945 nog maar 20 procent in leven. Op iedere vijf joodse mannen, vrouwen en kinderen had één de holocaust overleefd.

Was de motor hierachter alleen het kleinburgerlijke, rancuneuze anti-semitisme, de oude jodenhaat uit Parijs, Wenen en Berlijn, een haat die zich uitstrekte van Raphaël Viau tot Karl

Lueger en Georg von Schönerer? Er zijn auteurs die deze opvatting met grote stelligheid verkondigen, en met name in Duitsland krijgen ze veel aandacht. Ondanks de pijnlijke beschuldiging die erin ligt vervat, is het een aantrekkelijk idee: het is simpel, en het is geruststellend. De theorie impliceert namelijk dat zoiets nooit meer kan gebeuren als men de dwaasheid van het anti-semitisme loslaat. Anders gezegd: de holocaust was een gruwelijk maar eenmalig exces van een voorbije generatie. Ons zal zoiets nooit meer gebeuren.

Toch was de achtergrond van de holocaust veel gecompliceerder. Natuurlijk speelde jodenhaat een rol, een belangrijke zelfs, maar vermoedelijk had de holocaust veel meer oorzaken, waarvan de meeste weinig of niets met anti-semitisme te maken hadden. De joodse overlevenden uit Krefeld die Eric Johnson ondervroeg maakten nauwelijks melding van anti-semitische incidenten, en bij slechts een kwart van de aangiften bij de Gestapo die hij onderzocht speelde een motief als 'politieke overtuiging'. Veel vaker werden joden erbij gelapt vanwege burenruzies, liefdesverdriet of geldelijk gewin.

Met name de laatste factor, het materiële belang, moet niet worden onderschat, en de nazi's speelden hier feilloos op in. Ze hadden altijd een goed gevoel gehad voor de consumentenbelangen van de gewone Duitser, en nu konden ze, dankzij de joodse deportaties, de hele bevolking midden in de oorlog trakteren op een extraatje. De inhoud van de tweeënzeventigduizend ontruimde Duitse joodse woningen werd over het land gedistribueerd en op veilingen voor een schijntje verkocht. De aantallen werden ook hier nauwkeurig vastgelegd: de burgerij van Essen kreeg 1928 goederenwagons met meubels, kunstwerken, kleren, sieraden, huishoudelijke apparaten en dergelijke, die van Keulen 1457, Rostock 1023, Hamburg 2699. In talloze Duitse huizen moeten nog antieke 'familiestukken' rondzwerven die uit joods bezit afkomstig zijn. De historicus Frank Bajohr, die de deportaties in Hamburg onderzocht, spreekt over 'een van de grootste eigendomswisselingen in de moderne geschiedenis, een massale roofpartij waaraan een steeds groter deel van de Duitse bevolking deelnam'.[12]

Een belangrijke factor was ook de afwezigheid van iedere verzetsmentaliteit. Grote groepen onder de Europese bevolking waren van oudsher niet gewend om zelfstandig te denken. De democratisering sinds het eind van de negentiende eeuw had daar weinig aan veranderd. Volgzaamheid en onverschilligheid zetten de toon.

Het liberale en tolerante Amsterdam kende bijvoorbeeld nauwelijks een anti-semitische traditie. Toch konden alle Duitse agenten en officieren die belast waren met de deportatie van de tachtigduizend Amsterdamse joden, samen gemakkelijk op één groepsfoto. Zoals Guus Meershoek in zijn dissertatie *Dienaren van het gezag* laat zien, werd het overgrote deel van de joodse families vrijwel probleemloos gedeporteerd door de Amsterdammers zelf: door Amsterdamse politieagenten, Amsterdamse trambestuurders en Amsterdamse treinmachinisten. Het Nederlandse persoonsbewijs was bijna niet te vervalsen: het trotse werk van een gewone, perfectionistische Nederlandse ambtenaar. Het Amsterdamse bevolkingsregister werkte zo accuraat met de Duitsers mee dat het uiteindelijk door leden van het verzet moest worden opgeblazen.

Iets soortgelijks geldt voor Parijs en andere Franse steden. De totale Gestapo in Frankrijk bestond medio 1942 uit nog geen drieduizend man. Ongeveer driekwart van de joden werd gearresteerd door gewone Franse straatagenten. Toch waren de meeste van deze politiemensen en ambtenaren geen nazi's, en al helemaal geen anti-semieten. Het is niet voor niets dat Adam Lebor en Roger Boyes in hun onderzoek naar het Europese verzet spreken van 'een massieve ineenstorting van moraal en burgerdeugden'.

Het probleem was niet alleen de massamoord op zich, het was ook, zoals Ron Rosenbaum het uitdrukt, 'de soepelheid, de ongelooflijke soepelheid' waarmee de razzia's plaatsvonden, de accuratesse waarmee de treinen reden, de efficiëntie waarmee de executies werden uitgevoerd, de onvoorstelbaarheid van de aantallen slachtoffers: niet tientallen of honderden, maar miljoenen. De holocaust was een verschijnsel van een heel andere orde dan de zoveelste anti-semitische gruweldaad uit de Europese geschiedenis. Het was, naast al het andere, een bureaucratisch exces waaraan honderdduizenden Europeanen rustig deelnamen, enkel omdat ze de orde en de regelmaat van hun bureau, dienst, legeronderdeel of bedrijfsafdeling hoger stelden dan hun individuele geweten.

In Denemarken en aan de Franse Côte d'Azur mislukte de jodenvervolging omdat de lokale politie het beneden iedere moraal achtte om mee te werken. In Frankrijk, een natie met een sterke anti-semitische traditie, kon een groot deel van de joodse bevolking onderduiken omdat met name de geestelijkheid de morele waarden van burgerschap en humaniteit weer wist te activeren. Een soortgelijke rol vervulden verschillende kerkelijke gezagdragers in Nederland. In Duitsland bleef dit soort oproepen beperkt tot een zeer kleine kring.

In *The Observer* van 9 april 1944 publiceerde Sebastian Haffner een lucide en bijna profetisch portret van Albert Speer. Volgens Haffner was Speer de 'verwerkelijking van de revolutie der managers': niet protserig en opzichtig zoals de nazi's, maar intelligent, hoffelijk, niet corrupt. Hij was het prototype van het soort mannen dat in deze oorlog steeds belangrijker werd: 'de pure technocraat, het klasseloze, briljante type zonder achtergrond dat geen ander doel kent dan carrière maken'. Juist die lichtheid, dat niet-nadenken, zorgde ervoor dat alle jongemannen van zijn soort 'de schrikwekkende machinerie van onze tijd' tot het uiterste bleven bedienen.

In zekere zin kan de holocaust worden beschouwd als een uiting van een bijna religieus fanatisme, en tegelijk als een uiting van moedwillige blindheid, een diepgaande, collectieve morele ontsporing. Deze verklaring is weinig populair. Ze is namelijk veel verontrustender dan alle theorieën die zich vastbijten in het anti-semitisme en de kwaadaardigheid van de Duitse nazi-top. Ze betekent dat zo'n massale vervolging, met de huidige technieken, bureaucratieën, repressie- en manipulatiesystemen, morgen op een andere plaats en jegens een andere groep opnieuw kan plaatsvinden. De technocraten zullen blijven. In de woorden van Haffner: 'Dit is hun tijd. De Hitlers en de Himmlers raken we wel kwijt, maar de Speers, wat er ook met hen individueel moge gebeuren, zullen nog lang onder ons zijn.'

4

In 1941 schreef een Duitse bezoeker over het getto van Warschau:

> De straten zijn zo overbevolkt dat men slechts moeizaam vooruit-
> komt. Iedereen loopt in lappen en lompen. Vaak bezit men niet
> eens meer een hemd. Overal is lawaai en geschreeuw. Dunne,
> jammerende kinderstemmen klinken door alles heen: 'Ik verkoop
> pretzels, sigaretten, bonbons!' Ik zie ontzettend veel mannen,
> vrouwen en kinderen die door de ordedienst opgejaagd worden.
> Als ik vraag wat er aan de hand is, hoor ik dat het vluchtelingen
> zijn, die hun laatste spullen – een bundel, kussens, een strozak –
> meeslepen. Ze worden binnen vijf minuten uit hun woningen ge-
> gooid, en ze mogen niets meenemen. Binnen het getto bevinden
> zich ontelbare kinderen. Vanaf de 'Arische' kant gluren nieuws-
> gierigen naar het jammerlijke schouwspel van de gehavende me-
> nigte. Deze kinderen zijn de ware kostwinners van het getto. Als
> een Duitser ook maar een seconde wegkijkt, glippen ze behendig
> naar de 'Arische' kant. Wat ze daar kopen, brood, aardappels en
> dergelijke, wordt handig onder de lompen verstopt. Daarna is het
> zaak om op dezelfde manier terug te glippen. Niet alle Duitse
> wachtposten zijn moordenaars en beulen, maar helaas grijpen
> velen snel naar hun wapen en schieten op de kinderen. Dagelijks
> – het is nauwelijks te bevatten – worden neergeschoten kinderen
> naar het ziekenhuis gebracht.
> Duizenden sjofele bedelaars roepen herinneringen wakker aan
> hongersnoden in India. Dagelijks spelen zich gruwelijke taferelen
> af. Een halfverhongerde moeder probeert haar kind te voeden aan
> een verdroogde borst. Naast haar ligt een ouder kind, waarschijn-
> lijk dood. Je ziet stervenden met gespreide armen en uitgestrekte
> benen midden op de weg liggen. De benen zijn opgezwollen, vaak
> bevroren, de gezichten verwrongen van pijn. Ik hoor dat bij bede-

laarskinderen dagelijks bevroren vingers, tenen, handen en voeten worden geamputeerd.

Het komt voor dat de wachtposten een groep joden aanhouden en bevelen dat allen zich uitkleden en zich in de drek laten rollen. Vaak moeten ze ook dansen. De wachtposten staan er dan bij en lachen zich dood.

Van de buurt waar zich dit allemaal afspeelde, resten enkel nog wat vervallen huizen, een stuk tramrails, een ornamentje in een gang, een hobbelige straat van een paar honderd meter, een handvol stille getuigen. Op de plek van het oude getto ligt een grijze flatwijk. Ik vind één stukje van de beruchte muur terug waarmee het getto verzegeld was, achter aan een stinkende binnenplaats, in een straatje waar ongeregelde mannen met zachte afpersing het parkeerbeleid hebben overgenomen, achter Elektroland, de Holiday Inn en een filiaal van de Nationale Nederlanden.

Tussen de woonblokken zijn kleuters aan het spelen, het is warm, boven de kinderen bewegen de populierenbladeren, dansende vlekjes in het licht van de zon. Ik vraag de weg aan een jonge vrouw met een klein meisje, een lievelingsmeisje met een lievelingstante zeggen ze over elkaar. Ze lopen een eindje mee, en daarna huppelen ze allebei weg, ze lijken te zweven van plezier.

De vrouw draait zich om en wijst nog even rond.

Ja, hier lag eens het joodse getto.

Op 19 april 1943, toen de meeste gettobewoners al waren weggevoerd, vond een laatste wanhoopsopstand plaats. De joodse organisaties – er waren binnen het getto zelfs kibboetzim – wisten zo langzamerhand precies wat zich in de kampen afspeelde, en niemand koesterde nog illusies. Vanaf het voorjaar van 1942 hadden tientallen joodse jongeren gewerkt aan het opzetten van een militaire organisatie, er waren wapens binnengesmokkeld en ten slotte was er een dertigtal strijdgroepen gevormd, met in totaal zevenhonderdvijftig partizanen.

De opstand was, in de ogen van de deelnemers, bovenal een bevestiging van de waarde van het menselijk leven, niets minder. Ze wisten dat het allemaal hopeloos was, maar ze wilden 'sterven met eer'. 'Ons hoort het leven!' schreven ze in een pamflet. 'Ook wij hebben daarop recht! We moeten alleen begrijpen dat we daarvoor moeten vechten. [...] Laat iedere moeder een leeuwin worden die haar jongen verdedigt! Geen vader ziet zijn kinderen meer rustig doodgaan! De schande van de eerste akte van onze vernietiging mag zich niet meer herhalen!'

Historici hebben de namen en levensloop van tweehonderdvijfendertig deelnemers aan de opstand kunnen achterhalen, ongeveer een derde van het totaal. Opvallend is hun jeugd: de meesten waren achttien, negentien, twintig. De oudste was de drieënveertigjarige Abram Diamant. Hij stierf bij de straatgevechten in het getto. De jongste was Lusiek Blones. Deze dertienjarige kwam om toen hij in de laatste uren van de opstand door de riolen uit het getto probeerde te ontsnappen. De commandant van de opstand, Mordechai Anielewicz, was een jongen van vierentwintig. Hij pleegde op 8 mei zelfmoord met de andere leiders van de opstand, toen hun ingesloten commandopost aan de Miłastraat 18 werd volgespoten met gifgas.

Sommige opstandelingen kwamen uit de beste kringen. Jurek Ari Wilner (26), de verbindingsofficier met het Poolse verzet, was de zoon van een industrieel. Hij was de initiatiefnemer van de collectieve zelfmoord op 8 mei. Margolit Landau (17), die deelnam aan een moord op de commandant van de joodse politie, was de dochter van een meubelfabrikant. Ze stierf bij de eerste gevechten in het getto, al in januari 1943. Er waren nogal wat studenten bij, Tosia Altman (25) bijvoorbeeld. Ze was koerierster en ze was een van de handvol overlevenden van het zelfmoorddrama in de commandobunker. Ze werd twee dagen later door de riolen naar buiten gesmokkeld, liep zware verwondingen op bij een brand op haar onderduikadres, werd eind mei gearresteerd en uiteindelijk door de Gestapo doodgemarteld. Of Michał Rojzenfeld (27), psycholoog, lid van de leiding van de opstand. Hij wist te ontsnappen, sloot zich aan bij de Poolse partizanen en stierf die zomer tijdens gevechten in de bossen bij Wyszków. Er vochten opvallend veel vrouwen mee: ongeveer een derde van de verzetsgroepen bestond uit meisjes en jonge vrouwen. Zowat iedereen was verliefd.

Even waren de Duitsers overrompeld. De eerste dagen werd overal in het getto gevochten, en aan beide kanten werden flinke verliezen geleden. Maar al snel werden hele straten door tanks en artillerie in brand geschoten, de partizanen verzetten zich vanuit ondergrondse bunkers, er volgden luchtaanvallen, ten slotte werden alle verzetshaarden stuk voor stuk opgeruimd, huizen en straten werden van de aardbodem weggevaagd.

Uit een bericht van de joodse partizanen aan Londen:

In de huizen verbrandden duizenden vrouwen en kinderen levend. Vreselijk geschreeuw en geroep om hulp viel uit de brandende huizen te horen. In de ramen van veel verdiepingen vertoonden zich mensen, door vlammen omvat, als levende fakkels.

Uit het verslag van SS-Brigadeführer Jürgen Stroop aan Berlijn:

Het gebeurde niet zelden dat de joden zich zo lang in de brandende huizen ophielden, tot ze vanwege de hitte en uit angst voor de vuurdood er de voorkeur aan gaven om uit hun etagewoningen te springen, nadat ze eerst matrassen en andere dikke spullen uit de brandende huizen op straat hadden gegooid. Met gebroken botten probeerden ze dan nog over de straat andere huizenblokken binnen te kruipen die nog niet in brand stonden.

Uit een van de laatste berichten van het joodse verzet:

Al acht dagen vechten we op leven en dood. Het aantal gesneuvelden aan onze kant is enorm, en ook het aantal slachtoffers van de beschietingen en branden waarbij mannen, vrouwen en kinderen omkwamen. [...] Omdat we aan zien komen dat dit onze laatste dagen zullen zijn, vragen we jullie: vergeet niets!

Uit het bericht van Stroop aan Himmler, 17 mei 1943:

De joodse wijk in Warschau bestaat niet langer.

Van de 235 joodse partizanen van wie we de levensloop kennen, overleefden 72 de opstand. 28 kwamen alsnog om in de riolen. 44 wisten uit het getto weg te komen. De meesten sneuvelden korte tijd later in de gevechten tussen Duitsers en partizanen. Anderen werden verraden en naar Majdanek of Auschwitz gedeporteerd. 3 kwamen om bij de grote opstand van augustus-september 1944. In 1945 waren van de 750 opstandelingen nog 12 in leven.

Het ZIH-INB, het Joods Historisch Instituut in Warschau, probeert nog zo veel mogelijk herinneringen vast te leggen. In dit kader hebben Jan Jagielski en Tomasz Lec, lokale historici, nauwkeurig vastgesteld waar de meest befaamde foto's van het hongerende getto zijn genomen, en daar een boek over samengesteld. Aan hun hand loop nu ik met nieuwe ogen door de buurt.

Het blijkt moeilijk te zijn om nog iets van het toenmalige getto terug te vinden. De meeste lokaties zijn alleen herkenbaar aan stoepranden, paaltjes en andere details. Een foto van een broodmager lijk op straat blijkt bijvoorbeeld genomen te zijn vanuit de portiek van Walicówstraat 6.10. De plek is enkel herkenbaar aan een halfrond paaltje op de voorgrond. De stoep waartegen een ander lijk is gefotografeerd bestaat ook nog, die hoort bij de kerk van de Heilige Maria's Geboorte aan de huidige Solidarności-boulevard 80. De trap blijkt veel kleiner te zijn dan op de foto lijkt, het lichaam is dus ook niet groot geweest, wellicht van een kind.

Een foto van de stenen bank voor het gerechtsgebouw waar twee joodse mannen en een vrouw proberen iets te verkopen: diezelfde bank, tegen dezelfde muur, staat leeg in de zon, de muur vol graffiti. Een foto uit 1941: een begrafenis van een uitgeteerde man langs een muur. Het blijkt een kerkhofmuur te zijn, de stenen zijn nog goed herkenbaar, er loopt nu een tegelpad, recht over het graf.

Toen ik zelf een foto maakte, in de portiek van de Walicówstraat, kwam een oude buurvrouw kijken. Ze sprak wat Duits, ik legde uit wat ik deed. Ja, ze herkende de foto, zo was het hier, ze had het zelf gezien. Of ik twee złoty voor haar had, fluisterde ze. Ze had honger.

Ik probeer de gettopoort terug te vinden, waar eens joden naakt moesten dansen. Op de achtergrond van de foto uit 1940 loopt de stad gewoon door, modern en groot. Nu staat om de hoek een Pizza-Hut. Het enige punt van herkenning is een oud, stenen hek aan de zijkant. De gettopoort is uiteraard verdwenen, maar het meest verbijsterend is de achtergrond van de foto: waar in 1940 de Nalewki-winkelstraat was, met auto's, trams en warenhuizen, ligt nu een stil park. Alleen de roestige tramrails, die ergens onder het gras doodlopen, bewijzen dat hier ooit een drukke stadswijk lag, dat het geen waanbeeld is.

Ik blader nog eens in een paar andere fotoboeken. De vroegste beelden van Warschau tonen een stad van gezeten burgers, brede straten vol voetvolk, paardentrams, kerken en paleizen in de welbekende eclectische en pseudo-stijlen. De stad beleefde rond het begin van de twintigste eeuw dezelfde snelle groei als zoveel andere Europese steden: industrialisatie, rijkdom in de stad, armoede op het platteland, boeren die bij tienduizenden binnen-stroomden, uitbreiding na uitbreiding, een groei van 261 000 in-woners in 1874 tot 797 000 in 1911.

Dan is er het begin van de Poolse Republiek, de verwarring na de Russische Revolutie – de sovjets kwamen tot vlak voor de stad – en daarna zie je op de foto's het vrolijke elegante Warschau van de jaren twintig en dertig, met koffiehuizen, theaters, universitei-ten, boulevards, krantenjongens en rinkelende trams. Dan de oorlog.

Foto's van Warschau uit 1945 lijken op die van Hiroshima. Van de hele stad stond nog maar een kwart overeind. 90 procent van alle grote gebouwen lag in puin. Van de 1,3 miljoen inwoners in 1940 waren er in 1945 nog 378 000 over. Bijna tweederde van de stadsbevolking was dood of vermist.

Nu, aan het eind van de twintigste eeuw, hangt er iets kunst-matigs over de stad, alsof het oude centrum door voortreffelijke decorbouwers onder handen is genomen. Elke barst lijkt gecon-strueerd, veel huizen zien er zelfs ouder en authentieker uit dan ze ooit zijn geweest. En dat klopt: vrijwel iedere steen is wegge-slagen en opnieuw op zijn plek gezet. Op de Rynek, het centrale plein van de Oude Stad, staat een sombere orgeldraaier met een nep-antiek orgeltje, mooie mannen verkopen lelijke schilderijen, er wordt gebedeld met krukken en zuigelingen, Amerikaanse da-mes vragen om bedrogen te worden. Rond het getto leuren Poolse straatverkopers met souvenirpoppetjes, grappige joodse figuur-tjes, lachende en dansende rabbijnen, de folklore leeft, de dan-sers zijn dood.

Dit is een stad vol gedenkplaten, wellicht ook omdat er niets anders meer is. Op elke straathoek staat wel een monument, overal is een dichter geboren of een held gestorven, en er komen nog almaar nieuwe gedenktekens bij. Even buiten het centrum passeer ik een fonkelnieuw monument voor een legerkorps. In de schemering staat een groepje oude dames naar de glanzende zuil te kijken. Een vrouw in een zwart mantelpak loopt ernaar toe, zoekt tussen de talloze namen, beroert eentje even met haar handschoen.

Op deze lange zomeravonden zijn de parken van Warschau de prettigste plekken om te vertoeven. Ze liggen in een ring rond de Oude Stad, vaak achter de gewone tuinen. Buren staan over de heg met elkaar te praten, kinderen rennen in het rond, jongetjes voetballen, baby's en kinderwagens worden geshowd, de meisjes zijn de mooiste van Europa.

Met Władysław Matwin maak ik een wandeling rondom een van de vijvers. Matwin is historicus en oud-politicus, hij is van 1916 en langzamerhand is hijzelf een levende kroniek van de geschiedenis geworden. 'Mijn leven was een tijd vol geweld,' zegt hij. 'Er zijn voortdurend hevige krachten geweest die het telkens op z'n kop zetten.'

Hij was student in Poznań, zat bij de communistische jeugd, werd opgepakt vanwege wat 'onschuldig kinderwerk', kon daarna aan geen enkele universiteit meer terecht. 'In 1938, bij de Overeenkomst van München, studeerde ik in Tsjechoslowakije. Ik moest halsoverkop vluchten. Toen Hitler Polen binnenviel, moest ik opnieuw maken dat ik wegkwam, naar het oosten. In 1941 werkte ik in een staalfabriek in de Oekraïne, daar moest ik ook weg. In Polen was ik een Russische agent, in Rusland was ik opeens een Poolse agent. De vierde keer dat ik door de Duitsers op de vlucht werd gejaagd, was in de Kaukasus, toen zat ik eindelijk in het Rode Leger.'

De lucht kleurt warmrood, de kikkers kwaken je de oren van het hoofd. Hij vertelt over het oude Warschau. 'Nu is Warschau een monoculturele stad, het ideaal voor sommige mensen. Maar voor 1939 was het een typische multiculturele samenleving. Dat waren de vruchtbaarste tijden. Dat multiculturele karakter zijn we kwijtgeraakt in de oorlog, dat is, naast al het andere, een immens verlies geweest voor deze stad en dit land.'

In augustus 1944 was Matwin luitenant in het Rode Leger. Van nabij maakte hij de tweede grote opstand in Warschau mee, nu van de Poolse partizanen, over de hele stad. 'We lagen vlak voor Warschau, maar we konden niets doen.' Hij vindt het nog altijd moeilijk om erover te praten. 'Ik denk dat ik niet de enige ben. Bijna iedere Pool heeft hier, achteraf, gemengde gevoelens over. Het was een bittere tragedie. Het kostte ons een groot deel van de stad, en tienduizenden mensenlevens. Ze vochten in de stad als leeuwen, met de raarste wapens. Vooral de meisjes haalden krankzinnige dingen uit. Bijna allemaal zijn ze eraan gegaan. Het was ook helemaal fout gepland.'

Maar het Rode Leger had toch gemakkelijk tussenbeide kunnen komen? Daar rekenden de partizanen toch ook op? Waarom hebben jullie hen in de steek gelaten?

Matwin zucht diep. 'Er is een romantische versie van de opstand die altijd is verteld, en ook is verfilmd. En er is een politieke versie. Alleen uit menslievendheid hadden de Russen te hulp moeten komen. Maar politiek en strategisch kwam het ze heel slecht uit. Die opstand was namelijk ook tegen hen gericht. Er is vooraf geen enkel contact geweest tussen de opstandelingen en ons, Poolse officieren in het oprukkende Rode Leger. Dat is toch heel gek? Als je bondgenoten er aankomen, en jij komt in opstand, dan coördineer je toch zoiets? Alle instructies kwamen van de Poolse regering in ballingschap, die ver weg in Londen zat. Die wilde, dachten wij, in Warschau een eigen bruggenhoofd vestigen, tegen de Russen. Daar ging het om.'

Bovendien waren er volgens Matwin belangrijke strategische redenen om Warschau niet direct te veroveren. Een opmars van zo'n enorme legermacht gaat nu eenmaal niet geleidelijk, dat is een voortdurend proces van stilstaan, hergroeperen, de bevoorrading organiseren, weer doorstoten. 'Wij Polen hadden er ontzettend veel moeite mee. Maar ik denk nog steeds dat het Rode Leger Warschau op dat moment alleen met grote verliezen had kunnen veroveren.'

In het stadsmuseum had ik een paar wapens van het verzet zien liggen: een knuppel van een stalen veer, een slingerketting met een zware bout aan het eind, zelfgesmede kraaienpoten. Er lag een door de RAF gedropte zender. Daarnaast met potlood geschreven afscheidsbriefjes van partizanen die wisten dat het einde nabij was.

'Konden jullie nu werkelijk geen vinger uitsteken naar die partizanen van Warschau?' vraag ik opnieuw. We zwijgen. Dan zegt Matwin: 'Jawel. Als de sovjets het echt gewild hadden, dan hadden ze het gekund. Die jongens en meisjes van Warschau waren waanzinnig moedig. Maar politiek was het zwijnerij.'

OPSTAND

Drie weken voor de rebellie van de Parijzenaars, op 1 augustus 1944, kwam de stad Warschau voor de tweede maal in opstand. Nu ging het niet alleen om de joden, maar om de hele bevolking. Het idee achter de opstand was hetzelfde als op 19 augustus in Parijs: de oprukkende bevrijders kregen een stimulans om de stad snel te veroveren, en de burgers hielden het trotse gevoel dat ze ook hun bijdrage hadden geleverd. Maar wat aan het westelijk front een groot succes werd, liep aan het oostfront uit op een drama.

Het Rode Leger was gedurende de hele opmars door Polen geholpen door het Poolse verzet, maar in Warschau kregen de partizanen, op hun beurt, opeens geen enkele hulp. Stalin wilde geen onafhankelijk Polen, in welke vorm dan ook. Terwijl het Duitse garnizoen zich al terugtrok, hield de voorhoede van de sovjets halt aan de rand van de stad, bij de rivier de Weichsel (Wisła), en daar bleef men. Radio Moskou, dat de opstand eerst had aangemoedigd, betitelde de partizanen als een 'bende criminelen'. De Duitsers kregen alle gelegenheid om versterkingen te laten aanrukken. Pogingen van de westelijke geallieerden om de stad vanuit de lucht te bevoorraden werden door Stalin geblokkeerd. Terwijl het Rode Leger rustig op de ene oever van de Weichsel bivakkeerde, werden aan de overkant de Poolse opstandelingen doodgeschoten en opgeblazen, straat na straat, in lange, taaie gevechten. Bij één massamoord, in het stadsdeel Mokotów, vielen alleen al tienduizenden doden. Na twee maanden gaven de partizanen zich eindelijk over. De bevolking van Warschau, voor zover die nog aanwezig was, werd weggevoerd. Hitler gaf bevel de stad volledig te verwoesten. Daarmee waren de Duitsers nog eens drie maanden bezig, terwijl het Rode Leger al die tijd toekeek. Pas op 17 januari 1945 trokken de sovjets de verlaten ruïnes van de stad binnen.

Uiteindelijk zouden de SS en de Wehrmacht tijdens de opstand bijna een kwart miljoen inwoners van Warschau ombrengen. Van de vijfendertig miljoen Polen zouden ruim zes miljoen de oorlog niet overleven, waarvan de helft joden. De vrolijke, drukke Nalewki-straat zou compleet weggevaagd worden, met honderden andere straten. Van Warschau bleef weinig meer over dan de naam.

5

In het Stadsmuseum van Sint-Petersburg ligt het dunne, lichtblauwe dagboekje van de elfjarige Tanja Savitsjeva. Over het jaar
1941 staat enkel dit:

Zjenja stierf, 28 december, 12.30 's ochtends. Grootmoeder stierf, 25 januari, 3 uur,
1942. Leka stierf, 17 maart, 5 uur, 1942. Oom Vasja stierf, 13 april, 2 uur, 1942. Oom
Aleksej, 10 mei, 4 uur, 1942. Mama stierf, 13 mei, 7.30 uur. De familie Savitsjeva is
dood.
Volgende blaadje: *Ze zijn allemaal gestorven.*
Volgende blaadje: *Ik bleef alleen achter.*

Tanja werd geëvacueerd en stierf in een weeshuis, in 1944.

'Mijn leven lang heb ik in Sint-Petersburg gewoond,' zegt Anna
Smirnova. 'Op de zaterdag voor de Duitse inval moest ik mijn militair examen doen. Ik was tweedejaars toneelstudente in Leningrad, en dat examen was voor iedereen verplicht. Ik moest op de
grond liggen en schieten. Ik voelde een klap tegen m'n schouder,
maar nergens was een spoor van een kogel te zien. Ik bracht er
niets van terecht. Toen heb ik een doktersverklaring "geleend"
van mijn zuster. Die had, goddank, heel slechte ogen. Zo redde ik
mezelf. Voor het diploma oorlogvoeren was ik definitief gezakt.
Ik was eenentwintig toen het allemaal begon, op zondag 22 juni
1941. Het was een prachtige dag, en ik weet nog hoe boos ik was
toen ik 's ochtends vroeg wakker werd door het gedreun van hele
zwermen vliegtuigen. Ik wilde rustig doorslapen! Na het ontbijt,
om twaalf uur, hoorden we op de radio dat de oorlog was begonnen.
We waren niet eens verbaasd. Er werd veel over gepraat, we hadden
de Finse oorlog al achter de rug, er waren verduisteringsoefeningen
geweest. Alle ouderen hadden weleens met een oorlog te maken ge-

had, en we wisten allemaal dat ons leven ook een of meer oorlogen zou kennen. Maar ditmaal waren mijn ouders doodsbang. Mijn vader zei: "Dit is vreselijk. Dit is walgelijk. Dit is de dood." Hij voorvoelde het.

In de winkels heerste die middag al een enorme paniek. Russen verwachten immers altijd voedseltekorten zodra er iets gebeurt, dus iedereen hamsterde lucifers, zout, suiker, meel, dat soort dingen. Anderhalve maand later was er inderdaad bijna niets meer te krijgen. De oorlog kwam snel naderbij. In juli hadden we regelmatig luchtalarm, we hadden geen schuilkelders, dus we kropen onder een paar stenen bogen in de tuin. Buiten de stad moesten we helpen tankwallen graven, met duizenden mensen stonden we daar te scheppen. Op de toneelschool gingen de lessen ondertussen gewoon door.

Op 8 september bereikten de Duitsers de ring rond onze stad, en daarna begon de belegering. We zaten met twee miljoen mensen opeengepakt, afgesloten van alles. Bij de bakker moest je om vijf uur 's ochtends in de rij staan, en om elf uur was er nog geen brood. Het was niet gemakkelijk om met een uitgehongerd lijf te lopen, je sleepte je voort op je wil. Als het even kon, hield je in bed al je kleren aan. Je lag daar dan als een dikke baal lappen, je vergat dat je nog een lichaam had.

Maar ja, we waren jonge sovjets, we geloofden stellig in onze overwinning. We hoorden op de radio dat de hele oorlog misschien wel een jaar of twee zou duren, maar dat de belegering van Leningrad snel voorbij zou zijn. Dat werd telkens weer gezegd. En we geloofden dat, wat konden we anders. Niemand vertelde de waarheid. Er waren geen kranten, er kwamen geen brieven, we hadden alleen de radio.

Neem me niet kwalijk dat ik soms even geëmotioneerd raak, ik vertel dit niet vaak.

De totale afwezigheid van warmte en water was het ergste. Iedereen die een baan had, probeerde zo veel mogelijk op zijn werkplek te blijven, daar werd soms nog een beetje gestookt. Het Mariinski-theater bleef open, maar het ballet moest speciale kostuums dragen vanwege de kou. Er was geen transport meer. En het was zo waanzinnig koud die winter, dat hebben we zelden meegemaakt.

Ik denk dat mijn vader stierf van de kou.

De toneelschool ging dicht. Medio februari 1942 werd ik in het ziekenhuis opgenomen. Ik had zo'n honger, ik kon me niet meer bewegen. Mijn moeder kreeg daarom een pakje met droog brood, wat varkensvlees en een beetje suiker. Mijn zuster heeft mij toen daarmee gevoed en me zo uit het ziekenhuis gekregen. Ik begon weer te lopen, ik kon weer in de rij gaan staan voor eten.

Dat was mijn grote geluk. Een paar weken later liep ik er een student van mijn oude school tegen het lijf. "Je komt als geroepen!" riep hij. Ze hadden namelijk een speciale theaterbrigade opgericht, en hun zangeres was ziek geworden. Hij was van het front naar de stad gekomen om een nieuwe te zoeken. "Ik kan geen kik meer geven," zei ik tegen hem. "We peppen je wel op," zei hij. En zo ging het. In april 1942 nam hij me mee naar het front, en sindsdien trad ik op voor de troepen.

Die theaterbrigade heeft me gered, alleen al omdat er eten was. Ik kon zelfs mijn moeder en mijn zus redden, ik bewaarde zo veel mogelijk voor hen. Voor mijn vader was het te laat.

Het ging zo.

Het was eind 1941, een halfjaar na die zondag waarop de oorlog begon. We hadden geen geld meer. Het was waanzinnig koud in onze kamer. Hij had warmte en medicijnen nodig, er was niets. We konden niets doen. Hij stierf gewoon van de kou, in onze kamer. Het was 5 januari 1942. Het was de vreselijkste dag. De meeste mensen stierven in januari en februari, dat waren de ergste maanden. Mijn zuster heeft zijn lichaam meegenomen op de slee, door de sneeuw, zover ze kon. Ze heeft hem waarschijnlijk gewoon op straat achtergelaten, ze had zelf ook geen kracht meer. Dat gebeurde toen veel. Ze heeft er nooit over gepraat.

Het waren de vrouwen die de oorlog wonnen, dat weet iedereen. Zij droegen het zwaarste lot. De partijbazen konden per vliegtuig de stad in en uit. Ze kregen zo ook hun eigen eten binnengevlogen, sinds een paar jaar weten we dat, die mannen vertelden grootse verhalen over alle heldhaftige ontberingen, maar ondertussen zorgden ze prima voor zichzelf. Voor ons, gewone mensen, was dat niet weggelegd. We crepeerden, we werden permanent beschoten. Aan de Nevski Prospekt, bij de Crédit Lyonnais, zie je nog altijd een blauw geschilderd opschrift uit die tijd: "Deze kant van de straat is de meest gevaarlijke tijdens bombardementen."

Stalin had de stad gemakkelijk kunnen evacueren. Toch deed

hij dat niet. De enige route naar buiten was per auto, langs de zo-genaamde Levensweg, over het bevroren Ladogameer. Een vriend van ons werd als klein jongetje via die route uit de stad gehaald. Er werd door de Duitsers voortdurend op de konvooien geschoten. Maar hij herinnert zich alleen maar een schitterende dag, de zon scheen, en overal om hem heen spatte het water op in vrolijke fonteinen. Je moet je voorstellen wat voor werk die chauffeurs hadden. Zij hebben de stad in leven gehouden. In mijn herinne-ring was dat gat in de belegering het begin van de overwinning.

Wij traden dagelijks op aan het front. Vaak bevroren we onder onze dunne toneelkleren. We begonnen altijd met het overwin-ningslied. Dat was toen heel populair. Het lied dateerde in wer-kelijkheid al uit de tsarentijd, maar de componist was naar Sibe-rië verbannen zodat de bolsjewieken net konden doen alsof het van hen was. Daarna hadden we nog een paar liedjes, een schets-je over een domme Duitser, ik hield een vrolijke toespraak, een ander meisje danste, dat was alles.

De soldaten waren gek op ons. Het was even iets uit de norma-le wereld, en toch leefden we in dezelfde bevroren loopgraven, onder dezelfde bombardementen, met dezelfde blikken onder ons hoofd als kussen. In de stad gingen we naar theatervoorstel-lingen en concerten om ons gevoel van normaliteit en eigen-waarde overeind te houden. Op 9 augustus 1942 werd in Lenin-grad voor het eerst de Zevende Symfonie van Dmitri Sjostakovitsj opgevoerd, opgedragen aan de lijdende stad. Dat was een won-derbaarlijke gebeurtenis, niemand van ons zal dat ooit vergeten. Hoor de muziek nog maar eens, en stel je voor hoe we daarnaar luisterden, met onze magere lijven, in onze gerafelde lompen, we stonden allemaal te huilen. Aan het slot hoorden we onze ar-tillerie meedreunen met de muziek. Die moest voorkomen dat de nazi's ondertussen onze concertzaal zouden beschieten.

De mensen waren toen echt fantastisch. De Moskovieten de-den alles om weg te komen. De Leningraders waren veel trouwer. Die bleven. Ze plantten kool en aardappels op het Marsveld en in de Zomertuinen, en waar ze maar konden maakten ze kleine tuintjes. Terwijl ze hun bonen en sla uit de grond keken, aten ze bladeren en gras, om maar iets groens binnen te krijgen.

Begin 1943 hoorden we van de overwinning in Stalingrad. We waren aan het front, een officier bracht het nieuws, het was nog voor het begin van de voorstelling. We wisten van de slag die gaande was, we zaten vol spanning. Toen dat bericht, het tumult dat toen losbarstte! Al die afgeleefde frontsoldaten begonnen te juichen en te zingen, alle mutsen gingen omhoog, die zaal was te klein!

Daarna begon alles lichter te worden. Er kwam meer eten, meer hoop. Ik werd verliefd op een marineofficier, en hij op mij. Toch duurde het nog een jaar. Pas op 27 januari 1944, na negenhonderd dagen, werd de belegering opgeheven en verschenen de eerste gewone Russische soldaten weer in onze straten. Nog altijd bellen we die dag vrienden en familie om elkaar te feliciteren. Ongeveer zeshonderdvijftigduizend mensen, een derde van de totale stadsbevolking, hebben het beleg niet overleefd.

In mei 1945 was ik dolgelukkig. Het was lente, ik was net getrouwd, ik verwachtte een kind.

Daarna veranderde er niet zoveel meer in mijn leven. De overgangsperiode tussen Stalin en Chroesjtsjov herinner ik me als een zware, angstige tijd. Eind 1953 werd Beria, de grote baas van de geheime dienst, plotseling geëxecuteerd, zogenaamd als Engelse spion. Toen begon iedereen zich te realiseren dat er iets wezenlijks ging veranderen.

Die Chroesjtsjovtijd was daarna heel prettig. We waren jong, we konden westerse films zien, de kranten werden steeds interessanter. Daarna werd het gewoon een reusachtige rotzooi in dit land. Gorbatsjov was een goede man, maar ik denk dat ik zo langzamerhand nog de enige ben die dat vindt. Nu is het ronduit vreselijk. Iedereen is een dief. Het hele land is leeggestolen. Ik had, als oud-strijdster, altijd een goed pensioen. Bovendien hoefde ik voor mijn flat maar de halve huur te betalen. Maar zelfs voor mij wordt het moeilijker om rond te komen.

Ik heb nog altijd contact met een paar van die studentenvrijwilligers van toen. We hadden na de oorlog nog lang zo'n clubje: drinken, gedichten, geliefden, bruiloften, kinderwagens. Als je ze later zag, je kon je niet indenken dat die brave kunstenaars en intellectuelen ooit het front hadden overleefd. En toch hebben ze het gedaan, ze hebben er nog medailles voor gekregen ook, die hebben ze ergens in een la liggen.

We dachten allemaal dat er tijdens ons leven nog weleens een oorlog zou losbreken. We hadden er per slot maar één meegemaakt. Pas de laatste jaren begint dat gevoel te verdwijnen.'

6

Op 22 juni 1941, om halfvier 's ochtends, begon Operatie Barba-rossa. Duitsland overschreed de grens van de Sovjet-Unie met meer dan drie miljoen manschappen, verdeeld over bijna hon-derdvijftig divisies, plus zevenhonderdvijftigduizend paarden, zeshonderdduizend vrachtauto's, meer dan vijfendertighonderd tanks, ruim zevenduizend stuks artillerie en achttienhonderd vliegtuigen.

Stalin was totaal overrompeld. Hij verstopte zich op zijn da-tsja, troostte zich met de fles en probeerde de Duitsers te verlei-den tot een nieuw vredesverdrag, in ruil voor de Oostzeestaten en ander grondgebied. Vervolgens liet hij de vier belangrijkste com-mandanten van het westelijke Rode Leger doodschieten wegens een 'tegen de Sovjet-Unie gerichte militaire samenzwering'. Pas na twee weken sprak hij de Russen persoonlijk toe. Hij kon het niet geloven.

De sovjetleider had stelselmatig alle signalen die wezen op een komende Duitse inval genegeerd: de waarschuwingen van zijn ambassadeur Ivan Majski in Londen, de rapporten van zijn eigen inlichtingendiensten, de geheime berichten van Chur-chill.[13] De Russische topspion in Tokyo, de Duitse correspondent Richard Sorge, had in mei 1941 de Operatie Barbarossa bijna op de dag nauwkeurig voorspeld. Stalin riep: 'Laat hij 't in zijn reet steken!'[14]

Toen een kwarteeuw later Ivan Majski gevraagd werd wat Sta-lin toch had bezield, zei hij: 'Stalin wantrouwde iedereen. De eni-ge mens die hij vertrouwde, was Hitler.'

De Duitse opmars van juni 1941 begon even spectaculair als de westelijke aanval van mei 1940. Bij Minsk verloren de sovjets binnen een paar dagen vijftien divisies. Driehonderdduizend man werden gevangengenomen, vijfentwintighonderd tanks vernietigd of buitgemaakt. Moskou werd hevig gebombardeerd. De Duitsers trokken zo snel op dat ze binnen vijf maanden voor de Russische hoofdstad stonden. Daardoor raakten ze, opvallend genoeg, juist in de problemen: hun aanvoerlijnen werden te lang. En omdat ze geen kans zagen om het Kremlin voor de winter te veroveren, liep hun aanval vast. Voor het eerst. Het ging regenen, tanks en vrachtwagens zakten weg in de modder, de sovjettroepen begonnen zich te hergroeperen, het ging keihard vriezen, en daar stond het Duitse leger.

Toen bleek hoe armzalig deze nieuwe Duitse veldtocht was voorbereid. De rampzalige tocht van Napoleon in 1812 wordt in alle strategische handboeken besproken, maar toch maakten de Duitsers in 1941 precies dezelfde fouten. Ze hadden maar één scenario: een snelle, makkelijke overwinning. Hun inlichtingendiensten onderschatten steevast de capaciteiten van het Rode Leger. Het bestaan van de splinternieuwe sovjettank T-34, in 1941 vermoedelijk de beste tank ter wereld, was de Duitsers volledig onbekend, totdat ze er eind 1941 op het slagveld mee werden geconfronteerd. Het gebied van de opmars was zo slecht in kaart gebracht dat twee Duitse legergroepen argeloos de enorme Prypjatmoerassen binnentrokken en in grote problemen kwamen. Hitler had verboden om zijn soldaten een winteruitrusting mee te geven, de hele expeditie zou immers voor de kerst voorbij zijn. In september 1941 had hij de oorlogsproductie al verminderd omdat de landoorlog toch vrijwel afgelopen was. Alleen slagschepen en vliegtuigen moest hij nog hebben, voor de definitieve afrekening met Engeland. 'De uitgestrektheid van Rusland verslindt ons,' schreef veldmaarschalk Gerd von Rundstedt aan zijn vrouw.

Begin december 1941 was driekwart van de Duitse tanks vastgelopen in de modder, het ijs en de sneeuw. Vanaf de voorste linies zagen de uitgeputte soldaten het geschut rondom het Kremlin opflitsen, maar ze kwamen geen stap dichterbij. Om zich tegen de snijdende kou te beschermen bezetten de Wehrmachtsoldaten dorpen en boerderijen, pakten de bewoners alle warme kleren af en joegen hen vervolgens de sneeuwwoestijn in, een zekere dood tegemoet. Met partizanen – niet zelden jeugdige Komsomolleden – werd ongenadig afgerekend. Over de hele wereld zouden de twee foto's rondgaan van de achttienjarige Zoja Kosmodemjanskaja. De eerste foto was aangetroffen op een dode Duitse soldaat:

ze was net gevangengenomen, ze was waardig en trots, ze wist wat ging gebeuren. De tweede foto: haar bevroren en geteisterde lichaam, zoals dat in de sneeuwvlakte voor Moskou werd teruggevonden, gemarteld, opgehangen.

Voor Stalin draaide alles om één vraag: wat zou Tokyo doen? Voor hem hing alles af van de situatie in het Verre Oosten. Het was duidelijk dat Japan bezig was in Oost-Azië een nieuw imperium op te bouwen, het was alleen de vraag waar het land zijn volgende aanval op zou richten: Mongolië of de Pacific. Door deze onzekerheid was de Sovjet-Unie gedwongen een belangrijk deel van het Rode Leger achter de hand te houden om een mogelijke aanval uit het oosten te pareren.

Hier speelde het spionagenetwerk van Richard Sorge een doorslaggevende rol. Op 15 oktober, op het moment dat Moskou bijna dreigde te vallen, kwam Sorges bericht dat Tokyo definitief besloten had om zich te concentreren op Singapore, Indo-China en de Verenigde Staten. Ditmaal geloofde Stalin hem. Bijna uitdagend marcheerden zijn troepen dat jaar tijdens de feestparade voor de Oktoberrevolutie over het Rode Plein, rechtstreeks naar het front vlak buiten de stad.

Nu konden veertig Siberische divisies in alle haast naar Moskou worden gehaald, met manschappen die speciaal waren getraind en uitgerust om in hevige koude door te vechten. Ze hadden warme witte uniformen, dikke bontschoenen en snelle ski's. Hun T-34's joegen bij twintig graden onder nul probleemloos door de sneeuw. Op hun vrachtauto's stonden de eigenaardige katjoesja-raketwerpers die met gruwelijk gejank meer dan een dozijn 130-mm-raketten tegelijk konden afschieten, de bij de Duitsers al snel beruchte 'stalinorgels'. Bovendien vochten ze onder leiding van een van de beste generaals uit de Tweede Wereldoorlog, Georgi Zjoekov. In stilte verzamelden ze zich achter Moskou, en op 6 december begon de tegenaanval.

De verstijfde Wehrmachtsoldaten wisten niet wat hen overkwam.

Niet ver van het vliegveld Sjeremetevo-2 staat veruit het belangrijkste oorlogsmonument van Europa. Het verkeer raast er achteloos voorbij, het lijdt aan dezelfde inflatie als de medailles die op de Moskouse markten te koop liggen, en het is van een ontroerende soberheid. Het gedenkteken bestaat eigenlijk alleen maar uit een paar Spaanse ruiters: grote staken van aaneengelaste spoorrails, zeer effectieve obstakels tegen iedere tankaanval. Toch markeert dit ijzer, in alle simpelheid, de waterscheiding van de Tweede Wereldoorlog, het ogenblik waarop de kansen definitief keerden.

Het monument staat op de plek waar de Duitse linies in december 1941 het verst zijn gekomen. Dichter zijn de Duitse troepen Moskou nooit genaderd.

Een week nadat de Duitsers waren teruggeslagen, reed de Frans/Amerikaanse journaliste Eve Curie, dochter van de befaamde scheikundigen Pierre en Marie Curie, met een konvooi journalisten vanuit Moskou het slagveld op. Overal zag ze verlaten tanks en pantserwagens in het open veld, 'star, dood en koud, onder een lijkwade van sneeuw'. Aan de kant van de weg lagen honderden en nog eens honderden bevroren Duitsers, tussen dode paarden en verlaten kanonnen, vaak in vreemde houdingen, als wassen poppen die uit een etalage waren getuimeld. Naast een kapotgeschoten tank zag ze de lijken van drie Wehrmachtsoldaten. De eerste lag op zijn buik, 'zijn blote rug zag eruit als stijfbevroren was', op zijn blonde haar daalden de sneeuwvlokken. De twee anderen lagen op hun rug, armen en benen wijd uitgestrekt, eentje droeg een ijzeren kruis. 'De uniformen waren uit zulk dun materiaal vervaardigd dat ze zelfs niet warm genoeg zouden zijn geweest voor het bezette Frankrijk. De zwarte leren laarzen sloten nauw om hun benen en voeten: bij deze kou kon men zich werkelijk niets ergers voorstellen. Ook het ondergoed leek heel dun te zijn.' De gezichten van de jonge soldaten waren zo vertrokken door kou en pijn dat ze alle menselijke uitdrukking verloren hadden. 'Het was nauwelijks voorstelbaar dat deze stijfbevroren lichamen eens werkelijk geleefd hadden.'

De grote omslag in het verloop van de Tweede Wereldoorlog vond binnen een paar dagen plaats. Zoals eerder gezegd: opeens gebeurde er van alles tegelijk. Op zaterdag 6 december 1941 werden de Duitse troepen voor Moskou teruggeslagen. Een dag later, op zondag 7 december, overviel Japan de Amerikaanse vloot in Pearl Harbor. Op donderdag 11 december verklaarde Hitler de oorlog aan de Verenigde Staten met een lange tirade tegen president Franklin D. Roosevelt die, met de 'satanische geslepenheid van de joden' uit zou zijn op de vernietiging van Duitsland.

Hitlers oorlogsverklaring aan Amerika is de meest onbegrijpelijke van al zijn beslissingen. Aan Japan was hij niets verplicht, hun bondgenootschap dwong hem absoluut niet om mee te vechten tegen de Verenigde Staten. Maar wel gaf hij zo Roosevelt het doorslaggevende argument in handen om ook in Europa ten oorlog te trekken, iets waarin de meerderheid van het Congres tot dan toe helemaal geen zin had.

Hitler wilde deze oorlog duidelijk zelf. Hij wilde laten zien dat hij nog steeds het initiatief in handen had. 'Een grote mogendheid laat zich niet de oorlog verklaren, zij verklaart zelf de oorlog,' zei minister Ribbentrop tegen Ernst von Weizsäcker, en zo dacht Hitler er ook over. De aanval op Pearl Harbor kwam als geroepen. Na de ellende aan het oostelijk front kon hij zijn propaganda opeens weer een nieuwe, positieve toon geven. De Führer bestelde, na het nieuws over Pearl Harbor, zelfs een fles champagne en dronk, geheel tegen zijn gewoonte in, twee glazen mee.

Wist Hitler wat hij deed toen hij de VS de oorlog verklaarde terwijl hij al in oorlog was met twee andere grootmachten? Er zijn aanwijzingen dat hij Amerika beter kende dan hij liet doorschemeren. Hij had grote bewondering voor de dynamiek van het land, nam Amerikaanse ideeën over voor de ontwikkeling van zijn eigen rijk, volgde de interne strijd tussen Roosevelt en de 'isolationisten' op de voet en hield, als eerste Europese politicus, bij bepaalde beslissingen zelfs rekening met het tijdschema van de Amerikaanse verkiezingen.

Toch had hij vermoedelijk geen idee van de vrijwel onbegrensde hulpbronnen van zijn nieuwe vijand. Hitlers optimistische aanval op de Sovjet-Unie en zeker zijn oorlogsverklaring aan de Verenigde Staten horen duidelijk thuis in het rijtje van historische vergissingen die het gevolg zijn van zogenaamde *groupthink*: kleine groepen beleidsmakers die zichzelf almachtig wanen en die ieder probleem uitsluiten door geen ongewenste informatie van buiten meer toe te laten. Grote en kleine leiders – het fenomeen doet zich voor op alle niveaus en in alle tijden – kunnen zo voor zichzelf een schijnwereld scheppen die vroeger of later onvermijdelijk ineenstort.

Hitlers bevelhebbers bezochten zelden of nooit het front, klaagde Albert Speer na de oorlog. 'Ze wisten niets over de Russische winter en de kwaliteit van de wegen in die periode. [...] Ze zagen nooit de schade die de vijandelijke bommen in de steden aanrichtten. [...] Hitler heeft tijdens de hele oorlog geen enkele gebombardeerde stad bezocht. Als gevolg van deze onwetendheid werd het beeld dat tijdens de dagelijkse vergaderingen werd gepresenteerd steeds onjuister.'

Deze mentaliteit werd nog versterkt door Hitlers hofhouding, waaruit in de loop van de tijd vrijwel iedere kritische en onafhankelijke geest was verwijderd. Het niveau van Hitlers tafelgesprekken in Berlijn en Obersalzberg stond in geen verhouding tot Churchills discussies in Chartwell en de degelijke rapportages die Roosevelt dag na dag binnenkreeg. Speer, de man die Hitler het langst en het meest van nabij meemaakte, komt in zijn *Herinneringen* telkens weer terug op het allesdoordringende provincialisme van Hitlers dagelijkse gezelschap. Vrijwel niemand van de aanwezigen had iets van de wereld gezien. Hitler had in juni 1940 op een vroege ochtend drie uur lang door Parijs gereden: dit was vrijwel alles wat hij ooit van Frankrijk had meegemaakt. Speer: 'Als iemand een plezierreisje naar Italië had gemaakt, werd dat aan Hitlers tafel als een gebeurtenis besproken en de betrokkene kreeg de naam buitenlandse ervaring te hebben.'

De Eerste Wereldoorlog was bij deze tafelgesprekken hét grote referentiepunt. Engeland werd gerespecteerd, de Amerikanen werden beschouwd als een slecht georganiseerde meute immigranten. 'Onder zwaardere druk zullen ze ongetwijfeld niet standhouden,' meende Hitler. Hij was er stellig van overtuigd dat 'hun strijdwaarde' gering was. Ook in militaire zaken reikte zijn denken weinig verder dan 1918. Generaal Heinz Guderian noteerde in december 1941 een krankzinnige discussie tussen hem en de Führer over een mogelijke loopgravenoorlog rondom Moskou, zoals Hitler die zelf bij Ieper had meegemaakt. Hij was er niet van te overtuigen dat zoiets in de enorme Russische steppe alleen al technisch niet kon: de grond was tot op anderhalve meter diepte keihard bevroren. Hitler meende alles van tanks, vliegtuigen en artillerie te weten, maar Churchills nieuwsgierigheid voor, bijvoorbeeld, de mogelijkheden van de nieuwe radartechnologie ontbrak bij hem volkomen. Voor de ontwikkeling van straaljagers en raketten had hij nauwelijks belangstelling. Aan de atoomwetenschap, waarover Churchill al in 1924 publiceerde, had de Führer zelfs ronduit een hekel: dat was in zijn ogen 'joodse fysica'. Zijn tactiek was star: terugtrekken was in alle opzichten verboden. 'We hebben veel aan Hitler te danken gehad,' meende de

Amerikaanse opperbevelhebber Dwight D. Eisenhower na de oorlog.

Daarbij kwam dat Hitler, in tegenstelling tot Churchill en zijn andere opponenten, uitgesproken chaotisch te werk ging. Hij had, zoals Speer het uitdrukte, de 'ongedisciplineerde tijdsindeling van een bohémien'. Zijn werkdagen waren kort, hij las weinig, bereidde zich niet goed voor, duldde geen tegenspraak en liet veel afhangen van impulsen en intuïtie. Was een beslissing eenmaal genomen, dan viel hij weer terug in zijn houding van nietsdoen. Hij wilde productiecijfers zien, almaar nieuwe tanks en vliegtuigen die van de lopende band liepen, hoewel het leger door snelle reparaties van defect materieel veel beter en goedkoper zou kunnen functioneren. Speer: 'Feitelijk wist hij niets van zijn tegenstanders en hij weigerde ook gebruik te maken van de gegevens die hem ter beschikking stonden.'

Zo bleef de oorlog voor Hitler en zijn omgeving een Duitse oorlog, geen wereldoorlog. De verhouding met bondgenoten als Italië, Finland, Roemenië en Hongarije was matig tot slecht. Terwijl de Britten en de Amerikanen hun activiteiten nauwkeurig op elkaar afstemden, bleken de Duitsers niet in staat om ook maar enigszins samen te werken met hun voornaamste bondgenoot Japan. Hitler en de belangrijkste Japanse leiders hebben elkaar nooit ontmoet. De Duitsers vielen de Sovjet-Unie binnen zonder enig overleg met Japan, en ditzelfde gold, omgekeerd, voor de Japanse aanval op Pearl Harbor. Toch waren beide aanvallen bepalend voor het verloop van de oorlog.

Tijdens diezelfde winter van 1941 drong bij de eerste Duitse topfiguren het besef door dat het Reich afstevende op een groot debacle. Het Duitse succes hing immers volledig af van snelle overwinningen. Voor langdurige veldtochten miste het land de reserves, en op een oorlog met het verre Amerika had het zich al helemaal niet voorbereid. De Duitse vloot kon nauwelijks de oceaan op, de paar Duitse slagschepen waren geen partij voor de gezamenlijke Britse en Amerikaanse marine, de luchtmacht kwam, met de toenmalige techniek, nauwelijks verder dan Engeland. Duitsland was, kortom, niet eens bij machte om het grondgebied van zijn grootste vijand te bereiken.[15]

Al op 29 november 1941 waren Hitler en de legertop gewaarschuwd dat de Sovjet-Unie meer tanks produceerde dan Duitsland, en dat het evenwicht nog meer verstoord zou worden als Amerika zich in de strijd zou werpen. Fritz Todt, als minister verantwoordelijk voor de wapenproductie, concludeerde op de vergadering van die dag: 'Met militaire middelen kan de oorlog niet meer gewonnen worden.'

Een maand later trof Speer deze zelfde Todt, na een inspectiereis langs de troepen, in een bijzonder sombere bui: 'Later zou ik me zijn woorden herinneren, en de buitengewone droefheid op zijn gezicht, toen hij zei dat we waarschijnlijk de oorlog daar niet zouden winnen.' Kort daarop kwam Todt om bij een vliegtuigongeluk.

Kolonel-generaal Alfred Jodl schreef vanuit zijn Neurenbergse cel dat ook Hitler in de winter van 1941-1942 besefte dat een overwinning niet meer mogelijk was. 'Eerder dan wie ook in de wereld voelde en wist Hitler dat de oorlog verloren was. Maar kan iemand een rijk en een volk opgeven voordat de zaak echt afgelopen is? Iemand als Hitler kon dat niet.'

Na de crisis voor Moskou trok het Duitse leger in het voorjaar van 1942 toch weer verder, vele honderden kilometers Rusland in. Wolf Siedler merkte dat in Berlijn de triomfstemming verdwenen was, al bestond overal nog het volste vertrouwen in Hitler. Hij zou vast wel een politieke en diplomatieke uitweg vinden. 'Wat de gemiddelde Duitser aanvankelijk niet opviel, was het feit dat er geen enkele grote slag meer werd geleverd. De Russen trokken zich gewoon terug, spaarden hun krachten. In 1941 stonden de kranten nog vol berichten over miljoenen krijgsgevangenen, in 1942 las je dat nergens meer.'

Pas een jaar later, na Stalingrad, begon het tot de Duitsers door te dringen dat het werkelijk misging.

7

Het geluid van herrijzend Moskou is dat van de slijptol en de graafmachine. Voor de poorten van het Kremlin is een onderaardse shopping mall gebouwd. Er is dag en nacht aan gewerkt, met alles wat het Russische leger en bedrijfsleven konden bieden aan mankracht, kranen en graafmachines, en nu ligt het complex er, glanzend en stralend, de showroom van het nieuwe Rusland.

Moskou lijkt op een huis na een echtscheiding: na een periode van verwaarlozing en verwarring barst de stad van de activiteiten. Mijn vaste taxichauffeur Viktor belt naar zijn maffiabaas: gaat hij akkoord met een lager tarief voor een trouwe klant? 'Jij betaalt mij nu twaalf dollar,' zegt hij tegen mij, 'maar bedenk wel dat 70 procent naar hem toe gaat.' Op de deftigste parkeerplaatsen gaan de poorten gratis voor hem open, dat is ook weer de maffia. Hij laat me de grote houten knuppel naast zijn stoel zien: zijn persoonlijke protectie. Zijn ene jeugdvriend heeft nu een sportschool en is de lijfwacht van een grote industrieel, de andere is scherpschutter geworden, was tien jaar lijfwacht van Gorbatsjov en werkt nu voor de grootste oliemagnaat.

'Dit is geen leven, maar je reinste schouwburgbrand!' riep honderd jaar geleden Tsjechovs arme plattelandsarts Sobol uit. 'Wie valt of van angst begint te schreeuwen en zijn hoofd kwijtraakt, is vijand numero één van de orde. Je moet rechtop blijven staan, uit je doppen kijken en geen kik geven!'

Het bravere deel van de Moskouse bevolking probeert deze gedragslijn uit 1892 nog altijd dapper te volgen. De mensen die ik ontmoet, hebben bijna allemaal twee, drie banen en rennen door de stad, van werk zus naar zaakje zo. Er wordt geschilderd en getimmerd, het ene café na het andere wordt geopend, een nieuwe middenstand begint wortel te schieten, iedereen die op bezoek komt, staat versteld van de vaart waarmee de stad verandert, en ondertussen trekken de pioniers van het zakenleven alweer verder, de provincie in.

Schuin achter het winkelcentrum bouwt het Bolsjojtheater een compleet nieuw theatercomplex. *The Moscow Times* publiceert een stuk over het oude appartementsgebouw dat daarvoor tegen de vlakte moest, en beschrijft de bewoners: de gepensioneerde Jevgeni Grislov die na de verhuizing voor het eerst in zijn leven hoopt te beschikken over een eigen keuken en wc, interieurontwerper Clarissa Ringlien en haar echtgenoot Wayne Ringlien van de Wereldbank met hun compleet in prerevolutionaire stijl gerenoveerde appartement, een Zwitserse zakenman die zijn volkswoning voor bijna honderdvijftigduizend dollar heeft omgebouwd, de Moskou Baltija-Bank met zijn glanzende kantoorzalen, en daarnaast zes families die tezamen één communaal appartement bewonen en zich buitengewoon verheugen op de verhuizing naar een driemaal grotere ruimte.

De vrouwen in het wisselhok van het hotel pakken gedachteloos de dollars van de plank, rommelen wat in hun geldla met roebels en smijten de klanten hun rantsoen aan duizendjes toe, alsof het gaat om een willekeurige gunst. Geld heeft in deze stad nog altijd iets ijls. Al is de inflatie afgeremd, de toegangsmunt voor de metro is in drie jaar tijd tweehonderd keer zo duur geworden. Een brood kost drie roebel; een gemiddeld maandsalaris – als het al betaald wordt – bedraagt ongeveer tweeduizend roebel. Voor de Russen is de gevoelsmatige waarde van de roebel op dit moment een halve euro, de koopkracht is een kwart euro, maar de wereldeconomie geeft voor de roebel nog geen vier cent. Dat is het grote probleem van dit land.

In het café naast de disco op het Poesjkinplein zit de jeunesse dorée aan de koffie met Franse cognac. Het zijn de kinderen van de nieuwe nomenklatoera van bankiers, zakenlieden en scharrelaars. De toegang tot de disco bedraagt dertig dollar, ongeveer het halve maandinkomen van een journalist, en het is er, zo wordt me verteld, eeuwig vol. Geld zweeft hier, geld heeft iets fictiefs, en tegelijk is het allesbepalend. 'Het is grote uitverkoop van spaarders, eerlijke inkomsten en fatsoen,' schreef Erich Maria Remarque over de inflatiekoorts van de Republiek Weimar in 1922, en in het Moskou van 1999 is het niet veel anders: de gieren komen van alle kanten aangevlogen en alleen degene met macht, foute vrienden en een grote bek is goed af.

Het feestje dat nu gevierd wordt, betekent het einde van de maakbare maatschappij. Het is de grote onttakeling van het ideaal dat het leven in de Sovjet-Unie vanaf de jaren twintig tot de jaren tachtig heeft bepaald. Want laat dit duidelijk zijn: ook Stalin was, ondanks zijn wreedheid, tijdens zijn leven in de hele Sovjet-Unie opvallend geliefd.

Waarom kregen uitgerekend in Duitsland en de Sovjet-Unie, de grote verliezers van de Eerste Wereldoorlog, twee zulke moorddadige systemen zoveel kans? Wellicht heeft het te maken met het feit dat in beide landen geen democratische traditie bestond, dat er, na de ineenstorting van 1917 en 1918, nauwelijks een systeem van publieke waarden restte om op terug te vallen. Stellig hebben ook de technische mogelijkheden van de twintigste eeuw een rol gespeeld: zonder een goede bureaucratie, zonder treinen en andere communicatiemiddelen zou het bijna onmogelijk zijn geweest om op zo'n grote schaal een Goelag en een holocaust te organiseren. Daarna vallen ook direct de verschillen op. Stalin was een moorddadige tiran van het soort dat regelmatig in de Russische geschiedenis opduikt. Hitler was echter, in de woorden van John Lukacs, 'volstrekt eenmalig': 'Een dergelijke figuur zullen we niet meer meemaken.'

Stalins utopie was even onzinnig als die van Hitler. Maar op een bepaalde manier was zijn droombeeld rationeler en zelfs optimistischer. De ideale mens en de ideale samenleving ontstonden, in Stalins visie, niet door geboorte en raciale selectie, nee, het ideaal kon gemáákt worden. De crimineel kon heropgevoed worden tot een goede burger, de achterlijke Russische massa's konden herschapen worden tot bouwstenen van een nieuwe maatschappij. Dat was de kern van Stalins sovjetproject.

Massamoord was voor hem dan ook geen einddoel, maar een revolutionair middel om zijn ideale sovjetstaat op te bouwen. 'Staat', inderdaad, want Stalin wilde niets meer weten van het oude revolutionaire idee dat de staat een 'leugen' is. In zijn opvattingen stond de nationale staat weer helemaal centraal, en dit was ook een van de diepere geschilpunten met zijn rivaal Lev Trotski, die bleef pleiten voor het oude marxistische idee van een 'mondiale' en 'permanente' revolutie.

Hitler had zijn Wagneriaanse helden, en ook Stalin had zijn voorbeeldfiguren. Alleen heetten ze bij hem 'helden van de nieuwe mensheid', mannen en vrouwen die de menselijke kracht stelden tegenover de krachten van de natuur in een 'grootse en tragische strijd'. Hun taak lag niet meer in het analyseren en begrijpen van de wereld, zoals Marx en zijn navolgers deden. Nee, in deze nieuwe fase moest de wereld veroverd worden, overmeesterd, en opnieuw geschapen. Zelfs de concentratiekampen speelden hierin een rol: de kampkrant van de dwangarbeiders aan het Witte-Zeekanaal heette niet voor niets *Perekovka*, Omsmeden.

Stalin en Hitler gingen beiden in het najagen van hun utopie tot het uiterste, genadeloos en nietsontziend. Ze gingen allebei uit van het idee dat er een wereld gebouwd kon worden die volmaakter was dan alles wat onder de feodale en burgerlijke regimes was gegroeid. Hun droom – sommige nazi-ideologen gebruikten die vergelijking met zoveel woorden – was die van een tuinman, maar dan opgeblazen tot megalomane proporties.

Beiden leden aan een soort maatschappelijke smetvrees, ze haatten alles wat hun serene orde in de war kon sturen, iedere afwijking probeerden ze met wortel en tak uit te roeien. Beiden schiepen de eerste 'totalitaire' regimes, waarin een versplinterde maatschappij werd onderworpen aan de 'totale' macht van een ideologische partij en haar leider. Beiden hadden een grenzeloze verachting voor de liberale democratie en gebruikten alle middelen – moord, verraad, terreur – om aan de macht te komen en te blijven. Beiden streefden naar een 'zuivere' samenleving en kenden daarbij geen enkele morele terughoudendheid.

Maar waar Hitlers bloed-en-bodemfanatisme was gebaseerd op het gedachtegoed van de Romantiek, daar volgde Stalin het maakbaarheidsideaal van de Verlichting, tot de meest perverse consequenties. Stalin was en bleef, in de woorden van de historicus François Furet, 'het gebrekkige kind van de Franse Revolutie'.

Tegelijk was Stalin diep in zijn hart een anti-idealist. Hij werd wel aangeduid als de Welwillende Vriend van Alle Kinderen, de Wijze Roerganger, de Bergadelaar, het Grootste Genie Aller Tijden, de Titaan van de Wereldrevolutie of de Diepste Theoreticus van de Moderne Tijd, maar eigenlijk was hij gewoon Jozef Dzjoegasjvili, de zoon van een straatarme Georgische schoenmaker. Van huis uit had hij een diep wantrouwen jegens de mensheid meegekregen en hij was zijn laatste illusies kwijtgeraakt na de dood van zijn eerste vrouw in 1907. Zijn cynisme was zelfs omgeslagen in pure mensenhaat na de zelfmoord – verraad! – van zijn tweede vrouw in 1932.

Heel zijn doen en laten werd beheerst door een ijzeren logica: als je eenmaal A gezegd hebt, dan moeten B en C volgen, wat ook de menselijke kosten zijn. Toen hij bijvoorbeeld in september 1941 hoorde dat de Duitsers bij Leningrad vrouwen en kinderen als een menselijk schild voor zich uit dreven, raakte hij buiten zichzelf van woede. Niet vanwege de Duitsers, maar vanwege de legercommandanten die moeite hadden om op eigen burgers het vuur te openen. Zulke bolsjewieken dienden volgens hem direct 'vernietigd' te worden, die waren gevaarlijker dan de nazi's. 'Mijn raad: maai de vijanden neer, het doet er niet toe of ze vrijwillige of onvrijwillige vijanden zijn.' Toen zijn oudste zoon Jakov Dzjoegasjvili door de Duitsers gevangen werd genomen stak hij geen vinger voor hem uit. Uiteindelijk zou Jakov in het concentratiekamp Sachsenhausen zelfmoord plegen.

Stalin kon zich niet voorstellen dat anderen buiten deze normen leefden. In zijn denkwereld was iedere afwijking een bron van wantrouwen, was iedere bondgenoot een potentiële rivaal, iedere kameraad een potentiële verrader. Zo opereerde hij immers zelf. Hij had een zeldzaam scherp zicht op de zwakke plekken van zijn medewerkers en tegenstanders, hij kon, zoals men zegt, 'de vensters openen naar de ziel', maar dit vermogen werd op den duur steeds meer vertroebeld door zijn paranoia. Overal zag hij 'spionnen', 'vijanden' en 'dubbelagenten'. Aan het eind van zijn leven, in 1951, hoorde Chroesjtsjov hem zelfs zeggen: 'Het is afgelopen met me. Ik vertrouw niemand meer, zelfs mezelf niet.'

Stalin was tegelijkertijd een kameleon, hij kon in zijn omgeving oplossen als een onopvallende figuur, en op die manier had hij na de dood van Lenin de macht kunnen grijpen. De chroniqueur van de revolutie, Nikolaj Soechanov, beschreef hem in 1917 als een 'grijze vlek die zo nu en dan zichtbaar werd, maar geen enkel spoor achterliet'. De briljante en arrogante Trotski noemde Stalin een 'voortreffelijk stuk middelmatigheid' en hield nauwelijks rekening met hem. Dat bleek een fatale vergissing.

Trotski was een uitstekend redenaar en organisator, een populair legeraanvoerder, en een succesvol revolutionair. Hij was een van de vijf leden van het eerste Politbureau en rond 1920 gold hij in brede kring als de vanzelfsprekende opvolger van Lenin. Maar zelden of nooit werd hij op een partijbijeenkomst gesignaleerd. In diezelfde periode werkte Stalin zich door het grijze partijapparaat omhoog totdat hij een centrale machtspositie had verworven. In het Politbureau leidde hij al snel de dagelijkse gang van zaken, hij kon bondgenoten op hoge posten benoemen, werkte tegenstanders weg, en zo breidde hij zijn machtsbasis binnen de bureaucratie steeds verder uit.

Na 1921 verliep de burgeroorlog, Trotski's populariteit begon te dalen, tweederde van 'zijn' Rode Leger werd naar huis gestuurd, en op 3 april 1922 koos het plenum van het Centraal Comité, op voorstel van Lenin, Stalin tot secretaris-generaal van de partij. Stalin had nu alles in handen.

Een maand later kreeg Lenin zijn eerste hersenbloeding. Hij moest zich grotendeels terugtrekken uit het politieke werk, maar tegelijk voelde hij zich steeds onbehaaglijker over het gedrag van de nieuwe secretaris-generaal. Tijdens Lenins afwezigheid vormde Stalin een driemanschap met Grigori Zinovjev in Petrograd en Lev Kamenev in Moskou. Steeds meer beslissingen werden buiten de zieke leider om genomen.

Na Lenins tweede attaque, in december 1922, begon Stalin zich met diens medische verzorging te bemoeien. Zogenaamd om het herstel te bespoedigen werden alle bezoek en correspondentie geweerd. 'Noch vrienden noch zijn naaste omgeving,' zo beval een order van het Politbureau op 24 december, 'mogen Vladimir Iljitsj enig politiek nieuws vertellen, omdat hij daardoor wellicht gaat nadenken en opgewonden raakt.'

Een van Lenins secretaresses was Nadezjda Alliloejeva, toen Stalins nieuwe echtgenote, die haar man uiteraard alles van enig belang overbriefde. Binnen een jaar was Lenin bijna letterlijk Stalins gevangene geworden.

Eind 1922 dicteerde Lenin zijn politieke testament. Het was een zuur stuk van een man die zwaar teleurgesteld was over de koers die 'zijn' revolutie was ingeslagen. Telkens kwam hij terug op het probleem van de achterlijkheid van Rusland. 'Het leek,' schrijft de historicus Orlando Figes, 'alsof hij, misschien enkel voor zichzelf, erkende dat de mensjewieken toch gelijk hadden gehad, dat Rusland niet klaar was voor het socialisme omdat de arbeidersmassa de opleiding miste om de plaats van de bourgeoisie direct in te nemen.' Lenin spaarde niemand van de oude kameraden, maar het oordeel over zijn beoogde opvolger was ronduit vernietigend: 'Stalin is te grof en deze slechte eigenschap, die heel goed te verdragen is in ons midden en bij onderhandelingen tussen communisten, is onaanvaardbaar voor een secretaris-generaal. Daarom suggereer ik dat de kameraden nadenken over een manier om Stalin van deze post te verwijderen en hem te vervangen door iemand die dezelfde eigenschappen heeft als kameraad Stalin, maar op één terrein beter is: verdraagzamer, loyaler, beleefder en attenter voor de kameraden, minder wispelturig enzovoort.'

Het was te laat. Drie maanden later verloor Lenin zijn spraakvermogen. Op 21 januari 1924 overleed hij. De laatste tien maanden van zijn leven kon hij enkel nog een paar lettergrepen uitbrengen: *vot-vot* (hier-hier) en *sjezd-sjezd* (congres-congres).

Stalin wierp zich meteen op zijn voormalige rivaal Trotski. Afgezien van alle politieke verschillen hadden beide mannen ook persoonlijk een immense hekel aan elkaar. Tijdens de burgeroorlog had Trotski zijn ondergeschikte Stalin meerdere malen op zijn nummer gezet, en Stalin had hem dat nooit vergeven. In januari 1925 werd Trotski ontslagen als commandant van het Rode Leger. Een lastercampagne tegen de 'trotskistische scheurmakers' volgde. In juli 1926 werd hij uit het Politbureau gezet, Kamenev en Zinovjev volgden in oktober.

Anderhalf jaar later, op 7 november 1927, deden Trotski en Zinovjev een laatste poging om Stalin te stoppen: ze riepen op tot grote demonstraties in Moskou en Leningrad. De geheime dienst sloeg de demonstranten uiteen, beide organisatoren werden uit de partij gezet, en alleen hun grote faam weerhield Stalin ervan om ze direct af te maken. Trotski werd met veel geschreeuw en tumult uit zijn appartement gesleept en op de trein naar Alma-Ata gezet. Van daaruit werd hij in 1929 naar Turkije gedeporteerd, en via Frankrijk en Noorwegen belandde hij uiteindelijk in 1936 in Mexico. Hier, in Coyoacán, bracht hij zijn laatste jaren door, opgesloten in zijn eigen huis, bewaakt door Mexicaanse politieagenten en een handvol getrouwen, wachtend op de uitvoering van Stalins doodvonnis-bij-verstek. Op 21 augustus 1940 werd hem, door een agent van de NKVD, met een ijsbijl de schedel ingeslagen.

Welk effect hadden al deze gebeurtenissen op het dagelijkse bestaan in een doorsnee Russisch dorp?

In 1997 publiceerde de voormalige bureauchef van *The New York*

Times in Moskou, Serge Schmemann, een gedetailleerde geschiedenis van het gewone leven in Sergijevskoje, ofwel Koltsovo. Het dorpje lag ongeveer honderddertig kilometer ten zuiden van Moskou, niet ver van de stad Kaloega, en Schmemann was er terechtgekomen omdat de familie van zijn moeder er ooit een landgoed had bezeten.[16] De Grote Revolutie bereikte het dorp in het najaar van 1918, toen een ad hoc comité van plaatselijke boeren het landgoed in beslag nam. Schmemanns familieleden stonden op van het ontbijt, lieten alles staan, pakten wat kleren en verlieten het huis.

Een paar maanden later kreeg het dorp een nieuwe naam omdat de oude te feodaal werd geacht: Koltsovo, naar de schrijver Koltsov, die er trouwens nooit een voet had gezet. Er kwam een groep bolsjewistische functionarissen naar Koltsovo. Ze stichtten op het verlaten landgoed een commune, bestaande uit twee weduwen met hun kinderen, plus een aantal mensen van buiten. De voorzitter was een revolutieveteraan uit Moskou, een voormalige drukker. De boeren zagen de groep voornamelijk als een roversbende: overal werden in naam van de revolutie landerijen, koeien, paarden, varkens en machines geconfisqueerd.

Serge Schmemann vond de notulen terug van een vergadering in een naburig dorp uit 1919. 'Koelakken riepen: "Goddeloze macht!" "Weg met de communisten!" "Jullie kregen vijftienhonderd hectare, geef ons brood!" Er werd met stenen gegooid.' Tien jaar later weigerden de boeren nog steeds om deel te nemen aan de kolchoz, maar nu werden de voornaamste dwarsliggers beteld als vijanden van het volk. Zeven 'koelakkenfamilies' uit Koltsovo werden verbannen, hun bezittingen vervielen aan de kolchoz. Na het revolutionaire enthousiasme sloop Stalins revolutionaire dwang het dorp binnen.

Die opkomende repressie had alles te maken met het eerste vijfjarenplan dat in oktober 1928 van start was gegaan. Het plan wilde binnen vijf jaar van de Sovjet-Unie een 'tweede Amerika' maken, en al snel leed het hele land onder de 'vijfjarenhysterie'. De ijzerproductie moest eerst driemaal omhoog, later vijfmaal, ten slotte zevenmaal. De boerenbedrijven zouden worden samengevoegd tot enorme moderne collectieven – Stalin sprak over 'graanfabrieken' van tienduizenden hectare –, dorpen moesten worden omgebouwd tot 'socialistische agrosteden', de houten huizen zouden worden vervangen door frisse flatgebouwen, de muffe kerken door zonnige scholen en modelbibliotheken, het zware handwerk zou worden overgenomen door honderdduizenden landbouwmachines.

Joseph Roth, die in augustus 1926 een rondreis door Rusland maakte, schreef dat de jonge sovjetsteden deden denken aan stadjes uit het Amerikaanse wilde Westen, 'aan diezelfde sfeer van lawaai en voortdurende geboorte, van jacht naar geluk en ontworteling, van dapperheid en offerbereidheid, van wantrouwen en angst, van de primitiefste houtbouw naast de gecompliceerdste techniek, van romantische ruiters en nuchtere ingenieurs'.

Meer dan vijftien miljoen boeren werden van het platteland naar de stad gedreven om de nieuwe fabrieken te bemannen. John Scott, een jonge Amerikaanse vrijwilliger, beschreef de werkomstandigheden bij een splinternieuwe hoogoven in Magnitogorsk in de Oeral. Hij stond op een zwiepende, met ijs bedekte steiger te lassen, terwijl de lichamen langs hem vielen vanaf de bovenkant van een ontplofte hoogoven. 'De werklieden waren meestal boerenjongens die van veiligheid geen enkel idee hadden. Bij vijfendertig graden onder nul, met geen enkel ontbijt in je lijf, besteed je daaraan ook minder aandacht dan zou moeten.' Scott werkte met Oekraïners, Mongolen, joden en een Tataar die nog nooit eerder een trap, een locomotief of een elektrische lamp had gezien: 'zijn leven was in één jaar meer veranderd dan dat van zijn voorouders sinds de veertiende-eeuwse roverkoning Timoer Lenk.'

Tussen deze utopie en de werkelijkheid lag één groot probleem: de boeren wilden niet. De situatie in Koltsovo was tekenend voor de hele Sovjet-Unie. In de zomer van 1929 nam slechts 3 procent van de boeren deel aan collectieve en/of staatsboerderijen. De grote landgoederen, waarvan de opbrengsten vroeger grotendeels naar de steden gingen, waren opgeheven. De kleine boeren produceerden vooral voor zichzelf en hielden de rest van het graan achter omdat ze er toch niets aan verdienden. Er werd besloten om graan te vorderen en bepaalde quota's te eisen. Het hielp weinig. De boeren ontdoken de regels, verstopten hun voorraden of verkochten die op de zwarte markt.

In de winter van 1929-1930 ontstonden in de steden voor het eerst sinds de burgeroorlog weer rijen voor kruideniers en bakkers. 'Het is een normale zaak dat de vrouw van een arbeider de hele dag in de rij staat, haar man komt vervolgens thuis van zijn werk, het eten is niet klaar, en iedereen vervloekt de sovjetmacht,' meldde een – geheim – overzicht van lezersbrieven aan de *Pravda*. Vandaar dat Stalin op 27 december 1929 besloot om de landbouw in alle graanproducerende gebieden in één klap te collectiviseren. Bovendien wees hij een algemene schuldige aan voor alle eerdere mislukkingen, een nieuwe, duidelijke klassevijand: 'We moeten de koelakken verpletteren, hen elimineren als klasse!'

De resolutie van het Politbureau van 30 januari 1930 'Over maatregelen ter eliminatie van koelakkenhuishoudingen in districten van verplichte collectivisatie' is minder bekend dan het protocol van de twaalf jaar latere Wannseeconferentie, maar voor miljoenen boeren was het resultaat nagenoeg hetzelfde: massale deportatie, en vervolgens de dood. Stalin had geen gaskamers nodig, de honger en de kou in de uithoeken van zijn rijk maakten van zijn kampen natuurlijke doodsfabrieken.

De resolutie verdeelde de koelakken in drie categorieën. De eerste categorie, de 'meest vijandelijke en reactionaire' koelakken, moesten worden doodgeschoten of gevangengezet. De tweede groep, inclusief de families van de eerste categorie, moest gedeporteerd worden naar concentratiekampen in 'afgelegen gebieden'. De derde groep moest uit de kolchoz worden gestoten; deze boeren kregen een stuk moerassig of bossig land toegewezen, waarmee ze een onmogelijk hoog productiequotum moesten leveren, zodat ze stierven of alsnog werden gedeporteerd.

In maart 1930 bekritiseerde Stalin in de *Pravda* de overhaaste collectivisatie, maar korte tijd daarna werd de campagne opnieuw opgepakt, nu met ongekende felheid. Serge Schmemann zat zestig jaar later met een oude vrouw op de bank voor haar houten hut in Koltsovo; ze ging de buurhuizen langs: 'Uit het eerste, daar, werden de Ionovs gesmeten, koelakken waren het; in dat rode pakten ze oom Borja, een simpele boerenknecht, zijn enige misdrijf was een vloek op het foute moment; uit het volgende, waar nu de Lagoetins leven, werden de Chochlovs gezet...' Acht van de vijftien huishoudens in haar straat werden begin jaren dertig ontruimd, en de families verdwenen spoorloos. 'De Zabotnys,' zei een buurvrouw, 'daar, waar nu de telefoon is. Ze pakten alles af en stuurden hen in ballingschap. Ze hadden een onbenullig conflict met de leiding. Een derde dorpeling: 'Ze pakten onze buurman ook. Hij had meel en gebakken brood. Hij had een paard.'

Stalins overhaaste collectivisatie kostte, volgens de laatste en meest nauwkeurige schattingen, zeven miljoen mensenlevens: vijf miljoen in de Oekraïne, twee miljoen in de rest van de Sovjet-Unie. In 1932 vorderde Stalin bijna de helft van de toch al gereduceerde graanoogst in de Oekraïne. Het betekende het doodvonnis voor honderdduizenden boerenfamilies. In het voorjaar van 1933 begon de massale sterfte. De Oekraïense boeren aten katten, honden, ratten, gras, soep van leer en bladeren, soms ook menselijk vlees. Dorpen stroomden leeg. Door Kiev reden iedere ochtend wagens om de lijken van de straat te halen. Meestal stierven eerst de mannen, dan de kinderen, ten slotte de vrouwen.

De hongersnood verergerde nog doordat de enorme kosten van het vijfjarenplan voor een belangrijk deel werden afgewenteld op de voedselvoorraad van de bevolking. Buitenlands materieel en specialistische mankracht werden grotendeels betaald door de export van graan. In 1932 werd 2 miljoen ton naar het buitenland verkocht, in het rampjaar 1933 1,7 miljoen ton, terwijl de eigen bevolking doodhongerde. Het graangebruik in de Sovjet-Unie was in 1935 lager dan in het Rusland van 1890.

In 1938 leverden de kleine stukjes privéland die de boeren nog mochten bewerken, meer dan een vijfde van de voedselproductie, hoewel ze minder dan een vijfentwintigste van de totale landbouwgrond besloegen. Eén op de vier à vijf Oekraïners verhongerde, één op de vier Kazachen. Inmiddels was het streng verboden om over de hongersnood te praten. Een arts die klaagde dat zijn zuster van de honger was gestorven kreeg tien jaar cel 'zonder recht op correspondentie'. In Stalinjargon betekende dit de doodstraf. De goedgelovige George Bernard Shaw, de grote Engelse toneelschrijver, schreef in 1932 in The Times na een tour door de Sovjet-Unie: 'Ik zag in Rusland geen enkel ondervoed persoon, jong noch oud. Waren ze opgelapt? Waren hun holle wangen van binnen opgevuld met stukken rubber?'

Ondertussen moesten de boeren niet zelden hun werk doen op zwaarbewaakte velden, omringd door wachttorens van de geheime politie. Toen het vijfjarenplan drie jaar op weg was zaten naar schatting zevenduizend van de ruim dertigduizend ingenieurs van de Sovjet-Unie in de gevangenis. Binnen de gevangenissen werden daarom technische bureaus ingericht, waar deze 'ingenieurs achter tralies' hun dagelijks werk konden voortzetten.

Het apparaat van de geheime dienst, de OGPOE (eerder de Tsjeka en GPOE, later de NKVD en de KGB, nog later de FSB), was zo sterk gegroeid dat hele stadswijken voor de dienst werden gereserveerd. Zo had de grote industriestad Tsjelvabinsk een 'OGPOE-stad' met eigen wasserijen, restaurants, scholen en kinderverblijven. Wie faalde en de aandacht trok werd gestraft als 'saboteur'. Een smelter uit Magnitogorsk die was flauwgevallen door de dampen uit een hoogoven, kreeg twee jaar gevangenisstraf. In Koltsovo werd de meest enthousiaste leraar, Popov, ontslagen omdat hij een kar van de school ten eigen nutte had gebruikt. Een van zijn leerlingen had hem aangegeven, een zekere Misja Tinjakov. Later zou deze Misja als NKVD-ondervrager een aantal van zijn eigen klasgenoten naar de Goelag sturen, bij een volgende zuivering zou hij ook zelf 'verdwijnen'.

'Het grote probleem hier is de marginalisering van iedereen die gewoon werkt,' zei een Russische historicus eens. 'Wij hebben gewone mensen altijd gebruikt als grondstof, als pijpleidingen en als bakstenen. Dat was zo in de tijd van de communistische bureaucratie, en dat is nog steeds zo in de tijd van het nieuwe kapitalisme.'

In Moskou staan rijen vrouwen op de trappen van de metrostations, hun schaarse koopwaar in de hand: een paar worsten, wat potten jam, een zelfgebreid vest, een jong poesje. In de metrogang zingt Natasja Boerlina de ene aria na de andere, een geldbakje voor haar voeten. Ze is beroeps, ja, in de opera, maar daar kan toch geen mens van leven. Op de hoek van een gigantisch bouwterrein hebben arbeiders een schuiltent neergezet, een paar zeilen en wat afvalhout, een oude kachel in het midden. Daarbinnen zitten vier bouwvakkers en een soldaat te roken. De arbeiders hebben zwarte en blauwe mutsen op, eentje heeft zulke gezwollen ogen dat hij nauwelijks lijkt te kunnen zien. De soldaat kijkt jong en krijgshaftig de wereld in. Even verderop liggen de drukke winkelstraten met de grote merken, Armani, Dunhill en Dior. In een zijgang schuif ik langs een groepje jonge mannen, ze verkopen anti-semitische lectuur van een venijnigheid die ik alleen ken uit oude jaargangen van *Der Stürmer*. *Mein Kampf* ligt er, de *Protocollen van de Wijzen van Sion*, *Het Laatste Testament van Hitler*, boeken, cartoons, kranten, en dat allemaal zo te koop bij het voormalige Leninmuseum. Een Russische kennis vertaalt een paar versregels uit *De Russische Boodschapper*:

Rusland sta op/ Probeer je te bevrijden van de duisternis/ Geef niet het leven aan joden/ Dus, sta op, Rusland/ En vernietig de joodse vrijmetselaars/ En was de planeet schoon/ Van de joodse plaag.

Een paar jaar eerder had ik met een paar vrienden nog in hotel Moskva gegeten, het reuzenhotel naast het Kremlin. Er zaten toen in totaal zes gasten, een verlopen goochelaar bedelde bij de tafels een handvol roebels bij elkaar, zelfs een bord kippensoep was er nauwelijks meer te krijgen. Ik hoor dat het gebouw wordt gesloten. Ik hoop dat het blijft staan, want hotel Moskva is een van de meest typerende monumenten uit de Stalinjaren. Vanwege de megalomane ingangen en trappenhuizen die iedere bezoeker als een mier verpletteren, vanwege de krankzinnig grote eetzaal waar duizenden jubelende partijgenoten hun bordje konden leegeten, maar vooral vanwege het bizarre uiterlijk.

Het hotel is een monument van angst. Wie goed kijkt, merkt dat de zijgevel er heel anders uitziet dan de voorgevel. Volgens de legende was die asymmetrie het gevolg van één foute vingerwijzing van Stalin. In 1931, toen de architect Aleksej Sjtsjoesev hem twee ontwerpen voorlegde, keurde het Grootste Genie Aller Tijden namelijk per abuis beide varianten goed. Niemand durfde hem te zeggen dat hij zich vergiste en dat hij één van de twee moest kiezen. Uiteindelijk, zo wil het verhaal, verwrong de architect zijn ontwerp dus maar tot een gebouw met twee verschillende gevels.

Waar of niet, het was wel de mentaliteit tot in alle uithoeken van de sovjetsamenleving: duizenden partijbazen regeerden met ijzeren chaos hun districten, steden, dorpen, bedrijven, vakbonden en collectieven. Het Politbureau was vaak niet in staat om nauwkeurig aan te geven wat het precies wilde, en die onzekerheid werd nog verergerd door een logge bureaucratie die enkel reageerde op simpele bevelen als: sneller, langzamer, stoppen. Het gevolg was dat de gemiddelde Sovjetburger voortdurend werd geteisterd door grillige koerswendingen, onuitvoerbare richtlijnen en onbegrijpelijke straffen. En als iets mislukte – wat vaker wel dan niet gebeurde – waren er altijd 'saboteurs' en andere zondebokken op wie de schuld kon worden afgeschoven.

Dat kon ver gaan: in 1937 zijn bijvoorbeeld alle leden van de volkstellingscommissie gearresteerd omdat ze zich 'verraderlijk hadden ingespannen om het inwonertal van de USSR omlaag te brengen'. De aantallen slachtoffers van de hongersnood waren zo groot geworden dat ze niet meer uit de bevolkingsstatistieken konden worden geweerd. De resultaten van de volkstelling van 1937 werden uiteraard nooit gepubliceerd.

Op de Novodevitsje-begraafplaats, tegenwoordig in een buitenwijk van Moskou, liggen al die grote en kleine Stalins van toen veilig begraven, bij dozijnen, naast Gogol, Tsjechov en de arme Nadezjda Alliloejeva, Stalins tweede vrouw. Zijn rechterhand en opvolger Nikita Chroesjtsjov valt er te bezoeken, zijn trouwe minister van Buitenlandse Zaken Vjatsjeslav Molotov, maar ook de briljante ingenieur Andrej Toepolev – uiteraard met een vliegtuig op zijn graf – en tientallen mindere goden. Chroesjtsjov heeft een subtiel grafmonument, zijn ronde kop geklemd tussen een lichte en donkere steen, maar de meeste andere apparatsjiks blijven ook aan gene zijde druk in de weer: een generaal poetst zijn pistool, een kinderarts kletst een pasgeboren baby op de bil, een minister confereert, een stafofficier staat zelfs boven zijn eigen graf nog druk met hogere machten te telefoneren.

De gewone Sovjetburger wilde niet meer dan een normaal bestaan leiden, maar ook dat was in deze volledig maakbare samenleving zelden voor iemand weggelegd. In haar imposante studie naar het dagelijks leven tijdens het Stalinregime beschrijft Sheila Fitzpatrick minutieus de vele obstakels die de Sovjetburger op zijn pad vond. Zijn bestuurders waren, van hoog tot laag, onbekwaam, onvoorspelbaar en soms buitengewoon gewelddadig. Nooit was er voldoende voedsel en kleding. In 1932-1933 was er voor de stadsbewoners per hoofd driemaal minder brood beschikbaar dan omstreeks 1900. In talloze Russische herinneringen uit de jaren dertig wordt melding gemaakt van gebrek aan schoenen: doordat de veestapel was gedecimeerd, was er ook bijna geen leer meer verkrijgbaar. Niet of nauwelijks te koop waren, onder andere, lampen, zeep, hoeden, messen en lucifers. Winkelen werd een 'overlevingstechniek'. Aan het eind van de jaren dertig maakte de politie van Leningrad melding van een rij van, naar schatting, zesduizend mensen voor één schoenenzaak.

De huisvestingsproblemen in de steden deden denken aan

Londen, Wenen en Berlijn, een halve eeuw eerder. De meeste Sovjetburgers leefden opeengepropt in gemeenschappelijke flats met op iedere kamer een familie, soms zelfs twee. Een derde van de Moskouse flats had geen rioolaansluiting. Een grote industriestad als Stalingrad kende geen openbaar vervoer. Wie na een slavenbestaan van generaties nog niet fatalistisch was geworden, werd het alsnog in de Stalintijd. 'Ik heb het gevoel dat ik het leven van iemand anders heb geleid,' zei een oude boerenvrouw tegen Fitzpatrick na de val van de Sovjet-Unie.

De communistische samenleving bracht, net als in Duitsland, een nieuw taalgebruik. Omdat de meeste vormen van distributie niets meer van doen hadden met geld, verdwenen woorden als 'kopen' en 'verkopen'. Men sprak over 'organiseren' en 'te pakken krijgen', producten werden niet verkocht maar 'uitgegeven'. Altijd waren er speciale voordelen voor bepaalde groepen of bedrijven, en eenieder probeerde daarvan te profiteren. Grote en kleine leiders beloonden hun vazallen met betere huisvesting, extra voedsel en andere gunsten. Iedereen had wel een 'patroon', al was het enkel de accountant van de kolchoz, de bedrijfsleider, de redactiechef of de partijbaas van het buurtcomité. Het leven in een stad als Moskou werd zo beheerst door een intense uitwisseling van diensten en wederdiensten, een soort gigantisch gironetwerk dat officieel niet bestond maar waarin elke burger betrokken was.

Toen ik in 1990 voor de eerste maal Leningrad bezocht – het was opnieuw een tijd van lange rijen en intense armoede – bestond dat jargon nog steeds. Je ging naar buiten voor brood, maar je trof een opvallende rij bij een kruidenier, en je kwam thuis met een reuzenpot zure komkommers. Omdat je nooit wist wat er in de winkels verkrijgbaar was, had je altijd een boodschappennetje bij je, een *avozka* (misschientje) geheten. Het echtpaar waar ik met een collega bivakkeerde, woonde in anderhalve kamer die vrijwel helemaal gevuld was met een tafel, een bed en een hond. Beiden overleefden dankzij drie banen, plus de opbrengst van een moestuin en de hulppakketten van ouders in de provincie. Onze gastvrouw wist een paar nieuwe schoenen op de kop te tikken: 'georganiseerd' door een vriendin voor wie zij vertaalwerk had gedaan. Onze gastheer liet zijn auto repareren: voor de baas van de garage had hij, via een vriend bij een reisbureau, twee vliegtickets weten te regelen. Die vriend werd weer blij gemaakt met een paar muziekbandjes die wij hadden meegenomen. Zo hing alles aan elkaar.

Dit systeem heette *blat* (protectie) en het was de smeerolie van de samenleving. Als je iets niet gewoon kon krijgen – van treinkaartjes tot bouwmaterialen – ging je 'blat', je zocht wat relaties op, je trok aan een paar touwtjes. Dankzij hun moestuintjes en dankzij deze 'lekken' in de officiële economie konden de Sovjetburgers overleven. Zoals een van hen in 1940 schreef: 'Geen "blat" hebben betekent hetzelfde als geen burgerrechten hebben, hetzelfde als beroofd zijn van alle rechten.'

Ondanks al deze zorgen beleefde menigeen de jaren dertig als een bijzondere periode. 'Wij waren jonge sovjets,' zei Anna Smirnova in Sint-Petersburg tegen me, nog altijd met een zekere trots. Het tomeloze optimisme tijdens de eerste vijfjarenplannen was niet alleen een zaak van opgeklopte propaganda. De meeste Russen geloofden echt dat een betere toekomst om de hoek lag, en dat de ontberingen enkel een tijdelijke fase waren op de weg van het 'achterlijke' verleden naar de 'moderne' toekomst. Ze zagen dat Moskou volgebouwd werd met monumentale bouwwerken, dat een sprookjesachtig metrostelsel werd aangelegd, dat overal fabrieken verrezen, voorboden van de nieuwe tijd. In 1929 reden er nog geen dertigduizend auto's door de Sovjet-Unie. In 1932 liepen, met hulp van Henry Ford, de eerste honderdveertigduizend sovjetauto's van de lopende band – overigens voornamelijk bestemd voor partijfunctionarissen. Er ontstond iets als een verzorgingsstaat, ondanks alle problemen, met een collectieve gezondheidszorg, sanatoria en centra voor behoeftige ouderen.

Opeens leek een nieuwe wereld onder handbereik. Het aantal middelbare scholieren verzesvoudigde binnen tien jaar tijd, van drie miljoen in de jaren twintig tot achttien miljoen in de jaren dertig. In Moskou werd de enorme kathedraal van Christus-Verlosser opgeblazen en vervangen door een openluchtzwembad. Tienduizenden andere kerken in de provincie volgden. De KGB had zelfs een geheime verwerkingsfabriek die zich enkel bezighield met het omsmeden van gouden en zilveren kunstschatten uit de kerken. Fanatiekelingen veranderden hun voornaam: traditionele boerennamen als Koezma en Frol werden vervangen door 'moderne' voornamen als Konstantin en Vladimir. Niet alleen Stalin was heilig overtuigd van de maakbaarheid van vrijwel alles tussen hemel en aarde, de overgrote meerderheid van zijn onderdanen dacht er net zo over.

8

Er is een interessant reisverslag bewaard gebleven van de hand van André Gide. Gide verkeerde in de jaren dertig op het hoogtepunt van zijn literaire roem. Hij gold als het esthetische en kritische geweten van de Franse burgerij. Zoals veel intellectuelen raakte hij onder de bekoring van 'het experiment zonder precedent' dat onder Stalins leiding plaatsvond, en hij had het in diverse debatten opgenomen voor de sovjets. Vandaar dat deze literaire ster werd uitgenodigd voor een rondreis, samen met een paar andere auteurs, onder wie de Nederlander Jef Last. De reis vond plaats in juni 1936 – Gide kon zo bij toeval de begrafenis van Maksim Gorki bijwonen –, zijn verslag *Retour de l'U.R.S.S.* verscheen in november, en tijdens die paar maanden maakte Gide een politieke ommezwaai van honderdtachtig graden.

Het boekje, dun en geel, oogt als een pamflet. De toon van Gides verhaal is aanvankelijk allerbeminnelijkst. Hij houdt van de Russen, betoogt hij keer op keer, en overal waar hij komt proeft hij 'momenten van diepe vreugde'. De kinderen die hij in de vakantiekampen aantreft, zijn mooi, gezond, vrolijk en goed gekleed. 'Hun blik is helder, vol vertrouwen; hun lach is naïef, onschuldig.' Hij bezoekt het enorme Cultuurpark in Moskou, en zijn verslag lijkt op de gerealiseerde droom van Bellamy. Overal wordt gewandeld, gesport, gemusiceerd, gedanst en gepicknickt, een enorme menigte die zich vermaakt zonder de minste vulgariteit. Hier en daar ziet hij kleine podia waar lezingen worden gegeven, openbare lessen in geschiedenis, aardrijkskunde en medicijnen, omringd door ernstige toehoorders. Daarnaast staat weer een klein openluchttheater, waar vijfhonderd mensen ademloos naar Poesjkins verzen luisteren. In de trein ontmoet hij een groep Komsomoljongeren, onderweg naar een vakantieoord in de Kaukasus. In de luxewagon van de schrijvers brengen ze een dolle avond door, lachend, zingend en dansend.

Al wordt Gide nog zo gefêteerd, hij begint langzamerhand nattigheid te voelen. In Leningrad wordt hij getroffen door de 'buitengewone uniformiteit' van de nieuwe buitenwijken die 'ongetwijfeld' de geesten zal beïnvloeden. Hij ziet lange rijen voor de winkels, lelijke en smakeloze producten, trage mensenmassa's, kale woonkamers in de kolchozgebouwen waaruit al het persoonlijke is verdwenen. In Sevastopol signaleert hij grote troepen straatschooiertjes, verlaten kinderen van wie de ouders bij de gedwongen collectivisatie zijn omgekomen of verdwenen en die nu bij duizenden door het land zwerven, hongerig en eenzaam.

Na een poosje begint ook de *Pravda* hem te irriteren: de krant vertelt elke ochtend precies wat iedereen moet weten, denken, geloven. 'Om gelukkig te zijn, pas u aan.' Het valt Gide op dat 'iedere keer wanneer je met een Rus praat, je het gevoel krijgt dat je met alle Russen praat'. Het is niet zo dat men enkel in slogans spreekt, maar alles heeft wel een eigen, ijzeren logica. De Stalincultus bevalt hem evenmin: zijn naam is op ieders lip, en zelfs in het simpelste boerenhutje hangt zijn portret. 'Adoratie, liefde of vrees, ik weet het niet; altijd en overal is hij aanwezig.'

Het gebrek aan kennis over het buitenland is opvallend; Gide spreekt zelfs van een merkwaardig superioriteitscomplex bij de gemiddelde Sovjetburger. Men glimlacht ongelovig als hij vertelt dat in Parijs al jarenlang een metro rijdt. Er zijn scholen in Frankrijk, ja, maar men weet zeker dat de kinderen er systematisch geslagen worden. Een student vertelt dat het leren van buitenlandse talen weinig prioriteit meer heeft: 'Een paar jaar geleden konden Duitsland en Amerika ons op bepaalde punten nog wat leren. Maar tegenwoordig hebben buitenlanders ons niets meer te bieden.' In Tiflis ziet hij een schilderijententoonstelling waaruit iedere persoonlijkheid van de kunstenaar is weggevlakt. 'Niets is meer stimulerend dan een verblijf in de USSR (of in Duitsland, vanzelfsprekend), om waardering te krijgen voor de onovertroffen vrijheid van gedachte die we in Frankrijk nog genieten.'

Zo verandert het enthousiasme van André Gide binnen enkele weken in twijfel en ten slotte in afkeer. De partij wil geen revolutie meer, schrijft hij, integendeel, men eist aanvaarding en conformisme. Tegelijk wil men dat deze braafheid, deze goedkeuring van alles wat er in de USSR gebeurt niet uit berusting voortkomt, maar uit oprechte gevoelens, ja zelfs enthousiasme. 'Het verbazingwekkende is dat dit nog lukt ook. Aan de andere kant staan er de ergste straffen op het minste of geringste protest, of kritisch geluid, iedere vorm van kritiek wordt trouwens meteen gesmoord.'

Gides conclusie is genadeloos: 'Ik betwijfel of er op dit moment een land bestaat, zelfs het Duitsland van Hitler, waar de geest nog minder vrij is, nog meer gebukt gaat onder dwang, nog angstiger is, en nog afhankelijker.'

Een bittere Russische grap uit de jaren dertig.

Een groep konijnen meldt zich aan de Poolse grens om asiel te vragen. 'Waarom willen jullie emigreren?' vraagt de grenswacht. 'De NKVD heeft bevolen om iedere kameel in de Sovjet-Unie op te pakken,' zegt het oudste konijn. 'Maar jullie zijn toch geen kamelen?' 'Ja, leg dat maar eens uit aan de NKVD!'

Stalins massale deportaties begonnen in het begin van de jaren dertig, bij de overhaaste collectivisatie en de 'dekoelakisatie'. Tegenwoordig wordt aangenomen dat daarbij ongeveer een miljoen boerengezinnen zijn gedeporteerd, wat neerkomt op ongeveer vijf miljoen personen. Vaak werden mannen, vrouwen en kinderen van elkaar gescheiden en naar verschillende kampen gestuurd. Het werk – de bouw van stuwdammen, spoorwegen, fabriekscomplexen en andere grote projecten – was zo zwaar en de omstandigheden waren zo slecht dat de meeste gevangenen het niet overleefden.

Dit was het begin van de beruchte Goelag, de afkorting van Glavnoje Oepravljenië Lagerej, de Hoofdadministratie Kampen. In de zomer van 1937 begon Stalin, net als Hitler, met een 'sociale zuiveringscampagne'. Nu ging het om 'criminelen', 'onrustzaaiers' en 'sociaal gevaarlijke elementen'. Het aantal arrestaties en executies was nog vele malen groter dan in nazi-Duitsland. Volgens de beproefde gewoonten van de planeconomie werden ook hier quota gesteld: elke regio moest een bepaalde 'productie' halen. Het streefdoel voor de totale Sovjet-Unie werd, bij resolutie van 2 juli 1937, gesteld op zeventigduizend executies en tweehonderdduizend verbanningen naar de Goelag. Een week eerder had de Moskouse partijbaas, Nikita Chroesjtsjov, al een quotum opgekregen van vijfendertigduizend 'vijanden' die moesten worden opgepakt, waarvan vijfduizend moesten worden doodgeschoten. Chroesjtsjov vroeg of hij, als onderdeel van die vijfduizend, ook tweeduizend 'voormalige koelakken' mocht liquideren. Al op 10 juli rapporteerde hij aan Stalin dat hij maar liefst 41 305 'koelakken en vijandige elementen' had laten arresteren, waaronder zeker 8500 'vijanden van de eerste categorie', die absoluut de dood verdienden.

Die 'productie' van gevangenen had te maken met een merkwaardig aspect van de Goelag: de kampen dienden, zeker tot 1937, in de eerste plaats als reservoirs van goedkope arbeid, niet als strafkampen of, zoals bij de nazi's, als vernietigingskampen. Voor een belangrijk deel fungeerden de gevangenen als gedwongen kolonisten. Zoals Genrich Jagoda, chef van de geheime dienst, het formuleerde: 'Wij hebben allerlei problemen bij het aantrekken van arbeiders naar het hoge noorden. Als wij vele duizenden gevangenen daarheen zenden, kunnen we de rijkdommen van het noorden exploiteren.' Dankzij tienduizenden dwangarbeiders zou de jonge Sovjet-Unie in staat zijn, zo meende het Politbureau, om uit Siberië en elders snel grote hoeveelheden steenkool, gas en olie te winnen. Opvallend is ook dat regelmatig technische specialisten met een vaag voorwendsel werden opgepakt, bijvoorbeeld toen in het ijzige Kolyma goudmijnen moesten worden aangelegd. Het dodenpercentage van de sovjetkampen lag in de jaren dertig dan ook stukken lager dan dat van de Duitse kampen: de gevangenen moesten enigszins gezond blijven om te kunnen werken. De aanleg van het tweehonderdvijfentwintig kilometer lange Witte-Zeekanaal in 1932-1933 – in twee jaar tijd door honderdzeventigduizend gevangenen met de meest primitieve middelen, er vielen vijfentwintigduizend doden – werd door Maksim Gorki en honderdtwintig collega-schrijvers als een heldenepos beschreven. Met de grote terreur, in 1937, verhardde het systeem. Ieder idee over 'heropvoeding' verdween, en wie een bewaker nog durfde te benaderen met het woord *tovarisjtsj*, kameraad, kon een klap krijgen.

Het zal nooit duidelijk worden hoeveel levens verwoest en gebroken zijn door de terreur van de Goelag en de NKVD, nog los van de zeven miljoen hongerdoden uit de jaren dertig. Het regime draaide letterlijk op terreur, op intense angst. Binnen nazi-Duitsland was Hitlers repressie, hoe wreed ook, duidelijk gericht op bepaalde groepen: joden, socialisten, communisten en zogenaamde asocialen. Doorsnee Duitsers die zich koest hielden hoefden weinig te vrezen. Stalins terreur kenmerkte zich, daarentegen, door een totale willekeur. Iedereen kon het doelwit zijn, om de onnozelste reden, volgend jaar of vannacht.

In totaal zijn bijna achthonderdduizend Sovjetburgers geëxecuteerd. In de jaren dertig zaten gemiddeld anderhalf à twee miljoen mensen in de kampen, in het begin van de jaren vijftig was dat aantal gestegen tot tweeënhalf miljoen. Er werden echter, net als in Duitsland, ook regelmatig grote groepen vrijgelaten. Volgens de meest betrouwbare schattingen hebben tussen 1929 en 1953 ongeveer negenentwintig miljoen Sovjetburgers een deel van hun leven doorgebracht in het Goelagsysteem of in 'speciale ballingschap'. Daarnaast werd vier miljoen burgers en hun families in de jaren dertig de burgerrechten ontnomen, er waren zeker een miljoen verdreven boerengezinnen, plus nog eens een miljoen andere gedeporteerden.[17] Bovendien raakte het lot van één geëxecuteerde of gedeporteerde echtgenoot het bestaan van de hele familie, zijn vrouw werd uitgestoten, zijn kinderen werden, na een rituele vernedering, van school of universiteit gestuurd. Soms werden zelfs vrouwen en baby's verbannen, enkel omdat ze Boecharin of Trotski heetten. Boecharins jonge vrouw en baby werden, kort na diens executie, naar de Goelag gestuurd. Trotski's vrouw, Aleksandra, kwam om tijdens haar Siberische ballingschap, net als zijn twee schoonzoons. Zijn zoon werd in 1937 gearresteerd en stierf ook in de Goelag. Trotski's kleinkinderen, wees geworden, verdwenen spoorloos.

'Voor een samenleving is de ervaring van terreur ingewikkelder dan alleen het lijden van de slachtoffers en hun families, en de angst van anderen dat ze ook slachtoffer worden,' schrijft Sheila Fitzpatrick. 'De sociale ervaring van terreur betekent slachtoffers maken, naast slachtoffer zijn, geweld bedrijven, naast geweld ondergaan. Dit geldt ook voor de individuele ervaring van terreur: zelfs degenen die nooit hun medeburgers vrijwillig aangaven tijdens de grote zuiveringen, zelfs zij verdedigden hun vrienden niet toen ze publiekelijk aan de schandpaal werden gezet, verbraken het contact met de families van "vijanden van het volk" en namen zo, op allerlei manieren, ongewild toch deel aan de terreur.'

In de geschiedschrijving krijgen de zuiveringen dikwijls de meeste aandacht. Voor de gemiddelde Sovjetburger was het, zo blijkt uit hun familieverhalen, vaak niet meer dan de zoveelste rampspoedige periode, een noodlot dat men enkel kon ondergaan. De grote hongersnoden rond 1920, 1930 en 1936, de gedwongen collectivisatie, de oorlog, dat waren en zijn de echte trauma's voor de boeren en arbeiders. Toch hadden de zuiveringen een grote invloed op het verdere verloop van de sovjetgeschiedenis. Stalin beroofde zo immers zijn imperium van het top- en middenkader, van de tienduizenden ingenieurs, managers, boeren, handelsmensen en legerofficieren die het land hard nodig had. Nooit zou het sovjetrijk – en het socialistische experiment in zijn algemeenheid – deze dertig jaar stalinisme meer te boven komen.

Stalins terreur duurde tot het einde van zijn leven, tot in de jaren vijftig, golf na golf. Rond 1930 waren vooral boeren en priesters het doelwit, plus de 'bourgeois specialisten'. Toen de kolenmijnen in het Donbassbekken hun doelstelling niet haalden, werd een 'samenzwering' van 'saboteurs' onthuld. In het 'Industriële-Partijtribunaal' werd een enorm 'sabotagecentrum' geconstrueerd, met tentakels die zich uitstrekten van de scheepsbouw en de chemie tot de Nederlandse Koninklijke Olie.

In 1935, nadat op instigatie van Stalin de al te populaire Leningradse partijchef Sergej Kirov was vermoord, ging het met name om leden van de oude elite, plus de voormalige opponenten van Stalin. Van de 1225 afgevaardigden op het Zeventiende Partijcongres in 1934 waren er binnen een jaar 1108 opgepakt.

Zo verging het ook honderden wetenschappers, schrijvers, schilders en andere kunstenaars. De grote theaterman Vsevolod Meyerhold werd veroordeeld als 'verrader van het volk'. Zijn laatste levensteken is een brief uit januari 1940 aan de openbare aanklager, waarin hij precies beschrijft hoe het hem verging. Nadat hij eerst gedwongen was om zijn eigen urine te drinken, werd hem vervolgens de linkerarm gebroken. Daarna moest hij zijn 'bekentenis' ondertekenen met zijn rechterhand.

Na de dood van Kirov ontdekte de NKVD opeens overal complotten, vooral in Leningrad. 'Het was onmogelijk te zeggen wie door de volgende bliksemstraal getroffen zou worden,' schreef een van de overlevenden, de toneelschrijver Jevgeni Sjvarts. 'Mensen stierven in een delirium, terwijl ze weerzinwekkende misdrijven als spionage, sabotage en terrorisme bekenden. Ze verdwenen zonder een spoor achter te laten, en vervolgens werden hun vrouwen en kinderen, hele families, achter hen aan gestuurd.'

Zelfs in de Hermitage trof de NKVD 'Duitse spionnen' (in de afdeling munten en oudheden) en 'Japanse verraders' (in de oriëntaalse afdeling). Vijftig conservatoren werden uiteindelijk opgepakt en verbannen, en zeker twaalf werden geëxecuteerd als 'spionnen'. De meesten bekenden. 'Stalin hoeft geen hoofden af te hakken,' zei de dichter Osip Mandelsjtam. 'Ze vliegen er vanzelf af als paardenbloemen.' Kort daarna werd hij van zijn bed gelicht. Ook hij verdween in de Goelag.

Lev Borisovitsj Kamenev – geboren als Lev Rozenfeld – was een intellectueel en getalenteerd journalist. Hij behoorde vanaf het allereerste begin tot de inner circle van de bolsjewieken, was een vertrouwde kameraad van Lenin en Stalin, was getrouwd met de zuster van Trotski en een van de leidende figuren in de revoluties van 1917. Tijdens de ziekte van Lenin hoorde hij, met Stalin en Zinovjev, tot het driemanschap dat de Sovjet-Unie leidde. Het was een levensgevaarlijke positie. Stalin zag zijn oude kameraden op den duur enkel nog als rivalen, die koste wat het kost uitgeschakeld moesten worden.

De neergang van Kamenev begon met een uiterst vernederend kat-en-muisspel. Kamenev werd driemaal uit de partij gezet, driemaal smeekte hij om vergiffenis voor zijn wandaden – hij had zich korte tijd met Trotski verbonden – en driemaal mocht hij weer toetreden. In 1932 begon zijn fysieke vernietiging: hij werd voor een jaar naar Siberië verbannen. Daarna mocht hij archivaris worden op het Lenininstituut. Op het partijcongres van 1934 verklaarde hij in het openbaar dat hij 'de Kamenev die tussen 1925 en 1933 strijd leverde met de partij en haar leiders' als een 'politiek lijk' beschouwde.

Tien weken na de dood van Kirov, op 16 december 1934, deelde Stalin weer een slag uit: Kamenev werd, samen met Grigori Zinovjev, Lenins oude reisgenoot en vertrouweling, beschuldigd van 'morele medeplichtigheid' aan de moord. Ze werden veroordeeld tot tien jaar gevangenisstraf, maar dit was enkel een voorspel. Twee jaar later werden de twee opnieuw voor het gerecht gesleept, nu omdat ze 'trotskistische samenzweerders waren'. Het proces vond plaats in augustus 1936, het was het eerste grote Moskouse showtribunaal, in de geschiedenis bekend als de zaak van het trotskistisch-zinovjevistisch Verenigd Centrum. Voor iedere toeschouwer was het onbegrijpelijk wat hier gebeurde: de belangrijkste veteranen uit de bolsjewistische revolutie verklaarden

opeens schuldig te zijn aan samenzweringen 'tegen de sovjetstaat' die onvoorstelbaar en vaak ook onmogelijk waren. (Kamenev bijvoorbeeld zat in de periode waarin hij volgens de aanklager
druk bezig was met een groot internationaal complot, in de gevangenis.) Toch bekenden ze alles wat hun werd voorgelegd, in de
hoop op clementie voor zichzelf en hun gezin.

Zinovjev, die niet meer dan een wrak was, schreef Stalin brief
na brief: 'Ik behoor u toe, met lichaam en ziel.' Tijdens het proces
beweerde hij dat het 'trotskisme een variant was van het fascisme, en het zinovjevisme een variant van het trotskisme'. Kamenev richtte een speciaal woord tot zijn kinderen: 'Ik beschouw
dit vonnis bij voorbaat als rechtvaardig. Kijk niet achterom. Ga
verder voorwaarts. Samen met het sovjetvolk. Volg Stalin!'

De nacht na het proces, op 24 augustus, werden beide oude revolutionairen meegenomen naar de kelder van de Loebjankage-
vangenis en doodgeschoten. Volgens later uitgelekte berichten
werd het een martelpartij. Kamenev was na het eerste schot niet
direct dood, en ten slotte werd de verantwoordelijke NKVD-officier half hysterisch: 'Maak hem af! Maak hem af!' Hun oude
medestrijder Nikolaj Boecharin schreef, in de vergeefse hoop zelf
de dans te ontspringen: 'Ik ben dolblij dat de honden zijn afgeschoten.' Anderhalf jaar later was het zijn beurt.

ZOON
Een foto van Lev Kamenev uit 1935 – hij was nauwelijks vijftig –
toont een gebroken man wiens hoofdhaar en baard volledig wit
zijn geworden. Zijn vrouw heeft haar armen beschermend om hun
jongste zoon geslagen. Van deze familie Kamenev werd zestig jaar
lang niets meer vernomen. Eind jaren negentig wist de Amerikaanse journalist Adam Hochschild echter de jongste zoon op te
sporen, het jongetje dat op de foto zo stevig door zijn moeder werd
omarmd. Hij woonde in een grauw flatgebouw in Novosibirsk, hij
was docent filosofie die leefde met een kat en talloze boeken. Hij
had zijn naam veranderd, hij heette nu Vladimir Glebov en dat was
zijn redding geweest. Zijn strafblad begon op zijn vierde – hij was,
als kleuter en gezinslid van Kamenev, mede veroordeeld tot ballingschap.
Glebov toonde Hochschild een paar brieven van zijn vader, geschreven uit de gevangenis. Kamenev probeerde zijn zoontje op te

vrolijken met verhaaltjes, bijvoorbeeld over een stekelvarkentje dat een slaapplek had gevonden in de schoen van Zinovjev. Een jaar na Kamenevs executie werd ook zijn moeder doodgeschoten. Glebov was toen acht. Daarna zwierf hij negen jaar langs Siberische weeshuizen. Het eerste huis lag op dezelfde breedtegraad als Alaska. Je kon er alleen per rivierschuit komen, gevolgd door een tocht van twee weken met paard en wagen door het woud. 40 procent van de wezen bestond uit kinderen van weggezuiverde bolsjewieken en andere 'vijanden van het volk'.

In 1945 mocht hij gaan studeren. Een NKVD-officier zei hem: 'Je kunt alleen studeren omdat we je zijn vergeten. Herinner niemand aan je bestaan.' In 1949 werd hij opnieuw opgepakt. 'Ik wist dat, zolang Stalin nog leefde, ik eigenlijk in de gevangenis hoorde te zitten.' Bij zijn verhoor zei hij alleen: 'Luistert u eens, kapitein. Ik ga de gevangenis in voor zolang Hij nog leeft. Maar ik ben twintig, en Hij is zeventig.' Uiteindelijk kreeg hij tien jaar dwangarbeid wegens 'belastering van de leider van het wereldproletariaat en voor een esthetische benadering van de wereldliteratuur'. In 1957 werd hij definitief vrijgelaten.

In 1937-1938 vonden de grootste zuiveringen plaats. Nu ging het niet meer om 'klassevijanden' maar om 'vijanden van het volk': een subtiel onderscheid waarmee werd aangegeven dat de 'vijanden' nu ook gezocht werden binnen de communistische partij zelf.

Anna Smirnova vertelde me in Sint-Petersburg over een schoolvriendin. Haar vader was cum laude afgestudeerd aan de militaire academie, een topcommunist. 'Op een dag kwam ze op school met wijd open ogen. Haar vader was opgepakt. Iedereen was overstuur. Hij had maagproblemen en haar moeder was ontzettend bang dat hij in de gevangenis geen goed eten zou krijgen. Maar hij kreeg natuurlijk helemaal niets meer te eten. Hij was onmiddellijk doodgeschoten.' En haar eigen ouders? 'Die waren geen partijlid. Ze konden jarenlang nauwelijks een baan vinden. Maar dat was ook hun redding. Ze stonden daarom op geen enkele lijst.'

Ook Karl Radek werd nu beschuldigd. Volgens een anekdote hoorde hij op een internationaal congres een kameraad de term 'godzijdank' gebruiken. Hij corrigeerde de man: 'Wij zeggen nu:

"Dankzij Stalin".' Maar wat zeg je dan als Stalin overlijdt, vroeg de kameraad. 'O, dan zeggen we: godzijdank.' Dit soort grappen viel niet in goede aarde. In januari 1937 werd hij voor de rechtbank gesleept omdat hij, op instructie van Trotski, een 'parallel anti-sovjet trotskistisch centrum' zou hebben gesticht, van waaruit spionage en terreur werden bedreven.

Karl Radek gaf alles toe, net als de andere verdachten, om zijn familie te redden. Zijn ironie bleef overeind. Toen hem gevraagd werd of hij wel wist dat op terrorisme de doodstraf stond, antwoordde hij dat hij dat wetboek niet kende. 'U zult het na dit proces wel kennen,' zei de openbare aanklager. Radek: 'Dan zal ik het niet erg lang kennen.' Hij kreeg tien jaar cel, twee jaar later was hij dood.

Van de 394 leden van het Uitvoerend Comité van de Comintern in januari 1936 waren in april 1938 nog 171 over. De Nederlandse communiste Elinor Lippe woonde in 1937 in hotel Lux, het speciale verblijf voor buitenlandse communisten. Ze schreef dat 'elke nacht weer een paar personen uit het hotel verdwenen. 's Ochtends zaten er grote rode zegels op de deuren van weer een paar kamers.' Van het oude Politbureau van de Duitse communistische partij zijn meer leden door Stalin vermoord dan door Hitler: van de 68 leden die na 1933 naar de Sovjet-Unie vluchtten, zijn 41 omgebracht. De vervolgers zelf werden evenmin ontzien. Op 3 april 1937 werd Genrich Jagoda gearresteerd, tot 1936 chef van de NKVD en de slavenkampen. Hij werd, onder veel meer, beschuldigd van medeplichtigheid aan de moord op Kirov – in dit uitzonderlijke geval vermoedelijk terecht – en geëxecuteerd. Hij werd opgevolgd door Nikolaj Jezjov en, een jaar later, Lavrenti Beria.

In de herfst van 1937 werden grote aantallen sovjetdiplomaten teruggeroepen. Ze verschenen daarna nooit meer op enige lijst van een corps diplomatique. Bijna alle militairen en diplomaten die zich hadden ingespannen in de Spaanse Burgeroorlog, overleefden hun thuiskomst niet. De sovjetconsul-generaal in Barcelona, Vladimir Antonov-Ovsejenko, een oudgediende die al had deelgenomen aan de revolutie van 1905, werd 'compleet geliquideerd', zoals Chroesjtsjov het later uitdrukte. De brigadecommandant Skoblevski, die de slag om Madrid had gewonnen, verdween spoorloos, twee dagen nadat hij de Leninorde had gekregen.

Ook de rest van het leger kwam aan de beurt. Op 10 juni 1937 werden de beste en belangrijkste generaals van het Rode Leger binnen één dag opgepakt, gevonnist en geëxecuteerd. Alle militaire districtscommandanten en drie van de vier admiraals van de vloot belandden voor het vuurpeloton. Van de 85 korpscommandanten verdwenen 57 binnen een jaar. Van de ongeveer honderdduizend officieren werden naar schatting vijftigduizend vervolgd. Opnieuw: boven de rang van kolonel zijn meer officieren van het Rode Leger omgekomen door de hand van Stalin dan door die van Hitler.

In het Literatuurmuseum van Odessa valt nog het ronde brilletje van de schrijver Isaak Babel te bezichtigen, samen met zijn vulpen. Het is een eenvoudige stalen bril die je op al zijn foto's terugziet. Het is het enige tastbare dat rest van dit joodse kind van Odessa.

Babel werd in de jaren twintig en dertig gezien als een van de belangrijkste Russische schrijvers, maar al in 1934 noemde hij zichzelf vooral 'een grootmeester in een nieuw literair genre: de kunst van het zwijgen'. Op 15 mei 1939 werd hij door de NKVD van zijn bed gelicht. In zijn zenuwen zette hij zijn bril af en liet die op tafel achter. 'Die heeft hij niet meer nodig,' hoorden zijn familieleden toen ze de bril alsnog bij de gevangenis wilden afgeven.

De neergang van Isaak Babel is illustratief voor wat er in die jaren met honderdduizenden sovjetonderdanen gebeurde. Van Babel, en al zijn stemmingen, weten we alleen iets meer omdat veel van zijn correspondentie bewaard is gebleven. Babel was een gecompliceerd mens. Hij was een goedmoedige, vrolijke man; zijn jeugdverhalen tonen een geweldige frisheid en losheid. Hij had oog voor menselijke tragiek, maar tegelijk was hij een gedreven bolsjewiek. En hij was, in al zijn zachtmoedigheid, gefascineerd door geweld. Hij werkte zelfs voor de Tsjeka, als tolk, want zo kon hij mee met de cavalerie om zijn oorlogsreportages te maken.

Zijn grote succes kwam in 1924, toen de eerste verhalen uit *Rode ruiterij* werden gepubliceerd, het geromantiseerde verslag van zijn oorlogservaringen als zachtzinnige intellectueel tussen de rode strijders aan het front van Galicië. Babel rommelde op allerlei manieren met data, plaatsen en gebeurtenissen, maar al die literaire mist hielp hem niet. Babels verslaggeving over de gruwelijkheden die hij had meegemaakt in de oorlog tegen de Witten bleef te concreet. Aanvankelijk werd hij beschermd door de grote Maksim Gorki, maar toen het klimaat onder Stalin verhardde, kwamen de oude verwijten over 'laster' jegens het Rode Leger weer boven. Babel reageerde uiterst voorzichtig en in zijn latere boeken zie je hem zoeken naar de juiste toon om toch vooral geen aanstoot te geven.

In de jaren dertig werd hij nog altijd geëerd. Hij mocht naar het buitenland reizen en zijn leven – meerdere huizen, auto's – was riant in vergelijking met dat van menig landgenoot. Toch komen uit zijn brieven alle zorgen van de gewone Sovjetburger op de lezer af: hij heeft meerdere familieleden die hij met geld en goede raad moet steunen, hij heeft een oom die hij voortdurend uit de handen van justitie moet redden vanwege diens valutaspeculaties, hij moet 'blat' gaan om neven aan een baantje te helpen, een oom en tante aan een huis te helpen, een andere tante aan een plek in een sanatorium enzovoort. Hij schrijft over zijn oude vrienden, die allemaal 'boekhouders' zijn geworden, die allemaal 'een knauw' hebben gekregen en 'in hun schulp zijn gekropen'. Nooit heeft hij zich verlaagd tot adhesiebetuigingen bij de showprocessen, ondanks de enorme druk die op hem moet zijn uitgeoefend. Maar wel voelt hij zich gedwongen om steeds meer 'bijkomstige werkzaamheden' en 'werk op bestelling' te verrichten.

Er gebeurt in de jaren dertig met zijn werk, in de woorden van de grote Babelkenner Charles B. Timmer, iets heel opmerkelijks: 'Er sluipt een element van leugenachtigheid binnen, een opzettelijke idealisering van de held in niet aan de realiteit ontleende omstandigheden, een appelleren aan abstracte gevoelens van "liefde" en "kameraadschap", beelden van soldaten die "met opgeheven hoofd" sterven, moreel gesteund door de "vriendschap op het slagveld".' Babel begint, kortom, in slogans te schrijven, en op den duur verloochent hij niet alleen zijn stijl, maar zelfs zijn vroegere waarnemingen. In een duidelijk 'besteld' boek laat hij bijvoorbeeld na de revolutie van 1918 militairen in het nieuwste model Packard rondrijden, terwijl de arbeiders in huizen wonen met gaskomfoor, badkamer en ijskast. In zijn eerdere werk staat precies hoe het werkelijk was: diepe, diepe ellende, vele jaren lang.

De laatste twee foto's van Babel komen uit zijn dossier van de NKVD, dat in de jaren negentig weer opdook. Ze zijn vlak na zijn arrestatie genomen, en ze zien eruit als alle arrestantenfoto's:

één vanaf de zijkant, één van zijn volle, boerse gezicht. Hij houdt zijn neus wat omhoog, het hoofd iets scheef, het hemd open, het vest dichtgeknoopt, de mond stug, de ogen hebben iets afwachtends, aarzelend, zonder bril.

Isaak Babel heeft nog driekwart jaar geleefd. Tien jaar lang beweerden de autoriteiten dat hij gezond in een werkkamp zat. Uit de NKVD-dossiers wordt duidelijk dat zijn eenzame neergang nog verder is gegaan. In de zomer van 1939 deed hij, na wekenlange ondervragingen, een gedetailleerde bekentenis: ja, hij was een werktuig van de trotskisten, ja, hij had zich tijdens een reis naar Frankrijk als spion laten recruteren, ja, hij kende andere vijanden van het volk, waarbij hij de namen noemde van een aantal andere kunstenaars, onder wie de filmer Sergej Eisenstein. In september, zo blijkt ook uit het dossier, deed hij vervolgens een laatste poging om aan zijn lot te ontsnappen. Hij schreef een brief aan NKVD-chef Beria waarin hij een vurig verlangen uitte 'om te werken en een fout, crimineel en verspild leven te berouwen en te veroordelen'.

Toen hij besefte dat hij – vermoedelijk onder zware marteling – zijn vrienden en zichzelf voor niets had verraden deed hij alles om zijn bekentenissen te herroepen. Bij zijn berechting voor het geheime militair tribunaal, op 26 januari 1940, ontkende hij alles wat hem in de schoenen werd geschoven. Het versnelde zijn afgang. De volgende ochtend werd hij doodgeschoten. De koffer vol ongepubliceerde manuscripten die bij zijn arrestatie in beslag was genomen – waaronder tientallen verhalen en een boek over Gorki – is nooit teruggevonden.

Isaak Babel was een van de laatste vooroorlogse slachtoffers van de grote zuiveringen. De arrestaties en processen stopten in de lente van 1939 even plotseling als ze waren begonnen. Enkele maanden na het aantreden van Beria besloot het Centraal Comité dat er ernstige fouten waren gemaakt bij de vervolging van communisten en anderen. Het werd tijd, zo zei men, 'om een onderscheid te maken tussen saboteurs en mensen die enkel vergissingen maakten'. Dit gebeurde níet onder druk van de talloze weldenkende westerlingen die de Sovjet-Unie als een lichtend voorbeeld bleven zien. In hun ogen waren de zuiveringen, de deportaties, de terreur en het slavenbestaan van de Sovjetburgers tijdelijke maar noodzakelijke maatregelen om de revolutie verder te helpen. Alleen de oude André Gide bestreed dit soort argumenten in het vervolg op zijn reisverslag, *Retouches à mon Retour de l'U.R.S.S.* (juni 1937): 'Ik zie deze slachtoffers en hoor hen, ik voel hen overal om mij heen.' Twee maanden later schreef hij in zijn dagboek over de communistische en de fascistische mentaliteit, en wanneer en hoe beide precies op elkaar waren gaan lijken.

Na 1939 werd slechts een klein aantal ballingen en gevangenen vrijgelaten. Pas vanaf 1956, na Chroesjtsjovs publieke erkenning van Stalins terreur, werden de meeste slachtoffers gerehabiliteerd. De openbare excuses bleven beperkt tot de ten onrechte gestrafte communisten; over de honderdduizenden niet-communistische slachtoffers werd met geen woord gerept. De massale deportaties bleven doorgaan tot 1953. Zelfs midden in de oorlog, in 1943, liet Stalin zo'n zeshonderdvijftigduizend Tsjetsjenen, Ingoesjeten, Kalmukken en Karatsjajeven naar Siberië transporteren. Na de oorlog volgden honderdduizenden burgers uit, onder meer, Estland, Letland, Litouwen en de DDR en andere Midden- en Oost-Europese landen. In 1952 werden nieuwe showprocessen voorbereid, met name tegen de joden. Op het moment dat Stalin overleed zaten meer mensen dan ooit in de Goelag, zo'n tweeënhalf miljoen.

Volgens de meest betrouwbare berekeningen zijn vermoedelijk tweeënhalf à drie miljoen mensen in de Goelag omgekomen. In totaal verloren tussen 1928 en 1952 ongeveer tien tot twaalf miljoen Sovjetburgers het leven bij de zuiveringen, de hongersnoden, de executies en de gedwongen collectivisaties.[18]

VIII

Augustus

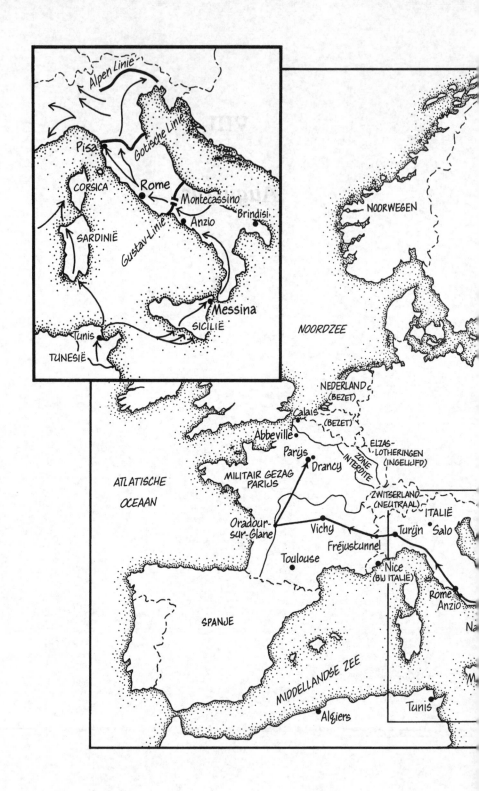

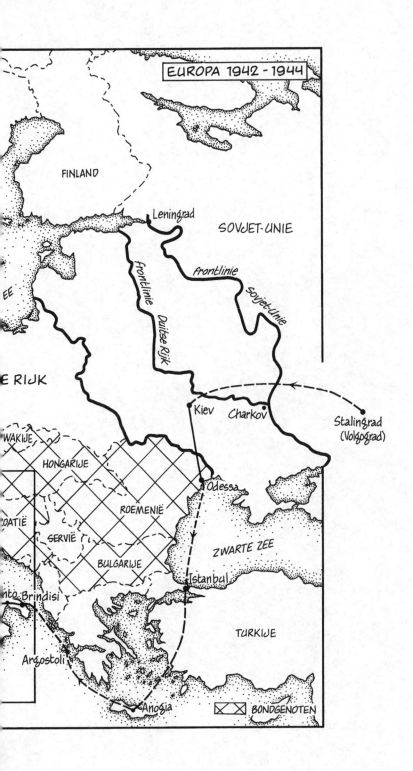

1

Je moest zenuwen hebben als een paard om mee te luisteren bij het verslag dat een jonge officier uit de staf van Paulus aan de Führer uitbracht. Hij deed dat met een nuchterheid en een vastbeslotenheid, zonder verwijten en klachten, en daarom was het juist zo schokkend. Vaak voel ik mezelf een klootzak, wanneer ik in een kamer in een bed ga liggen, en ondanks alles zonder zorgen slaap.

Generaal Alfred Jodl in een brief aan Luise Jodl, januari 1943.

'Die "jonge officier", dat was ik, Winrich Hans Hubertus Behr, Teddy voor mijn vrienden. In de jaren vijftig werkte ik voor de Europese Gemeenschap voor Kolen en Staal, daarna was ik loco-secretaris-generaal van de Europese Gemeenschap. Vanaf 1965 leidde ik twintig jaar lang een telecommunicatieconcern. We maakten telefoons, schakelsystemen, centrales, alarminstallaties, al dat soort zaken. Twaalfduizend man personeel. We wonen nu achter Düsseldorf, in een rustig villadorp. Een prachtige tijd.

Ik heb weleens bedacht dat mijn overgrootvader, mijn grootvader, mijn vader en ik één ding gemeen hebben: we hebben alle vier in een oorlog tegen Frankrijk gevochten, en we zijn er alle vier gewond geraakt. Ik kan u een klein kistje laten zien met de IJzeren Kruisen van vier generaties erin. Zoiets was, naar de toenmalige opvattingen, een grote eer voor een Duitse familie. Maar het is natuurlijk ook iets miserabels, vindt u niet?

Mijn vader was in 1914 bataljonscommandant. Direct al bij het begin van de oorlog is hij in een bos bij Maubeuge, toen hij met getrokken sabel vooropging bij een aanval op de Fransen, door een granaat geraakt. Zijn hele gezicht, neus, ogen, mond, alles werd opengereten. Hij heeft uren op het slagveld gelegen. Ten slotte is hij opgeraapt, naar Berlijn gestuurd en daar verder verpleegd. Zijn gezicht was volledig verminkt. Hij was totaal blind. Zo heeft hij mijn moeder leren kennen, zij was zijn verpleegster. In 1915 zijn ze getrouwd. Drie jaar later werd ik geboren, op 22 januari 1918. Ik heb dus een vader gehad die mij nooit met eigen ogen heeft gezien.

Mijn hele familie is afkomstig uit de Baltische staten, maar tegelijk was mijn vader een typische zoon van de Pruisische cadettenacademies, een echte militair van de keizerlijke generatie, net als mijn grootvader. Hij kon ontzettend afgeven op Wilhelm II, maar hoe hij ook schold, hij zei altijd "Unser allergnädigster Kaiser" en "Seine Majestät".

Hij was kolonel bij de generale staf en hij had leren typen op een blindenmachine, zo deed hij thuis zijn werk. We woonden in een dure wijk, bij de Tiergarten, en we hadden altijd hoge officieren op bezoek. Ook wandelden we veel samen, mijn vader en ik. Ik leidde hem dan door Berlijn, langs de toenmalige Siegesallee met al die gipsbeelden van Duitse vorsten, en dan kreeg ik hele colleges over geschiedenis. Mijn vader zei altijd: "Mijn jongen, je wordt hopelijk toch geen koopman." Daarmee bedoelde hij: niet-ambtenaar. Hij vond het dienen van de staat het mooiste dat er was, hetzij als officier, hetzij als hoge ambtenaar. Alle andere beroepen, waarbij het alleen maar om geld ging, vond hij tweederangs.

Wij behoorden tot een generatie die geen idee had wat er van ons zou worden. Het Duitsland waarin wij opgroeiden, had zes miljoen werklozen. Vaak hadden de mensen gewoon honger. Bijna iedere dag was er wel een politieke moord. Politici trokken ons niet aan, nationalisten waren we evenmin. Ik herinner me een concert van de Reichswehr, 's avonds, met fakkels en tot slot een koraal, dat vond ik als jongen wel indrukwekkend. Maar voetballen vond ik veel interessanter.

Rond mijn dertiende, in 1931, speelde ik veel met twee andere jongens. Op een dag kwam een van die knapen, een zoontje van een ziekenhuisportier, aanlopen met een zwart hemd. Hij had ook insigne, een ondergaande zon. Hij zei: "Ik ben bij de Hitler-Jugend." Hij begon ons van alles te vertellen, over Hitler en over zondagse tochtjes met een vrachtwagen naar buiten. Ik mocht weleens mee, zei hij. Zo klom ik dus op een zondagochtend ook op die vrachtwagen. Er waren ongeveer vijftig jongens, die allemaal schillermutsen, koppels en zwarte hemden droegen.

Onderweg werden er liederen gezongen, er werd halt gehouden bij een café waar schnaps en bier werd gedronken, we reden weer verder, sommigen werden dronken, er werden gore grappen verteld, er werd geschreeuwd: "Juda, verrecke!" Het was, kortom, ruwe arbeidersjeugd, werkloos, niets om handen. Voor hen was het een belevenis, zo'n tochtje. Het was niet mijn slag. Dat was, rond 1931, mijn eerste contact met de nazi's.

En met de joden? Lieve hemel, mijn klas op het Französisches Gymnasium bestond voor bijna de helft uit joodse jongens, dat was helemaal geen punt. Daar ging ik net zo vriendschappelijk mee om als met alle anderen. Dat Hitler werkelijk de joden zou vermoorden, dat hij ons opnieuw in een tweefrontenoorlog zou storten, in die tijd was dat allemaal nog ondenkbaar. We liepen rond in Verdun op een schoolexcursie; wat een totale waanzin vonden we die oorlog van '14-'18. Wij schooljongens wisten zeker dat zoiets zich nooit meer zou herhalen. Het zou altijd vrede blijven.

Ondertussen begonnen veel van die deftige joodse families weg te trekken naar het buitenland, rustig en discreet. In 1929 startte onze gymnasiumklas met dertig jongens. Daarvan kwamen, schat ik, zo'n vijftien uit joodse gezinnen. Toen ik in 1935 eindexamen deed, waren van die hele klas acht jongens over.

Een paar van die oude klasgenoten heb ik een halve eeuw later nog een keer ontmoet, in 1988, toen mijn gymnasium driehonderd jaar bestond. Het was leuk om ze terug te zien. Maar toch. Ik was gedecoreerd militair geweest in de Tweede Wereldoorlog, lid van de staf van veldmaarschalk Rommel en dat wisten ze natuurlijk allemaal. Ik voelde de vraag hangen: "Hoe heb je daarbij kunnen zijn?" Vijftig jaar treurige geschiedenis, het vormde een barrière die we tevergeefs probeerden te overbruggen.

1936 was het jaar van de Olympiade in Berlijn. Ik was achttien en voelde me groots. Zoveel verbondenheid tussen de volkeren, zoveel verbroedering. Zo beleefde ik dat. Het jaar daarop ging ik naar de Kriegsschule in München. Ik werd dus officier, misschien wel omdat er voor mijn vader niets anders bestond. Ik ben geen lid van de partij geworden, maar ik had er, eerlijk gezegd, in 1933 met mijn jeugdige geestdrift gemakkelijk in mee kunnen gaan. Ik kreeg het aanbod om een hoge rang te bekleden in de Hitler-Jugend, maar mijn vader blokkeerde dat, hij vond dat ik al mijn energie moest steken in mijn opleiding, hij vond het allemaal maar niks.

Door zijn werk bij de generale staf was hij uitstekend op de hoogte van alles wat er gaande was. "Die halve kunstschilder, mijn hemel, dat zal me een rotzooi geven, voor ons allemaal," mompelde hij regelmatig. Ik vond dat helemaal niet, ik was wild enthousiast. Ik deed als soldaat mee aan de intocht in Sudetenland met onze Berliner Pantserdivisie. Dat was geen oorlog, dat was alleen maar een feestparade. Overal werd gevlagd, we werden enthousiast binnengehaald, en we dachten: zo wordt Versailles langzaam maar zeker door Hitler ongedaan gemaakt. De intocht in Rijnland ging net zo. Wij, jonge officieren, beseften dat Hitler hoog spel speelde, maar hij deed dat heel handig. We verwachtten niet dat het mis zou gaan. En daarbij kwam natuurlijk ook nog eens alle propaganda waaraan we permanent werden blootgesteld.

De ouderen waren veel voorzichtiger. Een groot deel van ons officierenkorps bestond uit zogeheten gereactiveerde officieren, oudere officieren die weer waren teruggehaald naar de Wehrmacht. Bijna allemaal hadden die nog deelgenomen aan de oorlog van '14-'18. We vonden dat maar uitslovers: als ze in de verte een kanonschot hoorden, gooiden ze zich al op de grond. Pas later beseften we hoe verstandig dat was. Die hadden echte oorlogservaring.

Toen we in de zomer van 1939 in Pommeren lagen, en er geruchten waren dat het in Polen zou gaan gebeuren, waren al die officieren buitengewoon somber. "Die kerel stuurt aan op een nieuwe wereldoorlog," zeiden ze. "Dit moet fout gaan." In die stemming trokken we op tot tien kilometer voor de grens. Toen kwam het bevel om weer dertig kilometer terug te trekken, en al die oude officieren zetten het opgelucht op een drinken: "Goddank, toch geen oorlog. Hitler heeft het weer eens geflikt." Dat was het moment waarop Hitler de Engelsen nog achtenveertig uur gaf om aan zijn laatste ultimatum te voldoen, maar dat wisten we natuurlijk niet.

Ikzelf was in die dagen, verontschuldig me, vervuld van eigenlijk maar één gedachte: lieve God, wees toch niet zo wreed voor mijn vader om ook zijn enige zoon in een oorlog te laten vallen. Dat een koerier bij mijn ouders op de stoep zou staan met het bericht: "Uw zoon is gesneuveld", dat idee joeg me meer angst aan dan mijn eigen dood.

Toen gingen we. De eerste die ik zag sneuvelen, was een jonge collega-officier. De oorlog was een paar dagen aan de gang, we hadden een verlaten landgoed ontdekt, we liepen de tuin in, er stonden een paar auto's, er was een prachtig terras, een eetkamer, en daarin een grote gedekte tafel met zeker twintig borden, en alles er nog op, ham, boter, kaas, gevogelte, noem het maar. Het gezelschap was duidelijk in alle haast van de maaltijd weggevlucht. Ik pak terloops een plakje ham, en terwijl ik me omdraai, zie ik opeens drie Polen tussen de bomen staan, klaar om te schieten. Achter me komen twee jonge Duitse officieren aanlopen. Ik sta verstijfd. De Polen schieten, springen in een auto en rijden weg. Een van die officieren achter me was direct dood, de andere heeft het gehaald. Voor de eerste keer zat de oorlog me op de huid.

Een paar maanden later, in november 1939, werden we overgeplaatst naar Krefeld, vlak bij de Hollandse grens. Het was een harde winter, in Nederland waren alle rivieren en kanalen dichtgevroren. De Hollanders legden telkens explosieven onder het ijs om te voorkomen dat we er met onze troepen overheen zouden trekken. Ik moest voortdurend een straatweg naar Venlo in de gaten houden, alles rapporteren wat daar gebeurde. Die hele winter stonden we op scherp, klaar om binnen te vallen.'

Uiteindelijk is onze divisie wat verder naar het zuiden verplaatst, naar Aken, en op 10 mei 1940 zijn we België en Frankrijk binnengetrokken, langs Maubeuge. Ik heb mijn vader maar geen ansichtkaart gestuurd.

Die veldtocht tegen Holland, België en Frankrijk verliep voor ons heel anders dan wat ik over de Eerste Wereldoorlog had gehoord. Onder mijn manschappen proefde ik nergens de weerzin jegens de vijand, die in 1914 nog heel algemeen was. We waren trots op onze overwinningen, maar niemand dacht erover om Franse steden plat te branden. En bij onze tegenstanders voelde ik evenmin veel haat, althans die eerste weken. Natuurlijk stonden de Fransen niet te juichen, maar er was geen kelner die ons weigerde te bedienen. Ik heb zoiets tenminste nooit meegemaakt. We hoefden geen extra wachtposten uit te zetten, we konden rustig slapen.

Ook in militair opzicht verliep alles heel anders. Ik was ondertussen kapitein, en ik had een motorfietscompagnie onder me.

De Franse tankdivisies lieten het volledig afweten. Dat was niet alleen een kwestie van materieel overwicht. Van Franse vrienden die aan de andere kant vochten, hoorde ik later dat het ook te maken had met hun innerlijke overtuiging: veel Fransen waren, in hun hart, niet bereid om opnieuw oorlog te voeren. Er zijn nu allerlei theorieën die zeggen dat het Franse leger in mei 1940 beter was toegerust dan men algemeen denkt, en dat de Duitsers een harde dobber aan de Fransen zouden hebben gehad als ze echt hadden willen vechten. Ik kan daarover niet oordelen. Persoonlijk ben ik in Frankrijk nergens op werkelijk sterk verzet gestuit, zoals ik bijvoorbeeld later in Rusland heb meegemaakt. Van mijn hele compagnie zijn maar drie man gewond geraakt, waaronder ikzelf: een lichte schotwond door mijn hals. Dat was alles.

Het ging tijdens die meiweken van 1940 allemaal zo vlug en gladjes dat zelfs mijn vader wankelde. "Mijn jongen," zei hij op een avond, "ik ben te oud, ik begrijp de tijd niet meer. Wat Hitler nu gepresteerd heeft, dat is werkelijk ongelooflijk. Iets wat ons in vier jaar niet lukte, fikst hij in vier weken!"

Die stemming duurde geen veertien dagen. Vlak voor Duinkerken moesten we opeens halt houden. Onze hele divisie had niets te doen. Wij konden ons alleen maar afvragen waarom we daar in 's hemelsnaam drie dagen moesten blijven stilstaan. Achteraf bleek dat de Engelsen daardoor de kans kregen om bijna hun hele expeditiemacht te evacueren, met talloze particuliere bootjes. Het is een van de grote raadsels uit de Tweede Wereldoorlog waarom Hitler dat heeft laten gebeuren. Mensen uit zijn naaste omgeving hebben me later verteld dat hij eigenlijk hoopte op een vredesverdrag met Engeland. Engeland was voor hem een stille liefde, het was en bleef een Germaans volk.

Dat Hitler eind mei 1940 werkelijk dacht dat er snel vrede zou komen, blijkt ook uit iets wat ik persoonlijk meemaakte. Toen ik nog in opleiding was, in Potsdam, had ik een paar keer meegeholpen om een parade te organiseren, onder andere van het Legioen Condor dat uit Spanje terugkwam. Vanwege die ervaring werd ik als officier opeens ingedeeld bij de voorbereidingsgroep voor een enorme vredesparade die in Parijs zou moeten worden gehouden. Ik moest bijvoorbeeld onderzoeken of de Duitse tanks bij het Place de l'Étoile en het Place de la Concorde wel goed de bochten konden nemen, en of bepaalde straatlantaarns misschien moesten worden weggehaald, dat soort dingen. Het duurde allemaal maar een paar dagen, daarna werd onze paradegroep alweer ontbonden: voorlopig zou er geen vrede komen. En mijn vader begon weer te verkondigen dat het onder leiding van deze halve kunstschilder alleen maar ellendig kon aflopen.

In de winter van 1940-1941 kregen we een nieuwe opdracht: we werden naar Noord-Afrika gestuurd. Eerst met de trein naar Napels, dan verder over de Middellandse Zee naar Tripoli. Maar ons tropenuniform mochten we in Napels niet aantrekken. Het gold toen als hoogst onbetamelijk om met blote knieën over straat te lopen. Je kon er in die tijd nog een hotel binnenstappen, vragen naar een willekeurig telefoonnummer in Londen, en dan rustig met Engeland bellen. Dat was tekenend voor de situatie. Tijdens de campagne in Afrika heersten over en weer een soort ridderlijke codes: we vochten wel tegen elkaar, maar we wisten ook dat we elkaar netjes zouden behandelen bij verwonding of gevangenschap. Ik voerde het bevel over een verkenningseenheid die met snelle, lichte tanks voor de hoofdmacht uit reed om de posities en de gevechtskracht van de Engelsen vast te stellen. U moet zich voorstellen, wij en de Engelsen, we vormden eenzame groepjes in die enorme leegte. We jakkerden door de woestijn, we probeerden de tommy's te slim af te zijn, we konden elkaar afluisteren, we kenden elkaars namen. Soms lieten we een krat bier voor hen achter, en zij een paar flessen whisky voor ons. Natuurlijk, er vielen doden en gewonden. Maar de oorlog had nog niet de naakte gruwelijkheid die later zou komen.

Had ik toen al enige twijfel over de afloop? Ik geloof het niet. We waren vol optimisme. Onze tanks en onze bewapening waren in het begin veel beter dan die van de Britten. Duitsland wilde Egypte veroveren en ook vanaf de andere kant, via de Kaukasus en Turkije, het Suezkanaal bereiken. Maar toen we merkten hoe afhankelijk we waren van de aanvoer over zee, en hoe die afgeknepen werd door de Britse onderzeeërs, toen begonnen we ons toch wel zorgen te maken.

Rommel bevoorraadde zichzelf door brandstofopslagplaatsen van de Engelsen te overvallen. Dat lukte ons een paar keer, maar op zo'n wankele basis kun je natuurlijk geen veldtocht voeren. Toen al vroegen we ons onder elkaar af of dit op den duur wel goed kon gaan. Ik zie nog voor me hoe we midden in de woestijn, om vijf uur 's ochtends, met z'n allen om een kortegolfontvanger stonden en hoorden dat Duitse troepen de Russische grenzen hadden overschreden. "Ik geloof dat dit het einde is van onze successen," zei ik tegen de soldaten om me heen. "Dit is een beslissende dag. We komen nu opnieuw in een tweefrontenoorlog terecht, en net als Napoleon zullen we daarin vastlopen." Ik zei dat openlijk, en niemand sprak me tegen. Iedereen dacht hetzelfde: de Führer is stapelgek geworden. Het was toen 22 juni 1941.

Daarna keerden ook de kansen voor ons Afrika Korps. De Engelsen hadden versterkingen gekregen, ze hadden een nieuwe, briljante commandant, Montgomery, en ze hadden nieuwe tanks: Amerikaanse Shermans. Tijdens een verkenningsactie werden we voor het eerst verrast door een formatie van die Shermans, en we konden maar nauwelijks het vege lijf redden. We werden flink geraakt. Ik had een stel granaatscherven in mijn borst, en zo werd ik teruggehaald, naar een Duits ziekenhuis. Toen ik was opgekalefaterd, mocht ik naar Potsdam voor een verdere militaire opleiding.

Ik zag dat daar in Berlijn joden met een ster rondliepen. Maar ik besefte absoluut niet hoe ernstig de situatie voor hen was. Wij werden, als jonge, veelbelovende officieren, aan alle kanten gefêteerd, ook door de diplomaten. Maar over de massamoord op de joden, die toen al in het oosten gaande was, hoorden we niets. Ik wil me niet excuseren, maar ik had niet, zoals andere officieren, persoonlijk de moordpartijen aan het oostfront meegemaakt. In Afrika speelden zulke kwesties niet. Toen ik later in Stalingrad kwam, waren daar al helemaal bijna geen burgers meer, laat staan joden. Vergeet niet, het was een eigen, vrij afgesloten wereld waarin wij stafofficieren leefden. Niemand van ons was partijlid, dat mochten we zelfs niet zijn.

Mijn ouders hadden joodse vrienden, mijn vader had een joodse regimentskameraad. Het idee dat die brave mensen afgevoerd zouden worden en in een oven zouden worden geduwd, zoiets kwam toch niet in je hoofd op? Pas na de oorlog drong tot me door wat er werkelijk was gebeurd, toen ik de beelden van de kampen zag en over de enorme aantallen hoorde. Pas toen besefte ik welke systematiek hierachter had gezeten. Wat een gruwelijkheid!

Ik heb zo, al met al, bijna een jaar in Berlijn gezeten. Ik kreeg een verdere opleiding, er waren veel feesten, ik ontmoette mijn latere vrouw. In oktober 1942 was het voorbij. Ik kreeg de opdracht me bij de staf van generaal Paulus te voegen, de opperbevelhebber van het Zesde Leger bij Stalingrad. Ik werd daar de man die de kaarten bijhield, met de posities van ons eigen leger en die van de vijand. Ik wist precies hoe het zat met de bevoorrading, hoeveel ton was binnengevlogen, hoeveel ton was afgeworpen, enzovoort. Degene die dat doet, is een van de best geïnformeerde officieren van het hele leger. Vandaar dat ze me later ook uitkozen om Hitler de waarheid te vertellen.

Toen ik bij Stalingrad aankwam, werd ik uitvoerig ingelicht door de overste die verantwoordelijk was voor de informatie over de vijand, een zekere Niemeyer, een aardige kerel. Hij liet me zijn kaart zien, vol rode lijnen. "Kijk eens goed," zei hij. "We zitten dik in de ellende. We melden het dag na dag aan het hoofdkwartier, maar aan de top wil niemand ervan weten. Kijk maar eens: hier zijn tweeduizend Russische voertuigen gesignaleerd die allemaal met licht reden, daar zijn honderden tanks waargenomen, je ziet ze allemaal naar een bepaalde hoek trekken. Ik kan alleen maar zeggen: van daaruit beginnen de Russen binnenkort een aanval, en ze gaan gehakt van ons maken." Dat was begin oktober 1942.

Op datzelfde moment ging onze legerleiding ervan uit dat het met de Russen afgelopen was, dat ze geen reserves meer hadden, en dat we een rustige winter tegemoet zouden gaan. Onze Lieve Heer moet ze met blindheid hebben geslagen. In werkelijkheid hadden de Russen bij Stalingrad tweeduizend T-34-tanks tot hun beschikking, terwijl wij niet verder kwamen dan tachtig. En die hadden hoogstens brandstof voor honderd kilometer. Toen al dacht ik: zijn ze hier allemaal gek geworden? Maar ja, het was duidelijk een prestigezaak. Niemand lette meer op de feiten.

Op 19 november begon de Russische aanval. Onze commandobunker lag zo'n tien kilometer van het front, in het midden van het gebied dat de Russen omsingeld hadden. Ik onderhield nauw contact met de vechtende troepen, reed overal rond. Paulus wilde voortdurend weten hoe zijn mannen ervoor stonden, hoe gruwelijk de situatie ook was. De kou was berucht, maar het was vooral de harde wind die ons nekte. Er lag zo'n dertig centimeter sneeuw, met daarop een harde ijskorst waar je bij elke stap doorheen zakte. Je moet je die infanteristen voorstellen, die over zo'n vlakte, met een machinegeweer op de schouder, voor de vijand moesten wegrennen. Men sprak voortdurend over uitbreken, maar alleen al fysiek was het bijna niet mogelijk om in het offensief te gaan, laat staan om door de Russische linies uit de omsingeling te breken.

Op 20 december belandde ik even in het lazaret. Ik had problemen met mijn verstandskies, de tandarts zou me wel helpen. Ik stapte uit de kou naar binnen en er sloeg me een enorme hitte tegemoet, vermengd met een pestilente geur. Ik zag een grote, lange barak, en daar stonden zo'n dertig artsen, onder het bloed, als in een slagerij, voeten en vingers af te zagen. Die deden de hele dag niets anders dan bevroren ledematen amputeren.

Toen ik, als een van de laatsten, in de namiddag van de 13de januari 1943 vertrok van het vliegveld Pitomnik lagen ze... Weet u, zoals in een bos het gehakte hout is opgestapeld, zo lagen daar overal stapels bevroren lijken, zieken en gewonden die naar het vliegveld waren gesleept en die alsnog waren gecrepeerd. Duizenden lagen daar zo, het was onmogelijk om ze in die hardbevroren grond te begraven. Het vliegveld werd al met mortieren beschoten. Het was een totale chaos. Overal klonk gejammer en geroep. Ik werd door de Feldgendarmerie naar een van de laatste vliegtuigen geloodst, een Heinkel 111. Ik was de enige passagier die niet zwaargewond was. Honderden anderen probeerden, soms kruipend, bij het vliegtuig te komen, hun enige kans op ontsnapping. Ze moesten met machinepistolen worden tegengehouden. Daarna zijn nog drie dagen lang vliegtuigen van het vliegveld Goemrak vertrokken. Toen was de verbinding voorgoed verbroken.

Ik heb dus ongelooflijk veel geluk gehad. Ze hadden mij naar Hitler gestuurd, maar allereerst moest veldmaarschalk Manstein, in zijn hoofdkwartier bij de Zee van Azov, persoonlijk op de hoogte worden gesteld van de hopeloze situatie. Hij zei: "Wij denken er hier net zo over als daar bij u. Maar gaat u zelf naar de Führer. Als u het vertelt, maakt dat meer indruk dan het verhaal van een of andere aanstormende generaal." Hij stelde me een vliegtuig ter beschikking om me de volgende ochtend naar de Wolfsschanze in Rastenburg te vliegen, het hoofdkwartier van Hitler in Oost-Pruisen. Het was zo waanzinnig koud dat de piloot bij het warmdraaien van de motoren met zijn handen letterlijk vastvroor aan de stuurknuppel. Hij verloor daardoor hele stukken huid, het duurde uren voor er een vervangende piloot gevonden was.

Ik kwam dus pas 's avonds in de Wolfsschanze aan. Mijn stemming werd grimmig, bijna communistisch, toen ik al die nette officieren zag, met hun keurige uniformen. Het was er helemaal niet zo chic, maar als je uit die bittere ellende komt, ben je al kwaad op iedereen die normaal kan slapen. Ik werd direct binnengebracht. Hitler begroette me, daarna gingen we naar de grote commandokamer. In het midden stond een zeker twee meter brede en tien meter lange tafel waarop alle oorlogsgebieden waren afgebeeld, voorzien van talloze kleine vaantjes. Dat waren legers en divisies. Bij Stalingrad stonden, tot mijn verbazing, ook overal complete vaantjes, terwijl ik zelf had gezien dat die divisies nog maar uit een paar manschappen bestonden. De rest was weggevaagd.

Nu wist ik dat Hitler liever niet naar boodschappers van slecht nieuws luisterde, en dat hij zulke gesprekken vaak snel met eindeloze theorieën naar zijn hand zette. Dat gebeurde nu ook. Hij begon mij al gauw te bedanken voor mijn bezoek, vroeg me de groeten te doen aan generaal Paulus, hem alle sterkte te wensen enzovoort. Ik heb toen al mijn moed bijeengeraapt en hem gezegd dat ik zo niet kon vertrekken, omdat ik van generaal Paulus nadrukkelijk de opdracht had gekregen om Hitler van de werkelijkheid bij Stalingrad op de hoogte te stellen. Hij liet me toen inderdaad mijn verhaal vertellen, luisterde goed, stelde een paar verstandige vragen en onderbrak me niet.

De generaals interrumpeerden me wel: "Er is toch een SS-pantserkorps van Charkov op weg naar Stalingrad om jullie te ontzetten?" Maar ik wist dat dit SS-leger veel te klein was, en dat het bovendien in de buurt van Charkov al door Russische T-34's in de pan was gehakt. Wat Hitler en zijn generaals vooral niet onder ogen wilden zien, was de verandering bij de Russen. Die hadden goed gekeken naar de Duitsers, waren razendsnel overgeschakeld op oorlogsindustrie, hadden duizend kilometer achter de Wolga enorme tankfabrieken gebouwd en versloegen ons nu met onze eigen wapens en tactieken. Op dat moment besefte ik dat Hitler alleen nog maar leefde in een fantasiewereld van kaarten en vlaggetjes. Toen wist ik zeker dat we de oorlog zouden verliezen.

U vraagt of mijn vrijmoedige optreden, als drieëntwintigjarige, enig effect heeft gehad. Ik meen van wel. Alleen was het resultaat totaal anders dan ikzelf voor ogen had. Er kwam geen hulp. Wel werd twee dagen later de toon van de propaganda omgeschakeld. Hitler en zijn generaals waren er, mede dankzij mijn verhaal, kennelijk toch van overtuigd geraakt dat het over en uit was met Stalingrad. Het ging niet meer om "overwinningen" maar om de "heldenslag bij Stalingrad" en de "godenschemering tegenover het Russische communisme"... nou, een goede verstaander wist dan wel genoeg.

Goebbels begon vervolgens zijn heldentheater vakkundig om te bouwen. De benoeming van generaal Paulus tot veldmaarschalk moet ook in dat licht worden gezien: hij zou het leven moeten laten aan het hoofd van zijn troepen, met het vaandel in de hand, de heldendood bij uitstek. Paulus begreep alleen zijn rol niet zo goed. Hij liet zich krijgsgevangen maken, verscheen als getuige voor het tribunaal van Neurenberg en zou zijn verdere levensjaren doorbrengen in een villa bij Moskou, kaartspelend en schrijvend aan zijn memoires. Pas in 1957 kwam er een eind aan zijn leven, in de DDR, in Dresden, in bed.

Er zijn nu historici die zeggen: een andere generaal dan Paulus zou geprobeerd hebben om uit te breken. Daarmee zouden wellicht zo'n honderdduizend man zijn gered. Dat vraag ik me af. Zo'n uitbraak zou, toen het nog kon, tegen alle bevelen van Hitler en Manstein zijn ingegaan. Het zou regelrechte insubordinatie zijn geweest. De rest van het oostfront zou dan waarschijnlijk ook zijn ingestort. In de tweede plaats hadden onze tachtig tanks nauwelijks meer brandstof. Onze kanonnen konden niet meer voor- of achteruit, de meeste paarden waren door onze soldaten opgegeten. Daartegenover stonden tweeduizend T-34-tanks van de Russen. In de derde plaats moesten vrijwel al onze manschappen lopen omdat er geen vervoer meer was. Ze moesten bovendien hun eigen uitrusting meeslepen, en dat allemaal door die ijskoude wind. Het zou net zo'n debacle zijn geworden als de terugtocht van Napoleon uit Moskou.

Na dat gesprek met de Führer had ik een ontmoeting met twee stafofficieren die ik goed kende. Beiden zijn later omgebracht, na de aanslag van Stauffenberg. Ze hadden mijn verhaal ook gehoord en polsten me zo'n beetje of ik niet mee wilde doen met een verzetsgroep tegen Hitler. Ik was daar toen innerlijk nog niet aan toe.

Ik had persoonlijk niets van al die gruweldaden van de nazi's meegemaakt, in tegenstelling tot veel andere officieren. Ik zag stompzinnigheid, slechte leiding, noem maar op, maar om daarom mijn pistool te trekken en onze opperbevelhebber neer te schieten, dat was toch iets anders. We juichten toen hij het goed deed in Frankrijk, dan maken we hem toch niet af nu hij in de fout gaat bij Stalingrad? Dat was toen zo ongeveer mijn redenering.

Ik wilde weer terug naar Stalingrad, naar mijn kameraden. Dat was aanvankelijk ook de bedoeling. Maar op het hoofdkwartier vonden ze blijkbaar dat ik niet meer de geknipte figuur was om de walhalla-heldenstemming van Goebbels op de troepen in Stalingrad over te dragen. Toen ik drie dagen later in Taganrog terugkwam, zei de commandant van het vliegveld dat ik niet meer mocht doorvliegen naar Stalingrad. Ik werd aangesteld bij de staf van veldmaarschalk Erhard Milch, als speciale verbindingsman voor Stalingrad. Achteraf ben ik Onze Lieve Heer voor dat vliegverbod heel dankbaar geweest.

Bij mij kwam dat befaamde laatste bericht binnen, op die vroege ochtend van 31 januari 1943: "Russen voor de deur. We gaan de verbinding verbreken." Een paar seconden later seinden ze: "We verbreken."[2] Daarna was er niets meer.

Ja, wat doe je dan, je geeft zo'n bericht gewoon door naar het hoofdkwartier. Maar ik besefte natuurlijk heel goed dat dit een historisch keerpunt was: voor het eerst had Duitsland een grote slag verloren.

Na Stalingrad heb ik nog in de Kaukasus gevochten, daarna heb ik weer een halfjaar op de militaire academie gezeten, en toen kwam ik in de staf van Rommel terecht, in legergroep B, in West-Europa. Ik heb daar onder drie veldmaarschalken gediend: Rommel, die, op bevel van Hitler, zelfmoord pleegde, Kluge, die zich ook van kant maakte, en Model, die zichzelf vlak voor de capitulatie doodschoot.

Nooit is die koerier met dat doodsbericht op de stoep van mijn vader in Berlijn verschenen. Toch kreeg hij aan het eind nog een harde klap van de oorlog. Toen de Russen binnentrokken, had een felle oude heer uit hun buurt de drieste moed om een laatste schot hagel af te vuren. De Russische commandant heeft daarop, als represaille, alle mannen in de omgeving verzameld, in een rij gezet en geblinddoekt. Mijn vader had geen blinddoek nodig, na-

tuurlijk. Toen heeft hij een vuurpeloton opgesteld, tot twee geteld, en bij drie zei hij: "Russische soldaten schieten niet op oude
mannen." Dat heeft mijn vader gebroken.

Van mijn honderd jaargenoten in München – ik was van jaar-
gang '37 – hebben vijfenzeventig de oorlog niet overleefd. Van de
vijfentwintig overlevenden waren tien zo beschadigd dat ze nooit
meer een gewoon bestaan hebben kunnen leiden. Vijftien van de
honderd hebben het gehaald.'

2

Alleen de rivier is dezelfde gebleven. De trage rivier die eindeloos aan deze langgerekte stad voorbij stroomt, de rivier, zo breed als een meer, waarin stadskinderen rondspringen als duikelpopjes en waarover grote raderboten dag en nacht van stad naar stad ploegen.

In het centrum van Volgograd wacht zo'n schip aan de kade. Langs het water flaneren meisjes, op het bovendek liggen een paar vrouwen in bikini in de avondzon, aan de reling zitten oma's te breien, de laatste passagiers slepen hun koffers over de loopplank, een stoot op de scheepshoorn, iedereen springt aan boord, en verder gaat het weer over deze oneindige glinsterende watervlakte.

Volgograd, het voormalige Stalingrad, heeft iets grimmigs, en tegelijk hangt er een zeldzame loomheid. Je kunt hier rustig converserend de straat oversteken, slechts nu en dan passeert een zwarte auto. In de hal van het vliegveld staat geen mens bij de versleten houten incheckbalies. Overal vliegen mussen door de hoge ruimte, kwetterend en tsjilpend. Bagage wordt bij het hek van het platform op een hoop gedeponeerd: zoek het maar uit.

Op de Wolga vaart deze avond welgeteld één plezierboot, verder heeft ieder vaartuig Zin en Nut. Voor het eerst tijdens deze omzwervingen valt mijn mobieltje stil: van gsm hebben ze hier nog nooit gehoord. Reclame is vrijwel nergens te bekennen. De stad hangt vol opwekkende leuzen en portretten, alsof er de afgelopen decennia niets is gebeurd.

Dit is het communistische Staphorst, de burcht van de oude orde binnen de oprukkende decadentie. Hier regeren de partijkaders nog met stevige hand. De rode vlaggen wapperen, plantsoenen zijn perfect onderhouden, zwarthandelaars bewegen zich voort per fiets. Iedere avond flikkert aan de Wolga kameraad Lenin op, in gigantische neonletters. Honderden kraaien scheren als krassende schimmen over de boomtoppen van het grote herdenkingspark.

Uit de luidsprekers klinken ingeblikte partizanenliederen. Maar even verderop vecht het Pepsi-Colacafé terug met zijn eigen muziek. Een meisje wordt opgejaagd door een paar jongens, ze krijgen haar te pakken, slepen haar naar de fontein, even later zie ik haar druipend weglopen, dapper lachend, een vriendin in haar kielzog. De house dreunt over het kabbelende water van de rivier – ook dat is Volgograd.

Voor deze stad begon de oorlog op een doodgewone zomerzondag. Tientallen families zaten te picknicken op de Mamajev Koergan, de grote Tataarse grafheuvel aan de rivier, waar nu het oorlogsmonument staat. Er klonk luchtalarm, maar daar werd nauwelijks op gelet omdat de sirenes al zo vaak voor niets hadden geloeid. Pas toen het afweergeschut begon te ratelen, schrokken de picknickers. Ze konden geen kant meer op toen de Luftwaffe aan de luchtaanval begon.

Het bombardement van zondag 23 augustus 1942 op Stalingrad werd een van de zwaarste van de Tweede Wereldoorlog. De Heinkels legden een bommentapijt dat zich uitstrekte over de hele stad. De fabrieken en de houten huizen aan de westrand brandden als fakkels, de olieopslagtanks explodeerden met enorme vuurzuilen, de moderne witte flatgebouwen, de trots van de stad, spatten uiteen. Wie niet in een schuilkelder zat, overleefde dit niet. Ongeveer veertigduizend mannen, vrouwen en kinderen verbrandden, stikten of kwamen om onder het puin.

Ondertussen trok de Zestiende Pantserdivisie van generaal Friedrich Paulus' Zesde Leger vrijwel ongehinderd over de steppe in de richting van de stad. De foto's en filmbeelden spreken voor zich: blonde en gebruinde soldaten, lachende gezichten, snelle zonnebrillen als tijdens een vakantietripje, commandanten die fier overeind staan in de geschutstorens van hun tanks, hun troepen met de arm vooruit wenkend. 'Zo ver het oog reikt rollen pantserwagens en rupsvoertuigen voort over de steppe,' schreef een ooggetuige van die zomerse opmars. 'Wimpels wapperen in de schemerige avondlucht.'

Het landschap waar de Duitse soldaten doorheen trokken, had een ongekende lieflijkheid: witte huisjes met een strodak, kleine kersenboomgaarden, paarden in de wei. In elk dorp was wel een handvol kippen, eenden of ganzen te verschalken. Iedere moestuin en ieder huis werd door de voorbijtrekkende troepen leeggeplunderd. 'Ik heb nog nooit zoveel gegeten als hier,' schreef een compagniescommandant. 'We eten honing met lepels tot we er ziek van zijn, en 's avonds hebben we gekookte ham.'

Aan het eind van de middag van diezelfde 23ste augustus bereikte de voorhoede Rynok, een noordelijk voorstadje van Stalingrad. De soldaten konden hun ogen nauwelijks geloven: opeens stonden ze werkelijk aan de Wolga. Trots fotografeerden ze elkaar op hun pantserwagens, met op de achtergrond de rivier en het brandende Stalingrad. Ze maakten het laatste Russische afweergeschut onschadelijk, ze brachten een paar schepen op de rivier tot zinken – ze wisten niet dat die vol vluchtende burgers zaten - en daarna groeven ze zich in, tussen de wijngaarden, de oleanders en de fruitbomen. Het hoofdkwartier van het geniebataljon was weggestopt onder een grote perenboom, de soldaten aten zich misselijk aan het fruit. Dit paradijsje werd de nieuwe oostgrens van het Reich.

Diezelfde zondag was voor de sovjets ook een historisch moment: ze beseften dat ze vanaf nu een slag op leven en dood zouden moeten voeren. Geen ogenblik hadden ze verwacht dat de manschappen van Paulus zo snel zouden doorbreken en zo gemakkelijk de Wolga zouden bereiken. Een woedende Stalin gaf de order om 'zijn' stad – al in 1925 naar hem vernoemd – tot elke prijs te verdedigen. Hij verbood het ondermijnen van fabrieken en iedere andere activiteit 'die opgevat kon worden als een teken dat Stalingrad zou worden opgegeven'. Zijn Oekraïense vertrouweling Nikita Chroesjtsjov kreeg de leiding in het ondergrondse hoofdkwartier.

Stalins vastbeslotenheid werd door de Stalingraders gedeeld. De halve bevolking meldde zich om mee te vechten. Schoolmeisjes werden als hospitaalsoldaat ingezet – regelmatig moesten ze onder zwaar vuur naar de voorste linies kruipen om gewonden weg te slepen. Een achttienjarige studente medicijnen commandeerde een complete hospitaalcompagnie. Er werd een heel vrouwensquadron voor bommenwerpers opgezet, geleid door de jeugdige en beeldschone Marina Raskova.

Al na twee weken deden de sovjets hun eerste tegenaanval. Ze landden op de Wolgaoever aan de Duitse kant, verdreven de vijand uit de omgeving van het station, leden enorme verliezen, maar hielden hun posities in het centrum vast. In de naburige tractorenfabriek, die was overgegaan op de bouw van T-34's, sprongen vrijwilligers in de tanks nog voordat ze geverfd waren. Ze reden rechtstreeks vanaf de lopende band de gevechten in. Het legerblad *Rode Ster* drukte een gelegenheidsgedicht af van Ilja Ehrenburg:

Tel niet de dagen, tel niet de meters.
Tel alleen de Duitsers die je hebt gedood.
Dood de Duitser: dat is de bede van je moeder.
Dood de Duitser: dat is de kreet van je Russische aarde.
Aarzel niet.
Laat niet af.
Dood!

'Niemand die hen aanvalt, kan ontsnappen,' schreef Herodotus zo'n vijfentwintighonderd jaar geleden over de strategie van de Scythische steppenomaden: almaar terugtrekken in hun onmetelijke land, totdat de vijand honger begint te krijgen, en de jager veranderd is in een prooi. Zo verging het, uiteindelijk, ook de Duitsers in Stalingrad.

De Duitse nederlaag in het oosten werd veroorzaakt door de twee factoren die bijna altijd ten grondslag liggen aan een debacle: te veel optimisme, gecombineerd met te weinig informatie. Adolf Hitler koesterde een diepe minachting voor zijn tegenstanders. Hij weigerde te geloven dat de Sovjet-Unie over grote reservelegers beschikte en achter de Oeral een enorme militaire industrie opbouwde, ook toen daarover steeds meer aanwijzingen binnenkwamen. Een bericht dat de sovjets twaalfhonderd nieuwe tanks per maand produceerden – de Duitsers haalden de vijfhonderd nog niet – vervulde hem zelfs met grote verontwaardiging: zoiets was volgens hem onmogelijk.

Met de alledaagse problemen van zijn eigen legereenheden – brandstofvoorziening, bevoorrading – hield hij evenmin veel rekening. Het gevolg was dat de Duitse aanvoerlijnen steeds langer en kwetsbaarder werden, en dat de snel oprukkende tanks regelmatig halt moesten houden omdat de brandstof op was. Eigenmachtig besloot Hitler om de grote, goed samenhangende Duitse

Operatie Blau in Zuid-Rusland te splitsen en twee militaire bewegingen tegelijk te laten uitvoeren: een in de richting van Stalingrad, de ander in de richting van de olierijke Kaukasus. In plaats van één goed lopende campagne moesten de Duitsers daarna twee slecht georganiseerde campagnes voeren, en uiteindelijk mislukte de verovering van de Kaukasus. Maar Hitler lanceerde alweer nieuwe plannen, zo verstrekkend dat zijn generaals dachten dat hij over ultrageheime inlichtingen over de ineenstorting van het Rode Leger beschikte.

Toen eind augustus het oorspronkelijke doel van Operatie Blau was bereikt – de vernietiging van de wapenfabrieken van Stalingrad en het afsnijden van de Wolga – bedacht Hitler dat hij de stad ook nog eens wilde veroveren. Inderdaad, alleen maar omdat die de naam droeg van zijn grootste tegenstander, Jozef Stalin. Op 30 september riep hij tijdens een rede in het Berlijnse Sportpalast uit dat niemand de Duitsers ooit nog uit hun stellingen aan de Wolga zou kunnen verdrijven. Het Zesde Leger zou zich nooit meer mogen terugtrekken, wat de gevolgen ook zouden zijn. 'Het was een regelrechte prestigestrijd tussen Stalin en Hitler geworden,' schreef luitenant-kolonel Helmuth Groscurth bij Stalingrad in zijn dagboek. 'Verandert Stalingrad in een tweede Verdun? Dat vraagt men zich hier met grote bezorgdheid af.'

Nog een maand vochten de Duitsers door, langs de oevers en tussen de fabrieken in het noorden van Stalingrad. De sovjets hadden ondertussen het fabriekscomplex Rode Oktober en de Barrikadi-kanonnenfabriek omgebouwd tot bijna onneembare forten: ook hierin leek Stalingrad op Verdun. Eind oktober liep het laatste grote Duitse offensief vast. Het Russische artillerievuur vanaf de overzijde van de Wolga was te hevig, de Duitsers konden niet verder. De daaropvolgende dagen viel de winter in.

Stalingrad, sinds 1961 Volgograd, heeft dezelfde structuur als een veendorp, even saai, maar vele malen groter. Het is een typische lintstad, een vrij smalle strook bebouwing langs de rivier, slechts een paar straten breed maar wel bijna honderd kilometer lang, een eindeloze rij flatwijken, fabrieken, centrales, grauwheid na grauwheid. Om die strook heen ligt tot ver achter de horizon de steppe, een hete, stoffige vlakte die aan Texas en Arizona doet denken: immense korenvelden, een enkele boom, telefoondraden, een paar loodsen, een losse deur die klappert. Zo nu en dan duikt een stel monsterachtige bulldozers en graafmachines op, ze werken aan een nieuwe weg, graven een irrigatiekanaal. De mentaliteit is die van Las Vegas: bouwen, breken en weer weg wezen.

Ik maak een ritje met het stadsspoor, bestudeer de mondhoeken van de vrouw die kaartje na kaartje met de hand van een merkteken voorziet – ook de stempelautomaat is hier nog niet doorgebroken – en wandel wat rond in de straten en parken. Opvallend is de houding van met name jonge mensen: nergens in het voormalige Oostblok zag ik zoveel zelfgemaakte elegantie, zoveel vrouwen met schitterende, gewaagde kleding. Creaties die zelfs zouden opvallen in Parijs, Londen of Milaan passeren in dit stadscentrum om de paar minuten.

Mijn gids, ook al zo'n kortrokkig meisje, troont mij mee voor de maaltijd naar Club Romeo. Ik vrees dat het afgesproken werk is. Club Romeo, annex Bar & Nightclub Paris, is een van de weinige luxueuze plekken in de stad. Ik ben de enige gast, en mijn biefstuk is waarschijnlijk de enige biefstuk. Op het podium blaast een saxofonist op het ritme van de ingeblikte achtergrondmuziek, de serveerster loopt rond in een wijd open blouse en buigt zich om onduidelijke redenen voortdurend over mijn tafel, de ingeblikte zangeres hijgt 'Je t'aime, moi non plus...' – ik begrijp nu waarom een collega-journalist mij zo nadrukkelijk waarschuwde voor een zomers bezoek aan Volgograd.

Later op de avond begint ook in mijn rustige, burgerlijke Intouristhotel een ondergronds leven, waarvan het meeste mij ontgaat. De hal loopt vol met op zijn zondags geklede meisjes, en tot driemaal toe gaat 's nachts naast mijn bed de telefoon: 'You need girl?' Als ik de laatste maal 'nee' zeg – ik droom net van katjoesja's en tankmanœuvres – zegt de stem met iets van verbazing: 'Why not?' – alsof ik aan een ziekte lijd.

Bij het station staat een oude vrouw. Ze draagt plompe laarzen, dikke kousen, een donkergrijze rok en een gebreid vest. Haar grijze hoofd is wat gebogen, ze beschermt het met een bruine doek, haar huid is rood, haar tanden zijn bijna allemaal verdwenen. Ze moet ooit – in 1955, in 1942 – mooi zijn geweest, heel mooi zelfs, je ziet het aan haar ogen. Nu staat ze hier al de hele middag. Ze probeert vijf bosjes uien en twee flesjes Fanta te verkopen.

Ze kan, die winter in Stalingrad, een verpleegster zijn geweest, of een van die felle meiden van het luchtafweergeschut, of een van die paar duizend moeders met kinderen die, verborgen in kelders en holen, de slag om de stad van begin tot eind hebben meegemaakt. Uit de stadswijken die de Duitsers in handen hielden waren duizenden families naar de steppen gedreven, waar ze werden bewaakt in 'kampen', in werkelijkheid niet meer dan open stukken land, omringd door prikkeldraad, zonder enig onderdak. Honderden kinderen vroren dood. Uit de Russische zone was iedere evacuatie verboden, zelfs van de jongsten. Volgens Stalin kon een 'lege' stad niet verdedigd worden. Het kwam voor dat een moeder – bijna altijd zaten de vaders aan het front – op pad ging om ergens wat eten voor haar gezin te bemachtigen en na een schietpartij niet meer terugkwam. De kinderen probeerden dan, als ze oud genoeg waren, nog wat bij de buren te bedelen, maar bijna altijd stierf zo'n moederloos gezin daarna vrij snel, met een 'mama'-geroep dat steeds zwakker werd, als jonge vogels in een nest.

De gevechten in de stad hadden al snel met strategie of krijgskunst niets meer van doen. Het was een *Rattenkrieg* zoals de Duitsers het noemden. De sovjets vochten met overvalcommando's van zes tot acht man sterk, gewapend met halfautomatische geweren, maar ook met messen en scherp geslepen spaden om geluidloos te doden. Op een gegeven moment zaten in één groot bakstenen pakhuis aan de Wolga zowel Duitsers als Russen, op elke verdieping een andere vijand, als 'een bruidstaart' boven elkaar gestapeld. Bevroren lijken werden door de Russen opgestapeld als zandzakken, als dekking voor hun schuttersputjes. In de riolen bevochten de commando's elkaar met vlammenwerpers. 's Nachts kropen sovjetsoldaten in witte camouflagepakken naar buiten om antitankmijnen te leggen. Ze waren daarin zeer succesvol, al waren hun verliezen het hoogste van alle specialisten. Hun motto: 'Eén fout en nooit meer eten.'

Stalingrad fungeerde voor de Duitse legers, zonder dat ze het beseften, als een gigantisch lokaas. De belangrijkste taak van de sovjettroepen was het verdedigen van de stad én het vasthouden van de Duitsers, zodat ze niet verder konden trekken. In het diepste geheim werd ondertussen een sovjetlegermacht van bijna een miljoen manschappen bijeengebracht om de stad te ontzetten.

Na bijna drie maanden, op de ijzige, mistige ochtend van donderdag 19 november 1942, liet bevelhebber Aleksandr Vasilevski de val dichtklappen. De eerste bombardementen en artilleriesalvo's waren zo intensief dat de Duitse troepen vijfenveertig kilometer verderop wakker werden van het trillen van de grond. In Stalingrad zelf hoorden de verscholen burgers die ochtend tussen het gedreun een nieuw geluid, een vreemd gehuil. Opeens beseften ze het: dit waren katjoesja's, dit waren de katjoesja's van hun eigen troepen die ze hoorden. Hun bevrijding was begonnen.

Vanaf die dag was er rond Stalingrad sprake van een dubbele omsingeling: de Duitsers hielden de eigenlijke stad in hun greep, maar daaromheen waren de sovjets weer samengetrokken. Op den duur lag de steppe tussen de beide fronten vol paardenkadavers en zwart bevroren infanteristen, en als het front even rustig was, schalde tangomuziek over de schemerige sneeuwvlakte: de sovjets hadden uitgevonden dat Duitsers daar het allertreurigst van werden. Een ander geliefd geluidseffect was het monotone tikken van een klok, gevolgd door de mededeling dat aan het oostfront iedere zeven seconden een Duitser om het leven kwam. Aanvankelijk hadden de sovjets geen idee hoeveel Duitsers ze eigenlijk in de tang hadden. De staf dacht aan een stuk of tien divisies, een kleine negentigduizend man. Het bleek vrijwel het hele Zesde Leger te zijn, plus nog eens enkele tienduizenden Italianen en Roemenen, in totaal bijna driehonderdduizend man. Het gebied rond de stad was nu werkelijk een tweede Verdun. Er was één verschil: deze slag zou niet onbeslist eindigen.

In ditzelfde vlakke groene land, nu groen en geel van de zomer, zijn vanuit de lucht nog enkele sporen van de slag te zien: bomkraters, greppels, resten van oude stellingen. Een taxichauffeur brengt me door de stoffige steppe naar een klein monument. Ik herken het profiel van een loopgraaf. 'Hier zijn zeker tienduizend man gesneuveld,' zegt de chauffeur, en hij wijst naar de omliggende velden, vol koolzaad en korenbloemen. 'Die liggen hier nog steeds in de grond. Voor mooie oorlogsbegraafplaatsen hebben we nooit geld gehad.'

Het gedenkteken is simpel, het mist de plechtstatigheid van al die parken en standbeelden in de stad, het is een monument van vrouwen en moeders. In het midden staat een geblakerde dode boom, toevallig overeind gebleven in de slag. Hij hangt vol doekjes en lapjes, als een geestenboom in het Verre Oosten. De akkers spuwen nog ieder jaar granaten en geweerlopen uit, kogels en gespen, schedels en botten.

In de vitrines van het Historisch Museum van Volgograd ligt een kleine selectie van de persoonlijke voorwerpen die op de Duitse lijken werden aangetroffen: trouwringen, een vulpen, een horloge, een minuscuul heiligenbeeldje, wat brieven. 'Gisteren weer, zoals zo vaak, een kameraad die door een voltreffer uiteenspatte,' schrijft Bertold D. op 24 december 1942 aan Frau Elisabeth Sturm in Worms. 'Nu zitten we bij elkaar en vieren kerstavond in Stalingrad, terwijl buiten de Rus wild door blijft schieten. We zingen kerstliederen, die door een kameraad op een accordeon begeleid worden. Daarna zit iedereen in zijn hoekje en denkt aan thuis.' Konrad Konsuk schrijft: 'Mijn liefje, heb geen angst om mij. Het gaat me goed. Vanavond hebben we 100 gram brood en een kwart marmelade gekregen.' Een naamloze soldaat: 'Ik wens wanhopig dat je bij me bent. Hoe sterk, dat kun jij, liefste, als enige mens op deze wereld begrijpen.'

Opvallend is het verschil in toon met de Russische brieven die de Britse militaire historicus Anthony Beevor verzamelde.

'Hallo mijn lieve Pavlina,' schreef een soldaat aan zijn vrouw, 'ik leef nog en ben gezond. [...] De oorlog is hard. De taak van elke soldaat is eenvoudig: zo veel mogelijk moffen vernietigen en de rest terugdrijven naar het westen. Ik mis je heel erg, maar daar is niets aan te doen omdat we duizenden kilometers van elkaar gescheiden zijn.' En een andere sovjetsoldaat, op diezelfde kerstavond van 1942: 'Liefste, we drijven de slangen terug naar waar ze vandaan komen.' Een luitenant: 'Hallo Sjoera! Ik stuur kusjes naar onze twee kleintjes, Slavik en Lidoesja. Ik ben in goede gezondheid. Ik ben tweemaal gewond geraakt, maar dat zijn maar schrammen en dus kan ik mijn kanonloop nog goed richten. [...] In deze dagen van zware gevechten wreek ik mijn geliefde geboortestad Smolensk, maar 's avonds zit ik in de kelder met twee blonde kinderen op mijn schoot. Ze doen me aan Slavik en Lida denken.' Het was zijn laatste brief.[3]

Het indrukwekkendste onderdeel van het museum in Volgograd is het grote panorama van de slag, waarin de meest legendarische taferelen uit de strijd zijn opgenomen: de soldaat die, zelf overgoten met brandende petroleum, met zijn laatste krachten nog een tweede brandbom naar de Duitsers slingert; de vlieger die, in brand geschoten, zich met heldenmoed in de Duitse linies te pletter vliegt; de grijze afgang van de Duitse troepen door de sneeuw, met daarnaast de gevangen veldmaarschalk Paulus.

Buiten zijn nauwelijks meer sporen van de oorlog terug te vinden, afgezien van twee ruïnes die men bewust heeft laten staan. Het 'Huis van Pavlov' is een eenvoudig gebouw van vier verdiepingen waar een kleine groep sovjetsoldaten onder leiding van sergeant Jakov Pavlov bijna twee maanden standhield. Het is nu weinig meer dan een keurig onderhouden staatsmonument. Het enige echte gedenkteken staat even verderop: de resten van een enorme meelfabriek die er, vol bressen en kogelgaten, bij ligt als in de zomer van 1943, leeg en verlaten tussen het hoge gras. En onontkoombaar is natuurlijk het enorme oorlogsmonument dat de hele omgeving beheerst, een tachtig meter hoge Moeder Rusland die met een groot zwaard oproept tot de strijd.

Het complex bevat een grote gouden koepel met tienduizend namen, bewaakt door vier nog nauwelijks levende wachtposten – iedere paar minuten heft een bandje telkens weer dezelfde klaagzang aan – en een voorhof met bakstenen muren waarin het profiel van de stad zichtbaar is, en, daardoorheen gebeiteld, de schimmen van tanks en soldaten. Het is de weerspiegeling van de strijdkreet van de sovjetpropaganda: 'Elke man moet een van de stenen van de stad worden.' Tegelijk is het de ultieme uitdrukking van de kwistige manier waarop de Sovjet-Unie met soldatenlevens omging: het waren, inderdaad, in de visie van Stalin en zijn staf geen mensen maar cijfers, geen levens maar stenen.

'Hallo, Marija,' krabbelde soldaat Kolja, 'ik heb hier drie maanden lang gevochten om ons mooie [schrapping censor] te verdedigen. [...] Alleen de koppigste SS'ers zijn nog over. Ze hebben zich in bunkers verschanst en van daaruit schieten ze. En nu ga ik een van die bunkers opblazen. Groet, Kolja.'

Op zondagochtend 10 januari begon de laatste grote sovjetaanval: operatie Koltso (Ring). Bijna een uur lang werden de Duitse linies bestookt met zo'n zevenduizend veldkanonnen, mortieren en katjoesja's. Daarna trok het Rode Leger in gesloten gelid massaal naar voren, achter de rode vaandels, met om de vijftig à honderd meter een T-34. De Duitse divisies hadden geen schijn van kans. Hun munitie en brandstof waren vrijwel op, de soldaten konden zich nauwelijks meer overeind houden. Tot het laatst toe probeerden de gewonden op het vliegveld Pitomnik in een van de vliegtuigen naar Duitsland te klimmen. De overbeladen Junkers konden soms niet snel genoeg hoogte winnen, kwamen onder vuur van de sovjets en stortten neer. Een enorme Focke-Wulf Kondor maakte, stampvol gewonden, een trage start, sloeg achterover en explodeerde op de grond.

Honderden andere gewonden werden in de sneeuw aan hun lot overgelaten. Een overlevende sprak later over 'een eindeloos geweeklaag van gewonden en stervenden'.

Op 31 januari 1943 capituleerde veldmaarschalk Paulus. De camera's van de agitpropjournaals draaiden. De uitgemergelde Duitse soldaten strompelden uit de kelders en bunkers van Stalingrad naar buiten. Een enkele Rus riep: 'Kameraden, Krieg kaputt!', maar de meesten schreeuwden alleen maar: 'Faschist! Komm! Komm!' Daarna werden de Duitsers in lange, sjofele marscolonnes afgevoerd.

Dit was het einde van al die opgewekte soldaten die nog geen vijf maanden eerder, in die warme, verre augustusmaand, door de steppe waren getrokken, die helmen vol peren hadden zitten eten, en lepels vol gestolen honing.

In en rondom Stalingrad zijn tussen augustus 1942 en februari 1943 vermoedelijk zo'n driekwart miljoen mensen omgekomen. Het Rode Leger verloor naar schatting meer dan een miljoen manschappen, waarvan bijna de helft sneuvelde. Met Paulus werden ongeveer negentigduizend Duitsers krijgsgevangen gemaakt. Tegen de lente was bijna de helft al gestorven van honger en ontbering. Zo'n honderdtachtigduizend Duitse militairen bleven vermist. Van de driehonderdduizend man van het Zesde Leger zijn er uiteindelijk amper zesduizend levend thuisgekomen.[4]

De chauffeur brengt me naar de plaats waar Pitomnik heeft gelegen, een halfuurtje van Volgograd. Een rechte weg, eenzame telefoonpalen, eindeloze velden, een paar grijze loodsen in de verte, dat is alles. Van het legendarische vliegveld is geen spoor meer te vinden.

Niet ver daarvandaan bevindt zich de net aangelegde Duitse soldatenbegraafplaats. Er liggen zo'n dertigduizend gesneuvelden. Pal ertegenover staat in de vlakte een even nieuw Russisch monument, vermoedelijk in één groots gebaar met hetzelfde pak Duitse marken aangelegd. Er is geen mens te bekennen. De bedoeling was dat het complex een paar maanden geleden plechtig zou worden geopend, met mooie toespraken en veel verzoenende gebaren. Maar vanwege de NAVO-bombardementen op Belgrado lieten de Russische autoriteiten het afweten. De vers geplante boompjes staan nu te verdorren, de kransen met hun linten 'Grüsse aus der Heimat', 'Die Kameraden des 67ne' en 'Der Bürgermeister Berlin-Spandau' zijn al weggerold in de hete wind.

Als ik terug ben in de stad, is het al bijna donker. Vanaf de rivier schijnt het felle neonlicht van Lenin en de Rode Ster. Rondom de grote fontein zwiert een groepje van tien, vijftien jongeren met skates. Ze dragen wijde broeken, de meisjes zien er bijna jongensachtig uit en op hun rollerskates scheren ze als vleermuizen door de menigte. Opeens zijn ze ook weer verdwenen, behendig en razendsnel schieten ze naar de donkere rivier.

Midden op het plein staat een van de zeer weinige vrolijke beelden van Volgograd, een groep van zes in de rondte dansende kinderen. Met die paar ruïnes is dit het enige dat over is van het oude Stalingrad. Het beeldengroepje heeft alles overleefd, alsof die kinderen door een goddelijke hand werden beschermd. Ze dansten al in het Stalingrad van 1941, je ziet ze soms in een flits op filmfragmenten van de brandende stad en hier zijn ze nog steeds, vlak voor mijn neus, ongerept in de zwoele avondlucht.

De Tweede Wereldoorlog kostte het Rode Leger acht à negen miljoen doden en achttien miljoen gewonden. Bovendien hebben naar schatting zestien tot negentien miljoen Sovjetburgers het leven verloren door de oorlog. De schattingen van het totale aantal doden schommelen rond de vijfentwintig miljoen, vijfmaal zoveel als het totale aantal Duitse slachtoffers.

Het gaat hier om aantallen die elk bevattingsvermogen te boven gaan. Om dit onvoorstelbare een naam, een context en een geschiedenis te geven is in de Sovjet-Unie, en ook daarbuiten, na de oorlog het verhaal geschapen van de Grote Patriottische Oorlog. Net zoals in Engeland de mythe van de Blitz een onderdeel werd van de collectieve herinnering, en daardoor van het zelfbeeld van de natie, zo fungeerde de Grote Patriottische Oorlog jarenlang als een belangrijk bindend element tussen alle groepen en nationaliteiten van de Sovjet-Unie. En zoals Churchill in Engeland een absolute heldenrol vervulde, zo stond – en staat – Stalin als veldheer centraal in deze geschiedenis. Doet dat recht aan de feiten?

Aan de ene kant zijn daar de getuigenissen van generaals en andere betrokkenen, die in hun memoires hoog opgeven van Stalins leiderskwaliteiten, zijn 'aangeboren intelligentie' en zijn 'ongebruikelijke geheugen'. Stalin 'was een meester in de basisprincipes van de organisatie van frontlijnoperaties en de inzet van frontlijntroepen,' schreef bijvoorbeeld maarschalk Zjoekov. 'Hij beheerste die volkomen, en hij begreep de belangrijkste strategische problemen uitstekend.' Zjoekov, die weinig reden had om Stalin dankbaar te zijn, heeft hem na zijn dood ook altijd verdedigd tegen degenen die zijn oorlogsprestaties belachelijk probeerden te maken.

Anderen wijzen, terecht, op bijvoorbeeld de Duitse overval op 22 juni 1941, die voor het Rode Leger als een complete verrassing kwam. Die miscalculatie was grotendeels te wijten aan de kortzichtigheid van Stalin. De Grote Leider hield namelijk geen moment rekening met het feit dat zijn appeasement-politiek – ook hij streefde, net als de Britten, naar een diplomatieke oplossing voor zijn problemen met de Duitsers – weleens kon worden beantwoord met een ander scenario. 'In de eind juni [1941] gedateerde documenten van het hoofdkwartier is niets te vinden dat erop wijst dat Stalin energiek en doeltreffend zou zijn opgetreden om de catastrofe af te wenden,' schrijft de voormalige generaal Dmitri Volkogonov. 'Geconfronteerd met de gevolgen van zijn misrekeningen en het mislukken van zijn plannen was de onfeilbare aardse god van vóór de oorlog in enkele dagen veranderd in een onzekere leider.'

De gevolgen waren, aanvankelijk, rampzalig. De Titaan van de Wereldrevolutie was nooit aan een front geweest, had nooit een hoofdkwartier geleid. Hij weigerde aanvankelijk in te zien dat een oorlog niet 'maakbaar' was en dat een leger niet binnen enkele uren van de ene plek naar de andere getoverd kon worden. Hij had geen idee hoe ingewikkeld transportproblemen waren, hoe moeilijk de communicatie soms verliep, hoe gecompliceerd en kwetsbaar de bevoorrading kon zijn.

Toen Kiev midden september 1941 werd aangevallen, gaf hij voortdurend 'persoonlijke aanwijzingen' die op geen enkele manier rekening hielden met de reële situatie waarin zijn troepen verkeerden. De legerleiding kon niet anders dan die 'aanwijzingen' opvolgen. De gevolgen waren gruwelijk: de sovjettroepen werden door de Duitsers omsingeld, Stalin blokkeerde de laatste mogelijkheden om uit te breken, en ten slotte werden bijna een half miljoen sovjetsoldaten gedood, gewond of krijgsgevangen gemaakt. Bovendien kregen de Duitsers een immense hoeveelheid artillerie, munitie, tanks, vrachtauto's en ander legermaterieel in de schoot geworpen. 'Tijdens deze veldslag,' schrijft Volkogonov, 'die een van de grootste tragedies van de oorlog kan worden genoemd, had Stalin wel zijn ijzeren wil en koppigheid gedemonstreerd, maar niets wat erop wees dat hij ook maar enig invoelingsvermogen bezat om de ontwikkelingen en de gevechten te kunnen beoordelen.'

Wat er na de oorlog over hem ook is beweerd, de Grootste Theoreticus van de Moderne Tijd was allerminst een geniaal veldheer. De overwinning van de Sovjet-Unie was voornamelijk te danken aan de maarschalken Georgi Zjoekov, Semjon Timosjenko en Aleksandr Vasilevski, generaal Aleksej Antonov en een aantal andere voortreffelijke legerleiders. Stalin had enorme charismatische kwaliteiten, hij wist de hele Sovjet-Unie op te zwepen tot onvoorstelbare prestaties en offers, hij was slim, en op den duur ontwikkelde hij een goed gevoel voor militaire strategie. Maar hij bleef, in de woorden van Volkogonov, 'een bureauveldheer: hij was praktisch, boosaardig en wilskrachtig van instelling', iemand die 'de geheimen van de krijgskunst had leren doorgronden ten koste van bloedige experimenten'.

Bij tegenslagen wist hij soms niets beters te doen dan straffen uit te delen in plaats van de strategie te herzien. Berucht is Order nr. 227 die Stalin op 28 juli 1942 uitvaardigde onder de titel 'Geen stap achteruit'. Iedereen die zich overgaf zou voortaan worden beschouwd als 'verrader van het moederland'. Elk leger moest, 'om lafheid te bestrijden', drie tot vijf goed bewapende detachementen organiseren, die als een tweede linie achter de eerste aanvalsgolf zouden meetrekken en iedere weifelende soldaat moesten neerschieten. 'Paniekzaaiers en lafaards moeten ter plaatse vernietigd worden.'

'Hoeveel lucifers zijn er verbrand?' vroegen de sovjetcommandanten na een slag, als ze hun eigen verliezen wilden weten. Of: 'Hoeveel potloden zijn er gebroken?' Want dat is een vergeten element van de Russische triomf: de enorme prijs aan mensenlevens die de sovjets betaalden voor Stalins 'geniale veldheerschap'.

In het hoofdkwartier van de tegenstander was, zoals gezegd, de situatie niet veel anders. Hoezeer beide leiders in karakter van elkaar verschilden, ook Hitler was een dilettant die in zijn eigen mythische krachten was gaan geloven. Albert Speer betitelt het dilettantisme zelfs als de kern van Hitlers militaire leiderschap: 'Hij had nooit een beroep geleerd en was in wezen altijd een buitenstaander gebleven. Als vele autodidacten kon hij niet beoordelen wat echte vakkennis betekende. Zonder begrip voor de complexe moeilijkheden van elke grote opdracht trok hij daarom onverzadigbaar steeds nieuwe functies tot zich.'

Tijdens Hitlers eerste regeringsjaren werkte dit dilettantisme in Duitsland opvallend goed, wellicht ook omdat land en leger van oudsher star en bureaucratisch waren bestuurd. Hitlers vroege successen op economisch en militair gebied kan men, aldus Speer, grotendeels toeschrijven aan zijn gebrek aan kennis van de oude vaste spelregels, en aan de drieste doortastendheid van een leek die nauwelijks beseft welke risico's hij neemt.

Volgens Albert Speer heeft Hitler zich altijd aan zijn oorspronkelijke plannen en doeleinden gehouden – in Mein Kampf valt het allemaal al te lezen. Hij zette na 1938 echter steeds meer vaart achter zijn projecten omdat hij zich voortdurend ziek voelde en bang was spoedig te sterven. Bouwprojecten moesten worden versneld, en ook militaire operaties haalde hij naar voren. Voor de enorme problemen die daarbij ontstonden had hij nauwelijks oog. Zijn haast had, aldus Speer, alleen afgeremd kunnen worden door stevige tegenkrachten, maar die waren eind jaren dertig nergens te bekennen. 'Integendeel: de successen van die jaren vormden een aansporing om zijn toch al geforceerde tempo verder te versnellen.'

Zodra er tegenslagen van betekenis opdoken, liep Hitler vast. Toen het Duitse leger in december 1941 bij Moskou 'faalde', wist hij niets beters te doen dan de hele Wehrmacht onder zijn persoonlijke leiding te plaatsen. Generaal-veldmaarschalk Walther von Brauchitsch werd ontslagen als chef-staf, hijzelf nam binnen het Oberkommando der Wehrmacht (OKW) de leiding over. Het gevolg was dat Hitler na 1941 veel te veel posities tegelijk innam. Hij was én staatshoofd, én partijleider, én opperste bevelhebber van marine, luchtmacht, leger en SS-troepen. De moderne techniek droeg ook nog eens het nodige bij aan Hitlers illusie van almacht. Vanuit zijn hoofdkwartier was hij via zenders, telefoons en telexen direct verbonden met alle oorlogsgebieden van Europa. Net als Stalin wilde hij pertinent alle belangrijke beslissingen zelf nemen, en daarbij bemoeide hij zich soms opeens met de kleinste details van een militaire operatie. Maar waar Stalin uit de wind werd gehouden door een aantal voortreffelijke generaals en stafofficieren, daar wilde Hitler niets horen, niets delegeren.

Stalin liet zich nog overtuigen, Hitler was er, door zijn eigen oorlogservaring en zijn latere successen, diep van overtuigd dat hij een tweede Napoleon was. In de woorden van Speer: 'Des te groter de mislukkingen werden, des te sterker en verbetener kwam zijn onvermijdelijk dilettantisme te voorschijn. De neiging tot onverwachte en verrassende wendingen was geruime tijd zijn kracht geweest, nu bevorderde het zijn nederlaag.'

3

Als ik in Kiev arriveer, is het feest. Vanaf het station hangt een rijgsnoer van luidsprekers, die allemaal hetzelfde zingen. Losjes vertaald: 'Als in Kiev de kastanjes bloeien gaan, dan zal mijn hartje voor je openstaan.' Iedereen heeft vrij, er is een hardloop-wedstrijd voor militairen en verder zie je tientallen veteranen lopen, vijfenzeventig, tachtig jaar oud, de borst bedekt met erete-kens, trots in hun uniformen, de vrouw naast zich, meestal ook met een rij medailles op de blouse.

Het was deze generatie die de oorlog won, die Stalin overleef-de, die het totaal verwoeste Kiev eigenhandig weer opbouwde, het zijn deze zelfde mensen die nu in leven moeten blijven van een pensioentje van twintig euro per maand.

Kiev is, net als Sint-Petersburg en Moskou, op een extreme manier verdeeld in twee werelden. Er is de grote wereld van de sappelaars die rond moeten komen van bijna niets, als ze hun sa-larissen of pensioenen al uitbetaald krijgen. Daarnaast is er de kleine wereld van de rijken en de toeristen, de wereld van dollars en ander westers geld, van de eigen winkels, de terrassen en de restaurants. Die kleine wereld is de flinterdunne laag die 'markt' heet, of 'biznes', en daar wil iedereen bij horen.

De dissidenten zijn hier de ouderen. De meesten snappen niet in welke maatschappij ze terecht zijn gekomen, en ze willen het ook niet snappen. Ze lijken op mensen die een paar haltes te laat zijn uitgestapt, verbijsterd om zich heen kijken, en vaststellen dat ze hier niet willen zijn. Bij het oorlogsmonument – een hon-derd meter hoge vrouw, bijgenaamd Het Kreng – spuwt een oude kolonel met een megafoon zijn woede uit over het publiek: 'Nie-mand trekt zich nog iets van de werkende mensen aan!' roept hij. 'Het land is vol bandieten en rovers! Schande over deze regering! Wij hebben maar één moederland: de goede oude Sovjet-Unie!

Oekraïne is alleen maar stiefmoeder! We worden uitgebuit door bandieten! De Duitsers zijn weer binnengevallen met hun geld en hun decadentie! We zijn verraden!' Er staan tien mensen om hem heen.

Zijn medeveteranen hebben de moed allang opgegeven. Ik tref een kwieke oude heer, een voormalige beroepsmilitair die het liefst wil dat Oekraïne zo snel mogelijk een onderdeel van de NAVO en van de Europese Unie wordt. 'Oekraïne is nu niet te verdedigen,' zegt hij. 'Driehonderd jaar heeft Rusland ons geëxploiteerd, het land kan ons zo weer bespringen. Zelf heb ik veertig jaar in Rusland gediend, mijn eigen taal ben ik vergeten!'

Mijn tolk vertaalt rustig alle boze woorden. Ze heet Irina Trantina, een kordate vrouw van een jaar of vijftig, dochter van een sovjetgeneraal. Ze kan zich wel iets voorstellen bij de woede van de oude veteranen. 'Het is de generatie die het moderne Kiev weer heeft opgebouwd uit de puinhoop die de Duitsers ervan hadden gemaakt, ze hebben zich hun leven lang kapotgewerkt, en nu komen die Duitsers hier terug, als toeristen en investeerders, rijk en machtig, terwijl zij...'

In 1997 was ik ook in Kiev, en ik zeg tegen haar dat de binnenstad in die twee jaar tijd wel is opgeknapt. Veel huizen hebben hun oude kleuren terug, zachte pastellen van blauw en geel, en de koepels van de kerken en kloosters flonkeren weer in de zon. Allemaal dankzij dollars, guldens en D-marken.

'Maar dat geldt toch enkel en alleen voor het centrum? Al die westerse banken, al die reclame die je ziet, het is niet wezenlijk, het blijft aan de oppervlakte van de economie. Wat daaronder speelt, de corruptie, de salarissen die maandenlang niet betaald kunnen worden, de officiële winstbelasting van 90 procent die iedere legale bedrijfsvoering onmogelijk maakt, dat zijn de dingen die ons leven werkelijk bepalen. Wat jullie westerlingen zien is een etalage. Het is in ons land net als in een familie: de echte problemen blijven achter de voordeur.'

En de vrijheid, de nieuwe vrijheid?

Irina lacht. 'Vroeger waren we altijd bang om te praten, maar we praatten toch. En er gebeurde wat. Nu praten we zoveel we willen, maar resultaten zien we niet meer.' Ze vertelt over haar moeder, de weduwe van de generaal. Ze is nog niet zo lang geleden gestorven, vijfennegentig jaar oud. Kort voor haar dood had ze Irina gevraagd om voor haar een kilo snoepjes te kopen, het soort dat ze altijd had. 'Zal ik maar niet beginnen met honderd gram,' had haar dochter gezegd. 'Een kilo snoep, dat kost meer dan je halve pensioen van deze maand.' 'Je bedriegt me!' had haar moeder geroepen. Ze stierf in grote verwarring.

Irina en ik gaan op pad naar het Vrouwenravijn. Het ligt aan de voet van het televisiecentrum van Kiev. Ik had me er van alles bij voorgesteld, maar niet dat het een gewoon, prettig wandelpark zou zijn. Gezinnen zitten er te picknicken, jonge moeders leren er hun kinderen lopen. Langs het park ligt een ravijn van ruim twee kilometer lang en vijftig meter diep. In deze kloof, Babi Jar op z'n Russisch, zijn vermoedelijk zo'n honderdduizend mensen vermoord: joden, zigeuners, partizanen, krijgsgevangenen, tot de complete redactie van het dagblad *Nova Oekrainski Slovo* toe. De Duitsers hebben later de meeste lijken weer opgegraven en verbrand, maar nog altijd stuiten de plantsoenarbeiders hier op botten, zodra ze maar een struik planten. Soms zijn de skeletten aaneengebonden met prikkeldraad, zo moesten sommigen naar de executieplaats marcheren.

Op 29 en 30 september 1941, vlak na de verovering van Kiev, kregen de 33 771 – de aantallen werden minutieus genoteerd – joden van de stad bevel om zich klaar te maken voor vertrek naar Palestina. Ze moesten geld, kostbaarheden en warme kleding meenemen. Stalin had na het Molotov-Ribbentrop-pact alle kritiek op Duitsland verboden, berichten over de jodenvervolging waren niet of nauwelijks tot de Sovjet-Unie doorgedrongen. Zo liepen bijna alle joodse gezinnen van Kiev naar de rand van de stad, een rustig pratende, bonte menigte van mensen die dachten dat ze naar het Beloofde Land zouden emigreren. Later werd de plek ook gebruikt voor moordpartijen op Oekraïners, Russen en Polen.[5]

De massamoord bij Babi Jar is jarenlang uit de geschiedenisboeken weggehouden. In 1944 schreef Ilja Ehrenburg een indrukwekkend gedicht over de moordpartij, maar daarna viel een diepe stilte. Vanaf 1947 keerde Stalins paranoia zich tegen de joden, er ontstond een anti-semitische campagne en op het hoogtepunt was zelfs het noemen van de naam Babi Jar verboden. Eind jaren vijftig – Stalin was toen al enige tijd dood – besloot het stadsbestuur van Kiev om de joodse begraafplaats op te ruimen en er een groot sportpark annex televisiecomplex van te maken. De schrijver Viktor Nekrasov schreef in 1961 een bewogen oproep om 'Babi

Jar niet te vergeten', de dichter Jevgeni Jevtoesjenko maakte een protestlied, Dmitri Sjostakovitsj gaf zijn Dertiende symfonie (1962) de titel Babi Jar. De eerste twee werden gearresteerd en veroordeeld. In dezelfde periode werden bijna alle joodse zerken en grafmonumenten neergehaald. In september 1968 plaatsten de sovjetautoriteiten een monument, bij de onthulling fulmineerden de autoriteiten niet tegen de holocaust maar tegen de staat Israël. Een joodse toeschouwer die protesteerde – hij had iemand horen zeggen dat honderdduizend joodse doden 'nog niet genoeg' waren geweest – werd tot drie jaar dwangarbeid veroordeeld.

Pas in 1970 kwam het hele verhaal naar buiten in de vorm van de roman Babi Jar. Voor het eerst werd daarin nauwkeurig beschreven wat er gebeurde, hoe de gezinnen door de stad liepen, wat er in die laatste momenten gezegd en geroepen werd. Nog eens tien jaar later, rond 1980, durfde een aantal mensen op de 29ste september voor het eerst hier samen te komen.

In een hoekje van het park, tussen de struiken en de brandnetels, stuit ik op een paar losse grafstenen van de oorspronkelijke joodse begraafplaats, zwaar beschadigd, waarschijnlijk bij de ontruiming over het hoofd gezien. Nog één naam is leesbaar: Samoeïl Richter.

Eén naam. Acht miljoen. Tussen 1941 en 1945 is een kwart van de Oekraïense bevolking om het leven gebracht: acht miljoen jongens, mannen, meisjes, vrouwen. Wat kun je nog, met zo'n getal?

Zoals gezegd, het oorlogsmonument van Kiev is van een ongekende lelijkheid, een torenhoge ijzeren maagd die met haar zwaard en schild de hele stad domineert. Onder dit gevaarte ligt het oorlogsmuseum. Wat je daarin meemaakt vergeet je niet snel. Natuurlijk zijn er de vaandels, de medailles, de elegant opgestelde stukken geschut en het artistiek belichte vliegtuigwrak. Maar dan is er de zaal van de doden en de levenden, een zaal met dronken dansmuziek en een meters lange tafel met doodsberichten, enkel doodsberichten. Op die tafel staan de gebutste veldflessen, de oude bekers en kroezen in een lange rij, en daartegenover staan de moderne glazen, de drinkglazen van de levenden, en op de enorme achterwand zijn de foto's van de doden geplakt, een immense collage van duizenden familiefoto's die vertellen over hun levens:

een jong gezin voor een tent, een groepsfoto van een regiment, een jong stel, lachend bij een soepketel, daaronder drie soldaten, star en stijf, een burgerfamilie in een tuin, een matroos, twee kinderen in hun zondagse goed. En almaar speelt die dansmuziek, die eeuwige dansmuziek voor ons allemaal, levend en dood.

WEDSTRIJD

In het stadion van de wereldberoemde voetbalclub Dynamo Kiev staat een beeld van vier voetballers die uit een blok graniet naar voren springen, gearmd als kameraden, de gezichten naar voren als typische sovjethelden – en dat waren ze inderdaad.

Het monument herinnert aan de 'Wedstrijd des Doods' die de spelers van Dynamo Kiev op 9 augustus 1942 speelden tegen een elftal van de Duitse Luftwaffe, en die vier spelers met de dood moesten bekopen. Ze waagden het namelijk om midden in de oorlog van Duitsland te winnen. Tot tweemaal toe.

In de zomer van 1942 hanteerden de Duitse bezetters in de Oekraïne nog het motto 'pacificatie door normalisatie'. Op 2 juni werd daarom, ondanks de oorlog, het voetbalseizoen geopend met een wedstrijd tussen het nazi-gezinde elftal Roech en FC Start, een selectie topspelers van Dynamo Kiev en Lokomotiv. Ook zouden teams van zes verschillende bezettingsgarnizoenen meedoen aan de competitie. De spelers van FC Start twijfelden lang over hun deelname, maar toen iemand in een pakhuis een partij rode truien aantrof raakten ze bevangen door een nieuw elan. 'We hebben geen wapens,' riep keeper Nikolaj Troesevitsj, 'maar we vechten door te winnen op het voetbalveld. We zullen de fascisten leren dat deze kleur onverslaanbaar is.' FC Start maakte Roech in met 7-2. Drie weken later was het Hongaarse garnizoen aan de beurt: 6-2. Vervolgens de Roemenen: 11-0. Op 17 juli een Duitse eenheid: 6-0. Er werd, volgens alle getuigen, sportief gespeeld, maar de populariteit van FC Start werd voor de Duitse bezetters wel problematisch. Op 6 augustus zetten de Duitsers hun sterkste elftal in, Flakelf, het 'onoverwinnelijke' team van de Luftwaffe. FC Start won met gemak: 5-1. De voortdurende overwinningen van FC Start groeiden nu uit tot een stil, zwaar beladen, politiek statement.

Op zondag 9 augustus zou de revanche tegen Flakelf plaatsvinden. De Duitsers hadden ditmaal een SS'er als scheidsrechter ingezet. Vooraf eiste die dat de spelers van FC Start de Hitlergroet zouden brengen. Inderdaad staken ze hun arm schuin omhoog, en riepen vervolgens: 'Fizkoeltoera!', 'fysieke cultuur', de sovjetkreet voor alle sporters. De Duitsers snapten er niets van, het Oekraïense publiek was opgetogen.

Het werd een legendarische wedstrijd. Van sportiviteit was ditmaal geen sprake: de Duitse spelers schopten en trapten waar ze konden – keeper Nikolaj Troesevitsj bleef minutenlang bewusteloos liggen – zonder dat de scheidsrechter ook maar enige Duitse overtreding noteerde. Toch speelde FC Start de sterren van de hemel, en bij de rust was de stand 3-1. Het publiek liet steeds meer zijn ware gevoelens zien: De Oekraïeners braken het stadion af, de Hongaarse en Roemeense 'bondgenoten' van Duitsland juichten het hardst van allemaal.

In de rust kwam een Duitse SS'er de kleedkamer van FC Start binnen. Ze speelden voortreffelijk, zei hij vriendelijk, maar voordat ze weer het veld op gingen zouden ze toch even moeten nadenken over alle consequenties. De hint was duidelijk. FC Start won met 5-3. Nog voordat de negentig minuten om waren had de SS-scheidsrechter de wedstrijd afgeblazen om het Duitse leger verdere vernederingen te besparen.

Een paar dagen later waren alle spelers van FC Start door de Gestapo opgepakt. Eén speler verdween, zeven zouden het overleven. Troesevitsj en de anderen werden dag en nacht verhoord en geslagen. Nikolaj Korotkych, vermoedelijk een NKVD-agent, stierf drie weken na de wedstrijd, doodgemarteld door de Gestapo. De anderen belandden in het beruchte concentratiekamp Sirets, vlak bij Babi Jar. Op 24 februari 1943 werd, als represaille voor een sabotageactie, bij het appèl een groot aantal gevangenen doodgeschoten, waaronder drie spelers van FC Start. De reus Ivan Koezmenko werd neergeknuppeld. De jonge, razendsnelle voetbalster Aleksej Klimenko werd met een kogel achter het oor afgemaakt. Nikolai Troesevitsj werd neergeslagen, maar stond, met de lenigheid van een goede keeper, direct weer op zijn voeten. Zo werd hij door het hoofd geschoten, staande, in zijn trotse zwart-rode keeperstrui.

Met het laatste licht verlaat ik Kiev, in de nachttrein naar Odessa, uitgezwaaid door Irina en de altijd weemoedige klanken van de stationsomroep. In de voorsteden flaneren jongens en meisjes langs de rails. Een dorp: half huizen, half containers. De vroegere strogele daken zijn vervangen door golfplaten. Onder de bomen zit een familie aan een grote tafel te eten. Er liggen eindeloze moestuinen langs de spoorbaan, kleine graanakkertjes voor eigen gebruik. Een vrouw zeult een slee met aardappelen moeizaam over het zandpad naast de rails. Dan de eindeloze vlakte.

Als ik de volgende ochtend uit de trein stap, is het zondag. De klokken luiden, uit de haven komen rammelende geluiden, de lucht tintelt van de nabije zee. Mijn hotel heet Londonskaja, het ligt aan de mooiste boulevard van de wereld, het is het beroemdste hotel van de stad. Konstantin Paustovski logeerde er in juli 1941 tijdens de bombardementen, gratis, als laatste gast, terwijl de ramen uit de sponningen vlogen en twee oude obers rustig het menu van de dag serveerden: thee met niets en bruine glibberige vermicelli. Achtenvijftig jaar later is alle faam de eigenaars naar het hoofd gestegen. Ik slaap er één nacht en ik betaal een bedrag waarvan de Oekraïense familie Doorsnee zeker drie maanden kan leven.

Het uitzicht blijft onovertroffen. Schuin voor me lopen de befaamde trappen naar de haven, de trappen die zo'n centrale rol spelen in Eisensteins film *Pantserkruiser Potemkin*. De zee. Vlak onder mijn raam ligt de boulevard met zijn banken, lantaarns en ruisende kastanjes. Naast en achter me de stad, de huizen lichtgroen en oker, de straten van een negentiende-eeuwse allure, weinig auto's, oude kasseien, de gevels vol vergane glorie.

Alles waarover een liefhebber van Russische literatuur droomt is in Odessa nog te vinden: het paleis waar Aleksandr Poesjkin de vrouw van gouverneur Michail Vorontsov, Jelizaveta Vorontsova, het hof maakte; het redactielokaal van de zeemanskrant *Morjak* waar Paustovski in 1920 zijn eigen revolutie maakte; de binnenplaatsen waar Isaak Babel zijn boevenkoning Benja Krik liet regeren.

Op de boulevard koeren de duiven, er klinkt muziek, de jongens en meisjes lopen er de hele dag heen en weer omdat ze geen geld hebben voor welk terras dan ook. Er zijn paardjes voor de kinderen. Er is een aapje waarmee je op de foto kunt. De zwaluwen gieren tussen de daken. Het is een zondag als lang geleden.

'Odessa heeft tijden van welvaart gekend en is nu op zijn retour – een poëtisch, nogal zorgeloos en heel hulpeloos retour,' schreef Babel in 1916. Langs de trappen naar de haven loopt een vrouw met grijze, verwarde haren. Ze wankelt. Ze roept: 'Weg zijn de communisten! Weg is God! God bestaat niet! De staat bestaat niet! Er zijn alleen nog maar arme mensen, rovers en bandieten. God, help ons! Rovers! Bandieten!' En zo blijft ze roepen, tot beneden toe.

Wat in deze stad opvalt is, zoals overal in Oost-Europa, de taaiheid der dingen. Van de meeste huizen en kantoren in de binnenstad is sinds de negentiende eeuw geen deurknop meer vernieuwd; de treinen, de bussen en trams dateren vrijwel zonder uitzondering uit de jaren vijftig en zestig. Maar alles rijdt nog, alles doet het nog, dit hele land teert op het krediet van het verleden, op de vakkundige bouwers uit de tsarentijd en de plompe sovjettechniek van de jaren zestig. Alles wordt opgebruikt, niets wordt vervangen.

Je ziet hier een imperium ineenzakken. Tien jaar geleden kon je overal met roebels terecht, van Riga tot Volgograd, van Sint-Petersburg tot Odessa. Nu zitten mijn zakken vol met de meest uiteenlopende bankbiljetten, bedrukt met portretten van duistere heren en nietszeggende getallenreeksen. Het enorme handelsnetwerk van het oude Rusland en de voormalige Sovjet-Unie is grondig verstoord, het jonge nationalisme heeft duizend nieuwe barrières opgeworpen, en de gevolgen daarvan zijn overal merkbaar: in dat Letse grensstadje dat helemaal draaide op export naar Rusland, in de lege toeristenhotels in Moskou en Kiev, in de haven van Odessa, waarvan de omzet sinds de opsplitsing van de Sovjet-Unie met tweederde is teruggezakt, in de failliete schepen die hier bij dozijnen voor de kust liggen te wachten.

Ik loop het Literatuurmuseum binnen. Naast de eenzame bril van Babel stuit ik warempel op een paar authentieke exemplaren van *Morjak*. Ze dateren uit 1921, ze zijn gedrukt op de achterkant van theeverpakkingen, en ze bevatten onder andere de eerste verhalen van Konstantin Paustovski. In de grote zaal – het museum is eigenlijk een paleisje – gaat ondertussen een zestigjarig huwelijksfeest van start. Een vrouwenkoor van veteranen en gepensioneerden, gehuld in prachtige Oekraïense gewaden, zingt het ene meeslepende lied na het andere. Het bruidspaar staat oud en broos de hulde in ontvangst te nemen. Op hun borst stralen de sterren en linten van de vergane Sovjet-Unie.

Isaak Babel schreef: 'In Odessa heb je strelende en verfrissende lenteavonden, de penetrante geur van acacia's en boven de donkere zee een maan die gestadig een onweerstaanbaar licht uitstraalt.' Daaraan is niets veranderd. Ik was allang verliefd op deze stad, nog voordat ik er een voet had gezet. Een jaar of wat geleden was ik er voor het eerst vanuit Istanbul heen gevaren, aan boord van een vrachtschip met passagiersaccommodatie dat heen en weer pendelde over de Zwarte Zee, langs de ondergrens van Europa. Het schip, de Briz, zag eruit als een oude man, de scheepswand was overwoekerd met korsten en gezwellen, en sinds jaar en dag vervoerde het handelaren van Odessa naar Istanbul en terug. Maar op de reddingssloepen en de zwemvesten stond Odessa, Odessa, Odessa.

Halverwege kregen we een kabel in de schroef, urenlang dreven we stuurloos rond. Vrijwel geen passagier leek het op te merken. De meesten vertoonden zich slechts aan dek om hun goederen te inspecteren. Waren de ijskasten niet nat geworden? Zat hun vracht Italiaanse tuinstoelen nog wel goed vastgesjord? Gapten de matrozen niet te veel van de tomaten die met honderden kisten op het dek stonden? Daarna trokken ze zich weer terug in hun hut of in de minuscule scheepsbar.

Zo ging het dus toe aan de veelbesproken buitengrenzen van Europa: een oude schuit, een stel norse mannen in trainingspakken, wodka, een paar scheepshoeren en een dozijn dolfijnen daaromheen.

In Istanbul hoorden we, bij het wegvaren vanaf de Gouden Hoorn, de gebedsroep vanaf tientallen minaretten, maar op straat zag je heel wat minder hoofddoekjes dan in een Rotterdamse volkswijk. En in Odessa was alles weer Europees: de huizen, de opera, de schrijvers, de musea en niet in de laatste plaats de jeugd. Want wie paradeerden hier hand in hand over de boulevard, anders dan de achterkleinkinderen van Italiaanse handelaren, Griekse matrozen, Russische ambtenaren, joodse en Armeense ambachtslieden en Oekraïense boeren?

De meest heldere grens van Europa is de grote historische scheidslijn die Samuel Huntington, hoogleraar aan Harvard, vastlegde in zijn klassieke analyse *Botsende beschavingen*. Het is de lijn die loopt tussen de westelijke christelijke volkeren en de oostelijke orthodoxe en islamitische culturen, een breuk die teruggaat tot 395 jaar na Christus, toen het Romeinse Rijk in een oostelijk en westelijk rijk werd opgesplitst. Beide rijken gingen daarna een eigen weg, en door al die verschillende historische ervaringen groeiden tradities en culturen uiteen.

Huntingtons breuklijn ligt al bijna vijfhonderd jaar ongeveer op dezelfde plaats. Hij loopt ruwweg van noord naar zuid, vanaf de grens tussen Finland en Rusland, achter de Baltische staten langs, dwars door Wit-Rusland, Oekraïne, Roemenië en Servië, en eindigt tussen Kroatië en Bosnië in de Adriatische Zee.

Aan de westelijke kant van deze lijn drinken de mensen espresso of filterkoffie, ze vieren Kerstmis op 24 december, ze zijn – meestal zonder het te beseffen – beïnvloed door de scholastiek en het humanisme, ze hebben de Reformatie, de Renaissance en de Verlichting meegemaakt, ze hebben ervaring met een democratie en een rechtsstaat, al is dat in sommige landen allemaal nog pril en jong. Aan de oostelijke kant drinken de mensen koffie met drab, ze vieren Kerstmis volgens de orthodoxe kalender of ze vieren het helemaal niet en de meesten hebben eeuwenlang geleefd onder het Byzantijnse rijk en andere, min of meer absolutistische regimes.

Er zijn afwijkingen van deze lijn mogelijk. Griekenland is bijvoorbeeld vanaf de vierde eeuw na Christus een orthodox land, maar het hield ook vast aan zijn faam van bakermat van de West-Europese beschaving. De symboolwaarde van het klassieke Griekenland is nog altijd groot. Maar tegelijk was en is het ook een typisch Balkanland, en in de NAVO en de EU is het altijd een lastige buitenstaander geweest die grote moeite had met de politieke omgangsvormen van het Westen.

Huntingtons visie wordt – soms openlijk, vaker in stilte – gedeeld door de meeste West-Europeanen en hun leiders. Dat is begrijpelijk: 'Europa' is als politiek begrip nog jong, de woorden 'Europeaan' en 'Europees' gebruiken we pas vanaf de grote ontdekkingsreizen in de zestiende eeuw, daarvoor waren het 'de christenen' tegen de rest van de wereld. Maar er klinken ook andere geluiden. Je kunt je immers afvragen of die hele discussie over 'Europese identiteit' wel zoveel zin heeft, of het zelfs niet in strijd is met de hele geschiedenis van het 'idee Europa'. Want als íets het kenmerk bij uitstek van de Europese beschaving is, dan is het diversiteit, en niet één enkele identiteit.

Welnu, als er één stad is waar deze Europese veelkleurigheid bloeit, dan is het Odessa. Al een paar jaar nadat deze half Franse, half Italiaanse stad rond 1800 door de pioniers van de steppe uit de grond was gestampt schreef tsaar Alexander I aan gouverneur Vorontsov dat Odessa 'te Europees' werd: militairen liepen er met losgeknoopt uniform, en Odessa was de enige stad in Rusland waar men op straat mocht roken en een liedje zingen. In 1897 bleek, bij een telling van 'moedertalen', dat een derde van de bevolking Jiddisch sprak en nauwelijks de helft Russisch. Slechts één op de twintig bewoners sprak Oekraïens, bijna net zoveel spraken Pools als eerste taal. Veel Russen haatten Odessa. De stad gold voor Russische nationalisten als een lakmoesproef: wie van Odessa hield, was van Europa. Wie niet van Odessa hield was trouw aan het oude Rusland. En nog altijd heeft Odessa die eigen stadstrots, die maakt dat mensen niet zeggen: 'Ik kom uit Oekraïne', of: 'Ik ben Rus', maar: 'Ik ben van Odessa.'

Poesjkin schreef het al:

Daar ademt en beweegt Europa
Is daar het Zuiden, vrij en open,
In levende en bonte praal
De gouden Italiaanse taal
Weerklinkt in de bevolkte straten
Waar fier de Slaven af en aan
Met Spanjaard, Griek en Fransman gaan.

Er bestaat een Fries volksverhaal over een jongeman die door zijn vader de wereld wordt in gestuurd met een roeiriem over zijn schouder, en die pas mag halt houden als hij in een land terecht is gekomen waar men hem vraagt: 'Wat is dat voor een rare stok op je schouder?' Tijdens mijn reis paste ik dezelfde methode toe als het ging om de vraag waar Europa ophoudt. Ik merkte al snel dat het probleem in de praktijk helemaal niet zo ingewikkeld is: de mensen bepalen zelf wel waar ze bij horen, en dat laten ze duidelijk merken ook. Telkens wanneer gepraat werd over vakanties 'naar Europa', de kwaliteit van 'Europese kleding' of familieleden 'in Europa', wist ik één ding zeker: nu had ik die schimmige buitengrens van Europa overschreden.

Dat was dus het geval in Sint-Petersburg, in Moskou, in Volgograd – o, wat wilde mijn gids graag 'naar Europa' verhuizen – maar ook in Vilnius, en zelfs één keer in Warschau. Ook in Istanbul spreekt de volksmond duidelijke taal: op de veerponten over de Bosporus heeft men het over de 'Europese' kant en de 'Aziatische'. Maar in Griekenland of in Bosnië, officieel aan de 'Byzantijnse' kant van de lijn, heb ik nooit iemand horen zeggen dat hij naar Europa ging. Huntingtons lijn mag op het oog overtuigend lijken, in werkelijkheid loopt hij veel grilliger, wordt hij veel meer bepaald door de emoties van de dag, veel meer ook door recente ervaringen.

En Odessa? Mijn oude kennis Natalja roept dat ze binnenkort hopelijk weer eens op vakantie kan 'in Europa'. Ze heeft na het ineenzakken van de Sovjet-Unie weinig op met de Russen maar ze hangt schaterend aan mijn arm als ze vertelt hoe Rusland in Kosovo al die arrogante westerlingen te slim af was. Ze hadden razendsnel met een stel parachutisten het vliegveld van Priština bezet, voordat de Britten en Amerikanen er waren, en zo hadden ze alsnog enige invloed op de afloop van de oorlog. In Europa waren ze daar heel kwaad over, ten oosten van de Huntingtonlijn vond iedereen het een fantastische stunt – ook een manier om de Europese verhoudingen nog eens op te frissen.

We brengen de avond door met haar vrienden in Arkadia, de grote oude stadstuin die Babel al beschreef. Een paar jaar geleden kon je op de terrassen nog eindeloos naar de zee luisteren, nu hangt het er vol colareclames, en de herrie is oorverdovend. Edvard, een vriendelijke krullenkop die druk bezig is om een lokaal commercieel radiostation van de grond te tillen, roept dat het onze eigen schuld is: 'Al die Amerikaanse films van jullie, dat is kopen, kopen, kopen, dat moet je niet laten zien aan die arme mensen hier, die worden helemaal gek.' Hij klaagt de hele avond over alle problemen die hij heeft om Europa binnen te komen, ook al is het enkel voor een korte zakenreis. 'Wachten in consulaten, wachten op vergunningen, er gaan soms maanden overheen. Ik meen het serieus: het is bijna net zo lastig als in de tijd van het IJzeren Gordijn. Alleen worden de barrières nu in het Westen opgeworpen in plaats van bij ons.'

Het is onmiskenbaar: hier in Odessa denken ze vaak en veel na over Europa, meer dan de Europeanen zelf. De volgende ochtend heb ik een afspraak met Charel Krol-Dobrov, hoogleraar Europese Studies aan de Universiteit van Odessa. 'Dit is een land voor gevorderden,' meent hij. 'Vanuit Nederland lijkt alles even helder, en die manier van denken geeft verbluffende resultaten. Toch weet iedereen dat het echte leven nooit transparant is, maar altijd troebel. Dat geldt ook voor de grenzen van Europa. Dat is geen lijn die je even tussen twee landen kunt trekken.'

We zitten bij Londonskaja, bij dezelfde muur waarop Paustovski in 1920 soms 'duizelig van de honger' ging zitten, in hetzelfde briesje uit zee dat zich tegen zijn wang vlijde 'als een natte meisjesschouder, nog koel van het baden'. Krol vertelt over zijn jaren in Odessa, en hoe die zijn blikveld verruimden. Europa is immers groter dan West-Europa alleen, en volgens hem zou het een grote verschraling voor de Europese ontwikkeling zijn als de buitengebieden zouden worden uitgesloten. 'In Nederland is de grens van Europa duidelijk: de oceaan. Maar hier? Waar begint het? Waar eindigt het? Je krijgt een ander perspectief als je vanuit het oosten op Europa kijkt. Altijd heeft West-Europa genoeg aan zichzelf gehad, terwijl men aan de oostgrenzen altijd gezeten heeft met de vraag: horen wij erbij of niet? Daarom wordt er in Oost-Europa zoveel gediscussieerd over de aard van Europa, veel meer dan in het Westen. Wat is Europa? Wat moet Europa zijn? Wat moet Europa worden?'

Hij vertelt me over de oude Russische tegenstelling tussen slavofielen en westersgezinden, en hoe de communisten dat contrast op hun eigen wijze bleven koesteren. 'Nu lijkt dat debat achterhaald omdat de communisten verloren hebben, en daarmee, impliciet, ook de slavofielen. Maar in deze stad blijft het een levend vraagstuk. Hier voelt men in zich het Aziatische bloed, en ook het Europese bloed, met beide moet men in het reine zien te komen, en dat is al eeuwenlang aan de gang.'

Buiten, op de boulevard, horen we een zangeres. Ze staat onder een grote zwarte paraplu tegen de zon, maar het lijkt alsof ze nog altijd op het toneel van de opera staat. Met haar oude stem brengt ze aria's uit *Carmen*, *Tosca*, *Aïda*, *Figaro*, *Rigoletto*, het hele Europese repertoire. Charles Krol lacht erom: 'Wie kan het best een beweging beoordelen? Wie in de trein zit? Of wie buiten de trein staat en ernaar kijkt?'

Ditmaal heb ik geboekt op de Passat, voor dezelfde reis als toen met de Briz, maar nu in omgekeerde richting. Een groot deel van de middag zitten we te wachten op de douane. Het havengebouw is splinternieuw, waarschijnlijk neergezet met stevige Europese subsidies, maar dat heeft de houding van de douaniers jegens het Westen niet verzacht: ze bekijken iedere passagier van top tot teen, ieder paspoort en iedere tas roepen het grootste wantrouwen op, en pas vier uur later dan gepland mogen we vertrekken.

De haven ligt in de avondzon als we uitvaren. Slepende, wee-moedige klanken – daar zijn ze hier altijd erg goed in – waaien over de kade en de dekken. De olierook trekt een dikke streep langs de lucht, en dan glijdt de stad weg, de groene boulevard, de opera, triomferend op de heuvel. Een geel loodsbootje vaart met ons mee, de loods, een oude man, staat op de brug koffie te drin-ken. De Passat baant zich een weg door de rij schepen die voor de kust ligt te roesten. En dan varen we de Zwarte Zee op, die vreem-de, halfdode zee, die 'woestijn van water' zoals Paustovski haar noemde, die zee waar de tweeling 'beschaving' en 'barbarendom' hun eerste confrontaties vierden.

Hier stuitten de eerste Griekse kolonisten op de Scythen, de allereerste ontmoeting tussen een gevestigde cultuur van stadsta-ten en een beweeglijke beschaving van steppenomaden. Het was, zoals Neal Ascherson zo schitterend beschrijft in zijn reisverhaal over de Zwarte Zee, de eerste koloniale botsing in de Europese ge-schiedenis. Het zette de Grieken aan het nadenken. Ze stelden zich vragen over hun eigen cultuur, dezelfde vragen die Europea-nen zich nog altijd stellen. Over het eigen rationele gedrag, dat zich heeft losgemaakt van wat 'natuurlijk' en 'spontaan' is, maar ook over 'beschaving' en 'barbaarsheid', over 'anders' en 'minder', over 'inferioriteit' en het 'vanzelfsprekende' recht om anderen te overheersen, over 'culturele identiteit' en 'grenzen trekken'.

Een volle dag zien we geen kust. Het schip, hoog en leeg, slin-gert als een bierblik over de golven. In het restaurant, geheel be-groeid met kunstgeraniums, wordt in ploegen en op strikte tijden gegeten. Oekraïense meisjes liggen in hun bikini te zonnen, Turkse handelaren kijken zich de ogen uit het hoofd, toeristen kaarten en slapen. Drie keer per dag het restaurant in, de deining van de zee, dolfijnen voor het schip, wit schuim erachter, nie-mandsland.

4

Vanaf de oudste tijden was Constantinopel de scharnier tussen Oost en West, het laatste bolwerk van het Romeinse imperium, de rijkste metropool tussen Londen en Peking, het eindpunt van de Chinese zijderoute, het vooruitgeschoven lichtbaken van Europa.

En nu?

Vanaf de Zwarte Zee zijn als eerste de groene heuvels van Kilyos zichtbaar, met daarachter de elegante huizen en tuinen waar ooit Irfan Orga de laatste lichte zomer van zijn jeugd beleefde, en daartussen de moderne voorsteden van Istanbul, over de heuvels geplooid als witte dotten poetskatoen. We varen de Bosporus op. Links en rechts glijden villa's voorbij, de een nog uitbundiger dan de ander, met houtgesneden balkons, stoepen en terrassen die uitzien op het water, bloeiende tuinen, bomen, een dorpsplein, een minaret, een werfje, een paar cafés, een strand.

Het is zeven uur 's ochtends, maar het is al heet. We passeren een minuscuul vissersbootje, de netten hangen half in het water, de bruinverweerde vissers lachen en zwaaien naar de meisjes op de Passat. De grote brug tussen Europa en Azië ligt in de verte, een ijle draad waarlangs gestaag honderden torren en kevers heen en weer kruipen. Ik moet denken aan de Turkse schrijver Orhan Pamuk, en wat er volgens hem allemaal in de diepte van dit water moet liggen: met mosselen overwoekerde Byzantijnse schatten, duizenden jaren oude wijnvaten, colaflesjes, wrakken van galeien met spitse voorstevens, een gescheurde Roemeense tanker, geraamtes van paleisintriganten die dubbelgevouwen in zakken zitten, precies zoals ze verdronken waren, een Britse onderzeeër, de botten van kruisvaarders in volle wapenrusting, het verroeste anker van een pantserkruiser van Kaiser Wilhelm, de Cadillac die een vertwijfelde gangster ooit het water in reed.

We naderen het hart van de stad. Ik schreef het al eerder: hier is het onmiskenbaar 1956. De tientallen veerboten, vol vaders met aktetassen en moeders met boodschappen, de Ketelbinkie-vrachtschepen uit Sebastopol, Odessa en Piraeus, de helrode sle-pertjes, de olierook, het glinsterende water: alles ademt de geest van werk en handel, helder, zonder franje.

Het is een van de mooiste plekken op aarde, maar de Kosovo-oorlog heeft de toeristenstroom dun gemaakt. Wij, een groepje westerlingen, worden bij de douane met gejuich begroet. We krijgen schouderklopjes, er worden glazen sinaasappelsap rond-gedeeld. In mijn hotel blijft de grote ontbijtzaal ongebruikt, een flinke zijkamer is voldoende voor de paar gasten die er nog loge-ren. In de stad vechten de restaurants om onze klandizie.

De kranten schrijven druk over een gematigde moslimleider die zijn volgelingen heeft opgeroepen tot een soort geweldloze 'mars door de instituties'. Direct wordt hij vervolgd wegens 'het opstoken tot religieuze onrust'. Hier worden de culturele grenzen niet afgetast, zoals in Odessa, hier wordt de westerse secularise-ring verdedigd met de felheid van een geloof.

Het Europese deel van de stad oogt als het oude Barcelona, be-halve dat er zo nu en dan een gebedsroep schalt. De markten zijn vol geuren en kreten, de uitstalkasten druipen van melk en ho-ning, puilen uit van kruiden, kippen en vissen, van kersen als pruimen, van pruimen als appels, van groenten in duizend soor-ten. In de Istiklal Caddesi laten de straatjongetjes zich meeslepen aan de bumper van de oude tram, hun voeten glijden over de rails. Midden op de dag roepen overal luidsprekers op tot gebed. Dit is moslimland, ja. Maar de barokke winkelgalerij waarin ik zit te eten, had evenzogoed in Brussel kunnen staan, of in Mi-laan. Istanbul is, net als Odessa, een mengstad, een stad die met al die verschillende identiteiten in het reine moet zien te komen, zonder te kiezen voor de ene of voor de andere.

Ik logeer in Pera Palas, een antiek hotel dat in 1892 werd gebouwd als verlengstuk van de Oriënt-Express, een koele rustplaats na de uitputtende treinreis door de Balkan. Het gebouw ademt een nos-talgische chic, dwars door het trappenhuis kraakt de hele dag een stokoude lift op en neer, in de immense zalen glanzen goud en marmer. In de grote, schilferige badkamers kun je op dezelfde wc zitten als Greta Garbo, je kunt uit hetzelfde raam staren als keizerin Sissi van Oostenrijk en in hetzelfde bed liggen als koning Zog van Albanië. Luid klinkt de tv uit de kamer waar Trotski sliep: 204.

De mooiste suite is voor eeuwig gereserveerd voor Mustafa Kemal Paşa – vanaf 1935 Kemal Atatürk, ofwel de 'vader der Turken'. Een portier pakt me bij de hand, ik mag even om de hoek kijken. Het is een klein, verstild heiligdom: een bed, een badkamer, twee fauteuils, een bureau met een paar foto's en wat notities. Hier bivakkeerde dus deze militaire dictator als hij in Istanbul was, deze oorlogsheld uit de Eerste Wereldoorlog die de chaos van het ineenstortende Osmaanse rijk beteugelde, de vreemde bezetters verdreef en het land krachtig en voortvarend de moderne tijd binnenleidde.

Atatürk dwong in de jaren twintig en dertig de secularisering gewoon per decreet af, een ongekende revolutie in de islamitische wereld: de vrouwen mochten geen sluiers meer dragen, de mannen geen fez, polygamie werd verboden, vrouwen kregen stemrecht, de islamitische maankalender werd vervangen door de gregoriaanse tijdrekening, het Arabische schrift door het westerse, in plaats van de islamitische wet nam men vrijwel letterlijk het Zwitserse burgerlijk wetboek over, zondag werd de algemene rustdag in plaats van vrijdag, alle koranscholen werden gesloten, de islam diende voortaan alle wereldlijke wetgeving te respecteren.

De afgelopen decennia werd de vader des vaderlands meer vereerd dan ooit, ondanks – of misschien wel door – de nieuwe islamisering van het land. Het ene standbeeld na het andere verrees, in alle cafés en schoolklassen hing zijn portret. Hij gold als hét symbool van de grote sprong voorwaarts, het indammen van de macht van de gelovigen, de definitieve breuk met 'de zieke man van Europa', zoals het Osmaanse rijk ooit werd genoemd. Toch was Atatürk een product van datzelfde rijk, een imperium dat in werkelijkheid minder sleets was dan vaak wordt aangenomen. Net als, bijvoorbeeld, in Frankrijk was ook in Turkije al vanaf het midden van de negentiende eeuw een moderniseringsprogramma gestart. Allerlei hervormingen die later zijn toegeschreven aan Atatürk waren al ingezet onder de Osmaanse sultan Abdül-Hamid II: de herziening van het onderwijs, de modernisering van het leger, de reorganisatie van de rechterlijke macht en de staatsfinanciën, het terugdringen van de invloed van de moslimelite, de verwestersing van kleding, de aanleg van wegen en spoorlijnen.

Onder sultan Hamid kwam een directe landverbinding met West-Europa tot stand: op 12 augustus 1888 stoomde de eerste Orient-Express de stad binnen. Pera Palas werd de voorpost voor westerse elite. In diezelfde jaren werden achttien nieuwe opleidingen opgezet, plus een universiteit en een medisch instituut. Atatürks eigen jeugd is één groot voorbeeld van de mogelijkheden die het gemoderniseerde Osmaanse onderwijs rond 1900 al bood.

Ook Atatürks scheiding van staat en godsdienst – de islam mocht enkel nog beleefd worden als een particulier geloof, zonder juridische of politieke invloed – bouwde voort op bestaande opvattingen. Met name in de negentiende eeuw raakten veel islamitische denkers geïnspireerd door de modernisering van het Westen. Ze kwamen op grond van de koran tot opvattingen die in veel opzichten vergelijkbaar waren met het moderne westerse gedachtegoed. Ze hadden allerlei ideeën over intellectuele vrijheid, over de rol van het individu, over de scheiding van staat en godsdienst. Deze moderne negentiende-eeuwse moslims zagen, in de woorden van godsdiensthistoricus Karen Armstrong, 'dat Europeanen en moslims gemeenschappelijke waarden hadden, maar dat de Europeanen een maatschappij hadden geschapen die veel efficiënter, dynamischer en creatiever was. Die wilden deze moslims nu ook in hun eigen land vestigen.'

Daarnaast bestond echter ook de despoot Atatürk, en die beheerst, meer dan zestig jaar na zijn dood, in minstens zo sterke mate de Turkse samenleving. Het seculiere karakter van het land, gehaat door religieuzen en fundamentalisten, wordt nauwgezet bewaakt door het leger. In 1961 hingen de militairen zonder blikken of blozen de democratische premier Adnan Menderes op wegens 'corruptie' en 'samenzwering met de islamitische partijen'. Bij een militaire coup in 1980 werden duizenden opposanten zonder vorm van proces opgepakt. Nog in 1998 schoven de generaals 'in naam van Atatürk' de eerste democratisch gekozen islamitische regering zonder pardon opzij. De Turken hebben er zelfs een eigen jargon voor: de 'diepe staat' tegenover de 'officiële-maar-oppervlakkige staat', en 'zachte coups', 'pasja-coups' of 'media-coups'.

Het is vrijdagavond zeven uur, spitsuur voor de veerboten. De mensen komen in drommen de loopplank over, met tassen, gereedschapskisten, manden met kippen, visgerei, fietsen, zelfs stoelen en tafels. Op de kade verdringen zich de verkopers van geroosterde maïskolven, zonnebloempitten, geschilde komkommers en verse vis. Er wordt gevent met dansende poppetjes, adembenemend roze kinderpetticoats, vogeltjes van paarse veren en lichtblauw plastic. Een blinde man speelt viool, zijn vriend zingt een droevig lied in een microfoon vol akoestische effecten.

De speelgoedhandelaren hebben twee nieuwe poppen in de aanbieding: een elektrisch aangedreven blonde pop die een kindje wiegt en een groene commando die met zijn geweer vooruitkruipt en regelmatig flitsen en dodelijke geluiden voortbrengt. Even verderop zit een man achter een oude weegschaal: voor een stuiver weet je wat je waard bent. Aan de kade slingeren kleine vissersschepen op de deining, midden op het dek staan vuurtafels waarop de bemanningsleden hun vissen roosteren, als acrobaten springen ze met iedere golf mee. Er wordt stevig gebedeld. Binnen een minuut word ik aangeklampt door een oude man, een vrouw met één been en een zielig meisje met een baby. De visverkopers roepen, de elektronische speelgoedpoppen kwaken en ratelen, de schepen toeteren, de blindeman zingt daar weer doorheen: dat is de kade bij de brug over de Gouden Hoorn op vrijdagavond om zeven uur.

De veerpont naar Büyükada, een van de eilanden in de Zee van Marmara, is een roestig schip vol opgewekte mensen die blij zijn dat ze even aan de stad kunnen ontsnappen. Ik raak in gesprek met een studente. Ze vertelt dezelfde verhalen over nieuwkomers die ik vaak hoor in Amsterdam, alleen komen deze immigranten uit haar eigen land. Ze is bang voor het oprukkende platteland, ze ziet ieder jaar tienduizenden jongeren uit de dorpen vol illusies naar de stad trekken en in korte tijd vastlopen, zonder werk, zonder familie. Overal duiken fundamentalistische groepjes op. 'Istanbul is bezig zichzelf kwijt te raken,' zegt ze. 'Alle beweging, alle verandering is weg. Alles is versteend door de polarisatie in deze stad tussen arm en rijk, en tussen het moderne en het fundamentalistische denken. De situatie wordt met de dag meer gespannen.'

Kort daarna zou de stad letterlijk beven en scheuren, er zouden duizenden doden vallen, maar dat moet allemaal nog gaan gebeuren, we genieten zorgeloos van de avond. Een vrolijke man probeert messen te verkopen, hij demonstreert de kwaliteit door een plastic fles kunstig te versnijden. Thee en vruchtensappen worden in grote hoeveelheden geserveerd. Op het achterdek heffen een paar jongens een lied aan. De lucht is zoel, de zee is oogverblindend. En ondertussen blijft Istanbul aan de Aziatische kant van het water maar doorgaan, de stad rolt maar door tussen de kust en de heuvels, als een brede, grijswitte band, tientallen kilometers, honderdduizenden flatblokken, tien, twaalf miljoen mensen die dromen en iets willen met hun leven, samengedromd aan de oevers van het Aziatische continent.

Op een zondag loop ik wat doelloos door de steile straatjes van Fener, de oude Griekse wijk. Sommige huizen zijn nog van hout. Een scharensliep, een koopman met yoghurt, overal trekken mannen met karretjes van huis tot huis. Op een plein beweegt een minuscuul draaimolentje, rondgeduwd door de eigenaar. Een groepje kinderen staat opgewonden te wachten, een paar centen in de hand geklemd. Volgens mijn gids hebben de namen van dit soort kleine straatjes een ongekende poëtische kracht: Straat van de Duizend Aardbevingen, de Laan van de Borstelige Baard, de Steeg van de Kip Die Niet Kan Vliegen, het Slop van Plato, de Straat van Nafie met het Gouden Haar, de Straat van Ibrahim van de Zwarte Hel. Vanuit een antieke bakkerij komen de heerlijkste geuren. Als ik even blijf staan, komt de bakker naar buiten en stopt een krakeling in mijn handen. Hij wil geen geld: 'Zo maken wij dat, vreemdeling. Proef!'

De Aya Sophia, ooit de grootste kerk van de christelijke wereld, is nog altijd een gebouw dat zelfs de meest verwende toerist tot zwijgen brengt. Het is een veroverde kerk, maar ondanks de grote Arabische schilden aan de muur is het nooit een echte moskee geworden. Het is en blijft een laatste explosie van alle kracht en ingenieurskunst van het Romeinse imperium. Het gebouw werd in 562 ingewijd en pas in de negentiende eeuw was Europa technisch weer in staat om dezelfde gigantische overspanningen te bouwen die de bouwmeesters van keizer Justinianus hadden gerealiseerd. Maar nu ben ik op zoek naar de geestelijke opvolger van de Aya Sophia, de kerk van Sint-Gregorius, de zetel van de patriarch van de Grieks-orthodoxe kerk.

Opvallend genoeg is Istanbul nog steeds het centrum van het orthodoxe christendom. De Grieks-orthodoxe patriarch van Constantinopel bekleedt formeel dezelfde positie als de paus, maar pas na veel moeite vind ik in een hoek van deze volksbuurt het orthodoxe Vaticaan. Het complex is zwaar ommuurd. In de kerk is een priesterwijding aan de gang, de banken zitten vol en op de binnenplaats staan overal families te praten. Er hangt een feestelijke sfeer. De priesters zijn oude mannen, het seminarium is al dertig jaar geleden door de Turken gesloten, maar het lijkt alsof er weer nieuw leven ontstaat. Het patriarchaat blijft eruitzien als een fort, op de muren is aan de buitenkant overal graffiti gekalkt: 'Lang leve onze islamitische strijd!'

In dit intieme gezelschap is het bijna niet voorstelbaar dat driekwart eeuw geleden, bij de volkstelling van 1924, nog een kwart van de bevolking van Istanbul uit Grieks-orthodoxen bestond. In 1955 vond een ware pogrom plaats: duizenden moslims trokken de Griekse wijk in, gooiden de ruiten kapot, plunderden en vernielden. Tientallen orthodoxe kerken werden in brand gestoken. De politie deed niets. In 1974, rond de Cypruskwestie, werden nog eens tienduizenden Grieken verdreven. Nu zijn er hooguit drieduizend over.

Het is een bizarre gedachte, maar toch is het zo: deze kleine groep keurige, zondagse Grieken, dit afgelegen kerkje, deze hoogbejaarde priesters, het zijn de allerlaatste resten van het enorme Grieks-orthodoxe machtscentrum dat Constantinopel ooit was, van die unieke vermenging van Europese en oosterse culturen die hier zeker duizend jaar aaneen doorbloeide.

Het Osmaanse imperium deed in sommige opzichten denken aan de Europese koloniale rijken, maar één aspect miste het: het koloniale dédain waarmee op andere volkeren werd neergekeken. Het kon de Osmanen weinig schelen of iemand moslim of christen was. Joden en christenen werden over het algemeen met rust gelaten. Veelbelovende joodse en christelijke jongeren werden soms tot de islam bekeerd, waarna ze vaak op belangrijke posten in het leger en de bureaucratie terechtkwamen. Maar voor het overige deed de geestelijke vrijheid in het achttiende- en negentiende-eeuwse Istanbul denken aan die van Amsterdam. Terwijl vrijwel overal in Europa andersdenkenden werden vervolgd, konden ze in het Osmaanse rijk in alle vrijheid hun godsdienst uitoefenen. Voor gevluchte joden werden de grenzen geopend, en ze leverden een welkome bijdrage aan de economie. Toen de Italiaanse reisschrijver Edmondo De Amicis in 1896 op de Galatabrug stond, zag hij een bonte menigte aan zich voorbijtrekken: Grieken, Turken, Armenen, 'een mohammedaanse vrouw te voet, een gesluierde slavin, een Griekse met lang golvend haar, bekroond met een rood mutsje, een Maltese verscholen onder haar zwarte faletta, een jodin in het oude kostuum van haar natie, een negerin gehuld in een veelkleurige Cairo-omslagdoek, een Armeense uit Trabzon, geheel in zwarte sluiers...'

Het Istanbul waarin de kleine Irfan Orga opgroeide, bestond zeker voor de helft uit niet-moslims. Volgens de volkstelling van 1893 leefden onder de zeventien miljoen Osmanen bijna vijf miljoen joden en christenen. Het was, net als het Habsburgse rijk, een multinationaal imperium. En het was, zeker toen het zich moderniseerde, in bepaalde opzichten wellicht Europeser dan het huidige Turkije.

Je kunt je dan ook afvragen waarin eigenlijk de grootste barrière ligt tussen Turkije en de rest van Europa. Is dat wel het klassieke moslimkarakter van het land? Is het niet veel meer de fel nationalistische en dictatoriale modernisering door Atatürk die een blijvende toenadering met het huidige Europa in de weg zit? Anders gezegd: ligt het probleem wel bij Mohammed? Ligt het niet minstens zo sterk bij Atatürk?

Het was het negentiende-eeuwse nationalisme dat een einde zou maken aan de verdraagzaamheid van het Osmaanse rijk, en met name in Anatolië waren de spanningen in het begin van de twintigste eeuw al hoog opgelopen. Maar pas onder Atatürk werden etnische zuiveringen verheven tot officieel beleid. Zijn moderne Turkije moest een sterke nationale en etnische eenheid vormen, het multinationalisme van de Osmanen vond hij sentimenteel en verouderd, religieuze en etnische diversiteit ondermijnden de identiteit en de veiligheid van het land. In de jaren twintig, nadat Griekenland tevergeefs geprobeerd had grote delen van het uiteenvallende Osmaanse rijk onder controle te krijgen, dwong Atatürk een geforceerde uitwisseling af tussen Griekenland en Turkije, een etnische zuivering van ongekende omvang: meer dan een miljoen Grieks-orthodoxe inwoners van Anatolië werden naar Griekenland gestuurd, bijna vierhonderdduizend Griekse moslims werden uitgezet naar Turkije.

Hun lot was nog heilig vergeleken met dat van de Armeniërs. Bij conflicten en deportaties werden in 1915, nog voordat Atatürk aan de macht kwam, naar schatting anderhalf miljoen Osmaanse Armeniërs omgebracht, een volkerenmoord die tot de dag van vandaag door de Turkse regering heftig wordt ontkend. Zelfs het melding maken van deze genocide, de eerste van de twintigste eeuw, leidt nog steeds tot aanklachten en processen. De afdekking van het verleden, het fatale vergeten waarover Primo Levi schreef, is hier een plicht voor iedere vaderlandslievende burger.

Dit alles had – en heeft – zijn effect op Istanbul. Het is een stad die, ondanks de overweldigende schoonheid van de Bosporus, ondanks de vertienvoudiging van de bevolking in de jaren negentig, ondanks de toestroom van tienduizenden immigranten uit Rusland en Oost-Europa, ondanks de Aya Sophia en al die andere sporen van vijftienhonderd jaar cultuur, zijn kosmopolitische karakter verliest en, in de geest, een provinciestad dreigt te worden. 'Istanbul, dat ooit onderdak bood aan een inspirerende gisting van verschillende volken, (is) tegenwoordig een cultureel achtergebleven en financieel verarmde mono-etnische megapolis, voor 99 procent Turks,' schrijft de Britse Byzantiumkenner William Dalrymple. 'De joden zijn naar Israël vertrokken, de Grieken naar Athene, de Armeniërs naar Armenië en de Verenigde Staten. De grote Europese handelshuizen zijn naar huis teruggekeerd, de ambassades en de politici zijn verhuisd naar Ankara.'

Alle steden vertellen een verhaal, en het verhaal van Istanbul gaat bovenal over verschuivende zwaartepunten en over kwetsbaarheid, hoe internationaal een metropool ook oogt. Achthonderd jaar geleden, rond 1200, lag hier het absolute machtscentrum van Europa. Nu is het een uithoek, een arme, razendsnel groeiende derdewereldstad, een symbool van vergane glorie, vergeten banden, verloren verdraagzaamheid.

5

In het Kretenzische dorp Anogia begint de ochtend met het ge-
kraai van de hanen. Er komt een man langs met een megafoon
die, in de eerste uren van de dag, al aardappels probeert te slijten,
een wagen vol. Vervolgens het gebel en geblèr van een kudde geiten, dan het geroep van een zigeunerin met een kar vol kleren,
daarna een auto vol plastic emmers en teilen, en dan is het volop
dag.

De oude mannen komen langzaam uit hun huizen. Ze hebben
stokken, baarden, zwarte hoofdbanden, ouderwetse jassen, spijkerbroeken, alle seizoenen en alle tijden zijn in hun uiterlijk verstopt. De communisten zitten voor hun eigen café, waar Marx,
Lenin, Che Guevara en Jozef Stalin hun vaste plekken aan de
muur hebben. Een bus vol Duitse toeristen trekt langs, ze verdwijnen in het restaurant met het bord ICH SPRECHE DEUTSCH, en
iedereen op het dorpsplein knikt en groet allervriendelijkst. Een
gevild schaap wordt van een pick-up truck gesmeten, de kop rolt
over de grond. De oude vrouwen gaan boodschappen doen. Je
kunt nog steeds zien wie een halve eeuw geleden de mooiste was,
alleen al vanwege de manier waarop de oude mannen zo'n krom-
gegroeide Caliope behandelen.

Een halve eeuw geleden, toen ze nog jong waren, toen Anogia
van de aardbodem werd weggevaagd.

's Avonds verrijst de maan als een waanzinnige schijf boven de
helling van de hoofdstraat. Anogia ligt tegen de flanken van het
Ida-gebergte. De huizen zijn wit en vierkant, de straten lopen met
de heuvel naar beneden, er is een plein met platanen, en overal
zijn toeristenwinkeltjes met kleurige weefkunst.

Achter in het dorp bevindt zich een klein museum met de naïe-
ve kunst van een begaafde herder, Chrilios Skoulas. Er hangen

grote schilderijen: van het dorp, met alle straten, en van de schilder en zijn vrouw in vrede voor hun huis; van de schilder die met een lam op zijn nek in de sneeuwjacht door een donker bos loopt; van parachutisten die landen, in groene uniformen, de herders en de andere partizanen schieten ze dood, zij vallen, de groene uniformen vallen, de honden likken hun bloed; van het dorp waar uit alle huizen vlammen slaan, vliegtuigen, overal doden, oude mannen die hun huizen in worden gejaagd terwijl die branden als een fakkel, vrouwen en kinderen die worden weggedreven en partizanen die hen proberen te ontzetten. En dan is er een groot tableau van de vrede, van mannen en vrouwen die weer zijn teruggekeerd, van de kerk waarboven de zielen van de doden zweven.

De huidige burgemeester van het dorp was tien jaar oud. Alleen de rook en de brandlucht herinnert hij zich nog. Hij had zich met een stel jongens in een grot weten te verbergen, daarna hadden ze drie weken met de partizanen door de bergen gezworven, levend op kaas en geitenmelk. 'Toen we ten slotte in ons dorp terugkwamen, stond er geen steen meer op de andere. Er hing een lucht die we niet konden thuisbrengen. Toen zagen we dat overal lijken lagen, gezwollen lichamen, drijfnat van de regen. Niemand zei iets, niemand jammerde, we waren doodstil. Nu schieten mijn ogen vol tranen als ik er weer over vertel. Maar toen waren we verstijfd.' Met zijn zusje besloot hij naar een naburig dorp te gaan om te kijken of zijn grootvader nog leefde. Onder een omgevallen boom zagen ze een man liggen, met een jongetje in zijn armen. 'Het was alsof ze sliepen.' Huilend renden ze verder. Hun grootvader was er nog.

De dorpsmoord van Anogia speelde zich af op 15 augustus 1944. Het monument bestaat uit een gegraveerde plaquette met daarop de tekst van de Duitse instructie: '... Omdat de ontvoerders van generaal von Kreipe door Anogia trokken, geven wij hierbij het bevel dat dit dorp met de grond gelijk moet worden gemaakt en dat elke mannelijke inwoner van Anogia die in het dorp of binnen een omtrek van een mijl wordt gevonden, moet worden geëxecuteerd.'

Het ging hier om de Duitse bevelhebber Kreipe, die door partizanen en Britse agenten was ontvoerd en naar Egypte was gesmokkeld. Er werden die dag ruim honderdveertig mensen vermoord, vooral vrouwen en bejaarden. De meeste mannen zaten al bij de partizanen, de rest was de bergen in gevlucht. 'Maar wij hebben ook een heleboel Duitsers te pakken gehad,' zegt de burgemeester. 'Wat wisten zij van de bergen hier!' De represailles van de Duitsers waren genadeloos: tien dode Kretenzers voor elke gedode Duitser.

In Anogia zijn de mensen trots en eigenzinnig, de kinderen hebben open gezichten en de vrouwen weten wat ze willen: hun mannen dwalen immers een groot deel van het jaar met de kuddes door de bergen en zijn vaak maanden achter elkaar weg. Dit alles maakt dat ze hier wat anders tegen de Tweede Wereldoorlog aankijken dan de meeste Europeanen. Hier is niet gekropen en vernederd, hier waren geen kleine en grote burgemeesters in oorlogstijd, hier is geen sprake geweest van compromissen en schuld, hier is gewoon hard gevochten, en nooit hebben de Duitsers veel greep op Kreta kunnen krijgen.

Anogia was een typisch verzetsdorp, net als Viannos, Kotomari en Myrtos, waar de Duitsers op soortgelijke wijze huishielden. Er is uit Kotomari een handvol foto's bewaard gebleven: de mannen van het dorp, bijeengedreven in een olijfboomgaard; een vluchteling die alsnog is opgepakt; een knappe jongeman met een bos krullend haar, pratend voor zijn leven; het executiepeloton, de soldaat op de voorgrond glimlacht terwijl hij richt; de lijken, half over elkaar heen getuimeld.

Toch werd de Duitse militair die deze foto's maakte, toen hij zestien jaar later nog eens kwam kijken hoe het er met 'zijn' Kotomari bij stond, door de enige overlevende van de slachting onthaald op een ouzo. En de burgemeester van Anogia zegt nu: 'Ik zag Duitsers huilen. Ik zag het, toen ze als schapen in onze hinderlagen liepen en geen schijn van kans hadden. Ik zag hoe ze zelf ook pionnen waren, en slachtoffers. Waarom zouden we ze haten, zij werden toch ook gedood?'

Voor de betrokken Duitsers zijn de vragen over schuld, misdaad en straf allang voorbij. Slechts één officier werd na de oorlog berecht, een bataljonscommandant die zeven burgers had geëxecuteerd. Hij werd in juli 1951 door het Landgericht Augsburg vrijgesproken omdat, volgens deze arrondissementsrechtbank, 'verdachte personen die zich in de voorhoede van de Duitse hoofdlinie ophielden en die niet direct als onschuldig te herkennen waren' wel degelijk, gerechtvaardigd door 'volkenrechtelijk noodweer', zonder vorm van proces geëxecuteerd mochten worden.

De eerste Duitse vakantiegangers die hier na de oorlog weer kwamen deden zich nog voor als Nederlanders of Italianen. Een van de Duitse reisgidsen uit de jaren vijftig vond het zelfs nodig een paar geruststellende leugens te debiteren: 'Zien sommige dorpen er vanuit de verte misschien uit alsof ze platgebrand zijn?' Nou, dat leek maar zo. Waarop de schrijver vervolgens suggereerde dat dit effect te maken had met de natuurlijke aard van de dorpen, en dat er in werkelijkheid niets aan de hand was. Nu vertellen oud-Wehrmachtsoldaten openlijk dat ze hier in '43 of '44 ook al eens waren langsgekomen. De dorpelingen knikken vriendelijk en schenken nog eens bij.

Niemand vergeet, maar tegelijk doet iedereen hier het liefst alsof er niets is gebeurd. De dorpelingen vanwege de toeristen, vanwege de Duitse hulp na de oorlog, vanwege de rijke etenspotten in het Ruhrgebied, vanwege hun trots. De Duitsers omdat een directe confrontatie met het verleden voor hen te veel is, en voor wie niet? Een Duitse kunstenares heeft, als een soort boetedoening, in de buurt een vredesmonument neergelegd, een menselijke vorm van stenen, diep in een dal. Alleen in Myrtos wil de gepensioneerde onderwijzer geen enkele Duitser in zijn privémuseum toelaten, zelfs geen kinderen. Maar die heeft, zeggen de mannen op het plein hoofdschuddend, een oorlogstrauma.

Voor de Grieken begon de Tweede Wereldoorlog op 28 oktober 1940, toen de Italianen een vergeefse poging deden om hun land via Albanië binnen te trekken. Benito Mussolini voelde zich in toenemende mate gefrustreerd omdat hij nauwelijks deel had aan Hitlers successen in West-Europa. Hij droomde van het herstel van het Romeinse Rijk, van de verovering van Egypte, van de hegemonie in het oostelijke gedeelte van de Middellandse Zee, van een imperium als dat van Napoleon. Maar hij wilde ook de Duitsers de loef afsteken, vooral bij hun pogingen om de rijke Roemeense olievelden in handen te krijgen.

In oktober besloot hij zelf het initiatief te nemen. 'Hitler zet me voortdurend voor een voldongen feit,' klaagde hij tegenover zijn schoonzoon Galeazzo Ciano, minister van Buitenlandse Zaken. 'Ditmaal betaal ik hem met gelijke munt terug. Hij zal het in de kranten moeten lezen dat ik Griekenland heb bezet en zo het evenwicht tussen ons heb hersteld.'

Mussolini's blitzkrieg werd een catastrofe. Het Italiaanse leger was, om politieke en economische redenen, in het najaar van 1940 alweer bijna gehalveerd. Slecht bewapend, zonder goede bevoorrading en zonder winterkleding marcheerden de soldaten in de koude bergen hun nederlaag tegemoet. Aanvankelijk kwamen ze niet verder dan een kilometer of tachtig. De Britten stuurden Griekenland zoveel hulp als ze konden en torpedeerden een deel van de Italiaanse vloot. De Grieken deden half november een felle tegenaanval en dwongen de Italianen terug tot diep in Albanië. In het voorjaar van 1941 kwamen de Duitsers de Italianen te hulp. Het Duitse rijk kon zich een onverdedigde oostflank in de Balkan niet permitteren, zeker niet als het de Sovjet-Unie wilde binnenvallen. Daarom stelde Hitler eind maart Joegoslavië voor een heldere keuze: het moest zich bij de Asmogendheden voegen. Toen het land zich op 25 maart bij het Driemogendhedenpact van Duitsland, Italië en Japan aansloot, volgde twee dagen later een staatsgreep waarbij de regering van Dragiša Cetković ten val kwam. Vervolgens lanceerde Hitler de Operatie Vergelding. Op palmzondag, 6 april, werd Belgrado grotendeels platgebombardeerd. Zeventienduizend mensen verbrandden of stierven onder het puin. Daarna werden Joegoslavië en Griekenland snel en haastig door Duitse en Italiaanse troepen bezet; de Duitsers moesten zich immers klaarmaken voor de grote operatie in Rusland. Het gevolg was dat tienduizenden Joegoslavische en Griekse militairen naar de bergen konden ontsnappen, waar ze onmiddellijk een guerrillaoorlog begonnen.

Joegoslavië viel uiteen. De Italianen trokken Slovenië en Montenegro binnen. De Hongaren bezetten de Vojvodina. Hun fascistische Pijlkruisers begonnen in Novi Sad gelijk met moorden: vijfhonderd joden en Serviërs werden doodgeschoten of met de bajonet afgemaakt. Kroatië riep zichzelf uit tot een onafhankelijke republiek, geleid door de fascistische dictator Ante Pavelić. Er begon, naast al het andere, een nauwelijks verhulde godsdienstoorlog tussen de Kroaten (katholiek) en de Serviërs (orthodox). De Kroatische ustaša's, de 'opstandelingen', gingen over tot etnische zuiveringen op grote schaal, inclusief massa-executies en vernietigingskampen. Tienduizenden Serviërs werden het slachtoffer.

Binnen het Servische kamp werd bovendien ook nog eens een kleine burgeroorlog uitgevochten: de koningsgezinde četniks voerden – na de Duitse inval in de Sovjet-Unie – een strijd op leven en dood met de communistische partizanen onder leiding van Josip Broz, ofwel Tito. 'De vurige vastberadenheid van de Joegoslavische partizanen om de indringers te doden,' zo vat de Engelse historicus Norman Davies de toestand samen, 'werd alleen overtroffen door hun onbedwingbare neiging om elkaar af te maken.'[6]

Kreta bleef over. Voor de Britten was het eiland van groot belang: het was een uitstekende uitvalsbasis voor luchtaanvallen op de Roemeense olievelden en de Duitse olietransporten, en bovendien was het een belangrijk steunpunt voor partizanenacties in Griekenland en de Balkan. Op 20 mei 1941 begon de slag. Met een enorme overmacht – vijfhonderd transportvliegtuigen en honderd zweefvliegtuigen – landden de Duitsers bij Chania. Tegelijkertijd deden ze massale luchtaanvallen op de grootste steden van het eiland. Na tien dagen moesten de Britten, Australiërs en Nieuw-Zeelanders capituleren. De meesten konden ontsnappen via de stranden, waar ze door de Britse vloot werden opgepikt. Enkele honderden sloten zich aan bij de partizanen in de bergen.

Zo gingen de Balkan en Griekenland de oorlog in, leeggeplunderd, hongerend en arm, officieel bezet door de Duitsers en de Italianen, in de praktijk minstens zo sterk beheerst door honderden rivaliserende verzetsgroepen.

Vanuit de lucht is Griekenland grotendeels zee, kleine blauwe ribbels met hier en daar een kaalgevreten eiland, in de geelgrijze aarde wat kerven en lijnen, op kruispunten en aan de kust bijeengeveegde witte blokjes, dan weer de blauwe vlakte, met een paar driftig varende vlekjes die de zaak bijeenhouden.

Vlak naast Ithaca, ongeveer driehonderd kilometer van de Italiaanse kust, ligt het eiland Kefallonía. Als we op het kleine vliegveld landen waait er een forse zomerstorm. Op de golven staan witte koppen, de olijfbomen buigen bij iedere vlaag, het water stuift over de dam die dwars door de baai van de hoofdstad Argostolio loopt. Het eiland is in 1953 geteisterd door een zware aardbeving, de meeste dorpen en straten zijn weer opgebouwd, en nu wordt opnieuw overal gesloopt en gehamerd. Mijn hotel, Mirabella, ziet uit op een marktplein dat overwoekerd is met terrassen. Toch zijn het niet de Engelse en Italiaanse toeristen die deze grote ommekeer teweegbrengen. Het zijn de terugkomers.

Dit eiland was, zoals grote delen van het Middellandse-Zeegebied, decennialang een babyfabriek voor West-Europa en de rest van de wereld. Alle jongeren trokken weg omdat er geen enkele toekomst was. Ik herinner me mijn eerste reis door Griekenland, in de zomer van 1965: overal dorpen met alleen nog maar oude vrouwen. Een logeeradres waar ik belandde na een dorpsfeest: ik zie nog voor me hoe de vrouw des huizes me treurig een enorme stapel prachtig geborduurde dekens liet zien, allemaal voor haar man en haar zoons, al jaren niet meer gebruikt.

Nu deze verloren zoons met pensioen gaan, komen ze bij honderden terug, rijk geworden in West-Europa, Australië en Amerika. En allemaal realiseren ze exact dezelfde droom: een huis in het oude dorp met twee verdiepingen, een groot balkon, een dakterras, een garage met een automatische deur, elektrische rolluiken en een stoep van marmer. Voor hotel Mirabella zie je de mannen zitten, pratend met hun oude jeugdvrienden, spelend met hun versleten kralenkettinkjes, roddelend over dode bekenden. Maar hun eiland is door de tijd verzwolgen, daar is weinig meer van over, en zo klitten ze samen, de terugkomers, voorgoed tussen wal en schip.

Na mijn aankomst dien ik me aan bij de Grande Dame van het eiland, en ik mag direct langskomen. Helena Cosmetatos (1910) resideert in een van de weinige oude huizen die de aardbeving van 1953 en het daaropvolgende sloopwerk van het Griekse leger hebben overleefd. 'Alleen de eerste verdieping is verdwenen.' De donkere kamers hangen vol portretten, oude schilderijen, en overal staat antiek houtwerk. Haar hoogbejaarde echtgenoot scharrelt daartussendoor en zingt zo nu en dan een ondeugend Frans liedje uit de jaren dertig.

Terwijl we in de tuin zitten te praten komen achtereenvolgens een vriendin, een kleinkind en een Brits echtpaar hun opwachting maken, en we spreken alle talen door elkaar. Helena Cosmetatos komt oorspronkelijk uit Rhodesië, groeide op in Athene en leefde comfortabel van een koloniaal familievermogen. 'Ik trof mijn Waterloo in 1936,' zegt ze. 'Toen trouwde ik met een Griek. Wat zou ik een vredig leven hebben gehad als ik een Engelse kantoorklerk had gekozen die op zijn vijfenvijftigste aan een hartaanval was gestorven!'

Ze vertelt over haar ouders, die naast de toenmalige dictator Ioannis Metaxas woonden, en over de feestjes die voortdurend werden gegeven. 'Ioannis Metaxas was een strenge, kleine man die ook van deze eilanden kwam. Maar wat er zich achter die deuren afspeelde, ik wist van niets. Al die mannen wilden toen met me trouwen, je weet hoe het gaat. Hij was een groot bewonderaar van Mussolini en toen Italië ons de oorlog verklaarde, voelde hij zich tot op het bot verraden. Hij is niet lang daarna overleden. Het was een drama.'

Haar man vocht mee in de oorlog tegen de Italianen, in de Albanese bergen. 'Op een dag stond hij opeens weer voor de deur. Hij zweeg alleen maar, totdat hij uiteindelijk zei: "Een bad." Hij was helemaal uit Noord-Griekenland terug komen lopen.'

Ze schakelt meteen over op een ander verhaal. Ze vertelt hoe ze dit voorjaar uit Athene werd gebeld in haar hoedanigheid van plaatselijke presidente van het Rode Kruis. Of het eiland honderd Kosovaarse vluchtelingen op wilde nemen. Ze had geweigerd. 'We hebben hier al genoeg ellende gehad. Eerst de oorlog, toen de burgeroorlog, de aardbeving, de kolonels, het is genoeg!' 'Maar die aardbeving was al bijna een halve eeuw geleden,' hadden ze in Athene gezegd. 'Ik zei: wat is vijftig jaar in het leven van een familie?'

De wijn wordt nog eens bijgeschonken. Het Britse echtpaar begint over een groot project: in Griekenland moeten de originele Olympische Spelen weer georganiseerd worden, met precies dezelfde sporten en dezelfde handicaps en hulpmiddelen als tweeduizend jaar geleden. De oude heer Cosmetatos toont het grote iconenboek dat hij maakte, fluistert een scabreuze grap in het Frans. Zijn vrouw snoert hem de mond en begint weer over de oorlog.

'We hadden goede jaren met de Italianen. Toen ik hier in 1941 met het schip aankwam – je moest toen nog met een klein bootje naar het strand – verloor mijn zoontje bij het overstappen een sandaaltje in zee. Onmiddellijk renden twee Italiaanse soldaten het water in om het op te duiken. Dat was mijn eerste kennismaking met onze bezetters.'

Ze wijst me de weg naar het museum, ik moet zelf maar eens even kijken. In de middaghitte blader ik door archiefmappen met brieven en instructies van de Italiaanse bezetter uit 1942, foto's van vrolijk marcherende soldaten, lachende mannen met een meisje op een motorfiets, en dan een stel clandestiene opnamen van diezelfde jongens, scheef liggend, kapotgeschoten tegen een muur.

Het garnizoen op het eiland Kefallonía werd bemand door officieren en soldaten van de Acqui-divisie, vriendelijke Italianen die allang blij waren dat de oorlogsgoden hen voorlopig met rust lieten. Bezetters en eilandbewoners leefden in opvallende harmonie, ze dronken een glas, lagen samen aan het strand en hielden onderling voetbalwedstrijden. De manschappen van de kleine Duitse bezetting van het eiland deelden in de vredige sfeer, luierden in de zon en lieten zich bij feestjes en maaltijden meeslepen door de aanstekelijke vrolijkheid van hun Italiaanse kameraden.

Dat veranderde in één klap op 8 september 1943. Op die datum besloot een nieuw benoemde Italiaanse regering om de oorlog te staken en met de geallieerden een wapenstilstand te sluiten. Direct begonnen de Duitsers versterkingen te sturen om het eiland van de Italianen over te nemen. De commandant van het Italiaanse garnizoen, generaal Gandin, wist niet wat hij moest doen: de wapens neerleggen en zich overgeven aan de Duitsers, of juist de strijd beginnen, nu aan de kant van de geallieerden.

Zijn soldaten hakten ten slotte op een ongebruikelijke manier de knoop door: ze gingen stemmen, voor overgave, of voor meevechten met de geallieerden, tegen de Duitsers. Ze besloten tot het laatste. Toen twee Duitse landingsboten met versterkingen de haven naderden, gaf kapitein Renzo Apollonio de artillerie bevel om het vuur te openen. Eén schip werd tot zinken gebracht.

Ondertussen had ook generaal Gandin van zijn regering de instructie gekregen om door te vechten, en daarmee kwam een einde aan zijn twijfel: alle Italiaanse troepen kregen nu bevel om de Duitsers aan te vallen. Tegelijkertijd smeekte hij zijn opdrachtgevers om steun over zee en uit de lucht, want anders zou hij het niet lang volhouden. De Duitsers stonden immers op het punt om landingen uit te voeren op het eiland.

Mogelijkheden om de troepen op Kefallonía te hulp te komen waren er volop. Overal in de buurt was de geallieerde marine actief, en bovendien stonden in Brindisi meer dan driehonderd Italiaanse oorlogsvliegtuigen klaar. Er gebeurde niets. Eén van de piloten vertelde later aan de oorlogshistoricus Richard Lamb hoe ze dringend vroegen om brandstof en munitie opdat ze boven Griekenland in actie konden komen. 'In plaats daarvan werd ons gezegd dat we naar Tunis moesten vliegen, buiten het bereik van de zwaar bedreigde Italiaanse troepen in Kefallonía.'

De Acqui-divisie vocht totdat alle munitie op was. Op 22 september, om elf uur 's ochtends, werd de witte vlag gehesen.

Vervolgens begon het Tweeëntwintigste Bergkorps van de Wehrmacht, onder leiding van generaal Lanz, de Italianen massaal af te slachten. Honderden militairen werden direct na hun overgave neergemaaid met machinegeweren. Degenen die dit overleefden werden opgesloten in Cassetta Rosa, het stadhuisgebouwtje van San Teodoro. De eerste die werd geëxecuteerd, was generaal Gandin. Daarna waren zijn officieren aan de beurt, uiteindelijk zouden bijna vijfduizend Italiaanse soldaten worden afgemaakt.

In Cassetta Rosa kregen ze de laatste sacramenten toegediend, voordat ze in kleine groepjes naar buiten gingen. 'Ze knielden, snikten, baden, zongen,' schreef aalmoezenier Romualdo Formato, een van de weinige overlevenden. 'Veel mannen riepen de namen van moeders, vrouwen, kinderen.' Drie officieren omarmden elkaar: 'In het leven waren we kameraden, zo gaan we samen naar het paradijs.' Sommigen krabden in het gras, alsof ze nog een uitweg wilden graven. Ondertussen klonk het ene schot na het andere.

Cassetta Rosa is er nog steeds. Het huis is al jaren verlaten en de natuur is druk bezig om de restanten op te slokken. Bomen en struiken groeien door ramen en dak, muren zijn half in de grond weggezakt; nog twintig, dertig jaar, dan is alles weg. Tussen het hoog opgeschoten gras staat een sober altaartje, pas vorig jaar neergezet, met een Heilige Maagd en een handvol kunstbloemen. In de muur zijn kogelgaten zichtbaar.

De lijken van de geëxecuteerde soldaten werden verbrand of in lichters geladen en op zee afgezonken, want dat hier iets te verbergen viel besefte de Wehrmacht ook wel. De restanten van de Acquidivisie – zo'n vierduizend man – werden als krijgsgevangenen op drie schepen gezet, richting Piraeus. Direct buiten de haven liepen de schepen al op een mijnenveld en explodeerden. De ruimen waren afgesloten, de meeste krijgsgevangenen konden niet ontsnappen, soldaten van de Kriegsmarine mitrailleerden iedereen die nog rondzwom.

Alle bejaarden op het eiland kunnen je vertellen over de stank en de zee vol lijken, maar officieel heeft dit alles nooit plaatsgevonden. Wehrmachtgeneraal Lanz kreeg in 1948 in Neurenberg slechts twaalf jaar gevangenisstraf omdat hij bleef volhouden dat hij Hitlers bevel om álle Italianen dood te schieten niet had uitgevoerd. Het rapport dat hij aan zijn Legergroep E had gestuurd en waarin bevestigd werd dat vijfduizend Italianen waren geëxecuteerd, had enkel gediend om zijn superieuren te misleiden. Volgens Lanz waren minder dan een dozijn officieren neergeschoten, en dat was omdat ze verzet hadden geboden. Andere Duitse officieren vielen hem bij: het grootste deel van de Acquidivisie zou gewoon zijn weggestuurd naar Piraeus. De Amerikaanse rechters geloofden hen. Volgens het Neurenbergtribunaal heeft Lanz dus een slachting voorkómen. Zeker de helft van de Acquidivisie is blijkbaar in de lucht opgelost.

In feite wisten slechts enkele tientallen Italianen te ontkomen, onder wie de legendarische kapitein Renzo Apollonio. 'Ik weet niet meer hoe we ons voelden in die dagen,' zegt Helena Cosmetatos. 'Het was gruwelijk, het raakte ons niet direct, maar al die Italianen hadden wel twee jaar met ons geleefd. En ze waren altijd heel behulpzaam geweest.' Tijdens de slachting bracht een taxichauffeur een gewonde Italiaanse soldaat bij haar deur, een wanhopige jongen. 'Wat moet ik hiermee?' had ze geroepen. De chauffeur had teruggeschreeuwd: 'Doe iets, hij heeft ook een moeder!'

Ze verzorgde hem, hij heeft nu bij het Comomeer een restaurant met vijftig tafels, het is allemaal goed gekomen.

6

Toen de Amerikaanse oorlogscorrespondente Martha Gellhorn in februari 1944 voor het eerst voet aan wal zette in Italië geloofde ze haar ogen niet: geen cycloon had grondiger tekeer kunnen gaan dan het langzaam opschuivende front van de Duitsers en de geallieerden. 'Het is niet mogelijk dat die plaatsjes ooit fier overeind hebben gestaan en dat er mensen hebben gewoond,' noteerde ze.

Ze liftte mee in een Franse jeep, vanuit Napels naar het noorden, 'in één lange stroom van kakikleurig verkeer': trucks, jeeps, ambulances, bergingswagens, tankvernietigers en munitiewagens. De voorruit was omlaaggeklapt en het dak naar achteren, en de ijskoude hagel joeg haar in het gezicht. Aan weerszijden van de weg zag ze eindeloze tentenkampen. Altijd stond wel ergens een soldaat zich te scheren, eenzaam op de vlakte, 'heel zorgvuldig, met een komische plechtigheid'.

Toen de weg begon te stijgen zag ze Italiaanse vrouwen die kleren wasten in een oude waterbak. Even verderop duwden legertrucks op zes wielen zich tegen een berg omhoog. Haar Franse chauffeur vroeg: 'Hebt u ooit een Alexandercocktail gedronken, mevrouw?' Hij had het zwaar, hij was mager en vuil, en hij leek ziek. Ze reden langs een uitgebrande Amerikaanse tank. Een Alexander is een buitengewoon zoet drankje van crème de cacao. Wat verderop waren twee legertrucks in een ravijn gestort. Ze passeerden een moddervlakte 'waar niets groeide behalve kanonnen'. Ten slotte kwamen ze in een wildernis van bergen, met het mooiste uitzicht dat je je kunt voorstellen, 'al heeft iedereen er een hekel aan, want de Duitsers zitten daar'. 'Ik wil niet opscheppen,' zei Gellhorns chauffeur, 'maar ik maakte de beste Alexander van Casablanca.'

Een paar kilometer verder lag Montecassino.

Ik was naar Italië gevaren met de Strintzis Lines en de Minoan Lines, een vredige tocht van een dag en een nacht. In Patras moest ik wachten, een warme hangerige middag tussen tientallen mopperende Hongaarse vrachtwagenchauffeurs die, vanwege de oorlog in Joegoslavië, via deze omweg naar Italië trokken. Daarna een onrustige nacht in een trillende hut, en toen stond daar opeens op de zonnige kade van Brindisi mijn eigen groene busje. Zorgzame vrienden hadden het ding naar het zuiden gereden, ik zou weer noordwaarts gaan, met de geallieerde troepen mee.

De lange, grimmige Italiaanse oorlog van juli 1943 tot april 1945, de vijf grote landingsoperaties bij Sicilië, Messina, Taranto, Salerno en Anzio, de enorme verwoesting van het land van zuid naar noord: deze hele bittere geschiedenis is altijd in de schaduw gebleven van het heldenepos over de Normandische invasie en wat daarna volgde. Toch vielen er meer dan driehonderdduizend slachtoffers aan de geallieerde kant, en meer dan vierhonderdduizend aan de Duitse zijde. Het was een trage, harde en gemene oorlog die door alle partijen maar liever snel werd vergeten. Pas in april 1945 werden in Italië de laatste schoten gelost, en dit niet omdat de geallieerden er de strijd gewonnen hadden, maar omdat alle andere Duitse fronten ineenstortten.

De Italiaanse oorlog begon op 10 juli 1943 met een landing in Sicilië. Het was de eerste maal dat geallieerde troepen weer een voet zetten op het Europese continent. Begin september volgden nieuwe landingen, bij de Straat van Messina, bij Taranto in het zuidoosten en bij Salerno, niet ver van Napels. Omdat de opmars niet snel genoeg verliep, vond eind januari 1944 nog een vijfde landing plaats, bij Anzio, iets ten zuiden van Rome. Het was geen succes: de geallieerde troepen veroverden een bruggenhoofd van een paar vierkante kilometer en kwamen vervolgens geen stap verder. 'Als je in Anzio moet zijn, verspil dan geen tijd als je van het schip komt, want je voelt je ongeveer als een kleiduif in een schiettent,' schreef de befaamde oorlogscorrespondent Ernie Pyle op 28 maart 1944. 'Maar na een paar uur in Anzio zou je willen dat je weer terug kunt aan boord, want de kust is nu niet echt een hemel van vredigheid.' Hij had die paar dagen in Anzio dag en nacht onder vuur gelegen, voortdurend waren er granaten en bommen neergekomen, niet zelden vlak naast hem, één permanente stroom dood en vernietiging. 'Ik zou willen dat ik in New York was.'

De opening van dit Zuid-Europese front was vooral een idee geweest van Winston Churchill. De Amerikanen hadden een voorkeur voor de veel kortere route naar Berlijn, via het Kanaal, Parijs en Keulen, maar hun legers waren in 1943 nog niet klaar voor zo'n grote operatie. Op het oog leek het inderdaad een reusachtige omweg om via Noord-Afrika en Italië op te trekken naar Triëst, Wenen, Praag en ten slotte Berlijn. Het Italiaanse front was echter alleen al nodig om zo veel mogelijk Duitse troepen in Zuid-Europa vast te houden, zodat de sovjetlegers enigszins werden ontlast. De Britten en Amerikanen wilden tot elke prijs een herhaling van het voorjaar van 1918 voorkomen, toen het uitgeputte Rusland opeens een wapenstilstand sloot en de vrijgekomen Duitse troepen uit het oosten massaal de fronten in het westen kwamen versterken. Dat zou een ramp zijn.

Churchill had daarbij nog eens zijn eigen motieven voor deze merkwaardige omweg. Hij hield, als een van de weinigen, in 1942 al rekening met de vorm van het naoorlogse Europa. De Sovjet-Unie moest volgens hem absoluut buiten Europa worden gehouden. Daarom moest de oorlog, in zijn visie, uiteindelijk worden uitgevochten in Oost-Europa, en niet in West-Europa. Via de Italiaans-Oostenrijkse route zouden de geallieerde legers niet alleen de Duitsers verslaan, maar tegelijk de oprukkende sovjettroepen de pas afsnijden. Bovendien verwachtte hij in Italië weinig grote problemen tegen te komen. Hij beschouwde het als de weke onderbuik van het Derde Rijk, een land met een wankel regime dat de geallieerden vrij gemakkelijk onder de voet konden lopen. Wat dat laatste betreft: de eerste veronderstelling klopte, de tweede niet.

De beweging van Benito Mussolini had in het voorjaar van 1943 alle elan verloren. Enthousiaste fascisten waren alleen nog onder de jeugd en de kleine burgerij te vinden. De partij was diep verdeeld en zwaar gecorrumpeerd, in het land heerste honger, Mussolini zelf tobde met kwalen en liefdesaffaires. De hele Italiaanse elite – de monarchisten, de kerkelijken, het bedrijfsleven, het leger, de politie – was de oorlog meer dan zat. In Turijn, Milaan en elders in Noord-Italië hadden in maart 1943 zelfs al massale stakingen plaatsgevonden, na de Amsterdamse Februaristaking het eerste grote arbeidersprotest in het nazi-fascistische Europa.

Het succes van de geallieerde landing op Sicilië – op het 'onneembare' eilandje Lampedusa was, naar zeggen, slechts één geallieerde soldaat gewond geraakt door de beet van een ezel – was de laatste druppel. In de nacht van 24 op 25 juli 1943, in de benauwde Sala del Pappagallo (Papegaaienzaal) van het Palazzo Venezia in Rome, werd Mussolini onttroond door de Grote Fascistische Raad. De volgende dag liet koning Victor Emanuel III hem arresteren en vervangen door de oude veldmaarschalk Pietro Badoglio. Mussolini werd verbannen naar een skidorp bij de Gran Sasso in de Abruzzen bij L'Aquila, naar eigen zeggen 'de hoogste gevangenis ter wereld'.

Opeens had Italië dus een nieuwe, anti-fascistische regering, sneller dan zelfs de grootste optimisten hadden verwacht. Het was bijna te veel goed nieuws, en de geallieerden waren volstrekt verrast. Signalen over mogelijke coupplannen hadden ze nooit serieus genomen. Het gevolg was dat er kostbare weken verloren gingen met onderhandelingen over een wapenstilstand. De Italianen wilden het liefst neutraal blijven, de geallieerden eisten medewerking van Italië als prijs voor de *passage back*, zoals Churchill het uitdrukte. Er bestaan foto's van de Amerikaanse generaal Maxwell Taylor die op 7 september 1943 persoonlijk Rome bezocht om er een luchtlanding voor te bereiden. (Een even absurd tafereel als, bijvoorbeeld, een foto van Montgomery die in augustus 1944 rustig door Amsterdam zou lopen.) Uiteindelijk werd de operatie afgelast terwijl de parachutisten al in de vliegtuigen zaten. De geallieerden durfden het niet aan. Ze vonden de Italiaanse regering te verdeeld en te aarzelend. De enigen die alert reageerden, waren de Duitsers: hun troepen stroomden met tienduizenden over de Brennerpas Italië binnen.

Op 8 september werd de Italiaanse capitulatie alsnog officieel bekendgemaakt, maar ondertussen had de Wehrmacht Noord- en Midden-Italië stevig in handen. De volgende dag vluchtten de koning, de legerleiding en de regering in paniek naar Brindisi, zonder ook maar enige instructie achter te laten voor hun resterende troepen. Rome, het Italiaanse leger en de rest van het land lieten ze over aan de vijand. Ook het drama op Kefallonía is deels te herleiden tot deze onverantwoordelijke vlucht: het duurde bijna een maand voordat de Italiaanse regering Duitsland officieel de oorlog verklaarde. In de tussentijd beschouwden de Duitsers alle strijdende Italiaanse militairen als franc-tireurs. De Italianen zouden het hun koning niet vergeven: in 1946 stemden ze massaal voor afschaffing van de monarchie.

In de chaotische nazomerdagen van 1943 haalde een SS-luchtlandingscommando een bijzondere stunt uit: Mussolini werd op

12 september met een paar kleine vliegtuigjes uit zijn berggevangenis bevrijd. De bewakers van de Duce lieten hem zonder slag of stoot vertrekken: ze hadden al dagen niets meer uit Rome vernomen. Een week later was hij voldoende hersteld om vanuit München wraak te eisen: 'Zo'n vernederende bladzijde kan alleen met bloed uit de geschiedenis van ons vaderland worden gewist!' Van Hitler mocht hij een eigen regering opzetten in het Noord-Italiaanse Salò, maar meer dan een marionet was hij niet. Naast de gewone oorlog ontstond tussen de Italianen onderling een burgerstrijd die tot het eind van de oorlog zou voortduren: tussen de fascisten en de anti-fascisten, tussen de laatste aanhangers van het oude regime en de partizanen in de bergen en de volkswijken.

OP DE LOOP

Tussen 1943 en 1945 zwierven duizenden ontsnapte krijgsgevangenen tussen de Italiaanse fronten, vooral Britten en Amerikanen. Soms werden ze aan de Duitsers uitgeleverd door fascistische sympathisanten, maar vaak werden ze ook geholpen. In Rome ontstond zo een grote ondergrondse Britse kolonie, geleid door een zekere majoor Derry en een Ierse priester, monseigneur O'Flaherty. Via anti-fascistische bankiers en rijke Italiaanse families verzamelden die zoveel geld dat ze ruim drieduizend ontsnapte krijgsgevangenen in leven konden houden. Welgestelde Britse gevangenen inden via bevriende banken hun eigen cheques, en het kon gebeuren dat midden in de oorlog Britse officieren rustig in het beroemde Romeinse restaurant Ranieri zaten te dineren, pal onder de ogen van de Duitse gezant Von Weizsäcker.

Derry en O'Flaherty verspreidden onder de ontsnapte Britse krijgsgevangenen ook instructies. Ze waren opgesteld door een anonieme officier die zelf maanden 'on the run' was geweest. De citaten zijn tekenend voor de situatie in het Italië van 1943, 1944:

- Hoe armer het huis, des te veiliger: rijke huizen zijn zonder uitzondering fascistisch;
- Vrouwen die in het veld werken zijn doorgaans betrouwbaar;
- Als een boer je in het veld ziet, zal hij je passeren en net doen of hij je niet gezien heeft. Later zal hij terugkomen en, als hij sympathiek is, zal hij vragen of je honger hebt en eten brengen. Als hij niet met eten verschijnt, maak dan dat je wegkomt;

- Iedere boerderij waar jonge mannen rondlopen, is veilig; het zijn deserteurs, of uit het Italiaanse leger, of uit Duitsland, en ze zitten in hetzelfde schuitje als jij;
- Fiets rond met een pistool in je zak en, wanneer je wordt aangehouden, rijd dan naar de wachtpost en schiet eerst. Een pistool is het beste wapen voor een fietser;
- Zodra je in een huis hebt geslapen en gegeten, ben je veilig: ze zullen dat nooit aan de Duitsers vertellen omdat hun huis al wordt afgebrand als ze je één nacht hebben laten slapen.

Oorlogscorrespondent Ernie Pyle merkte, in de modder tussen de Amerikaanse infanteristen, weinig van al deze politieke schermutselingen. 'Het is puur het weer en het terrein en het weer,' noteerde hij op 14 december 1943. 'Als er geen Duitse troepen in Italië waren, als er geen Duitse geniesoldaten waren die de bruggen opbliezen, als er geen enkel schot werd gelost, dan nog zou onze opmars naar het noorden altijd langzaam gaan.'

Vrachtauto's en jeeps konden hier niet veel uitrichten, de Britten en Amerikanen gebruikten paarden en ezels om hun spullen de bergen over te zeulen. De gesneuvelden werden op dezelfde manier naar beneden gebracht, 'liggend op hun buik over het houten zadel, het hoofd neerhangend aan de linkerkant van de muilezel, hun verstijfde benen vreemd uitstekend aan de andere kant, meehotsend met de loop van het dier'. In sommige stukken van het front zat soms wekenlang geen enkele beweging, en net als in de Eerste Wereldoorlog werden schuttersputjes samengevoegd tot lange loopgraven, met prikkeldraad en mijnenvelden. Alleen was de stemming grimmiger dan in 1914. Iedere vorm van heroïek ontbrak, er was bijna geen oorlogspoëzie, geen keur aan soldatenliedjes, behalve dan 'Lili Marleen', dat was overgewaaid uit de Duitse linies.

Een cartoon van de Amerikaanse frontsoldaat Bill Mauldin uit de soldatenkrant *Stars and Stripes* laat twee bemodderde militairen in een donkere loopgraaf zien: eentje blaast op een mondharmonica, de ander zegt: 'De moffen volgen *Lili Marleen* vanavond niet zo goed, Joe. Wat denk je, zou er iets met hun tenor zijn gebeurd?' De Duitse rantsoenen werden door de Amerikaanse *dogfaces* zeer gewaardeerd. Mauldin meldde dat het altijd feest was wanneer de patrouilles een paar dozen *Jerry-food* vonden. Vooral de Duitse worsten en de potten Franse jam waren zeer geliefd. Verder ging de waardering voor de vijand niet. Bill Mauldin moest niets hebben van het onderscheid tussen nazi's en andere Duitsers. Hij en zijn kameraden zagen enkel 'een ongenadige, koude, wrede en machtige vijand', zo schreef hij in zijn fascinerende oorlogsverslag *Up Front*. 'Als onze jongens ineenkrimpen onder een 88-spervuur, hoor je hen niet zeggen: "Die smerige nazi's." Ze zeggen: "Die verdomde moffen!"'

Bij de Britten was het net zo. 'Het militaire voetvolk mopperde, zoals altijd,' schrijft A.J.P. Taylor. 'Maar ze hadden ditmaal niet het gevoel dat het een oorlog was om niets. Ze hadden zelfs vertrouwen in hun leiders, althans in sommigen van hen. De oorlog was een volksoorlog in de meest letterlijke zin van het woord. De Engelsen die in de Tweede Wereldoorlog vochten, geloofden dat deze oorlog de moeite waard was. Ze geloofden in het algemeen ook dat ze hem zouden winnen.'

Tussen Napels en Rome hadden de Duitsers hun eerste grote verdedigingslinie gelegd, de Gustav-Linie, midden door de bergen, met Montecassino als vitale doorgang. Later trokken ze zich terug op een tweede linie, de Gotische-Linie, ter hoogte van Arezzo en Siena. Daarna hielden ze nog vrijwel tot het einde van de oorlog stand bij een derde linie, de Alpen Linie, vlak voor de Oostenrijkse grens.

Tegenwoordig is Cassino een stad zonder hart en geheugen, zo'n opeenstapeling van flats als je regelmatig in Europa treft, zo'n plek waar ergens tussen 1939 en 1945 een catastrofe moet hebben plaatsgevonden. Toen was het een mooie, vriendelijke Italiaanse stad die, ongelukkigerwijs, de poort vormde voor Rome en het noorden van het land. Verslaggever Homer Bigart van de *New York Herald Tribune* beschreef op 19 mei 1944 – toen de geallieerden na maanden vechten eindelijk waren doorgebroken – Cassino als een spookstad vol lijken en rokende ruïnes, 'grimmiger dan de hel in de ogen van de strengste calvinist'. Hotel Continental had slechts één gast: een Duitse Mark IV-tank die in de lobby was vastgelopen, maar die nog regelmatig zijn loop naar buiten had gestoken en wat schoten had gelost. Het benedictijnenklooster op de berg, het eeuwenoude bolwerk van geleerdheid, was volledig in puin geschoten door Amerikanen die dachten dat het een Duitse commandopost was. De sarcofagen, hoog tegen de muur van de kathedraal, waren in stukken gevlogen en de eeuwenoude skeletten waren neergekletterd op de hoofden van de infanteristen. Later gingen zelfs recente grafkelders in puin: de stank was niet te harden. Van hotel Continental bestaat nu alleen nog de naam. Het Montecassino-klooster is uiterlijk volmaakt herbouwd, een puntgave replica van stuc en beton. Vanaf de berg zie je de begraafplaatsen liggen.

Martha Gellhorn rekende uit dat er over heel Italië maar liefst twintig nationaliteiten bezig waren om gezamenlijk de Duitsers te bevechten, en dat zie je aan de grafstenen. Onder het strak getrimde gras liggen duizenden Poolse, Engelse, Amerikaanse, Indiase, Nieuw-Zeelandse, Australische, Canadese, Italiaanse, Duitse en Franse jongens. Vlaggen wapperen, bezoekers en nabestaanden komen en gaan, deze doden ontbreekt niets behalve het leven.

Cassino is een bittere plek, een monument voor aarzelende politici en bange generaals, het soort leiders dat persoonlijk nooit hoeft op te draaien voor de consequenties van hun fouten. Dat is voorbehouden aan de jongens die hier onder de zoden liggen. Als je de geschiedenis als een film zou kunnen terugspoelen, als de geallieerde leiding iets alerter was geweest, als de Italiaanse regering wat meer vastberadenheid had getoond, dan was deze bloedige slag, dan was dat hele gruwelijke Italiaanse oorlogsjaar waarschijnlijk helemaal niet nodig geweest.

Rome werd uiteindelijk op 5 juni 1944 bevrijd. Het had dus ook driekwart jaar eerder kunnen gebeuren. Het effect van die vertraging, en van Montecassino en die warrige septemberdagen van 1943, reikte echter veel verder: er schoof geen ijzeren grendel tussen de Sovjet-Unie en Europa, er ontstond, integendeel, een ijzeren gordijn dwars door Europa zelf. Van Churchills visioen kwam niets terecht, al zijn angstdromen werden werkelijkheid.

Tot de herfst van 1942 leek de oorlog voor de Asmogendheden succesvol te verlopen. Japan veroverde Maleisië, Singapore en Nederlands-Indië, de Duitse troepen trokken al bijna als overwinnaars door het Russische land. Vanaf begin 1943 lagen de kaarten opeens anders: de Japanse opmars in de Pacific was bij Guadalcanal gestopt, in Stalingrad was het Duitse Zesde Leger vernietigd, in Noord-Afrika leed veldmaarschalk Rommel de ene nederlaag na de andere. In juli 1943 werd bij Koersk de grootste tankslag uit de geschiedenis geleverd. Op een moddervlakte, met een breedte van meer dan vijftig kilometer, vochten zesduizend tanks, ruim twintigduizend stukken geschut en anderhalf miljoen soldaten. De slag duurde een week; toen trokken de Duitsers zich terug. Ze hadden hun troepen in het westen nodig, om de geallieerde invasie in Italië te keren.

Na die zomer leden de Asmogendheden alleen nog maar nederlagen. Vanaf medio 1943 stonden de Berlijnse kranten zwart van de rouwadvertenties voor gevallen soldaten en officieren, vanaf 1944 waren het er zoveel dat alle namen bijeen werden geveegd in één grote dagelijkse massa-advertentie voor iedereen die een 'heldendood' was gestorven. Het stadsleven werd steeds meer ontwricht door de voortdurende bombardementen: halverwege 1943 was meer dan een kwart van de Berlijnse bevolking naar het platteland geëvacueerd. Net als in 1918 liepen overal weer oorlogsinvaliden op straat, jongens op krukken, mannen zonder arm of been. De SD rapporteerde op 8 juli 1943 dat het luisteren naar buitenlandse zenders sterk was toegenomen, dat vijandelijke pamfletten door de *Volksgenossen* werden opgepakt en onderling besproken, dat winkeliers een opvallende afname van de Hitlergroet signaleerden en dat het aantal 'staatsondermijnende en gemene' grappen sterk toenam, 'zelfs over de persoon van de Führer'. Vanaf het najaar 1943 werden zelfs al moppen gehoord over de toekomstige nederlaag: 'Wat ga je na de oorlog doen?' 'Ik pak de fiets en maak een tochtje langs de grenzen van Duitsland.' 'En wat doe je dan 's middags?'

Een ander SD-rapport, van 2 juni 1944, maakt melding van de arrestatie van vierentwintig Berlijnse jongeren die zich sinds enige maanden vrijwel dagelijks in een Noord-Berlijns café verzamelden onder de naam 'Knietief'. 'Bij jazzmuziek werd gedanst en *gehotted*. In een ouderlijke woning was het bovendien tot 'alcoholische en zedelijk excessen' gekomen. Volgens de SD waren ze opgepakt nadat ze een lid van de Hitler-Jugend hadden overvallen, van zijn insigne hadden beroofd en belasterd. 'Over het algemeen werd een lang kapsel gedragen.' Twaalf jongeren werden aan de jeugdrechter overgedragen, twee jongeren, *jüdische Mischlinge I grades*, werden direct doorgestuurd naar een *Arbeitserziehungslager*.

Het rapport over dit incident maakt overigens nog iets anders duidelijk: de relatief lankmoedige houding van de Gestapo jegens de 'gewone' Duitsers was na 1941 volstrekt verdwenen. Vanaf maart 1942 was iedere vorm van defaitisme officieel strafbaar. Zelfs stil geklaag in een schuilkelder over schaarste of over dode geliefden kon tot een veroordeling leiden. Er werd een Volksmeldedienst geschapen, een spionagesysteem van buren en vrienden dat iedere 'onpatriottische' uiting diende te registeren. De *Berliner Blick* ontstond: eerst links en rechts over je schouder kijken, dan pas iets zeggen.

In de eerste drie maanden van 1943 werden enkel in Berlijn eenenvijftig doodstraffen uitgesproken wegens het luisteren naar de vijandelijke radio of het uiten van 'vijandelijke' meningen. Alleen al in het Beierse strafkamp Flossenbürg zijn zeker dertigduizend Duitse gedetineerden omgekomen, onder wie de beroemde geestelijke Dietrich Bonhoeffer, admiraal Wilhelm Canaris en Hans Oster, de Abwehrofficier die de Duitse aanvalsplannen aan Nederland doorgaf. Het aantal executies liep er soms op tot negentig per dag.

De malaise strekte zich ook uit tot de Duitse legeronderdelen. Wolf Jobst Siedler, die in Italië vocht, vertelde dat de soldaten tegen elkaar riepen: 'Geniet van de oorlog, de vrede wordt verschrikkelijk.' In het lazaret, waar hij eind 1944 terechtkwam, luisterden gewonde soldaten openlijk naar de 'swing' van de Britse zender.

Een paar keer dreigden onderdelen van de Wehrmacht openlijk in opstand te komen, samen met bepaalde sleutelfiguren uit de Duitse kerken, de vroegere vakbeweging en het bedrijfsleven. Al in mei 1942 bestonden er contacten tussen de Britse regering en de verzetsgroep rondom Bonhoeffer en zijn Bekennende Kirche. Op 20 juli 1944 kwam het tot een concrete aanslag op Hitler. De Wehrmacht-officier Claus Schenk von Stauffenberg nam in een aktetas een tijdbom mee naar een stafvergadering in de Wolfsschanze, zette de tas onder de vergadertafel en verliet het vertrek. De luchtdruk van de bom, die na een paar minuten ontplofte, zou in normale omstandigheden alle aanwezigen hebben gedood. Omdat de vergadering op het laatste ogenblik was verplaatst van de commandobunker naar een lichte barak, bleef het aantal slachtoffers echter beperkt. Hitler zelf kwam ervan af met een gescheurd uniform, een verstuikte rechterarm en een paar schaaf- en brandwonden. Pas gaandeweg besefte hij dat deze aanslag bedoeld was als de opmaat voor een algemene opstand tegen zijn regime. Zijn woede en wantrouwen waren daarna niet meer te temmen.

De oorlog was voor de nazi's ondertussen 'een heilige strijd' geworden, vóór Europa, tégen het bolsjewistische beest. Op 18 februari 1943, direct na de val van Stalingrad, had Goebbels in het Berlijnse Sportpalast de 'totale oorlog' uitgeroepen. De rede werd tweehonderd keer onderbroken door gejuich, gezang en donderend applaus, en de zaal explodeerde bij de slotwoorden: 'Nu, volk, sta op – en de storm barst los!'

In werkelijkheid was Goebbels' toespraak een noodsprong: de situatie was zo erbarmelijk dat het Duitse volk psychologisch moest worden voorbereid op zware tijden. Nog geen twee weken later, op 2 maart 1943, had Goebbels, zo schreef hij in zijn dagboek, een lang en vertrouwelijk gesprek met zijn oude strijdmakker en rivaal Hermann Göring. Beiden waren zeer bezorgd over de geestelijke stabiliteit van Hitler en over de chaotische toestanden binnen het hoofdkwartier. De Führer was, zo vonden ze allebei, 'in de drieënhalf jaar dat de oorlog duurde, vijftien jaar ouder geworden'. Ribbentrop had volledig gefaald als minister van Buitenlandse Zaken: hij had geen enkele poging gedaan om met Engeland tot een modus vivendi te komen, en het was hem evenmin gelukt om Franco aan de Duitse zijde de oorlog in te trekken. Binnen het Reich zelf was ook nergens een sterk gezag opgebouwd, 'ieder doet en laat wat hij wil'. Maar tegelijk mocht de nazi-leiding, aldus Göring, in deze situatie geen enkele zwakheid tonen. 'Vooral bij het jodenvraagstuk zijn wij zo ver gegaan dat er voor ons geen uitweg meer bestaat.' Goebbels concludeert in zijn dagboek: 'En dat is ook goed zo. Een beweging en een volk die de bruggen achter zich verbrand hebben, strijden, naar de ervaring leert, veel vastberadener dan die welke nog de mogelijkheid tot een terugtocht bezitten.'

7

Rome. Het is de tijd van de grote zomerhitte. Bij het Campo dei Fiori staat de jeugd tot diep in de nacht te gisten, op het Piazza Navona flaneren stakerige Zweedse leraarsgezinnen, tussen beide pleinen is het wit van de gedekte tafels. Boven de okergele huizen van Trastevere, de oude volksbuurt, luiden de klokken hun blikkerige slagen, jaar na jaar.

In het begin van de jaren tachtig logeerde ik hier veel. Van de talloze kruidenierswinkels en groentezaken die ik me herinner, is er welgeteld één over. Mario met zijn zeven zwerfkatten en zijn kaatsende stem, de koning van ons kleine straatje, is allang verhuisd. Er wonen nu Amerikanen. Van de ontelbare lijnen waaraan altijd wasgoed hing te vlaggen, resten er nog twee; uit alle andere straatjes zijn ze verdwenen. De groentewinkels zijn nu cafés, de koffiehuizen restaurants, bij de kruidenier verkopen ze Indiase sieraden. Veel rode pannendaken zijn verdwenen, het zijn nu terrassen en kleine lusthoven. Rondom de fontein op het Piazza Santa Maria in Trastevere wordt geflirt en gezucht in alle Europese talen.

De Duitse veldmaarschalk Albert Kesselring[7] hield van kunst en daarom zijn Rome en andere belangrijke Italiaanse steden bewaard gebleven. Voor de Italianen zelf was hij minder mild. Bij iedere partizanenaanslag gold dezelfde ijzeren norm als in Griekenland: tien Italiaanse levens voor iedere dode Duitser. Vanaf 1944 werd, om het 'terrorisme' te bestrijden, door de SS en de Wehrmacht het ene dorp na het andere uitgemoord. Tussen 29 september en 18 oktober 1944 werden rondom Marzabotto, een klein plaatsje bij Bologna, meer dan achttienhonderd burgers vermoord. Op het kerkhof werden achtentwintig boerenfamilies met mitrailleurs afgemaakt, inclusief tientallen kinderen.

Rome was door de Duitsers en paus Pius XII tot 'open stad' verklaard, een stad die buiten de oorlog moest blijven. Toch stroomden dagelijks Duitse tanks en vrachtauto's door de straten naar de fronten in het zuiden, en iedere dag marcheerde het Derde SS-Politiebataljon ostentatief door de binnenstad. Op 23 maart 1944 pleegden partizanen in de Via Rasella een zware bomaanslag op deze dagelijkse parade. Tweeëndertig SS'ers kwamen om, een veelvoud raakte gewond.

De represaille kwam de volgende dag. Vlak bij de catacomben, in een grot bij Fosse Ardeatine, werden driehonderdtwintig politieke gevangenen afgeschoten: vrachtauto na vrachtauto, uitladen, knielen, een schot in de nek. Een citaat uit het latere verhoor van de bevelvoerend officier, majoor Herbert Kappler: 'Na (enkele uren) merkte ik dat Hauptsturmführer Wotjan nog geen schot had gelost. Ik sprak met hem op kameraadschappelijke wijze en ging met hem de grot in om naast hem nog een schot te lossen, op hetzelfde moment als hij.'

De slachtoffers liggen nu onder een monumentale plak beton, in driehonderdtwintig sarcofagen, twee tennisvelden vol marmer en kunstbloemen. De Duitsers hadden na afloop de ingang van de grot opgeblazen, maar een herder had de schoten gehoord. De gewaarschuwde dorpspastoor rook de lijklucht, bad er en gaf een 'voorwaardelijke absolutie'. Op 26 maart schreef de paus – die ten onrechte meende dat de aanslag het werk was van communisten – in de *Osservatore Romano*: 'Tweeëndertig slachtoffers aan de ene kant, en aan de andere kant driehonderdtwintig mensen die door de schuldigen werden opgeofferd om zelf aan arrestatie te ontkomen', alsof niet de Duitsers maar de partizanen deze slachting hadden aangericht.

Nadat de lichamen waren gevonden werd onmiddellijk het Vaticaan gewaarschuwd. Er gebeurde niets. Familieleden kwamen bloemen leggen, de Duitsers blokkeerden de grot opnieuw en een van de priesters, don Ferdinando Georgi, werd opgepakt. De bisschop van Rome bleef zwijgen, zelfs nu het om zijn eigen kudde ging.

Mussolini was diep geschokt over de moordpartij in de Fosse Ardeatine en deed daarna alles wat in zijn – beperkte – vermogen lag om een herhaling te voorkomen. Pius XII, die geen vinger uitstak, werd na de oorlog bejubeld als de *defensor civitatis*, een morele held, de redder van de stad.

Er zijn later hevige discussies gevoerd over de rol van de Heilige Stoel in de Tweede Wereldoorlog en dat is begrijpelijk. Het twintigjarig pausdom van Eugenio Pacelli kende inderdaad grote tegenstrijdigheden.[8] Hij was een asceet, hij gebruikte weinig meer dan een stuk brood en een glas warme melk, maar tegelijk omringde hij zich met grote praal en strenge vormen. Zijn vroomheid was boven iedere twijfel verheven, maar uit archieven en andere bronnen rijst ook het beeld op van een anti-semiet, een extreme communistenhater, en een cynische opportunist. Hij stuurde, intern, richtlijnen uit om joden te helpen, hij speelde achter de schermen een belangrijke rol bij het stoppen van de deportaties uit Hongarije en Bulgarije, maar hij was ook een geslepen diplomaat die ieder conflict met het nazi-regime vermeed omdat hij bang was voor het verlies van zijn wereldlijke macht.

Een paar feiten.

Allereerst de Duitse euthanasiecampagne. In de jaren zestig en zeventig sprak Gitta Sereny uitvoerig met een aantal voormalige beleidsmakers uit de beruchte Berlijnse villa Tiergarten 4. Die vertelden haar – bevestigd door latere processtukken – dat zij al vanaf 1939 in het diepste geheim de mening van sommige kerkelijke leiders hadden gepeild over de euthanasiecampagne. Zelfs nog voordat die was begonnen wilden de nazi's al weten of de Kerk zich actief zou gaan verzetten. Dat bleek niet het geval. Sereny: 'Blijkens alle informatie waarover we nu beschikken – officieel of onofficieel, verkregen op eerlijke of slinkse wijze, verkregen door echte of afgetreden priesters is het uitgesloten dat de Kerk, die volgens sommigen "de beste inlichtingendienst ter wereld heeft", niets van de zaak wist.'

Uiteindelijk protesteerde het Vaticaan precies één keer, op 27 november 1940, toen het euthanasieprogramma al ruim een jaar aan de gang was. Het was een zeer milde en voorzichtige veroordeling, die nooit is afgedrukt in de *Osservatore Romano* en die slechts één keer door Radio Vaticaan is voorgelezen. In het Latijn.

Het latere argument van de paus, dat ieder protest de Kerk in gevaar zou brengen, is niet juist. In augustus 1941 viel de Münsterse bisschop Clemens von Galen het euthanasieprogramma driemaal fel aan, voor de kathedraal werden stille solidariteitsdemonstraties gehouden, de preken werden gedrukt en zelfs door de RAF over Duitsland uitgestrooid. Toch werd de protestbeweging ongemoeid gelaten, hoewel sommige nazi-leiders uit waren op het hoofd van Galen. Een vervolging zou de positie van de nazi's in dit katholieke deel van Duitsland te zeer verzwakken.

Minstens zo opvallend is het zwijgen van Pius XII toen de nazi's in 1939 Polen binnenvielen, een van de meest katholieke landen van Europa, en daar gruwelijk huishielden, ook onder katholieke intellectuelen, politici en priesters. Naar schatting is ongeveer een vijfde van de Poolse clerus door de nazi's omgebracht. Pius XII heeft zelfs achter de schermen nooit een poging gedaan om voor hen op te komen.

Een soortgelijke ervaring hadden de Nederlandse katholieken: later verweet Pius XII de moedige Nederlandse kardinaal Johannes de Jong dat die, door het ondertekenen van een gezamenlijke protestbrief van de kerken, verantwoordelijk was voor de deportatie van zeker veertigduizend bekeerde katholieke joden. In werkelijkheid zijn er vanuit Nederland hooguit tweehonderd katholieke joden weggevoerd. De Nederlandse katholieke Kerk speelde wel degelijk een rol in het verzet – maar zonder enige steun vanuit Rome.

Hoe het anders had gekund, blijkt uit de rol van een aantal Franse bisschoppen: hun openlijke stellingname tegen de jodenvervolging was het begin van een massale verzetsbeweging onder de gewone bevolking, waaraan tienduizenden joden hun leven te danken hebben. Zelfs de collaborerende maarschalk Pétain vroeg de paus met zoveel woorden om een advies inzake 'het joodse vraagstuk'. Er kwam geen enkele reactie.

In Italië is later vaak beweerd dat Pius XII tienduizenden joden redde door alle kloosters te bevelen de deuren voor hen te openen. Nu vonden er inderdaad vanaf 1943 op lokaal niveau imposante reddingsacties plaats, waarbij de plaatselijke clerus vaak sterk betrokken was, maar van een duidelijke leiding vanuit Rome is nooit sprake geweest. Het woord 'jood' kon Pius XII niet over zijn lippen krijgen, laat staan de term 'massamoord': in zijn kersttoespraak van 1942 sprak hij alleen maar over 'de honderdduizenden die, zonder persoonlijke schuld, soms om geen andere reden dan om hun nationaliteit of afkomst, ten dode waren opgeschreven'.

Het meest opvallende incident deed zich voor op zaterdag 16 oktober 1943, toen een paar SS-bataljons 's ochtends vroeg het oude getto van Rome binnenreden en voor het eerst een massale razzia hielden. Ruim duizend joodse mannen, vrouwen en kinderen werden naar het Collegio Militaire overgebracht, slechts een paar honderd meter van de Sint-Pieter. De paus hoorde, via een kennis, direct van de razzia, nog tijdens zijn ochtendgebed. Ettelijke vrachtwagens met doodsbange joodse kinderen reden vrijwel letterlijk langs zijn ramen.

Van alle kanten werd Pius XII die ochtend onder druk gezet om een pauselijk verbod uit te vaardigen op het deporteren van joden uit de 'open' stad Rome. Opvallend genoeg kwam die pressie ook uit het circuit van de Duitsers zelf, met name van de civiele autoriteiten. Waarom moest de relatieve vrede in Rome in 's hemelsnaam verstoord worden door die krankzinnige jodenjagers van de SS? De Duitse consul Albrecht Kessel smeekte Pius XII om een 'officieel protest' uit te vaardigen. De Duitse ambassadeur, Ernst von Weizsäcker, had een lang en vertrouwelijk gesprek met de pauselijke staatssecretaris Maglione. Kardinaal Maglione beweerde later dat hij bij Weizsäcker had aangedrongen om tussenbeide te komen omwille van 'de humaniteit en de christelijke naastenliefde'. Volgens Weizsäcker was het precies andersom gegaan, en had híj geprobeerd om Maglione ervan te overtuigen dat de paus nú een fel protest moest laten horen.

De meeste auteurs over deze episode vermoeden dat de laatste versie de juiste is: opvallend is bijvoorbeeld een opmerking van Maglione dat de Heilige Stoel 'niet gedwongen wil worden' tot enig protest.[9] Uiteindelijk ging Pius XII ermee akkoord dat een lagere geestelijke aan Weizsäcker en de Berlijnse autoriteiten een waarschuwende brief schreef dat de deportaties moesten ophouden. 'Anders zou de paus in een positie kunnen komen dat hij daartegen stelling zou moeten nemen,' een situatie die door de anti-Duitse propaganda gemakkelijk zou kunnen worden uitgebuit. In werkelijkheid was zelfs het schrijven van deze brief te veel moeite geweest: de tekst was opgesteld door de Duitsers zelf, door consul Albrecht Kessel en ambassadesecretaris Gerhard Gumpert. Weizsäcker schreef er nog een brief aan Berlijn overheen: het Vaticaan was inderdaad woedend, de reactie kon misschien nog verzacht worden als de joden niet naar Auschwitz zouden worden gestuurd, maar in Italië zelf tewerk konden worden gesteld. Het hielp allemaal niets. Op maandag 18 oktober werden de gezinnen naar het Tiburtinastation gebracht en in veewagons gepropt, zestig personen per wagon.

Als Pius XII op dat laatste moment, in vol ornaat, op het station zou zijn verschenen en hun deportatie zou hebben verboden, dan zouden deze duizend joden een goede kans hebben gehad het er levend af te brengen, zo concludeert Susan Zuccotti – zij onderzocht de hele affaire minutieus. Zo'n daad zou bovendien een enorme indruk gemaakt hebben in heel Europa. Hitler-biograaf Ian Kershaw komt, op grond van Duitse bronnen, tot een soortgelijke conclusie: de kans was groot dat de Duitse bezetters, onzeker over de verdere gevolgen, de hele operatie zouden hebben afgeblazen wanneer Pius XI een ondubbelzinnig protest had laten horen. Sterker nog, de Duitsers verwachtten zo'n protest. Het kwam niet.

Vijf dagen na hun vertrek uit Rome waren vrijwel alle gezinnen in Birkenau vergast. Slechts vijftien Romeinse joden keerden levend terug.

In diezelfde week meldde de *Osservatore Romano* dat de paus 'geen moment heeft geaarzeld om alle middelen die hem ter beschikking stonden te gebruiken om het lijden te verlichten', en dat de 'universele en vaderlijke mensenliefde' zich niet liet beperken door 'grenzen of nationaliteiten, noch door religie of ras'. Het officiële verslag van ambassadeur Ernst von Weizsäcker aan zijn chefs in Berlijn kwam dichter bij de waarheid: de paus had zich tot 'geen enkele demonstratieve uiting tegen de deportatie van joden uit Rome laten verleiden', en 'ook in deze heikele kwestie' had de Heilige Vader 'alles gedaan om de verhouding met de Duitse regering en de zich in Rome bevindende Duitse autoriteiten niet te belasten'. Met geen woord repte hij uiteraard over zijn eigen rol in deze zaak.

De historicus István Deák typeert Pius XII als een typische koude-oorlogsstrijder, voordat er zelfs een koude oorlog bestond. Zijn voorganger, Pius XII, had in 1937 de encycliek *Mit brennender Sorge* uitgevaardigd, waarin de vergoddelijking van het Germaanse ras ernstig werd bekritiseerd. Het stuk werd overal in de katholieke kerken over heel Duitsland voorgelezen, zonder dat de nazi's tot sancties overgingen. Een nieuwe encycliek tegen het racisme en het anti-semitisme, *Humani Generis Unitas*, was in voorbereiding toen Pius XI in 1939 stierf. Pius XII trok het concept van zijn voorganger haastig terug. In zijn visie waren niet de nazi's maar de bolsjewieken de grootste vijanden van de Kerk. Sterker nog: Duitsland vormde in zijn ogen de frontlinie in de strijd tegen het rode gevaar.

Dit felle anti-communisme was vermoedelijk ook de achtergrond voor nog een beschamende periode uit het pontificaat van Pius XII: de betrokkenheid van het Vaticaan bij de ontsnapping van honderden Duitse en Oostenrijkse massamoordenaars in de periode vlak na de oorlog. Dr. Josef Mengele, de beruchte kamparts van Auschwitz, Adolf Eichmann, de grote organisator van jodentransporten, Franz Stangl, de kampcommandant van Treblinka, en vele anderen kregen met behulp van Vaticaanse prelaten geld, onderdak, valse papieren en een vluchtweg naar Zuid-Amerika. Deze ondergrondse ontsnappingsroute voor oorlogsmisdadigers is vrijwel zeker opgezet met medeweten en goedkeuring van Pius XII. Het paste helemaal in zijn beleid: alle krachten, goed en kwaad, moesten gemobiliseerd worden om het communisme te bestrijden.

Eerlijkheidshalve moet hier wel iets aan worden toegevoegd: de politieke mogelijkheden van het Vaticaan tijdens de Tweede Wereldoorlog waren inderdaad zeer beperkt. Stalin vroeg zich ooit cynisch af hoeveel divisies de paus eigenlijk had, maar dat was lang niet het enige probleem. Als staatshoofd was de paus volledig afhankelijk van de goede wil van de machthebbers in Rome: eerst de Italiaanse fascisten, later de Duitsers. Zonder hun stilzwijgende toestemming kon de *Osservatore Romano* niet meer gepubliceerd worden, vielen de zenders van Radio Vaticaan stil, kwamen geen geld, voedsel en water meer binnen, werd geen vuilnis meer afgevoerd. Als de paus zich fel en openlijk had uitgesproken, was het zeer de vraag hoe lang zijn tegenstanders hem die mogelijkheid zouden hebben gegund.

Paus Pius XII was echter ook een geestelijk leider, vermoedelijk zelfs de invloedrijkste van heel Europa. Tijdens de jaren waarin het erop aankwam, juist in moreel opzicht, heeft hij in die rol volledig gefaald. Zijn angst voor het communisme was vele malen groter dan zijn betrokkenheid bij het lot van joden en andere oorlogsslachtoffers. Het enige doel van de kerkvorst Eugenio Pacelli was het behoud van de katholieke Kerk als instituut. De zwakste wereldlijke en de belangrijkste geestelijke leider kon alleen maar denken in termen van machtspolitiek.

Roma, città aperta. Op grote stenen plaquettes aan de muur bij het Forum Romanum waren de imperiale fantasieën van Mussolini in kaart gebracht. Ze hangen er nog steeds: de Grieken, het Romeinse Rijk, alleen de plaquette met het kleine Italiaanse imperium tussen 1936 en 1943 is kiesheidshalve verwijderd. Het olympisch kwartier bij de Ponte Duca d'Aosta schittert nog altijd in volle fascistische glorie, en dat geldt ook voor sommige bruggen over de Tiber. Wegpoetsen is er hier niet bij.

Ik loop met de toeristenstroom langs de Via Giulia. In het huis op nummer 23 zit een steen voor Giorgio Labo en Gianfranco Mattei. Ze zijn hier op 1 februari 1944 door de Duitsers opgepakt, vervolgens dagenlang gemarteld en uiteindelijk ter dood gebracht, maar ze bleven zwijgen. Met dank van hun kameraden. Er hangt net weer een nieuwe krans.

Dit land heeft de oorlog in stilte moeten wegkauwen. 'Natuurlijk behandelden de geallieerden ons hard,' had oud-partizaan Vittorio Foa me gezegd. 'We hadden ons toch zwaar misdragen?' De Duitsers zagen, op hun beurt, de Italianen na 1943 als verraders. Als Hitler geen zwak had gehad voor zijn oude leermeester Mussolini, had hij Italië waarschijnlijk op een 'Poolse behandeling' getrakteerd. De joden – onder wie Primo Levi – werden nu bij duizenden weggevoerd. Zeshonderdduizend Italianen belandden in Duitse krijgsgevangenschap, tallozen kwamen om. De vrouwen moesten zich maar zien te redden.

Ernie Pyle beschreef in maart 1944 hoe wachtende Amerikaanse soldaten vanaf een schip in een haven bij Napels koekjes en chocola gooiden naar een stel hongerige kinderen op de kade. Eén jongetje, met een paar gigantische Amerikaanse GI-schoenen aan zijn benen, trok de aandacht door voortdurend op zijn handen over straat te lopen. Voorzichtig kwamen ook een paar meisjes kijken. De matrozen floten en wierpen nog meer koekjes. Een magere oudere vrouw stond wat terzijde, totdat een zeeman haar in een opwelling de hele doos toegooide. De worp was prima, en de vrouw kon goed vangen. Maar ze had de doos nog niet in handen of de hele menigte stortte zich op haar. 'De arme oude vrouw liet niet los. Ze hield de doos vast alsof het iets menselijks was. En toen de laatste cracker was verdwenen, wankelde ze weg, bijna blind, het hoofd achterover naar de hemel, de lege doos nog in de handen, huilend met een vertrokken gezicht als een kind waarvan het hart gebroken is.'

8

Voor de Fréjus-tunnel staat een lange politieman met ingevallen wangen. Hij preekt met woorden en gebaren tegen de vrachtwagens en de bezwete automobilisten, de hele middag door: wees voorzichtig, rij niet te hard, houd afstand. Dan is er dertien kilometer lang duisternis, en daarna rijd ik in een andere wereld. Hier zijn de velden niet bruingeel maar groen, hier zijn de huizen, de wegen en de regels helder en strak, hier is alle noodlot weggebannen. Maar hier, achter de Alpen, is opeens ook het licht weg, het overweldigende Italiaanse licht. Er bestaat, bedenk ik nu, nog een essentiële scheidslijn binnen Europa: de lichtlijn.

Na de tunnel is het weer omgeslagen, het regent, de avonden worden al wat langer. In de dorpen zijn alle deuren en luiken dicht, alleen uit het verenigingsgebouw bij een kerk straalt nog licht, voor een vergadering, of voor een aerobicsavond van de vrouwenclub. Ik overnacht op een camping in een dennenbos, een dorp van tenten en caravans waar weinig vreugde valt te beleven, ook als de volgende ochtend de zon weer schijnt. Het complex blijkt voornamelijk bewoond te worden door alleenstaande mannen. De daken van hun caravans zijn verweerd, het doek van hun tenten is grijs geworden, ze lijken langzaam met dit bos te vergroeien. 'De meesten van ons wonen hier het hele jaar,' vertelt mijn overbuurman. 'Van 1 januari tot 31 december.' Hij wandelt langzaam met een stok over het terrein, hij heeft een scheef hoofd en een paar pantoffels aan zijn gezwollen voeten. Er wonen hier ook enkele echtparen en een stel illegalen, maar de meesten zijn mannen zoals hij. 'Ik kom uit Caen, ja, een echtscheiding. En hier is het goedkoop, nietwaar.' En de kou? 'Het vriest hier 's winters meestal maar een paar dagen stevig, dan red ik me prima met mijn petroleumkachel.'

Hij heeft gordijntjes in zijn voortent, een televisie met een schotelantenne en een klein tuintje met gladiolen. Iedereen maakt in zijn armoede nog wat ervan te maken is, tussen deze stille bomen.

Ik ben op weg naar het merkwaardige land van maarschalk Henri Philippe Pétain, het niet-bezette gebied dat vier jaar lang geregeerd werd vanuit het Casino en het Hôtel du Parc in de besloten badplaats Vichy, het ingesnoerde Frankrijk dat na het tekenen van de wapenstilstand, in de woorden van de Amerikaanse historicus Andrew Shennan, 'een hopeloze toeschouwer van de oorlog' was geworden.

Frankrijk was na juni 1940 opgesplitst in zes stukken en brokken. Maarschalk Pétain regeerde over ongeveer twee vijfde van het land. (Na november 1942 werd dat gedeelte overgens ook door de Duitsers bezet, zodat hij weinig vrijheid van handelen meer had.) Een stuk in het zuidoosten, rondom Nice, was in Italiaanse handen. Een paar noordelijke kustdepartementen, die min of meer bij België waren gevoegd, werden bestuurd door het Duitse militaire gezag in Brussel. Noordoost-Frankrijk was bestemd voor toekomstige Duitse kolonisatie, voor de Fransen was het de *Zone Interdite* – het verboden gebied. Lotharingen en de Elzas waren zonder omhaal ingelijfd bij Duitsland. De rest viel onder het gezag van de *Militärbefehlshaber* in Parijs. De kosten van de Duitse bezetting moesten door de Fransen zelf worden opgebracht: twintig miljoen mark per dag.

Als je nu door het land rijdt, valt het op hoe raar die toenmalige grenzen liepen: door de departementen heen, soms zelfs dwars door steden en dorpen. Het lijkt wel of iemand in 1940 op een kaart maar wat lijnen had getrokken, met dezelfde desinteresse waarmee de Fransen vroeger zelf Afrika opdeelden. Dat tekent het Vichybewind: dit 'vrije' stukje Frankrijk bestond enkel zolang de Duitsers het niet nodig hadden.

Ook de keuze voor het kuuroord Vichy was min of meer willekeurig. Het was, met zijn driehonderd hotels, de enige plaats in het bezette gebied waar de uit Parijs verdreven ministeries zich snel en zonder problemen konden vestigen. Pétain was direct enthousiast: het stadje had een snelle treinverbinding met Parijs, het klimaat was er prettig, de bevolking bestond grotendeels uit welvarende en conservatieve burgers, en de beslotenheid maakte het tot een aangename werkplek voor iedere bureaucraat die niet te veel last wilde hebben van de rest van de wereld.

Vichy was een onthechte stad, niet Frans maar ook niet werkelijk kosmopolitisch, ontwakend in het voorjaar, slapend in de winter. In Vichy heeft het woord 'collaboratie' zijn huidige betekenis gekregen – maar daar betekende het gewoon 'samenwerking'. Wat wij nu defaitisme noemen, heette er realisme. Pétain werd aanbeden. Met Groot-Brittannië was Vichy in oorlog; zo werd dat tenminste beleefd. Generaal Charles de Gaulle, die met zijn Vrije Fransen naar Londen was gevlucht, was de grote verrader. Zo was de stemming in die eerste oorlogsjaren. Na 1944 maakte half Frankrijk een draai van honderdtachtig graden.

Tegenwoordig zijn de Fransen redelijk op de hoogte van de gebeurtenissen in hun land tussen 1940 en 1944. In 1997 werd de hoogbejaarde Maurice Papon alsnog berecht, de verantwoordelijke man voor de deportaties van de joden in Bordeaux. In 1987 vond het proces tegen Klaus Barbie plaats, Papons collega in Lyon, die in 1971 door Beate Klarsfeld in Bolivia was opgespoord. In 1993 werd René Bousquet vermoord, de man van de grote razzia in Parijs, vlak voordat hij terecht zou staan. Al die zaken trokken veel aandacht, er werd over geschreven, er werden films en documentaires gemaakt, het geschiedenisonderwijs werd sterk verbeterd, Franse historici produceerden het ene prachtboek na het andere.

Maar in de jaren daarvoor heerste in Frankrijk een intens zwijgen over de oorlogstijd, zeker twee, drie decennia lang. In 1971 kwam de filmer Marcel Ophüls als eerste met een nuchtere en opzienbarende documentaire over Vichy, *Le chagrin et la pitié*. Een jaar later bracht een jonge Amerikaan, Robert Paxton, het debat onder historici op gang. Paxton had in zijn studie, *Vichy France. Old Guard and New Order*, voor het eerst gebruik gemaakt van Duitse documenten die de Franse historici nooit hadden geraadpleegd. En daaruit bleek onontkoombaar dat het verhaal dat de Fransen zichzelf en hun kinderen jarenlang verteld hadden niet klopte. Vichy was helemaal niet het product geweest van een bejaarde president en een paar honderd machteloze Franse functionarissen die moesten werken onder zware druk van de Duitse bezetters. Integendeel, het was een fris, nieuw regime met grote aspiraties, gesteund en toegejuicht door miljoenen Fransen. Het was niet enkel een tussenstation, een redden-wat-er-te-redden-valt-bewind, zoals de officiële Franse geschiedschrijving het wilde doen voorkomen. Het was een regime met sterke anti-semitische trekken en met vergaande plannen om de Franse samenleving op een autoritaire, corporatistische wijze te reorganiseren, ongeveer volgens dezelfde lijnen die de dictator Salazar al eerder in Portugal had toegepast.

Het huidige Vichy is niet een stad van leugens, maar, inderdaad, van 'lacunes en blanco spaties'. Het leven is er, als door een mirakel, bevroren in de zomer van 1939. De lommerrijke straten achter de hotels staan vol art-decovilla's en pseudo-oriëntaalse kasteeltjes van ooit geliefde wonderartsen en masseurs. Onder de oude platanen en kastanjes voor het casino wordt nog altijd geflaneerd en geconverseerd, er is een lange galerij om iedere wandelaar te beschermen tegen regen en zon, en elke dag kun je er nog Anton Tsjechovs 'dame met het hondje' tegen het lijf lopen.

Ga op een bank zitten in het park aan de rivieroever, voor een van de strakke gazons, en bekijk het sociale verkeer aan het eind van de middag: tachtigjarige mannen met strohoeden, kwebbelende weduwen, een bejaarde Effi Briest met een baljurk en witte handschoentjes, gezelschapsdames, verpleegsters, oppasmeisjes, poedels, keeshondjes. Een paar kinderen rijden rondjes op een ezel, de avond begint lange schaduwen te werpen, een jongen en een meisje rennen door het park met een grote tak, het angelus klingelt.

De Amerikaanse journalist Adam Nossiter, die een briljant boek over het kuurstadje schreef, betitelt Vichy als 'een soort nationale vuilstortplaats voor slechte herinneringen'. Hij zag bij de inwoners twee manieren om het verleden te hanteren. 'Er was het verleden dat diende voor alledaags gebruik, en dan was er ook nog een ander verleden, gebaseerd op de feiten die de herinnering en het geweten aandroegen, moeilijker te erkennen.'

In Vichy zelf is nog maar één 'feit' zichtbaar: een hoge pokdalige muur bij het park aan de rivier de Allier, met daarop de resten van prikkeldraad, ooit opgetrokken door de Gestapo om haar hoofdkwartier tegen nieuwsgierige blikken te beschermen. Die muur is, met een paar munten en brieven in het kleine stadsmuseum, het enige concrete overblijfsel van 'de periode', want zo spreken de burgers van Vichy het liefst over de oorlogsjaren.

Voor de rest zijn het enkel namen die nog spoken. Het Hôtel du Portugal, waar de Gestapo zat, heet altijd nog Le Portugal, en het-

zelfde geldt voor Hôtel Moderne van de Milice Française, de paramilitaire organisatie van Vichy die het verzet poogde te breken.
Het chique Hôtel du Parc, de zetel van de Vichy-regering en tegelijk de residentie van Pétain zelf, is veranderd in Le Parc, maar
verder is alles hetzelfde: het balkon waarop de maarschalk zich
bij de zondagse parade door honderden Fransen liet toejuichen,
de stoep waarop zijn aanhangers, vijf rijen dik, bijna iedere dag
het volkslied van Vichy aanhieven:

Maréchal, nous voilà!
Devant toi, le sauveur de la France.
Nous jurons, nous, les gars,
De servir et de suivre tes pas.

Maarschalk, hier zijn we! Frankrijks redder, wij, je mannen,
zweren je te dienen en je in jouw voetstappen te volgen.

Achter de boulevards lagen in die jaren talloze kleinere hotels,
waar zo'n honderdduizend ambtenaren bivakkeerden. In het
Grand Casino waren, met archiefdozen als scheidingswanden,
provisorische ministeries ingericht. Overal hingen Franse vlaggen. 'In de straten van onze stad loopt een menigte van passanten
als zenuwachtige mieren alle kanten op, handen in de zakken, de
kragen omhooggeslagen,' schreef een journalist op 18 januari
1942 in *Le Progrès de l'Allier*. Om de ergste kou te verdrijven hadden
de ambtenaren simpele houtkachels geïnstalleerd. 'Overal steekt
door de ramen de lange zwarte hals van een schoorsteenpijp, die
druppels roetachtig vocht uitzweet.'

Het waren meestal jonge mensen, en de sfeer was opgewonden, niet zelden ook broeierig en sensueel. Er werd veel gepara-
deerd en iedere week musiceerde de Garde Républicaine. 'Het
deed werkelijk je bloed stromen,' zei een bejaarde burger tegen
Adam Nossiter. 'Je kon trots zijn, of tevreden, of beide.' Maar Nossiter hoorde tijdens zijn onderzoek ook andere geluiden. 'Alleen
tussen ons – en schrijf dit niet op: het was absoluut een seksuele
broeikas.' Pétain vond dit aspect van Vichy niet onaangenaam. In
Hôtel du Parc had hij met een jonge aanhangster, zo vertelde hij
na de oorlog aan zijn bewaker, op zijn zesentachtigste nog genoten van een laatste 'folle nuit d'amour'.

Pétain was bij de gemiddelde Fransman in 1940 net zo populair
als de Gaulle bij de bevrijding in 1944. Zijn eerste wetten onderte-

kende hij als een koning, 'Wij, Philippe Pétain...', en iedereen vond het prachtig. Vanaf het begin trok hij meer macht naar zich toe dan enig Frans staatshoofd sinds Napoleon. Hij was opperbevelhebber van het leger, en tegelijk droeg hij de eindverantwoordelijkheid voor het hele binnen- en buitenlandse bestuur. Hij had in zijn ouderdom momenten van zwakte en verwarring, maar meestal was hij vitaal en goed bij de pinken.

Het ideale Frankrijk van Pétain was landelijk, persoonlijk, familiaal. Het was het oude, prerevolutionaire Frankrijk dat hij in een moderne vorm wilde laten herleven, het Frankrijk zonder individualisme, liberalisme, democratie en kosmopolitisme. Het eerste artikel van Vichy's ontwerpgrondwet uit 1941 luidde: 'De Franse staat is nationaal en autoritair.'

Voor me ligt Pétains credo, La France Nouvelle, een klein, rood-wit-blauw omrand boekwerkje, dat tijdens de oorlogsjaren overal in Frankrijk werd stukgelezen. De eerste regel uit zijn beginselverklaring: 'De mens heeft van nature zijn fundamentele rechten. Die worden hem slechts gegarandeerd dankzij de gemeenschappen die hem omringen: de Familie die hem onderricht, het Beroep dat hem voedt, de Natie die hem beschermt.' Ik blader verder, maar de taal van Hitler en Mussolini vind ik nergens. Het boekje bevat bijna alleen maar toespraken en oproepen, en het is vooral erg katholiek: 'Boodschap aan het Franse Imperium', 'Boodschap aan de Jeugd van Frankrijk', 'De Sociale Politiek van het Onderwijs', 'Over het Individualisme en de Natie', 'Boodschap over de Pensionering van de Ouderen', 'Boodschap van Pau aan de Boeren', 'Boodschap aan de Moeders van Frankrijk', enzovoort.

Het Pétain-bewind tekende zichzelf graag als een huis, de solide villa France, gefundeerd op 'school', 'werkplaats', 'boerenstand', 'legioen', en op deugden als 'discipline', 'orde', 'spaarzaamheid' en 'moed'. Daarnaast – ik beschrijf een werkelijk bestaande propagandaposter – had de tekenaar het oude Frankrijk geschetst: een gammele woning, scheef geduwd door 'communisme', 'parlement', 'kapitaal', 'radicalisme' en 'jodendom'. Daarachter hangt een zwarte lucht met daarin, vaag zichtbaar, een davidster.

Franse nazi's bestonden er niet veel. Wel waren er strijdlustige rechtse denkers die hoopten op een nieuwe, autoritaire orde – een traditie die in Frankrijk nog altijd aanwezig is. Een van hen, de auteur Robert Brasillach, schreef in de winter van 1945, vlak voor zijn doodvonnis wegens collaboratie: 'We hebben met de Duitsers geslapen en we moeten toegeven dat we op sommige gesteld waren.' Maar vooral steunde het regime op keurige intellectuelen en leden van de hoge burgerij, welgemanierde Franse patriotten die hun nederlaag snel wilden doorslikken, die verder geen oorlog wilden en die bereid waren zich te voegen in het nieuwe Europa van de nazi's.

Wat hen samenbond, was hun anti-communisme en hun afkeer jegens alles wat leek op het Franse Volksfront uit de jaren dertig. Zodra Hitler de Sovjet-Unie was binnengevallen, verschenen overal affiches van Pétain, waarbij hij de Fransen opriep om samen met Hitler het bolsjewisme te bestrijden. (Overigens zouden slechts drieduizend Fransen van Pétains Légion Tricolore aan het oostfront meevechten.) Wat hen ook motiveerde, was het ideaal van de nieuwe Europese orde die vanuit de Asmogendheden gevormd zou worden, en waarin Frankrijk weer een centrale rol zou kunnen spelen.

'Het Vichy-bewind,' schrijft de Engelse historicus Ian Ousby, 'werd niet bestuurd door pro-nazi-ideologen die gretig dansten naar het pijpen van het Derde Rijk; het werd evenmin bestuurd door bange mannen die, tegen hun patriottische neigingen in, gedwongen waren de bevelen van het *Reich* te volgen. De Nationale Revolutie van Vichy was eigen teelt, geworteld in de Franse bodem en uitgevoerd door mensen die geloofden – of die zichzelf gemakkelijk ervan konden overtuigen – dat ze de belangen van Frankrijk naar beste weten dienden.'

De grote lijnen van zijn beweging beschreef Pétain het meest nauwkeurig in een radioredevoering op 11 oktober 1940. Hij sprak hierin van een 'revolutie', van het herstel van een 'morele orde' na het Volksfront van 1936, maar vooral van de nieuwe 'collaboration internationale', waarin Frankrijk bereid was op alle terreinen samen te werken met ieder buurland, met name Duitsland.

Die 'collaboration' betekende in de praktijk, allereerst, dat Vichy de Duitsers ontzettend veel werk uit handen nam. Het bewind organiseerde zijn eigen kolonisatie: de plundering van industrie, landbouw en nationale reserves, de dwangarbeid in Duitsland en, niet in de laatste plaats, de deportaties van de joden. Het Vichy-bewind nam de eerste anti-joodse maatregelen op eigen initiatief, zonder enige dwang of instructie van Duitse zijde, en met opvallende voortvarendheid. Al op 17 juli 1940, een week nadat het regime aan de macht was gekomen, werd besloten om openbare functies enkel toe te kennen aan degenen die uit Franse ouders waren geboren: een maatregel die onmiddellijk repercussies had voor de naar schatting tweehonderdduizend joodse vluchtelingen die in Frankrijk onderdak hadden gevonden. Op 22 juli werd een commissie ingesteld om alle naturalisaties opnieuw tegen het licht te houden. Op 3 oktober werd het Joodse Statuut afgekondigd, het begin van een cascade aan maatregelen – beroepsverboden, registraties, kleine en grote vormen van discriminatie – tegen alle joden. Eind 1940 waren in het Vichy-gebied al zo'n zestigduizend mensen geïnterneerd, grotendeels niet-Franse joden, in ongeveer dertig concentratiekampen.[10]

Frankrijks lange anti-semitische traditie was na juli 1940 weer tot volle bloei gekomen. Wie anders droegen de schuld van de nederlaag dan de internationalisten, de decadente intellectuelen, degenen die de republiek 'vervuild' hadden met 'moderne' opvattingen, wie anders dan de joden? In december 1940 hield het Parijse anti-semitische weekblad *Au Pilori* (Aan de schandpaal) onder de zestigduizend (!) lezers een wedstrijd over de vraag hoe men het best van de joden af kon komen. Hoofdprijs: een paar zijden kousen. Oplossingen: gooi ze in de jungle tussen de wilde dieren, of verbrand ze in crematoria.

Vichy bouwde op deze mentaliteit voort, maar op een andere manier dan de nazi's. Het anti-semitisme van Vichy was meer nationalistisch dan racistisch, het ging Vichy om het scheppen van een tweede klas burgerschap voor Franse joden en het verwijderen van de niet-Franse joden, niet om de vernietiging van het joodse ras. De conservatieven rondom Pétain vreesden vooral de honderdduizenden vluchtelingen die in Frankrijk asiel hadden gezocht – 'roden' uit de Spaanse Burgeroorlog, joden uit Polen en Duitsland – die hun nieuwe natie zouden corrumperen. Vandaar dat er uit Frankrijk aanzienlijk meer niet-Franse joden zijn weggevoerd dan Franse, 40 procent van alle niet-Franse joden tegenover 12 procent van alle Franse joden, ruim zesenvijftigduizend tegenover vierentwintigduizend. Frankrijk blijft, na Denemarken, het land met het hoogste aantal joodse overlevenden: minder dan een kwart van de joodse bevolking werd gedeporteerd, tegenover meer dan driekwart in, bijvoorbeeld, Nederland.

Vichy heeft een aantal maatregelen van de Duitsers – zoals het dragen van een gele ster – geblokkeerd. Als het aan Pétain en de zijnen gelegen had, schrijft Robert Paxton, dan was het gebleven bij een reeks discriminerende maatregelen jegens de 'eigen' joden, het terugsturen van vele tienduizenden joodse vluchtelingen naar de Duitse zone en het interneren van niet-Franse joden. Voor de holocaust zelf was het regime niet direct verantwoordelijk, wel voor een grote hoeveelheid voorbereidend werk.

Begin 1942 vertrokken de eerste deportatietreinen uit Parijs naar Auschwitz. Op 16 en 17 juli 1942 werden bij *La Grande Rafle* meer dan twaalfduizend Parijse joden gearresteerd. Bij deze actie waren duizenden Franse politieagenten betrokken, sommige bronnen spreken van negenduizend, zeker is dat zonder de hulp en het organisatietalent van de Parijse politie de SS weinig had kunnen uitrichten. Tegelijkertijd is de razzia vrijwel zeker door de Parijse politie gesaboteerd: de SS had vijfentwintigduizend arrestanten op het oog, tweemaal zoveel als er zijn opgepakt. Annette Kriegel, toen vijftien jaar oud, beschreef het begin van de razzia in haar eigen straat, de Rue de Turenne: 'Ik zag een politieman die in iedere hand een koffer droeg en die huilde. Ik herinner me scherp de tranen, die langs een ruw, roodachtig gezicht liepen, want u zult het met me eens zijn dat je zelden een politieman en plein public ziet huilen. Hij liep de straat uit, gevolgd door een groepje kinderen en oude mensen, die kleine bundels droegen.' Annette maakte dat ze wegkwam, wist niet wat te doen, ging ten slotte op een bank in een park zitten en wachtte: 'Het was op die bank, dat ik mijn jeugd achter me liet.'

Meer dan achtduizend slachtoffers van de razzia, van wie ruim de helft kinderen, werden dagenlang vastgehouden in het Vélodrome d'Hiver, een volgepropt wielerstadion, met nauwelijks voedsel, water en sanitaire voorzieningen. De Parijse advocaat Georges Wellers, beschreef de permanente herrie in de enorme ruimte als oorverdovend, met 'het geroep en gehuil van kinderen, en van volwassenen die op van de zenuwen waren, en daarbij het geschreeuw en gejammer van mensen die gek waren geworden of van de gewonden die geprobeerd hadden om zichzelf van kant te maken'. Later belandden de meeste opgepakte joden in een half afgebouwd flatcomplex in de voorstad Drancy, het Franse Westerbork, bewaakt door de Franse politie.

Bijzonder wreed was de behandeling van de ongeveer vierduizend kinderen die zonder hun ouders waren geïnterneerd. De negenjarige Annette Muller was met haar moeder en haar kleine broertje eerst naar een ander kamp gestuurd, ook geleid door Fransen. Na een paar weken werd meegedeeld dat alle ouderen naar 'werkkampen in het oosten' zouden gaan, en dat alle kinderen onder de leeftijd van twaalf moesten blijven. 'Iedereen werd in het midden van het kamp bijeengedreven,' schreef Annette Muller ruim veertig jaar later. 'De gendarmes sloegen met hun geweerkolven en hun wapenstokken of bespoten ons met brandslangen met ijskoud water om de kinderen te dwingen hun moeders los te laten – moeders die hen ook niet wilden laten gaan. Er werd wild gevochten, er werd geroepen, gehuild, geschreeuwd van pijn. De gendarmes scheurden de vrouwen de kleren van het lijf in hun zoektocht naar juwelen of geld. Toen werd het doodstil. Aan één kant honderden kinderen, aan de andere kant de moeders, en een paar oudere jongens en meisjes. In het midden de gendarmes, die korte bevelen gaven.'

In Drancy sliepen de peuters op cementen vloeren, ze leden bijna allemaal aan diarree, er waren nauwelijks volwassenen die op hen letten. Volgens Wellers wisten de kleinsten niet eens hoe ze heetten. 'Iedere avond hoorden we vanaf het andere einde van het kamp het ononderbroken gehuil van wanhopige kinderen en, van tijd tot tijd, het geroep en het doordringende geschreeuw van kinderen die zich niet meer konden inhouden.'

In totaal werden na La Grande Rafle ruim zesduizend kinderen onder de twaalf gedeporteerd. Bijna allemaal werden ze direct na aankomst in Auschwitz vergast. Annette Muller en haar broertje werden door haar vader, die in het verzet zat, net op tijd teruggevonden en in veiligheid gebracht. Voor hun moeder was het te laat.

In Vichy en omstreken was het oppakken van de joden een zaak van de Fransen zelf. Een enorme razzia vond plaats tussen 26 en 28 augustus 1942, waarbij minstens tienduizend politiemensen de bossen en berggebieden uitkamden, op zoek naar gevluchte Poolse en Duitse joden die meenden veilig te zijn in het niet door Duitsers bezette Frankrijk. Ook in Marseille, Lyon, Sète en Toulouse hield de Franse politie grootscheepse razzia's.

De medewerking van de Fransen aan de deportaties stond in scherp contrast met het toenemende verzet in de Italiaanse zone van Frankrijk. In het voorjaar van 1943 verboden de Italiaanse autoriteiten in Valence, Chambéry en Annecy de Franse prefecten om joden op te pakken, vluchteling of niet. In Megève hield de fascistische politiechef de arrestatie van zevenduizend joden tegen. Nice werd, onder het wakend oog van de Italianen, zelfs een bloeiend joods centrum. De vluchtelingen kregen er eigen identiteitskaarten en de commandant van de carabinieri verklaarde dat iedere Franse politieman die hen een haar zou krenken, gearresteerd zou worden. De Italiaanse bezettingsmacht had bovendien op 21 maart 1943, in opdracht van Mussolini zelf, een dwingende missive van het opperbevel gekregen: 'Eerste prioriteit is het in veiligheid brengen van joden die leven op het Franse grondgebied dat door onze troepen is bezet, om het even of het Italianen, Fransen of vreemdelingen zijn.' De Duitse en Franse autoriteiten waren razend. Zodra de Italianen zich in september 1943 terugtrokken werden in hun voormalige zone grote razzia's gehouden. Enkele duizenden joden werden gearresteerd, maar verreweg de meesten wisten naar de bergen te ontsnappen.

Het moge duidelijk zijn: zonder de hulp van het Vichy-regime en de Franse politie zouden de Duitse autoriteiten de Endlösung in Frankrijk nooit hebben kunnen doorvoeren. De Amerikaanse zaakgelastigde in Vichy, Pinkney Tuck, probeerde in het najaar van 1942 enkele duizenden joodse kinderen naar de Verenigde Staten over te brengen. Maar wat diplomaten in Letland en Hongarije lukte, leed schipbreuk in Vichy-Frankrijk. In zijn bewaard gebleven telegrammen aan het State Department spreekt de anders zo nuchtere Tuck over 'een weerzinwekkende toestand', 'beestachtige condities' en 'een wanhopige situatie'. Na een gesprek met een paar hoge Vichy-functionarissen – het State Department had vijfduizend visa aangeboden – telegrafeert hij dat hij moeite had om zijn woede in te houden. Hij dreigde zijn gesprekspartners met 'het effect dat een verwerping van het voorstel van mijn regering zal hebben op de beschaafde wereld'. Het hielp allemaal niets. De Fransen van Vichy staken geen vinger uit, in november 1942 werden de laatste Amerikanen uit Frankrijk gezet, en geen van de vijfduizend Amerikaanse visa kwam ooit bij een joods kind terecht.

9

'We bevinden ons in de verbijsterende omstandigheid dat het lot van Frankrijk niet meer afhangt van de Fransen zelf,' schreef Marc Bloch in de zomer van 1940.

Het was een gevoel dat veel van zijn landgenoten deelden. 'Vichy stond voor mijn vader gelijk aan verraad,' vertelde Lucienne Gaillard, de voorzitster van de oud-verzetsmensen in Picardië. Ze was de dochter van André Gaillard, opzichter in de suikerbietenfabriek van Saint-Blimont, beter bekend onder zijn verzetsnaam Léon. Hij was een echte patriot, maar in tegenstelling tot de Vichy-aanhangers gruwde hij van iedere vorm van collaboratie. Direct na de wapenstilstand begon hij, aanvankelijk alleen, met kleine acties tegen de bezetter: opschriften op muren, het saboteren van machines en transporten. Later overvielen hij en zijn medestanders geïsoleerde Duitse posten, vooral om aan wapens te komen. 'Ze noemden mijn vader en zijn vrienden terroristen en communisten. Maar het was politiek een allegaartje, ze hoorden bij geen enkele politieke partij,' zei Lucienne Gaillard. 'Ze moesten alles zelf uitvinden.'

Zo begon de résistance: als een losse beweging van beneden af van Fransen van allerlei pluimage, een guerrilla van enthousiaste amateurs. Ze kregen al snel wapens vanuit Engeland, ze werden door Britse undercover-agenten geïnstrueerd, maar ze bleven autonoom en eigenzinnig. Aanvankelijk aarzelden de communisten nog, maar na de Duitse overval op de Sovjet-Unie stortten ook zij zich massaal in het verzet. Daarbij kwamen nog eens de honderdduizenden vluchtelingen, die vaak aparte verzetsorganisaties opbouwden en niet zelden een heldhaftige rol speelden in de résistance. De Spaanse communisten hadden in het zuidwesten hun eigen Veertiende Korps, waaraan tegen juni 1944 vierendertighonderd guerrilla's deelnamen. De Polen runden hun eigen inlichtingendienst, R2, een centrale factor in de strijd. Het waren Spanjaarden die de eerste maquisgroep in de Ardèche opzetten, Duitse communisten die de maquis in de Gard en Lozère versterkten. Een Britse agent die naar de maquis van Villefranche-du-Périgord was gestuurd merkte dat zijn Frans geen enkele waarde had: de leden van de groep spraken enkel Spaans of Catalaans.

Vanaf de zomer van 1941 pleegde het Franse verzet twee à drie aanslagen per week, variërend van sabotageacties tot het in koelen bloede neerschieten van hooggeplaatste nazi's. De Duitsers executeerden, zoals overal, na iedere aanslag burgers en gijzelaars. Toen in oktober 1941 de Duitse commandant van Nantes was neergeschoten, werden bijna vijftig gijzelaars vermoord, merendeels communisten. De volgende dag werden nog eens vijftig burgers neergeschoten als represaille voor een aanslag in Bordeaux. Vanaf de winter van 1941 heerste zo overal in Frankrijk een bloedige spiraal van aanslagen, represailles, nieuwe aanslagen en nieuwe represailles.

De résistance kreeg een sterke impuls door het groeiende verzet tegen de jodenvervolging. De kerken speelden hierin een centrale rol. In veel opzichten bleef de katholieke Kerk het Vichy-regime tot het bittere eind trouw, maar in de zomer van 1942 ontstond er over de jodenvervolging een hevig conflict. Op 23 augustus liet de bejaarde aartsbisschop van Toulouse, Jules-Géraud Saliège, van de kansels in zijn diocees een herderlijke brief voorlezen, waarin hij de jacht op de joden fel veroordeelde: 'Joden zijn mannen. Joden zijn vrouwen. Ze zijn een deel van de mensheid. Ze zijn onze broeders zoals ieder ander. Een christen kan dat niet vergeten.'

De brief veroorzaakte een kettingreactie: tientallen andere bisschoppen en kerkelijke leiders volgden zijn voorbeeld. Een kerkelijke verzetsgroep begon joodse kinderen uit Vénissieux weg te smokkelen, een van de ergste opvangkampen bij Lyon. Daarmee ontstond een totaal nieuwe bron van verzet: brave katholieken die Pétain in beginsel goedgezind waren, maar die de toenemende mensenjacht van Vichy en de Duitsers niet langer met hun geweten konden verenigen. Ze regelden talloze onderduikplekken voor joden en andere vervolgden, ze zorgden voor voedsel en bescherming, en langzamerhand belandden velen van hen in het gewapende verzet. De protestanten, die konden bogen op een oude verzetstraditie, waren al eerder massaal in actie gekomen.

In de kleine protestantse dorpjes in de Cevennen vonden talloze joodse families onderdak, vaak met medeweten van de hele gemeenschap.

In diezelfde zomer van 1942 vormde André Gaillard met acht anderen een gevechtsgroep. Ze vernielden Duitse verbindingslijnen, vingen neergeschoten piloten op, organiseerden wapendroppings en hielden nauwkeurig de Duitse activiteiten in 'hun' zone in de gaten. 'Bijna alles speelde zich af in dit huis,' vertelde Lucienne Gaillard. 'Piloten, wapens, gewonden, alles.' Was ze niet bang? 'Absoluut niet. Het was een extatische periode, we vonden het allemaal even spannend.' Ze gaf me een overzicht van hun verzetsactiviteiten; ik noem alleen de bezigheden van augustus tot december 1943.

Op 3 augustus blies haar vader met zijn mannen een lanceerplatform op.

Op 23 augustus lieten ze een Duitse militaire trein ontsporen; de Duitsers in hun zone waren voortdurend bezig met kustversterkingen in verband met een mogelijke invasie.

In de nacht van 23 oktober lieten ze een troepentransport voor Rusland exploderen, met grote menselijke en materiële verliezen.

Op 28 oktober saboteerden ze de lijn Parijs-Calais, waardoor een trein vol troepen en oorlogsmaterieel in volle vaart uit de rails liep.

Op 11 november lieten ze – uitstekend op de hoogte gehouden door Frans spoorwegpersoneel – op dezelfde lijn opnieuw een trein met militair materieel ontsporen. Over het effect van dit soort acties waren ze zeer tevreden, want de lijn kon dagenlang niet gebruikt worden voor versterkingen, er waren meestal vrij veel slachtoffers en het materieel waren de Duitsers voorgoed kwijt.

Op 16 november werd een grote partij vlas die door de Duitsers was gevorderd, in brand gestoken.

Op de avond van de 10de december bevrijdden ze, met hulp van de plaatselijke brigadier, twee verzetsmensen uit de gendarmerie van het plaatsje Gamaches, vlak voor hun transport naar de Gestapo-gevangenis in Abbeville.

Op 16 december lieten ze 's nachts een trein met artillerie ontsporen, en toen de volgende dag een Duitse hulptrein arriveerde, joegen ze, bij de laatste stop, stilletjes de machinist van de locomotief, zetten alles op volle stoom vooruit en lieten de onbestuurde trein in volle vaart op de wrakstukken van het eerder ontspoorde artillerietransport inrijden.

Op 28 december wisten ze de spoorlijn alweer te blokkeren: een trein met vier wagons verongelukte.

In 1944 was het amateuristische groepje van André Gaillard uitgegroeid tot een ervaren guerrillacompagnie van de Forces Françaises de l'Intérieur (FFI), met zeven officieren, tweeëntwintig onderofficieren en honderdzestig manschappen. Ze waren nu onderdeel van één groot leger: de Vrije Fransen die in Afrika en Italië met de geallieerden meevochten, en de diverse verzetsgroepen in Frankrijk zelf, van links tot rechts. De mannen van André Gaillard gingen in 1944 ijverig door met het saboteren van spoorlijnen, telefoonkabels en V1-installaties, maar steeds vaker handelden ze ook op instructie van 'Londen'. Ze overvielen een politiebureau, 'elimineerden' een Franse Gestapo-agent, bliezen een elektriciteitscentrale op, overvielen het filiaal van de Banque de France in Abbeville en wisten, vlak voor de bevrijding, met een spectaculaire actie een stel gearresteerde kameraden – onder wie André Gaillard zelf, plus zijn vrouw Françoise ('Irma') – uit de dodencellen van de gevangenis van Abbeville te redden. Na de bevrijding van Frankrijk bleven ze doorvechten als reguliere Franse compagnie, naast het Amerikaanse Derde Leger.

Van deze Picardische verzetsgroep, een groep zoals er in Frankrijk honderden bestonden, kwamen uiteindelijk achttien mannen en vrouwen om het leven. Twee werden gefusilleerd, zes gedood in vuurgevechten, vijftien werden gedeporteerd naar concentratiekampen, tien zouden nooit meer terugkomen.

In het verre Londen probeerde generaal Charles de Gaulle ondertussen de nationale eer van Frankrijk te redden. In juni 1940 was hij naar Engeland getrokken met, naar eigen zeggen, niets in handen. Hij was bij het grote publiek nagenoeg onbekend, hij was pas op 1 juni 1940 tot generaal bevorderd en zijn politieke ervaring bestond uit een onder-staatssecretariaat in de laatste regering Reynaud dat welgeteld twaalf dagen had geduurd. Geld had hij niet, materieel evenmin, en zijn leger van Vrije Fransen telde aanvankelijk hooguit zevenduizend man. (De meeste Fransen in ballingschap kozen aanvankelijk voor het goed georganiseerde Engelse leger.) 'Mijn vader,' vertelde Lucienne Gaillard, 'is met zijn verzet begonnen na een oproep van de Gaulle. De generaal was heel belangrijk voor ons, hij was een symbool, maar tegelijk bestond hij niet echt. Hij was net zo ver weg als Napoleon.'

Churchill, die een zwak had voor Frankrijk en aanvankelijk ook voor de Gaulle, kon hem slechts op twee punten helpen: hij erkende zijn Franse Nationale Comité als de enige wettige Franse autoriteit, en hij gaf hem de mogelijkheid om via de BBC de Fransen regelmatig toe te spreken.

Die twee mogelijkheden buitte de Gaulle ten volle uit. In juni 1940 luisterde nog vrijwel geen Fransman naar zijn toespraken, in 1941 had hij, volgens schattingen van zijn tegenstanders in Vichy, zo'n driehonderdduizend luisteraars, in 1942 was dat aantal gestegen tot drie miljoen. Voortdurend praatte hij over de résistance alsof het een gewoon staand leger was in plaats van een beginnende guerrillabeweging. Hij beschouwde zichzelf als de vanzelfsprekende opperbevelhebber. Dat de verzetslieden zelf, met name de communisten en de socialisten, daar vaak heel anders over dachten interesseerde hem nauwelijks. Vanaf het begin werkte hij aan een nieuwe nationale mythe, een hoopgevend geschiedenisverhaal dat Frankrijk geestelijk weer overeind zou helpen. 'Frankrijk heeft in 1940 een slag verloren, niet de oorlog', was het motto dat hij voortdurend herhaalde.

Als voor iemand het begrip 'verbeelde natie' opgaat, dan is het voor de Gaulle. Een natie bestaat immers niet alleen uit een gezamenlijk gedeeld territorium, een gemeenschappelijke taal, een bestuurlijke en culturele eenheid en wat daar verder allemaal uit voortvloeit, maar ook uit een gemeenschappelijke geestesgesteldheid, een gevoel dat die eenheid bestaat in de hoofden van alle burgers, dat die waardevol is, en dat het een eer en een vreugde is om daarin te mogen deelnemen. In Frankrijk was van oudsher, meer dan in welk ander Europees land, dit besef van grandeur tot op grote hoogte gecultiveerd. Daarom was de val in juni 1940 ook zo groot: de Fransen waren hun 'verbeelde natie' kwijt. Het was allereerst deze geestelijke crisis waarop zowel Pétain als de Gaulle een antwoord probeerden te vinden, elk op een eigen manier.

De Gaulle moest daarbij opereren als een baron von Münchhausen: alleen aan zijn eigen haren kon hij zichzelf en zijn paard uit het moeras trekken. Hij had in werkelijkheid vrijwel geen macht, zelfs zijn kosten werden aanvankelijk grotendeels betaald door de Britse regering. Tegelijk eiste zijn 'verbeelde natie' dat hij zich gedroeg als een groot en machtig staatsman, eigenzinnig en onafhankelijk jegens de andere bondgenoten. 'Generaal de Gaulle moet er constant aan herinnerd worden dat onze voornaamste vijand Duitsland is,' merkte iemand uit zijn omgeving op. 'Want als hij zijn natuurlijke neiging zou volgen, zou het Engeland zijn.' Het 'verbeelde' Frankrijk van de Gaulle was nog altijd een wereldrijk, en vanuit die optiek bleven Groot-Brittannië en de Verenigde Staten belangrijke rivalen. De uitvalsbasis van zijn Vrije Fransen was Equatoriaal Afrika. Noord-Afrika moest heroverd worden op de Vichy-Fransen, en voortdurend voelde hij zich daarin tegengewerkt door de Britten: bijvoorbeeld toen Syrië, na de herovering op Vichy, onder Brits bevel bleef; toen de Britten Madagaskar bezetten zonder hem vooraf te waarschuwen; en ook toen hij volledig buiten de planning van de grote Noord-Afrikaanse landingsoperatie Torch werd gehouden. Na de Syrische affaire riep hij, in zijn woede, zelfs dat hij 'niet in het minst geïnteresseerd was in het winnen van de oorlog'. Het ging hem alleen om de positie van Frankrijk.

Harold Nicolson, in die jaren parlementair secretaris op het ministerie van Informatie, luncte op 20 januari 1941 met de Gaulle in het Londense Savoy-hotel. 'Ik mag hem niet,' schreef hij in zijn dagboek. 'Hij beschuldigt mijn ministerie van pétainisme. "Maar nee!," zeg ik, "Monsieur le Général!" "Pétainachtig dan." "We werken," zeg ik, "voor heel Frankrijk." "Heel Frankrijk," roept hij, "dat is het Vrije Frankrijk. Dat ben IK!!" Eind 1941 luncten ze weer samen. 'Zijn arrogantie en zijn fascisme ergeren me. Maar er zit iets in zijn ogen dat doet denken aan een schitterende jachthond.'

De Gaulles arrogantie kwam voor een deel voort uit politieke berekening – alleen op deze manier kon hij de gekwetste eer van zijn Franse achterban hoog houden en een waardig alternatief voor Pétain vormen. Voor een deel was het een reactie op het beeld dat Vichy van hem schiep: 'de schoothond van Churchill'. Voor een deel maskeerde hij zo ook zijn diepe onzekerheid: voor een megalomane persoonlijkheid als de Gaulle moet het een kwelling zijn geweest om in Londen rond te lopen als generaal zonder leger en als staatsman zonder land, afhankelijk van een oude rot als Churchill die vele malen zijn meerdere was als het ging om politieke ervaring en internationale diplomatie.

Bepaalde grieven van de Gaulle waren bovendien terecht. De erkenning van hem en zijn Vrije Fransen als de ware vertegenwoordigers van Frankrijk kwam pas laat. Roosevelt zette zijn kaarten aanvankelijk op het Pétain-bewind, en ook Churchill probeerde nog zeker een jaar lang om tot geheime afspraken met Vichy te komen, met name rond een mogelijke invasie in Zuid-Frankrijk. Bovendien was het voor de Britten van het grootste belang dat de Franse vloot, die onder Vichy-bevel stond, niet in Duitse handen zou vallen. Rond de operatie Torch werd dan ook inderdaad een ingewikkeld dubbelspel gespeeld, vol intriges waar heel Vichy over sprak, maar waar de Gaulle werd buitengehouden.

Op 27 augustus 1941 verklaarde de Gaulle op zijn eigen manier de oorlog aan de Britten. In een interview met *The Chicago Daily News* zei hij dat er over Vichy een stilzwijgende afspraak bestond tussen Hitler en Engeland: Vichy helpt Duitsland door het Franse volk te onderwerpen, en het helpt Engeland door de Franse vloot niet in handen van Hitler te spelen. 'Groot-Brittannië gebruikt Vichy op dezelfde manier als de Duitsers; het enige verschil zit in hun bedoelingen.'

Al bevatte deze analyse een diepe kern van waarheid, voor de Britten was het interview ongekend grof en beledigend. Churchill was buiten zichzelf van woede en zelfs de Gaulle besefte dat hij ditmaal te ver was gegaan. Pogingen om de schade te beperken mislukten: Churchill gaf instructie om hem nergens, door niemand, te laten ontvangen, en hem verder alle steun te onthouden. Ten slotte werd de Gaulle door hem ontboden. De sfeer was ijzig. Churchill weigerde Frans te spreken, hoewel hij die taal uitstekend beheerste, zijn secretaris moest fungeren als tolk, maar na een paar zinnen werd die al de deur uit gestuurd. De twee staatslieden bleven alleen achter. In zijn herinneringen beschrijft de secretaris, John Colville, hoe hij vervolgens in een zijkamer zat te wachten, uit balorigheid de pet van de Gaulle opzette – de generaal had een opvallend klein hoofd –, na een uur stilte steeds nerveuzer werd – zouden ze elkaar soms gewurgd hebben? –, totdat hij naar binnen werd geroepen en beide heren aantrof in een allervriendelijkste stemming, terwijl de Gaulle één van Churchills beroemde sigaren zat te roken.

Het incident was tekenend voor de verhouding tussen beide mannen. Churchill herkende in de Gaulle een gepassioneerde en emotionele geest. Hij kende de Fransen, besefte het belang van symboolfiguren voor het bezette Frankrijk, en begreep de complexiteit van de politieke situatie waarbinnen de Gaulle zich moest handhaven. Na alle conflicten waren er tussen de twee staatslieden dan ook telkens weer momenten van verzoening en vriendschap.

Roosevelt, die nauwelijks persoonlijke banden onderhield met de Gaulle, schreef de generaal al snel af. Hij vond hem een 'bijna onverdraaglijke' idioot en twijfelde sterk aan zijn gezag onder de Fransen. Voor de Amerikaanse president was het onvoorstelbaar dat een moderne westerse democratie als Frankrijk het gezag van een leider zou accepteren die enkel zichzelf had gekroond. Na een conferentie met Churchill in Casablanca in januari 1943 maakte hij openlijk grappen over de Gaulle: 'De ene dag zegt hij dat hij Jeanne d'Arc is, de volgende dag vindt hij zichzelf Clémenceau. Ik zei tegen hem: "Je moet toch eens beslissen wie je wilt worden!"'

Na twee oorlogsjaren belandde de Gaulle zo in een steeds groter isolement, een machteloze lastpak in de ogen van de geallieerden, een karikatuur van zichzelf in de ogen van veel van zijn aanhangers. Regelmatig werd hem, na weer een ruzie, de toegang tot de bbc-microfoon ontzegd. Eénmaal, in april 1942, vaardigde Churchill het consigne uit om hem niet uit Engeland te laten vertrekken: de Gaulle was toen feitelijk zijn gevangene. Jean Monnet, die op dat moment fungeerde als verbindingsman tussen de drie staatslieden, bespeurde in de gesprekken met hem 'een mengeling van praktische intelligentie die alleen maar respect kon afdwingen, en een verontrustende neiging om de grenzen van het gezonde verstand te overschrijden.' Hij kon charmant en intiem zijn, en daarna was hij opeens weer afstandelijk en, als het om zijn persoonlijke trots of zijn patriottische eer ging, voor geen enkel argument vatbaar. Monnet: 'Ik was het met zijn analyse van de stand van zaken eens, maar enkel tot een zeker punt: daarna kon ik hem niet langer volgen in zijn uitbarstingen van egocentriciteit.'

Ook zijn relatie met de résistance in Frankrijk verliep moeizaam. Hij wantrouwde met name de communisten. Veel verzetsleiders vermoedden, aan de andere kant, dat de Gaulle het verzet voornamelijk gebruikte voor zijn eigen ambities, na de oorlog. Ondanks al zijn leiderspretenties werden de verbindingslijnen tussen hem en het verzet pas vanaf het najaar van 1941 systematisch opgebouwd.

JEAN MOULIN

Het werkelijke hart van het Franse verzet heette niet Charles de Gaulle maar Jean Moulin. Moulin was de grote organisator, de centrale verbindingsman tussen de Gaulle en Frankrijk, degene die werkelijk de touwtjes in handen had.

Moulin was voor de oorlog een veelbelovend bestuurder. Hij was kabinetschef van de linkse Volksfrontminister voor Luchtvaart Pierre Cot, hielp hem bij de organisatie van geheime wapenleveranties voor de Spaanse republikeinen en werd ten slotte prefect van Chartres. Na de Franse nederlaag, in juni 1940, wilden de Duitsers dat hij een verklaring tekende om een Duitse slachtpartij recht te praten. Die moest in de schoenen worden geschoven van Frans-Senegalese troepen. Moulin weigerde, werd gevangengezet, deed een zelfmoordpoging door zich de keel af te snijden en werd uiteindelijk onder druk van de bevolking weer vrijgelaten. De littekens op zijn keel bleven altijd zichtbaar.

In het najaar van 1940 trok hij naar Parijs om zijn oude vrienden uit de Frans-Spaanse illegaliteit – later wel betiteld als de 'oer-résistance' – weer op te zoeken. Aanvankelijk wilde hij, via Portugal, naar Amerika, maar na veel omzwervingen belandde hij uiteindelijk in Londen.

Op 25 oktober 1941 ontmoette hij voor de eerste maal de Gaulle, en hij was diep van hem onder de indruk – het respect was overigens wederzijds, wat bij de Gaulle niet vaak voorkwam. Hij bezat een grote kennis over het verzet, en bovendien had hij allerlei strategieën bedacht om de résistance in te zetten voor militaire operaties. Zo werd hij de eerste en belangrijkste verbindingsman voor de Gaulle in Londen.

Na drie maanden Engeland werd hij op 1 januari 1942 weer in Frankrijk geparachuteerd, en met veel moeite wist hij steeds meer verzetsgroepen samen te brengen achter de Gaulle. In februari 1943 ging hij opnieuw naar Londen om de Britten ervan te overtuigen dat de bewapening van de Franse verzetsmensen een belangrijke bijdrage kon zijn aan de oorlog, een maand later was hij alweer terug. Op 27 mei kwam zijn geesteskind, de Nationale Verzetsraad, voor het eerst bijeen in Parijs. Nog geen maand later, op 21 juni 1943, werd hij in Lyon gearresteerd. Door wie en hoe hij verraden werd is nog altijd een raadsel – maar het is vrijwel zeker dat interne tegenstellingen binnen de résistance daarbij een rol hebben gespeeld.

Jean Moulin werd gruwelijk gemarteld. Binnen drie weken was hij dood. Nadat de Gaulle in 1958 aan de macht was gekomen werden zijn resten met grote plechtigheid bijgezet in het Panthéon, tot eer en glorie van het verzet, het 'verenigde en strijdende' Frankrijk, en natuurlijk de Gaulle zelf.

In maart 1942 kwam de eerste verzetsleider persoonlijk naar Londen voor overleg. Christian Pineau, aanvoerder van de grote verzetsorganisatie Libération-Nord, beschreef zijn ontmoeting met de Gaulle als een audiëntie met een 'autoritaire prelaat', die voornamelijk monologen hield en geen enkele interesse had in de dagelijkse problemen van het verzet. Tot in zijn memoires bleef de Gaulles megalomanie doorklinken: 'Nadat ik de résistance de inspiratie en het leiderschap had gegeven, die het redde van de anarchie, vond ik het, op het goede moment, een nuttig instrument in de strijd tegen de vijand en, ten aanzien van de geallieerden, een nuttige steun voor mijn politiek van onafhankelijkheid en eenheid...'

Uit Britse documenten die meer dan een halve eeuw later werden vrijgegeven, blijkt dat Churchill en Roosevelt in mei 1943 op het punt stonden om de Gaulle uit de geallieerde leiding te verwijderen. Onderling betitelden ze hem als 'de prima donna' en 'de bruid', en ze wilden hem vervangen door zijn rivaal, generaal Henri Giraud. 'Hij haat Engeland en hij heeft, waar hij maar kwam, een spoor van anglofobie getrokken,' schreef Churchill tijdens een bezoek aan Washington in een codetelegram aan zijn kabinet. Hij vond hem 'ijdel en zelfs kwaadaardig', hij verdacht hem van 'fascistische neigingen' en zag hem als een toenemend gevaar voor het bondgenootschap tussen Amerika en Groot-Brittannië. Hoe lang, schreef hij, moet de Britse regering deze 'onruststoker en tweedrachtzaaier' nog laten doorgaan met 'het aanrichten van deze schade'? President Roosevelt meende: 'De Gaulle mag een eerlijk man zijn, maar hij heeft een messiascomplex.'

Giraud werd in de zomer van 1943 door de Verenigde Staten ingehaald als de belangrijkste Franse leider. Toch durfden de geallieerden de Gaulle niet openlijk te onttronen. Hij was op dat moment al te gewichtig voor de Fransen, hij had zich inderdaad weten op te werken tot een soort Jeanne d'Arc, een levend monument, een nieuwe mythe.

De Gaulle verplaatste zijn hoofdkwartier van Londen naar Algiers, van waaruit hij een eigen politiek voerde. Toen in juni 1944, na jaren van voorbereiding, de grote invasie op Frankrijk zou plaatsvinden, werd hij exact anderhalve dag tevoren op de hoogte gesteld. Hoewel iedereen op dat moment wel wat anders aan het hoofd had eiste de Gaulle onmiddellijk alle aandacht van de geallieerde leiding. Waarom? De soldaten hadden Frans noodgeld bij zich dat zonder zijn toestemming was uitgegeven, en Eisenhower had in de tekst van zijn geplande toespraak met geen woord gerept over de Gaulle en de Vrije Fransen. Futiliteiten en formaliteiten in de ogen van de Britten en Amerikanen – 'Allez, faites la guerre, avec votre fausse monnaie!' (Komaan, laten we oorlog voeren, met uw valse geld!) riep Churchill – maar de Gaulle dacht daar anders over. Terwijl parachutisten en manschappen van de Britse 6th Airborne Division al op het punt stonden om in Frankrijk de eerste strategische bruggen te bezetten, besloot de Gaulle de tweehonderd Franse verbindingsofficieren die de invasie moesten begeleiden alsnog terug te trekken. Zelf dreigde hij direct terug te gaan naar Algiers. De Amerikaanse generaal George C. Marshall riep razend uit dat 'de zoons van Iowa niet vochten om in Frankrijk standbeelden voor de Gaulle op te richten'.

Opnieuw was de Gaulle de grote lastpost, opnieuw deed hij uiteindelijk toch loyaal aan alles mee, maar had hij ongelijk?[11] Op de keper beschouwd niet. Het probleem werd immers geschapen doordat de Amerikanen hem nog altijd niet serieus namen, hoewel alle vertegenwoordigers van het vrije Frankrijk hem vanaf 1943, na het terugtreden van Giraud, nadrukkelijk als hun gezamenlijke leider hadden erkend. En het lag evenmin aan de Gaulle dat de kwestie van het voorlopige gezag over Frankrijk – want daar ging het in wezen om – nu pas aan de orde kwam: het waren de Britten en de Amerikanen die hem voor een voldongen feit plaatsten door hem pas op 4 juni op de hoogte te stellen van de komende invasie.

Churchill had daar in zijn hart wel begrip voor, maar zijn belang lag elders. Toen de Gaulle, tijdens de lunch die dag, woedend riep dat hij nergens in gekend was, zelfs niet in het voorlopige gezag over Frankrijk, sneerde Churchill terug: 'Wat denkt uzelf? Hoe kunt u verwachten dat wij, de Britten, een andere positie innemen dan die van de Verenigde Staten? Wij gaan Europa bevrijden, maar dat kan alleen omdat de Verenigde Staten dat met ons samen doen. Laat ik heel duidelijk zijn: wanneer we moeten beslissen tussen Europa en de open zee, zal het altijd de open zee zijn. Wanneer ik moet kiezen tussen u en president Roosevelt, zal ik altijd kiezen voor Roosevelt.'

De Gaulle zou deze paar zinnen nooit vergeten.

In 1963 sprak hij, als Franse president, zijn veto uit over het Britse verzoek te mogen toetreden tot de Europese Economische Gemeenschap: daarmee zou Europa het Trojaanse paard van de Amerikanen binnenhalen. In 1966 stapte hij uit de militaire organisatie van de NAVO, de Amerikaanse troepen moesten weg uit Europa, en zeker uit Frankrijk. Zesentwintigduizend GI's werden naar huis gestuurd. De Amerikaanse minister van Buitenlandse Zaken, Dean Rusk, vroeg de Gaulle cynisch of 'de dode Amerikanen in de militaire begraafplaatsen' ook onder de evacuatie vielen. Een cartoonist tekende een vertrekkende GI die de Franse president toeriep: 'Als u ons weer nodig hebt, ons telefoonnummer is 14-18 en 39-45!' In datzelfde jaar reisde de Gaulle naar Moskou om nieuwe bruggen te slaan naar Oost-Europa.

Keer op keer zou hij, in intieme kring, de woorden van Churchill op die junidag van 1944 blijven herhalen.

Ten slotte is er ook nog eens het verhaal van al die miljoenen Fransen in het door de Duitsers bezette Frankrijk. Na de verwarring, de vlucht en vernedering voelden zij de gevolgen van de vreemde bezetting vooral in hun maag. Hun deel van het land werd door de Duitsers in een rap tempo en op ongekende schaal leeggeplunderd, en dat werd snel merkbaar. Al in oktober 1941 werd door de Parijse autoriteiten openlijk gewaarschuwd tegen het gebruik van kattenvlees in de *daube provencale*. De treinen naar het platteland hadden, vanwege de hongertochten die duizenden Parijzenaars ondernamen, al bijnamen gekregen als *train des haricots verts*, en *train des pommes de terre*. Het gebruik van steenkool was met tweederde teruggebracht. Een vriend schreef André Gide dat hij tegen mei 1942 negentien kilo lichaamsgewicht was kwijtgeraakt. In diezelfde maand was het sterftecijfer in Parijs 40 procent hoger dan in eerdere jaren.

Tijdens al deze ontberingen hielden de meeste Parijzenaars het hoofd omhoog. Ze bleven fier en de vrouwen probeerden met hun houten schoenzolen en hun versleten kleren nog zo goed mogelijk de mode te volgen. Net als in Berlijn maakten sommige jongeren – *zazous* genaamd – van de nood een deugd: ze introduceerden vanaf de winter van 1941 een rebelse jeugdcultuur met versleten jacks, broeken met smalle pijpen, ongepoetste legerschoenen, veel swing en jazz en eeuwige zonnebrillen. Tegelijk representeerden ze, in hun losse levensstijl, de *réfractaires*, degenen die zich 'drukten', de *outlaws*, de 'ongeregistreerden' die vanaf 1940 bij duizenden door het land zwierven: politieke vluchtelingen uit Duitsland, Polen en Oostenrijk, ballingen uit de Spaanse Burgeroorlog, opgejaagde joden, ontsnapte geallieerde piloten, ontheemde Fransen die na de exodus niet meer konden of wilden terugkeren, mannen en vrouwen die de arbeidsdienst in Duitsland ontdoken.

Vooral deze *Arbeitseinsatz* had grote gevolgen. Vanaf 1942 werden miljoenen mannen uit de bezette gebieden naar Duitsland getransporteerd om daar in de industrie en de landbouw slavenarbeid te verrichten, en die nieuwe mensenjacht dreef de burgerij over heel Europa massaal in de armen van het verzet. Ook voormalige Vichy-aanhangers raakten er nu van overtuigd dat Hitlers Europese *Grossraumwirtschaft* in de praktijk niets anders inhield dan een Europese economie die geheel in dienst stond van Duitsland.

DWANGARBEID

De Nederlander Gerard Hendriks was ondergedoken omdat hij niet in Duitsland wilde werken. Op een kwade dag werd hij verraden en naar Berlijn gebracht om puin te ruimen. Onderweg naar het werk moesten de buitenlandse arbeiders het bekende marslied '… und wir fahren gegen England' zingen, en ieder vers werd door de colonne Nederlanders afgesloten met: 'Plons, plons.' Voortdurend werden ze gebombardeerd. Later werd hij verder naar het oosten getransporteerd, en uiteindelijk belandde hij bij Minsk in een Duits strafkamp.

In november 1944 waren in totaal acht miljoen buitenlanders als Gerard Hendriks – krijgsgevangenen en gedeporteerde burgers – als dwangarbeiders werkzaam in Duitse fabrieken, huishoudingen en boerenbedrijven. Nog eens twee miljoen werkten onder direct Duits bevel in de bezette gebieden. In de wapenindustrie vormden dwangarbeiders een derde van het totale aantal werknemers, in de chemische en machine-industrie was dat meer dan een kwart. Uit Nederland kwamen bijna zeshonderdduizend dwangarbeiders, uit

België meer dan vijfhonderdduizend. Er waren zelfs speciale kranten voor Nederlandstalige dwangarbeiders, officieel (*Het Honk*) en illegaal (*Het Vaderland*).

Dankzij de aanwezigheid van Hendriks en zijn miljoenen lotgenoten hoefde Duitsland – in tegenstelling tot Engeland – nauwelijks een beroep te doen op de huisvrouwen om de lege arbeidsplaatsen van de gemobiliseerde mannen op te vullen. Hitler verloor nooit uit het oog dat zijn aanhangers consumenten waren, en dat hij een deel van zijn populariteit te danken had aan hun toenemende welvaart. Ontberingen als in het laatste jaar van de Eerste Wereldoorlog wilde hij tot elke prijs voorkomen. Tijdens deze oorlog moest het gewone Duitse leven zo veel mogelijk voortgezet worden. Van een versoberingspolitiek voor de Duitsers wilde Hitler niets horen. Tegen het najaar van 1943 werd bijna de helft van de Franse industriële productie naar Duitsland gebracht, grotendeels voor consumptiedoeleinden. In Polen werden tienduizenden dienstmeisjes gerekruteerd. Terwijl in Engeland twee van de drie huishoudelijke hulpen overstapten naar de oorlogsindustrie, bleef het aantal dienstmeisjes in Duitsland vrijwel tot het eind van de oorlog op hetzelfde peil van 1,4 miljoen.

Gerard Hendriks belandde uiteindelijk bij de partizanen, kwam in een Russisch gevangenkamp terecht, werkte op het moment van de capitulatie in een Russische kolchos en trok in de nazomer van 1945 weer naar Nederland. Daar werd hij nog jarenlang voor een collaborateur aangezien. Zijn eigen vrouw, zo bleek achteraf, was degene geweest die hem bij de Duitsers had aangegeven.

In Lozère, de Cevennen, de Creuze, Auvergne, het Plateau Central, in al die grote, dunbevolkte berggebieden vormden de 'ongeregistreerden' al snel eigensoortige verzetsgroepen die min of meer los van de officiële résistance opereerden. In de zomer van 1942 was het woord *maquis* – Corsicaans voor ruw, bossig terrein – een normaal onderdeel van het Franse vocabulaire. 'Prendre le maquis' was de vaste term voor zowel onderduiken in het Franse binnenland als in het verzet gaan. In het najaar van 1943 werd het aantal *maquisards* door het zuidelijk verzet geschat op vijftienduizend.

De maquis was en bleef, in tegenstelling tot de officiële résistance, een spontane beweging waaraan vooral jongeren deelnamen. Ze vormden een soort edele bandietenbendes, elk met een eigen subcultuur, een eigen jargon en een eigen leider, altijd onderweg, altijd bezig om te overleven. Iedere groep voerde haar eigen oorlog tegen Vichy en de Duitsers. Met gecoördineerde verzetsactiviteiten – spionage voor Londen, gerichte sabotage, steun aan de geallieerden – hielden de meesten zich nauwelijks bezig.

Om aan wapens te komen overvielen ze de Duitsers, voor geld beroofden ze bankfilialen en voor bonkaarten een plaatselijke *mairie* – dikwijls met medewerking van de lokale ambtenaren. In de Auxois (het noordoosten van de Morvan) had de maquisgroep Bernard een eigen belastingsysteem opgezet waarbij geld en voedsel van de bevolking werden geïnd volgens een schaal die sympathie of vijandschap jegens hun zaak weerspiegelde. Op 13 november van 1943 werd Oyonnax in de Jura demonstratief bezet door driehonderd maquisards, gekleed in uniformen. Ze marcheerden het stadje binnen, legden een krans bij het oorlogsmonument, de samengestroomde menigte juichte, en weg waren ze weer. In de Limousin had de maquisleider zichzelf tot prefect benoemd en voor de boeren een ingenieus systeem van prijsbeheersing ingesteld. De maquisleider in de Drôme, L'Hermine, zwierf rond in een zwarte cape met een eigengemaakt wapen erop geborduurd. Toen de Britse filosoof Alfred Jules Ayer vlak voor de bevrijding in het zuidwesten van Frankrijk als undercover-agent arriveerde, trof hij, naar eigen zeggen, het gebied 'in de handen van een reeks feodale heren wier macht en invloed merkwaardig genoeg sterk leken op die van hun vijftiende-eeuwse voorgangers in de Gascogne'.

Het Vichy-bewind bracht in januari 1943 de Milice Française op de been, een omvangrijke tegenbeweging van zeker dertigduizend zwarthemden. Hun eed van trouw maakte direct duidelijk waarom het ging: 'Ik zweer te strijden tegen de democratie, tegen de gaullistische opstand en tegen de joodse melaatsheid...' Vanaf het eerste tot het laatste moment waren de maquis en de Milice Française natuurlijke doodsvijanden, hoewel het steeds onduidelijker werd wie nu eigenlijk wie vervolgde. De leden van de Milice Française waren immers ook ideale doelwitten voor de maquis. Het waren échte landverraders, verliezers, zonder steun van de bevolking. Al die woede en wanhoop leidde, net als in Italië, tot een burgeroorlog van ongekende wreedheid, *la guerre franco-française*.

In totaal werden tussen 1940 en 1945 zo'n dertigduizend Franse verzetsmensen geëxecuteerd, zestigduizend werden naar een concentratiekamp gestuurd, twintigduizend verdwenen spoorloos.

Wat blijft er over van een levend Frans dorp uit 1944, na meer dan een halve eeuw doodse stilte? Niet ver van Vichy ligt het dorpje Oradour-sur-Glane. Tussen de geblakerde muren liggen bedspiralen, bruingeroeste fietsen en de resten van een naaimachine. Gras groeit over de uitgebrande *boulangerie* van de familie Bouchoule, de autowrakken in de garage van de Désourteaux, de benzinepomp van meneer Poutaraud. Op zomeravonden danste iedereen in het rond bij l'Avenir Musical, terwijl de tram langs de weg piepte en dokter Desourteaux zich in zijn Renault nog naar een late patiënt haastte. De tramdraden hangen nog altijd in de dorpsstraat, de muren van de huizen staan overeind, zelfs de Renault van de dokter staat langs de weg te roesten, maar verder is hier alles voorgoed stilgezet, op 10 juni 1944.

Er is een museum waar een kort dorpsfilmpje uit 1943 wordt vertoond. Het bevat de volgende taferelen: een lachend gezin achter een kinderwagen; zwemmen in de Glane; zoenen in het gras; een picknick – een man wijst vrolijk naar de camera; een kind met een weglopende hond, even draait het kind zich om. Dat is de laatste beweging die uit Oradour bewaard is gebleven.

Zamość, Anogia, Putten, Lidice, Marzabotto, door de hele twintigste eeuw weerklinkt het gejammer van collectief gestrafte dorpen, en sinds Srebrenica weten we dat het nog altijd erger kan. Maar met Oradour is meer aan de hand. Het symboliseert de machteloosheid en de verdeeldheid van Frankrijk zelf. Soldaten van de SS-divisie Das Reich omsingelden in de middag van die 10de juni het vreedzame dorp, haalden de kinderen uit de schoolklassen, dreven alle inwoners bijeen en begonnen opeens te schieten. Rond middernacht hadden ze vrijwel de hele dorpsbevolking omgebracht: 191 mannen, 245 vrouwen, 140 schoolkinderen, 67 baby's, peuters en kleuters, 643 zielen in totaal. De mannen werden doodgeschoten, de vrouwen en kinderen werden de kerk in gejaagd en, opgesloten in het gebouw, levend verbrand. De oudste was Marguerite Foussat, negentig jaar. De jongste Maurice Vilatte, drie maanden.

Het waarom van deze massamoord weet nog altijd niemand. Tegenwoordig vermoedt men dat de SS zich heeft vergist: veertig kilometer verderop lag het actieve verzetsdorp Oradour-sur-Vayres. Bij het proces tegen de daders, in februari 1953, werden de verhoudingen pijnlijk duidelijk: van de eenentwintig beschuldigden bleken er veertien uit Frankrijk zelf te komen, uit de Elzas. Ze waren ingelijfd in het Duitse leger, zeiden ze, en ze hadden slechts op bevel gehandeld. Na de uitspraak – twee doodvonnissen, de rest kreeg werkstraffen – kwamen er zoveel protesten uit de Elzas dat de Franse regering uiteindelijk aan alle moordenaars amnestie verleende.

De paar overlevenden van Oradour-sur-Glane stuurden woedend hun oorlogskruis en hun Légion d'Honneur terug en wilden niets meer met de Franse staat te maken hebben.[12]

Er zijn na de Tweede Wereldoorlog een paar zeer succesvolle public-relationscampagnes gevoerd. De Oostenrijkers wisten zichzelf om te toveren van enthousiaste mededaders tot medeslachtoffers. De voorzichtige Nederlanders werden opeens robuuste verzetshelden die allemaal een Anne Frank op zolder hadden verstopt. Maar wat de Fransen wisten te presteren grenst aan het ongelooflijke. Als er in Frankrijk over de oorlog gesproken werd, dan was het enkel in termen van glorie en triomf, alsof er geen sprake was geweest van nederlaag, chaos, honger, moedeloosheid en collaboratie.

Dit beeld is te danken aan generaal de Gaulle en zijn driehonderdduizend Vrije Fransen, aan de helden van de résistance en aan drieste bendes van de maquis. Ze hebben overal in Europa dapper gevochten, ze hebben Frankrijk een nieuwe waardigheid en een nieuw gezicht gegeven, en hun onvoorstelbare moed wordt terecht geprezen. Maar het blijft merkwaardig hoe na 1944 héél Frankrijk opeens als overwinnaar uit de coulissen te voorschijn stapte. Vichy was en bleef immers tot het laatst toe de legitieme Franse regering: op 10 juli 1940 had de Nationale Assemblee Pétain alle volmachten gegeven. Bij het casino hangt nu een plaquette om de tachtig tegenstemmers te huldigen, maar nergens wordt gerept van de vijfhonderdnegenenzestig afgevaardigden die wél voor Pétain stemden (met zeventien onthoudingen).

In het fascistische Italië werd de jodenvervolging alom gesaboteerd. Uit het Franse Drancy kon op 17 augustus 1944, acht dagen voordat Parijs werd bevrijd, nog een trein vertrekken met zevenhonderd gevangenen voor Dachau. Ruim een week later werd de Gaulle door zeker een miljoen Parijzenaars toegejuicht. Vergeten is de wild enthousiaste mensenmassa die Pétain, amper vier maanden eerder, in diezelfde stad nog op de been wist te brengen toen hij er op 26 april 1944 de oorlogsdoden kwam herdenken.

Nog altijd wil Frankrijk liever niet te veel weten van Vichy en Oradour-sur-Glane. Direct na de bevrijding zette Charles de Gaulle de toon voor een nieuwe nationale mythe, de mythe van een fiere, vrije en bovenal saamhorige République Française. Hij had dit verhaal nodig om zijn leiderschap over alle Fransen te bevestigen en het land omhelsde diezelfde mythe maar al te graag om in één klap het verloren zelfrespect te herwinnen.

Vandaar dat de gebeurtenissen uit 'die periode' zo snel mogelijk moesten worden vergeten. Van de ongeveer anderhalf miljoen ambtenaren hebben slechts een kleine dertigduizend na 1945 enig nadeel ondervonden van hun collaboratie, inclusief hun medewerking aan de deportaties van de joden. Papon, de jodenjager van Bordeaux, kon in het naoorlogse Frankrijk opnieuw een schitterende carrière opbouwen, hij werd onder de Gaulle politiechef van Parijs en uiteindelijk zelfs minister. In 1953 werd aan bijna alle collaborateurs amnestie verleend. In 1958 zaten alweer veertien voormalige Vichy-functionarissen in het Franse parlement.

De opeenvolgende Franse regeringen waren niet bereid om zich druk te maken over het lot van de joden. Het duurde dertig jaar voordat joodse families op de hoogte konden worden gesteld van het lot van hun gedeporteerde verwanten, en dit alleen dankzij de research van particulieren.[13] François Mitterrand, president van 1981 tot 1995, wist het meeste onderzoek naar Vichy jarenlang te blokkeren. Uiteindelijk bleek dat Mitterrand zelf in zijn jonge jaren een enthousiast Pétain-aanhanger was geweest, en ook na de oorlog vriendschappelijke banden had onderhouden met René Bousquet, Papons ambtgenoot in Parijs.

Adam Nossiter, die in 1997 ook onderzoek deed in de voormalige joodse buurt van Bordeaux, de Mériadeck, vond geen spoor meer terug van de joodse gemeenschap die daar voor de oorlog leefde, zelfs geen kleine plaquette. Hij wilde in het stadsarchief onderzoek doen naar de collaboratie. Het kostte hem acht maanden, plus een goedkeuring van het desbetreffende ministerie in Parijs, om toegang te krijgen tot dossiers van meer dan een halve eeuw oud. Toen hij ze eindelijk mocht inzien, had de archivaris ieder mogelijk belastend document weggehaald, en in de documenten die waren overgebleven waren de namen van medeplichtigen zorgvuldig verwijderd. 'De eer van de families moet beschermd blijven,' zei ze letterlijk.

De Gaulle mocht ten slotte, na een reeks ingewikkelde manœuvres, op 26 augustus 1944 als triomfator Parijs binnenrijden. 'Parijs, het misbruikte Parijs, het gebroken Parijs, het gemartelde Parijs, maar het Parijs dat door zijn eigen mensen is bevrijd, met de hulp van de legers van Frankrijk!' riep hij met de hem eigen retoriek. En iedereen juichte, al had geen enkel Frans bataljon aan de heroïsche landingen op D-day deelgenomen, al had de Gaulle zelf niets aan de operatie voorbereid, al was van de negenendertig divisies die in Normandië vochten, er welgeteld één van de Vrije Fransen, en al zat maar een klein deel van de Parijse bevolking – volgens betrouwbare schattingen hooguit vijftienduizend mannen en vrouwen – in de résistance.

Het gaf allemaal niets. Direct na de bevrijding van Parijs liepen zeker vijftigduizend dikdoenerige burgers door de stad met een armband van de Vrije Fransen. Het hele Parijse politiekorps, deels dezelfde agenten die twee jaar eerder de joden uit hun huizen sleepten, werd gedecoreerd. De résistance en de maquis golden nu als het pure Frankrijk, hoewel er ook duizenden Spaanse, Duitse en Poolse vluchtelingen meevochten, om maar te zwijgen van al die Britse, Canadese en Amerikaanse piloten en agenten. Het gaf allemaal niets. Het verbeelde Frankrijk van de Gaulle had gewonnen, en na 1945 mocht het zelfs een Duitse bezettingszone voor zijn rekening nemen.

Frankrijk had nu eenmaal het grote geschiedverhaal nodig om er weer bovenop te komen, en om zichzelf als natie te hervinden. De résistance, de maquis en de Vrije Fransen hebben grote offers gebracht. Maar over het hele land liggen de oorlogsbegraafplaatsen vol met 'verachtelijke' Engelsen en 'decadente' Amerikanen, met 'smerige' joden en 'stinkende' Spaanse vluchtelingen, en met onnoembaar veel Polen aan wie nooit een overwinning is gegund.

IX

September

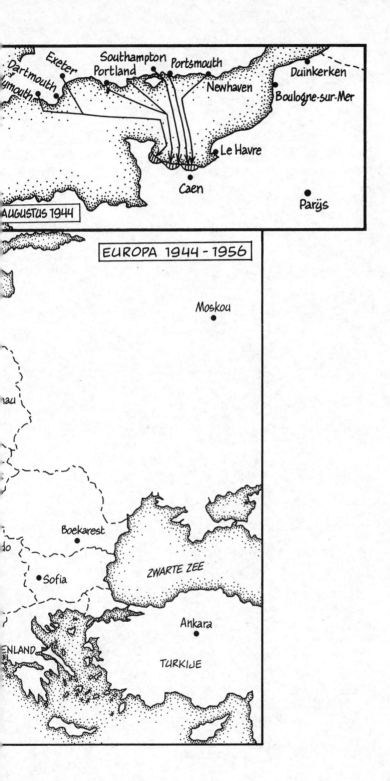

Dartmouth
Plymouth
Exeter
Southampton
Portland
Portsmouth
Newhaven
Duinkerken
Boulogne-sur-Mer
Le Havre
Caen
Parijs

AUGUSTUS 1944

EUROPA 1944 - 1956

Moskou

nau

Boekarest

do

Sofia

ZWARTE ZEE

Ankara

ENLAND

TURKIJE

1

Rookpauze

Het handgemeen was plotseling over.
We begonnen een shagje te roken,
de Duitsers ook en
zo stonden we daar,
krankzinnig, tegenover elkaar –
nauwelijks nog op onze poten.
'Rookpauze,' zei iemand schor.
De Duitser knikte begrijpend: 'Ja, Pause. Sofort!'
We gingen zitten, zij en wij, in het gras
op een afstand van elkaar van vijf pas;
we legden ons geweer
aan de voeten neer
en pakten
tabak uit onze zakken.
Ja, wat er in de oorlog al niet bestond!
Vertel het rond, geen hond
die 't gelooft. Toen kalm, zwijgend
– waakzaam keken wij elkaar in de ogen –
wij de laatste shagjes, zij de sigaretten, doofden
raspte diezelfde stem, rauw, bloeddoorlopen:
'Rookpauze afgelopen!'

Moskou, Joeri Belasj, veteraan

'Was je ooit bang?' vraag ik.

'Nee,' zegt hij. 'Als je iets weet, dan ben je bang. Maar meestal weet je niets.'

Karel Citroen (1920), Amsterdams juwelier, hoort bij de kleine groep Nederlanders die D-day meemaakte. Hij was, als joodse jongen, in 1941 uit Nederland weggeglipt en via een onvoorstelbare omweg uiteindelijk bij de Britse marine beland, als decoder op een torpedobootjager.

'In Holland kon je de gebeurtenissen alleen maar ondergaan. Nu kon ik handelen. Dat maakte alle verschil van de wereld.'

Ik had een paar weken eerder een middag bij hem in de tuin gezeten. Zijn werk als Brits marineman was, vertelde hij, simpel en nuttig geweest: achter een radio zitten om de Duitsers op hun Schnellboote af te luisteren. 'Op den duur kende ik de meeste commandanten en hun stemmen wel. Ik hoorde ooit zelfs een zekere Heinz een torpedo op ons afvuren. Een tel later was-ie bij ons binnen, ik zat gelukkig op het stuk schip dat bleef drijven. Ik heb ook ook weleens gehoord dat een van onze torpedo's zo'n Duits schip trof, ik hoorde de marconist schreeuwen, daarna was het stil.

Bij D-day had ik heel sterk het gevoel: dit kan niet misgaan. Ik had het draaiboek gezien, vijfduizend bladzijden in totaal. Alle weggetjes van Zuid-Engeland stonden verstopt met de onmogelijkste konvooien. En die havens, stampvol schepen. Gespannen waren we niet: het was ons dagelijkse werk om op de vijand af te gaan. Toch was het die ochtend anders.'

Ze voeren uit, gingen op een nauwkeurig vastgelegde positie voor Normandië liggen – de invasie was een wonder van planning – en begonnen als gekken te schieten. Het was ongelooflijk slecht weer, veel mannen in de landingsboten waren zeeziek. Maar toen, in dat eerste ochtendlicht, hoorde ik op de zender werkelijk zo'n Duitser in een bunker tegen een collega roepen: "Luister eens wat hier gebeurt! De hele zee ligt vol schepen, en ze schieten allemaal op ons!" En die ander zei: "Hier ook!" En even verderop riep iemand: "Hier ook!".

Toen wist ik dat we die dag geschiedenis maakten. We praatten er niet over, maar we beseften het allemaal.'

Normandië. De 84ste Field Company van de Engelse Royal Engineers, Sword Beach, diezelfde ochtend van 6 juni 1944. De twee mannen op de voorgrond lopen al op het strand, een zorgelijke soldaat en een schreeuwende korporaal. Het is misschien hun laatste foto, want de overlevingskans op Sword Beach was op dat moment niet hoog. Maar het is vooral de achtergrond van deze eerste invasiefoto die als een middeleeuws schilderstuk het verhaal vertelt: de landingsschepen in de ochtendnevel, de mannen die naar de kust waden – eentje vouwt dubbel, een ander wordt ondersteund, een derde rent.

Ernie Pyle beschreef de situatie twee dagen later: 'Mannen sliepen in het zand, sommigen sliepen voor altijd. Mannen dreven in het water, maar ze wisten niet dat ze in het water dreven, want ze waren dood.' Onder de golven lagen honderden trucks en landingsschepen die de kust niet hadden gehaald, vaak met bemanning en al. Van de tweeëndertig amfibietanks waren er zevenentwintig vanwege de ruige zee als een baksteen gezonken. Het strand stond vol wrakken, en uit een rupsvoertuig puilde zelfs een heel kantoorinventaris, inclusief dossiers en geplette typemachines. 'Er is niets achtergelaten dan de resten: het levenloze afval, de zon en de bloemen, en de totale stilte,' schreef Pyle. 'Een amateur die in dit vacuum rondzwerft, in de achterhoede van de slag, heeft een geweldig gevoel van eenzaamheid. Alles is dood – de mannen, de machines, de dieren – en alleen jij bent er nog, als enige levende.'

Nu loop ik over dezelfde stranden. Ogenschijnlijk zijn alleen nog de betonresten van twee drijvende havens zichtbaar, plus tientallen weggezakte bunkers en geschutskoepels van de voormalige Atlantikwall. Maar onder het koude, groene water voor de kust ligt een waar kerkhof. Hobbyisten takelen soms hele Sherman-amfibietanks uit de zee, vol schelpen die er in de loop der jaren zijn aangekoekt. In de musea drommen de toeristen langs de verweerde soeplepels, motorfietsen, telefoons, amfibiejeeps, laarzen, geweren en doorzeefde helmen. Bij Arromanches beleven ze, in een speciaal theater, in achttien minuten 'de totale D-day-emotie'. Bij de hoge rots Pointe du Hoc verbazen ze zich – wie niet – over de krankzinnige moed van de ruim tweehonderd ranger-commando's van het Amerikaanse 116de Infantryregiment, die deze steile rots onder zwaar mitrailleurvuur beklommen en na twee dagen wisten te veroveren. In de talloze souvenirwinkels kopen ze gretig knopen, gespen en fotoboeken, ze speuren naar de kogelgaten in de bunkers, ze wijzen naar de befaamde parachutistenpop die altijd maar aan de kerktoren van Sainte-Mère-Eglise blijft hangen.

Martha Gellhorn voer naar Normandië op een hospitaalschip, een voormalige plezierboot die was omgebouwd tot een enorme drijvende operatiekamer annex ziekenboeg. Het schip voer op en neer naar Engeland, per tocht konden zo'n vierhonderd gewonden van de invasiestranden worden opgehaald, dag en nacht werd er geopereerd. Voor de kust stapte ze over op een waterambulance. De bootslieden manœuvreerden het landingsschip voorzichtig naar de vloedlijn, tussen de mijnen en de gezonken tanks; de vermoeide Amerikaanse infanteristen die haar aan wal hielpen, mopperden dat het een 'lelijk stukje strand' was; een paar jongens nodigden haar uit in hun 'hartstikke mooie' schuttersputje: ze was daar meer dan welkom als de luchtaanvallen weer begonnen. Achter de duinen belandde ze even op een stukje gras, en dat was weer zoiets vreemds: opeens 'de zoete geur van zomergras te ruiken, een geur van vee en vrede'.

Op de terugtocht merkte Gellhorn dat de meeste gewonden in de ambulance Duitsers waren, en de brancardier zei: 'Nou, nog mooier, jeetjemina, dat doet toch wel de deur dicht.' Op het hospitaalschip zeiden de Duitsers niet veel, de Britten en Amerikanen bleven grappen maken, al waren ze zwaargewond. Allemaal zorgden ze voor elkaar, en zeiden: 'Geef die jongen wat water te drinken', of 'Juffrouw, ziet u die commando daar, hij is er slecht aan toe, wilt u even naar hem toe gaan?' Martha Gellhorn: 'Op het hele schip vroegen mannen bezorgd naar andere mannen en vroegen zich af of zij aan boord waren en hoe zij het maakten.'

Ik maak een kleine bedevaart naar de Pegasusdraaibrug van Bénouville, bij de Orne, het eerste stukje West-Europese grond dat door de geallieerden werd bezet. In de nacht van 5 op 6 juni 1944, om twintig over twaalf, landden hier in stilte drie Horsagliders, enorme lichthouten zweefvliegtuigen die door zware Stirlings uit Engeland naar de overkant waren gesleept. Aan boord zaten negentig man van de 6de Airborne Divisie, de armen ineengehaakt tegen de klap bij de landing, luidop zingend tegen de zenuwen. De twee Duitse wachtposten werden volledig verrast, de Britten hadden de strategisch belangrijke brug binnen tien minuten in handen.

Het danscafé van de familie Gondrée, op de hoek, werd zo het eerste bevrijde huis van West-Europa, en dochter Arlette het eerste bevrijde kind. Tegenwoordig beheert Arlette het familiebedrijf van haar ouders, en ze doet dat met waardigheid en zwier. In de gelagkamer hangen tientallen foto's: Arlette Gondrée met generaal zus, met admiraal zo, de bemanning van het Britse koninklijke jacht die voor het café Gondrée een saluut uitbrengt, het is allemaal vastgelegd.

Vader Gondrée zat in de résistance, hij sprak uitstekend Engels. Vlak voor D-day had een Britse agent hem bezworen om 's avonds het huis niet te verlaten, er kon wel wat gebeuren en ze zouden hem nodig hebben. Arlette weet me nog een paar dingen over die nacht te vertellen. 'Ik was toen vier, en ik herinner me een geweldig schieten en gedreun, midden in het donker. Mijn vader stuurde ons de kelder in. We hoorden de Duitsers op de voordeur bonken. Wij reageerden niet. Wat later ging de achterdeur open, er klonken voetstappen boven ons hoofd, iemand struikelde over een stoel, en toen hoorden we iemand foeteren: "Damn it! Tommy's!" fluisterde mijn vader. De volgende dag lag ons huis al vol gewonden.'

Nog altijd komen de veteranen van D-day hier terug, en Arlette Gondrée kent ze allemaal. 'Hier vinden ze elkaar weer. Dit is hun thuis. Als je zoiets hebt meegemaakt, klit je altijd weer samen. Maar ze praten zelden over de concrete strijd. "Hij viel naast me," zeggen ze dan, maar nooit geven ze details, zelfs niet aan de familie, dat houden ze voor zich.'

Herinnert ze zich haar bevrijders nog? 'Nou en of! Ze kwamen de trap af, en ik begon direct te huilen. "It's all right, chum", dat was het eerste wat ze tegen mijn vader zeiden. Ze hadden zwartgemaakte gezichten en gecamoufleerde helmen, mijn moeder vloog ze om de hals, toch was het doodeng. Het waren monsters, onze bevrijders! Ze tilden mij ook op, en toen kwamen ze met chocola, en daarna was alles goed.'

Operatie Overlord, zoals de Normandische invasie officieel heette, was een militaire operatie zoals de wereld nooit eerder had gezien. De voorbereidingen hadden twee jaar geduurd. In totaal waren in Zuid-Engeland bijna drie miljoen man verzameld, verdeeld over negenendertig divisies: twintig Amerikaanse, veertien Britse, drie Canadese, één Poolse en één Franse. Daaronder waren ook nog eens eenheden uit Nieuw-Zeeland, Australië, India en andere delen van het Britse Gemenebest, plus allerlei Franse, Belgische, Noorse, Poolse, Tsjechische en Nederlandse formaties.

De invasie zelf werd uitgevoerd door een leger van honderdvijf-tigduizend man, met zevenduizend schepen, twintigduizend voertuigen en elfduizend vliegtuigen.¹ Niet alleen het veroveren van de stranden was een opgave, er moest ook nog eens voor ge-zorgd worden dat al die legeronderdelen elkaar niet in de weg lie-pen. De operatie was tot op de minuut uitgekiend: genietroepen moesten landen op uur-U plus twee minuten, bevoorradingstroe-pen op uur-U plus dertig minuten, de eerste journalisten moch-ten aan land op uur-U plus vijfenzeventig minuten.

Ook na de landing bleef het weer rampzalig. Tussen 18 en 21 juni woei er in het Kanaal zelfs een orkaan, de zwaarste sinds 1900, waarbij achthonderd schepen en landingsvaartuigen in de golven verdwenen. Er ging in die stormdagen viermaal zoveel materieel verloren als op D-day zelf, de geallieerden zouden er de hele zomer last van hebben. Toch waren er, een maand na de in-vasie, een miljoen man op het continent geland.

Er werden twee reusachtige kunstmatige havens over het Ka-naal meegesleept, waarvan er een in de storm van 18 juni ten on-der ging. De derde beoogde aanvoerhaven, Cherbourg, was aan-vankelijk versperd door mijnen en een honderdtal gezonken schepen; met man en macht wist het Amerikaanse 333ste Genie-regiment de haveninstallaties binnen een paar weken weer enigszins op gang te krijgen. Daarna stroomde een vloed aan manschappen en oorlogsmaterieel het continent binnen.

Het Franse en Belgische verzet was nauw bij de voorbereidin-gen van D-day betrokken, al vanaf het moment dat een Franse verzetsman in mei 1942 een Duitse wandkaart van de Atlantik-wall had weten in te pikken, een onschatbare bron van informa-tie voor de geallieerde plannenmakers. Op 5 juni om negen uur 's ochtends begon de BBC dichtregels van Verlaine uit te zenden, waardoor de verzetsgroepen wisten dat de invasie de volgende dag zou plaatsvinden en hun eigen maatregelen konden nemen. Op-perbevelhebber Dwight David Eisenhower zou later – misschien iets te vleiend – hun bijdrage taxeren op zeker vijftien divisies.²

'De plaats van de invasie was voor ons geen verrassing, het tijd-stip wel,' zei Winrich Behr, toen stafofficier bij veldmaarschalk Erwin Rommel. 'Wij, van de westelijke staf, hadden altijd al het sterke vermoeden dat bij Normandië geland zou worden. Maar Hitler en zijn strategen waren inderdaad overrompeld. Zij geloof-den nog een hele poos dat het om een schijnaanval ging. Ze hebben zeker nog drie, vier dagen geweigerd hulptroepen te sturen, zo stellig waren ze ervan overtuigd dat de hoofdaanval bij Calais zou plaatsvinden.'

De weerkundigen van de Kriegsmarine hadden voorspeld dat, gezien de weersomstandigheden en het getij, een geallieerde landing de eerste dagen van juni vrijwel onmogelijk was. Vandaar dat Rommel op 5 juni rustig met vakantie was gegaan. Halsoverkop moest hij terugkomen. Behr: 'Onze inlichtingen waren natuurlijk gebrekkig. Bedenk wel, al vier, vijf maanden lang had geen enkel Duits verkenningsvliegtuig het Kanaal kunnen oversteken. We waren blind. Op de radio werden aan beide kanten voortdurend spelletjes gespeeld met valse informatie via nieuwsberichten, hoorspelen, muziekprogramma's, overal zaten codes en berichten verstopt. Ik heb later gehoord dat een Schots radiostation per ongeluk een dag te vroeg de voorgeprogrammeerde mededeling uitzond dat de invasie was begonnen. Dat bericht is door onze inlichtingenmensen nog opgepikt ook. Ze deden er niets mee. Het zoveelste spelletje, dachten ze.'

Toen de geallieerden eenmaal hun bruggenhoofd hadden gevestigd moesten ze nog door de Duitse verdedigingslinies heen. Die opmars ging veel langzamer dan verwacht, de Duitse tegenstand was fel, bekwaam en effectief, de verliezen bij de geallieerden waren groot, de vernietiging van land en stad – Caen, Bayeux, Cherbourg, Saint-Lô – was enorm. Deze slag om Normandië duurde tweeënhalve maand in plaats van de drie weken die ervoor waren uitgetrokken. Pas op 21 augustus lag de weg naar Parijs en de rest van West-Europa open.

Voorraden en troepen werden daarna massaal van Normandië naar de fronten gepompt via de Red Ball Highway, een geïmproviseerde éénrichtingssnelweg naar Brussel, de slagader voor de geallieerden. Brandstof voor al deze legeronderdelen werd aangevoerd vanaf het eiland Wight, honderd kilometer van Cherbourg, via de razendsnel aangelegde Pluto-pijplijn, de eerste onderzeese olieleiding ter wereld, die eind 1944 een miljoen liter per dag transporteerde.

Winrich Behr was in die weken de vaste begeleider van Rommel. Dagenlang reed hij met de veldmaarschalk langs de Normandische fronten. 'Ik was toen zesentwintig, hij was rond de vijfenvijftig, en hij behandelde me als een vader.' Volgens Behr was Rommel eigenlijk een heel eenvoudige man. 'Hij zei eerlijk wat hij dacht. "We moeten van Hitler afkomen, dit kan zo niet langer," zei hij soms. Maar dan kwam hij even later terug, en dan zei hij weer: "Ja, Behr, je moet wel bedenken, het is ook een grote persoonlijkheid, Adolf Hitler." Dan sliep hij een nacht, en dan was het weer: "Die ellendige kerel, die zwetser!" En dan trommelde hij zich op de buik van woede.'

Rommel was, meende Behr, geen voorstander van een aanslag op Hitler. 'Hij wilde die hele kliek gevangennemen, voor een gerecht slepen, van alles, maar vermoorden, nee. Een Brutus, dat kon hij niet worden. Maar hij wilde heel snel vrede, net als de meeste andere generaals. Het vaderland moest worden gered. Daarbij zag hij zichzelf als een tweede Hindenburg, die na de Eerste Wereldoorlog ook een verzoenende rol speelde. Bij zowel vriend als vijand gold hij immers als een fatsoenlijke Duitser, en dat wist hij.'

Diezelfde maand ontstond, aan de oostkant van Duitsland, het tweede grote Europese front. Op 22 juni 1944, ruim twee weken na D-day, startten de sovjets hún grote tegenoffensief, Operatie Bagration, weggemoffeld in de westerse schoolboeken, maar minstens zo beslissend voor de uitkomst van de Tweede Wereldoorlog. Het Duitse opperbevel werd door de operatie volledig verrast. Men had de volgende grote aanval verwacht bij de Zwarte Zee, met de olievelden van Pripet en Ploieşti als hoofddoel. Nu bewogen de fronten zich opeens in de richting van de Baltische Staten, Oost-Pruisen, Polen, en daarna naar Duitsland zelf.

De omvang van de sovjettroepenmacht was zo'n schok dat Hitler, net als Stalin in 1941, aanvankelijk weigerde de berichten te geloven: honderdzesenzestig divisies, dertigduizend kanonnen, mortieren en raketwerpers, vierduizend tanks, zesduizend vliegtuigen. De sovjets hadden tweemaal zoveel manschappen als de Duitsers, bijna driemaal zoveel kanonnen en mortieren, meer dan vier keer zoveel tanks en vliegtuigen. De Russische 'stoomwals', waar paranoïde militairen vroeger graag over mochten praten, bleek opeens realiteit te zijn geworden.

Toen Duitsland eenmaal tussen deze twee legermachten was klemgezet, ging het snel. Nadat de geallieerde legers in Normandië waren doorgebroken, verloren de Duitsers, zoals later wel geschreven werd, 'nog vlugger dan de geallieerden konden winnen'. De westelijke opmars 'stikte' echter al gauw 'in zijn eigen succes':

de aanvoerlijnen vanuit Normandië werden te lang. Ondanks de Pluto-pijplijn en de duizenden trucks van de Red Ball Express, die letterlijk bumper aan bumper doorreden, begon de bevoorrading te stagneren. Op de avond van 2 september liepen de voorste linies vast. Een paar Amerikaanse Shermantanks reden bij het Belgische Doornik (Tournai) heuvelop, en in plaats van de stad binnen te rijden, bleven ze roerloos staan: geen brandstof meer. Andere Shermans kwamen achter hen aan, ze hadden net genoeg om het stadscentrum te halen, daarna vielen ook hun motoren stil.

'Mijn mensen kunnen hun koppels en ook hun laarzen opvreten,' bulderde generaal Patton, 'maar ze kunnen niet de brandstof pissen die ze nodig hebben om hun tanks te laten rijden.' Als een ziekte greep de brandstofcrisis om zich heen. Pas na vier dagen kon de groep Shermans bij Doornik weer doorrijden. Bij Brussel moesten ze weer een dag nietsdoen. In Limburg – ze waren de eerste die de Nederlandse grens overschreden – konden ze alleen nog maar schieten, niet meer rijden. De Siegfriedlinie en de Duitse grens lagen vlak achter de horizon. In de Nederlandse steden brak 'Dolle Dinsdag' aan: in paniek pakten collaborateurs en Duitse ambtenaren op 5 september hun koffers, in een chaotische uittocht naar het oosten. De overwinning leek onder handbereik.

Ook de geallieerde legerleiding raakte in een roes, en die stemming leidde tot een begrijpelijke en tegelijk fatale afweging. De Britten hadden Antwerpen veroverd, maar dat betekende niet dat ze de haven konden gebruiken: de Duitsers hadden de oevers van de Schelde nog vast in handen, geen schip kon daar passeren. De commandanten te velde wilden daarom snel doorstoten naar Zeeland en Zeeuws-Vlaanderen, ondanks hun gebrek aan brandstof, om de Duitsers niet de kans te geven zich te hergroeperen.

Toch besloot het geallieerde opperbevel om begin september niet verder westwaarts te trekken. Het vrijmaken van de Antwerpse haven was immers helemaal niet nodig als de oorlog voor het invallen van de winter voorbij zou zijn, en daar rekende zelfs de voorzichtige Eisenhower op. Tevergeefs wachtte commandant G.P.B. Roberts van de Britse 11de tankdivisie op het bevel om korte metten te maken met het Duitse Vijftiende Leger dat naar Walcheren was gevlucht. Bijna tachtigduizend Duitsers wisten zo te ontkomen, en in de daaropvolgende weken kregen ze alle tijd om een stevige verdedigingslinie op te werpen. Ze zouden iedere aanvoer via de Antwerpse route nog maanden tegenhouden.

Toen na een paar weken bleek dat de geallieerden tegen de Rijn vastliepen was het te laat. Antwerpen was de enige geschikte haven om over korte afstand een legermacht van enkele miljoenen manschappen van munitie, voorraden en brandstof te voorzien, maar de Schelde was nu vakkundig geblokkeerd. Die fout kon alleen worden hersteld door een tweede bestorming van de Atlantikwall bij Vlissingen en Westkapelle, eind oktober 1944. Het werd een landing die volgens de betrokken commando's zwaarder was dan die in Normandië. Landingsboten die al op zee in brand werden geschoten, ijskoud water, en dan het strand op, onbeschermd onder 'het meest geconcentreerde afweervuur ter wereld'. Meer dan zeventienduizend Britten, Canadezen, Noren, Fransen en Polen raakten gewond bij de slag om de Schelde, ruim zesduizend sneuvelden.

In september 1944 stonden de sovjettroepen aan de Weichsel en de geallieerden aan de Rijn. In januari 1945, vier maanden later, zaten de Amerikaanse Shermans nog steeds op ongeveer dezelfde plekken waar ze in september 1944 waren blijven steken. De sovjets veroverden Polen, Roemenië, Bulgarije, Joegoslavië, Hongarije en een deel van Tsjechoslowakije, en waren begin 1945 al opgerukt tot de Oder. Ze stonden op het punt om Berlijn binnen te vallen. Die vertraging in het westen had veel, zo niet alles, te maken met Antwerpen en Walcheren.

NAUGHTY DOCUMENT

In een vitrine van de Cabinet War Rooms in Londen hangt een veelgebruikte kaart van Europa, geplakt op een houten scharnierende plank, met een zwart zeiltje eromheen en daarover vellen doorzichtig papier met lijnen en aantekeningen. Het is de politieke kaart die Churchill gebruikte tijdens de oorlogsjaren. Het opvallende is dat die lijnen al precies de oost-westbreuken aangeven die meer dan veertig jaar lang het continent zouden verdelen, en die mede gebaseerd waren op de frontlijnen in de winter van '44-'45.

Tijdens de Tweede Wereldoorlog vonden drie persoonlijke ontmoetingen plaats tussen de geallieerde leiders: in Teheran (december 1943), Jalta (februari 1944) en Potsdam (zomer 1945). Bij die laatste ontmoeting waren Churchill en Roosevelt niet meer aanwezig: Roosevelt omdat hij in april 1945 was overleden en werd vervangen door Harry Truman, Churchill omdat hij begin juli de verkiezingen

verloor en halverwege de conferentie werd vervangen door zijn opvolger Clement Attlee.

De conferentie van Jalta – 'De Rivièra van de Hades' zei Churchill – begon op 4 februari 1945 in de zomerresidentie van de vroegere Petersburgse prins Joesoepov. 'We hadden de wereld aan onze voeten,' zou
Churchill later schrijven. 'Vijfentwintig miljoen mannen marcheerden op onze orders, ter land en ter zee. We leken vrienden te zijn.'

De Gaulle was niet aanwezig, maar Churchill behartigde de Franse
belangen met verve. Frankrijk wilde een eigen bezettingszone in
het veroverde Duitsland, en de Britten steunden dat idee om zeer
praktische redenen: de Amerikanen waren van plan om nog hooguit twee jaar in Europa te blijven, en de Britten misten de troepen
en de middelen om daarna het westen van Duitsland alleen bezet
te houden. Ze konden dus niet zonder de hulp van Frankrijk.

Alle partijen hadden zo hun eigen agenda. Roosevelt wilde in de
allereerste plaats Stalin te vriend houden: de Sovjet-Unie moest
hem helpen in de verdere strijd tegen Japan. Bovendien wilde hij,
samen met de Britten en de Russen, het oude project van Woodrow Wilson nieuw leven inblazen. Er moest een Verenigde Naties
komen, een organisatie met reële bevoegdheden waarbinnen
internationale conflicten voortaan in overleg en volgens internationale rechtsregels zouden worden opgelost. Hij hoopte zo ook te
voorkomen dat zijn mede-Amerikanen weer zouden terugvallen in
hun oude neiging tot isolationisme.

Churchill was minder idealistisch. Hij dacht klassieker, in invloedssferen. Hij besefte dat in Jalta het toekomstige Europa min of meer zou
worden opgedeeld. De belangrijkste afspraak daarover was al in oktober 1944 gemaakt, toen hij op bezoek was bij Stalin en op een klad-
je een mogelijke verdeling had geschetst tussen oost en west:

	Sovjet-Unie	Anderen
Roemenië	90 %	10 %
Griekenland	10 %	90 %
Joegoslavië	50 %	50 %
Hongarije	50 %	50 %
Bulgarije	75 %	25 %

Na een trek aan zijn pijp had Stalin bij alle vijf een keurig blauw vinkje
gezet. Griekenland zou westers blijven, en zo ging het inderdaad.
Polen was het enige land dat niet voorkwam in dit *naughty docu-*

ment, zoals Churchill het noemde. Voor hem was de onafhankelijkheid van Polen een erezaak: daarom waren de Britten in 1939 immers de oorlog begonnen. Stalin dacht voornamelijk in defensieve termen: hij wilde voorkomen dat de Sovjet-Unie ooit nog zo gemakkelijk vanuit het westen kon worden overrompeld. Voor hem was Polen vooral een strategisch probleem. 'De hele geschiedenis door heeft Polen gediend als corridor voor vijanden die Rusland kwamen aanvallen,' betoogde hij. Uit alles bleek dat de sovjets alleen genoegen namen met een onderdanig en afhankelijk Polen als bufferstaat. Uiteindelijk accepteerden Churchill en Roosevelt – de eerste was dodelijk vermoeid, de tweede was toen al zeer ernstig ziek – Stalins belofte van vrije Poolse verkiezingen. Daarvan zou uiteraard niets terechtkomen. Churchills waarschuwing dat bij de voorgenomen verschuiving van de Poolse grenzen ten koste van Duitsland waarschijnlijk een enorme volksverhuizing op gang zou komen, werd vrolijk door Stalin weggewuifd: er waren toch al honderdduizenden Duitsers voor het Rode Leger op de vlucht.

Normandië en Omaha Beach werden wereldberoemd dankzij de D-day-film van Steven Spielberg, *Saving Private Ryan*. In Vlissingen en Westkapelle wapperen de haringvlaggen alsof er nooit iets is gebeurd. De veldtocht van de geallieerden in 1944 rij je nu in een dag. Na Antwerpen is het gaan regenen, op Walcheren stuift het water met golven over de weg. De namen van de Zeeuwse dorpen waar ik doorheen rijd, doen me denken aan de solide radiostemmen uit de jaren vijftig, aan de zorgelijke gezichten waarmee mijn ouders voor het toestel zaten, aan de dominees die preekten over de 'straffende adem Gods' voor het 'wereldgelijkvormige' Nederland, aan de twee dinky toys – de enige die ik bezat – die geofferd moesten worden aan de arme verdronken kindertjes.

Op de begraafplaatsen staan overal de jaartallen 1944 en 1953 in steen gebeiteld. Vlissingen, de vaakst gebombardeerde stad van Nederland: meer dan tweehonderdvijftig graven, plus een vak vol Engelsen, Canadezen, Polen en Australiërs. Westkapelle: alleen al vierenveertig slachtoffers uit één gebombardeerde molenkelder. Oude Tonge: zo'n driehonderd graven met de datum 1 februari 1953. Nieuwerkerk: 'Maria van Klinken, geb. 1951, vermist', de rest van het gezin ook dood. Honderden familiedrama's liggen hier tussen de kluiten klei.

Eerst waren er de meidagen van 1940 en het bombardement van Middelburg – in Zeeland is na de Nederlandse capitulatie door de Fransen en de Belgen nog hard doorgevochten –, daarna werd Walcheren op 3 oktober 1944 door de geallieerden onder water gezet om de Duitsers te verdrijven, toen was er de slag om Walcheren en nog geen tien jaar later, op 1 februari 1953 werd dit stuk van Nederland opnieuw door de zee verzwolgen, 1836 doden.

Bij Ouwerkerk liggen nog altijd de vier caissons waarmee het laatste dijkgat werd dichtgegooid, schots en scheef midden in een weiland. Ik praat wat met Ria Geluk, boerin en raadslid, die er een Watersnoodmuseum wil vestigen. 'De ramp is hier veertig jaar niet bespreekbaar geweest,' vertelt ze. 'Tot 1993 is er officieel nooit iets herdacht. Iedere documentaire ging twee minuten over de ramp, en daarna achtendertig minuten over onze grootse Deltawerken.' Als meisje van zes overleefde ze de vloed over Kapelle, waar van de vijfentwintig huizen er twee bleven staan, maar ook binnen haar familie werd niet gepraat. 'Het zal iets te maken hebben met de zwaar gereformeerde volksaard van de mensen hier. Er komen nog mensen naar me toe: "Ria, we hoeven dit niet."'

De Westkapelse zeedijk werd in 1944 door de geallieerden gebombardeerd om de Duitsers uit hun stellingen te jagen, en de overlevenden eindigen hun verhaal steevast met de zin: 'En toen konden we recht de zee in kijken.' Ik zie de huidige dijk aan het einde van de dorpsstraat oprijzen, hoger dan de nieuwbouwhuizen, en ik kan me voorstellen hoe angstwekkend dat gat moet zijn geweest voor iedereen die daar onder de zeespiegel woonde. Op het kerkhof liggen de slachtoffers van alle afgezwaaide bommen, 10 procent van het toenmalige dorp. Niemand praat er meer over.

Ook Vlissingen heeft zich verweerd tegen de toorn Gods met orde en techniek. Over de boulevard jaagt een stortbui, een man in brons probeert van achter zijn jas een sigaret op te steken, achter de ramen van Strandveste schuilen de gepensioneerden in hun appartementen. Iets voorbij de stad ligt het netste strand dat ik ooit zag: een gesloten rij badhokjes, een bord met 'bewaking', een peloton vuilnisbakken en geen mens te bekennen.

En toch wandel ik langs het belangrijkste Europese slagveld uit het najaar van 1944, een gewoon stukje kust waar even alles om draaide.

2

Wat zou er zijn gebeurd als D-day was mislukt? Of als een New Yorkse taxichauffeur in 1931 een dikke, overstekende man niet had geschampt maar dodelijk had verwond? Of als de Amerikanen niet twee jaar hadden getreuzeld met het opstarten van het Manhattanproject, en de atoombom al in 1943 voor de geallieerden beschikbaar was geweest? Of als de 1ste Airborne Divisie de slag om Arnhem had gewonnen?

'Wat als...?' is een vraag die historici alleen aan de borreltafel mogen stellen, maar het Amerikaanse *Quarterly Journal of Military History* deed het in 1998 bij wijze van aardigheid toch een keer op papier. De populaire militair historicus Stephen Ambrose beschreef wat er wellicht had kunnen gebeuren als de Normandische invasie mislukt zou zijn: een verbitterde Stalin, een nieuw Stalin-Hitler-pact, een kansloze tweede geallieerde invasie, maar daartegenover, in de zomer van 1945, een Amerikaanse atoombom. Op Berlijn, en vervolgens op München.

Een ander scenario was volgens hem ook zeer goed mogelijk geweest: het Rode Leger zou zijn doorgemarcheerd tot aan het Kanaal.

Williamson Murray schreef over de dood van de dikke man – Churchill – in 1931: Engeland zou al in de zomer van 1940 hebben gecapituleerd, en tot de dag van vandaag zouden er oorlogen worden gevoerd tussen de Verenigde Staten en de nazi's in Zuid-Amerika.

En Nederland? Wat zou er gebeurd zijn als Hitler níet had kunnen profiteren van de drie maanden respijt die Walcheren hem gaf? Of als de geallieerden de slag om Arnhem gewonnen hadden en in het najaar van 1944 via de nauwelijks verdedigde Duitse laagvlakte op Berlijn hadden kunnen afstormen? Er was geen hongerwinter geweest, geen Ardennenoffensief, en in Jalta had

Stalin nooit de onderhandelingspositie gehad om heel Oost-Europa over te nemen. Maar hadden de Britten en de Amerikanen na een doorbraak bij Arnhem wel zoveel verder kunnen rijden zonder voldoende brandstof, zonder een goede aanvoerlijn via Antwerpen? Waren ze dan niet opnieuw gestikt in hun eigen succes? Wat als...

Winrich Behr, ondertussen majoor bij de staf van veldmaarschalk Walter Model, maakte door een toeval het begin van de slag om Arnhem mee. 'We hadden ons hoofdkwartier op dat moment in Hotel Hartenstein, in Oosterbeek. Het was een prachtige, stille zondag, we zaten te lunchen, en plotseling hoorden we machinegeweren en een luid gebrom van vliegtuigen. Bij een overste werd een soeplepel uit de hand geschoten. Ik ging naar buiten, en ik kon mijn ogen niet geloven: nog geen honderd meter van het hotel zeilde een groep Engelse parachutisten rustig naar beneden. Iedereen rende naar zijn wapens. Ik dacht eerst dat het een speciale Engelse commando-eenheid was die het op een paar generaals had gemunt. Maar het ging om zo'n massale actie dat ik al gauw besefte dat hier iets heel anders aan de hand was.'

De Duitse legerleiding was volkomen verrast. Nog steeds doet het verhaal de ronde dat 'Arnhem' aan de Duitsers zou zijn verraden. Volgens Winrich Behr hebben dergelijke inlichtingen de Duitse legerleiding in ieder geval nooit bereikt: 'Alleen al het feit dat wij daar zaten, als generale staf. Dat ik daar rustig een eitje zat te eten. Dat doe je natuurlijk niet als je weet dat er een luchtlanding op komst is. Wij maakten dan ook dat we wegkwamen, we hadden daar niets te zoeken.' In de ogen van Behr was er geen sprake van te veel informatie aan de Duitse kant. Het probleem lag bij de geallieerden: die beschikten simpelweg over te weinig informatie. 'De Engelsen wisten niet dat er een paar SS-pantserdivisies bij Arnhem stonden. Het Nederlandse verzet had dat, naar ik later begreep, keurig gemeld, maar Montgomery vertrouwde die informatie niet, hij dacht dat het verzet door ons was geïnfiltreerd. Echt, onze pantserdivisies waren daar puur toevallig. Ze hadden bij Normandië gevochten, en daarna waren ze naar Arnhem gestuurd om uit te rusten en hun spullen te herstellen. Maar het waren wel ervaren frontsoldaten. En die gingen er gelijk op los.'

Op het belangrijkste landingsterrein groeit nu maïs met een

enkele gesubsidieerde zonnebloem. Een groot bord meldt dat we hier te maken hebben met 'biotoopverbeterende akkerranden'. Achter de Coberco-zuivel en de showroom van een tegelhandel lag het hoofdkwartier van de geallieerden. Hier kwamen ze naar beneden, op die prachtige zondagmiddag van de 17de september 1944, die duizenden parachutisten, die talloze gliders met infanteristen, die hele verpletterende luchtkaravaan van zeker vierhonderd kilometer lang. En daar werden ze even verderop afgemaakt: tegenover de Albert Heijn van Oosterbeek, bij de serre van restaurant Schoonoord, naast de Gall & Gall en het bloemenhuis Klimop.

Market Garden was een van de meest gewaagde operaties uit de oorlog. Na alle vertraging sinds de landing in Normandië probeerden de geallieerden in één grote, razendsnelle doorbraak vanuit Eindhoven, via Veghel en Nijmegen, bij Arnhem de Rijn over te steken, op een plek waar de Duitsers dat het minst verwachtten. Duizenden Amerikaanse, Britse en Poolse parachutisten zouden de vele bruggen onderweg bezetten en vasthouden, zodat de Britse tanks vrijwel ongestoord konden doorrollen. De Amerikanen van de 82ste Airborne Divisie zouden de Waalbrug bij Nijmegen bezetten, de Britten van de 1ste Airborne moesten, samen met een Poolse brigade, de Arnhemse Rijnbrug voor hun rekening nemen. Daarna lag de weg naar Berlijn open: nog voor de winter konden de geallieerden er zijn.

Het idee voor deze alles-of-niets-actie was afkomstig van generaal Montgomery, maar het plan werd al snel gesteund door opperbevelhebber Eisenhower. 'Ik heb Market Garden niet alleen goedgekeurd, ik drong erop aan,' gaf hij twintig jaar later tegenover Stephen Ambrose toe. Omwille van Market Garden werd alle schaarse brandstof naar het noorden geleid. Generaal George Smith Patton, die op het punt stond om met zijn tanks bij Nancy en Metz door te breken, moest wachten. De planning was gedurfd en tegelijk zeer gecompliceerd; het was een keten van kleine en grote militaire acties die scherp op elkaar moesten aansluiten en die allemaal moesten slagen. Zodra een schakel wegviel, kon de hele operatie in het honderd lopen. Hierin lag, veel meer dan in een mogelijk verraad, de kern van de mislukking van de slag om Arnhem: in de risico's die de geallieerden namen, en in de roes van optimisme en nonchalance waarin de plannen vervolgens waren uitgewerkt.

Allereerst verliep de opmars van de tanks vanuit Eindhoven veel trager dan verwacht. De Duitsers – met name onderdelen van het Vijftiende Leger die de geallieerden bij Antwerpen hadden laten glippen – boden veel weerstand. Het kostte grote moeite om de Waalbrug in Nijmegen in handen te krijgen en lang genoeg vast te houden. Bij Arnhem liep het mis. De Britten hadden in alle haast foute zenders meegekregen, waardoor ze nauwelijks of geen verbindingen hadden met hun hoofdkwartier en met elkaar. Alleen al deze technische blunder had catastrofale gevolgen. Bovendien waren, om onverklaarbare redenen, de geharde Amerikaanse luchtlandingstroepen op relatief gemakkelijke plaatsen gedropt, terwijl de onervaren Britten van de 1ste Airborne Divisie bij Arnhem de zwaarste klus moesten opknappen. Zelfs bij hun Duitse tegenstanders viel dat op. Winrich Behr: 'Die Britten lagen daar maar, met iets van: wat moeten we nu? Hun radio's deden het niet, hun plan werkte niet, en vervolgens waren ze niet goed in staat om te improviseren. Het waren dappere vechters, absoluut, maar ze leken ons niet erg geroutineerd.'

De ruim tienduizend mannen van de 1ste Airborne meenden dat ze op geen tegenstand van betekenis zouden stuiten. Hun bevelhebbers hadden beter kunnen weten. Ook het Britse Ultra-project had uit gedecodeerde Duitse Enigmaberichten opgemaakt dat de Duitsers hun Negende en Tiende Pantserdivisie 'voor rust en herstel' naar de omgeving van 'Venloo, Arnheim en Hertogenbusch' wilden sturen. Al deze informatie werd terzijde geschoven. Toen de aanvoerder van Market Garden, luitenant-generaal Frederick 'Boy' Browning, door zijn inlichtingenofficier werd geconfronteerd met luchtfoto's die opnieuw de aanwezigheid van pantserdivisies bevestigden, zei hij: 'Ik zou me daar niet druk over maken, als ik u was. Ze zijn waarschijnlijk in geen enkel opzicht bruikbaar.' De inlichtingenofficier werd vervolgens met verlof gestuurd, en Browning vergat deze vitale informatie door te geven aan zijn parachutisten.

Fatale risico's werden ook genomen met de plaats van de landing. In het oorspronkelijke plan zouden de meeste gliders en de parachutisten vlak bij de brug neerkomen, maar op het laatste ogenblik werd om veiligheidsredenen een landingsterrein achter Arnhem gekozen, zo'n tien kilometer van het uiteindelijke doel, de brug. Het gevolg was dat de luchtlandingstroepen zich eerst een weg moesten vechten door Arnhem en Oosterbeek, daarna de brug moesten innemen, maar tegelijk hun landingsterrein moesten vasthouden voor eventuele versterkingen. Hun gevechtskracht, zoals dat in militaire termen heet, was daarvoor simpelweg niet groot genoeg.

Er is in en rond Arnhem gestreden met de moed der wanhoop, soms ook met een merkwaardige ridderlijkheid. Bijvoorbeeld toen het Britse hoofdkwartier naast de brug in brand werd geschoten, met een kelder vol gewonden. De dokters regelden een staakt-het-vuren, de Duitsers sleepten zij aan zij met de Britten de gewonden naar buiten en vervolgens vocht iedereen gewoon weer door. Ook waren er drie Engelse hospitaalsoldaten die in Oosterbeek vloekend en zwaaiend met een witte doek op een Duitse tank afliepen: of ze wel wisten dat de oude pastorie die ze beschoten, een rodekruispost was. De tank droop af. Britse parachutisten zagen hoe Duitse hospikken hun gewonden van een Oosterbeekse straat haalden, zonder enige dekking: bij zoveel moed zwegen hun stenguns.

Op een stille zondag rijd ik door Oosterbeek. Hotel Hartenstein bestaat nog steeds, net als veel andere legendarische lokaties. Rondom de oude pastorie ligt een schitterende moestuin, een lusthof van kool, bonen, sla, bramen, bessen en snijbloemen. In 1944 woonden hier Jan en Kate ter Horst, een gezin met vier jonge kinderen en een baby, en toch tot de nek in het verzet. Terwijl Kate met de kinderen in de kelder bivakkeerde, herbergden ze in hun huis meer dan driehonderd gewonden, midden in de herrie van de mitrailleurs, de stenguns en de mortiergranaten. Kate werd eerbiedig aangeduid als 'the Lady', ze was een rots van kalmte en dapperheid, praatte over de toekomst van een vrij Nederland terwijl er hele gaten in de muren geschoten werden, troostte de jongens met een psalm: 'Thou shall not be afraid for the terror by night nor for the arrow that flieth by day.'

Zelf schreef ze: 'Ze sterven allemaal, en moeten ze hun laatste adem uitblazen in zo'n orkaan? God, geef ons een moment stilte, geef ons rust – al is het maar een ogenblik, zodat ze in vrede kunnen sterven...' Na de slag lagen er zevenenvijftig soldaten in haar tuin begraven.

Van de ruim tienduizend Britten en Polen die bij Arnhem landden sneuvelden er bijna vijftienhonderd en raakten drieduizend gewond. Zesduizend man raakten in Duitse handen, ongeveer vijfendertighonderd wisten over de Rijn te ontsnappen of doken onder bij het Nederlandse verzet. Niets in het landelijke Oosterbeek herinnert nog aan deze dagen. Het dorp heeft een bijna Engelse lieflijkheid. De rivier loopt traag langs de groene uiterwaarden, de koeien liggen in de schaduw van een boom, een enkel schip, een paar ganzen gakkend in hun vlucht, een oud kerkje aan de rand van het bos. Zo nu en dan in de verte een gele trein die over de spoorbrug davert. Volgende week organiseert de Rabobank 'De Slag om Arnhem', een feestelijke fietstocht langs de slagvelden.

In de namiddag rijd ik weer het Duitse land binnen, de bevrijders achterna. Mijn wielen dreunen: Angelika Dopheide, Angelika Dopheide, Angelika Dopheide. Aan de lantaarnpalen en de vakwerkhuizen, overal hangt haar portret, ze belooft de gemeentepolitiek 'lebendig' te maken en nog veel meer. In het volgende stadje kijk ik uit op een griezelige man die een rondweg in de aanbieding heeft. Verderop wil iemand een recreatiepark, of het vertrek van de buitenlanders, of de wederkomst van Christus.

Ik overnacht bij een natuurgebied, de voormalige grens van de DDR, ooit zo'n streep die in Jalta werd getrokken. Het prikkeldraad, de mijnen en de wachttorens zijn opgeruimd. De zone is nu vooral interessant voor biologen: waar in Europa vind je een strook land waar veertig jaar lang vrijwel geen mens een voet zette? De volgende ochtend verschijnen de eerste Trabants op de weg en al snel ratelt mijn busje over de Bismarckkasseien en het Hitlerbeton, want het blijft een museum, die oude DDR.

In het Thüringer stadje Meiningen ga ik op de koffie bij de voormalige burgemeester, de oogarts Horst Strohbusch, en zijn vrouw. Het wordt een levendige visite. In 1989 hoorden ze bij de voortrekkers van de burgerbeweging tegen het DDR-regime, en dat is ook de reden waarom ik ze opzoek: 'Wij zeggen altijd: niet wij hebben de DDR omvergeworpen, die is uit zichzelf ingestort.' Toch dwaalt het gesprek al snel af naar de laatste oorlogswinter. Beide echtelieden zijn opvallend openhartig. 'Ik zal het u eerlijk zeggen,' zegt de oogarts. 'Ik hoorde bij die zestienjarige soldaatjes die Hitler op het laatst ronselde uit de Hitler-Jugend. We dachten tot het einde dat Duitsland zou winnen. We waren zo onnozel!'

Zijn vrouw: 'Ik was zestien jaar toen de aanslag op Hitler werd gepleegd, in juli 1944. Ik heb gehuild: dat ze onze Adolf Hitler zoiets durfden aandoen! Ik was leidster bij de BDM, de Bund Deutscher Mädel.'

Hij: 'Maar we luisterden wel naar de BBC, en met onze vrienden praatten we daarover.'

Zij: 'Wij woonden toen in Leipzig, ik was de oudste van acht kinderen. We werden zwaar gebombardeerd. Uiteindelijk kwamen de Amerikanen, die deelden chocola uit. Mijn moeder nam het direct van ze aan, ik was diep geschokt. Chocola aannemen van de vijand! Een paar dagen later mochten we met een Amerikaanse escorte de stad uit, sjokkend achter een kinderwagen. Lopen we langs een groepje van de kleine meisjes, die zien mij, hun voormalige leidster, en springen prompt in de houding met hun armpjes schuin omhoog: "Heil Hitler!" Ik ging door de grond.'

Hij: 'Mijn kameraad zat net in de foute zone, die verdween naar Siberië, maar ik belandde bij de Amerikanen. Ik kreeg er als krijgsgevangene vier keer meer te eten dan als soldaat bij de Wehrmacht. Ja, toen begreep ik wel wie er gewonnen had. Ach, we waren zo onnozel. Later, na de Wende, ging het net zo. Ik had me kandidaat gesteld als burgemeester. Komt er een vrouw op me af, ze zegt: "Doktor Strohbusch, ik ken u en u bent de beste. Maar ik kies voor de CDU, want die hebben het geld." Ja, zo gaat dat hier. Alles door de buik!'

Winrich Behr vond het najaar van 1944 een moeilijke periode om over te praten. Het was voor hem lastig, zei hij, om zich te herinneren hoe hij er toen over dacht. Hij had er daarna te veel over gelezen en gepraat. Bij een luchtaanval was veldmaarschalk Rommel gewond geraakt, daarna was hij plotseling overleden, op 14 oktober 1944. Behr was, als afgezant van zijn legergroep, met een krans bij de begrafenis. 'Ik zal het nooit vergeten. Generaal Rundstedt hield er een schandelijk schijnheilige toespraak. Een oude kennis, een officier van die Parijse paradegroep, had de hele begrafenis georganiseerd. 's Avonds spraken we af in een café. Daar vertelde hij me het werkelijke verhaal: dat Hitler twee generaals naar Rommel had gestuurd, dat hem medeplichtigheid bij Stauffenbergs aanslag in de schoenen was geschoven, dat hij, vanwege zijn grote verdiensten, had mogen kiezen tussen óf executie en het concentratiekamp voor zijn familie, óf zelfmoord met een snelle gifpil, een pensioen voor zijn familie, en een staatsbegrafenis voor hemzelf. "Het was allemaal gruwelijke zwijnerij," zei hij. U kunt zich voorstellen dat wij, bij de westelijke staf, daarna niet meer met grote hartstocht onze offensieven planden.'

Behr herinnerde zich ook dat een van zijn generaals, in datzelf-de najaar van 1944, openlijk zei: 'We moeten natuurlijk onze plicht doen als soldaten. Maar onze belangrijkste taak is het binnenlaten van het westen, om te zorgen dat het oosten niet te ver opdringt.' Dat soort opvattingen raakte volgens Behr bij de staf van de Wehrmacht steeds meer verbreid. 'Het klinkt vreemd, maar na de geallieerde catastrofe bij Arnhem begonnen wij ons steeds meer zorgen te maken: waarom breken die idioten niet door? We beseften allemaal dat het hoe dan ook binnenkort afge-lopen zou zijn, we wilden vanaf dat najaar de oorlog in het westen ook helemaal niet meer winnen, we wilden ons verdedi-gen tegen de Russen, dat vooral.'

Toen Hitler in december het Ardennenoffensief plande – het einddoel was, opnieuw, de vitale bevoorradingshaven Antwerpen – waren veel Wehrmachtcollega's van Behr ronduit woedend: 'Die rotzak van een Hitler heeft ons voorgehouden dat we een strijd te-gen het bolsjewisme zouden voeren, en nu de Russen opmarche-ren naar Berlijn, zet hij onze beste pantserdivisies in om een aan-val te doen in het westen. Idioot!' Het was Winrich Behr trouwens ook een raadsel hoe zich vijfentwintig Duitse divisies in de Eifel konden verzamelen, zonder dat iemand van de Amerikaanse en Britse staf besefte dat ze bezig waren een tegenaanval voor te be-reiden. 'Hun inlichtingenwerk was soms ook niet al te best. Van onze kant is zelfs geprobeerd om contact op te nemen met de geal-lieerden, om snel aan de westelijke oorlog een einde te maken. Maar de officier die dat deed, overste Krämer, kwam met lege handen terug: het westen wilde een volledige overgave. Daarbij speelden allerlei afspraken met Stalin natuurlijk een rol. En ik denk dat bij de westelijke top toen ook genoeg bekend was over de gruwelijkheden in de concentratiekampen. Met zo'n misdadig regime wilde men geen zaken meer doen.'

Martha Gellhorn reisde ondertussen voor het Amerikaanse tijd-schrift Collier's kriskras langs de fronten. In Nijmegen, schreef ze, waren de bewoners duidelijk godvrezende mensen die een rustig leventje in de provincie leidden, maar als gevolg van een bombar-dement – per abuis overigens, door de Amerikanen – 'ziet de stad er nu uit alsof zij jaren geleden verlaten was na een aardbeving of een overstroming'. Ze gaf een lift aan een vrouw die bij het Rode Kruis werkte. Haar dochtertje was ernstig gewond geraakt door granaatscherven, haar man was doodgeschoten, haar spullen waren ingepikt door de Duitsers, haar huis lag in puin. 'Ze was een jodin. Ze was weer terug in het gewone leven, een maand nu.'

Later trok ze door de Duitse grensstadjes: 'Niemand is een nazi, niemand is dat ooit geweest... Een heel volk de verantwoordelijkheid te zien afschuiven is geen verheven gezicht.' Uiteindelijk, eind april 1945, stuitte ze in Torgau op de voorste eenheden van de Russische 58ste Infanteriedivisie, die al tot aan de Elbe waren opgetrokken. Ze ontmoette er een aardige kolonel, maakte kennis met de Russische drinkgewoonten en vond alles en iedereen fantastisch. 'We dronken al een aardig tijdje op "Treemann" voor ik in de gaten kreeg dat we op de [nieuwe Amerikaanse] president dronken; door de manier waarop zij het uitspraken, dacht ik dat het een of andere kernachtige Russische uitdrukking was voor in één teug leegdrinken.' Haar tolk zei plotseling: 'Ik ben een Poolse jood. Mijn vader is doodgeschoten door de Duitsers. Drie maanden later werd mijn moeder vergast. Ze kwamen mijn vrouw halen, zij had nog een verband om van een operatie, ze kon niet eens rechtop staan. Ze namen haar mee voor dwangarbeid en het kind van vier maanden bleef achter. Ze sloegen het kind dood door het met een pistool op het hoofd te slaan, maar mijn vrouw wist dat niet. Ze stuurde me een klein briefje, het was meer dan vier jaar geleden, waarin ze schreef: "Wacht niet op mij, ik kom nooit terug, neem het kind mee en vind een moeder voor hem en bouw een nieuw leven op."'

De kolonel stelde voor om een eindje te gaan wandelen, ze moesten niet somber worden, het was een schitterende voorjaarsavond. 'Uit een gebouw kwam het mooie, treurige geluid van Russisch gezang, laag en langzaam en rouwend. In een ander gebouw hing een jonge man uit het raam en speelde een heel snel en vrolijk wijsje op zijn mondharmonica. De vreemdste types liepen er rond: blonde mannen en Mongolen, woest ogende karakters met negentiende-eeuwse snorren en kinderen van rond de zestien. We passeerden een paar brandende huizen die er prachtig uitzagen.' Ze had een uitstekende verstandhouding met de kolonel, ze vond Torgau allercharmantst, maar verder dan de Elbe kwam ze niet: iedere toestemming om over te steken naar de sovjetkant werd geweigerd. 'Jullie zijn nu eenmaal kapitalisten, en wij zijn communisten,' zei de kolonel eenvoudig.

Tegenwoordig is Torgau een provincieplaatsje zoals er zoveel zijn in de voormalige DDR: hobbelige kasseien, een half opgeknapte binnenstad, een voorzichtige pizzeria, een enorm *Kaufland* aan de stadsrand, en daaromheen een ring van boomgaarden en weelderige moestuinen. De Elbe is hier niet breder dan een afwateringskanaal, ogenschijnlijk kun je zo naar de overkant waden, maar in 1945 was het de breuklijn tussen twee continenten.

In Londen was ik toevallig een oude Amerikaanse infanterist tegen het lijf gelopen: Phill Sinott van de 69ste Infanteriedivisie, ooit machinegeweerschutter, nu gepensioneerd in San Francisco. Hij had me urenlang verteld over de alledaagse oorlog voor de doorsnee geallieerde militair: korte periodes van grote angst, een paar gevechten, en dan weer maanden van eindeloze verveling. Het was een heel ander bestaan dan dat van de meeste sovjetsoldaten, die vier jaar achter elkaar vrijwel permanent in actie waren geweest. Die zagen er allemaal uit, schreef Martha Gellhorn, 'alsof ze geen tijd voor een bad hadden gehad sinds Stalingrad', en vermoedelijk was dat ook zo.

Voor Phill Sinott was de oorlog 'je doodvervelen of in je broek schijten van angst'. Een tussenweg was er niet. In Torgau moest ik weer aan hem denken, want hij was er toevallig bij geweest op die historische 25ste april 1945, toen de Amerikaanse en de sovjetsoldaten elkaar aan de Elbe eindelijk in de armen vielen, niet alleen midden in Duitsland maar ook, zoals John Lukacs terecht schrijft, 'midden in de Europese geschiedenis'.

In werkelijkheid was het een rommelige toestand daar bij Torgau, want beide legers lagen allang bij elkaar in de buurt. 'Het was in die strook niemandsland 's nachts net zo druk als op Piccadilly Circus,' vertelde Phill Sinott. 'Patrouilles van de onzen en de Russen, Duitsers, vluchtelingen, het was één grote chaos.' In Berlijn kon het Duitse hoofdkwartier, zo blijkt uit later gepubliceerde protocollen, alleen nog zicht krijgen op de situatie door willekeurige nummers uit het telefoonboek te bellen. 'Excuses, mevrouw, zijn de Russen al bij u?' Iedere avond werden zo de laatste vlaggetjes op de kaarten verzet.

Sinott, die in zijn burgerleven journalist was, fungeerde in Torgau zo'n beetje als persvoorlichter. 'Op een avond werd ik bij onze commandant geroepen: of ik de pers wilde zoethouden, want op zijn kantoor zaten al de hele avond een paar Russische officieren te pimpelen. Maar dat mocht natuurlijk niemand weten. Ik heb toen zo staan liegen! "Nee, er is nog geen contact. Dat duurt nog zeker enkele dagen." Enzovoort. Ik geneer me er nog voor.'

Uiteindelijk mocht de officiële verbroedering plaatsvinden toen er voldoende fotografen en journalisten waren, en die foto's kennen we allemaal. Phill Sinott: 'De Russen aan de overkant vierden elke dag feest. Ze rolden voortdurend met vaten, we dachten dat het benzine was. Pure wodka! Zo nu en dan hoorden we gekrijs van vrouwen, maar wat konden we doen? Diezelfde dag bevrijdden we een krijgsgevangenkamp. Onze jongens waren vel over been, maar ze zeiden niets. Ze raakten alleen onze jeep aan, gek hè, alleen onze jeep. Er kwam een majoor uit een van de barakken, hij zag er vreselijk uit, maar hij probeerde rechtop te staan, salueerde stram, en barstte toen in tranen uit. Wij ook.'

Martha Gellhorn zag een paar dagen later vanaf een muur bij de rivier de sovjettroepen verder trekken. 'Het leger kwam eraan als een vloed; het had geen speciale vorm, er werden geen bevelen gegeven. Het kwam en stroomde over de stenen kade en verder de wegen op als water dat steeg, als mieren, als sprinkhanen. Wat zich daar voortbewoog, was niet zozeer een leger alswel een hele wereld.' Veel soldaten droegen een medaille voor de slag om Stalingrad, en de hele legergroep had zich de afgelopen jaren zeker vierduizend kilometer naar het westen gevochten, grotendeels te voet. De vrachtwagens werden met kunst- en vliegwerk op gang gehouden, de talloze vrouwelijke soldaten zagen eruit als beroepsboksers, de sjofele paarden werden aangejaagd als door Ben Hur zelf, er leek orde noch plan te bestaan, maar volgens Gellhorn was het onmogelijk 'om het gevoel van kracht te beschrijven dat deze chaos van soldaten en gehavend materiaal uitstraalde'. En ze bedacht hoe bitter het de Duitsers moest spijten dat ze met deze Russen een oorlog waren begonnen.

3

Het monument bij Torgau is grijsgroen uitgeslagen. Het toont sovjetsoldaten die door vrolijke Duitse vrouwen met bloemen worden begroet, mannen en kinderen juichen, en daarboven staat met grote letters: RUHM DEM SOWJETVOLK, DANK FÜR SEINE BEFREIUNGSTAT. Het is zo'n DDR-plaquette die onmiddellijk onder de hoede van de Unesco moet worden geplaatst, zo'n klassiek monument van leugenachtigheid is het. Phill Sinott en zijn talloze Amerikaanse kameraden zijn vakkundig uit de geschiedenis weggeretoucheerd, en ook aan het gekrijs vanaf de overkant wil niemand herinnerd worden. In het echte Torgau van 1945 werden die blijde Duitse moeders namelijk massaal door de sovjetbevrijders verkracht, en in de steden werden hun kinderen bij duizenden door de vuurstormen van de Britse en Amerikaanse bombardementen verpulverd. Dat was het werkelijke einde van de oorlog, de vergelding, het vuur en de schaamte, de intense vernederingen waarover pas na een halve eeuw in Duitsland moeizaam een gesprek begint.

Er was vergelding in allerlei soorten. De ene soort kwam vooral van de kant van de sovjetsoldaten. Toen zij in januari Oost-Pruisen binnentrokken, hingen hun propagandaofficieren grote leuzen op: 'Soldaat, je gaat nu het hol van het fascistische beest binnen!' Het dorp Nemmersdorf (nu: Ozjorsk) werd door het 2de Gardeleger van de sovjets veroverd, een paar dagen later deden Duitse troepen een tegenaanval en trokken het plaatsje weer binnen. Overal vonden ze lijken: vluchtelingen die door tanks waren vermorzeld, doodgeschoten kinderen in de voortuinen, verkrachte vrouwen die aan schuurdeuren waren vastgespijkerd. De camera's draaiden, de beelden werden door heel Duitsland vertoond: dit gebeurde als de Russen binnenkwamen.

In werkelijkheid was het gedrag van de sovjetsoldaten vooral onberekenbaar. De fronttroepen waren hard en professioneel, maar tegen burgers waren ze vaak vriendelijk en behulpzaam, zelfs tegen Duitsers. Daarna kwamen de tweedelijnstroepen, inclusief enorme detachementen van de NKVD en de Smersj (letterlijk: Dood aan de spionnen), de geheime diensten, en die waren pas echt gevaarlijk.

De vernietigingsdrift van de sovjetsoldaten strekte zich uit tot huizen, meubels, voorraden, in een enorme haat jegens de Duitse orde en welvaart die ze, ondanks de oorlog, nog overal aantroffen. De toneelschrijver Zachar Agranenko, officier bij de mariniers, kreeg van een oude geniesoldaat te horen: 'Hoe zou je ze dan moeten behandelen, kameraad kapitein? Ga nou eens na. Ze hadden het goed, genoeg te eten, ze hadden vee, moestuinen en appelbomen. En toch vielen ze ons vaderland binnen. Helemaal tot bij ons, in Voronezj. Daarvoor, kameraad, zouden we ze moeten wurgen. Al zijn het moffenkinderen.'

In totaal zijn naar schatting ongeveer twee miljoen Duitse vrouwen verkracht, meestal meerdere malen. De sovjetleiding wist heel goed wat er gebeurde, maar deed er niets tegen. Later werd het onderwerp vakkundig vermeden. Slechts een enkele veteraan gaf toe dat er weleens sprake was van 'immorele handelingen', maar meestal kregen de vrouwen daarvan de schuld: 'Ze tilden allemaal hun rokken op en gingen liggen.' De rechtlijnige Ilja Ehrenburg schreef dat de sovjetsoldaten 'de complimenten van Duitse vrouwen niet afwezen'.

Anthony Beevor trof een halve eeuw later in het Staatsarchief van de Russische Federatie een groot aantal NKVD-documenten aan met beschrijvingen van 'negatieve verschijnselen' en 'onzedelijke voorvallen', zoals verkrachtingen in sovjetjargon werden genoemd. 'Veel Duitsers verklaren dat alle Duitse vrouwen die in Oost-Pruisen achterbleven, werden verkracht door soldaten van het Rode Leger,' schreef een inlichtingenofficier. De Russische schrijver en oorlogscorrespondent Vasili Grossman zag 'de ontzetting in de ogen van vrouwen en meisjes'. Regelmatig werd gemeld dat de verkrachte vrouwen na afloop zelfmoord pleegden, soms sloegen zelfs hele families de hand aan zichzelf. Russische meisjes die naar Duitsland waren gedeporteerd, duidde men aan als 'Duitse poppen'. In een memorandum van 29 maart 1945 werd beschreven hoe overal sovjetofficieren en -soldaten de slaapzalen van net bevrijde sovjetvrouwen binnendrongen en zich aan 'georganiseerde massaverkrachtingen' overgaven. Het rapport citeert een zekere Klavdia Malasjtsjenko: 'Onder de Duitsers was het heel zwaar. Maar nu is het heel ongelukkig. Dit is geen bevrijding. Ze behandelen ons vreselijk. Ze doen vreselijke dingen met ons.'

De 'Russische furie' bracht een enorme paniekmigratie op gang. Langs de wegen speelden zich dezelfde taferelen af als tijdens de Duitse veroveringstochten door Polen en verder, alleen was de richting nu omgekeerd: van oost naar west. Vanaf midden januari 1945 sloegen miljoenen Duitsers uit Oost-Pruisen, Pommeren en Silezië op de vlucht, lopend, met kinderwagens en paardenkarren, in de sneeuw bij temperaturen tot twintig graden onder nul, later ook per schip en trein. Tegen half februari waren meer dan acht miljoen Duitsers op weg naar het westen, grotendeels vrouwen en kinderen omdat de meeste mannen aan het front waren. In de middag van 30 januari voer het enorme vakantieschip Wilhelm Gustloff van Kraft durch Freude de Oostzee op, volgepakt met zes- à tienduizend vluchtelingen, onder wie zo'n vierduizend kinderen. Midden in de ijskoude nacht werd het door een sovjetonderzeeër getorpedeerd. Dertienhonderd evacués konden zich redden in sloepen en te hulp geschoten marineschepen. Duizenden raakten benedendeks door het binnenstromende water opgesloten. Met 'een collectieve eindschreeuw' ging de Wilhelm Gustloff ten onder, een ramp die vele malen groter was dan die van de Titanic, maar die ruim een halve eeuw later pas door Günter Grass aan de vergetelheid werd ontrukt.

Een week later werd het lazaretschip Steuben getorpedeerd: vierduizend doden. In totaal gingen zo'n honderdvijftig vluchtelingenschepen ten onder, waaronder de Goya – zevenduizend vluchtelingen, honderdvijfenzeventig overlevenden – en de Cap Arkona: vijfduizend vluchtelingen, honderdvijftig overlevenden.

Tijdens de winter van 1945 kwamen op het Berlijnse station Friedrichstrasse iedere dag veertig- à vijftigduizend nieuwe vluchtelingen binnen. Een ooggetuige beschreef de aankomst van een afgeladen vluchtelingentrein in het stadje Stolp: 'Dicht opeengepakte gestalten, stijf van de kou, nauwelijks nog in staat om op te staan en naar buiten te klimmen.' Kleine, stijve bundeltjes werden uit de goederenwagons gehaald: kinderen die waren doodgevroren. 'In de stilte klonk het gekrijs op van een moeder die niet wilde afstaan wat zij verloren had.'

Al die vluchtelingen kwamen terecht in een nieuwe veldslag, een dag en nacht voortdurende storm van doem en verderf die Duitsland vanuit het westen teisterde. Aanvankelijk waren de bombardementen op de Duitse steden weinig effectief. Tussen 1940 en 1941 kwam het aantal slachtoffers in Berlijn niet boven de tweehonderd, een fractie van de Londense dodentallen. Na een pauze van meer dan een jaar begonnen de Britten in 1942 opnieuw met hun bombardementen, maar nu massaal, met een almaar groeiende luchtvloot van honderden Lancasters en Halifax-toestellen. Deze terreurbombardementen zouden bijna drie jaar voortduren.

Keulen was in mei 1942 het eerste doelwit van een *Tausendbombernacht*, een nacht met duizend bommenwerpers, zoals de slachtoffers het noemden. Maar Berlijn was het meest favoriete doel, het was 'the evil capital' en het hol van 'the Huns', en het was ook werkelijk het industriële en administratieve hart van het Reich, er stonden inderdaad immense tank-, artillerie- en vliegtuigfabrieken. In het najaar van 1943 besloot de leider van het Britse Bomber Command, sir Arthur Harris, om alle aandacht te concentreren op de Duitse hoofdstad. Letterlijk schreef 'Bomber Harris' aan zijn opperste chef: 'We kunnen Berlijn compleet te gronde richten als de luchtmacht van de VS meedoet. Het kost ons vier- tot vijfhonderd vliegtuigen. Het kost Duitsland de oorlog.' Winston Churchill was diep onder de indruk.

Ruim een week na Harris' notitie, in de nacht van 18 november 1943, werd de stad gebombardeerd door een luchtvloot van bijna vierhonderdvijftig bommenwerpers. Vier dagen later werd de operatie herhaald, nu met ruim zevenhonderdvijftig toestellen. Hele stadsdelen stonden in brand, tweeduizend mensen kwamen om. Naarmate de winter vorderde, werden de bombardementen massiever, en uiteindelijk bestookten luchtvloten van duizend of meer bommenwerpers iedere nacht de stad. Berlijn lag aan de rand van hun vliegbereik, en de risico's waren groot. Gemiddeld kwam één op de zestien toestellen van zo'n vlucht niet terug. Van de honderdvijfentwintigduizend piloten, boordschutters, navigators en bommenrichters van de RAF sneuvelden in totaal ruim vijfenvijftigduizend, dus bijna de helft. Vanaf het voorjaar van 1944 begonnen ook de Amerikanen mee te doen, met hun enorme viermotorige Boeing B17's, de Flying Fortresses, en hun Boeing B24's, de Liberators. Vanaf dat moment kende de Duitse hoofdstad geen moment rust: de Britten bombardeerden 's nachts, de Amerikanen overdag.

'De bommen vielen zonder onderscheid op nazi's en niet-nazi's, op vrouwen en kinderen en kunstwerken, op honden en kanaries,' schreef Christabel Bielenberg, een Engelse die met een Berlijnse advocaat was getrouwd. Ze merkte dat dit onpersoonlijke doden 'niet zozeer angst teweegbracht, en een verlangen om voor de wind te buigen, maar eerder een fatalistische koppigheid, een hardnekkige beslistheid om te overleven en, zo mogelijk, anderen te helpen te overleven, ongeacht hun politiek, ongeacht hun geloofsovertuiging'.

Op 23 november 1943 werd het huis aan de Weissenburger Strasse van Käthe Kollwitz door een Britse voltreffer geraakt. De grote woonkamer met de ovale familietafel, de enorme tegelkachel, de tekeningen aan de muur, meer dan een halve eeuw familieleven: niets bleef bewaard.³ Op 26 februari 1944 ging de oude Alexanderplatz ten onder in een zee van vuur en exploderende *blockbusters*. Anderhalf miljoen Berlijners waren op dat moment al *ausgebombt*, uiteindelijk zou 70 procent van de stad tot puin vervallen. Het schuilkeldercomplex onder het U-Bahnstation Gesundbrunnen was berekend op vijftienhonderd mensen, maar vaak zaten er vijfduizend of meer. Men brandde er kaarsen om het zuurstofniveau in de gaten te houden. Als een kaars op de vloer uitging, moesten de kinderen worden opgetild, ging een hogere kaars uit, dan moest iedereen naar buiten, luchtaanval of niet.

Bijna alle Duitse steden kregen hun deel van 'Bomber Harris'. De schitterende middeleeuwse Keulse binnenstad werd voor 95 procent verwoest. In Hamburg werd op 28 juli 1943 voor het eerst een vuurstorm ontwikkeld. Mensen liepen als brandende fakkels over de straten, bijna veertigduizend mensen stikten in de hete orkaanwind of werden levend geroosterd in de schuilkelders die gloeiden als ovens. Zowat alle oude Rijnsteden werden in puin gegooid: Emmerich, Rees, Xanten, Wesel, Koblenz, Mainz, Worms, drieëntwintig op een rij. In Neurenberg werd op 2 januari 1945 in drieënvijftig minuten duizend jaar geschiedenis vernietigd: het slot, drie kerken vol kunstschatten en zeker tweeduizend middeleeuwse huizen gingen in vlammen op.

Een zestienjarige stagiaire die in Wuppertal moest helpen bij de lijkenberging schreef dat sommige slachtoffers er 'heel vredig' bij lagen, gestikt wegens zuurstofgebrek. 'Anderen waren volledig verbrand. De verkoolde lijken waren slechts ongeveer vijftig centimer lang. We stopten ze in zinken badkuipen en in wasketels. In een wasketel pasten drie, in een badkuip zeven of acht lijken.' De inwoners van Darmstadt verzamelden de resten van hun dierbaren in dozen en emmers, en droegen ze zo naar het kerkhof.

Ernst Jünger moest op 16 december 1944 in het brandende Hannover zijn. 'De straten waren met puinhopen en steenslag bedekt, ook met getroffen auto's en trams. Het wemelde van de mensen die, als bij een Chinese ramp, driftig heen en weer renden. Ik zag een vrouw voorbijlopen: de heldere tranen vielen als een regen van haar gezicht. Ook zag ik mensen die mooie, met kalk bestoven meubelstukken op hun schouders meedroegen. Een elegante heer met grijze slapen rolde een kar voort, waarop een rococokastje stond.' Hij maakte melding van een grote aanval op Misburg, waarbij meer dan veertig jonge vrouwelijke Luftwaffe-hulpen omkwamen. 'Omdat de luchtdruk hun de kleren en het ondergoed van het lijf had gerukt, waren ze volkomen naakt. Een boer, die meegeholpen had om ze te bergen, was erg overstuur geweest: "Allemaal zulke grote, mooie meisjes, en zwaar als lood!"'

Het verhaal over de ondergang van de Wilhelm Gustloff is door Grass en anderen inmiddels beschreven, maar wat daarna met de overlevenden gebeurde is nauwelijks bekend. Negenhonderd van hen werden bij de havenstad Swinemünde (nu: Świnoujście) aan land gezet. Veel vrouwen – sommige meisjes waren hooguit elf – waren niet meer aanspreekbaar. Ze waren eerst verkracht, de moeders hadden daarna hun kinderen zien verdrinken. Sommigen smeekten de Duitse marinecadetten om hen dood te schieten. Met duizenden andere vluchtelingen werden ze ondergebracht in een reeks verlaten vakantiekampen langs het strand. De haven en de zee voor de kust lag ook nog eens vol vluchtelingenschepen. De Amerikanen wisten dat allemaal: de V2-installaties in Peenemünde waren vlakbij, en geen stukje van Duitsland was beter in kaart gebracht. Toch bombardeerden ze in de nacht van 12 maart 1945 het hele gebied met meer dan duizend toestellen. De vluchtelingenschepen in de haven dreven brandend rond of verdwenen onder water, met iedereen die zich daarbinnen veilig waande.

Volgens officiële cijfers vielen bij deze 'slachting van Swinemünde' drieëntwintigduizend slachtoffers, maar vanwege alle ongeregistreerde vluchtelingen kan het werkelijke dodental ook tweemaal zo hoog zijn geweest. In de annalen van het Amerikaanse leger wordt hierover niets vermeld, het bombardement staat enkel geboekt als een 'aanval op rangeerstations'.

Jünger schrijft dat in de buurt van zijn dorp een geallieerde piloot werd neergeschoten. Een gevluchte Hollander ging hem met een bijl te lijf, een boer die met een kar voorbijkwam wist hem met levensgevaar in veiligheid te brengen. Soms viel de agressie jegens neergeschoten piloten mee. De auteur Günter de Bruyn, toen een jonge rekruut, werd in de winter van 1943 op het Berlijnse S-Bahnstation Landsberger Allee in het Engels aangesproken door een blonde man in een vreemd uniform: hij was een neergehaalde piloot, en hij wenste gevangengenomen te worden. In arren moede bracht de Bruyn hem naar de stationschef. 'Ik schaamde me voor mijn slechte Engels, de piloot verontschuldigde zich dat hij me last had bezorgd en de mensen die het voorval gezien hadden, waren alleen maar nieuwsgierig of toonden zich ongeïnteresseerd.' Met veel andere vliegers liep het minder goed af: tijdens het laatste oorlogsjaar werden ongeveer honderd geallieerde piloten door de Duitse bevolking gelyncht.

Bij de Duitse bombardementen op Engeland vielen in totaal ongeveer zestigduizend burgerdoden, plus nog eens negentigduizend zwaar- en honderdvijftigduizend lichtgewonden. Bij de geallieerde raids op Duitsland zijn naar schatting achtmaal zoveel mensen omgekomen, rond een half miljoen, onder wie vijfenzeventigduizend kinderen. Bijna achthonderdduizend mensen werden ernstig gewond. Zeven miljoen Duitsers werden dakloos, een vijfde van alle woningen werd vernietigd.

Het effect van de bommen op de oorlogsindustrie viel ernstig tegen. Albert Speer schatte het totale productieverlies over 1943 op hooguit 9 procent, een daling die gemakkelijk kon worden opgevangen. Hij vond, zei hij tijdens zijn latere verhoren, de tactiek van de geallieerden 'onbegrijpelijk': waarom hadden ze niet de basisindustrie (staal, olie) en het transportnetwerk aangevallen?' Nu bleef, ondanks de enorme branden, de industriële capaciteit van een stad als Berlijn tot de laatste maanden van de oorlog voor een groot deel intact. Pas de Amerikanen begonnen zich systematisch te richten op olieraffinaderijen en andere vitale onderdelen van de Duitse oorlogsmachinerie. 'De Britten verwondden ons diep en bloedig,' zei de Duitse maarschalk Erhard Milch na de oorlog. 'Maar de Amerikanen staken ons in het hart.'

Deze wanverhouding tussen industriële schade en burgerslachtoffers was geen toeval. Het was bewust beleid. Al voor de oorlog hadden de Britten het 'strategische bombardement' ontwikkeld, de methode om de vijand uit te schakelen door zijn bevolkingscentra te vernietigen. De bombardementen op Duitsland waren dus geen reactie op Duitse aanvallen op Londen, Coventry en andere Britse steden, ze waren, integendeel, onderdeel van een al veel eerder geplande strategie. Coventry was geen aanleiding, maar enkel een rechtvaardiging.

Zo ontstond de geallieerde variant van de 'radicalisering' van de oorlog. In een pamflet aan de burgerij van Hannover dat in het najaar van 1943 werd afgeworpen stelde Churchill dat de oorlogsproductie tegenwoordig nu eenmaal een onlosmakelijk onderdeel was van de hele oorlog, en dat daarom de Duitse industriesteden één groot frontgebied vormden. 'Iedere burger die zich in deze frontzone bevindt, loopt evenveel gevaar het leven te verliezen als een burger die zich zonder noodzaak op een slagveld ophoudt.'

Uit beleidsnota's blijkt dat de opvattingen van het Britse opperbevel in werkelijkheid nog veel radicaler waren. Duitse burgers waren, in de visie van bevelhebber Harris en anderen, niet alleen maar ongelukkigen die toevallig in de weg liepen, maar juist het uiteindelijke doel. Hun strategie van het *moral bombing* ging ervan uit dat het doden van zo veel mogelijk Duitse burgers de oorlog zou bekorten, omdat daardoor het moreel aan het thuisfront veel sneller ineen zou storten.[5]

Nu moeten we niet vergeten dat, zoals de Engelse militair historicus John Terraine met recht opmerkt, de term *moral* in een richtlijn voor bombardementen in werkelijkheid niets anders betekent dan 'het in stukken uiteen rijten van mannen, vrouwen en kinderen'. Terraine stuitte in de archieven op een memorandum van de Engelse luchtmaarschalk sir Charles Portal, waarin hij aan zijn chefs de 'productiemogelijkheden' uiteenzette. Hij zou, zo blufte hij in november 1942, de komende twee jaar in staat zijn om ongeveer één en een kwart miljoen ton aan bommen op Duitsland te werpen, waarmee zes miljoen huizen en een navenante hoeveelheid industriële installaties vernietigd konden worden, en waarmee negenhonderdduizend Duitsers gedood, één miljoen ernstig verwond, en vijfentwintig miljoen dakloos gemaakt zouden worden. Terraine: 'Wat moeten we denken van het kalme voorstel, neergeschreven in een rustig kantoor, om negenhonderdduizend burgers te doden en nog eens een miljoen ernstig te verwonden? Eén ding komt met absolute helderheid naar voren: dit was een recept voor massamoord, niets meer of minder.'[6]

Dit 'moral bombing' heeft inderdaad op grote schaal plaatsgevonden. Tegen iedere ton bommen die terechtkwam op Londen, Coventry en nog een paar plaatsen, gooiden de Britten en de Amerikanen meer dan driehonderd ton terug op Berlijn, Hamburg, Bremen, Keulen, Neurenberg en andere Duitse steden. De geallieerden wisten wat ze deden: een van de zwaarste bommen, die van tweeduizend kilo, werd in de dagelijkse omgang aangeduid als the Cooker, omdat die, zoals men zei, 'die lui op de grond letterlijk aan het koken brengt'.

Het bombarderen van burgers werd een speciale wetenschap. Gooiden de Britten in 1940 en 1941 nog vrij lukraak, vanaf 1943 werden de beoogde stadsdelen aan de hand van luchtfoto's nauwkeurig bestudeerd. Er bestond een grote voorkeur voor volkswijken, die het meest vatbaar zouden zijn voor 'demoralisering'. Specialisten berekenden welke gebouwen met welke soort bommen het best vernietigd werden, hoe een vuurstorm aangejaagd kon worden door eerst met een blockbuster alle deuren en ramen kapot te blazen, hoe een huis razendsnel in lichtelaaie gezet kon worden door een zware bom zo in te stellen dat hij pas ontplofte nadat hij door drie verdiepingen heen was geslagen. Om brandweerlieden en andere hulpverleners alsnog te doden werden tijdbommen neergestrooid, die pas 36, 72 of 144 uur na afworp ontploften.

Ironisch genoeg stonden de Duitsers zelf aan de wieg van deze ontwikkeling. Ze hadden hun eigen bombardementen op Warschau (25 september 1939) en Rotterdam (14 mei 1940) nauwkeurig geëvalueerd, en hun bevindingen onder andere toegepast bij het Luftwaffe-bombardement op Stalingrad (23 augustus 1942). In de vuurstorm die daar ontstond, kwamen binnen enkele dagen ongeveer veertigduizend mensen om, eenzelfde aantal als in Hamburg. 'Het rapport van het Luftflottenkommando 4 [over Warschau] leest als een aanbeveling voor Bomber Command,' schrijft Jörg Friedrich in Der Brand, zijn indrukwekkende relaas over de tegen Duitsland gevoerde bommenoorlog. Hij citeert de Luftwaffe-specialisten: 'De springbom is de wegbereider van de brandbom.

Ze dwingt de bevolking in de kelder, terwijl boven hun hoofden de huizen branden. Worden ze er niet uit gehaald, dan vinden ze de verstikkingsdood. De morele weerstand [wordt] door de direct beleefde indrukken volledig gebroken. De waterverzorging bij de eerste aanval elimineren! Brandbommen niet druppelsgewijs [werpen], maar in grote massa's, zodat overal felle "beginbranden" ontstaan, waartegen niets meer valt te doen.'

Het beruchte bombardement op de open cultuurstad Dresden – velen spraken later van een geallieerde oorlogsmisdaad – was dus geen toevallig exces. Het was een onderdeel van een al lange tijd toegepaste, weloverwogen strategie, die ook onder de Britten steeds meer weerzin opriep. Al in het voorjaar van 1944 had Vera Brittain, onder auspiciën van het 'Bombing Restriction Committee', een pamflet gepubliceerd waarin ze de RAF opriep om de normale wijze van oorlogvoering te hervatten, en het bombarderen van burgers te staken. 'Duizenden hulpeloze en onschuldige mensen in Duitsland, Italië en de door Duitsland bezette steden worden onderworpen aan gruwelijke vormen van dood en verwonding, vergelijkbaar met de ergste martelingen uit de Middeleeuwen.'

Het protest had geen enkel effect. Die zomer ontwikkelden Harris en Portal, met instemming van Churchill en Eisenhower, de operatie Thunderclap: een massabombardement waarbij in één nacht meer dan honderdduizend doden zouden vallen. Daardoor zou, aldus Harris, het Duitse moreel definitief worden gebroken, al waren er toen al talloze aanwijzingen dat de bombardementen daar nauwelijks of geen effect op hadden.

Een Thunderclap-aanval op Berlijn mislukte. Bij de grote aanval van februari 1945 vielen er, in plaats van de geplande honderdtienduizend doden, slechts enkele duizenden. Vijf dagen later werd de strategie boven Dresden opnieuw uitgeprobeerd.

Dresden is tegenwoordig de stad van de Frauenkirche, een puinhoop die in de DDR een 'Mahnmal für die Opfer des Bombenkrieges' was, maar waaruit sinds de Wende heel langzaam weer een godshuis verrijst. Alleen de bezemkast kwam ongeschonden onder de stenen vandaan, met alle emmers en vegers die er op dinsdagmiddag 13 februari 1945 na het werk zo netjes waren neergezet. Dresden is anno 1999 een stad van landjes, van rare parkjes die in geen enkele normale binnenstad thuishoren, vol gras, struiken, oude fundamenten. Er staan prachtige gebouwen in Dresden, hersteld en herbouwd, als de kaarten van een kwartetspel liggen ze uitgespreid, maar een stad vormen ze niet. Het zijn hooguit kleurige scherven in een gereconstrueerde vaas van gips. De stad, dat zijn de landjes, niets meer.

In de nacht van dinsdag 13 op woensdag 14 februari 1945 zat Dresden vol vluchtelingen uit het oosten. De stad kende geen noemenswaardige oorlogsindustrie, maar daar ging het ook niet om. Binnen een halfuur na de eerste bommen, precies volgens plan, loeide een vuurstorm door de straten. Om het aantal slachtoffers zo groot mogelijk te maken hadden de Britse en Amerikaanse strategen een dubbelslag bedacht. Ze wisten dat in een brandende stad de bescherming van een schuilkelder na ongeveer drie uur was uitgewerkt. Daarna werden de grond en de muren zo heet dat iedereen de straat op moest. Precies op dat moment werd een tweede aanval gelanceerd. De burgers van Dresden hadden enkel nog de keuze tussen de vuurzee buiten of de kokende schuilkelders binnen.

In het Stadtmuseum liggen enkele stille getuigen van die nacht: een paar gesmolten flessen, een half gesmolten bankschroef, foto's van lijken, sommige in een drooggekookte fontein, naakt, de kleren weggebrand.

Bij het begin van de eerste aanval op Dresden, even na tienen, zat Victor Klemperer, die met zijn vrouw Eva op dat moment in het 'jodenhuis' aan de Zeughausstrasse 1/3 woonde, somber en uitgeput surrogaatkoffie te drinken. De professor was gedwongen tot fabrieksarbeid, en hij verwachtte dat hij binnenkort met de laatste joden weggevoerd zou worden. Toen de bombardementen doorzetten, pakte hij zijn tas met manuscripten en liep, samen met zijn vrouw, de trappen af naar de speciale 'joodse' schuilkelder. Daar vloog een scherf naar binnen, hij werd lichtgewond en in de paniek verloor hij Eva uit het oog. Met een paar Russische krijgsgevangenen vluchtte hij uit de gloeiend hete kelder naar buiten, belandde op een onherkenbaar groot open plein, klom in een bomkrater, kwam een kennis tegen met een klein kind, raakte beiden weer kwijt, dwaalde maar rond. Uit zijn dagboeknotities is nog de roes van die momenten voelbaar. 'Gedreun, daglicht, inslagen. Ik kon nergens aan denken, ik was niet eens bang, er was alleen een enorme spanning in mij, ik geloof dat ik meende dat dit het einde was.'

Uiteindelijk belandde hij op de Brühlhlsche Terrasse, het 'Balkon van Europa', een hoog punt aan de Elbe in het centrum van de stad. 'In de verre omtrek was niets anders te zien dan een vuurzee. Aan deze kant van de Elbe de bijzonder duidelijke fakkel van de opbouw op Pirnaischer Platz, aan de overkant van de Elbe witgloeiend en helder als de dag het dak van het ministerie van Financiën.' Hij begon zich steeds meer zorgen te maken over Eva: zou die er wel levend uit komen? Er kwam een Nederlander op hem af, die hem in gebroken Duits vertelde dat hij uit de gevangenis was ontsnapt: 'Ik ben 'm gesmeerd – de anderen verbranden in de gevangenis.' Uiteindelijk bleef hij hangen in apathie, tussen waken en dromen, zijn ogen gefixeerd op de standbeelden op de Terrasse die rustig bleven staan temidden van 'het theatrale vuur' in de rest van de stad.

Toen het eindelijk licht werd, liep hij wankelend met zijn tas langs de benedenmuur van de Terrasse, en opeens hoorde hij zijn naam: tussen een rij uitgeputte mensen zat Eva ongedeerd in haar bontmantel op hun koffer. 'We begroetten elkaar innig, het liet ons volkomen koud dat we have en goed verloren hadden, zo voelen we het nog steeds.'

DODENCIJFER

Met weinig cijfers is de laatste halve eeuw zo gemanipuleerd als met het dodental van het bombardement op Dresden. In 1945 en 1946 sprak het lokale dagblad *Die Sächsische Zeitung* nog over ongeveer 25 000 slachtoffers, maar na het uitbreken van de Koude Oorlog – Dresden lag inmiddels in de DDR – begonnen getallen van 100 000 of meer de ronde te doen. Al in 1950 sprak een resolutie van kameraden-arbeiders uit Freiberg over de moord op 320 000 burgers van Dresden, onder wie 150 000 vluchtelingen, een 'misdaad tegen de menselijkheid, begaan jegens weerloze vrouwen en kinderen, die wij de Amerikanen niet zullen vergeven'. Het motto van de toenmalige DDR-herdenking luidde: 'Amerikaanse bommenwerpers verwoestten Dresden – met hulp van de Sovjet-Unie bouwen wij de stad weer op!'

Vanaf 1960 werd de schuld van het bombardement vooral bij de fascisten gelegd, die, in de visie van de DDR, hun thuishaven hadden gevonden in het nieuwe West-Duitsland. Het dodental werd vier jaar later door de historicus David Irving en anderen 'weten-

766

schappelijk' vastgesteld op 135 000, waarmee het aantal slachtoffers in Dresden min of meer gelijkgesteld kon worden aan dat van Hiroshima of Nagasaki.

De Dresdener stadshistoricus Friedrich Reichert, die na de val van de Muur in 1989 eindelijk weleens wilde weten hoe men aan al die verschillende cijfers kwam, keerde voor een betrouwbare schatting terug naar de bronnen van vlak na de oorlog. Volgens de officiële cijfers, afgedrukt in *Die Sächsische Zeitung* van 11 februari 1949 en onder andere afkomstig van de stedelijke begraafplaatsen, bedraagt het dodental ongeveer 32 000. Zo'n 13 000 werden begraven, ongeveer 5000 werden op de Altmarkt gecremeerd, en 14 000 lagen, zo vermoedde men op dat moment, nog onder het puin. Dit laatste cijfer is later nooit bevestigd, vermoedelijk was die 14 000 een te hoge schatting. De oorspronkelijke raming van ongeveer 25 000 slachtoffers ligt, wat Dresden betreft, waarschijnlijk dan ook het dichtst bij de waarheid.

Tegenwoordig schat men het aantal slachtoffers van het Dresdener bombardement op vijfentwintig- à dertigduizend. Op de Altmarkt in het centrum van de stad werd een brandstapel opgericht die vijf weken lang voortbrandde. De lijkverbranding stond onder leiding van SS-Sturmbannführer Karl Streibel, die zijn ervaring met massacrematies had opgedaan in het vernietigingskamp Treblinka.

4

Op Hitlers zesenvijftigste verjaardag was het, zoals de Berlijners in betere tijden zeiden, *Führerwetter*. Vrijdag 20 april 1945 was een schitterende, zonnige voorjaarsdag. 'Ja, de oorlog rolt op Berlijn af,' schreef een anonieme vrouw van een jaar of dertig in haar dagboek. 'Wat gisteren nog klonk als gerommel in de verte, is vandaag een voortdurend trommelen. Je ademt het lawaai van de kanonnen in. Het oor wordt doof, je hoort enkel nog de schoten van het zwaarste kaliber. Waar het geluid vandaan komt, is allang niet meer te bepalen. We leven in een ring van geschutslopen die met het uur nauwer wordt.'

Het was vier uur in de middag toen ze dit opschreef. De Berlijnse radio was al vier dagen dood. In de stad heerste honger. De schrijfster stuitte in een boek op de zinsnede 'wierp een vluchtige blik op hun onaangeroerde maaltijd, ging staan en vertrok'. Ze werd er als door een magneet telkens weer naar toe getrokken, bleef de woorden herlezen. Ze noemde zichzelf 'een bleke blondine, altijd in dezelfde toevallig geredde winterjas, werkzaam bij een uitgeverij', ze was stevig verloofd met een zekere Gerd die aan het front vocht, ze heeft haar naam nooit willen prijsgeven, maar haar dagboek is gepubliceerd. We zullen meer van haar horen.

Vrijwel op hetzelfde ogenblik werden de laatste beelden van Adolf Hitler gefilmd: hij liep moeizaam langs een rij jongens van de Hitler-Jugend die gehuldigd werden vanwege hun zelfmoordaanvallen op sovjettanks, aaide de jongste over de wang, probeerde zo veel mogelijk het trillen van zijn handen te verbergen. Die avond ging hij vroeg naar bed, de rest van zijn entourage vertrok naar de Rijkskanselarij. Hitlers jongste secretaresse, Traudl Junge, zou het bizarre verjaarsfeestje meer dan een halve eeuw later aan Gitta Sereny beschrijven: de salon was verlaten, er stond enkel nog een grote, feestelijk gedekte tafel, iedereen dronk champagne, lijfarts Morell, Bormann, Ribbentrop, Speer en Goebbels dansten met de secretaresses op muziek van almaar weer dezelfde krassende smartlap 'Blutrote Rosen erzählen dir vom Glück'. Er werd veel en hysterisch gelachen. 'Het was vreselijk; ik hield het al gauw niet meer uit en ging naar bed.'

In de stad hing, in de woorden van de Noorse journalist Jacob Kronika, een stemming als op een gigantisch passagiersschip dat op zinken staat. Er heerste een koortsachtige 'jacht op genot'. In de kelders en bunkers, in de donkere bosjes van de Tiergarten, tussen de rekken van het geluidsarchief van de Grossdeutsche Rundfunk, overal was het 'een seksuele wildernis'. De meisjes en soldaten zeiden allemaal hetzelfde: 'We willen alles nu – de *Knochenmann*, Hein-met-de-zeis, kan ons vanavond al komen halen.'

's Avonds laat noteerde de anonieme dagboekschrijfster in haar schuilkelder: 'Geen stroom. Aan de balken boven me flakkert de petroleumlamp. Daarbuiten een donker gebrom, aanzwellend. Het doekengedoe gaat van start. Iedereen draait een al klaar gehouden doek om de neus en de mond. Een spookachtige Turkenharem, een galerie van halfbedekte dodenmaskers. Alleen de ogen leven.' Even later schudden de keldermuren van de inslagen.

In datzelfde weekend trok de Russische oorlogscorrespondent Vasili Grossman met het optrekkende Rode Leger door Brandenburg: 'Alles is bedekt met bloemen, tulpen, seringen, appelbomen, pruimenbomen.' Hij passeerde een colonne bevrijde krijgsgevangenen, op weg naar huis, met geïmproviseerde nationale vlaggen, op karren, te voet, met kinderwagens en kruiwagens, hinkend op stokken. 'De vogels fluiten: de natuur toont geen medelijden met de laatste dagen van het fascisme.'

Bij operatie Berlijn waren in totaal tweeënhalf miljoen manschappen betrokken, veertigduizend stuks geschut en ruim zesduizend tanks. Berlijn was, in de ogen van het Rode Leger, 'de hoofdprijs' waar de sovjets recht op hadden na alle strijd. In het westen was op 7 maart de Ludendorffbrug over de Rijn bij Remagen ongeschonden in handen van de Amerikanen gevallen, de westelijke geallieerden konden nu optrekken door het Ruhrgebied, en het einde van de oorlog werd opeens een kwestie van weken in plaats van maanden. Dit maakte de sovjets haastig. Stalin was ervan overtuigd dat de Britten en Amerikanen zouden proberen om Berlijn eerder in te nemen dan hij.

Nu waren Churchill en Montgomery inderdaad geneigd om zo snel mogelijk door te stoten; ze zagen in de gestage opmars van de sovjettroepen al een nieuwe bedreiging voor Europa. De Amerikanen voelden daar niets voor, zij hadden de handen meer dan vol aan de problemen van het moment. Slechts een enkele beleidsmaker in Washington besefte dat tijdens deze laatste oorlogsweken ook de politieke scheidslijnen voor het naoorlogse Europa werden getrokken. Opperbevelhebber Dwight D. Eisenhower redeneerde simpel: hij wilde zo snel mogelijk de Europese oorlog afronden, met zo min mogelijk slachtoffers, om zich vervolgens op de oorlog tegen Japan te kunnen concentreren. Daarvoor zocht hij de steun van Stalin. Die relatie wilde hij voor geen goud op het spel zetten door een wedloop om Berlijn te ontketenen. Stalin mocht dus wat hem betreft zijn gang gaan, en hij liet hem dat weten ook. Hij verlegde zijn aanval naar Zuid-Duitsland en naar Hitlers 'Alpenfestung'. Churchill was woedend.

De wedloop om Berlijn had echter niet alleen met prestige te maken, maar ook met het atoomonderzoek dat daar plaatsvond. Dankzij de communistische spion Klaus Fuchs was het Kremlin vanaf 1942 op de hoogte van het bestaan van het Amerikaanse Manhattan Project in Los Alamos en van de Duitse tegenhanger in het Dahlemse Kaiser-Wilhelm-Institut. Er was de sovjets alles aan gelegen om, voor de komst van de Britten en de Amerikanen, de hand te leggen op zo veel mogelijk atoomwetenschappers, onderzoeksmateriaal, laboratoria en uranium en andere grondstoffen. Zo zou de Sovjet-Unie immers binnen afzienbare tijd zelf een atoombom kunnen maken, wat vier jaar later ook inderdaad lukte.

Maandag 23 april ging onze anonieme dagboekschrijfster 's middags kolen halen. Haar buurt was nog steeds in Duitse handen. Het viaduct onder de S-Bahn was afgezet: de mensen zeiden dat aan de andere kant een soldaat was opgehangen met een bord om de nek: VERRÄTER. Op de Berliner Strasse waren barricaden opgericht, bewaakt door leden van de *Volkssturm* in hun samengeraapte uniformen. 'Men ziet daar bloedjonge kinderen, babygezichten onder veel te grote helmen, hoort met schrik hun lichte stemmen. Die jongens kunnen hooguit vijftien zijn, zo dun en nietig zijn ze in hun slobberende uniformjassen.'

Voor iedereen was het duidelijk dat de oorlog definitief verloren was. Victor Klemperer had die laatste Berlijnse dagen nog een paar schitterende voorbeelden aan zijn collectie nazi-jargon kunnen toevoegen. Tot het laatst verscheen er een propagandakrant, *Der Panzerbär*. Het laatste nummer van 29 april schreef over 'der Schicksalskampf des deutschen Volkes' en over 'neue Eingreifkräfte' die dag en nacht werden aangevoerd. Hoe slechter het ging, des te scheller de taal: een brokje beton met wat springstof – vooral voor de werper levensgevaarlijk – werd betiteld als *Volkshandgranate 45*. Een eenheid die vrijwel zonder wapens op de vijand af moest, was een *Sturmzug*. Een groepje jongeren dat te voet of per rijwiel de sovjettanks moest bestrijden, was een *Panzerjagdkompanie*. Het in paniek ronselen van de laatste schooljongens en oude mannen heette het *800.000 Mann-Plan*.

Voor Albert Speer was de definitieve omslag al eerder gekomen, eind januari, bij de val van Silezië, een gebied vol mijnen, hoogovens en staalfabrieken. Toen besefte hij dat de Duitse oorlogseconomie binnen een paar weken onherroepelijk zou stilvallen. Toch bleef hij dapper meedoen aan het verspreiden van geruststellende berichten. De wapenproductie zou 'op rolletjes' lopen, en er waren tal van nieuwe wapens in de maak: hij zinspeelde op onder andere raketten en straalvliegtuigen.

Speer deed dit allemaal bewust, zo verklaarde hij later tijdens zijn verhoren, omdat de Gauleiter eind maart 1945 'hysterisch begonnen te worden'. Ze stonden op het punt om allerlei verwoestingen in Duitsland zelf aan te richten in het kader van de door Hitler bevolen 'verschroeide aarde'. Speer probeerde de uitvoering van dit *Nerobefehl* met alle middelen die hij had tegen te gaan, wat hem gedeeltelijk lukte. Hitlers rechterhand Martin Bormann had ondertussen op 13 maart het bevel gegeven om alle gevangenen uit de frontzones naar het midden van het Reich over te brengen. Er volgden gruwelijke dodenmarsen, waarbij vele tienduizenden gedetineerden – sommige schattingen spreken over een kwart miljoen – alsnog werden afgeschoten of opgehangen. Er bestonden zelfs plannen om na de nederlaag ondergronds door te vechten: de nazi-leiding was vanaf najaar 1944 bezig met de operatie *Werwolf*, en ook binnen de SS probeerde men via de *SS-Jagdverbände* een partizanenleger op te zetten.

Hitler had zijn Nerobefehl uitgevaardigd op 19 maart, twaalf dagen nadat de Amerikanen bij Remagen de Rijn waren overgestoken. Voor Speer, die protesteerde, had hij het bevel bij uitzondering schriftelijk gemotiveerd: 'Als de oorlog verloren wordt, zal het volk ook verloren zijn, [en] u moet zich dan ook niet bekommeren om wat er nodig zal zijn voor een elementair overleven. Integendeel, het is het beste om ook dat te vernietigen. Want de natie heeft bewezen dat ze zwak is, en de toekomst behoort geheel aan het sterke volk uit het oosten. Wie er na deze strijd overblijven, zijn hoe dan ook de minderwaardigen, want de goeden zullen dood zijn.'

Albert Speer zag Hitler voor de laatste maal op maandagavond 23 april. De Führerbunker trilde van de granaatinslagen. De dag tevoren had Hitler voor zijn staf een nooit eerder vertoonde aanval van razernij gekregen, hij had lopen schreeuwen tegen de wereld in het algemeen en tegen de lafheid en trouweloosheid van zijn geestverwanten in het bijzonder, hij had zich met de vuisten tegen de slapen geslagen terwijl hem de tranen over de wangen liepen. Met een klein vliegtuigje had Speer kans gezien om in de Berlijnse binnenstad te landen. Hitler was net zesenvijftig geworden, maar hij zag eruit als een 'uitgeputte grijsaard'. Hij was grauw, liep krom en sleepte met zijn linkerbeen, vermoedelijk een gevolg van de dagelijkse behandelingen door zijn arts, Theodor Morell, die hem na de darmbacteriën 'uit de beste stam van een Bulgaarse boer' met almaar sterkere middelen te lijf was gegaan: amfetamine, belladonna, strychnine.

Speer praatte enkele uren met Hitler, telkens onderbroken door adjudanten die kwamen en gingen, want ambtelijk Berlijn werkte tot het laatste moment gewoon door. Hitler zei hem dat hij niet meer verder zou vechten, hij gaf het op. Hij vroeg zich af of hij uit Berlijn moest vertrekken. Speer raadde het hem af, de Führer kon zijn leven toch niet in een 'zomerhuis' beëindigen? Zijn grootste angst was om levend in de handen van de Russen te vallen, zijn lichaam moest ook verbrand worden, anders zou dat na zijn dood 'onteerd' kunnen worden. Het viel hem, zei hij, niet zwaar te sterven: het was enkel een moment. Hij stootte een geluid van verachting uit. 'Ik had het gevoel dat ik sprak met iemand die al dood was,' schreef Speer later in zijn cel.'

Vervolgens bezocht hij Goebbels' vrouw Magda, die ziek en wasbleek op bed lag nadat zij en haar man besloten hadden om ook hun zes jonge kinderen te laten sterven, en daarna nam hij afscheid van Eva Braun, die als enige in Hitlers omgeving rustig en waardig sprak over de naderende dood. De volgende ochtend vloog Speer in alle vroegte weg vanaf de Brandenburger Tor, vlak langs de Siegessäule, terwijl hij overal beneden zich het geschut zag flitsen, de lichtkogels zag opschieten en de stad zag branden en gloeien. Een paar uur later noteerde onze anonieme dagboekschrijfster een voltreffer in de rij wachtenden bij de slager: drie doden, tien gewonden, maar de rij stond alweer. 'Met een paar runderlappen en varkenshammen voor ogen houdt ook de zwakste grootmoeder stand.' Al haar huisgenoten woonden nu zo'n beetje bij elkaar in de schuilkelder, alleen voor het hoogst noodzakelijke kwamen ze nog naar buiten. Op donderdagochtend 25 april sloeg een artilleriegranaat – een *Koffer* – door het dak. Even was er geschreeuw en paniek, daarna rende iedereen naar boven om de boel te redderen, terwijl overal om hen heen de granaten insloegen. Ook later kwamen dergelijke taferelen voor: zo vlug mogelijk scherven wegvegen, afstoffen, soppen. De schoonmaakdrift van de Berlijnse vrouwen was niet te verslaan.

Op straat zag de dagboekschrijfster de laatste Duitse soldaten in een vrachtauto naar het front rijden, moe en zwijgend. Dit was dus overgebleven van de nazi-mythe. Ze schrijft: 'Almaar weer merk ik in deze dagen dat mijn gevoel, het gevoel van alle vrouwen tegenover de mannen, verandert. Ze maken ons verdrietig, ze zijn zo armzalig en krachteloos. Het zwakke geslacht.'

Op vrijdag 27 april, om vijf uur 's ochtends, ziet ze, verscholen achter het raam, de eerste Russen in haar straat; twee mannen met brede ruggen, in leren jassen. Een stuk geschut komt de hoek om rollen. Een paar uur later is de hele straat vol auto's, karren en onbekommerde soldaten, er wordt een veldkeuken ingericht, er loopt zelfs een koe rond. 's Middags breekt de eerste Rus het huis binnen, 's avonds wordt ze voor de eerste maal verkracht, op de trap, terwijl de buren de kelderdeur dichthouden. Er komen meer soldaten: 'Mijn hart klopt als een gek. Ik fluister, ik smeek: "Nog eentje, alstublieft, alstublieft, nog eentje. Om mijn part u. Maar gooit u de anderen eruit."'

Diezelfde vrijdagavond bereikten de eerste Amerikanen Berlijn: twee journalisten, Andrew Tully van *The Boston Traveller* en Virginia Irwin van de *St. Louis Post Dispatch*, met hun chauffeur, sergeant John Wilson. Toen op woensdag 25 april het Amerikaans-Russische verbroederingsfeest in Torgau in volle gang was, besloot het koppel in een halfdronken bui om met hun jeep direct maar even door te rijden naar de hoofdstad. In de verwarring lukte het ze ook nog. Ze hadden uit het feestje in Torgau een Amerikaanse vlag meegenomen, praatten zich door alle controleposten heen, reden op de gok langs wegen met overal lijken en vastgelopen auto's, en uiteindelijk belandden ze op het Berlijnse hoofdkwartier van majoor Nikolaj Kovaleski. In zijn onschuld richtte Kovalseski voor de drie Amerikanen een feestelijk banket aan, een gastvrijheid die hem later duur zou komen te staan.[8]

Virginia Irwin beleefde Berlijn als een 'draaikolk van vernietiging'. De sovjetartillerie beschoot onafgebroken het hart van de stad. De journalisten werden rondgeleid door een Russische soldaat, 'een woeste jongen met een grote bontmuts', die op de motorkap was gesprongen en hun de weg wees met een enorm geweer. 'De aarde schudt. De lucht stinkt naar kruit en lijken. Heel Berlijn is een chaos. De woeste Russische infanterie drukt door naar het centrum. Verwilderde paarden, losgeraakt van bevoorradingskarren, zwerven door de straten. Overal liggen dode Duitsers.' Na een poosje sprong de soldaat weer van de jeep, gaf hun een hand en voegde zich bij een groepje infanteristen dat het brandende en dreunende centrum binnentrok.[9]

De volgende ochtend, zaterdag 28 april, was het opnieuw feest. De sovjetofficieren walsten met Virginia Irwin en de vrouwelijke soldaten in het rond op 'Kannst Du Mir Gut Sein' en 'Love and Kisses', terwijl de oorlogsmedailles rammelden op hun borst. Daartussendoor kwamen ordonnansen binnen, vroegen instructies, en vertrokken weer naar de straatgevechten. Buiten speelden zich nachtmerrieachtige taferelen af: U-Bahnstations met hospitaaltreinen die door de SS onder water werden gezet, SS'ers die rond de Kurfürstendamm huizen met witte vlaggen binnendrongen en daar iedereen doodschoten, een bloedige slachtpartij op de Charlottenbrücke, waar een dringende massa burgers en soldaten, tussen de inslagen van de sovjetartillerie, in een laatste paniek het vege lijf probeerde te redden. Een anonieme Duitse militair noteerde in zijn dagboek: 'Door de granaattrechters in de straten kun je de tunnels van de ondergrondse zien liggen. Het lijkt alsof de doden daar meerdere lagen diep liggen.'

Die zaterdagnacht trouwde Hitler op 29 april met Eva Braun. In de Führerbunker werd een macaber feestje gehouden, terwijl Hitler in een zijkamer aan Fräulein Junge zijn politieke testament dicteerde. Hij was nu zo achterdochtig dat hij zelfs de cyanide-capsules wantrouwde die 'de verrader' Himmler hem had gegeven. Eentje werd die zondag uitgeprobeerd op zijn hond Blondi. Het gif werkte voortreffelijk. Een dag later gebruikten Eva en hij ze zelf. Buiten de bunker dreunde de slag om Berlijn. Boven, in de kelders van de Rijksdag, was een complete orgie aan de gang. Traudl Junge, die eten was gaan halen, zag overal, zelfs op een tandartsstoel, 'lichamen in een wellustige omhelzing'. Die laatste uren zorgde ze vooral voor de kinderen van Goebbels. Op maandagmiddag 30 april, rond drie uur, was ze bezig om boterhammen met jam te smeren. 'De kinderen waren vrolijk, blij dat ze wat te eten kregen, ze voelden zich volkomen veilig met elf meter beton boven hun hoofd, ze telden de inslagen,' vertelde ze veel later. 'Plotseling hoorden we een scherpe knal. "Voltreffer!" riep de kleine Helmut Goebbels. Waarschijnlijk was dat het schot waarmee Hitler zich het leven benam.' Op 1 mei pleegden ook Joseph en Magda Goebbels zelfmoord; de kinderen kregen elk in hun slaap een capsule. Traudl Junge wist met een andere collega, vermomd als man, uit de bunker te ontsnappen en door de linies te komen.

Virginia Irwin vroeg majoor Kovaleski of Berlijn zijn grootste veldslag was. 'Hij glimlachte en zei treurig: "Nee. Voor ons waren er grotere slagen. Daarin verloren we onze vrouwen en kinderen." En vervolgens vertelde de majoor het verhaal van de vreemde staf die hij om zich heen had verzameld. Iedere officier van die staf had zijn hele familie aan de Duitsers verloren.'

FÜHRERBUNKER
Elk jaar worden in en rondom Berlijn nog zo'n duizend lijken gevonden. In het Belower Wald treft men na een halve eeuw nog lepels, mokken, raspen voor berkenschors, spullen van de vluchtelingen die ontredderd door de bossen zwierven. In de stad zelf zijn tegenwoordig de meeste sporen van de slag verdwenen, alleen de kademuren van de Spree zijn nog bezaaid met kogelgaten. Ook liggen er nog vrij veel nazi-bunkers onder de grond, vaak met opschriften – *Fluchtweg bei Feuersturm* – en al. In de jaren negentig werd, bij het vrijmaken van de grond voor het holocaustgedenkteken, de bunker van Goebbels teruggevonden. In hetzelfde gebied, ten westen van de Wilhelmstrasse, stuitten bouwvakarbeiders in

oktober 1999, vier meter onder de grond, op een betonnen hoek die vrijwel zeker toebehoorde aan Hitlers legendarische Führerbunker. Grote delen daarvan zijn vermoedelijk nog aanwezig. In de DDR-periode zijn diverse pogingen gedaan om het geheel op te blazen, maar door de diepte en de kwaliteit van het gebruikte materiaal bleek dat een vrijwel onmogelijke opgave. Toen de Stasi in 1973 de Führerbunker nog eens doorzocht, werd een omvangrijk, zij het sterk beschadigd documentenbestand aangetroffen. In 1999 moesten de arbeiders onmiddellijk ophouden met graven. De bunker mocht in geen geval geopend worden. 'Zand erover,' luidde de instructie.

Tijdens hun korte rondrit op zaterdagochtend 28 april hadden de twee Amerikaanse journalisten slechts één gewone Berlijner ontmoet, een vrouw die wat Engels sprak, en die hun duidelijk probeerde te maken wat de Russen met de burgers deden. De journalisten durfden slechts een paar woorden met haar te wisselen, het was te gevaarlijk om met Duitsers te praten, maar, aldus Irwin, één blik op deze Duitse vrouw zei meer dan alle woorden. 'Er waren kringen om haar ogen, zo diep en donker dat ze daar geëtst leken te zijn met roet. Ze huiverde als iemand met koorts.'

Vlak voordat de sovjets kwamen, werden er in de kelder van onze dagboekschrijfster nog grappen over gemaakt. 'Liever een Roesski op mijn buik dan een Ami op mijn kop,' riep een van de buurvrouwen schaterend. Een paar dagen later waren ze inderdaad allemaal verkracht, meestal meerdere malen: de vrouw van de likeurfabrikant, de bakkersvrouw, de apothekersweduwe, het gevluchte meisje uit Königsberg, zijzelf: 'Mijn ik laat mijn lijf, mijn arme, besmeurde, misbruikte lijf, eenvoudig liggen. Het verwijdert zich ervan, en zweeft zuiver naar de witte verten.'

Overal in Berlijn speelden zich dezelfde taferelen af. In de schuilkelders ging het om gewone huisvrouwen, in kampen en gevangenissen om bevrijde joodse, Poolse en Russische meisjes, in de kraamkliniek Haus Dahlem om kraamvrouwen en nonnen. De vrouwen hadden hun eigen eufemismen: ik moest 'me gewonnen geven', ik moest het 'verduren', *aushalten*. Soms zeiden ze ook: 'Ik moest me acht keer gewonnen geven.' Onze dagboekschrijfster begon na een paar dagen 'dat hele verkrachtingsgedoe' met een zeker cynisme te benaderen. Het viel haar op dat de soldaten vooral belangstelling hadden voor dikke vrouwen, meestal vrouwen die fors in de zwarte handel hadden gezeten: 'Nu moeten ze hun wederrechtelijk verkregen vet terugbetalen.' Ze nam een beslissing: 'Hier moet een wolf komen, die me de wolven van het lijf houdt. Een officier, zo hoog mogelijk. Een commandant, een generaal, wat ik maar kan krijgen.'

Na een week hadden zij en de apothekersweduwe eenzelfde gang gemaakt als zoveel Berlijnse vrouwen: na de willekeurige verkrachters, de eerste dagen, kwam er een vaste 'vriend', en na een week draaide het niet meer om seks maar om gezelligheid: de Russen namen eten en vrienden mee, er werd gekookt, gegeten, gedronken en gediscussieerd. Een normale huiskamertafel bleek na al die jaren minstens zo belangrijk als een bed. De vrouwen kregen beter eten dan ze in maanden hadden geproefd, maar de schoonmaakrituelen bleven. Direct na ieder partijtje poetsten en boenden de dagboekschrijfster en de weduwe de kamers, totdat alle orde en reinheid weer was teruggekeerd, al was het maar voor enkele uren.

Het dagboek van de anonieme Berlijnse werd pas na haar dood, bijna zestig jaar na de slag om Berlijn, voor het eerst in Duitsland gepubliceerd.[10] Het boek werd onmiddellijk een succes, en terecht, want het is herkenbaar, intelligent en beeldend geschreven. Tegelijk zit het document vol blinde vlekken, en wellicht is ook dat tekenend voor de Berlijners van die jaren. Nergens schemert enig besef over de oorzaak van al dit Russische geweld. Majoor Nikolaj Kovaleski wist precies waarom hij in Berlijn vocht. Veel jonge sovjetsoldaten droegen de foto van Zoja Kosmodemjankaja bij zich, de jonge partizane die in december 1941 door de Duitsers was gemarteld en opgehangen. Ze hadden het ook op sovjettanks en -vliegtuigen gekalkt: 'Voor Zoja'.

Voor de Berlijnse dagboekschrijfster lijkt de oorlog enkel een noodlot dat uit de lucht kwam vallen. Als haar Gerd op zaterdagmiddag 16 juni totaal onverwacht voor de deur staat, mager en ongedeerd, kijken ze elkaar aan 'als twee spoken'. Ze is koortsig van blijdschap, maar al gauw blijken ze in die paar maanden totale vreemden voor elkaar te zijn geworden. Als ze vertelt hoe zij en de apothekersweduwe zichzelf in leven hielden, wordt hij boos: 'Jullie zijn schaamteloze teven geworden, jullie allemaal samen in dit huis.' Ze laat Gerd haar dagboeken lezen, drie schriften inmiddels, allemaal voor hem volgeschreven. Hij bekoelt steeds meer, vraagt wat de afkorting *Schdg* betekent. 'Ik moest lachen: "Nou, *Schändung* [verkrachting] natuurlijk." Hij kijkt me aan alsof ik gek ben, zegt niets meer. Sinds gisteren is hij weer weg. Met een legerkameraad wil hij gaan rondzwerven, naar diens ouders in Pommeren. Hij wil eten halen. Ik weet niet of hij terugkomt.'

Zo eindigt het anonieme dagboek, op vrijdag 22 juni 1945. 'Niets meer genoteerd. En ik zal ook niets meer opschrijven, die tijd is voorbij...'

5

Voor Martha Gellhorn betekende de ontmoeting met de Russen in Torgau het einde van de oorlog. In diezelfde week, op 30 april 1945, fotografeerde haar collega Lee Miller van het Amerikaanse tijdschrift *Vogue* zichzelf in het bad van Hitlers appartement in München, haar soldatenkistjes voor de kuip, klaar, afgelopen – de mooiste bevrijdingsfoto die er bestaat.

Voor Anna Smirnova, die het beleg van Leningrad had meegemaakt, werd het de heerlijkste lente die ze ooit meemaakte. 'Mijn man leefde, ik verwachtte een kind, alles zou weer goed komen.'

De Poolse communist Władysław Matwin zag op het Rode Plein de bevrijdingsparade. 'Er marcheerde een Russische officier met een veroverd Duits vaandel en die sloeg dat ding als een bezem over de straat, pats, pats, bij elke pas. En zo liepen er veertig officieren. Het was de feestelijkste dag van mijn leven.'

PARADE

Voor de loopbaan van maarschalk Georgi Zjoekov was de overwinningsparade op het Rode Plein het hoogtepunt en tegelijk het einde. De filmbeelden zijn legendarisch: Zjoekov die de parade afneemt op een schitterend witte Arabische hengst, het paard is nauwelijks in bedwang te houden, de soldaten stralen, de menigte is buiten zinnen. In Rusland was het traditie dat de opperbevelhebber dit soort parades te paard afnam, en eigenlijk had Stalin daar moeten staan. Hij had er ook voor geoefend, maar toen het dier te veel steigerde en hem van zijn rug had geworpen, had hij de eer aan Zjoekov gelaten. Hij was, naar eigen zeggen, 'te oud om parades af te nemen'. (Na een tip van Stalins zoon Vasili had Zjoekov, een oude cavalerist, ieder vrij moment voor de parade besteed om de hengst enigszins onder controle te krijgen.)

Zoveel eerbetoon kon in de stalinistische Sovjet-Unie natuurlijk niet zonder gevolgen blijven. Beria en zijn handlangers maakten dankbaar gebruik van Stalins natuurlijke jaloezie, luisterden alles in Zjoekovs datsja af, hoorden hoe hij bij een etentje met intieme vrienden naliet om de gebruikelijke heildronk op kameraad Stalin uit te brengen, en wisten hem daarop te pakken. Het was onmogelijk om tegen Zjoekov een showproces te beginnen, daarvoor was hij te populair bij de bevolking en het Rode Leger. In plaats daarvan werd de maarschalk naar het onbelangrijke district Odessa gestuurd, en later naar de Oeral. Na Stalins dood werd hij gerehabiliteerd, in 1953 werd hij eerst onderminister en in 1955 minister van Defensie, maar dat duurde geen twee jaar. Na een conflict met Chroesjtsjov verdween hij voorgoed in zijn datsja. Tot aan zijn dood, in 1974, werd de viervoudige Held van de Sovjet-Unie afgeluisterd.

***

Victor Klemperer had zichzelf al eerder bevrijd: diezelfde vroege ochtend waarop hij het bombardement op Dresden had overleefd en zijn vrouw Eva had teruggevonden, besloot hij zijn gele jodenster af te doen en als 'normale' Duitse vluchteling het eind van de oorlog af te wachten. Eva haalde de ster van zijn jas, met een zakmesje.

Winrich Behr diende zijn laatste oorlogsmaanden onder veldmaarschalk Model, een typisch Pruisisch militair die het adagium 'krijgsheren bemoeien zich niet met politiek' tot het uiterste had doorgevoerd. 'Pas op 20 april 1945, toen Goebbels het presteerde om nogmaals de nabije "eindzege" aan te kondigen, toen hoorde ik hem voor het eerst zeggen: "Wat zijn het toch allemaal zwijnen."' De volgende dag waren ze in een bos, de Amerikanen waren vlakbij. Walter Model zei: 'Ik ga dat bos niet uit met mijn handen omhoog, terwijl onder mijn bevel duizenden van mijn soldaten zijn gesneuveld.' Hij stuurde Behr weg, zogenaamd om de omgeving te verkennen. 'Toen ik terugkwam, had hij zich een kogel door het hoofd gejaagd. Diezelfde dag ben ik, met een kameraad, in burgerkleren ontsnapt.'

Voor Wolf Jobst Siedler eindigde de oorlog op 2 mei in een Italiaanse wegberm. 'Wij, Duitsers, stonden daar met een witte vlag, maar de Amerikaanse tanks rolden gewoon voorbij, één machtige, doordenderende massa was het. Niemand wilde ons hebben!'

Albert Speer werd pas op 23 mei gearresteerd, op het kasteel in Flensburg waar admiraal Karl Dönitz nog twee weken lang een schimmige 'overgangsregering' leidde, bewaakt door SS-eenheden. Voor zijn arrestatie was hij al dagenlang verhoord door een team van de US Strategic Bombing Service, die alles wilden weten over de effecten van de bombardementen. Toen al maakten zijn charme en intelligentie diepe indruk op zijn ondervragers. 'Speer was, eenvoudigweg, van een ander kaliber,' zei een van hen, de beroemde econoom John Kenneth Galbraith. Maar hij geloofde ook dat Speer al in een heel vroeg stadium voor zichzelf een overlevingsstrategie had bedacht.

De vier grote leiders van de oorlog verdwenen, op Stalin na, binnen enkele maanden van het politieke toneel. President Franklin D. Roosevelt maakte de Duitse capitulatie niet meer mee: hij stierf op 12 april 1945 aan een hersenbloeding. Charles de Gaulle werd president van een voorlopige regering. In deze rol probeerde hij, omwille van de toekomstige Franse eenheid, wraakacties tegen de Vichy-aanhangers te voorkomen. Daardoor kwam hij al snel in botsing met het voormalige verzet. Toen er in oktober 1945 verkiezingen werden gehouden bleek dat Frankrijk, opnieuw, een diep verdeeld land was. Om de impasse te doorbreken kondigde de Gaulle op 20 januari 1946 zijn aftreden aan. Hij was ervan overtuigd dat de Fransen hem, geschokt, direct weer zouden terugroepen en hem met nog meer macht en luister dan voorheen zouden omringen. Maar hij vergiste zich: ze lieten hem rustig vertrekken naar zijn landhuis in Colombey-les-Deux-Églises. Het duurde twaalf jaar voordat Frankrijk de generaal weer nodig had.

Winston Churchill werd, net zo onverwacht, door de kiezer naar Chartwell verbannen. (Overigens niet voorgoed: in 1951 werd hij nog eenmaal premier, in 1955 trad hij af om gezondheidsredenen.) Groot-Brittannië was tijdens de vijf oorlogsjaren geregeerd door een kabinet van alle partijen, de 'Grand Coalition', en op 5 juli 1945 werden voor het eerst weer normale verkiezingen gehouden. Onder de Britse kiezers bleek een aardverschuiving te hebben plaatsgevonden: de Labourpartij onder leiding van Clement Attlee wist 393 Lagerhuiszetels te veroveren, Churchills Conservatieven maakten een onvoorstelbare val van 585 naar 213 zetels. De klap kwam voor alle partijen totaal onverwacht. Attlee – door Churchill wel aangeduid als 'een schaap in schaapskleren' – miste ogenschijnlijk ieder charisma. Toch had hij als tweede man in Churchills oorlogskabinet een grote populariteit kunnen opbouwen: hij toerde door het hele land, ontwikkelde omvangrijke programma's op het gebied van huisvesting, onderwijs, gezondheidszorg en industrie, hij zette, kortom, al in de oorlogsjaren de toon voor de wederopbouw.

Churchill, van zijn kant, had tijdens de verkiezingscampagne alleen maar jubelende massa's gezien, zonder te beseffen dat de Britten hem toejuichten als oorlogsheld, niet als politicus. En juist als Conservatief leider maakte hij een fatale fout: hij viel terug in zijn oude, rabiate socialistenhaat. Op 4 juni verkondigde hij in een radiotoespraak dat socialisme 'onvermijdelijk was verweven met totalitarisme en de verwerpelijke aanbidding van de staat'. Geen Labourregering kon, zo bulderde hij, 'vrije en scherp geformuleerde uitdrukkingen van onvrede' tolereren. 'Ze zouden onvermijdelijk moeten terugvallen tot een soort Gestapo.'

Het was een gemene aanval op de Labour-kabinetsleden met wie hij vijf jaar lang had samengewerkt. Zijn dochter Sarah gaf de stemming in het land scherp weer. 'Socialisme, zoals dat in de oorlog werd gepraktiseerd, heeft niemand kwaad gedaan en een boel mensen goed,' schreef ze haar vader. 'De kinderen van dit land zijn nog nooit zo goed gevoed en gezond geweest, alle melk die er was werd eerlijk verdeeld, de rijken zijn niet doodgegaan omdat hun vleesrantsoen net zo groot was als dat van de armen; en het is buiten kijf dat dit delen en deze gemeenschappelijke offervaardigheid een van de sterkste banden was die ons verenigden. Dus waarom, zeggen veel mensen, kan dit gemeenschappelijke gevoel niet net zo goed werken in vredestijd?'

Na het bekend worden van zijn nederlaag, op donderdag 26 juli, bood Churchill onmiddellijk zijn ontslag aan. Zijn secretaresse bleef op Downing Street 10. Over haar nieuwe chef schreef ze in haar dagboek: 'Zeer voorkomend, en ik ben er zeker van dat hij een goede christelijke heer is. Maar het is een verschil tussen champagne en water!'

De officiële afrekening vond in Neurenberg plaats, in de zittingszaal van het oorlogstribunaal waar vanaf november 1945 eerst de eenentwintig hoofdverdachten werden berecht – onder wie Göring, Papen, Frank, Ribbentrop, Seyss-Inquart en Speer – en later talloze kleinere goden. Sinds 1960 is de befaamde zittingszaal weer gewoon onderdeel van de rechtbank, een plek waar de gangbare dieverijen en echtscheidingen worden besproken. De zaal was dicht toen ik in het voorjaar door Neurenberg reisde, maar een oude portier was zo vriendelijk om me toch even naar binnen te laten kijken. De ruimte bleek kleiner, menselijker dan ik me ooit had voorgesteld. Door de hoge ramen straalde het zonlicht op de rechterstafel. Vanaf de beklaagdenbank waren alleen de wolken te zien. 'Niets is meer origineel,' zei de portier. 'De Amerikanen hebben alles als souvenir meegenomen, al het meubilair is verspreid over Californië, Arizona en de rest van de Verenigde Staten.' Alleen de enorme vergadertafel van de rechters stond nog ergens in een zijkamer, 'die heeft niemand kunnen verslepen'.

Over Neurenberg is vaak beweerd dat hier de ultieme waarheid aan het licht kwam. Dit geldt inderdaad voor de oorlogszucht en de misdadigheid van het nazi-regime, maar veel belangrijke kwesties bleven ook na het tribunaal nog jarenlang onopgelost. Dat had te maken met de beschikbaarheid van gegevens en archieven – vooral na het opengaan van de DDR- en sovjetarchieven in de jaren negentig kwam een schat aan nieuw historisch materiaal boven water –, maar ook met het strikt juridische karakter van het onderzoek: alle aandacht was gericht op de rol van de beklaagden en van Duitsland in zijn algemeenheid.

Bovendien suggereerden de processen voortdurend dat deze oorlog een puur morele zaak was, dat de Duitsers enkel stonden voor het Kwade en de geallieerden alleen maar voor het Goede. Alles wat er tussen 1939 en 1945 is gebeurd kan echter met zo'n simpel schema onmogelijk worden verklaard. Ook bij de geallieerden speelden ideologie en moraliteit meestal slechts een ondergeschikte rol. Het 'moral bombing' van Arthur Harris was er nadrukkelijk op gericht om, in strijd met alle oorlogsmoraal, zo veel mogelijk burgerslachtoffers te maken. Troepenbewegingen werden versneld, vertraagd of omgeleid uit prestigeoverwegingen, om een belangrijke stad in handen te krijgen of om een toevoerlijn van de vijand af te snijden, maar nooit om zo snel mogelijk een concentratiekamp te bevrijden.

Begin september 1943, vlak voor de capitulatie van Italië, lagen in het door de Italianen bezette Nice schepen klaar om twintig- á dertigduizend Franse joden te evacueren. Met de Italianen was afgesproken dat de overgave pas zou worden bekendgemaakt als al deze mensen zich veilig op zee bevonden. Het belette generaal Eisenhower niet om het bericht toch de wereld in te sturen – met desastreuze gevolgen, want Nice werd uiteraard onmiddellijk door de Duitsers bezet, de vluchtelingen werd de pas afgesneden, en de wraak van de Gestapo was gruwelijk. Een oorlogsleider als Churchill werd gedreven door een fervent anti-communisme en door een ijzeren wil om het Britse imperium te redden, Stalin en zijn generaals wilden koste wat het kost de vijand uit het Westen vernietigen, Roosevelt had de Amerikaanse wereldhegemonie voor ogen, de Gaulle was niet zozeer een anti-fascist als wel een autoritaire Franse patriot. Staten trekken in de eerste plaats ten strijde vanwege hun nationale belangen, en in deze oorlog was dat niet anders.

'De processen van Neurenberg werden de bron van enorme hoeveelheden waardevolle historische informatie, maar ook van duidelijke historische dwaalsporen,' schrijft Norman Davies. Aangejaagd door de publieke opinie in het Westen en de censuur in het sovjetblok werd het tribunaal zo 'het bastion voor een merkwaardig Geallieerd Schema van de Geschiedenis dat zeker een halve eeuw lang de publieke opinie zou beheersen'. De aanklagers van Neurenberg waren zo, schrijft Davies, 'niet alleen meesters in het ontmaskeren, maar ook in het verhullen'.

In oktober 1946 constateerde de Amerikaanse *Saturday Evening Post* dat van de honderden nazi-topfunctionarissen in de Duitse staalindustrie – vitaal voor de oorlog – slechts drieëndertig waren gearresteerd. De anderen waren gewoon in functie gebleven. Alfred Krupp, de topman van het grootste Duitse wapenconcern, werd tot twaalf jaar veroordeeld. Binnen drie jaar was hij terug in zijn oude functie. I.G. Farbenindustrie AG, de industriële gigant die Hitlers machtsovername medefinancierde, die via de afdeling Nordwest 7 fungeerde als buitenlandse spionagecentrale, die het gifgas Zyklon-B fabriceerde en die tijdens de laatste oorlogsjaren op grote schaal gebruik maakte van joodse en buitenlandse slavenarbeid, werd door de Amerikanen niet ontmanteld maar slechts opgesplitst in vier concerns: Hoechst, Bayer, BASF en Casella. De eerste drie bedrijven spelen tot de dag van vandaag een centrale rol in de Duitse economie. Albert Speer, de briljante manager van het Derde Rijk, wist tegenover zijn rechters en aanklagers precies de juiste toon te treffen: die van de beschaafde technocraat, intelligent, verantwoordelijk, berouwvol. Hij kreeg twintig jaar gevangenisstraf, diende die in tegenstelling tot tal van anderen ook uit, en stierf in 1981 als een gerespecteerd burger.

'In het proces tegen mijn vader ging het in wezen om de vraag: was het mogelijk om een misdadig regime te verafschuwen, en om tegelijk daaraan dienstbaar te zijn, teneinde het te kunnen bestrijden?' vertelde Richard von Weizsäcker. 'Hoe lang kon je dat verantwoorden?' Als jong jurist had hij in Neurenberg zijn vader verdedigd toen deze – vrijwel zeker ten onrechte – werd beschuldigd van het aanzetten tot oorlog. Ernst von Weizsäcker werd ten slotte veroordeeld tot vijf jaar, maar daarop kwam zoveel protest van Britse en Franse collega-diplomaten dat de Amerikanen hem direct vrijlieten. Zijn zoon Richard benadrukte tegenover mij keer op keer de anti-nazi-gezindheid van zijn vader. Maar de vragen bleven: 'Wat betekende het, erger te voorkomen, terwijl het allerergste gebeurde?'

Neurenberg was bedoeld als officiële finale voor alles en iedereen. In de praktijk kwam daar vaak weinig van terecht. Met name de medische stand werd ontzien, hoewel artsen en verpleegkundigen binnen het Derde Rijk een centrale rol speelden. Zij bepaalden – mede – de criteria van 'raszuiverheid', zij selecteerden de gehandicapten en mismaakte kinderen in het kader van de euthanasiecampagne en lieten hen vervolgens 'inslapen', zij verrichtten op grote schaal medische experimenten in de concentratiekampen, vaak met gruwelijke gevolgen. Toch werden van deze honderden, wellicht duizenden artsen in Neurenberg slechts drieëntwintig berecht. Ze verklaarden zich zonder uitzondering onschuldig. Vier artsen werden uiteindelijk ter dood veroordeeld, onder wie Hitlers lijfarts Karl Brandt, die ook actief was rond de kwestie Bethel. Voor de Duitse medici was met dit vonnis de zaak afgehandeld. Binnen vijf jaar waren vrijwel alle SS-artsen en euthanasiedokters, inclusief de selectieartsen die in Bethel actief waren, weer aan het werk als huisarts, keuringsarts, wetenschappelijk onderzoeker of hoogleraar.

ARTSEN

De onderlinge solidariteit onder de Duitse medici was na de oorlog opvallend groot. Het rapport van de speciale artsencommissie die het Neurenbergse proces had gevolgd, werd niet gedrukt, laat staan verspreid. Men zweeg en dekte elkaar. Zelfs professor Rudolf Spanner en zijn assistent Volman, die in het Anatomisch Medisch Instituut van Danzig experimenteerden met de productie van zeep uit menselijke lijken, werden nooit berecht – het verwerken van lijken was immers geen misdrijf. Pas in de jaren zestig en zeventig vonden opnieuw enkele artsenprocessen plaats. Slechts in een enkel geval kwam het tot een veroordeling. Regelmatig werden artsen door hun collega's 'onbekwaam' verklaard om terecht te staan, ze zouden te oud of te zwak zijn voor een proces.

In het voorjaar van 1980, tijdens de Duitse Artsendagen in Berlijn, begon een nieuwe generatie medici lastige vragen te stellen. In ziekenhuizen en andere instellingen deden jonge Duitse artsen, verplegers en studenten onderzoek naar wat er werkelijk gebeurd was, niet om alsnog schuldigen te laten boeten, maar om de kernvraag te beantwoorden: 'Wat in het medische beroep heeft artsen tot dergelijke handelingen gebracht?'

De resultaten waren soms heel pijnlijk. De jonge artsen stuitten op namen van gewaardeerde leermeesters. Vertrouwde ziekenhuizen bleken een centrale rol gespeeld te hebben binnen het euthanasienetwerk. Lichaamsdelen op sterk water, nog steeds bij Duitse universiteiten in gebruik als anatomische preparaten, bleken van kampslachtoffers afkomstig te zijn. Pas vijfendertig jaar na Neurenberg werd een speciaal artsentribunaal geopend.

Toen Ernie Pyle op 18 april 1945 sneuvelde – hij was ondertussen overgeplaatst naar de Pacific – droeg hij een paar losse notities bij zich. Ze waren bedoeld voor de column die hij op de dag van de Duitse capitulatie had willen publiceren. Er stond:

Degenen die stierven, willen geen molensteen van verdriet om onze nek worden.
Maar er zijn velen onder de levenden in wier hersens voor eeuwig het onnatuurlijke beeld is gebrand van koude, dode mannen die over de heuvels verspreid liggen, en in de greppels langs hoge heggen en omheiningen, over de hele wereld.

En:

Dode mannen in massaproductie – in het ene land na het andere – maand na maand en jaar na jaar.
Dode mannen in de winter en dode mannen in de zomer.
Dode mannen in zo'n bekende menigte dat ze monotoon worden.
Dode mannen in zo'n monsterlijke oneindigheid, dat je ze bijna begint te haten.'

De Tweede Wereldoorlog kostte aan minstens eenenveertig miljoen Europeanen het leven: veertien miljoen militairen en zevenentwintig miljoen burgers, onder wie ongeveer zes miljoen joden. Het was een ramp die zes jaar lang iedere dag gemiddeld twintigduizend doden kostte. In Polen en de Baltische staten was aan het eind van de oorlog één op de vijf inwoners omgekomen. In de Sovjet-Unie kon het dodental alleen nog maar geschat worden aan de hand van de terugval van de totale bevolkingscijfers.

Van de vierenhalf miljoen sovjetkrijgsgevangenen die in Duitse handen vielen, stierven bijna drie miljoen door verwaarlozing of mishandeling, bijna net zoveel als alle gesneuvelde Duitsers samen. De meeste van de anderhalf miljoen overlevenden werden, na een screening door de Smersj en de NKVD, alsnog doorgestuurd naar werk- en gevangenkampen in de Goelag en elders. Van de tachtig sovjetgeneraals die door de Duitsers gevangen waren genomen overleefden slechts zevenendertig de oorlog, elf van hen werden vervolgens nog eens veroordeeld door NKVD-tribunalen.

6

Aan de oever van de Elbe, niet ver van Dresden, dwarrelen de herfstbladeren kalm naar beneden, iedere morgen ligt het gras van de kampeerplaats vol bruin en rood. Prachtige antieke raderboten glijden langs de rivierstadjes, in de kille ochtendmist klinkt zo nu en dan hun treurige gefluit. 's Middags, als zo'n schip in de zon voorbijvaart, heb je de neiging om met je pet te zwaaien naar heren met strohoeden en dames met witte japonnen die de dekken bevolken, alsof er die hele eeuw niets is veranderd. Aan de overkant van de rivier ligt een *Jugendheim* van *Naturfreunde*, een hoog bakstenen gebouw met aan de zijkant een kleine steen waarop staat dat het complex vanaf het voorjaar van 1933 dienst deed als concentratiekamp. Op het terrein spelen jongens, ze roepen: 'Ik ben de rechter, jullie moeten gehoorzamen!' en: 'Dit is verboden!' En: 'Genade!'

De avond valt. Het pontveer vaart op en neer als de slinger van de klok. Aan de overkant zitten de gasten van de *Biergarten* in de schemer zacht te praten. Een trein stopt, rijdt weer verder. De rivier stroomt.

Het zijn mooie nazomerdagen, langs de wegen worden rozenbottels geplukt en vanaf de heuvels ziet het landschap eruit als een enorme Bruegheliaanse tuin, vol boerderijen, akkers, witte huizen aan de rivieren, hier en daar een dorpstoren. In Tsjechië verandert dat. De grensovergang bij Hřensko is één grote markt van koperwerk, wasmiddelen, drank, sigaretten, manden en derdewereldtassen, er staat een dozijn snelweghoeren, en daarna volgt het ene industriële monument na het andere: fabrieksgebouwen, verweerde schoorstenen, verlaten rangeerterreinen, bijna alweer antiek. Het moet een natuurrijke omgeving zijn: het doodgereden wild neemt zienderogen toe, in de berm liggen tientallen egels, een haas en zelfs een geplette vos, de kop nog fier omhoog. Een regenbui klettert op het dak, de zon maakt felle vlekken op de heuvels, en dan ben ik in Praag.

Het is een prachtige zaterdagmiddag. De Moldau is bezaaid met toeristenbootjes die kriskras over het water varen, bestuurd door meisjes met grote ogen en matrozenpakjes. Rollerskaters, dit jaar de jonge helden van Europa, razen de metrotrappen op en af. Op de Karelsbrug spelen twee jongens chaconnes van Bach, de meeuwen roepen boven het water, Duitsers en Hollanders lopen er bij honderden heen en weer, maar pal daaronder, aan de overkant, is er opeens ook weer een doodstille ommuurde boomgaard vol appels, peren en noten, een plek waar enkel een paar mensen de krant zitten te lezen, of een boek, in de warme septemberzon.

Dit centrum lijkt in niets meer op het Praag van een jaar of tien geleden. Er is hier een nieuwe stad verrezen die een grote rust en schoonheid uitstraalt. Maar tegelijk zag ik ook nergens in Europa de toeristenindustrie zo'n menigte buitenlanders vermalen als hier. Het grote Praag is een van de vuilste steden van Europa, het ligt in een dal vol industrie en de meeste auto's hebben geen katalysator. Maar in de binnenstad is het elke dag feest, het ruikt er naar verf, verse stuc en de beste parfums. De Tsjechen zelf zijn ondertussen massaal gevlucht naar hun weekendhuisjes, de oude straten zijn enkel nog van de kroeghouders, van de jongelui die in achttiende-eeuwse kostuums kaartjes voor toeristenconcerten verkopen, en van ons, Hollanders, Belgen, Duitsers, Fransen, Engelsen en Zweden, al die nationaliteiten die een halve eeuw geleden aan de zonnige kant van de scheidslijn belandden.

Ik zit in het café De Opgehangen Koffie, niet ver van de Burcht. Je kunt er twee koppen koffie bestellen en er eentje – leeg – laten 'ophangen' aan het plafond. Als er een arme student binnenkomt, kan die vragen naar een 'opgehangen' kop en die krijgt hij dan gratis. Mijn Tsjechische kennissen vertellen hun familiegeschiedenissen. Elisabeth komt uit een Sudetendorp. Haar moeder en haar grootvader waren Duits, ze mochten in Tsjechoslowakije blijven omdat ze gemengd gehuwd waren. De rest van het dorp vluchtte weg naar Duitsland. 'Je ziet het nog steeds aan de huizen, zelfs na twee generaties. Het is er dood, zielloos.' De grootvader van Olga stierf midden in de oorlog door een onnozel toeval: hij stond net vooraan in de rij om zijn geweer in te leveren toen het kantoor door verzetsstrijders werd opgeblazen. Haar grootmoeder werd halfgek van verdriet en rende bij elk bombardement de straat op, in de hoop zelf te worden getroffen. Haar moeder was toen dertien. Later werd haar grootmoeder rijk met kaartleggen voor ingekwartierde Russische officieren. Haar moeder trouwde: twee kinderen, zes abortussen.

'Als je wilt weten hoe een land ervoor staat, dan moet je kijken hoe het met de oudsten en met de jongsten gaat,' zegt Veronika rustig. 'De oudste, dat is mijn grootmoeder. Als wij haar niet zouden helpen, zou ze niet kunnen leven. Haar pensioen is nog altijd dat van voor 1989, dus daar kan ze bijna niets meer voor krijgen. Ze wil onze hulp niet echt, maar met kerst kopen we een nieuwe winterjas voor haar. Dat soort dingen doen we. Die hele generatie heeft het op dit moment heel zwaar. En wat de jongeren betreft, het is hier bijna niet mogelijk om een kind te krijgen. Het is domweg te duur, het is niet te betalen.' Opeens raakt ze geëmotioneerd. Het blijkt dat ze zelf in verwachting is. 'Mijn moeder zegt: "We redden het wel."'

Op 26 januari 1946 beschreef The Economist de situatie in Europa alsof het ging om een Afrikaanse hongersnood: 'De tragedie is enorm. De boeren zijn redelijk wel voorzien en de rijken kunnen de zwarte markt gebruiken, maar de arme bevolking van Europa, misschien een kwart van de vierhonderd miljoen inwoners, is deze winter veroordeeld tot een hongerleven. Sommigen zullen sterven.'

De probleemgebieden waren met name Warschau en Budapest – waar men tienduizenden slachtoffers verwachtte –, Oostenrijk, Noord-Italië en de Duitse grote steden – waar per persoon niet meer dan duizend à twaalfhonderd calorieën per dag beschikbaar waren – plus West-Nederland en Griekenland, hoewel de situatie hier verbeterde. Ook Parijs verwachtte een nieuwe voedselcrisis. 'In Berlijn is de kindersterfte verdubbeld. In Budapest is die sinds september gestegen van 14 naar 40 procent. Er zijn geen cijfers uit het Ruhrgebied maar Engelse bezoekers melden dat zeer weinig pasgeboren baby's naar verwachting de winter zullen overleven.'

Bertolt Brecht beschreef Berlijn, bij zijn terugkeer uit de Verenigde Staten, als 'de puinberg achter Potsdam'. Harry Hopkins noemde de stad 'het tweede Carthago'. Alfred Döblin sprak, geëmotioneerd, tussen de puinhopen van zijn oude Alexanderplatz over 'het rechtsoordeel van de geschiedenis'. De Nederlandse journalist Hans Nesna, die in het voorjaar van 1946 in een oude T-Ford een eerste verkenningstocht door Duitsland maakte, verdwaalde in een voormalige Hamburgse villawijk. Het was een stofvlakte waar geen levende ziel meer was te bekennen. 'De straten zijn voor het grootste gedeelte onherkenbaar en onvindbaar. Je moet jezelf een weg over puin en gruis banen. En over dit alles een doodse stilte.' Een eenzame vrouw woonde in 'een berghol' tussen de ruïnes, op een kerkhof was een man druk bezig om tussen de zerken een moestuin aan te leggen. Nesna's Zweedse collega Stig Dagerman, die een halfjaar later een soortgelijke reis maakte, zag in de Hamburgse ondergrondse mensen in vodden, 'met krijt-witte of krantenpapierwitte gezichten, gezichten die niet kunnen blozen, gezichten bij wie je het gevoel krijgt dat ze niet zou-den kunnen bloeden als ze gewond raakten'.

Van Rotterdam tot Warschau, overal zie je op foto's uit die ja-ren voddige schoffies brutaal in de lens kijken, kinderen die in de honger en de chaos een eigen wijze van overleven hadden gevon-den. Alleen al in Duitsland moesten zo'n vijftigduizend rond-zwervende kinderen worden opgevangen. Sommigen wisten niet eens waar ze vandaan kwamen of hoe ze heetten. In 1947 was het aantal wezen in Tsjechoslowakije gestegen tot vijftigduizend, in Joegoslavië liep het tegen de driehonderdduizend. Zeker tiendui-zend Joegoslavische kinderen hadden de oorlog zelfstandig over-leefd door zich in de bossen verborgen te houden.

De productiviteit van Oostenrijk was teruggevallen tot het ni-veau van 1886, die van Duitsland tot 1908, Frankrijk tot 1891, Nederland tot 1912. Zelfs de Britten hadden het zwaar: in de zo-mer van 1946 werd ook hier het brood op rantsoen gezet, iets wat tijdens de hele oorlog niet nodig was geweest. In februari 1948 schreef The Economist dat het land vrijwel bankroet was, en dat 'honger en massawerkloosheid' op de loer lagen.

In Polen en Tsjechoslowakije vonden ondertussen grootschali-ge etnische zuiveringen plaats, in mindere mate ook in Honga-rije, Roemenië en Joegoslavië. Bijna twaalf miljoen mensen van Duitse afkomst werden, bij wijze van vergelding, het land uitge-zet. Het was de grootste volksverhuizing uit de wereldgeschiede-nis. Van deze gedeporteerden 'verdwenen' naar schatting twee miljoen, vermoedelijk onderweg omgekomen. De hongerende Duitse bevolking nam op die manier nog eens met 16 procent toe.

In sommige dorpen in de Sovjet-Unie was geen enkele man teruggekeerd: van de mannen met het geboortejaar 1922 overleefde exact 3 procent de oorlog. Het aantal arbeidskrachten op de kolchozen was gedaald tot bijna een derde van het vooroorlogse peil. In Siberië kwam het voor dat de paar resterende mannen op verzoek de buurt afgingen om vrouwen en meisjes te beslapen, zodat er toch kinderen kwamen. Een Russische auteur schreef dat hij voor het eerst geen honger meer had toen hij in militaire dienst kwam, in 1952. Een ander meldde dat in zijn dorp pas in 1954, 1955 weer brood werd gegeten. Voor die tijd voedden de mensen zich met eikels, bladeren, onkruid en rivierslakken.

In augustus 1945, twee maanden voor zijn zelfmoord, beschreef nazi-topman Robert Ley vanuit zijn Neurenbergse cel in een denkbeeldige brief aan zijn overleden vrouw het Duitsland waarvan hij had gedroomd: 'Kraft durch Freude, vrije tijd en recreatie, nieuwe woningen, de prachtigste steden en dorpen waren gepland, dienstbetoon en een rechtvaardige beloning, een geweldig, uniek volksgezondheidsprogramma, sociale zekerheid voor ouden van dagen en invaliden, wegenbouw en verkeersaders, havens en nederzettingen – hoe mooi had Duitsland kunnen zijn als, als, en steeds weer als...'

Het wonderbaarlijke was dat, uit de puinhopen van 1945, binnen tien jaar dat Duitse droomland alsnog zou verrijzen. In 1958 werd in veel Duitse bioscopen de film *Wir Wunderkinder* gedraaid, het levensechte verhaal van twee studenten die in de jaren dertig kranten verkopen bij de Alexanderplatz, verliefd worden, trouwen, de oorlog en de bombardementen overleven, en ten slotte in de jaren vijftig een nette baan krijgen en tot een zekere welstand geraken. Hun tegenpool is een zekere Bruno Tieges, voor de oorlog een snelle carrièremaker bij de nazi's, in de oorlog een luxe leventje, na de oorlog zwarthandelaar, in de jaren vijftig een gerespecteerd ondernemer. Als Tieges ten slotte door het paar wordt ontmaskerd valt hij, in zijn woede, te pletter in een lege liftkoker. En iedereen leeft daarna nog lang en gelukkig. Het jonge stel is dan nog geen veertig.

Het *Wirtschaftswunder* was niet beperkt tot West-Duitsland, het voltrok zich overal in West-Europa. De geteisterde landen herstelden zich bijzonder snel, en in de loop van de jaren vijftig was in het Westen zelfs sprake van een welvaartsexplosie zoals nooit eerder in de geschiedenis was vertoond. In 1951 hadden alle West-Europese landen weer het vooroorlogse productieniveau bereikt.

Ook Oostenrijk kon vanaf 1955 volop meedoen: de sovjets hadden plotseling hun bezettingsmacht teruggetrokken, in ruil voor de belofte van neutraliteit, in de hoop de Duitse kwestie op dezelfde manier te kunnen oplossen.

Was deze West-Europese welvaartsexplosie, zoals vaak beweerd wordt, nu vooral te danken aan het Amerikaanse Marshallplan, die briljante combinatie van hulp en verlicht eigenbelang die de Europeanen weer op de been moest helpen en tegelijk de Amerikanen toegang zou geven tot nieuwe markten?" Het is duidelijk dat de genereuze Amerikaanse humanitaire hulp, de eerste jaren na de oorlog, voor veel Europeanen een verschil uitmaakte tussen leven en dood. Maar de economische invloed van de Marshallhulp is vermoedelijk minder doorslaggevend geweest dan vaak wordt gedacht. Opvallend genoeg laten de statistieken al een sterke opleving van de West-Europese economieën zien voordat, medio 1948, de eerste dollars binnenkwamen. Eind 1947 was de Britse en Franse productie alweer op het vooroorlogse niveau, Nederland, Italië en België volgden eind 1948. Op dat moment moest de Marshallhulp nog grotendeels op gang komen.

Er waren dan ook andere oorzaken voor deze onverwachte *boom*: tijdens de oorlog had Europa kennisgemaakt met talloze nieuwe – vooral Amerikaanse – technieken en productiemethodes, veel jongeren hadden in het leger een schat aan organisatorische ervaring opgedaan, Duitsland en Italië konden alle verwoeste industrie vervangen door het nieuwste van het nieuwste, het traditionele, grotendeels agrarische Nederland maakte noodgedwongen een snelle inhaalslag en industrialiseerde op ongekende schaal. De verzorgingsstaat kreeg vorm: alle Nederlanders boven de vijfenzestig ontvingen vanaf 1947 een ouderdomspensioen van de overheid, de Fransen startten hun enorme HLM-woningbouwprojecten, in Engeland ging in 1948 de National Health Service van start. In de Britse en Amerikaanse zones van Duitsland werd in juni 1948 de D-mark geïntroduceerd, een drastische monetaire hervorming die bijna onmiddellijk effect had: de zwarte markt verdween van de ene week op de andere, de winkels raakten weer vol, de Duitsers begonnen tot hun verbazing te beseffen dat het leven na de ondergang van het Derde Rijk gewoon verder ging.

In 1959 won Tory-leider Harold Macmillan de Britse verkiezingen onder de onvoorstelbare slogan: 'You've never had it so good!'

Het bijzondere is dat tegelijkertijd een neergang plaatsvond: het oude, imperiale Europa werd tijdens diezelfde periode in ijltempo gesloopt. In vrijwel alle koloniën waren tijdens de oorlog sterke onafhankelijkheidsbewegingen opgekomen, er ontstonden vreedzame revoluties en bloedige bevrijdingsoorlogen, en binnen amper twee decennia waren de soms eeuwenoude banden tussen Europa en India, Pakistan, Indonesië, Birma, Vietnam, Noord-Afrika, Kongo en andere koloniën losgemaakt. De Britten lieten het woord 'Empire' in 1958 vallen: 'Empire Day' heette voortaan 'Commonwealth Day'. Nederland zag na de Japanse bezetting geen kans meer om het gezag over Nederlands-Indië effectief te herstellen. Het in de oorlog al zo vernederde Frankrijk deed daartoe nog wel een poging: in Indochina werd een acht jaar lange oorlog gevoerd, totdat de Fransen in 1954 door de rebellen beslissend werden verslagen bij Dien Bien Phu. In Algerije gebeurde iets soortgelijks. Het Belgische imperium in Afrika stortte in 1960 ineen. In 1975 hield ten slotte ook het eeuwenoude Portugese rijk op te bestaan, na een lange oorlog in Angola en Mozambique.)

Het Britse imperium was honderdvijfentwintig keer groter dan het Britse moederland, het Franse was negentien keer groter, het Nederlandse vijfenvijftig keer, het Belgische achtenzeventig keer. In de jaren vijftig en zestig waren die koloniale rijken grotendeels ineengestort. Toch bloeiden de economieën van Groot-Brittannië, Frankrijk, België en Nederland in diezelfde periode als nooit tevoren.

Sommige historici verklaren dit opvallende verschijnsel uit het feit dat de bezetting van veel koloniën niet zozeer te maken had met economisch gewin, maar met de rivaliteit tussen de grote Europese mogendheden. Duitsland tot 1919 zat vooral in Afrika, met name het huidige Namibië en Tanzania, omdat de Britten en Fransen er ook koloniën hadden. De Britten waren in Zuidoost-Azië vanwege de Fransen en de bescherming van India. Zo was het overal. Imperia waren tot het begin van de twintigste eeuw winstgevend of op z'n minst rendabel. Vanaf de jaren twintig werd de balans tussen kosten en baten echter steeds ongunstiger: in 1921 kostte het de Britten jaarlijks eenentwintig miljoen pond sterling om alleen al Irak te besturen – meer dan hun hele budget voor gezondheidszorg – en ze kregen er weinig voor terug. Toen Groot-Brittannië bijna bankroet raakte, de onafhankelijkheidsbewegingen overal een grote vlucht namen en veel van de Europese rivaliteiten na 1945 niet meer relevant waren, stortten de imperia dan ook binnen de kortste keren ineen. Tegen het midden van de jaren vijftig dreven de West-Europese landen meer handel met elkaar dan ooit met hun koloniën.

Met name Italië profiteerde op allerlei manieren van deze nieuwe samenwerkingsvormen. Het land begon voor half Europa te produceren: ijskasten, scooters, wasmachines, auto's, typemachines, centrifuges, stofzuigers, televisietoestellen, de eerste luxe voor de grote massa. Het aantal verkochte auto's in Europa steeg van ruim anderhalf miljoen in 1950 tot ruim dertien miljoen in 1973. De Italiaanse wasmachinefabriek Candy produceerde in 1947 één apparaat per dag, in 1967 één per vijftien seconden. In 1959 publiceerde het Britse weekblad *New Statesman* een cartoon waarop een oude man glazig naar bewegende beelden op een rond scherm zit te kijken. 'Nee, grootvader,' zegt zijn dochter, 'dat is de wasmachine, niet de televisie.'

In 1948 leken de meeste Europeanen nog redelijk op elkaar. Zeker op het platteland leefden en werkten ze min of meer in dezelfde omstandigheden als hun ouders en grootouders. Tien jaar later waren de West- en de Oost-Europeanen zowel materieel als geestelijk sterk uiteengegroeid, nog eens een decennium later was de vervreemding totaal.

Terwijl de zon in grote stralen zijn ruime, oude Praagse appartement binnenvalt vertelt Hans Krijt (1927) me een levensverhaal dat bepaald werd door die tweespalt. Krijt was de zoon van een loodgieter in Zaandam, een normale Hollandse jongen die na de oorlog een baantje vond als inpakker bij een fabriek van puddingessences. Begin 1946 besloot hij om bij de rumsmaak een paar briefjes te stoppen, hij zocht iemand om mee te corresponderen. Hij kreeg twee brieven terug: eentje uit Berlijn, van een 'sehr hübschen Verkehrspolizistin', en eentje uit Tsjechoslowakije, van een serieuze jongen die dacht dat Hans een meisje was. De Verkehrspolizistin liet hij zitten, met de jongen raakte hij bevriend. En nu woont hij al bijna een halve eeuw in Praag, zijn vrouw Olga Krijtová is vertaalster en in de kast hangen de foto's van al zijn Tsjechische kinderen en kleinkinderen. Zo gaat het soms met een Zaanse loodgieterszoon.

'Ik kwam hier in februari 1948 als deserteur,' vertelt hij. 'Mijn dienstkameraden vonden het wel wat, die oorlog in Indië, dan zagen ze nog eens iets van de wereld. Maar bij mij namen ze *De Groe-*

ne in beslag, zo'n jongen was ik, en Tsjechoslowakije was het enige land waar ik iemand kende.'

Hij kreeg werk bij een boer. Nog geen twee weken later grepen de Tsjechoslowaakse communisten de macht en arresteerden talloze niet-communisten. Op 10 maart werd de populaire minister van Buitenlandse Zaken, Jan Masaryk, dood gevonden op het plein voor het Černínpaleis, waar trouwens nog altijd het ministerie van Buitenlandse Zaken zetelt. De communisten beweerden dat Masaryk zelfmoord had gepleegd 'vanwege de vele valse aantijgingen in de westerse pers'. Voor de meeste burgers was het echter een duidelijk geval van 'defenestratie', iemand uit het venster gooien, een methode die hier vaker is toegepast om politieke problemen op te lossen.[12]

Voor de tweede keer binnen tien jaar werd zo de veelbelovende Tsjechoslowaakse democratie zonder pardon de nek omgedraaid. De reacties in het Westen waren op het panische af. Nu toonde 'Ivan' zijn ware gezicht. Nieuwe veiligheidsallianties werden gesloten, het begin van de NAVO (1949). Amerika trok zich niet meer terug uit West-Europa, het zou de veiligheid van de West-Europese landen meer dan een halve eeuw lang garanderen. Het sovjetblok reageerde in 1955 met de oprichting van het Warschaupact.

Hans Krijt merkte weinig van de communistische machtsgreep. 'Alleen als er een buurman langskwam om zijn koe te laten bespringen, hadden die boeren het over politiek, altijd heel opgewonden.' Maar bij de zuiveringen, die daarna volgden, wist de geheime politie hem snel te vinden. 'Ze kwamen me halen, enkel omdat ik Nederlander was. Bij ons in de cel zat een dokter die met studieverlof was geweest in Amerika, die belandde zo uit het vliegtuig in de bak. Niemand wist waarom. Tien dagen werd ik opgesloten in een ondergrondse cel, zonder licht, we sliepen allemaal op de vloer. Die eerste nacht werd ik meteen al betast door een of andere kerel... ik wist niet eens dat zulke dingen bestonden.' Hij kwam weer vrij toen hij beloofde om de geheime dienst verslag uit te brengen van ieder contact met buitenlanders. 'Ik dacht eerst: ik zie toch nooit buitenlanders, wat geeft het. Maar ze kregen me zo wel in hun greep. Ik lag er wakker van.'

In de zomer van 1950 werden in Praag de eerste vier opponenten van de 'nieuwe maatschappelijke orde', allen oud-kampslachtoffers van de nazi's, opgehangen. Op een heuvel aan Moldau, tegenover het stadscentrum, verrees een afgodsbeeld van Jozef Stalin. Nu tikt een gigantische metronoom er de jaren weg.

De Koude Oorlog was een veertig jaar lang durende oorlog van dreiging, van economische sancties, van woorden en propaganda. Een schot is er in Europa – afgezien van de volksopstanden in de DDR, Hongarije en Tsjechoslowakije – nooit gelost. Het was een schoolvoorbeeld van een langdurige en buitengewoon succesvolle politiek van zogenaamde 'containment'.

De aanzet was de ruk naar links die de hele Europese politiek vlak na de oorlog maakte, ook in het Westen: in Engeland had Labour de Conservatieven weggevaagd, in Frankrijk werd in oktober 1945 de communistische partij de grootste met een kwart van de stemmen, in Italië telde de PCI eind 1945 1,7 miljoen leden, in Nederland en Noorwegen zetten de sociaal-democraten een zwaar stempel op het regeringsbeleid. Overal werd haast gemaakt met de opbouw van staatspensioenen en andere voorzieningen, in Frankrijk werd zelfs een reeks concerns – gas, kolen, banken, Renault – genationaliseerd. Ten aanzien van het buitenlands beleid koesterden de meeste Europese sociaal-democraten echter zeer conventionele opvattingen, en ook de communistische ministers in de Franse en Italiaanse regering hielden zich rustig.

Toch bekeken de Amerikanen deze 'verlinksing' van West-Europa met toenemende zorg. Toen Churchills regering in juli 1945 werd vervangen door een Labourkabinet reageerden ze onmiddellijk: binnen enkele dagen was de befaamde Lend Lease-overeenkomst opgezegd. Voor het ontvangen van Marshallhulp werden harde en duidelijke voorwaarden gesteld. In mei 1947 werden de communisten uit de Franse regering gezet, een maand later kreeg ook de Italiaanse regering een duidelijk anti-communistisch gezicht. Toen in 1950 de Korea-oorlog uitbrak en Nederland geen gevechtstroepen wilde sturen voor deze 'beslissende strijd' tegen het communisme, werd onmiddellijk gedreigd om de Marshallhulp stop te zetten. De Amerikaanse president Truman erkende achteraf dat het Marshallplan mede ten doel had om de populariteit van links de kop in te drukken: 'Zonder het Marshallplan zou het voor West-Europa moeilijk zijn geweest om vrij te blijven van de tirannie van het communisme.'

De toenemende spanning werd begeleid door een immense propagandaslag. De Britse premier Harold Macmillan waarschuwde voor een 'invasie van de Goten', de vastenbrief van de Nederlandse bisschoppen van februari 1947 ging grotendeels over 'het goddeloze communisme', havenstakingen in Amsterdam (1946) en Londen

(1949) werden, net als de mijnstakingen in België (1948), beschouwd als 'communistische complotten' om het land over te nemen, boeken als George Orwells *1984* (1949) en *The God that Failed* (1950), een essaybundel van Arthur Koestler, André Gide en andere gewezen fellow travellers, maakten diepe indruk. Van de algemene sympathie voor het dappere Rode Leger uit 1945 was drie jaar later bijna niets meer over. *Life* wijdde een heel nummer aan het verschil in troepensterkte tussen beide grootmachten: 640 000 GI's werden bedreigd door 2 600 000 rode soldaten. Hollywoodfilms als *I Married a Communist*, *I was a Communist for the* FBI, *Red Planet Mars* en *The Red Menace* trokken volle zalen.

Deze – deels ook spontane – mobilisatie tegen het communisme versterkte de band tussen alle niet-communisten. Er was, net als tijdens de oorlog, weer een gemeenschappelijke vijand gevonden om zich gezamenlijk tegen teweer te stellen, en dit gevoel van gezamenlijkheid werd bijna net zo belangrijk als de strijd zelf. Zowel links als rechts bezon zich op nieuwe verhoudingen. In Duitsland, Nederland, Zweden en Oostenrijk vergaten de sociaal-democratische partijen het woord klassestrijd, in diezelfde landen kwamen de christen-democraten met een nieuwe sociale politiek, overal in Europa werden oude tegenstellingen losgelaten of verzacht. Het anti-communisme vormde daarbij een soort kristallisatiepunt, een bindende anti-ideologie. Het stimuleerde, schrijft Richard Vinen kernachtig, 'het autoritaire, nationalistische rechts tot de Europese integratie en democratie, het bracht de socialistische partijen ertoe om te berusten in de Amerikaanse hegemonie, het hielp de burgerlijke partijen bij de acceptatie van sociale hervormingen'.

Ergens in de winter van 1946 veranderde de Sovjet-Unie zo plotseling van vriend in vijand. Medio februari stuurde een Amerikaanse diplomaat, George Kennan, vanuit de ambassade in Moskou aan zijn Washingtonse chefs een scherpe analyse van de sovjetpolitiek. In dit historische *long telegram* wees hij op de permanente neiging van de Sovjet-Unie om haar macht uit te breiden. Kennan pleitte voor een nieuwe *containment doctrine*. 'Aan de wortel van de neurotische blik van het Kremlin op de toestand in de wereld ligt een traditioneel en instinctief Russisch gevoel van onveiligheid,' schreef hij, en de Verenigde Staten moesten 'langdurig, geduldig en ferm hun krachten inzetten waar het maar nodig was om de sovjetbedreiging te keren'.

Drie weken later, op 5 maart 1946, werd de Koude Oorlog voor iedereen een realiteit met Churchills beroemde *Iron Curtain*-rede in Fulton (VS): 'Van Stettin aan de Oostzee, tot Triëst aan de Adriatische Zee, is over het continent een ijzeren gordijn neergedaald. Achter die lijn liggen alle hoofdsteden van de oude staten van Centraal- en Oost-Europa. Warschau, Berlijn, Praag, Wenen, Budapest, Belgrado, Boekarest en Sofia...' Westerse politici en commentatoren spraken over het 'grote internationale communistische complot' en over 'Moskouse blauwdrukken' om ook West-Europa over te nemen. In werkelijkheid, zo weten we nu, was de grondhouding van Stalin tijdens die eerste naoorlogse jaren voornamelijk defensief. De Sovjet-Unie was totaal uitgeput, ze was absoluut niet in staat om direct weer een oorlog te beginnen. Stalins grote trauma was de Duitse inval van 1941, waarvan hij een herhaling tot alle prijs wilde voorkomen. Hij had een diepe angst voor een gewapend conflict met het Westen, en met name voor het immense luchtoverwicht van de Amerikanen, die met hun bommenwerpers van de Sovjet-Unie 'één grote schietschijf' konden maken. Weliswaar beschikte de Sovjet-Unie vanaf 1949 ook over een atoombom, maar de Russische atoomtechnologie was die eerste jaren niet veel waard en de sovjetleiders wisten dat als geen ander. 'Stalin beefde van vrees' bij het vooruitzicht van een Amerikaanse aanval, zou Chroesjtsjov later in zijn memoires vastleggen. 'Hoe rilde hij. Hij was bang voor oorlog!'

Er bestonden ook om een andere reden geen vaste 'Moskouse blauwdrukken' voor een communistisch offensief: daarvoor verschilden de politieke situaties per land te sterk. Op het Europese platteland – met name in Frankrijk en Italië – had het communisme niets van doen met Lenins bolsjewisme van 1917, maar alles met oude boerenidealen van gelijkheid voor allen en een stukje land voor iedere werker. Lokale leiders, nationale eigenheden en patriottische gevoelens speelden in deze eerste naoorlogse jaren zo'n grote rol dat geen enkel land in een opgelegd sovjetschema viel te passen.

Zoals de Britse historicus Mark Mazower schrijft: 'Het model voor Oost-Europa was het Volksfront van de jaren dertig, niet de leninistische revolutionaire elite van 1917.' De communisten wisten overal in Oost-Europa honderdduizenden aanhangers op de been te brengen; daar zaten uiteraard veel opportunisten en baantjesjagers tussen, maar toch weerspiegelden deze cijfers ook een oprecht volkssentiment.[13] De communisten hoorden tot de overwinnaars van de oorlog. Ze hadden als partizanen de vijand weerstaan, ze vormden een duidelijke breuk met het vooroorlogse establishment en ze streefden naar een sterke, verzorgende staat, iets waar tallozen in het verwoeste en ontwrichte Europa van 1945 naar snakten.

Het duidelijkste voorbeeld van dit volkscommunisme was Josip Broz, ofwel Tito. De Joegoslavische partizanenleider had een enorm gezag. Hij was de leider geweest van een zeer actieve verzetsbeweging, en bovendien had hij kans gezien de etnisch sterk verdeelde Joegoslaven samen te brengen in één grote, straf georganiseerde ondergrondse beweging. Hij schuwde stalinistische terreurmethoden niet, hij hield de verschillende etnische groepen met een riskante verdeel- en heerspolitiek onder de duim, maar voor het gros van de Joegoslaven was hij desondanks een vanzelfsprekende leider. En dat bleef hij, vijfendertig jaar lang.

In Griekenland was het communistische verzet van de EAM/ELAS minstens zo populair. Het had een gematigd socialistisch programma, het was lokaal-patriottisch, en aan het eind van de oorlog waren er zeker een half miljoen partizanen bij aangesloten, ook veel niet-communisten. Winston Churchill had echter in 1944 met Stalin duidelijke afspraken gemaakt: hun 'naughty document' bepaalde dat Griekenland voor 90 procent westers zou blijven. In oktober 1944 landde er een omvangrijke Britse troepenmacht om het verzet – later consequent aangeduid als 'bandietenbendes' – te ontwapenen en een rechtse coalitieregering overeind te houden. Er volgde een wrede burgeroorlog waaraan pas een eind kwam toen de Verenigde Staten de strijd van de Britten overnamen en Tito zijn grenzen sloot voor de Moskou-gezinde guerrilla's. In november 1949 besloot het Centraal Comité van de Griekse communistische partij, 'na analyse van de toestand', om de strijd te staken. Er was toen bijna tien jaar oorlog gevoerd. Tijdens de Duitse bezetting waren vijfhonderdduizend Grieken omgekomen, de burgeroorlog eiste nog eens honderdzestigduizend slachtoffers, zevenhonderdduizend mensen waren op de vlucht, over het hele land was een kwart van alle huizen vernield. Het enige dat de Grieken nog wilden, was rust.

In Polen kwam een soortgelijke figuur als Tito aan de macht: Władysław Gomułka, de leider van de communistische ondergrondse. Hij kreeg al snel veel aanhangers omdat zijn beweging antwoorden gaf op problemen die alle vooroorlogse partijen hadden laten liggen: de enorme armoede, de etnische spanningen, de angstige verhoudingen met Duitsland en de Sovjet-Unie. In 1945 maakte hij de Boerenpartij kapot, hij verklaarde dat de communisten 'nooit de macht uit handen zouden geven als ze die eenmaal hadden', maar tegelijk was hij een typische Poolse patriot. Hij moest niets hebben van Stalins rigide dwang.

In Tsjechoslowakije streefden de communisten aanvankelijk naar een meerpartijenstelsel, en niets wijst erop dat ze in die beginfase van plan waren om de andere partijen in de ban te doen. Ze waren uit zichzelf populair genoeg: bij de verkiezingen van mei 1946 waren ze, met 38 procent van de stemmen, veruit de grootste partij geworden. Hun beweging had meer dan een miljoen leden. President Edvard Beneý en Jan Masaryk zochten, met steun van de communisten, zowel contact met de Sovjet-Unie als met het Westen, en ze hadden grote belangstelling voor het Marshallplan.

Bij al die communistische partijen, hoe sterk hun lokale en nationale wortels ook waren, liep het uiteindelijk toch uit op botte machtsovernames, gestuurd en gemanipuleerd door het Kremlin, dictatoriale ingrepen van partij-elites die hun eenmaal verworven posities nooit meer wilden loslaten. Het patroon was overal hetzelfde. In de eerste fase werden coalities gesloten tussen communistische en niet-communistische partijen, waarbij de communisten ervoor zorgden om op zo veel mogelijk sleutelposities terecht te komen: in Hongarije werd de befaamde communist László Rajk zo bijvoorbeeld minister van Binnenlandse Zaken. In de tweede fase werd, vanuit die machtsposities, de andere democratische groepen het leven steeds moeilijker gemaakt: in Hongarije brak dat ogenblik in 1947 aan, in Tsjechoslowakije een jaar later. In de derde fase werd door de communisten een algemeen volksfront opgezet waaraan alle partijen moesten deelnemen, plus een bont scala van verenigingen en instanties, tot de Invalidenbond toe. Iedere dissident werd nu met grof geweld de mond gesnoerd. In Hongarije haalden de communisten bij de laatste vrije verkiezingen van augustus 1947 nog geen kwart van de stemmen, maar in mei 1949 kon Rajk triomfantelijk uitroepen dat zijn Werkerspartij 95 procent had gekregen. In Bulgarije verwierf het Vaderlands Front in december 1949 98 procent van de stemmen, een percentage dat zelfs fervente sympathisanten wat veel van het goede leek.

In 1950 belandde Hans Krijt – 'De communistische jeugdorganisatie had opeens bedacht dat ik een Nederlandse politieke vluchteling was' – op de Praagse Filmacademie. 'Ik zat in hetzelfde jaar als Miloš Forman, die wilde toen scenarioschrijver worden. Milan Kundera studeerde er dramaturgie. Forman was een echte flapuit: hij zei als enige dat de nieuwste Russische film niks was. Kundera was toen nog een communist, die voor officiële bladen schreef. Maar met Stalin staken we allemaal de draak. Op marxistische les hadden we een boekje van Stalin over taalwetenschap, zelfs daar bemoeide hij zich mee. We maakten er veel grappen over, maar iedereen speelde het spelletje mee, leraren en leerlingen. Er werd keurig uit gedoceerd.'

'Kundera was typisch voor die generatie intellectuelen,' zegt Krijts vrouw, Olga Kríjtova. 'Vlak na de oorlog waren ze allemaal communist, de sovjets waren immers onze bevrijders. Maar na 1956 voelden ze zich steeds onbehaaglijker. Kundera begon met satires: *Belachelijke liefdes* in 1963 en *De grap* in 1967, je ziet bij hem de Praagse Lente aankomen. En toen gooide 1968 alles omver. Uiteindelijk is hij in ballingschap gegaan.'

Olga Krijtová werd vertaalster uit het Nederlands. Ze bleef partijlid tot 1968. Vanaf 1956 was ze gaan twijfelen, en eigenlijk al na 1952, toen grote processen begonnen tegen oude communisten. 'Het waren misschien wel zionisten en spionnen, maar als je die bekentenissen hoorde, klonk het allemaal toch een beetje raar.' In principe vond ze het communistische idee helemaal niet zo slecht. 'Ik ben nu eenmaal geen gewoon doorsneetje. Als je vond dat iedereen recht heeft op een normaal leven, met kinderen en een beetje geluk, zonder extreme armoede of rijkdom, dan kon je maar twee dingen doen: je geloofde in God of in het communisme.' Toen ze als lid bedankte, kreeg ze direct een schrijf- en vertaalverbod. 'Dat loste je op met een "dekker", iemand die zijn of haar naam aan je "leende". Je had wel een probleem als zo'n "gedekte" vertaling bekroond werd. Dan moest die "dekker" die prijs in ontvangst nemen, lezingen houden en weet ik niet wat.'

In 1969 probeerde het echtpaar naar Nederland te verhuizen, maar dat lukte niet. Daarna gaf Krijt Nederlandse les op een talenschool. Hij legde het verschil uit tussen 'Ik geloof dat hij komt' en 'Ik geloof in God'. Gelijk op het matje: godsdienstige propaganda.

Olga: 'Na een receptie van de Nederlandse ambassade moest ik altijd direct verslag uitbrengen. Ik meldde steevast: "Gepraat over het weer in Tsjechoslowakije en Nederland." Dat pikten ze altijd, die mannen moesten ook hun formuliertjes invullen.'

Hans: 'De klas zat stampvol meisjes die uit het land wilden ontsnappen, via een Nederlandse man.'
Olga: 'Wat een dode jaren!'

De dode jaren liepen voor Oost- en Midden-Europa van 1948, via 1956 en 1968, tot aan 1989. Het waren vier decennia die in Oost én West permanent beheerst werden door een diepe, sluimerende angst voor een kernoorlog. (Niet ten onrechte: bij de Koreaanse Oorlog pleitten Amerikaanse generaals voor het gebruik van kernwapens, in oktober 1961 gebeurde hetzelfde tijdens de Cubacrisis en nog in november 1983 verkeerde de hele sovjetdefensie in hoogste staat van alarm omdat men een grote NAVO-oefening aanzag voor het begin van een nucleaire oorlog.) Het systeem van wederzijdse afschrikking zorgde, opvallend genoeg, binnen Europa voor een ongekende stabiliteit. Maar het riep tegelijk een gevoel van zorg en vrees op, een sluimerende angst die het denken en handelen van politici en gewone Europeanen in gelijke mate bepaalde.

De Koude Oorlog werd in 1946 door Churchill uitgeroepen, maar de eerste schermutselingen startten pas een jaar later. In 1947 besloot de Amerikaanse president de Grieken te steunen in hun strijd tegen de 'communistische' rebellen. In datzelfde jaar werd het Marshallplan afgekondigd – mede bedoeld om het oprukkende communisme in West-Europa te keren. In de communistische wereld ontstond het eerste interne conflict. Tito voelde er niets voor om zich te voegen naar Stalins richtlijnen, en stak die mening niet onder stoelen of banken. In het voorjaar van 1948 ontstond zo een openlijke breuk tussen Joegoslavië en de Sovjet-Unie, de eerste scheur in het Oostblok. Toen Tsjechoslowakije lonkte naar de Amerikaanse Marshallhulp groeide Stalins paranoia met de week. De Koude Oorlog escaleerde.

In West-Duitsland begonnen de Amerikanen met een nieuwe zuivering van het overheidsapparaat, nu niet van nazi's maar van communisten. In juni werd de oprichting van een Parlementaire Raad bekendgemaakt, het begin van een nieuw, onafhankelijk Duitsland onder leiding van de onbesproken oud-burgemeester van Keulen, Konrad Adenauer. Het gebied dat door de westelijke geallieerden was bezet, kreeg tegelijkertijd een eigen munt, die ook zou gelden voor West-Berlijn: de *Deutsche Mark*.

De Sovjet-Unie reageerde onmiddellijk: op 24 juni 1948 werden alle verbindingen – inclusief de water-, gas- en elektriciteitsleidingen – van en naar West-Berlijn geblokkeerd. De actie werd een fiasco. De Amerikanen en Britten, met hun enorme logistieke ervaring uit de oorlog, zetten een drieste operatie op poten: de hele stad, met tweeënhalf miljoen inwoners, werd via een luchtbrug van al het nodige voorzien, tot en met olie en steenkool toe. Bijna een jaar lang persten zich dagelijks honderden Dakota's, C-47's en C-54's door een smalle luchtcorridor, duizenden piloten en verkeersleiders waren bij deze historische *airlift* betrokken, en uiteindelijk moest Stalin in mei 1949 bakzeil halen. Hij had niet alleen een politieke en strategische nederlaag geleden, hij had bovendien de Amerikanen een fantastische propagandamogelijkheid in de schoot geworpen. De Berlijnse blokkade overtuigde de West-Duitsers ervan dat ze de Amerikanen nodig hadden. De geallieerden waren sinds de *Luftbrücke* geen bezetters meer, maar welkome beschermers.

In diezelfde zomer van 1948 besloot Stalin om de greep op zijn satellietstaten te verstevigen. De soevereine en populaire Tito kon hij niets maken, op de patriottische Poolse leider had hij nog wel greep. Op 3 juni 1948, midden in de Joegoslavische crisis, had Gomułka olie op het vuur gegooid door in een toespraak te roepen dat zijn eigen Poolse communisten in de jaren dertig niet onafhankelijk en patriottisch genoeg waren geweest. De hint naar de huidige situatie kon niet duidelijker zijn. Binnen twee maanden was Gomułka – voorlopig – van het politieke toneel verdwenen.

Een jaar later was Hongarije aan de beurt. Op 30 mei 1949 werd László Rajk, trouw communist en oud-Spanjestrijder, met zeven andere 'samenzweerders' gearresteerd. Hij werd zwaar gemarteld, en tijdens een showproces bekende hij vlot dat hij in samenwerking met de Amerikaanse spionagechef Allan W. Dulles geprobeerd had om in Hongarije een 'bloeddorstige dictatuur met een fascistisch patroon' te vestigen. Hij werd op 15 oktober 1949 opgehangen, de verbeten stalinist Mátyás Rákosi volgde hem op. In 1951 werd de secretaris-generaal van Communistische Partij van Tsjechoslowakije, Rudolf Slánský, vanwege eenzelfde 'samenzwering' opgepakt.

Slánský's showproces – alle verdachten werden uiteindelijk opgehangen – kreeg een extra toonzetting: van de veertien verdachten bij dit proces waren er elf joods. Het werd de opmaat voor een nieuwe golf zuiveringen in het hele Oostblok, een terreuractie met sterk anti-semitische trekken. De aanleiding deed denken aan de moord op Sergej Kirov in 1934. Ditmaal ging het om het Politbureaulid Andrej Zjdanov, een held van de slag om Leningrad, die in 1948 in een partijkliniek aan een hartkwaal was overleden. Direct na zijn dood beschuldigde een van de vrouwelijke artsen haar – joodse – collega's ervan dat ze Zjdanovs klachten hadden verwaarloosd en dat ze daarmee zijn dood op hun geweten hadden. De klacht werd terzijde gelegd.[14]

Vier jaar later, in 1952, werd het dossier weer uit het archief gehaald. In 1950 was in China een zekere Ivan Varfolomeyer gearresteerd, die – vermoedelijk onder zware martelingen – aan zijn Russische ondervragers had verteld dat hij werkte voor een groep Amerikaanse complotteurs, aangevoerd door president Truman, die het Kremlin wilde opblazen met kernraketten, afgevuurd vanuit het raam van de Amerikaanse ambassade in Moskou. Niemand ter wereld zou zo'n verhaal geloven, behalve Stalin. Voor hem moest de zaak Varfolomeyer het centrale punt worden van een nieuwe serie showprocessen waarin alles met alles zou kunnen worden verbonden: het Amerikaanse complot om het Kremlin te vernietigen, het joods-zionistische complot om de partij te infiltreren en het zionistische artsencomplot om Zjdanov om zeep te brengen.

Vanaf 1950 begon zo een systematische vervolging van met name joodse artsen, militairen en partijleden, en van joden in het algemeen. De Goelagkampen waren in het begin van de jaren vijftig voller dan ooit: op het hoogtepunt van de zwarte jaren dertig zaten 1,8 miljoen sovjetburgers in de kampen, in 1953 waren het er 2,4 miljoen. De terreur had zich nu ook uitgebreid tot de satellietstaten: in Bulgarije werden zeker honderdduizend mensen vastgehouden in het beruchte 'Klein Siberië', in Hongarije waren tweehonderdduizend politieke gevangenen naar kampen afgevoerd, in Tsjechoslowakije bijna honderdveertigduizend, in Roemenië honderdtachtigduizend en in Albanië tachtigduizend.

In januari 1953 startte, in de gebruikelijke agitprop-stijl, een perscampagne om het publiek warm te maken voor de komende processen. In de *Pravda* en de *Izvestia* verschenen grote artikelen over een 'bourgeois-zionistisch-Amerikaanse samenzwering' die overal in het land was binnengedrongen, en met de dag werd de toon in de kranten anti-semitischer. De joden – en zij niet alleen – vreesden massale deportaties.

Was het toeval dat Stalin precies op dat moment, op 5 maart 1953, plotseling overleed aan een hersenbloeding? Historici hebben zich al jaren met deze vraag beziggehouden. De diverse ooggetuigenverslagen van zijn dood lopen op essentiële details sterk uiteen – op zich al een veeg teken – en zeker is dat hij urenlang in zijn datsja op de vloer van de slaapkamer heeft liggen creperen. Hij werd slachtoffer van zijn eigen terreur: geen enkel personeelslid durfde aanvankelijk de deur open te maken, geen arts durfde zijn leven te wagen bij een poging om dat van Stalin te redden. Aanvankelijk werd er zelfs – uit angst of met opzet – geen dokter geroepen. Beria, die onmiddellijk was gewaarschuwd, riep halfdronken tegen Stalins lijfwachten: 'Zie je niet dat kameraad Stalin diep ligt te slapen? Eruit jullie, allemaal, en verstoor zijn slaap niet!'

Uiteindelijk werd pas twaalf uur na Stalins beroerte een dokter gewaarschuwd, en voor dat halve etmaal uitstel is nooit een goede verklaring gegeven. Toen Stalin lag te sterven schreeuwde Stalins zoon Vasili naar Beria en andere Politbureauleden: 'Jullie smeerlappen, jullie vermoorden mijn vader!' En volgens Molotov zou Beria later tegen hem hebben gezegd: 'Ik heb hem weggemaakt, ik heb jullie allemaal gered.'

Wat hier ook van waar moge zijn, feit is dat in het voorjaar van 1953 de verdwijning van Stalin voor veel Politbureauleden een zaak was van levensbelang. De meesten van hen waren aan de macht gekomen tijdens de vorige zuiveringen, ze wisten maar al te goed hoe Stalin met hun voorgangers was omgegaan, Molotovs joodse vrouw was al gearresteerd en mannen als Beria, vice-premier Georgi Malenkov en Chroesjtsjov beseften dat wellicht ook hun tijd was gekomen.

Toen de artsen uiteindelijk arriveerden, durfden ze Stalins hemd nauwelijks open te knopen. Voor iedere handeling vroegen ze nadrukkelijk toestemming aan Beria en de andere aanwezige leiders. Stalins doodsstrijd duurde vijf dagen. 'Op het allerlaatste moment opende hij plotseling zijn ogen en wierp een blik over iedereen in de kamer,' herinnerde zijn dochter Svetlana Alliloejeva zich. 'Het was een vreselijke blik, krankzinnig of misschien woedend, en vol angst voor de dood...' Maar Stalin had zijn laatste adem nog niet uitgeblazen, of Beria sprong vrolijk de kamer uit, riep luid om zijn auto, en liep, in de herinnering van Chroesjtsjov, 'te stralen'. 'Hij wist zeker dat het moment waarop hij zo lang had gewacht, nu was aangebroken.'

BERIA

Er bestaat een foto uit 1936 van de kleine Svetlana, het dochtertje van Nadezjda Alliloejeva, zittend op Beria's schoot in de tuin van Stalins datsja. Beria drukt het kind stevig tegen zich aan, Svetlana – met vlechtjes – heeft de handjes om de stoelleuning geklemd, haar glimlach is gedwongen, haar benen staan klaar om weg te rennen. Svetlana zou later schrijven dat ze altijd een intuïtieve hekel aan Beria had, net als de meeste vrouwen die ze kende. Op de achtergrond zit Stalin stukken te lezen, vredig trekkend aan zijn pijp.

Lavrenti Beria was de beruchte chef van de NKVD en de NKGB (volkscommissariaat van Staatsveiligheid, vanaf 1941), de opperste chef van de Goelagkampen, de Heinrich Himmler van de Sovjet-Unie, een plompe man met een vochtige handdruk die alles deed om Stalin te gerieven en die vermoedelijk meer bloed aan zijn handen had dan wie ook in de Sovjet-Unie. Als Chroesjtsjov en Malenkov hem in juni 1953 niet hadden onttroond, zou hij vrijwel zeker Stalins opvolger zijn geworden. Nu werd hij, na een geheim proces, een halfjaar later doodgeschoten op basis van precies dezelfde bizarre beschuldigingen waarmee hij zijn slachtoffers altijd had gekweld.

Zijn Moskouse stadsvilla staat er nog. Het is nu de Tunesische ambassade, een laag vierkant gebouw aan de Malaja Nikitskaja Oelitsa nr. 28, groot en troosteloos, met logge ramen en tralies voor de kelder. In Moskou circuleerden in de jaren veertig de merkwaardigste verhalen over het 'seksuele monster' dat hier woonde. Vermoedelijk zijn ze niet overdreven. Na Beria's val bekenden zijn lijfwachten dat ze voor hun chef regelmatig jonge meisjes van de Moskouse straten moesten oppikken, die hij vervolgens thuis verkrachtte. Edward Ellis Smith, een jonge Amerikaanse diplomaat die vlak na de oorlog in Moskou was gedetacheerd, schreef later dat in zijn kringen Beria's escapades algemeen bekend waren. In dezelfde straat stond namelijk een woongebouw van de Amerikaanse ambassade, en van daaruit was goed te zien hoe 's nachts bij Beria's huis limousines met mooie meisjes kwamen aanrijden. In 1993 meldden de Moskouse kranten dat bij graafwerk op de binnenplaats zeker een dozijn skeletten was aangetroffen.

De showprocessen werden al snel stopgezet, de meeste verdachten werden vrijgelaten, langzaam werd de Goelag ontbonden.

Nog geen maand na zijn dood werd de naam Stalin in de *Pravda* nauwelijks meer genoemd. Zijn portret verdween. Eind juni wist de ogenschijnlijk simpele en boerse Chroesjtsjov de macht te grijpen. Voor het einde van het jaar was zijn rivaal Beria op klassiek stalinistische wijze als 'Britse spion' en 'vijand van het volk' veroordeeld en door het hoofd geschoten. Alle ouderen die ik in het voormalige Oostblok sprak, wisten nog precies wat ze deden op die vrijdag de 6de maart 1953, de ochtend waarop het nieuws van Stalins dood werd bekendgemaakt.

'Mijn vader stond in de deur,' vertelde Joera Klejner in Sint-Petersburg. 'Hij veegde zijn ogen af: absoluut droog. Ik was zes. Ik probeerde ook te huilen, want iedereen deed dat, maar het lukte mij evenmin. Een buurmeisje zei: "Het is onbehoorlijk om te spelen nu kameraad Stalin gestorven is."' Irina Trantina, dochter van een generaal in Kiev, toen elf, hoorde het via de radio: 'Ik begon vreselijk te huilen, het was alsof de wereld verging. Op school huilden alle kinderen, ook veel leraren. Iedereen op straat was stil en bedroefd. Niemand kon zich een toekomst zonder Stalin voorstellen. Mijn ouders waren bovendien erg bang voor een atoomaanval van de Amerikanen, alles was die weken in staat van alarm. Mijn vader was ternauwernood aan eerdere zuiveringen ontkomen omdat hij, zoals hij zei, "de foute schoenen aanhad".'

De hoogbejaarde Aleksandra Vasiljeva in Sint-Petersburg: 'We waren erg bedroefd, we wilden allemaal naar Moskou, naar de begrafenis. Ik mocht hem niet graag, trouwens.' Haar dochter Anna Smirnova, toen een jonge moeder: 'Ik was vooral overstuur. Niet vanwege Stalin, maar vanwege het gevoel dat er opnieuw iets heel ergs op til was. Wat zou het volgende regime voor ons in petto hebben?' Ira Klejner, toen zeven jaar oud, dochter van een hoge officier in Sevastopol: 'Ik was zeven. Ik weet nog dat ik een boterham at met een gebakken ei. Ik besefte dat ik moest huilen, met iedereen mee, maar ik kon er maar één traan uit persen. Eén traan. Die viel toen in dat ei.'

7

'Ik ben niet de goede man om vragen aan te stellen. Ik stond in die tijd aan de foute kant. Ik was een man van de macht. Ik zou tegen mezelf praten.

Maar goed, omdat u zo aandringt. Mijn naam is Władek Matwin. Ik ben geboren in 1916, in een dorp niet ver van Katowice, vlak bij de Silezische grens. Als jongens werden we op een vrachtwagen naar school gereden. Er woonden in dat stadje bijna alleen maar joden, en daar gooiden we dan met stenen naar. Want de joden waren anders. Ze droegen rare kleren, ze hadden vreemde hoeden, ze spraken geen Pools, ze hoorden niet bij ons.

Ik zei het al: mijn levenstijd was een periode vol geweld. Bij het meeste wat ik meemaakte, had ik geen keuze. Het waren grote krachten van buiten die me bij de haren grepen: in de oorlog, bij de communistische rebellen, in het leger, in de partij en ten slotte in de fabriek als mathematicus. Pas heel laat begreep ik het: we zijn begrensd. Onze blik, ons verstand, het is allemaal heel beperkt. Mijn eigen leven liep me al volstrekt uit de hand.

Ik studeerde in Poznań, werd op mijn achttiende lid van de Poolse communistische jeugdbond, uiteindelijk belandde ik in de Sovjet-Unie, ik vocht in het Rode Leger, hielp in Moskou de Poolse ambassade weer op te zetten, en in 1946 was ik terug in Warschau. Zo begon het.

Ik werd partijfunctionaris. Voorzitter van de communistische jeugdbond, partijbisschop van Wrocław en Warschau, secretaris van het Centraal Comité, ten slotte was ik zo'n beetje de rechterhand van Gomułka.

Die eerste jaren was het niets anders dan puinruimen, letterlijk ook, zoals overal in Europa denk ik. Daar in Wrocław was de hele stad kapotgeschoten, we moesten duizenden lijken begraven, talloze Duitsers werden verdreven, miljoenen Polen kwamen daarvoor in de plaats, het was één grote chaos. Het was vaak niet mooi wat we deden, het was geweld, geweld tegen mensen, geweld tegen de oppositie, geweld tegen alle vormen van nadenken, maar wij zagen het als strijd, wij zagen alles als strijd.

Ik kan ook niet zeggen dat alles slecht was in die tijd. We waren geen stalinisten, we hebben bijvoorbeeld voorkomen dat in Polen de landbouw werd gecollectiviseerd. We hadden een gevoel van dienstbaarheid, we deden onze plicht, we leefden en werkten voor een zaak en daaraan was alles ondergeschikt. Plicht is militair, het is ook iets religieus. Er zat bij ons veel geloof, de partij was bijna een kerk. Ik weet inmiddels dat het echte marxisme in de kern een wetenschappelijke theorie is, met alle twijfel die erbij hoort. Het moeilijkste was natuurlijk om dat plichtsbesef en die twijfel te combineren – dat gebeurde na 1956 – maar vlak na de oorlog waren we nog pure gelovigen.

Er was veel duister in die jaren, dingen waarover we niet praatten, onderwerpen die we niet beroerden. Het ergste jaar was 1948. Gomułka had eerst aan de communistische machtsovernames meegedaan, maar hij weigerde om de landbouw te collectiviseren, en hij wilde bovendien Marshallhulp uit het Westen. Maar ja, we beseften ook dat het niet zo verstandig was om een complete opstand tegen de Russen te beginnen. Dat is hier altijd mislukt, en bovendien lag het land vol Russische garnizoenen. Daar waren wij, Poolse communisten, ook kwaad over. Alsof Polen Duitsland was!

Gomułka vond dat hij een grote fout had gemaakt door de Russen er te veel bij te betrekken. Hij was een echte arbeider die weinig las, geen nuances kende, ongenadig eerlijk was, zonder een spettertje corruptie. Hij bezat de enorme geestkracht om in die tijd "nee" tegen de Russen te zeggen, en dat deed hij behoorlijk vaak. Ik kon op het laatst niet meer met hem samenwerken, maar hij was een geweldige persoonlijkheid. Uiteindelijk belandde hij zelfs een paar jaar in de gevangenis.

Ik heb ze allemaal meegemaakt. Erich Honecker was mijn DDR-collega in de jeugdbond, altijd fanatiek. Zijn baas, Walter Ulbricht, zag je ook nooit lachen. Wat een vervelende, treurige, klikkende bureaucraat was dat! Chroesjtsjov had iets van een clown, een slimme boerenrebel was dat, veel gelezen had hij niet maar hij had plezier in zijn ogen. En Stalin, ja, Stalin, daar ben ik één keer aan voorgesteld, tijdens een lopend buffet in Moskou, als jong ambitieus Pools talent. We praatten over filosofie. Hij was klein, behoorlijk lelijk ook, en hij sprak Russisch met een gruwelijk Georgisch accent. Maar nooit zal ik zijn ogen vergeten: niet bruin, niet blauw, niet donker, niet licht, de ogen van een tijger. Toen we afscheid namen vroeg Stalin aan onze minister van Buitenlandse Zaken, wijzend op mij: 'Die jongen, is die van ons of van Polen?' De minister zei: 'Van Polen.' Daarna mocht ik niet meer op dat soort gelegenheden verschijnen. Ik was te brutaal geweest.

Stalin, ja, hoe moet ik het zeggen, ik was verliefd op die man. Toen hij stierf, was ik de partijbisschop van Warschau. Het was midden in de nacht, ik sliep diep. Opeens telefoon, een collega uit het Centraal Comité aan de lijn. Hij zegt alleen maar: "Hoor eens, Stalin is gestorven." Ik was verpletterd. Toen mijn vader stierf, was ik niet zo geschokt.

Nu weet ik heel goed dat Stalin een schurk was, een grote misdadiger. Daar kun je het alleen niet mee afdoen, het ligt veel ingewikkelder. Het was namelijk ook een groot man. Je hebt in de geschiedenis meer van dat soort mensen gehad: Robespierre, Cromwell, Napoleon, dat waren ook schoften. Bij die namen kun je daarmee niet volstaan, dan spreek je niet de waarheid. Het waren namelijk ook grote staatslieden. Ze waren misdadigers én staatslieden. Mensen willen meestal niet weten dat die combinatie mogelijk is, ik weet niet waarom. Maar hij bestaat natuurlijk wel. Die misdadiger Stalin heeft ons namelijk wel aangevoerd in de oorlog tegen het fascisme, dat is een feit.

De wereld en de geschiedenis zijn niet zo simpel als kinderen het zich voorstellen. Het is net zo ingewikkeld als de liefde. Dus: ik was op een misdadiger verliefd. Maar als ik in 1941 geweten had wat ik na 1956 wist, dan had ik nooit zo in die oorlog kunnen vechten. De wereld is gecompliceerd, mijn vriend.

OPSTAND II
De Berlijnse opstand van 17 juni 1953 leeft voort in één overbekende foto: twee mannen gooien, in een vlaag van wanhopige woede, op de Leipziger Platz met stenen naar een tank, de tank draait dreigend de vuurmond in hun richting. De identiteit van beide stenen-

werpers is later, met veel moeite, vastgesteld. De rechterfiguur was vermoedelijk Erwin Kalisch, een elektricien die werkte aan de Stalinallee. De linkerpersoon, met een arbeiderspet en een fietsklem aan zijn broekspijp, was Hans Joachim Maître, een negentienjarige functionaris van de communistische jeugdorganisatie FDJ, iemand die nog een lange carrière binnen de DDR-hiërarchie voor de boeg had. De foto legde het moment vast waarop hij overliep naar de andere kant. De Berlijnse opstand was geen fascistische putsch, zoals de DDR-historici al spoedig schreven, het was een spontane volksopstand, een ongeorganiseerde explosie van onvrede, die al snel oversloeg naar Halle, Leipzig, Görlitz en andere DDR-steden.

De rebellie maakte grote indruk omdat Oost-Berlijn op dat moment nog geen geïsoleerde stad was. Veel filmopnames van de demonstratie en de gevechten zijn vanuit het westen gemaakt, vlak bij de grenshekken of vanuit ramen, waarbij de filmers zorgvuldig opletten om de zonegrens niet te passeren. Veel opstandelingen bleven ook staan om naar de officiële camera's te zwaaien, ze lachten en zongen. Ze hadden geen vermoeden dat diezelfde vrolijke opnames later door de Stasi gebruikt werden om hun identiteit vast te stellen. Een blijde lach kon zo al snel drie jaar tuchthuisstraf opleveren, het zwaaien met een spandoek acht jaar.

Na de spontane fase verhardde de opstand snel. Een Berlijnse burgeragent werd door de massa gelyncht. Beelden van Stalin werden omvergetrokken, rode vlaggen neergehaald, gevangenissen belegerd. In Halle vielen vier doden en veertien gewonden. In Leipzig werd een vrouwengevangenis opengebroken, honderden vrouwen werden bevrijd.

Uiteindelijk werden ruim zestienhonderd DDR-burgers opgepakt en veroordeeld tot gevangenisstraffen die varieerden van een paar maanden tot levenslang tuchthuis. Een tiental demonstranten werd door Russische militaire tribunalen ter dood veroordeeld. Erwin Kalisch kreeg wegens 'opruiing tot opstand' drie jaar gevangenisstraf. Daarna vluchtte hij, volgens onbevestigde berichten, naar Brazilië. Hans Maître werd opgepakt toen hij na de opstand aangifte deed van de diefstal van zijn fiets. Hij belandde in een sovjetgevangenis in Frankfurt an der Oder, maar wist een jaar later te ontsnappen. In het Westen maakte hij carrière in de journalistiek, hij werd redactiechef van *Die Welt am Sonntag*, in de jaren tachtig verhuisde hij naar de Verenigde Staten, waar hij directeur werd van een legerinstituut op het gebied van communicatie. Over 1953 wilde hij, een halve eeuw later, geen woord meer kwijt. 'Ik wil geen icoon zijn,' zei hij in juni 2003 tegen Berlijnse journalisten. 'Zoek liever uit wie die tank bestuurde!'

Ik zei al, Chroesjtsjov was een rebel. In de drie jaar na Stalins dood was er binnen de partij al veel in beweging gekomen. Oost-Berlijn was in juni 1953 in opstand gekomen, wij hadden een rebellie in Poznań gehad, partijleden gingen terug naar Lenin, naar Marx, naar de twijfel. Binnen de partijtop heerste angst. Onze partij was georganiseerd rond discipline, plicht, dienst, niet rond nadenken. Dat maakte de leiders bang.

En toen kwam die shocktherapie van Chroesjtsjov. Stalin was een persoonlijkheid die we, ondanks alles, nog altijd diep vereerden. Chroesjtsjov zelf had tijdens Stalins leven nooit een spettertje kritiek gehad, hij was de trouwste vazal die je je kon voorstellen. En dan komt die opeens in een geëmotioneerde rede op het Twintigste Partijcongres vertellen wat er werkelijk aan de hand was. Onze hele vooroorlogse partijleiding bleek door de sovjets te zijn vermoord. Chroesjtsjov onthulde dat Lenin in zijn laatste levensjaar nog had geprobeerd om Stalin te stoppen. Hij veroordeelde de zuiveringen, Stalins verkwisting van mensenlevens tijdens de oorlog en de landbouwcollectivisatie, zijn paranoia en zijn breuk met Tito. Honderdduizenden eerlijke en onschuldige communisten waren met martelingen gedwongen tot de meest krankzinnige bekentenissen, en Stalin had daar persoonlijk de hand in gehad. Hij, Chroesjtsjov, wilde teruggaan naar de wortels van het communisme, naar Lenin. Hij geselde de zelfverheerlijking van een man die in werkelijkheid nooit ergens kwam, die al in jaren geen arbeider en geen boer meer gesproken had en die het land alleen nog maar kende van films waarin alles was opgedoft en aangekleed. "Hij was een lafaard," riep Chroesjtsjov. "Hij was in paniek! Nooit tijdens de hele oorlog durfde hij maar in de buurt van het front te komen!"

Stalin stortte neer op aarde, en daarmee ons wereldbeeld. Onze stalinistische partijbaas Bolesław Bierut kreeg een hartaanval en stierf een paar dagen later. Eerlijk gezegd geloof ik dat de Sovjet-Unie die toespraak nooit meer te boven is gekomen.

Dat was in februari 1956. Direct begon, nota bene binnen onze eigen partij, een beweging die meer democratie en soevereiniteit eiste. Op die golf kwam Gomułka terug, om tot 1970 aan de macht te blijven. Ik stond daar vierkant achter, dat verstatelijkte socialisme was volgens mij de dood in de pot. Maar het was ongelooflijk spannend wat de Russen zouden doen. In oktober kwam Chroesjtsjov met de commandant van het Warschaupact onverwacht op bezoek. Op het vliegveld zei hij direct: "We staan klaar voor een interventie." Gomułka weigerde om te praten met een geladen pistool op tafel. Diezelfde middag werd hij door ons als nieuwe partijleider gekozen.

De Polen zijn felle vechters, we waren hierin eensgezind, het zou voor de Russen een grote ravage zijn geworden, dat begreep Chroesjtsjov ook wel. Uiteindelijk wist Gomułka de Russen ervan te overtuigen dat hij, ondanks de verschillen van inzicht, een oprechte communist was. Chroesjtsjov was zelfs ontroerd door zijn woorden, en zo accepteerden de Russen een "eigen lijn" voor de Polen. Dat was ook verreweg het verstandigste, Polen is een stuk groter dan Hongarije, ze konden het risico van een openlijk conflict niet nemen.

Voor ons was het een enorm succes. Wij bleven ons soeverein gedragen tegenover de Russen. De DDR heeft die zelfstandigheid nooit bereikt, de Hongaren konden het na 1956 ook vergeten, bij de Tsjechoslowaken is het in 1968 mislukt. Wij hebben het beter gedaan, in stilte, bijna zonder bloed.

Politici zijn mensen die de machine bedienen. Ze springen erop, als op een rijdende trein, en ze springen er ook weer af. Zo ging het ook tussen Gomułka en mij. Ik was er altijd voor hem, ik adviseerde hem dagelijks, maar ik was ook kritisch. Ik vond dat we in 1956 vergaande veranderingen in gang moesten zetten, een drastisch democratiseringsproces in moesten gaan. Het was niet voldoende om enkel van leider te wisselen. Maar het systeem bleef star en totalitair, een ijzeren staatsapparaat.

Mijn buurman in deze straat, Mieczysław Rakowski, was de laatste opperbaas van de Poolse communistische partij. Hij heeft in januari 1990 het licht uitgedaan. Als ik nu met hem praat, zegt hij: "Ach, waarom hebben we de mensen toch niet meer vrijheid gegeven? Waarom hebben we ze hun gang niet laten gaan, met handel, winkels, vrij reizen? Maar wij waren zo dom, we wilden alles voor ze regelen, alles moest gekneed en gemaakt worden." Hij heeft gelijk. Socialisme is alleen als idee mogelijk. Maar je kunt het niet opleggen, niet sturen. Het moet uit de mensen zelf voortkomen, het streven naar gerechtigheid, vrijheid, gelijkheid, broederschap. Daarin moeten we voortdurend naar nieuwe vormen zoeken. Want alleen de markt, alleen de ongelijkheid, dat wordt voor de komende wereld een ramp.

In 1963 vroeg ik aan Gomułka mijn vrijheid terug. Ik ben wiskunde gaan studeren, en geschiedenis, ik ben alweer veertig jaar gewoon burger. Mijn geloof is veranderd in twijfel. Ik zal je zeggen, mijn vriend, politiek is zwaar werk. Je moet er gevoel voor hebben, je moet er smaak voor hebben, ik heb het jaren gedaan, maar uiteindelijk hoor ik niet tot dat soort.

Toen ik partijbisschop van Wrocław was discussieerde ik avonden lang met Tadeusz Mazowiecki, dezelfde man die veertig jaar later de eerste niet-communistische premier zou worden, de eerste in een Oostblokstaat. Toen was hij een katholieke journalist en politicus, maar we konden goed praten. Hij leerde me dat het woord "religie" afkomstig is van "religio", verbonden zijn. Je bent religieus als je je verbonden voelt, met de wereld, met de mensen, met God. "Je kunt niet altijd geloven," zei hij. "Maar je kunt wel verbonden zijn."

Ik ben nu in de tachtig, ik ben mijn hele lange leven een atheïst gebleven. Maar de heilige Franciscus is me altijd zeer nabij geweest. En die zegt hetzelfde: "Die boom is mijn vriend, die kleine hond is mijn vriend."

Alles in je leven begrijpen is moeilijk. Soms begrijpt mijn kleine hond het beter.'

8

Het koren is gemaaid. De bomen zijn rood van de appels. Een man en een vrouw sjokken met hooivorken over de weg. Naast de huizen liggen de houtstapels, keurig geordend voor de winter, zwaar van de harslucht. Op een helling zijn twee mannen aan het ploegen, de een zit op een knallend rood trekkertje, de ander zwoegt achter de ploeg.

Op de camping waar ik overnacht, vlak bij de fonkelnieuwe Tsjechisch-Slowaakse grenspost, is bijna iedereen verdwenen. Het laatste personeel zit 's avonds in de kantine voor de televisie. Ze kijken naar een film: hoe een meisje wordt verleid door een oude, dikke man, hoe ze met hem bars bezoekt waar de klanten alleen maar Engels praten, hoe een oude vriend haar tot rede probeert te brengen, hoe ze hem uitlacht, hoe de oudere man haar bedriegt, hoe ze steeds meer aan de levensstijl van de buitenlanders verslaafd raakt, totdat de oude vriend...

Buiten zijn alleen de krekels nog te horen, het geruis van de beek, een uil.

Budapest is daarna wild, los in de blouse, slordig, vol gaten en butsen en toeterende auto's, geen museum of uitstalkast, maar een levende stad. In Buda zwieren de kranen, in Pest klinkt overal het getik en gebeitel van de restaurateurs: zoals overal in Midden-Europa wordt er gebouwd en geschilderd alsof binnen vijf jaar een halve eeuw moet worden ingehaald.

Het Monument van de Martelaren, de vallende figuur waarmee de Hongaarse communisten later de opstand van 1956 zouden herdenken, is uit het centrum verdwenen. De marmeren trappen leiden tot niets. Het voormalige partijgebouw is bezet door de socialisten, nog altijd wordt daar woest gediscussieerd, getikt en vergaderd. Het monument zelf is verplaatst naar de kale stadsrand, naar het beeldenkerkhof van de oude tijden, een ommuurd verbanningsoord dat speciaal is aangelegd voor de gedenktekens van het voorbije communisme. En daar staan ze inderdaad: de kameraden die elkaar de hand reiken, de leiders met brillen en aktetassen, de soldaten met vlaggen en pistolen, al die volksverheffende moeders, kinderen, tractoren, bloemen en vlammen. Zeker de helft van de beelden houdt de armen omhoog: in dit droevige oord klinkt voortdurend een gedempt 'Hoera!'. Lelijk is het lang niet allemaal, sommige monumenten zijn ronduit mooi, ze hebben alleen de foute namen, de foute leuzen en de foute symbolen.

Over het kleine beeldenreservaat schallen de hele dag martiale liederen: 'Arbeid!', 'Marcheren!', 'Werk!'. Voor het overige zijn de stemmen in de straten en de metro zacht, zelfs vertrouwd, op een vreemde manier. En opeens weet ik het weer: het zijn de stemmen van het jonge echtpaar dat op een decemberdag in 1956 plotseling op de stoep van ons huis in Leeuwarden verscheen, hij in een grote leren jas, zij met een tengere gratie die we in Friesland zelden zagen. Het zijn de stemmen die opklonken uit het houten zolderkamertje waar dit jonge paar maandenlang bivakkeerde, en waar ik soms mocht meeproeven van paprika's en andere ongekende gerechten. De stemmen waarmee ze, moeizaam, over hun reis hierheen vertelden, over de Nederlanders die langs de spoorbaan hadden gestaan om de Hongaarse helden toe te juichen, ze gooiden appels en koeken naar hen, het was wonderbaarlijk. In Utrecht sliepen ze in een grote hal. Er kwamen een paar Friese dames: 'Waar is ons contingent vluchtelingen, wij willen ook driehonderd Hongaren!' Hij las almaar strips om Nederlands te leren, later kocht hij een motorfiets. Samen reden ze rond in het natte Friese land.

Ik had ze, veel later, nog een keer gesproken. Ze woonden in Drachten. Ze zei: 'Ik had zo'n heimwee, ik zat een brief te schrijven, en ik huilde maar en ik huilde maar. Alleen de glazenwasser zag het.'

Geen Hongaar had 1956 voorzien. Het pleintje waar de opstandige jeugd voor het eerst bijeenkwam ligt tussen twee snelwegen aan de Donau. Het wordt gedomineerd door het standbeeld van de revolutieheld van 1848, de dichter Sándor Petöfi. Op het grasveld aan zijn voeten kun je vlugge demonstraties houden, speldenprikken, en dat was op die 23ste oktober 1956 ook de opzet. Hongarije moest, in navolging van Polen, meer vrijheid krijgen, daarover discussieerden al maandenlang een paar honderd jongeren in de aula van de universiteit. Nu wilden ze een manifestatie houden. Maar in plaats van die vaste groep studenten kwamen, voor iedereen onverwacht, opeens ook massa's jongeren uit de rest van de stad opdagen. Ze zwaaiden met Poolse en Hongaarse vlaggen, riepen 'Lang leve de Poolse jeugd!' en 'We vertrouwen Imre Nagy!'. In de straten van Budapest hing een sfeer van vernieuwing en avontuur. Zelfs studenten van het communistische Lenininstituut kwamen op de bijeenkomst af, met rode vaandels en een portret van Lenin.

Zelden liep een volksoploop zo uit de hand als deze. Onverwacht sloten de militairen uit de kazerne aan de overkant zich bij de studenten aan, en daarna kwamen de arbeiders, bij massa's, omdat op dat moment ook de fabrieken uitgingen. Niets was vooraf bedacht. 'Naar Stalin!' riep de een, en urenlang werd er met snijbranders, kabels en een vrachtauto gezwoegd om het immense beeld omver te krijgen. 'Naar de radio!' riep een ander, en het omroepgebouw werd door duizenden belegerd en ingenomen. De eerste schoten vielen. In tien uur tijd van 1848 naar 1956, zo ging het toen in Budapest.

1956 was een centraal jaar in de Europese geschiedenis. Het was het jaar van Chroesjtsjovs Stalinrede, van de open discussies in het Oostblok, van de onrust in Polen.

Het was het jaar van de Suezcrisis, van de afgang van de Britten en de Fransen die samen met de Israëli's omwille van de doorvaart in het Suezkanaal een koloniale expeditie tegen Egypte begonnen, en die zich met de staart tussen de benen moesten terugtrekken toen de Amerikanen dreigden de geldkraan dicht te draaien en het Britse pond op te blazen.

1956 was ook het jaar waarin drie knappe moslimmeisjes in Algiers de eerste aanslagen pleegden op de Milk-Bar, het Cafétaria en het kantoor van Air France en daarmee de aanzet gaven tot een vernederende oorlog waaraan op het laatst meer dan een half miljoen Fransen deelnamen. Het was het jaar waarin Indonesië de laatste formele banden met Nederland verbrak, waarin de Britten de Grieks-Cypriotische leider Makarios III in ballingschap stuurden, waarin de broers Fidel en Raúl Castro op Cuba landden om er een opstand te beginnen. Het was het jaar van het sprookjeshuwelijk tussen prins Rainier van Monaco en de Amerikaanse filmster Grace Kelly en van Elvis Presleys doorbraak met 'Heartbreak Hotel'. En het was, voor alles, het jaar van de Hongaarse opstand. De beelden gingen de hele wereld over, en zolang de Koude Oorlog duurde, bleef de Hongaarse rebellie het symbool van vrijheidszin tegenover communistische onderdrukking. De werkelijkheid was, zoals gewoonlijk, veel ingewikkelder. Na de ontluistering van Stalin werd de positie van de Hongaarse leider Mátyás Rákosi, een stalinist uit de oude school, al snel onhoudbaar. Hij werd vervangen door een tussenpaus, maar de man waar de Hongaren werkelijk op wachtten was de voormalige premier Imre Nagy. 'Oompje Imre' was een figuur als Gomułka, communist, humanist én patriot. Hij had nog deelgenomen aan de Russische revolutie en de burgeroorlog, was vijftien jaar lang een hoge Cominternfunctionaris in Moskou geweest, en toch was al dat partijwerk, zoals zijn biograaf Miklos Molnár het uitdrukte, 'niet in staat geweest om het menselijk wezen in hem te doden, de partijpolitiek deed hem niet "het idee" vergeten'. Hij was echter ook een eenling, een twijfelaar. Hij miste Gomułka's gevoel voor de massa, zijn hardheid en doortastendheid.

De Hongaarse rebellie was een direct gevolg van Gomułka's succes in Polen. Het was een protest dat werd aangestoken door journalisten, studenten en andere intellectuelen, maar dat vervolgens door de rest van de bevolking werd overgenomen op een manier die de initiatiefnemers nooit hadden gewild.

De Hongaarse revolutie ontstond in de centrale hal van de Technische Universiteit van Budapest. Vanaf 1955 werd hier in toenemende openheid over alle mogelijke politieke onderwerpen gediscussieerd, en deze beweging kwam in een stroomversnelling na Chroesjtsjovs rede over Stalin. Sommige studenten verslonden westerse schrijvers als Aldous Huxley en George Orwell, anderen experimenteerden met moderne muziek en schilderkunst. In het voorjaar van 1956 werd László Rajk postuum gerehabiliteerd. In september verscheen het eerste nummer van een nieuw, fel oppositioneel weekblad, *Hétfõi Hírlap* (Maandagkrant), dat de Hongaren bijna letterlijk de kiosken uit scheurden. Op zondag 6 oktober werd Rajk plechtig herbegraven. Wat bedoeld was als een kleine bijeenkomst, groeide uit tot een spontane volksoploop waaraan tweehonderdduizend Hongaren deelnamen. Een van die vroege opposanten merkte later op: 'Dit was het moment waarop iedereen zich realiseerde dat ons protest niet enkel een zaak was van een paar communistische intellectuelen. Iedereen bleek zich, op dezelfde manier, tegen het regime te keren.'

In oktober, na de begrafenis van Rajk en de succesvolle rebellie van de Polen, werden de eisen van de studenten concreet: ook in Hongarije moesten democratische hervormingen plaatsvinden. Gomułka was hun grote held, Imre Nagy kon in Hongarije diezelfde rol spelen, hoewel Nagy zelf daar helemaal niet zo gelukkig mee was. Voor dinsdag 23 oktober organiseerden ze een demonstratie om hun 'zestien punten' kracht bij te zetten; de loyale partijman Nagy was er fel op tegen. Later die week waren ze van plan om een grote conferentie te houden, een soort nationaal debat over hun eisen. Geen haar op hun hoofd dacht aan een gewapende opstand.

Pas toen de zaken uit de hand liepen, op de avond van de 23ste, liet Nagy zich door het Politbureau overreden om de massa voor het parlementsgebouw toe te spreken. 'Kameraden!' begon hij. De mensen brulden terug: 'Wij zijn niet langer kameraden!' De volgende ochtend sprak hij over 'vijandelijke elementen' die zich tegen de volksdemocratie hadden gekeerd. Een week later riep hij dat het Hongaarse volk 'in een heroïsche worsteling' een eeuwenoude droom had verwezenlijkt: onafhankelijkheid en neutraliteit. Tegen wil en dank werd hij leider van de Hongaarse revolutie.

Uit latere interviews blijkt dat veel studenten diep geschokt waren over de manier waarop 'hun' demonstratie ontaardde in rondtrekkende menigtes 'die zich als idioten gedroegen', zonder dat ze nog 'in staat waren om op de remmen te gaan staan'. De meesten wisten vanaf het begin dat het helemaal mis zou gaan. Een journalist: 'Veel van degenen die de laatste jaren oppositie hadden gevoerd tegen het communistische systeem, voelden [op 23 oktober] dat er een tragedie had plaatsgevonden.' Onder de revolutionaire vechters in de straten, later die week, bevonden zich steeds minder studenten. Het waren arbeidersjongeren, nozems en vandalen, ruige jongens uit de achterbuurten van Budapest. Een Hongaarse arts, die veel gewonden behandelde, zei later: 'Er waren er heel wat onder de vechters die [...] nog nooit van Gomułka gehoord hadden, en die op de vraag waarom ze hun leven hadden gewaagd in de gevechten, antwoorden gaven als: "Nou, is het werkelijk de moeite waard om te leven voor zeshonderd forinten in de maand?"' Een van de rebellerende studenten, later: 'Het is pijnlijk om het te moeten erkennen, maar toch is het waar: zij waren de echte helden.'

Op woensdagochtend 24 oktober reden lange colonnes inderhaast opgeroepen sovjettroepen de stad binnen. Er werden nu barricades opgeworpen, de tanks liepen vast en hier en daar kwam het tot schermutselingen. Regelmatig ontstonden ook discussies tussen de tankbemanningen en de Hongaarse burgers. Het kwam die eerste dagen meer dan eens voor dat een Russische commandant riep dat hij naar Budapest was gestuurd om de stad te bevrijden uit handen van 'fascistische bandieten', maar dat hij er niet over dacht om op deze vreedzame menigte te schieten. Zulke verklaringen werden begroet met luid gejuich, de Russen werden omhelsd, Hongaarse vlaggen werden over de tanks uitgespreid. Een Hongaarse tankcommandant, de voormalige communistische partizaan Pál Maléter, die met vijf tanks een door de menigte belegerde gevangenis moest ontzetten, koos openlijk de kant van het volk en liet de gevangenen gaan; hij werd een van de grote aanvoerders van het Hongaarse verzet.

Toen rond hotel Astoria meer van dergelijke verbroederingen plaatsvonden, ontstond het gerucht dat de sovjettroepen ook de kant van de revolutie hadden gekozen. Maar een wilde schietpartij voor het parlementsgebouw, vermoedelijk aangezet door de Hongaarse geheime dienst, maakte snel een eind aan deze illusie. Overal in de stad werden de tanks met molotovcocktails aangevallen, de jongens met de meeste lef klommen er zelfs bovenop en gooiden hun granaten zo door het mangat naar binnen. Toen Noel Barber, correspondent voor de Londense *Daily Mail*, op vrijdag 26 oktober de stad binnenreed, zag hij overal opgebroken straten en uitgebrande auto's. 'Voordat ik hotel Duna had bereikt, telde ik al de wrakken van minstens veertig sovjettanks. [...] Op de hoek van de Stalinboulevard rolden twee enorme Russische T-54-tanks voorbij, die een paar lijken meesleepten, een waarschuwing aan alle Hongaren voor het lot van de straatvechters. In een andere straat waren drie lijken aan een boom opgehangen, hun nekken in lompe hoeken gewrongen, niet zozeer lichamen, eerder beelden.'

Een dag eerder was Imre Nagy, met instemming van Moskou, benoemd tot premier. Chroesjtsjov gokte erop dat het ongeveer op dezelfde manier zou gaan als in Polen: Nagy's populariteit zou de opstand snel tot bedaren brengen, het communistische regime zou vast in het zadel blijven. Er was één verschil: Hongarije was geen Polen, en waar Gomułka ophield, ging Nagy door. Hij liet zich meeslepen door de gevoelens op straat, eiste in zijn toespraken een neutrale status voor Hongarije, wilde uit het Warschaupact treden. De rebellie verspreidde zich ondertussen over het hele land, gevangenissen werden bestormd, bedrijven werden platgelegd, overal werd gevochten.

Op dinsdag 30 oktober werd het hoofdgebouw van de communistische partij, na een schietpartij, door een woedende massa belegerd. Het leger werd te hulp geroepen, maar de tankbemanningen draaiden hun kanonnen om en begonnen het partijkantoor te beschieten. Toen partijsecretaris Imre Mezõ met een witte vlag naar buiten stapte, werd hij neergemaaid. Daarna begon de bestorming. In de menigte stond de latere schrijver György Konrád, toen drieëntwintig jaar oud en net afgestudeerd. Hij zag, vertelde hij me, hoe mensen van de geheime dienst aan hun voeten werden opgehangen. 'Ze waren daarvoor waarschijnlijk gemarteld, want ze hadden geen hemd meer aan. De mensen spuugden naar ze. Een oudere heer met een dure winterjas zei: "Foei, foei, jullie hebben ook veel te danken aan de Russen." Ook hij werd opgehangen. Het tafereel beviel me niet.'

Later gingen geruchten dat er onder het plein gevangeniskelders lagen, er zouden zelfs klopsignalen zijn gehoord. Met graafmachines werd een immense kuil gegraven, de menigte keek ademloos toe, niemand leek meer te beseffen wat er in de rest van de wereld gebeurde.

In Moskou bestond, weten we nu, op datzelfde ogenblik een sterke neiging om Hongarije los te laten. De grootste angst was dat de opstand zou overslaan naar Boekarest, Praag en Berlijn. 'Budapest was een spijker in mijn hoofd,' zou Chroesjtsjov later schrijven. Tegen het Politbureau zei hij: 'Er zijn twee paden – een militair pad, een van bezetting, en een vredespad – het terugtrekken van troepen, onderhandelingen.' Maarschalk Zjoekov – toen korte tijd minister van Defensie – pleitte ervoor om alle troepen uit Hongarije terug te trekken. Jekaterina Foertseva, lid van het Centraal Comité, verklaarde dat dit een militair-politieke les was voor de Sovjet-Unie: 'We moeten zoeken naar andersoortige relaties met de volksdemocratieën.'

György Konrád sjouwde al die dagen door de stad met een machinepistool, waar hij overigens niets mee deed. Hij fungeerde als lijfwacht voor een hoogleraar, maar hij was, zo vertelde hij, ook medewerker van een literair tijdschrift. 'Ik besloot de directeur van het staatsuitgeefbedrijf maar eens op te zoeken om voor ons blad een grotere oplage te vragen. Ik vroeg om dertigduizend. Hij zei: "Natuurlijk, vijftigduizend, vijftigduizend." Ik begreep niet dat zijn antwoord alles te maken had met mijn machinepistool aan de kapstok.'

Tijdens het laatste weekend van de opstand heerste er weer een zekere orde. 'De aanvoerder van de lynchpartij voor het partijkantoor was gearresteerd. De staking was afgelopen. Alles wees erop dat die maandag het gewone leven weer zou beginnen. Er was een meerpartijenregering, er zouden vrije verkiezingen komen, Hongarije zou uit het Warschaupact treden, de details zouden nog met de Russen besproken worden. We leefden, kortom, in een prachtige illusie, die laatste zaterdag. Vanuit het platteland kwamen geruchten over Russische tankbewegingen, maar dat was enkel een misverstand, dachten we.'

In Moskou was de stemming volledig omgeslagen na de aankondiging van Imre Nagy om Hongarije uit het Warschaupact terug te trekken. In diezelfde week waren Frankrijk en Groot-Brittannië de Suezzone binnengevallen, en te veel van dit soort 'kapitalistische' successen vond de toenmalige sovjetleiding onverdragelijk. György Konrád: "'s Nachts hoorde ik de eerste schoten. De radio aan, zoals iedereen. Toen 's ochtends heel vroeg naar de universiteit met mijn machinepistool. Door de straten reden Russische tanks. Ik wist dat er meer gewapende studenten waren, en ik hoopte dat we samen de gebouwen konden verdedigen. Maar we hebben nooit een schot gelost. Zij schoten niet op ons, dus wij besloten ook niet op hen te schieten.'

Op zondagochtend 4 november vielen de Russen met een grote overmacht Hongarije binnen. Binnen een dag hadden ze Boedapest in handen, binnen een week was de opstand voorbij. Er werd een nieuw regime geïnstalleerd onder leiding van partijsecretaris János Kádár, een voormalige medestander van Nagy die was overgelopen naar de sovjets. Nog even werd overal in het land gestaakt, toen kwam de winter.

Volgens de meest betrouwbare gegevens sneuvelden ongeveer zeshonderd sovjetmilitairen en twee- à drieduizend Hongaren, ongeveer tweeëntwintigduizend al of niet vermeende rebellen werden veroordeeld tot kampen of gevangenissen, ongeveer driehonderd werden geëxecuteerd, onder wie Imre Nagy.[15]

György Konrád: 'Ik overleefde het allemaal, waarschijnlijk omdat we vanuit de universiteit niet hebben geschoten. Na drie dagen stuurden de Russen een boodschapper: als we de universiteitsgebouwen bleven vasthouden, zouden ze alles in puin schieten. Wij waren laf of verstandig, dat weet ik nog altijd niet, maar we verlieten de universiteit. De volgende keuze was: in het land blijven of vluchten. Tweehonderdduizend Hongaren zijn na 1956 vertrokken, journalisten, schrijvers, intellectuelen, het was een enorme *braindrain* voor het land. Ook persoonlijk waren het zware tijden. De helft van mijn kennissen trok weg, mijn neven, mijn beste vrienden gingen naar Amerika. Ik bleef. Toen opnieuw een keuze: meewerken met het regime of niet. Niet meewerken dus. Dan maar een marginaal bestaan, waarvan het enige doel was: de cultuur in stand houden, zo mogelijk uitbreiden, bewaren wat er vroeger bestond. En dan kom je bij het saaie verhaal van na 1956.'

De Hongaarse zomer doofde langzaam uit, dat laatste jaar van de twintigste eeuw. Er waren geen stormen, geen nevels, de dagen waren eind september nog altijd warm, de bomen zwaar van het groen. Ik was naar mijn vrienden in Vásárosbéc gereden, door de eindeloze vlakte ten zuiden van Budapest. De weg was vol Trabants en Wartburgs, het halve wagenpark van de DDR leek in Hongarije te zijn aangespoeld. Na veertig kilometer verscheen de eerste paardenkar, bij Pécs waren het er tientallen. Een bruine, gebogen man wankelde met een fiets en twee volle jutezakken door de betonnen goot langs de weg. Hier en daar stonden bermhoeren op hun hakken te draaien, met rokjes als van elfen. Onderweg belandde ik op een kleine paardenmarkt, een stuk gras onder de bomen naast een driesprong. Overal joegen karren met tweespannen in het rond, showend wat ze konden, daarachter vaak een paar veulens. Alle handelaren hadden een fles bier in de hand en sloegen erop los. Even verderop werden worsten en gebakken vissen verkocht, en onderbroeken, goedkope horloges en haarspelden. Een dronken verkoper stond voor het oog van een klant twee magere paarden te slaan, totdat ze de kar door de remmen trokken. De wielen schoven over het gras, bloedsporen op de paardenflanken.

In het café van Vásárosbéc raakte ik in gesprek met een verdwaalde Hollander, een grote blonde man met gele klompen en een T-shirt van de popgroep Normaal aan het lijf. 'Noem mij maar Henk uit Zweeloo,' zei hij tegen iedereen, hij sprak nauwelijks een woord Hongaars, maar in de kroeg was hij als een vis in het water. 'Ja, waarom ben ik hier? Hier is, denk ik, het leven zoals het hoort.'

Lajos (1949) en Rode József (1937) vertelden over vroeger. Vlak na de oorlog woonden in het dorp zestienhonderd mensen, er waren zeker honderd boeren, elk stukje grond werd bebouwd en toch stierven ze van de armoede. Nu wonen er zo'n vijftig gezinnen, en er is nog maar één echte boer, de burgemeester. Ze hadden, zeiden ze, in 1956 al snel gehoord dat er in Budapest een opstand tegen de communisten was uitgebroken, en alle boeren hadden direct hun vee uit het collectief gehaald. 'Maar dat duurde niet lang!' riep Lajos. In een ander dorp hadden de boeren gevochten, hier bleven ze rustig. Dat communisme, dat was een zaak van de anderen. 'Wij probeerden hier allemaal te overleven en ons eigen bestaan ieder jaar een beetje beter te maken en daarbij bleef het. Er was één man die in het café altijd over politiek praatte, die had een te grote mond, die is na 1956 naar Duitsland gegaan.'

Vanaf het eind van de jaren vijftig begon trouwens iedereen weg te trekken, toen mochten de mensen verhuizen naar de grote stad. Rode József: 'Voor de oorlog moesten we hard werken, maar we hadden redelijk te eten. Daarna kwam er een heel slechte tijd. De Zwaben werden gestraft omdat ze voor Hitler waren geweest. Alle zolders en kelders werden door de communisten leeggeplunderd, alles moest naar het collectief, we hielden maar een halve hectare voor onzelf.'

Er was één verzetje: de kleine bioscoop. Lajos: 'Er woonde hier een man, je ziet hem soms nog in het café, hij was dertig jaar lang postbode. Iedere week bracht hij de film uit de stad hierheen, zomer en winter, lopend, dertig jaar lang.'

Pas in de zomer van 1999 was het collectief geliquideerd. 'Alle grond is nu teruggegeven. Maar de jongeren zijn vertrokken en de ouderen kunnen niet meer opnieuw beginnen. Er is nu een grootgrondbezitter die alles opkoopt. Die man wordt heel rijk. Het is te laat.'

En al die Hollanders en Zweden, die hier huizen kopen? Rode József vond het wel goed: 'Het zijn geen zigeuners en ze bouwen het dorp weer op.' Lajos zei: 'Verkoop toch de boel. Vandaag is vandaag, zo is het leven. Het kerkhof, dat kan altijd nog.'

Er kwam een zigeunerin binnen met de vraag of ze de veearts mocht bellen, haar varken was ziek. We gingen met haar kijken.

De vrouw stond naast het varken – haar hele kapitaal voor de winter –, krabde en aaide het dier, fluisterde in zijn oren, smeekte het om toch nog een eindje door te leven. Op de achtergrond stonden een paar mannen. 'Je moet hem niet meer voeren,' zei een van hen, en onhandig schoof ze het voer weer weg uit de trog. Ze had tranen in de ogen, veegde haar vingers af aan een vieze doek en daarna aan het borstelige varken zelf.

Later gingen we op bezoek bij Maria, de organiste van de kerk. Iedere zondag zat ze achter het harmonium en speelde een reeks noten, schots en scheef, en met luide stem zong ze er een lied bij. Nu zat ze op de bank naast haar huis met twee bloemen in de hand, terwijl haar dochter bezig was met het naaien van een leren handschoen, met fijne kleine steekjes. Veel vrouwen in het dorp deden dat, in opdracht van een handschoenenbedrijf in Pécs, daar kregen ze een kleinigheid voor.

Maria was, naar eigen zeggen, 'zevenenveertig jaar oud, maar dan omgekeerd', en ze verkeerde in een voortdurende staat van verliefdheid. Ze streelde mijn vriend, pakte zijn hand vast, suggereerde woeste en veelbelovende gebeurtenissen uit een ver verleden. Uit een plastic colafles kregen we de eerste wijn van het jaar, troebel, bijna nog druivensap. 'Trink, trink, Brüderlein trink!' zong Maria, wiegend met het glas. Ze hoorde bij de laatste bejaarden die nog een paar woorden Zwabisch verstonden, een Duits dialect dat immigranten tweehonderd jaar geleden hierheen meenamen en dat er de afgelopen eeuw door de Hongaarse nationalisten weer grondig uit was getimmerd. De taal sprak ze niet meer, maar een paar Duitse liedjes woonden nog in haar hoofd, geleerd bij haar vader op schoot, heel lang geleden. De lucht in het dorp was herfstig, rokerig, zuur, scherp.

Twee dagen later reed ik verder naar de Oostenrijkse grens. Onderweg trof ik een liftster, Iris, een kleine vrouw met levendige ogen en een mager gezicht. Ze sprak vloeiend Duits en Engels, ze was vroeger ingenieur geweest, vertelde ze, maar het staatsbedrijf waarvoor ze werkte, was ermee opgehouden, daarna had ze met haar man een reclamebedrijfje gehad, haar echtgenoot en compagnon was gestorven, en nu hielp ze in een paardenstal. Haar fiets was vorige maand gestolen, geld voor een nieuwe had ze niet, ze liep iedere dag drie uur naar haar werk. 'Het zijn goede wezens, paarden,' zei ze. 'Ze troosten je.'

Ze had op 19 augustus 1989 meegedaan aan de Pan-Europese Picknick, een bizarre manifestatie aan de grens bij Sopronpuszta, waar Hongaren, Oostenrijkers en Oost-Duitsers voor het eerst demonstratief het IJzeren Gordijn doorbraken. 'Uiteindelijk was die beruchte grens niet meer dan een houten deur met een schuif,' vertelde ze. 'We hadden hem zo open. De grenswachten beseften goddank dat de menigte niet te houden was.' Toen al was ze verbaasd over de Oost-Duitsers, die zomaar alles achterlieten: Trabants, foto's, teddyberen. 'Ik dacht: die mensen hebben de laatste vertrouwde dingen hier naar toe meegenomen, en zelfs die laten ze achter om maar over de grens te komen.'

Ik probeerde met haar de plek terug te vinden, in de glooiende velden achter de grensplaats Sopron. Er staat nu een klein monument ter herinnering aan die befaamde picknick uit 1989, plus een onbemand slagboompje, voor fietsers en landbouwverkeer, je kunt er zo Oostenrijk binnenlopen. Het was de eerste keer sinds 1989 dat ze hier terug was, ze was wat weemoedig over haar leven. 'Het kapitalisme was veel onbarmhartiger dan we ooit dachten,' zei ze. 'We dachten toen: nu komt alles eindelijk goed.'

X

Oktober

EUROPA 1956 - 1980

FINLAND

SOVJET-UNIE

RIJE

ROEMENIË

SLAVIË

ZWARTE ZEE

BULGARIJE

ANIË

GRIEKENLAND

TURKIJE

1

'Op een fiets met houten banden had ik een tocht gemaakt naar Zaandam. Toen ik thuiskwam, was er iemand met een auto: de koningin wilde me spreken. Het was mei, Nederland was net twee weken vrij, en Kathleen en ik woonden op een hoge studentenzolder aan de Amstel in Amsterdam. Stomverbaasd stapten we in – Kathleen had net een Zweeds wittebroodje afgehaald, die schat wilden we niet achterlaten – en daar reden we naar Breda, waar koningin Wilhelmina resideerde. Voor ons tweeën was het een droom: we werden ondergebracht in een hotel, in Breda brandden gewoon de straatlantaarns, op straat kon je aardbeien kopen, de lakens waren wit in plaats van geel. De volgende ochtend vroeg de koningin of ik haar privésecretaris wilde worden – naar ik later begreep op advies van de toenmalige premier Schermerhorn die ik in het gijzelaarskamp Sint-Michielsgestel had leren kennen. Van begin 1942 tot september 1944 had de bezetter namelijk op zijn eigen wijze voor mijn kost en inwoning gezorgd. Zo werd koningin Wilhelmina mijn eerste werkgeefster.

Ik moest onder andere haar post regelen. De koningin kon die op een bijzondere manier afhandelen: ze greep brief na brief uit de stapel, opende die, en wierp vervolgens de enveloppe over haar schouder de kamer in. Over de politieke kant van haar werk sprak ze vrijwel nooit met me – aan die scheiding hield ze scherp vast. Wel merkten we hoe moeilijk het voor haar was om terug te keren naar Den Haag. Voor haar was het paleis Noordeinde een gouden kooi geweest, waaruit ze op 13 mei 1940 eindelijk had kunnen ontsnappen.

De toenmalige regering had als regel: Wie niet slecht geweest is, is goed. Voor de koningin was het precies omgekeerd: Wie niet goed geweest is, is slecht. Ik herinner me hoe ze voor het eerst weer op Noordeinde kwam, met de pest erin, en hoe daar de burgemeester en wethouders van Den Haag stonden opgesteld. Koningin Wilhelmina loopt op de eerste af en vraagt alleen maar: "In welk concentratiekamp hebt u gezeten?" En die vraag herhaalde ze aan iedereen die daar was. Ik had geen flauw idee wat de mensen werkelijk gedaan hadden, maar het werd heel stil in die ontvangstzaal.

Vanaf het najaar van 1945 reisden we door het hele land, één grote inspectietocht was het eigenlijk. Als we zo'n bezoek achter de rug hadden en ze in haar eigen salonwagen zat, zei ze soms: "Nu even blazen." Even geen handen schudden, niet de juiste vragen hoeven stellen. Ze vond het heel zwaar allemaal. Eén keer hebben we na zo'n reis met haar gesjoeld: ze keilde de stenen over de bak, aan alle kanten vlogen ze over de vloer. "Ja, dat is nu eenmaal het Russische bloed dat in mij rondspookt," zei ze dan.

Kijk, dit is een foto van mijn vader, die grote mooie man, met die baard en dat aristocratische uiterlijk. Philip Kohnstamm, fysicus, later hoogleraar. Door allerlei familieomstandigheden was hij opgegroeid in het huis van zijn oom, de Amsterdamse bankier A.C. Wertheim, helemaal in de sfeer van het geïntegreerde jodendom. Mijn vaders belangstelling was zeldzaam breed: hij was ook privaatdocent filosofie, hij was hevig geïnteresseerd in de theologie, later ook in de pedagogie, en dan was er de politiek, zowel nationaal als internationaal.

Hij was van 1875, mijn moeder van 1882. Zij was een dochter van J.B.A. Kessler, directeur van de Koninklijke Nederlandsche Petroleum Maatschappij (KNPM) waaruit later de Koninklijke/Shell Groep is voortgekomen. Maar in de jeugd van mijn moeder was van voorspoed nog geen sprake. De KNPM was toen nog een klein bedrijfje met een olieconcessie op Noord-Sumatra om petroleum voor lampen en dergelijke te produceren. Mijn grootvader sleepte wat vaatjes olie uit het oerwoud, daar kwam het op neer. Benzine was alleen maar een lastig restproduct waar ze niets mee verdienden, "dat vreselijke goedje, dat almaar in de brand vliegt", zoals hij in een van zijn brieven schreef. Hij heeft Henri Deterding erbij gehaald, en samen hebben ze dat noodlijdende bedrijf op het droge getrokken. Zelf reisde hij voortdurend op en neer naar de Indische oliebronnen, hij was een echte rimboe-man, maar het ruïneerde zijn gezondheid. En als hij dan thuiskwam – dat proef je ook uit zijn brieven – dan viel het ook weer tegen. Het was een tragisch leven.

Mijn moeder was dol op hem. Toen ze zestien werd, gaf hij haar een fiets cadeau. Ze was woedend: "Dat mag je niet doen, daar heb je het geld niet voor, je moet er veel te hard voor werken." Kort daarna stierf hij, negenenveertig jaar oud, als een van de rijkste mannen van Nederland. Het was 1900, de eerste auto's verschenen, en "dat vreselijke goedje" werd goud waard.

Mijn vader ontmoette de Kesslers voor het eerst in de zomer van 1899, tijdens een vakantie in Domburg. Ik heb nog een foto van ze, op de tennisbaan van het hotel. Mijn moeder was toen zeventien, mijn vader was zeven jaar ouder. Ze zijn getrouwd, die honderd procent joodse Kohnstamm en dat meisje Kessler uit de gegoede burgerstand van Den Haag. Dat soort gemengde huwelijken was toen nog zeldzaam. Maar nooit heb ik gehoord dat er daarover moeilijkheden waren. En mijn ouders bleven hun leven lang innig verbonden met elkaar.

In mijn ouderlijk huis heeft de negentiende eeuw tot 1940 geduurd. Tot 1926 woonden we 's winters aan de Amsterdamse Nieuwe Keizersgracht en 's zomers trokken we naar een houten buitenhuis bij Ermelo, De Schapendrift. Mijn moeder bestierde met stevige hand die wereld van zes kinderen, een kindermeisje en twee dienstboden, plus op gezette tijden een naaister voor fijn en eentje voor grof. Het was een normale huishouding voor de kringen waarin mijn ouders verkeerden, niet deftig, wel druk en vol.

De hele buurt werd gedomineerd door de smalle, volkse, joodse Weesperstraat. Ik herinner me Ricardo, een snoepwinkel waar je de heerlijkste bonbons kon krijgen. De drukte, van 's morgens vroeg tot 's avonds laat, de tram die zich daardoorheen worstelde. En daarna de stilte op zaterdag, als de mannen met hun hoge hoeden en de keurig geklede jongens naar de synagoge liepen. Werd er gediscrimineerd? Er werd weleens een grap gemaakt, en mijn vader kon als jood geen lid worden van de Groote Club, waar hij overigens ook helemaal geen zin in had. Maar het gif zat er toen nog niet in. Die kleur die het in de jaren dertig en veertig gekregen heeft, en die voor ons onmogelijk is om weg te denken, die was er toen nog niet.

In de winter van 1939 heb ik, in mijn eentje, een maandenlange autotocht door de Verenigde Staten gemaakt. Ik kreeg een beurs aangeboden van de 'American University' en ik wilde Roosevelts 'New Deal' weleens met eigen ogen zien. Het is vandaag de dag moeilijk te begrijpen hoezeer Amerika voor de Tweede Wereldoorlog een witte plek was op de Nederlandse wereldkaart. Ik herinner me nog hoe ik, in de coupé van de trein waarmee ik Amsterdam verliet, in het spiegeltje keek en tegen mezelf zei: "Met dat smoel moet je nu een jaar alleen leven."

Die reis heeft een enorme betekenis gehad voor mijn verdere leven. Ik kwam uit een continent waar de meeste mensen door Hitler en de crisis verlamd leken, als konijnen in het licht van de stroper. En dan ben je opeens in Amerika waar de mensen iets durfden, waar ze zeiden: "Laten we het in elk geval eens proberen, wie weet lukt het." Ik merkte daar dat politiek ook groots kon zijn. De tegenstelling met Nederland kon niet groter zijn. En het sleepte me mee, ik kreeg iets van lef, iets van een Amerikaans jongetje werd in me wakker.

Ik heb hier een brief van mijn vader uit die tijd. Het was vlak na de grote rede van Roosevelt, waarin die voor het eerst duidelijk zei waar hij stond, namelijk in het democratische, anti-nationaal-socialistische kamp. Hij schreef, ik vat het samen: "Max, het lijkt me alsof we over het allerergste heen zijn. Het allerergste, daaronder versta ik niet oorlog, maar de capitulatie van de gehele wereld – door egoïsme of besluiteloosheid – tegenover de totalitaire waanzin. Oorlog lijkt me nog lang niet uitgesloten. Maar dat de Caesaren in Berlijn en Rome werkelijk de wereldheerschappij in handen zouden krijgen schijnt mij, na Roosevelts boodschap, vrijwel ondenkbaar."

Kathleen zag ik voor het eerst in de winter van 1940, in de trein naar Leeuwarden. De volgende dag schaatste ik met een paar vrienden de Elfmerentocht, samen aan een lange stok, schitterend weer was het. Opeens zag ik datzelfde meisje dat ik in de trein had ontmoet, in haar eentje. Ik was nogal schuchter, maar het Amerikaanse mannetje in me zei tegen haar, terwijl we voorbijreden: "Haak maar in, als je zin hebt." Op het Sneekermeer hebben we aan het eind van die dag nog schaatsend tikkertje gespeeld, in het licht van een volle maan.

De rest van die winter werkte ik in de Schapendrift aan mijn doctoraalscriptie. Pas begin mei 1940 was ik weer in Amsterdam voor mijn laatste tentamens.

Zo ging ik op 9 mei 1940 slapen als een redelijk geslaagd Amsterdams jongmens. Toen ik wakker werd was het oorlog, een paar dagen later was ik een half-Ariër, een 'Mischling ersten Grades'. Een baan in mijn eigen vakken, Nederlands en geschiedenis, was er voor mij niet meer bij. Wat doe je iemand aan, om met zo'n geval te trouwen? Ze was nog geen achttien. Dat dilemma heeft in mijn groeiende liefde voordurend een rol gespeeld – al werd ik in die tijd met grote hartelijkheid in haar ouderlijk huis ontvangen. In de brief waarin ik uiteindelijk om haar hand vroeg, vanuit het gijzelaarskamp, zit die twijfel nog steeds. Maar je leest er ook dat Amerikaantje in, dat gewoon durfde en deed.

Mijn leven heeft heel sterk in het teken gestaan van het opbouwen van iets nieuws, na de verschrikking. Na 1945 leerden we allemaal om vooruit te kijken, we hebben nooit meer anders gedaan. Maar ik weet ook, nu ik weleens terugdenk aan die vooroorlogse jaren, dat er iets voor eeuwig verdwenen is. En dat geldt zeker voor Amsterdam. Ik herinner me hoe ik werd opgepakt: ik liep door een prachtig besneeuwd Amsterdam, die stad kan dan zo mooi zijn, en bij mijn huis aan de Amstel was er politie, mijn hospita stond te huilen, en even later liep ik, kaalgeschoren, op het kale, ijzige appelterrein van Kamp Amersfoort. Ik heb het geluk gehad dat ik weer werd vrijgelaten, maar ik ben er wel in drie maanden vijfentwintig kilo kwijtgeraakt.

Je ziet daar écht dat rechteloosheid de hel is. Ik heb me nooit zo overgegeven aan Gods hand gevoeld als daar. En tegelijk liggen daar ook de wortels van mijn huidige agnosticisme. Ik weet nog hoe ik op een avond een lijk uit het lijkenhuis moest slepen, met een bewaker en een hond. Terwijl ik daarmee bezig was, ging het door me heen hoe ridicuul het eigenlijk was: een halfdooie sleept een dooie, met daarachter een Duitser en een hond. Maar de belangrijkste gedachte die me beheerste was de vraag of, als ik in de barak zou terugkomen, mijn brood nog niet zou zijn gestolen.

Op een of andere manier was Kamp Amersfoort ook een ridderslag. Er is namelijk een niet te peilen verschil tussen kapotgemaakt worden omwille van je ras, of kapotgemaakt worden omwille van je politieke vasthoudendheid. En als ik niet bij die laatste groep had behoord – ik had in het najaar van 1940 in de aula van de universiteit namens de studenten bij wijze van protest een couplet van het Wilhelmus voorgelezen – dan weet ik niet of ik later Kathleen had durven vragen.

Het was een goede tijd, die jaren bij mijn eerste werkgeefster. De omgang met koningin Wilhelmina was, uiteraard, afstandelijk. Dat gold trouwens niet voor mijn collega Jeanette Geldens, die Wilhelmina tot haar dood vergezeld heeft en die, als een van de weinigen, haar isolement wist te doorbreken. Haar plichtsbesef, grootheid, temperament en ook haar eenzaamheid maakten haar tot iemand die je in het hart raakte. We hadden eens een diner in het Paleis op de Dam met onder andere de Amsterdamse burgemeester d'Ailly en zijn vrouw. Het was, meende ik, een plezierige avond geweest, en toen ze me ernaar vroeg zei ik dat ook. Opeens viel ze uit: "Meneer Kohnstamm, als u in die zaal zo geleden had als ik, zou u dat niet hebben durven zeggen!" De koninklijke verjaardagen op de 31ste augustus vond ze vreselijk, je mocht haar niet eens feliciteren, dat vermeed ze altijd. Maar op 31 augustus 1947 zei ze opeens tegen me: "Volgend jaar, op deze dag, treed ik af." Toen het zover was, zag ze enorm op tegen de overdrachtsplechtigheden. Ze was moe, en in sommige dingen was ze diep teleurgesteld.

Er reed op de dag van haar abdicatie een speciale trein van Den Haag naar Amsterdam-Amstel. Ik zat in haar salonwagon, en ik zag weinig anders dan een vermoeide, wat lastige oude dame. We reden achter haar aan naar het paleis, daar stapt die dame uit, en opeens is ze de koningin, koningin Wilhelmina, en ze schrijdt langs de erewacht en ze wuift naar de menigte. Ze was groots, werkelijk. En als ze niet als koningin was geboren, maar als kind van een wasvrouw uit de Jordaan, dan was Wilhelmina ook een grootse vrouw geweest.

In de zomer van 1947 kwam ik voor het eerst weer in Duitsland. Ik trof er een woestijn. Keulen, Kassel, je zag alleen maar puin. Sommige steden stonden op de rand van de hongersnood. De kinderen die 's morgens uit de puinhopen kropen, met hun schooltasje op de rug: die kon je toch niet verantwoordelijk houden voor Amersfoort of Auschwitz?

Het was een heel ding om weer voet op Duitse bodem te zetten, maar voortdurend reisde ik rond met het besef: dit land moet op den duur weer tot leven komen en met zichzelf in vrede kunnen omgaan. Ik had daarbij het gevoel dat wij, Nederlanders, ook schuldig waren, alleen al door het niet-willen-weten. Bij het eerste appel in Amersfoort hoorde ik iemand uit onze groep achter me zeggen: "Is het dan toch waar?" Dat was in 1942!

Zelf voelde ik me ook schuldig, als overlevende. Het feit dat je levend uit kamp en bezetting kwam, betekende immers ook dat je soms de andere kant had op gekeken als iemand in nood verkeerde. Ik heb die zelfverzekerde houding van "witte engel" tegenover het "zwarte" Duitsland nooit kunnen aannemen. Ik dacht vaak aan het bijbelse verhaal over de ondergang van Sodom en Gomorra, en over de vrouw van Lot die mocht wegvluchten, en die ondanks het verbod achteromkeek naar de verwoesting, en veranderde in een zoutpilaar. Zeker, we mogen nooit vergeten, maar ik had geen zin om een zoutpilaar te worden.

Na de troonsafstand van koningin Wilhelmina werd ik assistent van dr. H.M. Hirschfeld, de man die voor Nederland de introductie van het Marshallplan begeleidde. Hij adviseerde de regering ook over de relatie met Duitsland. In de loop van 1949 stelde ik, onder zijn leiding, daarover een nota op voor de regering. Nederland zat in een lastig parket, daar kwam mijn redenatie op neer. Het was onmogelijk om het land weer goed op te bouwen zolang ons Duitse achterland in puin lag, dat wisten we allemaal. Maar hoe konden we voorkomen dat de geschiedenis zich zou herhalen en dat in het Ruhrgebied opnieuw de bommen geproduceerd zouden worden om Rotterdam te verwoesten? Dat was ons grote dilemma.

Toen werd, op 9 mei 1950, het Schumanplan gelanceerd. Die datum wordt nu beschouwd als het begin van het proces dat tot de huidige Europese Unie leidde, en terecht. Voor ons was dat plan, genoemd naar de Franse minister van Buitenlandse Zaken Robert Schuman, werkelijk een revolutionaire doorbraak van de vicieuze cirkel waarin we zaten. Het veranderde opeens de context, het maakte het probleem van de West-Europese kolen- en staalproductie tot een vraagstuk dat gemeenschappelijk geregeld kon en moest worden. Tegenover elkaar gestelde belangen werden plotseling een, samen te verzorgen, gemeenschappelijk belang. Je moet niet vergeten dat Duitsland in die tijd heel gemakkelijk een speelbal tussen Oost en West kon worden, dat iedere langdurige achterstelling van Duitsland het risico van een nieuwe oorlog in zich borg. We moesten dat land koste wat het kost bij het Westen houden.

Het lukte me om in de Nederlandse delegatie terecht te komen die daarover onderhandelde, en daar hoorde ik voor het eerst Jean Monnet spreken, de voorzitter van de Franse delegatie en de geestelijke vader van het plan. Dat was in juni 1950. Ik was diep onder de indruk. Je voelde aan alles dat het hem om veel meer ging dan enkel de regeling van de kolen- en staalproductie. Het ging erom de conflicten die Europa tot tweemaal toe in een oorlog gebracht hadden voorgoed in te dammen, om van nationale vraagstukken gemeenschappelijke Europese vraagstukken te maken. Een compromis is lang niet altijd de goede oplossing, dat weet iedereen. Nu streefden we werkelijk naar het beste, voor heel Europa.

De contacten waren heel persoonlijk, we waren maar met zes kleine delegaties bij de onderhandelingen. De stemming was dan ook heel anders dan bij de bikkelharde bilaterale onderhandelingen die we gewend waren, zeker in die arme naoorlogse jaren. Voor ons, onderhandelaars, was het een bevrijdende ervaring: we waren bezig structuren op te bouwen die volstrekt nieuw waren. Iedereen besefte: dit gaat veel meer worden dan enkel een Gemeenschap voor Kolen en Staal tussen een aantal Europese landen. Er werd open gediscussieerd, het ging om de zaak zelf en niet om allerlei dubbele agenda's, er ontstond een ongekende dynamiek.

Voor Nederland was dat niet gemakkelijk. Wij waren in wezen geen continentaal land, wij waren vanouds gericht op de zee en het westen. Als de vijand kwam vertrouwden we op het water om, althans van Holland, een eiland te maken. Zelfs in 1940 hadden we nog een waterlinie. Moest Nederland zich nu voor het eerst in de geschiedenis heel nadrukkelijk aan het Europese vasteland verbinden?

De eerste Europese gemeenschappen werden zo het product van een generatie die aan den lijve had ervaren wat internationale onveiligheid en instabiliteit kon betekenen, en hoe belangrijk begrippen als vrijheid, beschaving en rechtsorde konden zijn. We wisten wat het inhield: het recht als enige barrière tussen ons en de chaos. Ik schreef Kathleen dat dit het was waarop ik me op een of andere manier had voorbereid in al die jaren daarvoor, in Amersfoort, in Duitsland, in Den Haag.

Jean Monnet was een heel bijzonder mens. Hij was geen politicus, geen ambtenaar en ook geen diplomaat. Zelf zei hij dikwijls dat hij bijna alle functies die hij had bekleed zelf had uitgevonden. Maar tegelijk was hij al voor de oorlog een van de belangrijkste strategische denkers van Frankrijk, en na de oorlog ook van Europa. Hij hamerde er bij ons voortdurend op: als je denkt dat een vredesverdrag iets definitiefs is, dan gaan we eraan. Vrede is een proces waaraan je voortdurend moet blijven werken. Anders doet ieder wat in zijn aard ligt, de sterken dwingen, de zwakken kunnen enkel accepteren. Volgens hem viel het drama van de Europese geschiedenis, die eindeloze reeks wapenstilstanden, afgewisseld door oorlogen, alleen te doorbreken door iets op te bouwen wat over de nationale grenzen heen ging.

JEAN MONNET

Jean Monnet (1888-1979), de geestelijke vader van de Europese Unie, was een 'netwerker' op een buitengewoon hoog niveau. Dankzij zijn internationale handelservaringen, zijn betrokkenheid bij de Allied Maritime Transport Council in 1914-1918, zijn werk bij de Volkenbond en, in 1940-1945, zijn rol als medecoördinator van de Amerikaanse oorlogsproductie, beschikte hij over een ongekende veelheid aan contacten. Hij had daarbij een feilloos gevoel voor mensen die er werkelijk toe deden. En één gedachte domineerde daarbij alle andere: conflicten, geboren uit nationalisme, kunnen op den duur alleen worden opgelost door boven dat nationalisme uit te stijgen.

Sinds de opkomst van de nationale staten waren, in zijn visie, de internationale betrekkingen altijd beheerst geweest door het idee van de absolute soevereiniteit van de staat. Mede daarom was Europa tijdens de afgelopen eeuwen een halve wildernis geweest, geteisterd door de ene oorlog na de andere, meestal geregeerd door het recht van de sterkste. Monnet wilde die internationale verhoudingen tússen de staten op den duur vervangen door soortgelijke rechtsstatelijke regels als voor de burgers bínnen die staten. De macht inperken door het recht, dat was volgens hem de kern van de civilisatie.

Deze manier van werken zou uiteindelijk de hele wereldgemeenschap moeten omvatten. Ook dit was al vanaf het begin een van Monnets uitgangspunten. 'De zes Europese landen zijn niet begonnen aan de grote onderneming om de muren neer te halen die hen scheiden, om vervolgens nog hogere muren op te richten jegens de buitenwereld,' schreef hij in het begin van de jaren vijftig. 'Wij verbinden geen staten, wij verenigen mensen.'

Uit zijn 'Algierse notitie' uit 1943 blijkt dat hij al midden in de Tweede

Wereldoorlog rondliep met het eerste, ruwe concept van het Schumanplan voor de Europese Gemeenschap voor Kolen en Staal (EGKS). Die gemeenschap zou in ieder geval Duitsland, Frankrijk, Italië en de Benelux (België, Nederland en Luxemburg) moeten omvatten. Hij wilde voorgoed voorkomen dat Duitsland, Frankrijk en de andere Europese landen na de oorlog weer zouden vervallen in hun oude rivaliteiten. Maar zijn uiteindelijke doel ging verder: hij wilde 'een organisatie van de wereld die het mogelijk zal maken om alle hulpbronnen zo goed mogelijk te exploiteren en ze evenwichtig over de mensheid te verdelen, zodat op deze manier in de hele wereld vrede en geluk worden geschapen'.

Monnets leidende principe was daarbij, zoals hij het noemde, *la solidarité de fait*, de solidariteit van de werkelijkheid. Niet gevoelens van vriendschap scheppen een gemeenschap, zo schreef hij in zijn *Mémoires*, maar omgekeerd: het gemeenschappelijk samenwerken schept de vriendschap. Er bestaat geen solidariteit zonder verantwoordelijkheid, maar in de internationale verhoudingen wordt verantwoordelijkheid pas gerealiseerd als die ook wordt vastgelegd in regels en instituten. Voor Monnet stond de mens centraal, niet de natie. De menselijke natuur is niet te veranderen, maar wel kun je het menselijk gedrag veranderen door het scheppen van een nieuwe context. Zet een mens binnen andere regels en andere denkkaders, en hij gaat zich anders gedragen.

Deze theorie paste hij, om te beginnen, toe op de EGKS. Hij wilde een instituut scheppen dat in staat was om een politieke lijn uit te zetten, gebaseerd op het algemene belang van een nieuwe Europese gemeenschap. Zo'n instituut zou echter alleen kunnen functioneren als twee principes hooggehouden werden: het beginsel van niet-discriminatie – de machtsongelijkheid tussen de staten moet beperkt worden door algemene regels die voor ieder gelijk zijn – en het beginsel van de gemeenschappelijke verantwoordelijkheid: iedere staat is medeverantwoordelijk voor het geheel, de gemeenschap is verantwoordelijk voor de effecten van iedere gemeenschappelijke beslissing op elk van de lidstaten.

Deze benadering was een totale breuk met de klassieke onderhandelingstraditie tussen de staten. Bij de oprichting van Monnets EGKS stonden zes Europese staten een deel van hun soevereiniteit permanent af aan een supranationale instelling, voor het eerst in de geschiedenis.

In 1952 werd hij de eerste voorzitter van de Hoge Autoriteit van de Europese Gemeenschap voor Kolen en Staal (EGKS), en ik ging met hem mee. Zo werd ik een van de eerste Europese ambtenaren. We waren met tien, twaalf mensen, en we zaten in het voormalige kantoor van de Luxemburgse spoorwegen. Ik was secretaris van de Hoge Autoriteit, ik had dagelijks contact met vrijwel alle leden, en ook met de belangrijkste medewerkers. In die functie was ik ook betrokken bij de uitbreiding van dat kleine Europese ambtelijke apparaat. Zo maakte ik kennis met Winrich Behr. Hij begon met te zeggen: "Ik wil dat u weet dat ik gedurende de hele oorlog beroepsmilitair ben geweest." Ik zei: "We zijn hier niet voor het verleden, maar voor de toekomst." Later hoorde ik dat hij als een van de laatsten uit Stalingrad was weggestuurd. In diezelfde tijd hoopten we in het Gestelse gijzelaarskamp dat niemand vrij en levend uit Stalingrad vandaan zou komen. Nu werkten we samen, en er ontstond een levenslange vriendschap.

Het was hard aanpakken, daar in Luxemburg. Monnet was zeldzaam inspirerend, maar hiërarchie en ambtelijke structuren stonden, laat ik het zacht uitdrukken, niet hoog bij hem aangeschreven. Ik heb het meegemaakt dat hij, na een moeizaam tot stand gekomen beslissing, op kantoor kwam en zei: "De Hoge Autoriteit moet opnieuw bijeenkomen om de zaak te heroverwegen. Gisteravond maakte mijn chauffeur een opmerking waarover we moeten nadenken. Want hij had gelijk."

In 1954 torpedeerden de Fransen het door henzelf ontworpen plan voor een Europese Defensie Gemeenschap. Dat leek een zware slag voor het pas begonnen Europese integratieproces. Maar door Jean Monnet, en bewindslieden als de Belg Paul Henri Spaak en de Nederlander Johan Willem Beyen, werden al gauw nieuwe plannen gesmeed. Die leidden ten slotte in Rome, op 25 maart 1957, tot de oprichting van de Europese Economische Gemeenschap (EEG), de voorloper van de Europese Unie.

Een jaar eerder had ik al afscheid genomen van de Hoge Autoriteit. Ik begon met en voor Monnet te werken, in het door hem opgerichte Actiecomité voor de Verenigde Staten van Europa. Dit Comité bestond uit vertegenwoordigers van alle grote vakbonden en politieke partijen van de zes lidstaten, met uitzondering van de communisten en de gaullisten.

Wat hebben we daarmee bereikt? Het is moeilijk daarop een concreet antwoord te geven. We hebben zeker een rol gespeeld bij de ommezwaai van de Duitse SPD, die oorspronkelijk tegen de integratie van West-Duitsland met West-Europa was. Ook heeft het Comité, zowel voor als na het veto van de Gaulle, hard gewerkt aan de toetreding van het Verenigd Koninkrijk. En we hebben natuurlijk de route helpen uitstippelen die van de oorspronkelijke douane-unie heeft geleid tot de huidige Europese Unie. Ik weet nog dat Monnet me in de zomer van 1957 optrommelde, opeens, we moesten nú de monetaire unie in gang zetten. Dat heeft dus nog veertig jaar geduurd: pas toen werd besloten tot de introductie van de euro. Een lange weg!

In het begin van de jaren zeventig begonnen de activiteiten van het Comité af te nemen. Er kwamen steeds meer lidstaten, daardoor werd de intensiteit van de contacten minder, de invloed van politieke partijen en vakverenigingen op de eigen regeringen nam eveneens af, en daarbovenop kwam nog eens de schok van de eerste oliecrisis. De Europese lidstaten wisten daarop geen gemeenschappelijk antwoord te vinden, en daardoor groeiden hun economiën uiteen. Bovendien begon de emotionele dynamiek uit die eerste naoorlogse jaren af te nemen. Op voorstel van Jean Monnet werd het Comité uiteindelijk opgeheven, op 9 mei 1975, precies vijfentwintig jaar na de Schumanverklaring.

De 'jaren van geduld', zoals Monnet de jaren zeventig in zijn memoires betitelde, duurden tot 1985. In dat jaar stelde Jacques Delors de verwezenlijking van de 'gemeenschappelijke markt' centraal, en bovendien kwam het jaar daarop de Europese Akte tot stand, een verdrag dat het mogelijk maakte om allerlei zaken voortaan met meerderheidsbeslissingen te regelen. Daardoor werd het mogelijk om snel een reeks noodzakelijke maatregelen te nemen. Het was immers, na al die jaren, wel duidelijk geworden dat enkel een gemeenschappelijke douane-unie – want de oorspronkelijke EG was weinig meer dan dat – volstrekt onvoldoende was om een echte markt te laten ontstaan. De latere verdragen van Maastricht (1991) en Amsterdam (1997) pasten in dat proces – en de uitbreiding van zes naar vijftien lidstaten maakte zo'n aanpassing nog urgenter. Uiteindelijk moest het Verdrag van Nice (2000) de organisatie van de Europese Unie gereedmaken voor de massale uitbreiding met nog eens tien nieuwe lidstaten die voor 2004 was gepland. De procedures die ontwikkeld waren voor de eerste zes lidstaten – met name het vetorecht –

konden immers onmogelijk nog een gemeenschap van vijfentwintig lidstaten op de been houden. Die onderhandelingen in Nice mislukten falikant, en daarmee ontstond een groot probleem. Om de impasse te doorbreken kreeg een speciale Europese Conventie de opdracht om een nieuwe Europese grondwet te maken, en zover zijn we nu.

Ik ben met dit alles mijn hele leven bezig geweest, emotioneel en intellectueel. In mijn pessimistische buien denk ik weleens: die EU wordt uiteindelijk niets anders dan een Europese vrijhandelszone met een gouden randje. Ik heb momenten van angst, natuurlijk... Maar wat is het alternatief?

Ik herinner me een gesprek met Monnet in de tuin van zijn Luxemburgse huis, het moet aan het eind van de zomer van 1953 zijn geweest. Hij was met vakantie geweest en ik moest verslag uitbrengen over het weinige dat er in die augustusmaand was gebeurd. Hij luisterde een paar minuten geduldig, hield me toen staande, en zei: 'Dat is heel belangrijk, maar wat moet onze verhouding tot Amerika en tot de Sovjet-Unie zijn?'

Die vraag, naar de plaats van Europa in de wereld, is opnieuw hoogst actueel. Na het einde van de Koude Oorlog is de wereld in technisch opzicht meer en meer een eenheid geworden. Maar de politieke verdeeldheid is gebleven, en dat geeft op den duur immense spanningen. Vanaf het begin ging het ons om meer dan Kolen en Staal, meer dan een gemeenschappelijke markt, meer dan een economische en monetaire unie, meer dan vriendschap tussen de deelnemende staten: het ging om een revolutie in de internationale relaties.

Thucydides beschrijft de omgang tussen staten als een wereld waarin de sterken doen wat ze willen, en de zwakken lijden wat ze moeten. Macht en overheersing vormen de basis van dat systeem, zelfs al is daarbinnen een balans bereikt. Maar noch de hegemonie van een bepaalde superstaat, noch de pogingen om door machtsevenwicht oorlogen te voorkomen hebben ooit voor duurzame vrede gezorgd. De grote vraag luidt: is het mogelijk om in de internationale verhoudingen 'macht' als ordenend principe te laten vervangen door 'recht'? En hoe kan recht, om niet tot papieren illusies te vervallen, dan toch weer beschikken over macht? Kunnen daarvoor andere vormen van macht ontwikkeld worden, om toch recht te scheppen tussen de staten?

Die vraag is dringender dan ooit, nu de moderne wapens het oorlogsgevaar almaar groter maken. Een Europees fort, een soort Zwitserland in het groot, is in de huidige wereld een illusie. De macht om te vernietigen, eens het monopolie van de staat, is nu in handen van iedereen die in staat is om via internet de nodige informatie binnen te halen. De massale vernietigingsmacht wordt, met andere woorden, in deze wereld meer en meer geprivatiseerd. Kunnen in deze situatie de internationale instituties, met hun gemeenschappelijke verantwoordelijkheid, het 'recht' de noodzakelijke kracht verlenen?

Het is een kwestie van het voortbestaan van onze beschaving, of het ons lukt een hechte internationale rechtsorde op te bouwen. Is dat een utopie? Nee, Europa bewijst al een halve eeuw dat het kan.

Een andere generatie dan de mijne, en wellicht andere generaties, zullen op al die nieuwe vragen een antwoord moeten vinden. Vrede, veiligheid en welvaart zijn even kostbaar als breekbaar. De zorg om het voortbestaan ervan laat me niet los. Ja, zeker, dat heeft alles te maken met dat besneeuwde veld in Amersfoort.'

2

Brussel ruikt altijd naar koffie. In de Zuidstraat zie ik een etalage van bruine planken, bevattende vijf rollen tape, een lessenaar en een oude typemachine: alles in volmaakte ordening. De nabijgelegen boekhandel vertoont albums met het bruisende Brusselse leven anno 1900, de menigte op de boulevards (de stad had tienmaal zoveel inwoners als een eeuw eerder), de kopstations Noord en Zuid, de karren en koetsen die dagelijks heen en weer werden gesleept, de straten van het oude Brussel die altijd compleet verstopt zaten. In de Spaarzaamheidsstraat schuil ik voor de regen bij een opvanghuis voor daklozen. Een van de nonnen haalt me binnen. De Brusselse ontheemden hebben mooie verhalen en gebaren, slechts een enkeling ligt met het hoofd op de armen te slapen. Het huis heeft geen cent subsidie nodig, de keuken draait uitstekend op de kruimels van de stad. 'Zo meteen gaan we naar de Nationale Bank,' vertelt een van de nonnen. 'Minstens twee kruiken soep, aardappelen, groente, vlees. De Eurostar, de catering van de treinen, iedere dag: allerlei hapjes en lekkers. Het Atomium houdt een kinderfeest: tweehonderd broodjes met vlees. De patisseurs: overtollig gebak in overvloed, voldoende om iedere dag tweehonderd mensen een dessert te geven. Allemaal over, weg, voor ons!'

Als het droog is, klim ik de Galgenheuvel op. Het Justitiepaleis houdt al meer dan honderd jaar de volkse Marollenbuurt eronder. Het is één brok versteende macht: enorme gerechtszalen, kantoren en archiefruimten, een koepel zo groot als van de Sint-Pieter en op de stoep een kerstboompje voor de vijf vermoorde kinderen aan wie nog altijd geen recht is gedaan. Zodra ik de hal binnenstap, verander ik in een mier, een kleine mierenman tegenover de reuzenambitie van de jonge Belgische natie én van de architect, die tijdens de bouw langzaam krankzinnig werd.

Onder aan de heuvel ligt ondertussen op het Vossenplein de hele twintigste eeuw te koop: familieportretten, reisverhalen, mooie gedachten, liefdesliederen, buizenradio's en grootvaders oude stoel. Bij een afvalhoop liggen de halfverbrande resten van een oud miniatuurtheatertje: Grand Théâtre National Nouveau. De kaarsenhouders van de miniatuurverlichting zijn platgetrapt. Het ijzeren mechaniek van de poppen is nog zichtbaar, verbogen en geblakerd door het vuur. Er moet op dat kleine toneel iets vreselijk zijn misgegaan.

Brussel is een stad die niet, zoals andere steden, haar inwoners opeet. Brussel verslindt vooral zichzelf. In iedere stad kun je een wandeling maken met oude foto's in de hand, overal kun je 'o' en 'a' roepen, maar Brussel is een geval op zich. Alleen in zwaar gebombardeerde steden kom je metamorfosen van een dergelijke omvang tegen. Neem het Zuidstation, afgezakt van een uitbundige neoklassieke tempel uit 1861, via een Dudok-achtig geheel uit de jaren dertig, tot een onstuitbaar kantorencomplex nu. De slagader van de stad, de Anspachboulevard, ooit Wenen en Parijs ineen, is tegenwoordig een kale baan, ontdaan van alle monumentaliteit. Ook in verfijnde zelfverminking is Brussel altijd bedreven geweest: hofjes zijn vervangen door garages, de ooit zo elegante Finistèrestraat door een betonnen goot.

Niemand houdt van deze stad, niemand zorgt voor haar, niemand neemt haar onder zijn hoede. Zoals een getraumatiseerd kind voortdurend een herhaling zoekt van het ondergane leed, zo is deze stad almaar bezig zichzelf te schenden en weg te geven. Iedere poging om aan de bende een einde te maken veroorzaakt alleen maar een grotere chaos. De bouw van de 'Jonction', een soort metrotunnel tussen het Noord- en Zuidstation, duurde van 1911 tot 1952, eindeloos vertraagd door oorlogen, bestuurlijke conflicten en honderd andere tegenslagen. Veertig jaar lang verhinderde een diepe sleuf door het centrum alle verkeer tussen de betere wijken en de handel in de binnenstad.

Voor de bouw van het Centraal Station werd een hele volksbuurt gesloopt, de Putterijwijk. Er ontstond een immense bouwput, waarin het werk vervolgens jarenlang stillag. Boven de tunnel werd botweg een snelweg aangelegd, en dat was weer aanleiding voor een woekering van kantoortorens. De gezeten burgers, voor wie al die boulevards waren bedoeld, waren ondertussen allang naar de voorsteden gevlucht. De NAVO en de EU verscheurden Brussel nog verder, interesseerden zich totaal niet voor de aard en de vorm van hun hoofdstad, eisten enkel steeds meer ruimte en hoogte.

Brussel is nooit als stad beschouwd, het was vooral een 'functie', schrijft stadshistorica Sophie de Schaepdrijver. 'En de functie van Brussel was die van een administratief centrum voor het ware zwaartepunt [van het land], de provincie, waar de forens na gedane arbeid weer zo snel mogelijk naar toe moest.' Die houding leeft nog steeds, al heeft de 'provincie' van Brussel zich nu uitgebreid tot voorbij de Oder.

Tijdens mijn wandeling beland ik op het Luxemburgplein, het plein waar de stad zich vroeger opende voor de reizigers uit Etterbeek, Charleroi en verder. Het werd decennialang gedomineerd door het station Leopoldswijk, een vriendelijk, wit, negentiende-eeuws gebouw, met links en rechts een rij cafés en hotelletjes die de sfeer meedragen van het zuidelijke Europa. Maar als je nu het plein op loopt, zie je achter de rug van het station een enorme glazen muur oprijzen, schitterend in het middaglicht. Enkele steigers staan er nog, hier en daar draait een laatste betonmolen, maar de veiligheidspoortjes en bewakingscamera's zijn al volop aan het werk, en opeens zie je hoe verveloos en klein dat station afsteekt tegen deze enormiteit van staal en glas.

Dit is het splinternieuwe parlementsgebouw van Europa. Ik zoek tussen de chaos naar de ingang. Weer voel ik me een mierenman. Voor de deur draai ik me om en dan weet ik het zeker: het voorplein van het gebouw, dat nu nog abrupt afbreekt tegen het station, is duidelijk bedoeld om door te rollen naar het Luxemburgplein en verder de stad in. En het zal doorrollen, dat is buiten kijf. Over een halfjaar, of over twee jaar zal dit kleine station door Europa zijn weggevaagd, net als de kaas van rauwe melk, het eigenzinnige stokbrood, de eerlijke chocola, het ongemerkte koeienoor en duizend andere zaken waar een mierenman aan hecht. De bruine wachtkamer, de vriendelijke eentandige mevrouw van de snoepstal, het zal allemaal weggewalst zijn, voorgoed.

Brussel is de hoofdstad van Europa, officieel is de stad tweetalig, maar wie denkt dat zo een kosmopolitisch klimaat ontstaat vergist zich. In mijn hotel kan ik alleen een woordje Engels wisselen met het Afrikaanse poetsmeisje. Ruim drie decennia na het einde van de Belgische taalstrijd is in veruit de meeste winkels de algemene voertaal Frans, en de meeste inwoners lusten ook niets anders, met de trots van provinciale notabelen.

Een experiment voor Nederlanders: probeer eens om in deze officieel tweetalige stad uw eigen taal te spreken. U wordt bekeken als een boerenhufter, een gek. En, ernstiger, dit geldt ook voor andere Europese talen. Tijdens deze reis deed ik een minuscuul veldonderzoekje naar de mate waarin Europeanen elkaar kunnen verstaan, een niet onbelangrijk gegeven als je op den duur één continentale gemeenschap wilt worden. Hoeveel passanten moest ik gemiddeld aanspreken voordat ik iemand vond die een tweede taal sprak? Lissabon, Amsterdam, Stockholm en Helsinki scoorden uitstekend: hooguit een à twee. Rome en Berlijn: drie. Parijs: vier (steeds meer Franse jongeren spreken graag Engels). Madrid en Sint-Petersburg: zes à acht. Londen: idem (al is het Duits in de zakenwereld in opmars).

De tweetalige Europese hoofdstad stond opvallend laag: drie à vier. En er was een essentieel verschil tussen Brussel en de rest: overal elders bestaat, ondanks de problemen, een sterke wil om elkaar te verstaan. In Brussel niet. Hier heerst nog altijd een opvallende verkramptheid rondom het verschijnsel taal.

België is een bijzonder land. Het heeft in de jaren vijftig kans gezien om een taalstrijd te doorstaan die vrijwel elk ander Europees land in een burgeroorlog zou hebben gedompeld. België is daarna de jure opgedeeld. Naar buiten toe is het land een eenheid gebleven, een kleine natie die met grote vaardigheid manœuvreert rond de grote breuklijnen tussen Noord- en Zuid-Europa. Brussel lijkt wat dat betreft op Odessa: juist door hun problematische positie hebben de Belgen meer en langer nagedacht over de nationale en culturele grenzen die de Europeanen nog steeds van elkaar scheiden. Maar daarmee zijn de oude breuklijnen nog niet opgeheven, integendeel, ze worden eerder dieper. Ondanks de uiterlijke schijn verkeert België in een almaar voortgaand desintegratieproces.

'Vertel eens,' vroeg Jacques Thorpe in het Franse grensplaatsje Erquinghem-Lys, 'dat Nederlands, is dat nu ongeveer hetzelfde als Duits?' Ik vertelde hem er wat over. Toen we 's nachts afscheid namen, reed hij nog een eindje vooruit om me de weg te wijzen. Ruim een kwartier later was ik in Ieper, waar alleen maar Nederlands werd gesproken.

In *Arm Brussel*, zijn prachtige boek over de stad, beschrijft Geert van Istendael de ware Brusselse tolerantie aan de hand van de dagelijkse groet van zijn buurman: 'Hij steekt zijn hand op, glimlacht hoofs en zegt: "Goedendag! Hoe gaat het?" Eigenlijk zegt hij het niet precies zo. Het klinkt ongeveer als: "Koedendak. Oe chaat het?", want mijn buurman is niet alleen hoffelijk, hij is tevens Franstalig. Ik waardeer de groet van deze rustige, beleefde man zeer.' De Nederlandstalige Van Istendael groet altijd even beleefd terug: 'Bonjour! Ça va?'

Zo zouden Europeanen uit verschillende cultuurgebieden overal met elkaar moeten omgaan, maar zo gaat het niet. In België heeft dat te maken met nationale minderheden die meerderheden werden, en omgekeerd. In de woorden van Van Istendael: 'Hier zijn in de twintigste eeuw geruisloos de elites verwisseld. De Waalse mijnindustrie is verdwenen, het boerse Vlaanderen werd rijk en productief. De zeer zichtbare Waalse elite, die al deze Brusselse grandeur heeft neergezet, is langzaam vervangen door een Vlaamse.'

Maar het heeft ook te maken met Europa zelf. Ik maak een klein uitstapje naar Sint-Joris-Weert, een bakstenen dorpje vlak bij Leuven, met een slaperig café, een agentschap van *Het Nieuwsblad* en een spoorlijn die dwars door de dorpsstraat loopt. 'Als je de echte taalgrens wilt zien, dan moet je daar eens kijken,' had Van Istendael gezegd. De bakkersvrouw legde het me uit: hier is het Vlaams, voorbij het spoorviaduct, in Nethen, is het Frans. In haar eigen winkel is het, althans voor de Walen, gemompel en gebarentaal. In de Roodsestraat loopt de taalgrens zelfs midden over de weg. Ik ga kijken: de rode villa links spreekt dus Vlaams, de witte cottage aan de overkant Frans, de boerenkool in de moestuin rechts is Vlaams, de wilgen aan de overkant lispelen Frans.

Aan die Roodsestraat is verder niets bijzonders te zien. Toch is het een onderdeel van de belangrijkste demarcatielijn tussen Noordwest- en Zuid-Europa. 'De taalgrens is hier eeuwenoud, messcherp en absoluut,' zei Van Istendael. Aan de Vlaamse kant staan Nederlandse boeken op de plank, men kent Van Kooten en De Bie, men kijkt naar Vlaamse en Nederlandse journaals, films en politieke discussies. Hun overburen, elf passen verder, kijken naar Mezzo, TV5 en Arte, lezen *Le Soir* en discussiëren over Franse politiek en literatuur. Ze leven hetzelfde leven, ze eten hetzelfde brood, maar hun denkwereld is aangesloten op een totaal ander cultureel systeem.

Taalverschillen zijn niet enkel technische kwesties en de Rood-sestraat is niet alleen maar een Belgisch fenomeen. De situatie deed me, eerlijk gezegd, sterk denken aan mijn eigen schoonfa-milie in het zuiden van Nederland. Die wonen tweehonderd me-ter van de Duitse grens, de bomen achter in het land zijn al Duits, de grensposten zijn reeds jaren verdwenen. Toch blijft, na een halve eeuw Europese integratie, hun leven vrijwel helemaal naar Nederland gekeerd. Ze lezen Nederlandse boeken en kranten, de kinderen gaan naar Nederlandse scholen, ze maken zich druk over de Nederlandse politiek. Het Duitse Aken, dat om de hoek ligt, blijft geestelijk ver weg. Slechts heel langzaam verdwijnt daar de betovering van grens en natie.

Iedere taal staat voor een wereld op zich; die werelden schuiven en kraken, gaan slechts moeizaam samen. De Roodsestraat van Nethen is iets waar eurocraten liever niet te veel over nadenken.

Terug in Brussel ga ik wandelen met mijn vriend Pierre, een groot schrijver die het zich niet gemakkelijk maakt. Hij zal mij vertel-len over het leven achter de gevels. Hij groeide op in Molenbeek, het Manchester van Brussel, waar honderden arbeiders aan het spoor werkten, of bij de stoommachines, de brouwerij of de sui-kerraffinaderij. Zijn vader dreef er een slechtlopend café, na een reeks fiasco's en een zwarte oorlogsperiode. Zijn moeder was uit Duitsland komen aanwaaien. Zijn grootvader ving hem op tij-dens de vele veldslagen in het huwelijk.

'Brussel voedde me, ontmaagdde me, was de oermoeder,' zegt Pierre. 'Ik was de wandelende jood van Brussel. Alle zondagen was ik van huis, dan liep ik kriskras door de stad met twintig frank in de hand. Daar een paardencervelaat met mosterd, hier escargots of frieten, de Brusselse straat gaf altijd te eten. Brussel houdt van mij, en dat is niet vanzelfsprekend.'

We lopen door de Vlaamse Steenweg, daarna de brug over. 'Je kunt van deze stad foto's bekijken, en niet weten of het Brussel is of Parijs. Er is één verschil tussen vroeger en nu: de rust. Kijk deze Steenweg eens. Je kunt nog altijd zien hoe druk het hier vroeger was, al die lege etalages, die grijze winkelruiten, ooit sla-gers, bakkers, kruideniers, leesbibliotheken. Vlees, groente, al-les werd aan de straat verkocht, tot ver in de jaren zestig. Dit plein, je kon op wel vier plekken de lekkerste taartjes krijgen.' Nu zijn er alleen nog maar reisbureaus en telefoonwinkels.

'Hier, de oude Crystal, een van de mooiste bioscopen. Een echt kijkpaleis. Ik ging er voor het eerst heen aan de hand van mijn vader. Opeens was het afgelopen met de Crystal. Plakkaat ervoor. Mysterie.' We lopen de andere buurtbioscopen af. De Forum is een Tax Free Company geworden. De Ideaal heeft men verbouwd tot garage. De Kinox is een enorme Turkse stoffenzaak vol koopjesbakken waarin gesluierde vrouwen staan te graaien.

Pierre krijgt tijdens onze wandelingen steeds meer last van 'duistere herinneringen', zoals hij zelf zegt. 'Om deze tijd, zo rond een uur of vier, ging in deze zaal het licht uit voor de tweede middagvoorstelling. Het was er altijd rumoerig, de mensen riepen en lachten door de films heen. Mijn vader ging meestal in de verste hoek zitten, links of rechts op het balkon. Dat gaf een aangenaam gevoel van hoogtevrees. En als dan het licht uitging, die zaligheid, als de dag verdween.'

De films waren de drugs van de jaren vijftig. 'Ik ging vier, vijf keer per week naar de bioscoop. Vergeet niet, ik leidde als kind een heel raar leven. Mijn eigen familie lag op apegapen. Die films waren een beetje familie, die acteurs werden mijn ooms en mijn broers. "Er is maar één die je belachelijk kunt maken, en dat ben je zelf." Al die wijsheden die in B-films bij de deur nog even werden gezegd, ze waren mijn belangrijkste opvoeding. De wereld van die ooms was voor ons het beloofde land. Amerika bezat alles wat wij niet hadden: rijkdom, ruimte, directheid, moed... Soms geloof ik dat ik bepaalde momenten uit de geschiedenis zelf heb beleefd, terwijl ik ze alleen in de bioscoop kan hebben gezien. Ik heb ook het omgekeerde: ik herinner me filmscènes die niet bestaan, die ik zelf bij elkaar heb gefantaseerd.'

We wandelen langs het café van zijn vader – verdwenen – en daarna naar de Rue Bonnevie, de Straat van het Goede Leven, waar hij lange tijd bij zijn grootvader bivakkeerde. De helft van de straat is gesloopt, maar de grijze gevel en de strenge, bruine kozijnen van grootvaders etage zijn er nog. 'In mijn fantasie dacht ik dat ik een eigen bioscoop had. Waar ik ook was, ik fantaseerde mijn bioscoop erbij. Alleen in deze straat dacht ik: hier kan geen bioscoop zijn.'

De Zeepziedersstraat, de grijze kasseien, de rode, gemetselde huizen. 'Hier gingen mijn ouders vaak op zondagsvisite bij een echtpaar dat ook gecollaboreerd had. Ik hield niet van deze straat.' Weer een gesloten zaak. 'Dit was ook een café. Hier zaten de meest glimmende mannen die ik ooit met m'n grootvader zag. Er kwamen altijd een vrouw met een valse hond en een jongen die de buurtdebiel aan zijn oren optilde. Toen de vijf buurtbioscopen sloten en de fabrieken op de fles gingen, zakte de zaak langzaam weg.'

Daarna zien we, ook nog, de etage waar hij als kleuter met zijn ouders woonde: grijze, rechtvaardige ramen waarachter zijn vader zich na de oorlog terugtrok, waar hij zijn moeder najoeg met een riem, haar hoofd klokkend in een emmer water ondergedompeld hield, en waar dit kleine jongetje op verjaarsvisites zingend moest rondmarcheren, met grote hoge stappen tussen het klappende bezoek, de hielen hakkend in de vloer: 'En de trommels gaan! De trompetten gaan! En ik word een flink soldaat!'

3

'Die trotse vrouwen op die fietsen.' 'De orde, met dat dunne laagje anarchisme.' 'Geen tegel zit er scheef.' 'De bontheid, de talen.' 'Ze zijn zo groot, vooral de jongeren!' 'Die enorme welvarende lichamen die je overal ziet.' 'En hun tanden, hun tanden, zo mooi en sterk!'

In Hotel Astoria in Budapest had György Konrád eindeloos tegenover me zitten mijmeren over het verre Amsterdam, en alles wat een vreemdeling daar opvalt. Hij had net een ode aan deze stad geschreven, en hij las eruit voor. Zijn Hongaarse ogen zagen fietsende meisjesbillen, stevige blonde moeders en kinderen, 'sterk en compact, als oude kazen'. Ze zagen een stad die opvalt 'door haar vermogen overdag een mier, 's avonds een krekel te zijn'. En ze zagen vooral rustige, ongedwongen mensen. 'Het begrip "nationale vloek" is hun onbekend. Vóór hen de zee, achter hen het twijfelachtige Europa. Duitsers? Russen? In wie zouden ze vertrouwen hebben, behalve in zichzelf?'

Nu ben ik even terug in mijn eigen stad. Ik sta bij de kaasboer, en ik hoor een van die mooie meisjes van Konrád naast me zeggen: 'Ik wil eens wild experimenteren met pastrami en pijnboompitten.' Nergens zie je zoveel mensen uit vuilnisbakken eten als in Amsterdam, wat met de ongedwongen houding van de Nederlandse junks te maken heeft, maar ook met de voortreffelijke kwaliteit van het Hollandse afval. Ik denk aan de Oost-Europeanen die ik ontmoette: Joera Klejner, hoogleraar en altijd geldzorgen; Hans Krijt, vastgezet in 1948 en daarna eeuwig de geheime dienst op zijn nek. Olga's moeder, twee kinderen, zes abortussen; Iris, van ingenieur tot stalknecht. De Nederlanders: een aardgasbel in 1960, een vrije zaterdag in 1961, lonen die vanaf 1963 jaren achter elkaar omhoog vlogen, auto's, wasautomaten, vakanties, elke dag vlees, centraal verwarmde kinderen.

Ik lees de Volkskrant: in 1999 heeft 53 procent van de Nederlandse vijftienjarigen een eigen televisietoestel op de kamer, 24 procent een eigen computer, 13 procent een mobiele telefoon, 5 procent een wapen. De krant heeft een bijlage over het 'hipste stel' van Nederland, een computerkunstenaar en zijn vriendinnetje. Ze brengen het grootste deel van hun tijd door op Ibiza. Hij betitelt zijn bestaan als 'de totale integratie van leven, events, kunst en parties'. Zij: 'Ik wil op de eerste plaats gewoon liberating bezig zijn, wat ik ook doe.' Het is een wonderbaarlijk land, Nederland, vooral als je een poosje elders in Europa bezig bent geweest.

In september 1965 trok ik, als achttienjarige student, uit de provincie naar het woelige Amsterdam. De grachten lagen dromerig in de najaarszon, duizend nieuwe ervaringen wachtten, ik was vrij en gelukkig, alles was mogelijk. Met een klein vriendengroepje verkende ik voorzichtig deze nieuwe wereld. We kwamen in vreemde cafés, kochten voor het eerst buitenlandse kranten, maakten afspraakjes in het Stedelijk Museum, keken met open mond naar de nieuwste Franse films. We gingen op de thee bij onze docenten thuis: het was de laatste keer dat zoiets mogelijk was, vijf jaar later werden de tentamens in een sporthal afgenomen.

We merkten ook dat in de stad iets bijzonders gaande was. Overal waren sigarettenreclames beklad met motto's als 'Gnot!' en 'Ugge, ugge!' In de studentenrestaurants werd het doodstil als beelden van de Vietnamoorlog op de televisie verschenen. Er was een kruid in omloop, marihuana, waarvan je de vreemdste visioenen kreeg. Er liep een man door de stad die bij zichzelf een gaatje in de schedel had geboord om permanent in hogere sferen te zijn. Een oude garage tegenover onze studentensociëteit vloog in brand, het gevolg van een uit de hand gelopen 'happening' van de anti-rookmagiër Robert Jasper Grootveld. We gingen naar het Filmmuseum. Er werden experimentele Canadese films gedraaid en een dichter, net aangekomen uit het verre San Francisco, hield een lezing. Wacht maar af, zei hij, de hele westerse wereld staat op springen, overal zie je de new age opkomen, het is niet te stuiten. De zaal was buitengewoon sceptisch: was deze generatie juist niet opvallend rustig, zo braaf zelfs dat de meer opstandige vijftigers over ons klaagden?

Rond het Lieverdje op het Spui – een beeldje van een straatschoffie dat sigarettenfabrikant Hunter in 1961 aan Amsterdam cadeau had gedaan – waren ondertussen zogeheten provo's actief.

Op vrijdagavond verzamelde zich daar een kleine menigte, er werd een spreekkoor aangeheven – 'Ugge, ugge, ugge, een tevreden roker is geen onruststoker' – en Grootveld sprong met een beschilderd gezicht in het rond. Vervolgens kwam er, bijvoorbeeld, een bestelauto aanrijden, er werd een traporgeltje uit gedragen, het werd bespeeld totdat het in brand vloog, de kleine 'happening' werd nauwkeurig gefotografeerd, de foto's werden daarna als kunst verkocht. Of een van top tot teen beschilderde vrouw kleedde zich uit. Grootveld hield een preek over 'de verslaafde consument van morgen': 'In West-Europa hebben we alles: televisies, roomkloppers en brommers. Als ze in China nog geen roomkloppers hebben is hun enige doel om die zo snel mogelijk ook te krijgen.' Een meisje deelde krenten uit, ze werd direct opgepakt en een arrestantenwagen in gesleept.

Op zolder bewaar ik nog altijd een paar kartonnen dozen met krantjes en pamfletten uit die merkwaardige jaren. Ik trek ze met moeite onder het stof vandaan, al niezend begin ik te bladeren, en het is alsof ik kranten uit 1910 in mijn handen heb, of uit 1938, of een ander lang vervlogen tijdperk.

Ik pak het smalle, langwerpige tijdschrift *Provo*, samengesteld door de anarchistische student Roel van Duijn, de Zaanse arbeidersjongen Rob Stolk en een stel schrijvers en theatrale kunstenaars, achteraf gezien een ijzersterke combinatie. 'Provo ziet in dat het de uiteindelijke verliezer zal zijn,' schreven ze al direct, en dapper plakten ze in ieder eerste nummer van hun blad één klappertje. *Hitweek*. 'Vakblad voor twieners, 38 cent.' Op de pittig vormgegeven pagina's legt Henk van Gelder de betekenis uit van het woord *kick*: 'Als je zonder verdovende middelen een kick krijgt heet dat gewoon *selfkick*.' Briefschrijver K. Lindijer klaagt dat er 's avonds nergens op de Hilversumse zenders popmuziek te beluisteren valt. En de redactie profeteert: 'Seks is fun. Seks is in. Daar helpt geen moedertje lief aan.'

Hitweek was het 'hippe vakblad' van de jaren zestig. Het had een – voor die tijd – enorme oplage: tussen de dertig- en vijftigduizend. De blotige meisjes op de voorpagina zie je tegenwoordig in iedere ondergoedadvertentie, maar toen veroorzaakten ze een geweldige opwinding. Lezer Arthur de Groot meldt op 30 december 1966 dat hij uit de Amsterdamse stadsbus 19 werd gezet, alleen omdat hij zijn lijfblad las: 'De hele bus bemoeide zich ermee: "schande", "vandaag de dag", "die jeugd van tegenwoordig."'

Briefschrijfster Ellen Velde: 'Ik ben fel tégen de politie en voor een Republiek.' Redacteur André van der Louw, later burgemeester van Rotterdam en minister van Cultuur, Recreatie en Maatschappelijk Werk: 'Vetkuiven staan aan de kant. Hun plaats is ingenomen door een nieuwe jeugd.' Onder de raadselachtige kop 'Het gnot van job ligt in Appeal' wordt de opening van een 'twienersoos' aangekondigd. Ik vind welgeteld één advertentie: 'Clearasil verdroogt puistjes.'

De beweging van de jaren zestig begon zonder manifesten en discussies, en beroepsrevolutionairen kwamen er al helemaal niet aan te pas. Niemand voorzag dat uit de Amsterdamse 'nozems' – jongens met Elviskuiven en meisjes met opvallende pettycoats die in augustus 1955 voor het eerst in *Vrij Nederland* werden beschreven – tien jaar later *Hitweek* en de provobeweging zouden voortkomen. Niemand dacht bij de Franse *blousons noirs* aan een opstand die de hele republiek zou doen wankelen. 'De jongeren rebelleren actief noch passief, ze betonen zich geen slampampers en geen oproerkraaiers,' constateerde in 1959 een uitvoerige enquête onder de Nederlandse jeugd. 'Ze sputteren wat, ze klagen wat, maar ze houden zich aan de regels.'

Een citaat uit een jeugdrapport van het Institut Français d'Opinion Publique (IFOP): 'Kijk naar hem, lang haar dat in een open kraag valt, een lege gelaatsuitdrukking, een wat verkreukte oude *blouson* omdat hij net van een rock- of twistconcert komt, smalle broekspijpen die om zijn benen gesmolten lijken en die verdwijnen in zijn cowboylaarzen...' Het waren de navolgers van de zazous uit 1941, net zoals het gedrag van de Knietief-groep uit 1944 anderhalf decennium later herhaald werd bij de zogeheten *Halbstarken* in Duitsland en de *Teddy Boys* in Engeland.

De eerste fase van de rebellie, de culturele omwenteling, vond aanvankelijk vooral in Engeland plaats. In 1963 waren de Beatles doorgebroken, een jaar later volgden de Rolling Stones, in 1965 stond het magere Londense model Twiggy op alle covers in Europa. In hetzelfde jaar beschreef het Italiaanse *Epoca* de Britse jeugd als 'vijf miljoen jonge mensen onder de eenentwintig die alle gewoonten en conventies van de Britse samenleving hebben ondermijnd; ze hebben de grenzen van taal en klasse verbroken; ze besteden veel aandacht aan hun kleding, ze maken lawaai en ze rebelleren tegen de voorgeschreven terughoudendheid en bescheidenheid rond seksuele zaken. Wat ze willen? Niets, behalve op deze manier leven.'

Twee jaar later had het zwaartepunt zich verplaatst naar Amsterdam. In de *summer of love* van 1967 stroomde de stad vol exotisch geklede jeugdtoeristen die massaal in het Vondelpark sliepen en op ontspannen wijze de tijd doorbrachten rond het Nationaal Monument op de Dam. De muziek stond die zomer in het teken van de nieuwe Beatles-elpee *Sgt. Pepper's Lonely Hearts Club Band*, waarvan er binnen drie maanden tweeënhalf miljoen waren verkocht. In de Oude RAI aan de Ferdinand Bolstraat werd de manifestatie 'Hai in de Rai' gehouden, met drie muziekpodia, lichtshows, kraampjes met kralen, beschilderde meisjes en doorlopende happenings. In diezelfde weken verschenen in *Hitweek* berichten over een ophanden zijnde 'lieve invasie' uit Californië. De managers van de Grateful Dead en andere groepen wilden overal in Europa grote gratis *love-ins* organiseren. Of, zoals het blad schreef: 'Spelen in parken en op pleinen, gewoon omdat we allemaal lief zijn en elkaar nodig hebben.'

Het midden van de jaren zestig was een buitengewoon romantische periode, misschien wel het meest romantische tijdvak sinds het begin van de negentiende eeuw. De jonge rebellen zagen er overal in Europa ongeveer hetzelfde uit: de meisjes droegen een kort rokje, het haar halflang, plus een strak truitje – de hippiemeisjes gingen overigens al snel over tot lange rokken van Indiase stof –, de jongens droegen tot 1968 in meerderheid nog colberts en kort haar, daarna domineerden steeds meer de truien, baarden en/of snorren en lange lokken. Populair was ook de bontgevoerde Afghaanse herdersjas, in winter en zomer.

Taal, muziek en leefstijl van de 'scene' in Amsterdam, Londen en Ibiza werden bepaald door LSD, hasj en marihuana. LSD, een chemische drug uit de psychiatrie, werd door de hippies beschouwd als de sleutel voor 'kosmische bewustwording'. Hasj en marihuana, liefst collectief geconsumeerd, vormden het dagelijkse brood, het cement van 'de commune'. Onder invloed van deze verdovende middelen ontstond een kleurrijke en warrige 'psychedelische' stijl met eigen posters, muziek, literatuur en poëzie.

Net zoals in de jaren dertig werelden van verschil bestonden tussen de talloze vertakkingen van rechts en ultrarechts, zo groeide dertig jaar later ook het progressieve revival uit tot talloze stromingen die uiteindelijk weinig met elkaar van doen hadden. In

Nederland leefden de groepen rond *Hitweek* en Provo bijvoorbeeld volstrekt langs elkaar heen. Hitweek hield zich bezig met muziek, feesten en lifestyle, Provo was een typische stadsbeweging die brutaal naar buiten trad en maatschappelijke problemen aan de orde stelde: de vervuiling, de verkeersopstoppingen, de woningnood, de verloederde buurten.

De Parijse studenten zochten, op hun beurt, vooral contact met arbeiders en vakbonden; hun beweging was veel massaler en politieker. De Duitse actievoerders schreven leuzen die de Franse en Nederlandse studenten nooit zouden gebruiken: 'High zijn, vrij zijn! Een beetje terreur moet erbij zijn!' De hippies scharrelden overal tussendoor: ze sloten zich grotendeels af van de politieke en de stedelijke wereld, ze kozen nadrukkelijk voor een ontspannen en soms zelfs trage stijl van leven – een duidelijke reactie op het kwieke tempo van de jaren vijftig – en vaak hielden ze vooral van elkaar en van zichzelf.

Was het alleen maar de jeugd die zich, in de woorden van jarenzestigspecialist Hans Righart, de weelde veroorloofde om 'de totstandkoming van het aards paradijs op de agenda te zetten'? Was alleen de 'teenerboom' de oorzaak van alle onrust?

Dat zou te simpel zijn. De jaren zestig vormden een mentaliteitscrisis van zowel de oudere als de jongere generaties. Iedereen moest, vanuit een eigen verleden en achtergrond, plotseling reageren op een overdonderende reeks veranderingen. En die crisis werd ditmaal niet veroorzaakt door een economische depressie, zoals in de jaren dertig, maar juist door het omgekeerde: een ongekende economische groei in heel West-Europa, een opvallende toename van vrije tijd en mobiliteit, een onophoudelijke reeks technische vernieuwingen, een massale beschikbaarheid, voor het eerst, van auto's, bromfietsen en andere luxeartikelen, een anticonceptiepil die, vanaf 1962, de seksualiteit 'bevrijdde' van de last van de voortplanting, een neergang van het Amerikaanse ideaalbeeld in Vietnam, een massale opkomst van televisie en transistorradio, waardoor jongeren van San Francisco tot Amsterdam zich verenigd voelden in eenzelfde levensritme.

Provo Rob Stolk zou me later vertellen hoe voor hem de nieuwe tijd begon: op de dag waarop een witte auto zijn straat binnenreed, vol meisjes die aan iedereen een heel nieuw soort soep uitdeelden: Royco-soep uit een pakje. 'Dat was iets ongekends. De mensen kregen zomaar soep om te proeven, iets waarvoor ze een paar jaar eerder nog in de rij hadden moeten staan. Opeens werden ze als consument voor vol aangezien. Op die dag begon voor mij een nieuw tijdperk.'

Niet alleen Rob Stolk en mijn vriendenclub moesten daarop een antwoord zien te vinden, ook onze ouders. Wij, westerse jongeren, hadden nooit iets anders dan welvaart meegemaakt, een welvaart die bovendien nog voortdurend toenam. De ouderen werden, aan de andere kant, geconfronteerd met een samenleving die zo snel veranderde dat het hun de adem benam. 'Het was pas in de twintigste eeuw dat een paar staten het productiviteitsniveau bereikten waardoor al hun onderdanen, jong en oud, een levensstandaard kon worden geboden die enigszins boven het hongerniveau uitkwam,' schreef Norbert Elias. Dat leek in de jaren zestig al helemaal vergeten te zijn: hoe buitengewoon een samenleving zonder honger was – en is.

De Amerikaanse socioloog Ronald Inglehart sprak van een *silent revolution* in de hele westerse cultuur, een geleidelijke en bijna onmerkbare overgang van het materialistische waardepatroon – met een sterk accent op economische en politieke rust en orde – naar een postmaterialistisch waardepatroon, waarin immateriele idealen over milieu, emancipatie en individuele levensstijlen centraal stonden. Veel ouderen hechtten sterk aan het materialistische patroon omdat dat in tijden van armoede en oorlog zijn waarde had bewezen, hun kinderen, opgegroeid in veiligheid en weelde, durfden verder te gaan. Voor hen stond het naakte bestaan op zich niet meer ter discussie.

De jeugdrebellie rond de jaren zestig vormde zo, na de Tweede Wereldoorlog, een nieuwe breuk in de West-Europese geschiedenis. Van 'de' beweging van 'de jaren zestig' kan moeilijk gesproken worden: in werkelijkheid besloeg de periode meer dan anderhalf decennium, tussen de introductie van de film *Rock Around the Clock* in 1956 en het begin van de internationale oliecrisis in 1973, met als piekjaren 1966, 1967 en 1968. Wat ons vriendengroepje meemaakte – we waren ons daarvan overigens nauwelijks bewust – was een razendsnelle mentaliteitsverandering, een branding met stromingen en tegenstromingen, een revolte met een volstrekt eigen karakter. Het was, zoals meteorologen dat noemen, een 'perfect storm', een tijdelijk samengaan van vier, vijf elementen waaruit ongekende krachten loskwamen.

Allereerst was daar de factor jeugd. De ingezonden-brieven-rubriek van *Hitweek* meldde het keer op keer: iedereen boven de dertig was verdacht, iedereen boven de veertig de vijand. De redactie schreef: 'In november 1966 was 52 procent van de Nederlandse bevolking onder de dertig. Hoog tijd om de zaken zelf te regelen.' Het 'wij tegen de anderen' werd met muziek, kleding, haardracht, symbolen en rituelen voortdurend benadrukt. Dat begon al rond het midden van de jaren vijftig: uit een sociaal onderzoek van *Nouveau Candide* onder vijftienjarige Franse meisjes bleek bijvoorbeeld dat ze het allemaal even vreselijk vonden als hun vaders of moeders op hun feestjes zouden komen, een houding die tien jaar eerder nog ondenkbaar was. Een Nederlands onderzoek uit 1959 kwam tot een soortgelijk resultaat: 83 procent van de jongeren vond de eigen generatie totaal anders dan die van hun ouders.

In datzelfde najaar begon de Franse zender Europe No 1 met *Salut les Copains*, een programma dat alleen maar teksten van jongeren zelf bracht, plus heel veel rock-'n-roll. Direct was het bijzonder populair, het gelijknamige tijdschrift zat al snel op een oplage van een miljoen. In Italië verscheen sinds 1960 het rebelse *ABC*, een blad dat veel aandacht besteedde aan voordien onnoembare zaken als echtscheiding, seks, abortus en anticonceptie. Nederland kende vanaf 1960 *Twen* – later *Taboe* –, vanaf 1962 het radioprogramma *Uitlaat*, en vanaf 1965 *Hitweek*. Duitse jongeren lazen het meer politieke *Konkret*, een pittige mengeling van seks en onleesbaar links gedachtegoed.

De onderlinge verbondenheid van één generatie, door alle verschillen heen, was een van de meest opvallende verschijnselen van de jaren zestig. De rebellie was immers, naast al het andere, een onvermijdelijke opruiming van verouderde en verkalkte structuren, soms ook een voortzetting van vernieuwingsbewegingen die na de oorlog waren opgedoken maar direct weer door de gevestigde orde waren versmoord. In het begin van de jaren zestig regeerde op veel plekken nog een gerontocratie van mannen – zelden vrouwen – die hun volwassen leeftijd al in de eerste decennia van de eeuw hadden bereikt: de Gaulle, Franco, Salazar, Chroesjtsjov, Brezjnev, Ulbricht, Gomułka. Duitsland – Adenauer, Strauss – werd helemaal door opa's geregeerd, in dit land hadden de vaders na de oorlog alle respect verloren. Een leidinggevende figuur van onder de veertig, zoals Fidel Castro, was een zeldzaamheid. Wijlen John F. Kennedy – drieënveertig jaar oud toen hij in 1960 tot president werd gekozen – gold als een glorierijk boegbeeld voor jeugd.

Voor een deel werd het generatieconflict echter ook aangewakkerd door de cultivering van het verschijnsel 'jeugd' op zichzelf: 'jeugd' werd niet meer gezien als een voorbereidende fase van de volwassenheid maar als 'het definitieve en meest volmaakte stadium van de menselijke ontwikkeling'. In vergelijking met onze ouders en grootouders konden wij, kinderen uit de middenklasse, in de jaren zestig sneller ons ouderlijk huis verlaten. Maar tegelijkertijd werden we dankzij alle nieuwe voorzieningen – studiebeurzen, uitkeringen – veel langer afgeschermd voor het harde, volwassen bestaan. Veel jongeren konden, anders gezegd, jarenlang blijven hangen in een voortdurend uitgestelde volwassenheid. Met name de universiteiten groeiden zo uit tot 'eilanden van jonge mensen'.

De tweede aanjager van deze 'perfect storm' was het opvallend internationale, zelfs intercontinentale karakter van de opstand. In alle studentensteden, van Barcelona tot Berlijn, zag je dezelfde boeken in de etalages: van Herbert Marcuse – de mens is enkel nog een productiemiddel, vervreemd van alle vreugde en genot –, Marshall McLuhan – 'the medium is the message', de moderne media zijn almachtig – tot het opnieuw tot evangelie uitgeroepen werk van Karl Marx. De Londense mode – laarzen, bonte kousen, spijkerbroeken – die de jeugdige Mary Quant in haar 'boutique' in Chelsea vanaf 1955 ontwikkelde, zou over heel Europa en Noord-Amerika het uiterlijk van de jeugd bepalen. Datzelfde gold, vanaf 1962, voor het lange haar en de muziek van de Beatles. In februari 1964 stond hun 'I Want to Hold Your Hand' aan de top van de Amerikaanse hitparade, en daarna lagen de Verenigde Staten open voor alles wat uit Engeland kwam overwaaien.

In hetzelfde jaar waarin ik ging studeren, introduceerde Mary Quant de ultrakorte minirok. Het volgende voorjaar was de 'miniskirt' alom aanwezig, op straat en in de collegezalen. Het was voor ons een signaal van herkenning, net als het lange haar van de jongens die zich eerder lieten ontslaan dan te capituleren voor de kapper. Hitweek voerde een maandenlange campagne: 'Liever langharig dan kortzichtig.' De industrie maakte zich op subtiele wijze meester van dit levensgevoel: de meeste producten voor de jeugd waren, zoals sommige sociologen scherp opmerkten, bovenal 'middelen van sociaal contact': kleding, popsongs, bromfietsen, motoren.

Tijdens deze hele periode leefden we in een lichte, nu vrijwel vergeten roes van de jaren zestig, 'de betovering, de waan, de droom, de luidkeels gezongen illusie van "We Can Change the World"', zoals Hans Righart schreef. 'Het is het blakende en overrompelende zelfvertrouwen van een generatie die ervan overtuigd was de wereld opnieuw te kunnen laten beginnen, zonder geschiedenis en zonder schuld.' Dit zelfgevoel werd verder aangejaagd door de nieuw veroverde seksuele vrijheid, een eveneens een niet te onderschatten element van de jeugdopstand. 'Bevrijding' van de 'burgerlijke' moraal betekende immers ook het afschudden van de traditionele beperkingen op seksueel gebied.

Het eerste nummer van het blad *Provo* bevatte direct al een pleidooi voor een 'volledige amorele promiscuïteit'. *Hitweek* bracht op 30 juni 1967 een uitvoerige beschouwing over de vraag: 'Waar kun je rustig, ongestoord, volledig geconcentreerd de liefde bedrijven?' De auteur pleitte voor het organiseren van feestelijke 'sex-ins' en voor het openstellen van publieke 'paarplaatsen', te gebruiken voor iedereen die drang voelde. De pil werd het ultieme vrijbewijs, abortus mocht geen misdaad meer zijn, jaloezie bestond niet, wie nu nog niet meedeed, was een 'burgerlijke trut'. Tegelijk konden de babyboomers, dankzij diezelfde pil, huwelijk en ouderschap almaar vooruitschuiven, en daarmee hun jeugd nog langer rekken.

De 'seksuele revolutie' sloeg in sommige landen snel aan: in 1965 vond nog bijna de helft van de Nederlanders dat een vrouw als maagd het huwelijk hoorde binnen te stappen, in 1970 was dat nog maar één op de zes. In de jaren vijftig had minder dan 1 procent van de Britse bruiden voor het huwelijk met de toekomstige echtgenoot samengewoond, in 1980 was dat bijna een kwart. In België, Frankrijk en Nederland was het aantal echtscheidingen in 1985 ongeveer driemaal zo groot als in 1970.

VROUWEN

De seksuele vrijheid van de jaren zestig werd voor een belangrijk deel gedragen en geïnitieerd door mannen. Het was een mannelijk soort seksualiteit die werd gepropageerd, het waren vooral mannenfantasieën die werden uitgeleefd. Aan het eind van de jaren zestig ontstond onder meisjes en vrouwen een tegenstroom. In het najaar van 1969 riep een pamflet de Italiaanse vrouwen op om 'een revolutie binnen de revolutie' te beginnen: 'De erotische explosie die ons sociale leven beheerst, toegejuicht als bevrijding van repressie, is in wezen niets meer dan een meer verfijnde versie van de oude seksuele slavernij.' In Nederland gaf Joke Kool-Smit, ook in 1969, met haar artikel 'Het onbehagen bij de vrouw' in *De Gids* de aanzet voor een tweede feministische golf. De zogenoemde Dolle Mina's eisten, onder veel meer, 'baas in eigen buik' en 'openbaar plasrecht'. Franse vrouwen legden in 1970 een krans bij het graf van de onbekende soldaat onder de Arc de Triomphe, maar droegen die op aan de 'onbekende vrouw'. De Féministes Révolutionnaires werden opgericht, een beweging die iedere vorm van samenwerken en samenleven met mannen weigerde. *Le Nouvel Observateur* publiceerde een 'Manifest van 343 Sletten', ondertekend door 343 vrouwen – waaronder een aantal bekende namen – die openlijk verklaarden ooit een abortus te hebben ondergaan. Een groep bekende Duitse vrouwen herhaalde de actie in *Stern*. De ouderen waren diep geschokt.

Van vitaal belang voor de storm van de jaren zestig was het vierde ingrediënt: de unieke welvaartsgroei, en bovenal het massale karakter ervan. De gemiddelde consumptie, die in Nederland tussen 1920 en 1950 nauwelijks was toegenomen, was in 1968 tweemaal zo hoog als in 1950. In 1957 had 3 procent van de gezinnen een ijskast, in 1972 88 procent. Voor het eerst verschenen de jongeren als een koopkrachtige groep op de Europese markt. In Nederland steeg het aantal bromfietsen tussen 1957 en 1972 met 200 procent, tot anderhalf miljoen. Op mijn middelbare school in Leeuwarden was, rond 1962, één leraar ooit een keer in Griekenland geweest: over deze expeditie werd nog jarenlang gesproken. Tien jaar later reisden we door heel Europa.

In de zomer van 1967 begon de Franse socioloog Edgar Morin aan een portret van de dorpsjeugd van het Bretonse gehucht Plodémet. Hij beschreef hierin de twee nieuwe communicatiemiddelen waardoor jongeren zich onafhankelijk konden voelen van de volwassen wereld: aan de ene kant gemotoriseerd transport in de vorm van een bromfiets, of zelfs een kleine tweedehands auto, aan de andere kant een vorm van telecommunicatie via de eigen transistorradio, die iedereen ook voortdurend had aanstaan. 'Tegenwoordig hebben de jongeren van Plodémet dus dezelfde voorzieningen, dezelfde wachtwoorden (*vachement* [fantastisch], *terrible* [vreselijk]), dezelfde antenne, dezelfde cultuur als de stedelijke jeugd. Ze voelen dezelfde wind van verandering.'

Altijd was de oudere generatie ervan uitgegaan dat de jongeren min of meer probleemloos haar stelsel van normen en regels konden en wilden overnemen. Plotseling was deze 'socialisatie van de jeugd', zoals sociologen het noemden, niet meer vanzelfsprekend. In Nederland was het aantal studenten tussen 1960 en 1968 meer dan verdubbeld. Tegelijk had nog bijna de helft van de vaders en tweederde van de moeders uitsluitend lagere school. Er waren opeens zoveel nieuwe mogelijkheden dat de jongeren eerder iets aan de ouderen konden leren dan andersom.

Maar juist de jeugdige rebellen stonden hoogst ambivalent tegenover de welvaartsgolf. Aan de ene kant maakten ze er dankbaar gebruik van, aan de andere kant was hun opstand doortrokken met kritiek op de 'verslaafde consument' en al zijn nieuwe verworvenheden: de televisie, 'de elektronische roomklopper' en bovenal de auto. De 'witte plannen' van Provo waren grotendeels protesten tegen het welvaartsdenken van het 'klootjesvolk'. Het waren *mind-openers*, zoals een van de bedenkers het uitdrukte, fantastische ideeën die het publiek in verwarring brachten en aan het denken zetten, zoals het Witte Fietsenplan: 'De witte fiets symboliseert eenvoud en hygiëne tegenover de protserigheid en de vuiligheid van de autoritaire auto. Immers een fiets is iets, maar bijna niets!'

De hippiebeweging, die in het midden van de jaren zestig ontstond, ging nog een stap verder. Een jongere die de juiste kleding droeg, de juiste muziek beluisterde en de juiste gelegenheden bezocht, mocht zichzelf al *hip* noemen, maar échte *hippies* waren degenen die kozen voor een totale *drop-out* uit de samenleving. De hippies hechtten groot belang aan de 'natuurlijkheid' van kleding, voedsel en levensstijl: ongebleekt katoen, blote voeten, macrobiotisch eten, meditatie, rust. Steden waren kunstmatig en dus fout. Het ideaal was een rustig, communaal bestaan op het platteland – waar de meeste van deze stadskinderen het overigens geen halfjaar volhielden. 'Ook in Nederland stappen steeds meer weldenkende jongens en meisjes er uit,' schreef *Hitweek* in

1969. 'Beginnen ze een nieuw, stralend leven, waar de wereld waaruit zij voortkomen niets meer van begrijpt.'

Er was nog een vijfde kracht, diep verborgen, die deze storm voortdreef: angst. Veel van het gedachtegoed straalde een intens negentiende-eeuws optimisme uit, een overtuiging dat alles maakbaar was en dat 'een nieuw stralend leven' direct om de hoek lag. Tegelijk vallen de jaren zestig niet te begrijpen zonder de existentiële angst die veel Europeanen beheerste. Mijn hele generatie was grootgebracht onder de permanente dreiging van een nieuwe oorlog, tallozen zagen de atoombom als een direct en reëel gevaar, veel jongeren wilden tot alle prijs oorlog en onderdrukking uit de wereld bannen.

Begin oktober 1967 stond in alle kranten het bekende melancholische portret van de rebellenleider Ernesto 'Che' Guevara. Hij was gesneuveld in de Boliviaans jungle, en op hetzelfde moment kwam zijn mythe tot leven. Zijn beeld werd meegedragen in demonstraties, het hing overal in cafés en studentenkamers, het symboliseerde een nieuwe solidariteit met de derde wereld. In bladen als Provo, Salut les Copains, ABC, Konkret, het Britse OZ en het Italiaanse Mondo Beat werden steeds vaker de brandende kwesties van de twintigste eeuw aan de orde gesteld: de relatie tussen rijk en arm, de ethische kanten van de technologie, de exploitatie van de aarde, de grenzen aan de groei.

Tegelijk werd elke politieke discussie nog altijd sterk bepaald door de Koude Oorlog, of door de reactie daarop. Iedere Afrikaanse leider van een volksbeweging die met een rood boekje zwaaide, kon rekenen op de sympathie van de Europese rebellen. Zoals in de jaren dertig de Spaanse Burgeroorlog de toon zette, zo was de Amerikaanse interventie in Vietnam de lakmoesproef van de jaren zestig. Begin 1968 vochten meer dan een half miljoen Amerikaanse militairen mee in dit smerige en uitzichtloze conflict, een oorlog die bovendien overal op de televisie dag na dag kon worden gevolgd. De ene demonstratie na de andere trok door de West-Europese en Amerikaanse hoofdsteden. Tienduizenden Amerikaanse jongens weigerden dienst.

Een deel van deze jongeren vond, zoals gezegd, ten slotte weer onderdak bij het gedachtegoed van Karl Marx en Mao Zedong. Het negentiende-eeuwse model van de 'klassestrijd' kreeg door de mondiale ontwikkelingen een nieuwe, actuele lading. Dat was niet onlogisch: terwijl de welvaart in het Westen almaar toenam, bleef de rest van de wereld duidelijk achter. Grofweg tweederde van de mensheid leefde in grote armoede, en dankzij de enorme militaire, politieke, economische en culturele overmacht van de rijke landen nam die ongelijkheid alleen maar toe. Vietnam was hét symbool van dit permanente, structurele geweld.

Binnen de 'eilanden van jonge mensen' fungeerden het marxisme en het maoisme echter ook als een anti-ideologie, een radicale manier om zich te distantiëren van het beladen verleden van de oudere generaties. Het waren beide aantrekkelijke methoden om de moderne samenleving in een overzichtelijk model te persen, en bovendien was het een ideaal wapen om het anti-communistische establishment te provoceren en te bestrijden. 'Echte' arbeiders werden door de jonge rebellen gekoesterd zolang ze pasten in dat theoretische raamwerk. Parijse studenten omhelsden de Renaultarbeiders van Flins, mijn Amsterdamse kennissen gingen plat praten en hielden solidariteitstochten naar de Oost-Groningse strokartonindustrie. De latere Duitse minister van Buitenlandse Zaken, Joschka Fischer, ging in 1970 bij Opel aan de lopende band werken 'om met de arbeiders te leven'. Met 'burgers' wilde niemand meer iets te maken hebben.

Achteraf laten de statistieken zien waar de werkelijke omwenteling plaatsvond: in 1965 wilde ruim de helft van de Nederlanders niet dat kinderen hun ouders tutoyeerden, ruim 80 procent was fel tegen het buitenshuis werken van moeders. Nog geen vijf jaar later waren beide percentages gehalveerd. De echte revolutie van de jaren zestig vond binnenskamers plaats, aan honderdduizenden doorsnee keukentafels.

4

'Ze schreef: "Ik zie, als onder scherpe schijnwerpers, tienvoudig vergroot, de dagelijkse details van mijn onderdrukking, de details van andersvrouws pijn. Ik heb er geen verweer meer tegen. [...] Zelfbeklag? Zeker, ik kan zwemmen in zelfmedelijden. Rancuneus? Ook dat. Maar geen schaamte. De schaamte is voorbij." Het boek ging bij honderdduizenden door heel Europa. De moed om het seksisme van de "vrije" jaren zestig openhartig te beschrijven bracht een golf van herkenning bij talloze vrouwen. Het was in 1976 een doorbraak. Alleen voor mij was het minder leuk. Ik was namelijk in dat boek de voorbeeld-man, de schurk, de grote onderdrukker.

Ik gold in die jaren als een echte woelmaker. Heel veel later wist een stel activisten de hand te leggen op een pak bvd-documenten, en daartussen zat een projectie-sheet voor de scholing van hun agenten. Dat ding ging helemaal over een zekere Huib Riethof, over mij dus. Ik werd daarin letterlijk neergezet als een spin in het web, in het centrum van een netwerk, met draden naar de meest uiteenlopende organisaties. Voor hen was ik een voorbeeldige agitator.

Ja, wat was ik werkelijk? Ik was vooral onzeker. Ik kom uit een niet-intellectuele familie en eigenlijk voelde ik me altijd een soort indringer, een oplichter zelfs. Mijn ouders waren echte idealisten, gevormd in de ajc van de jaren dertig, voluit de Arbeiders Jeugd Centrale, de Nederlandse variant op de Duitse Wandervögel en de Rode Valken. "Trekken wij, door donk're straten, naar de frisse buitenlucht..." En: "De mens is goeoeoed, de mens is goed..." Met dat soort liederen voedden ze me op. Ze lagen financieel krom voor mijn studie. Ik had het gevoel dat ik altijd de beste moest zijn om hun offer te vergelden. Daarom was ik ook behoorlijk ambitieus: op het Amsterdamse Spinozalyceum won ik het ene jaar de opstelwedstrijd, het volgende jaar de voordrachtwedstrijd, ik wilde telkens weer vooraan staan.

Als wij komen aangeschreden, achter onze bonte vaan,
als door dorpen en door steden, onze sterke voeten gaan,
willen wij ons lied doen klinken, fier naar alle kanten heen,
want waar mensen samen zingen, sluit de liefde hen aaneen!

Mijn ouders waren keurige sociaal-democraten. Ik herinner me nog een donkere avond, begin november 1956. Met duizenden mensen stonden we op de Dam, rondom het pas gereedgekomen Nationale Monument. Ik was vijftien jaar, ik zat op het gymnasium. De voorafgaande dagen was de radio vol geweest met verhalen over het neerslaan van de Hongaarse opstand. 's Middags was ik op diezelfde Dam, op weg van school naar huis, in een oploop verzeild geraakt. Een woedende menigte had het voorzien op een warrige oude man die uit de tram stapte en die wel iets weg had van de communistische leider Paul de Groot. Met fladderende jaspanden vluchtte hij de Paleisstraat in. Er werd driftig gesproken, die avond. De meeste indruk op mij maakte het PvdA-kamerlid J.H. Scheps, een klein mannetje met een enorme stem die nog nét niet de menigte opzweepte tot een bijltjesdag tegen alles wat naar communisme rook. Na afloop liet ik me meevoeren door de smalle straten tussen de grachten naar het gebouw van Felix Meritis, het hoofdkwartier van de Communistische Partij Nederland. Tot mijn stomme verbazing begonnen mijn makkers, de strijders voor democratie en tegen onderdrukking, opgewekt met stenen te gooien, ruiten in te slaan en scabreuze teksten en liederen te brullen. "Want waar mensen samen zingen, sluit de liefde hen aaneen...", nou, het echte leven bleek toch wat ingewikkelder.

Ja, liefde. In diezelfde periode kwam ik haar voor het eerst tegen. Dat was in een AJC-kamp in Vierhouten, een klein plaatsje op de Veluwe, waar de AJC'ers al sinds de jaren twintig hun honk hadden. Ellen kwam uit een zeer strijdbaar nest. Haar grootvader was de internationale revolutionair Henk Sneevliet, een van de oprichters van de Chinese communistische partij en een van de weinige Nederlanders die Lenin persoonlijk goed had gekend. Hij was in 1942 door de Duitsers geëxecuteerd.[1] Haar vader, de stenograaf en latere schrijver Sal Santen, was een overtuigd trotskist. Hij had, tegen de wil van zijn schoonvader Sneevliet, in 1939 gekozen voor Trotski's toen gloednieuwe "Vierde Internationale". Sal en zijn weinige vrienden zetten hun verzet in eigen kring voort, ook na de oorlog.

In de zomer van 1957 had ik daarvan geen idee, toen ik mijn fiets voor het eerst parkeerde bij het huis van mijn beminde. Ik belde aan en zag boven aan de trap een slordige kopie van Karl Marx verschijnen, zonder baard, maar met dezelfde indrukwekkende haardos: "Zo, ben jij dus de nieuwe vriend van Ellen?" Ik viel meteen voor de sfeer van de Santens, voor de warmte en de vriendelijkheid. Het werd mijn tweede huis.

Tijdens de jaarwisseling 1959-1960 maakten Ellen en ik onze eerste grote buitenlandse reis. We mochten naar Parijs, als gasten van mensen die in allerlei illegale projecten verwikkeld waren – maar dat merkten we allemaal pas later. De heenreis maakten we met een zekere "Pierre" in zijn Renault 23. Achteraf begrepen we dat de kofferbak was volgepropt met valse identiteitskaarten voor Algerijnse FLN-militanten in Frankrijk. 's Avonds werden we, een hele eer, ontvangen door "Pablo", ofwel de trotskistische leider Michel Raptis. We werden ondergebracht bij een activiste van de beweging in Boulogne-Billancourt, de vesting van de Renault-arbeiders, nadat we eerst een paar dagen bij "Simone", de vriendin van "Pierre" hadden gelogeerd. Samen met een tweede "Michel" doorkruisten we per auto de stad. Er waren ingewikkelde ontmoetingen met personen die niet kwamen opdagen. Intussen liet deze Michel ons zijn stad zien: Les Deux Magots, waar Sartre en De Beauvoir salon hielden; de plek waar Léon Sedov, Trotski's zoon, nog niet zo lang geleden, in 1938, door een agent van Stalin was vermoord; het Parijse hoofdkwartier van de Algerijnse bevrijdingsorganisatie FLN. We werden in de watten gepakt, want we waren de kinderen van "Sal", een mythische figuur voor de buitenlandse kameraden, de nauwste medewerker van hun "Pablo".

Zo raakte ik tijdens die winter van 1960 verslingerd aan Parijs, de wieg van de revoluties van 1789, van 1830, van 1848, van 1871, maar ook van het Volksfront van 1936, van de Republiek van 1945 en van de nieuwe revolutie die in de lucht hing. Want de Gaulle en zijn nostalgie naar de beide wereldoorlogen, dat zou niet lang meer kunnen duren. Zo dacht ik, en zwervend over Père Lachaise kwam ik altijd weer uit bij de Mur des Fédérés, de executieplaats van de laatste Communards van mei 1871.

Rond die tijd moeten voor mij de jaren zestig zijn begonnen, serieus en tegelijk luchtig. Op een mooie juniavond, een halfjaar later, bracht ik Ellen naar huis – de familie was inmiddels verhuisd naar de Amsterdamse nieuwbouwwijk Geuzenveld. Voor de huisdeur zoenden we uitgebreid, Ellen verdween naar binnen, en plotseling stond een persoon van middelbare leeftijd achter me, die me toesnauwde: "Zo, nu is het wel genoeg geweest. Naar huis! Ik wil ook naar bed!"

Ik had nog nooit een BVD'er in levenden lijve ontmoet. Wist ik veel! Ik dacht dat het een soort gluurder was en ik fietste rustig naar huis, mijmerend over wat ik allemaal zou gaan doen in het komende studiejaar. Ik was lid geworden, en al gauw ook bestuurslid, van de Democratisch-Socialistische Studenten Vereniging 'Politeia', in de jaren vijftig een van de zeldzame plekken waar interessante politieke discussies plaatsvonden. Tegelijk fantaseerde ik er lustig op los, dat deed ik altijd tijdens die overbekende rit. Ik stelde me voor dat mijn fiets was gewapend met een mitrailleur of zelfs een bazooka, en dat ik daarmee allerlei tuig voor mijn voorwiel wegmaaide. Ik had geen idee dat die BVD-er nog steeds achter me aanreed – hij had eens moeten weten welke fantasiën in me rondtolden.

Bij mijn ouderlijk huis sprak de man me opnieuw aan. Hij gaf me bevel om naar binnen te gaan, want "het spelletje was uit". Ik snapte er niets van, voelde me ergens schuldig, maar wist niet waarvoor, misschien kwam ik te laat thuis en zou mijn moeder ongerust zijn? Had zij die man ingehuurd, om mijn gangen na te gaan? Maar hij was alweer verdwenen op zijn bromfiets. Pas de volgende morgen las ik het grote nieuws over twee in Amsterdam opgepakte misdadigers: Sal Santen en Michel Raptis waren gearresteerd wegens hulp aan de Algerijnse FLN. Het bericht kwam als een donderslag bij heldere hemel.

Opeens begon nu het échte leven. En het was niet leuk. Er volgden onthullingen over de productie van enorme hoeveelheden vals Frans geld, en er was ook sprake van een wapenfabriek voor de FLN in Marokko. Ik kon het eerst niet geloven. Die onhandige man in zijn jaren dertig-fauteuil in Geuzenveld, mijn eerste gids in de ideologische woestenij van Karl Marx en zijn epigonen, was dat een valsemunter, een internationale misdadiger? Veel ervan bleek waar, en ook weer niet. Het was een smerig zaakje, vrijwel van begin af aan was hun club geïnfiltreerd geweest door provocateurs van inlichtingendiensten die actief hadden meegewerkt om strafbare feiten te scheppen.

Ik maakte de gewelddadigheid van een persoffensief mee, voor het eerst in mijn leven. Er was niet aan te ontkomen: de media herhaalden keer op keer hun versie van de werkelijkheid, de publieke opinie volgde hen, vroeg om meer, kreeg dat ook, almaar hetzelfde. Toch was het verhaal niet waar, maar wat kon je ertegen doen?

Ellen en ik gingen op zoek naar de Nederlandse kameraden van Sal. Ik herinner me een lege studentenkamer, met gordijnen die uit de open ramen naar buiten wapperden. De bewoner was gevlucht. Anderen bleven tot ver in het najaar kamperen op Ameland en in de Achterhoek, de campings werden steeds leger, toch leefden ze in de illusie dat ze niet opvielen. Eind oktober hadden we ze eindelijk bij elkaar. Ze leden in vergaande mate aan "illegalitis". Iedereen had nu schuilnamen: Lida, die we kenden als een vrolijke diamantbewerkersdochter uit Amsterdam-Oost, heette ineens "Antje", de nerveuze geleerde Fritjof was nu "Karel".

Wij tweeën werden beschouwd als nieuwe rekruten van de beweging. We waren datzelfde najaar getrouwd. Ze was zwanger van mij, de pil was er nog niet, en aan abortus wilden we niet doen. We waren allebei negentien, we leefden van kleine baantjes, en op een of andere manier hadden we ook nog tijd voor duizend-en-één discussie- en scholingsavonden, weekendconferenties en zomerkampen.

Begin 1961 organiseerden we een optocht voor de vrijlating van Sal en zijn kompaan. Ik denk dat het de eerste demonstratie van de jaren zestig was. Er liepen hooguit vijfentwintig mensen mee, maar het kwam breeduit in de krant. Zo merkten we dat we heel weinig hoefden te doen om in de pers te komen. Dat was een ontdekking met grote gevolgen.

In diezelfde jaren studeerde ik geschiedenis, onder anderen bij Jacques Presser. Daar begon nog een wereld voor me te leven. Presser vertegenwoordigde de vooroorlogse joodse cultuur, het Duitse intellectuele leven van voor 1914. Hoe die man Goethe uitsprak, het leek alsof hij het had over een bonbon, en tegelijk praatte hij erover alsof hij hem intiem had gekend. *Ondergang*, zijn grote werk over de jodenvervolging in Nederland, moest toen nog verschijnen, hij was er intensief mee bezig. Het moet hem opgevreten hebben, dat boek, ik kwam hem soms tegen in de Damstraat, almaar gesticulerend en betogend in zichzelf. Toen het in 1965 eindelijk verscheen, maakte het een verpletterende indruk. Het gaf me een schokkend inzicht in de Nederlandse mentaliteit, met alle lafheid en alle standvastigheid die daarin verenigd zijn.

In 1962 ging ik voor het eerst naar het 'land van de vijand'. Met een delegatie van Politeia deden we mee aan een werkkamp in Joegoslavië. Mijn ouders waren ontzettend bezorgd, ik was nu wel heel ver van de stam gevallen. Tegelijk werd ik lid van de PvdA: als trotskist moest ik in die partij infiltreren, dat was toen hun tactiek. Ik herinner me een afspraak met datzelfde kamerlid Scheps in de VAMI-lunchroom, hij vermaande mij dringend om van de drank af te blijven, en vervolgens riep hij: "En dan hebben ze hier zo'n heerlijk toetje!" Dat bleek dus een puddinkje te zijn dat stampvol rum zat – maar dat besefte hij niet, hij kende zelfs de smaak van drank niet. Diezelfde Scheps zei ook: "U bent een talent, maar u bent ook een infiltrant." Hij bleek me van a tot z te kennen. "Kijk eens, wij horen alles van de Binnenlandse Veiligheidsdienst. Wij moeten ons nu eenmaal de communisten en de trotskisten van het lijf houden. Maar ik heb, wat u betreft, nog goede hoop."

En inderdaad, na een paar maanden kreeg hij al gelijk. Ik besefte dat ik niet mijn leven lang verbonden wilde blijven aan dat nietige groepje trotskisten. De leiders beschouwden me als een nuttige infiltrant, niets meer dan dat. Daar had ik geen zin in, ik stopte mijn rapportages, deed niet meer wat ze zeiden. Ze ontketenden een conflict. Sal riep: "Je moet je verdedigen, je moet je verdedigen!" – die was alweer bereid tot de zoveelste scheuring. Ik schreef een stuk waarin ik stelde dat de boel maar opgeblazen moest worden, ik dacht aan een mooie klaroenstoot als afscheid. Maar verdomd: de meerderheid was het met me eens. Uiteindelijk ben ik tot 1968 lid gebleven, maar met dat infiltreren hielden we al snel op. Ten slotte gaven we alleen nog een tijdschrift uit, *Internationale Perspectieven*.

In de tussentijd was de studentenleider Ton Regtien bij mij op bezoek gekomen. Die had maar één idee in zijn hoofd: net zo'n studentenbond opzetten als de Franse UNEF, een vakbond die al sinds 1946 bestond. Samen hebben we toen het eerste *Democratisch Manifest* gestencild, in het oude kantoor van de AJC. Dat was in mei 1963, het begin van de Studenten Vakbeweging (SVBC). Ik zat in het hoofdbestuur, maar niet als trotskist. Dit was helemaal van mezelf. Die concreetheid, na al dat getheoretiseer, ik vond het fantastisch. Ik werd lid van de Pacifistisch-Socialistische Partij (PSP), een goed midden tussen provo en de sociaal-democratie. Ik zat in het Vietnamcomité, we organiseerden de eerste demonstraties en *teach-ins*, we verzamelden geld en medicijnen, we kregen de eerste Amerikaanse deserteurs binnen. Het werd allemaal grimmiger en serieuzer.

De uitstraling van Provo op de rest van Europa is sterk overdreven. De Duitse studentenleider Rudi Dutschke was in 1966 inderdaad in Amsterdam om Provo te bestuderen, maar toch moet je die Duitse studentenopstand in zijn eigen context bekijken. In juni 1967 was ik toevallig in Berlijn toen er enorme rellen uitbraken rond het bezoek van de sjah van Perzië. Die demonstraties daar, die hadden een omvang en een gewelddadigheid, zoiets hadden we nooit meegemaakt. In Nederland kon je met een knipoog ver komen, als je je maar aan een paar regels hield. Maar in Berlijn, dat gedisciplineerde lopen en dan weer stoppen... Wij vonden het beangstigend, het was niets voor ons.

Een jaar later was Parijs aan de beurt. Toen de boel daar in mei 1968 losbarstte liftte ik er vlug naar toe, en met een paar anderen openden we direct een Nederlandse vertegenwoordiging. We zaten in een heel deftig vertrek aan de Rue Saint-Jacques, plakten bulletins tegen de muren van het Quartier Latin, deden van alles. Het geweld was, opnieuw, niet mis. Ook onderling werd trouwens stevig gevochten, dat lees je nooit. Er waren jonge Spaanse anarchisten, de tweede generatie na de Burgeroorlog, die al die studenten maar niets vonden en besloten hadden een paar gebouwen voor zichzelf te ontruimen. We werden te hulp geroepen, en toen we daar aankwamen, zagen we die jongens van het dak komen met het mes tussen de tanden, dikke snorren eroverheen, allemachtig, wat waren we bang!

De hele toestand deed me denken aan de Communeopstand van 1871. Toen had je ook bedrijven waar arbeiders de rol van de baas overnamen en wijken die hun eigen zaken gingen regelen. Maar verder waren de gebeurtenissen in mei '68 met niets te vergelijken. Alles was ontstaan buiten de communisten, de socialisten en de andere traditioneel linkse bewegingen om. Die waren totaal verrast. We probeerden contact te leggen met de arbeiders van Renault, mijn hemel, in de velden achter Flins werden we opgewacht door de oproerpolitie, we renden voor ons leven.

Terug in Amsterdam pakte ik mijn werk weer op als wetenschapper aan de universiteit. Ik zat ook nog in de svb en in het partijbestuur van de psp. In mei 1969 werd ik opgebeld: "We hebben het Maagdenhuis bezet, kom alsjeblieft helpen." Ze maakten me voorzitter van de bezettersvergadering. Een ramp. Revoluties trekken altijd dwaallichten aan, maar ditmaal was ook nog eens het doel zeldzaam vaag. Ja, "democratisering". Er werd veel gelachen, de solidariteit was ontroerend, maar de praktische problemen kregen steeds meer de overhand. Je moet je voorstellen, we zaten met zeshonderd studenten dag en nacht in een gebouw geperst dat daar helemaal niet voor bedoeld was. We hadden onszelf gegijzeld. Er waren problemen met eten, wassen, schone kleren, slapen, mensen kregen claustrofobie. De discussies gingen op den duur over de meest banale dingen, over ruzies, over de leiding. En daar tussendoor kwam dan weer zo'n theoreticus met iets over het kapitalisme. Allemaal bange mensen die hun angst niet wilden tonen.

Mijn taak was om zo'n concreet doel te formuleren dat we ons, na wat onderhandelingen, met goed fatsoen konden terugtrekken. Maar dat was razend moeilijk. Een solidariteitsdemonstratie, buiten, mislukte. Dat brak het moreel. Het klinkt raar, maar ik denk dat we uiteindelijk zijn gered door de inval van de politie. Daarbinnen waren we compleet vastgelopen.

Ik bleef actief in de psp, werd lid van de Amsterdamse gemeenteraad, uiteindelijk wethouder. Maar plotseling, in februari 1975 "viel" ik, zoals dat heet, over de bouw van de metro. Mijn partij was tegen, ik was voor. Opeens, na al die drukke jaren, zat ik in een gat. Mijn huwelijk was stukgelopen. Ik had niet direct een nieuwe baan, zwom rond, probeerde voortdurend mezelf te rechtvaardigen. Een simpele uitnodiging voor een receptie werd heel belangrijk. En midden in dat gat verscheen het boek.

Ik had in 1972 een relatie gehad met de schrijfster. Mooie gesprekken over feminisme, gedoe in een huisje dat naar kat rook. Vervolgens was ze een verhouding met Ellen begonnen. Daar kwam ook weer een einde aan. Dat schreef ze allemaal op, tot in

de details. Ja, dat was haar revolutie. En vervolgens was er, opnieuw, dat ongelooflijke publiciteitsgeweld.

Ik was in die tijd vrij bekend, zeker in Amsterdam. Kijk, één
keer een rel in de krant is niet zo erg, dat is na een week weer vergeten, maar dit bleef maar komen. Voor iedereen die het boek las,
was het alsof het gisteren was gebeurd. Steeds moest ik op mijn
hoede zijn: heeft hij het gelezen of niet, durft hij erover te praten
of niet? Zelfs de kinderen werden erop aangesproken. Ons gezin
lag in puin. Je voelt je al zo falen als je scheidt. Het persoonlijke is
politiek, ja, maar dit… Je kunt ook niet in beroep gaan tegen een
boek: ja, maar ik wist wél waar alles stond in huis, ik zorgde wél
voor de kinderen. En het bleef me achtervolgen. Ik kreeg weer een
baan, maar al snel zaten ook daar de secretaresses gnuivend met
dat boek op schoot, en mijn collega's keken me aan. Nou ja.

Toen de schrijfster opnieuw een relatie met mijn Ellen begon
heb ik een paar jaar voor onze kinderen gezorgd. Zij konden dat
niet aan. Collega's hebben me toen enorm geholpen. Even heb ik
nog een paar stappen in de politiek gezet, jaren later, maar ik
ben er al snel weer mee gestopt. Het riep te veel herinneringen
op. En angsten. Uiteindelijk ben ik naar Brussel verhuisd: een
bevrijding. Ellen en ik zien elkaar weer regelmatig, we steunen
elkaar, de oude solidariteit is er nog altijd. De schrijfster heb ik
later ook nog weleens ontmoet, maar toen wilde ze alleen maar
over Ellen praten. Wat ze met haar "bevrijdende" boek in onze levens heeft aangericht, ze heeft het nooit willen zien.

Ik heb een nieuw gezin. Ik ben nu adviseur voor achterstands-
buurten, over heel Europa, ik help ze met plannen en subsidies.
Hoe ik nu over de jaren zestig denk? Weet je, er was een moment
dat de leiders van de Parijse Meirevolutie de macht hadden kunnen grijpen. Iedereen was toen in paniek, en de Gaulle stond op
het punt om af te treden. Het is tekenend dat ze geen moment serieus over die mogelijkheid hebben nagedacht. Men was niet
écht uit op macht. Wel op de macht van de kritiek, van het gelijk, maar niet op de macht van het gewone bestuur, van de vuile
handen. Dat patroon zou zich blijven herhalen. De gewone studenten van 1968 kom ik nog altijd tegen, als wethouder, als pro-
jectleider, steeds in beweging. Maar hun aanvoerders waren, in
dat opzicht, eigenlijk heel arrogant. Ze voelden zich te goed voor
het gewone werk, voor de gewone macht.'

5

De breuklijn tussen de flower power en de ontnuchterende jaren zeventig lag ergens rond 1968.[2] De troubadours strooiden tussen hun vrolijke liedjes steeds vaker bittere en grimmige teksten. De Rolling Stones bejubelden de 'Street Fighting Man', Jefferson Airplane riep in 'Volunteers' openlijk op tot revolutie: 'One generation got old. One generation got soul. This generation got no destination to hold. Pick up the cry!' Beide nummers werden door diverse radiostations in de ban gedaan.

De politisering van de jeugdrebellie had in ieder West-Europees land een eigen gezicht, een eigen toon en eigen argumenten, gebaseerd op eigen historische ervaringen. De culturele bewegingen waren internationaal, de concrete en vaak onvermijdelijke conflicten die daarop volgden, waren – op Vietnam na – meestal nationaal. Provo was typisch Nederlands, Mary Quant was Engels, Rudi Dutschke was heel erg Duits en mei '68 was bovenal Frans.

De Britten, die geen bezetting hadden meegemaakt, en minder crisis en minder welvaartsschokken dan de andere Europeanen, hadden nog het minst last van de generatiekloof. De jeugd maakte zich vooral druk om de Britse *way of life*, die ergens in de jaren twintig volstrekt stil was blijven staan: de mode, de muziek, de censuur en de zedelijkheidswetgeving. Net als in Nederland speelde het protest tegen het politiegeweld er geen noemenswaardige rol.

In Polen – want ook hier was in 1968 een kleine studentenrebellie gaande – ging het vooral om de vrijheid: toen in het Warschause Nationaal Theater de uitvoering van een negentiende-eeuws drama werd verboden marcheerde een groep boze studenten naar het bureau van de censuur, er volgden vijftig arrestaties en hun leiders, Adam Michnik en Henryk Szlaifer, werden van de univer-

siteit gestuurd. Later ontstonden er opstootjes waaraan zo'n vijfduizend studenten deelnamen. Een aantal sympathiserende
hoogleraren werd ontslagen, onder wie de later door heel Europa
bekende Zygmunt Bauman. Het motief: hij was 'beïnvloed door
de Amerikaanse sociologie'.

In Frankrijk werd de beklemming van de oude, burgerlijke
samenleving het sterkst gevoeld rond het onderwijs en het politiegeweld. 'Wij vechten omdat wij geen carrière willen maken als
wetenschapsmensen, wier onderzoekswerk alleen maar in dienst
zal staan van een winsteconomie,' schreven studenten van Nanterre in een vlugschrift. 'Wij weigeren de examens en de titels
waarmee [enkel] zij beloond worden die het systeem willen aanvaarden.'

In Italië stonden de corruptie en de schandalen centraal, plus
het onderwijs en het politiegeweld. Het aantal studenten was er
tussen 1960 en 1968 verdubbeld terwijl de universiteiten sinds de
negentiende eeuw nauwelijks waren veranderd. 'Nooit ontmoette ik een Italiaanse student die dacht dat hij een goede opleiding
kreeg,' schreef George Armstrong in 1968 in de *New Statesman*. 'De
universiteiten zijn het rigide feodale domein van de oudere hoogleraren. Ze zijn de vluchtplaats voor de zoons en dochters van de
middenklasse die meestal niet van plan zijn om later ook maar
iets te doen op het terrein waarvoor ze zijn opgeleid.' In Rome
moesten driehonderd hoogleraren aan meer dan zestigduizend
studenten onderwijs geven.

In Nederland had de revolutie van de jaren zestig – net als in
Engeland – tot op grote hoogte een ludiek karakter. De studentenbeweging was een ernstige zaak, maar met name Provo speelde
voortdurend een spel: met de publieke opinie, met de televisie,
met de beeldvorming, met het *image*. Het was een kunstzinnige
vorm van protest, vermengd met anti-monarchale en anti-Duitse
sentimenten (rond het huwelijk van kroonprinses Beatrix met
Claus von Amsberg in maart 1966), anti-burgerlijke ideeën (bij de
happenings rond het Lieverdje en elders) en een soort anti-fas-
cisme-achteraf (bij een bestorming van *De Telegraaf* in juni 1966).

In Duitsland was van al die speelsheid volstrekt niets te merken. Hier draaide het, in de kern, enkel om dat laatste: de oorlog.

In 1968 bezocht de Amerikaanse filosoof Joseph Berke de Berlijnse
Kommune Einz aan de Stephanstrasse 60. Om zes uur 's avonds

trof hij de complete gemeenschap in diepe nachtrust, niemand was nog opgestaan. De schermen van twee televisietoestellen lieten permanent beelden zien, geluidloos. Toen de Kommunarden eindelijk wakker waren, bleven ze er stil naar kijken. Volgens het verslag van Berke zat iedereen onder de drugs, hoewel ze die aanvankelijk verworpen hadden als een 'burgerlijke afleiding van de politieke revolutie'.

Kommune Einz was in maart 1967 opgericht door Fritz Teufel, de Berlijnse tegenhanger van Robert Jasper Grootveld. Hij brak de kamer van de rector van de Freie Universität binnen, pakte sigaren, toga en ambtsketen, reed op een fietsje door de gangen naar de aula, liet zich daar door de juichende studenten tot nieuwe rector kiezen en ontsloeg ten slotte alle impopulaire professoren. Teufel verkeerde meer in de politiecel dan daarbuiten. Zijn Kommune Einz probeerde, in navolging van de Nederlandse provo's, door voortdurende provocaties 'het systeem' uit te lokken om 'zijn ware aard' te tonen: agressief, repressief en kapitalistisch.

Provo werkte met klappertjes en blanco spandoeken, de leden van Kommune Einz hadden voor dat soort speelsheid geen enkel gevoel. Toen Rudi Dutschke, die korte tijd lid was, weigerde om de 'burgerlijke privéverhouding' met 'zijn' Gretchen op te geven, besloot de groep, met meerderheid van stemmen, om collectief in psychoanalyse te gaan. Op Klaus Röhl, echtgenoot van de gevierde journaliste Ulrike Meinhof en hoofdredacteur van *Konkret*, maakte het gezelschap de indruk van een groep verwaarloosde middelbare scholieren uit de betere kringen die 'te veel zakgeld en te weinig menselijke genegenheid' hadden gekregen. Het viel hem op hoe achteloos in dit soort communes alle gewone dingen des levens werden afgewikkeld, inclusief de liefde. De leden moesten immers ook als liefdespartners, als 'coöperatieve personen' voor de kinderen, te allen tijde uitwisselbaar zijn. De hele dag weerklonk het woord *Scheisse*: schijtargumentatie, schijt in je kop, schijtorgasme. 'Ze leefden, zoals de Russische revolutionairen in de winter van 1917-1918, in leren jasjes en afgedragen broeken, die ze nauwelijks uittrokken als ze zich ergens te slapen legden. Ze sliepen en aten onregelmatig, brachten de kinderen onregelmatig naar school en bezochten de universiteit alleen om er pamfletten uit te delen en manifesten door de megafoon te roepen. Toen de revolutie ondanks deze detailgetrouwe nabootsing van decor en levenswijze maar niet wilde komen en toen, zoals

Dutschke allang had verkondigd, de lange mars door de instituties noodzakelijk werd, taai, stap voor stap en zonder veel show en drama, waren ze teleurgesteld.'

In voorjaar van 1967 kwamen bij een warenhuisbrand in Brussel driehonderd mensen om. Kort daarop verspreidden Fritz Teufel en zijn mede-communeleden Andreas Baader en Gudrun Ensslin pamfletten waarin de brand werd toegeschreven aan 'cellen' die streden tegen de Vietnamoorlog, en waarin gesuggereerd werd dat dit voorbeeld weleens in Duitsland kon worden nagevolgd. Een citaat: 'Driehonderd volgevreten burgers en hun opwindende levens kwamen tot een eind, en Brussel werd Hanoi. Nu hoeft niemand meer boven zijn ochtendkrant tranen te plengen voor het arme Vietnamese volk. Vanaf vandaag kan hij eenvoudig de winkel van KaDeWe, Hertie, Woolworth, Bilka of Neckermann binnenlopen en discreet een sigaret opsteken in de paskamer.' Teufel en nog een handlanger werden opgepakt wegens het aanzetten tot brandstichting. Diezelfde zomer werd, tijdens een felle demonstratie tegen de komst van de sjah van Perzië – 'Een tweede Hitler!' –, de student Benno Ohnesorg door de politie doodgeschoten. Enkele maanden later schoot een neo-nazi Rudi Dutschke neer. Overal in het land gingen studenten de straat op, bij honderdduizenden.

In april 1968 deden Baader en Ensslin voor het eerst een echte poging tot brandstichting in het Münchener warenhuis Schneider. Bij hun proces, in oktober, braken stevige rellen uit. Vierhonderd sympathisanten werden gearresteerd. Er werd geroepen: 'Wat is beschaving? Is het een Mercedes? Een mooi huis? Is het een gemakkelijk geweten? Ik vraag u opnieuw, kameraden, wat is beschaving?'

De schrijfster Luise Rinser, die in deze periode met Gudrun Ensslin en haar vader correspondeerde, beschreef Ensslin als een serieus, sympathiek en zeer sociaal voelend meisje. In een televisie-interview verklaarde Ensslin spijt te hebben van haar daad. Ze geloofde niet meer dat je door terreur de maatschappij kon verbeteren. Later stond het duo, tijdens een proefverlof, opeens bij Rinser op de stoep, 'door en door koud, erg mager en bleek en ontzettend nerveus'. Baader vertoonde een manische spraakzaamheid, Ensslin zei niets, beiden dronken enkel enorme hoeveelheden zwarte koffie. Rinser, in haar dagboek: 'Ik had te doen met die twee hypernerveuze overspannen kinderen.'

Eind 1968 trof Ralph Blumenthal van *The New York Times* in het gebouw van Kommune Einz nog maar één vrouwelijk commune-lid en een paar mannen. Ulrich Enzensberger, broer van de bekende schrijver, zat 'stoned zijn roodgekleurde vingernagels te bestuderen'. Ze leefden voornamelijk van het geven van interviews over revolutie en kapitalisme, en ze vroegen daarvoor forse bedragen.

Andreas Baader, Gudrun Ensslin, Horst Mahler en anderen vormden vanaf het begin van de jaren zeventig de Baader-Meinhof-Gruppe, ofwel de Rote Armee Fraktion (RAF). De associatie met de Britse Royal Air Force (RAF) was opzettelijk: zoals de Britten Duitsland van bovenaf hadden gebombardeerd, zo zouden zij het 'nieuwe fascisme' van binnenuit laten exploderen. De twee voormalige Kommunarden waren in 1970 uit hun gevangeniscel bevrijd door een vriendengroep onder leiding van Ulrike Meinhof. Volgens alle betrokkenen was het een impulsieve actie: er was geen 'stadsguerilla' van langere duur voorbereid, er was geen goed georganiseerd net van steunpunten en onderduikadressen, er waren nauwelijks wapens. Wel werd de groep al snel gesteund vanuit het Midden-Oosten en de DDR, hoewel de intens burgerlijke Oost-Duitse communisten verder weinig van de RAF-praktijken moesten hebben. Na de ontsnapping van Baader en Ensslin beroofde de groep een paar banken. Later volgden bomaanslagen op het Amerikaanse legerhoofdkwartier in Frankfurt, op het gebouw van uitgeverij Springer (*Bild-Zeitung*, *Die Welt*) in Hamburg en op overheidsgebouwen in München en Karlsruhe. Daarna begon een verwarde periode van vluchten en onderduiken. De dochters van Ulrike Meinhof, een tweeling van zeven jaar oud, liepen bij deze 'volksoorlog' in de weg en moesten daarom worden ondergebracht in een Palestijns wezenkamp. 'Ulrike hing aan haar kinderen, meer dan een moeder, als een kloek,' schreef haar voormalige echtgenoot. Juist daarom eisten Baader en Ensslin dat ze zich van dit 'overblijfsel uit haar burgerlijke verleden' zou losmaken. Zelfs hun Palestijnse contactman vond dit te ver gaan: El Fatah weigerde mee te werken. Uiteindelijk werden de meisjes, wellicht door ingrijpen van Ulrike Meinhof zelf, aan hun vader overgedragen.

Begin juni 1972 werden Baader en Ensslin opnieuw gearresteerd, samen met Meinhof. Hun aanhang ging door, steeds meer bezeten van het idee om vooral de drie leiders weer vrij te krijgen. In één geval met succes: in 1975 werd Peter Lorenz, voorzitter van de Berlijnse CDU, ontvoerd en vervolgens uitgewisseld tegen drie gevangen RAF-leden. In 1976 stierf Ulrike Meinhof in haar cel door zelfmoord, althans volgens de officiële lezing. Er volgden opnieuw hevige demonstraties, waarbij Joschka Fischer, toen een stevige straatvechter, in Frankfurt werd opgepakt wegens 'poging tot doodslag' op een politieagent. In het daaropvolgende jaar vonden meer dan honderdvijftig aanslagen plaats, de Duitse procureur-generaal Siegfried Buback en de bankdirecteur Jürgen Ponto werden vermoord, en in september werd de voorman van de Duitse werkgevers, Hanns Martin Schleyer, ontvoerd.

Die herfst verkeerde heel West-Duitsland in een toestand van angst, woede, bitterheid en paranoia. De RAF, die zo langzamerhand alleen nog maar vocht omwille van de RAF zelf, eiste de vrijlating van Baader, Ensslin en nog een negental gevangenen. De Duitse regering gaf geen krimp, ondanks wanhopige smeekbeden van Schleyer zelf. Om de eisen kracht bij te zetten kaapten drie Palestijnse medestanders van de RAF ook nog eens een Boeing van de Lufthansa, maar daaraan werd al snel op 18 oktober een eind gemaakt door een spectaculaire bliksemactie van een groep Duitse commando's op het vliegveld van Mogadishu in Somalië. Dezelfde dag werd het lijk van Schleyer gevonden, en in diezelfde nacht kwamen ook Baader, Ensslin en Jan-Carl Raspe in hun cellen op onduidelijke wijze om het leven.

De films die later over die najaarsmaanden van 1977 zijn gemaakt dragen titels als *Die bleierne Zeit* (De loden tijd) en *Deutschland im Herbst*. De jonge Duitse democratie dreigde inderdaad terug te glijden naar de situatie van de jaren twintig en dertig, precies datgene wat de linkse radicalen hoopten te 'bewijzen'. Overal hield de politie controles, helikopters patrouilleerden boven de snelwegen, *konspirative Wohnungen* werden permanent afgeluisterd en in de gaten gehouden. *Notstandsgezetze* werden aangescherpt. Iedere verbale steun aan 'terroristen' was strafbaar. Dissidenten werden, op grond van het zogenoemde *Radikalenerlass* geconfronteerd met een *Berufsverbot*: van alle overheidsfuncties, zelfs als leraar, werden ze buitengesloten. RAF-gevangenen werden geïsoleerd en onder een speciaal regime gesteld. RAF-advocaten, onder wie de latere minister van Binnenlandse Zaken Otto Schily, ontvingen voortdurend bedreigingen.

De aanhangers van de Baader-Meinhofgroep zouden nog vijftien jaar actief blijven. In totaal hebben RAF-leden bijna twee-honderdvijftig aanslagen gepleegd, negenenzestig banken beroofd, enige tientallen politici, zakenmensen en journalisten gekidnapt en achtentwintig mensen vermoord.

Het overgrote deel van de Duitse studentenbeweging en van radicaal links had zich inmiddels allang van deze gewelddadige lijn afgekeerd. In 1980 leefden, alleen al in Berlijn, naar schatting honderdduizend mensen in een subcultuur van alternatieve cafés, communes, actiegroepen, politieke hippies, kraakpanden, *Sponti's* en *Wohngemeinschaften*, maar met de RAF wilde bijna niemand meer wat te maken hebben.

In Italië was dat anders. Daar bestond onder links wel degelijk enige steun voor de 'Autonomen' en zelfs voor de eind 1969 opgerichte Italiaanse pendant van de RAF, de Rode Brigades. Tegelijk laaide aan het eind van de jaren zestig de oude burgeroorlog tussen fascisten en anti-fascisten weer op, in een escalatie van aanslagen door al dan niet geheime neofascistische terreurgroepen en de Brigate Rosse (BR). Door dit alles waren de Italiaanse *anni di piombo* veel bloediger dan de Duitse: ruim vierhonderd doden.

Bij demonstraties van arbeiders en studenten – motto: 'De fabriek is ons Vietnam' – vielen in toenemende mate doden en gewonden. De zwakke Italiaanse democratie begon te wankelen. De linkse radicalen van Lotta Continua (De strijd gaat voort) pochten openlijk over het dodental van demonstraties waarbij ze waren betrokken. Op 12 december 1969 explodeerde de eerste bom in een bankgebouw aan de Piazza Fontana in Milaan: zestien doden, vierentachtig gewonden. Een bekende anarchist, Giuseppe Pinelli, werd gearresteerd en terwijl hij op 15 december werd ondervraagd viel hij 'toevallig' uit een raam te pletter. De daders zijn nooit gevonden, wel gaan de meeste aanwijzingen in de richting van neofascisten en conservatieve elementen binnen de geheime dienst. De begrafenis van de slachtoffers van de bomaanslagen liep uit op een demonstratie waaraan driehonderdduizend mensen deelnamen.

De Italianen waren bang, en terecht. De Rode Brigades, volgens de deelnemers een voortzetting van de verzetsbeweging uit 1944 en 1945, zorgden jarenlang voor terreur en contraterreur. De neofascistische groepen werkten, speculerend op een verdere ontwrichting van het land, toe naar een rechtse machtsovername door het Italiaanse leger. In Griekenland was dat ook gelukt, waarom dan niet in Italië? Eind jaren zeventig werden in Italië gemiddeld meer dan tweeduizend aanslagen per jaar gepleegd. Van een aantal – bijvoorbeeld de beruchte bomaanslag op het station van Bologna van 2 augustus 1980, met vijfentachtig doden – zijn tot de dag van vandaag de daders niet bekend. Ook andere aanslagen waren volstrekt onverklaarbaar. Er zijn aanwijzingen dat ook buitenlandse inlichtingendiensten actief zijn geweest, en dat in diezelfde periode in het diepste geheim een grootschalige ontwrichtingscampagne is gevoerd om het in Italië populaire eurocommunisme een halt toe te roepen. Helderheid bestaat hierover tot nu toe niet. Op 16 maart 1978 werd premier Aldo Moro door de Rode Brigades ontvoerd. Zijn partijgenoten en oude vrienden weigerden iedere vorm van onderhandeling. Vijfenvijftig dagen later werd Moro dood aangetroffen in een Romeinse winkelstraat, weggepropt in de kofferbak van een Renault 4.[3]

Is het toeval dat juist bij de voormalige Asmogendheden, Duitsland en Italië, de jaren zestig uitmondden in zoveel dodelijk geweld, terwijl bijvoorbeeld in Frankrijk, Engeland, België en Nederland de links-radicale terreurbewegingen niet of nauwelijks een voet aan de grond kregen? Vermoedelijk niet. Overal in Europa vormden de jaren zestig een verlate echo van de oorlogservaringen van voorgaande generaties. Bestuurders en politiemensen werden stelselmatig betiteld als 'fascisten'; de Amsterdamse provo's riepen het zelfs tegen hun onhandige burgemeester, Gijs van Hall, een van de belangrijkste verzetsmensen tijdens de oorlog. In talloze teksten werd gerefereerd aan oorlogservaringen, en aan 'goed' en 'fout'.

In Spanje (rond de ETA), Italië, en vooral in Duitsland, gingen deze gevoelens echter veel verder, ze leidden bij sommigen tot een demonisering van de nationale staat als geheel. Norbert Elias omschrijft de jongerenrebellie dan ook als een 'zuiveringsritueel ten opzichte van de zonden van de vaderen'. De grootse imperia waren afgebrokkeld, nationale banden moesten opnieuw worden gedefinieerd en bevestigd, en de jeugd bekeek de idealen en handelingen van de ouderen met nieuwe, kritische ogen. Met name in Duitsland had de jonge generatie talloze vragen aan de mannen en vrouwen die op dat moment aan de macht waren, en die aan de hele oorlogsperiode actief hadden deelgenomen. Het antwoord kwam niet. De Beierse christen-democraat Franz Josef Strauss zei in 1969 openlijk wat veel oudere Duitsers allang dachten: 'Een volk dat zulke economische prestaties heeft geleverd, heeft het recht om niets meer te hoeven horen over Auschwitz.'

Voor deze oorlogsgeneratie, schrijft Elias, was na de Neurenbergse processen en de rehabilitatie van al of niet vermeende partijleden de verwerking van het nazi-verleden voltooid. 'Officieel hadden ze niets te vrezen en niets om spijt van te hebben. Hun geweten kan hen geplaagd hebben, zo nu en dan. Maar in het openbare leven van de leidende Duitsers kon, zo leek het, de nachtmerrie van de Hitlerjaren begraven worden.' Alleen: hun eigen zonen en dochters eisten een herbezinning, met steeds luidere stem.

Ik vond thuis, op diezelfde zolder, een interview terug dat ik ooit had gehouden met Christiane Ensslin, de zuster van Gudrun. Christiane was de werkelijke hoofdpersoon van Margarethe von Trotta's film Die bleierne Zeit (1981), de vrouw die Gudruns zoontje opving nadat het kind door een rechtse fanaat zwaar was verwond en die met haar zuster sympathiseerde maar weigerde om voor het geweld te kiezen. Toen ik haar in 1984 opzocht in haar Keulse flat was ze werkloos omdat ze Ensslin heette. Haar vriend had een Berufsverbot, enkel omdat hij haar vriend was. Haar vader had de grootste moeite gehad om een kerkhof te vinden om haar zuster te begraven: ook dood mocht Gudrun Ensslin niet tussen 'normale' mensen liggen.

We keken terug op de loden tijd van de jaren zeventig, maar uiteindelijk praatten we vooral over haar generatie en die van haar ouders. 'De meeste oudere Duitsers beschouwen de oorlog als, ja, pech gehad,' meende ze. Haar generatie weigerde dat zo te zien en die was, in haar ogen, daarom ook veel gefrustreerder dan in andere landen. 'Wij zijn het land geweest dat het fascisme op de meest perfecte manier in de praktijk heeft gebracht. Onze jongste geschiedenis, die van onze ouders, is voor ons als kinderen zo onvoorstelbaar geweest... En dat betekent nogal wat. Naarmate je een groter onrecht achter je hebt, moet je immers ook beter uitkijken wat je in de toekomst doet. In zoverre is onze historische hypotheek veel groter dan die van andere Europese landen.'

Ze vertelde over een scène uit Die bleierne Zeit die zich in werkelijkheid ook had afgespeeld. Haar vader, een overigens moedige en kritische dominee, vertoonde in zijn gemeente een film over de concentratiekampen; samen met haar zusje Gudrun liep ze kotsmisselijk de zaal uit. 'Als je zoiets als kind ziet, denk je natuurlijk: "Wát, heeft mijn vader dát geweten? En die zat rustig thuis en at zijn soep? Dat kan toch niet waar zijn?" En dan neem je je voor: Ik zal heel goed opletten: als er weer mensen verdwijnen, als er weer mensen worden mishandeld of vermoord, dan zal ik verzet bieden!'

Christiane Ensslin had het over gevoelens en frustraties: 'Ons Duitse perfectionisme, het machtsdenken dat daarachter zit, de frustraties die dat gaf en geeft bij de jeugd... Als je dit soort gevoelens negeert, kun je de geschiedenis nooit begrijpen. Nooit vindt een handeling plaats zonder gevoel!' De oude Norbert Elias vond het bovenal een drama: 'Het was een tragedie dat sommige leden van deze jonge generatie, in hun pogingen om een beter, warmer, meer betekenisvol soort menselijk leven te scheppen als tegenhanger van het nationaal-socialistische regime, op hun beurt tot almaar meer onmenselijke handelingen kwamen. En misschien was het niet alleen hun tragedie, maar ook die van de staat, van de samenleving die ze probeerden te transformeren, en zelfs van de oudere generatie die alle macht in handen hield.'

6

Vraag in het café van Colombey-les-Deux-Églises naar de generaal, en ze beginnen allemaal driftig te vertellen. Hoe hij stram in de kerk zat, de plekken naast hem waren altijd leeg, 'het was alsof er glas om hem heen stond'. Hoe hij voor zijn gehandicapte dochtertje Anne alles losliet, in het rond danste en op zijn dijen kletste. Hoe zijn vrouw Yvonne, toen hij tussen 1946 en 1958 leefde als ambteloos burger, in het dorp boodschappen deed, zo zuinig mogelijk. Hoe hij in de zomer van 1958 vertrok om Frankrijk opnieuw te redden: nu van de Algerijnse 'Ultra's' en de dreigende burgeroorlog. Hoe hij, ook als president, altijd weer in het dorp terugkwam, 'mijn thuis en mijn vriendin'.

Colombey is een simpel boerengehucht met één groot achttiende-eeuws huis, La Boisserie. De Gaulle kocht het in 1937, vooral omwille van Anne. Zijn presidentschap was, door de vele verkiezingen en referenda, een permanente propagandacampagne, en de Gaulle was langzamerhand zelf in al die verhalen gaan geloven. Zijn toch al forse ego had in de loop der jaren ronduit mythische proporties aangenomen. Hij was, in zijn eigen ogen, lichaam en geest van Frankrijk, hij dacht wat *la France* dacht, en op den duur sprak hij regelmatig over 'général de Gaulle' in de derde persoon, alsof hij bij leven al geschiedenis was. Maar in het dorp was hij zichzelf.

Nu ligt hij tussen de families van Colombey, onder een simpel marmeren kruis, naast Anne en zijn vrouw Yvonne. Bij zijn begrafenis, op 12 november 1970, werd de mythe voorgoed versmolten met het dorp. De mannen in het café laten me een foto zien: hoe ze met roestige kruiwagens de grote grafkuil aan het graven zijn. Er waren alleen gereserveerde plaatsen voor de familie, de oude strijdkameraden en de gemeenteraad van Colombey. 'Toch kwamen er veertigduizend mensen in ons dorpje, die dag. En onze jongens hebben verdiend! Die verkochten zakjes aarde, zogenaamd van het kerkhof, vijf franc per stuk! Wat een dag!'

Tegen de kerkhofmuur mogen de bedevaartgangers hun eigen graftekens nalaten. Het ligt er vol Lotharingse kruisen en marmeren bordjes met REGRETS. Altijd staat er ook een wachtpost. 'Altijd?' vraag ik de gendarme van dienst. 'Ja, dag en nacht.' 'Ook na bijna dertig jaar?' 'Het is de Generaal, hè.' Je kunt hem de hoofdletter horen uitspreken.

Als de Gaulle niet de Gaulle was geweest, niet die theatrale, briljante, koppige geest, zou Frankrijk er dan anders hebben uitgezien? Het Franse vertrouwen waar hij in 1940 prat op ging, was lucht, dat verzon hij maar, hij kreeg het pas echt toen de oorlog zowat gewonnen was. Maar als rolmodel, als vader des vaderlands, heeft hij als geen ander de Fransen hun zelfrespect teruggegeven. Hetzelfde gebeurde opnieuw toen het Franse imperium uiteenviel, de nationale trots diep werd gekwetst door de vernederingen in Indo-China – er sneuvelden twintigduizend Franse soldaten – en de Suezoorlog, en toen de Algerijnse kwestie het land tot op het bot verscheurde.

ALGERIJE

De Britten zaten met hart en ziel vast aan India, de Nederlanders dachten niet te kunnen voortbestaan zonder Indonesië, maar de band tussen de Fransen en Algerije was ronduit hartstochtelijk. Algerije was sinds 1830 een Franse kolonie. Het lag slechts een dag varen van Marseille, de hoofdstad Algiers had in de loop der jaren een Europees gezicht gekregen, het was tijdens de oorlog twee jaar lang de zetel geweest van de Gaulles tegenregering, en in de jaren vijftig woonden meer dan een miljoen Fransen in de kolonie.

Daartegenover stonden ongeveer tien miljoen straatarme inheemse moslims. De Fransen hadden nooit veel aan onderwijs gedaan: in 1954 kon maar 15 procent van de Algerijnse mannen lezen en schrijven, en slechts 5 procent van de vrouwen. 'Algerije is Frankrijk,' riep de jonge socialist François Mitterrand in 1954, maar tegelijk was het vooral een wingewest.

Tijdens de Tweede Wereldoorlog waren Fransen diep door het stof gegaan, en dat was in Algerije hard aangekomen. Hun overheersers bleken niet almachtig te zijn. Tijdens de feesten rondom de

Duitse capitulatie organiseerden de Algerijnen voor het eerst een veelzeggend protest tegen het herstel van het oude koloniale regime: ze bleven massaal thuis. In oktober 1954 begon het Front de Libération Nationale (FLN) een nationale opstand, er volgden talloze aanslagen, en gaandeweg raakten de Fransen – onder leiding van generaal Jacques Massu – verwikkeld in een felle stadsguerrilla.

Onder de titel *La Question* publiceerde de Europees-joodse Algerijn Henri Alleg, redacteur van de *Alger Républicain*, in 1958 het gedetailleerde verslag van zijn arrestatie en ondervraging door de Franse politie: het permanente slaan en schoppen, de elektroden in oren en mond, het bijna-verdrinken, het prikkeldraad in de matras, het zoute water om de dorst te lessen, de drugs om hem te laten praten.

Nu kreeg het nationale zelfgevoel nog een slag: veel Fransen schaamden zich dood. Hun eigen militairen pasten methoden toe die de Gestapo niet zouden hebben misstaan.

In het voorjaar van 1958 wankelde de verdeelde Vierde Republiek, er dreigde een ultrarechtse staatsgreep onder leiding van Massu, Franse parachutisten uit Algerije bereidden zich voor op een landing in Parijs, de Gaulle werd te hulp geroepen om orde op zaken te stellen en uiteindelijk gebeurde iets soortgelijks als tijdens de Tweede Wereldoorlog: de Franse strijders in Algerije riepen de Gaulle op om hun zaak te redden, de Gaulle gebruikte hen vooral voor zijn eigen machtspositie, en vervolgens was er voor hun belangen geen of nauwelijks meer plaats.

Op 1 juni 1958 koos de Nationale Assemblee de Gaulle tot ministerpresident. Binnen drie maanden lag er een nieuwe constitutie waarin de voornaamste bevoegdheden bij de president werden gelegd. De Gaulles Vijfde Republiek was geboren. Vier jaar later was Algerije onafhankelijk.

De Gaulles utopie was in wezen negentiende-eeuws: een fier Frankrijk binnen een Europa van zelfbewuste 'vaderlanden', van de Atlantische Oceaan tot de Oeral, onder leiding van de Frans-Duitse as, met uitsluiting van Engeland en Amerika, en een geleidelijke ontspanning in het Oosten. Maar toen in augustus 1968 de troepen van het Warschaupact hardhandig een einde maakten aan de Praagse Lente, moest hij zijn droom wel loslaten.

Nog ingrijpender waren de gebeurtenissen drie maanden eerder, toen bleek dat Frankrijk de interne rust, noch de economische kracht had om ooit een Europese leidersrol te kunnen vervullen. Sterker nog: ook de politieke rol van de Gaulle leek na mei 1968 te zijn uitgespeeld. Nog één keer vertoonde hij al zijn theatrale capaciteiten, nog één keer wist hij het land daarmee tot rust te brengen, maar als geen ander besefte hij dat in 1968 de klassieke Franse vaders ten onder waren gegaan, en zeker deze zelfbenoemde vader des vaderlands.

De Franse Meirevolutie van 1968 was niet alleen een studentenopstand, het was ook de omvangrijkste stakingsgolf uit de Franse geschiedenis, een rebellie van tien miljoen Fransen tegen de bazen, tegen de staat, tegen het keurslijf van het gewone bestaan. Het was een volksbeweging die niemand had voorzien. Het omslagverhaal van het weekblad *L'Express* van 29 april 1968 was getiteld: 'Frankrijks Crisis Nummer 1: Huisvesting.' Onder het kopje 'Studenten: De Nieuwe Huzaren Hebben Niet Veel Geluk' schreef een redacteur: 'We raken misschien een beetje verveeld in Frankrijk.' De studentendemonstraties in het Quartier Latin deed hij af als 'nieuwe romantiek' waarmee de studenten zich uit hun 'familiale omgeving' konden losmaken, maar niet een beweging die de normale gang van zaken zou kunnen beïnvloeden.

Nog geen twee weken later, op zaterdag 11 mei, bedroeg de officiële balans na één nacht straatgevechten: 367 gewonden, 460 arrestaties, 188 beschadigde of verbrande auto's, tientallen barricades. *L'Express* maakte die dag melding van 'een storm over Parijs', de komst van 'meer onruststokers dan de Vijfde Republiek ooit heeft gezien', een noodzitting van het parlement, de sluiting van de universiteit van Nanterre en van 'de tabernakel van de oude universiteiten', de Sorbonne. Politieprefect Grimaud, om zeven uur 's ochtends na weer een nacht vol straatgevechten: 'Ik heb de indruk dat ik tegenover een serieuze poging tot opstand sta.'

Zoals generaals graag de vorige oorlog willen winnen, zo rekenen bestuurders altijd definitief af met de laatste revolutie. Op Place Jussieu staat hun gedenkteken: een sierlijk universiteitscomplex, waarvan het hoofdgebouw merkwaardig genoeg op palen staat. Het geheel heeft maar één enkele toegang, en alles kan bovendien met één druk op de knop omringd worden door ondoordringbaar hekwerk. Hier heeft architectenbureau Paranoia Inc. vakwerk afgeleverd, hier ligt voorgoed een Maginotlinie tegen de verbeelding die ooit even in deze straten heerste.

De Europese en Amerikaanse jeugd die – op de Duitsers na – in de summer of love van 1967 nog de algehele liefde predikte, stond negen maanden later overal met stenen in de hand op de barricade. Tijdens de winter van 1967-1968 was er van alles tegelijk gebeurd. In januari waren de Vietnamese guerrilla's bij het Tet-offensief tot in Saigon doorgedrongen. Amerika bleek allesbehalve onoverwinnelijk. In Europa en de Verenigde Staten namen de demonstraties iedere maand in omvang en aantal toe. Op 1 maart raakten tweehonderd mensen gewond bij de Spaanse Trappen in Rome, waaronder overigens bijna honderdvijftig politiemensen. Spanje volgde: op 28 maart sloot generaal Franco de Madrileense universiteit voor onbepaalde tijd vanwege de vele illegale bijeenkomsten tegen het regime, een maand later waren er vier dagen lang hevige rellen. In Nanterre werd op 22 maart het gebouw van de studentenadministratie bezet onder leiding van Daniel Cohn-Bendit, wat het begin was van de Beweging van de 22ste maart. Op 4 april werd Martin Luther King in Memphis (Tennessee) vermoord. Een week later werd Rudi Dutschke in het hoofd geschoten: hij overleefde de aanslag ternauwernood. In Berlijn marcheerden duizenden studenten over de Kurfürstendamm onder de portretten van de spartakistische martelaren van 1919, Rosa Luxemburg en Karl Liebknecht. In München vielen twee doden. Twee maanden later, op 6 juni, werd de Amerikaanse presidentskandidaat Robert Kennedy vermoord. Op 30 juni werd in de Californische universiteitsstad Berkeley na hevige rellen de noodtoestand afgekondigd. In het najaar werden in Mexico-Stad drie- tot vijfhonderd studenten door de oproerpolitie doodgeschoten.

In Praag brak ondertussen een lente aan die historisch zou worden. De orthodox-communistische partijleider Antonín Novotný werd in januari vervangen door de vriendelijke Alexander Dubček en die liet onmiddellijk de teugels vieren: pers, radio en televisie konden hun kritiek op het regime vrijelijk uiten, vervolgde schrijvers en intellectuelen kregen gratie en er werden plannen gemaakt om de economie om te vormen naar westers model. In de Praagse straten was de beginnende dooi zichtbaar in de lengte van het haar, de voorzichtige minirokken, de zelfgemaakte popmuziek, de vertoning van westerse films als *Cleopatra* (met Elizabeth Taylorová) en *Viva Maria!* (met Brigitte Bardotová). Het oppositieblad *Literární Noviny*, dat weer opdook onder de naam *Literární Listy*, publiceerde een betoog van de toneelschrijver Václav

Havel over echte democratie: 'Democratie is niet een kwestie van geloof, maar een kwestie van garanties' die 'een publieke en legale competitie om de macht' mogelijk maken. Het blad verscheen in een oplage van meer dan tweehonderdvijftigduizend exemplaren, het was binnen een paar uur uitverkocht.

Bij de Praagse studenten riepen alle demonstraties in Berlijn en Parijs op zijn hoogst een vage sympathie op. Zij hadden wel wat anders aan het hoofd: hun 'socialisme met een menselijk gezicht' stond onder toenemende druk van een scheldende en tierende Leonid Brezjnev, de sovjetleider die in 1964 Chroesjtsjov was opgevolgd. Hij liet in de nacht van 20 op 21 augustus 1968 een half miljoen manschappen uit vijf 'socialistische broederstaten' Tsjechoslowakije binnenvallen. Toen de sovjetwoordvoerder Gennadi Gerasimov in 1987 gevraagd werd wat nu eigenlijk het verschil was tussen de Praagse Lente en de perestrojka van zijn chef Michail Gorbatsjov, was zijn enige antwoord: 'Negentien jaar.'

Een Parijse vriend vertelde dat hij eens, vlak voor de zoveelste stormaanval, langs de politietroepen liep, en tot zijn verbazing achter de maskers geen robotgezichten zag, maar vermoeide oudere mannen, vermoedelijk met opgroeiende kinderen thuis. We zaten in de avondzon voor café Flore, toen een van de revolutionaire pleisterplaatsen. 'Ach,' zei hij, 'de mensen hier zijn eigenlijk niet veranderd. Ze spelen nu alleen in een ander toneelstuk.'

Ren, kameraad, de oude wereld zit je op de hielen.
Verboden te verbieden.
De verbeelding aan de macht.
Tel al je rancunes op en schaam je.
Wees realistisch, vraag het onmogelijke.
Onder de straatstenen ligt het strand.

De herinnering aan mei '68 mag in nog zulke mooie oneliners zijn vastgelegd, de dagelijkse praktijk van de revolutie was vrij chaotisch. Een van de studenten zei later dat hij zich tijdens die meinachten in het Quartier Latin ongeveer net zo voelde als Stendhals hoofdpersoon Fabrice del Dongo tijdens de slag bij Waterloo: er gebeurde van alles, maar tegelijk snapte hij nauwelijks wat er aan de hand was. De opstand was aanvankelijk weinig meer dan één langdurige, massale serie straatgevechten die grotendeels door het gebruikte politiegeweld werd aangejaagd. Dat begon al op 22 maart in Nanterre, toen de deelnemers aan een manifestatie in elkaar werden geslagen, en op 3 mei, toen de nog geweldloze studenten bloedig uit de Sorbonne werden geramd.

Daarna escaleerden de Parijse straatgevechten dag na dag, en ten slotte vulden honderdduizenden betogers de boulevards. De CRS-oproerpolitie hield 's nachts klopjachten op iedere mogelijke demonstrant die zich op straat bevond. Studenten die een huis binnenvluchtten, werden er weer uit gesleept en in elkaar geslagen, EHBO'ers werden verhinderd om slachtoffers te verzorgen, in één geval dreigden tientallen knuppel-zwaaiende agenten zelfs een kliniek met gewonden binnen te vallen. De meest sceptische buurtbewoners raakten, door alles wat ze zagen, onvoorwaardelijk op de hand van de studenten.

Het verdere verloop is bekend: barricades, de bezetting van de Sorbonne, stakingen en bezettingen in de Renaultfabrieken, nieuwe eisen over medezeggenschap, lonen en arbeidsvoorwaarden. Op zaterdag 18 mei staakten de posterijen, het grondpersoneel van Air France, het Parijse openbaar vervoer, de gas- en elektriciteitsbedrijven, de filmindustrie en vele tientallen andere sectoren. De daaropvolgende maandag werd het aantal stakende arbeiders door *Le Monde* geschat op 'enige miljoenen'. De rijen voor de benzinepompen groeiden, het huisvuil werd niet meer opgehaald, de meeste radiozenders gingen uit de lucht, op tientallen middelbare scholen werd de macht overgenomen door raden van leerlingen en leraren, het filmfestival van Cannes werd stopgezet en zelfs op de Parijse beurs hadden de loopjongens de boel platgelegd. Studentenleider Daniel Cohn-Bendit was op kosten van *Paris Match* naar Berlijn vertrokken voor een fotosessie bij het bed van de ernstig gewonde Rudi Dutschke. Hij liet zich er goed voor betalen; het geld ging naar zijn Beweging van de 22ste maart als 'gift van de verrotte pers'.

En tegelijk was er de verbeelding, de droom die voor even de straten beheerste. De schrijver Cees Nooteboom beschreef een langstrekkende demonstratie, gezeten aan de voeten van een dame die elke tien minuten de Internationale aanhief: 'Een stoet die niet meer ophoudt, de boulevard naar twee kanten vol maakt, studenten, Spaanse arbeiders, ziekenhuispersoneel in het wit, zetters, drukkers, chauffeurs, hotelpersoneel, leraren, alle groepen met hun eigen gezang, alle leeftijden, vaak arm in arm, ongelooflijk veel vrouwen en meisjes ertussen, alles wat anders op alle Parijse trottoirs loopt, een gelukkige menigte die ten slotte als een rivier in zichzelf verdwijnt.' Later trekt hij naar het Odéon, waar een stampvolle zaal met zichzelf in discussie is. 'Een jongeman in het middengangpad van het theater leidt het gesprek. Het blijft schitterend: iemand spreekt vanuit een van de gouden loges, de mooie en ernstige, de eindelijk niet meer verveelde gezichten zijn die kant op geheven, de argumenten stromen heen en weer in het langste gesprek ter wereld dat nu al dagenlang 24 uur per week doorgaat.'

Zelf versloeg ik, samen met een collega, de Parijse revolte als redacteur van een Amsterdams studentenblad. Ik herinner me een vrachtauto vol studenten die met een wapperende rode vlag over de Champs-Élysées jakkerde, een zaal in de Sorbonne waar meisjes brood met worst uitdeelden – een cadeautje van solidaire burgers –, het pluche en het vergulsel van het bomvolle Odéontheater, en een Spaanse zigeunerfamilie die voor het theater voorstellingen hield met een dansend aapje en een geit in een broekrokje. Rode vlaggen, vrachtauto's, gratis eten, als dit geen revolutie was, dan wisten we het ook niet meer. Ik vond een paar notities terug uit het weekend van de 18de mei.

Over de stemming in de bezette Sorbonne: 'Het gebrek aan nachtrust begint grootse vormen aan te nemen. "Gezien het groeiend aantal zenuwcrises en depressies vraagt de hulpdienst u minimaal vijf uur per nacht te slapen. Kameraden, in de revolutie betekent alleen iemand iets die regelmatig eet en slaapt." In de hal wordt Beethoven, Chopin en Erroll Garnerachtige jazz gespeeld. Een jongen met een klarinet blaast ertegenin, iedereen klapt, een dronken clochard danst in het rond.'

Over de stroeve contacten tussen studenten en arbeiders: 'De ontvangst bij Renault-Billancourt was na een wandeling van vijftien kilometer een koude douche: de studenten mochten niet naar binnen. Grote vreugde toen er wel arbeiders naar de Sorbonne kwamen. Een heel stel zalen werd ter beschikking van de *commission ouvriers-étudiants* gesteld, vrijwilligers werden opgeroepen om met de arbeiders te discussiëren, inzamelacties ten behoeve van de stakers werden georganiseerd, de verhouding bleef echter moeizaam. Op het midden van de dag zaten bij bovengenoemde commissie welgeteld vijf mensen. Deze verschillen zijn trouwens best te verklaren: de eisen van de arbeiders zijn, blijkens de muurkranten, grotendeels materieel, die van de studenten meer en meer immaterieel of zelfs anti-materieel.'

Over de verwarde discussies: 'Tijdens een debat over de examens staat plotseling iemand op en vraagt waarom er, ondanks de belofte, niet tegen een Grieks fascistencongres in Parijs is gedemonstreerd. "Ik vraag maar driehonderd man." Een andere man snijdt een probleem aan dat overigens ieder ogenblik terugkomt: er zijn zoveel nieuwsgierigen en journalisten, wie heeft hier nog stemrecht. Er zijn hoogstens twintig die op de barricades gevochten hebben. Stemmen uit de zaal: "Qui es tu? Qui es tu?"'

Over de nacht: 'In de crèche probeert een jongen met een mondharmonica de kinderen in slaap te spelen. In het persbureau is het stampvol. Doodvermoeide meisjes typen almaar weer nieuwe stencils en manifesten uit. In een fles, midden tussen de rommel, staat een rode roos.'

Op zondag 19 mei werden de eerste vlugschriften verspreid van de Comités ter Verdediging van de Republiek die opriepen tot verzet tegen de 'onruststokers in de fabrieken, werkplaatsen, kantoren en faculteiten'. Overal werden gaullistische knokploegen gevormd. Een van mijn notities maakt gewag van een tegendemonstratie van uiterst rechts, een groep van zo'n zevenhonderdvijftig mensen die voorbijtrok met spandoeken als: À BAS L'ANARCHIE en PAS DE COMMUNISME. We beschouwden het toen als een nietszeggend incident. Toch was dit het begin van de contrarevolutie, het einde van de opstand.

Op woensdag 22 mei verwierp het parlement een motie van wantrouwen. De Gaulle beloofde een referendum. François Mitterrand wierp zich op als tegenkandidaat voor het 'nieuwe links'. Aan het eind van de week begonnen onderhandelingen tussen de vakbonden, de werkgevers en de regering. Het probleem was alleen dat de vakbonden en de studentenorganisaties nauwelijks of geen greep meer hadden op hun leden. In het Quartier Latin bevochten politie en demonstranten elkaar woester dan ooit. Tijdens de hele Meirevolutie zouden uiteindelijk acht doden vallen en bijna achttienhonderd gewonden – waaronder een aanzienlijk aantal politiemensen.

Op woensdag 29 mei, na weken van bestudeerde stilte en afwezigheid, nam de Gaulle ten slotte het initiatief. Zijn tegenactie begon met een briljant stuk theater. Eerst 'verdween' hij plotseling, en die geheimzinnige manœuvre leidde de aandacht af van de gebeurtenissen in Parijs. In werkelijkheid was hij in het diepste geheim naar Baden-Baden getrokken om zich te verzekeren van de steun van de Franse legerleiding in Duitsland. De volgende middag om halfvijf hield hij de belangrijkste radiotoespraak uit zijn loopbaan. Opnieuw wist de Gaulle de Fransen te betoveren. Binnen vier minuten en dertig seconden zag hij kans om het machtsvacuüm, waarover iedereen het had, te vullen, om de dreiging van 'het totalitaire communisme' weer tot leven te wekken en om zijn gaullisten massaal op straat te brengen.

Zijn aarzelende, vermoeide toon van een week eerder, toen hij het referendum aankondigde, had, zo schreef *Volkskrant*-verslaggever Bob Groen, 'plaatsgemaakt voor kille woede'. De generaal had geen enkel begrip meer voor de eisen van de studenten, de arbeiders konden de medezeggenschap vergeten, het referendum werd ingetrokken, er zouden eind juni verkiezingen komen, en dat was dat: 'Ik heb mijn besluiten genomen. Onder de huidige omstandigheden zal ik niet aftreden. Ik heb een opdracht van het volk gekregen. Ik zal die vervullen...'

François Mitterrand sprak woedend over 'een oproep tot burgeroorlog'. Maar de Parijse auto's toeterden tot diep in de nacht 'de Gaulle n'est pas seul!', ofwel titi-tatata. Op Place de la Concorde demonstreerden naar schatting een miljoen burgers met Franse vlaggen en portretten van de president, een dag later gingen de eerste arbeiders alweer aan het werk. Begin juni verliep de Franse vernieuwingsbeweging even snel als ze was opgekomen. Het stakingsfront van tien miljoen arbeiders zakte binnen twee weken terug tot één miljoen. Op 16 juni werd de Sorbonne ontruimd, vier dagen later verdween de laatste barricade uit het Quartier Latin. De verkiezingen brachten een verpletterende overwinning voor de gaullisten: ze kregen 358 van de 485 zetels. Het was krankzinnig: de meest massale, begeesterde revolutie uit de jaren zestig resulteerde uiteindelijk in een parlement dat nog conservatiever was dan de oude orde van de generaal.

Toch zou Frankrijk na 1968 nooit meer hetzelfde zijn. Het paternalistische regime van de Gaulle was door de Meirevolutie van zijn fundamenten geslagen. De Gaulles kracht had altijd gelegen in de mobilisatie van alle Fransen tegen één gemeenschappelijke vijand: in 1940 tegen de Duitsers, in 1958 tegen de Algerijnse

Ultra's. In de onduidelijke situatie van 1968 werkte die methode niet meer. Er was geen gemeenschappelijke vijand, het ging vaak zelfs om de kinderen van de Gaulles eigen electoraat. Hier moest met tact en compromissen worden opgetreden, en daarin faalde hij. De kritiek onder zijn traditionele aanhangers, de boeren en middenstanders, nam die zomer en winter snel toe. Ten slotte probeerde de Gaulle zich opnieuw te redden met een oproep tot 'alles-of-niets'. Hij verbond zijn politieke toekomst aan de uitslag van een onbelangrijk referendum over regionale verhoudingen. Op 27 april 1969 werden zijn voorstellen met een minimale meerderheid verworpen, en daarop trok hij zijn conclusies. Onder zijn in juni verkozen opvolger Georges Pompidou werden vervolgens, geruisloos, alsnog diverse hervormingen in de geest van mei '68 doorgevoerd.

Generaal de Gaulle had nu de vrijheid om eindelijk een politiek leider te ontmoeten voor wie hij in stilte altijd grote bewondering had gekoesterd, een man die kans zag om schijnbaar eeuwig aan de macht te blijven: Francisco Franco. Beide heren dineerden enkele malen samen, een duurzame vriendschap werd het niet. De theatrale de Gaulle bleef, als het erop aankwam, een democraat, zij het een formele, primitieve democraat. Hij was niet, zoals Churchill, een man van de inhoudelijke democratie, van het felle democratische debat, van het democratische compromis. Hij zocht het mandaat van het volk, en vervolgens beschouwde hij dat als een vrijbrief om naar eigen goeddunken te handelen. Daarin was hij een voorloper van latere Zuid-Europese leiders als Silvio Berlusconi en José María Aznar. Maar hij was geen dictator die de pers en de rechtsstaat naar zijn hand probeerde te zetten.

'Het land kon hem accepteren op zijn eigen voorwaarden, dat wil zeggen zonder bedenkingen, en zonder hem om een programma te vragen,' schreef zijn biograaf Brian Crozier. 'Of het kon in zijn eigen sop gaar koken. Als het die keuze zou maken, zou hij, zoals hij meer dan eens zei, terugkeren naar zijn verdriet en zijn eenzaamheid.'

7

Mijn busje staat bij de Creuse, en ik zit een appel te eten aan de oude wasplaats van het dorp Chitray. De stenen zijn warm van de oktoberzon, een eekhoorn jaagt de noten uit de bomen, de rivier kolkt. Het water uit de bron valt nog steeds in het lege wasbassin, maar de vrouwen die hier eeuwenlang lachten en roddelden zijn verdwenen, ze zijn vergeten en ze liggen op het kerkhof, net als de vrouwen van de wasplaatsen in al die andere Franse dorpjes.

Een van mijn broers woont hier in de buurt, in een vlek met zo'n honderd inwoners. In 1900 leefden in dat dorp nog veertienhonderd mensen, de meesten in grote armoede. De mannen verdienden zomers de kost in Parijs als metselaar, en toen ze daar dankzij de introductie van het beton 's winters konden doorwerken, lieten ze hun gezinnen overkomen. Dit was de eerste golf plattelandsgezinnen die wegtrok. Na de oorlog kwam de tweede emigratiegolf, toen de grote fabrieken in de steden duizenden arbeiders in dienst namen. Nu wonen in het dorp enkel nog gepensioneerden. 'Zo nu en dan koopt iemand uit Parijs een huis,' zegt mijn broer, 'maar de meesten leggen na een paar jaar alweer het loodje.'

Overal in Europa had ik de resten van de boerencultuur zien liggen, de infrastructuur die aan het begin van de eeuw nog de hele wereld vormgaf, en die honderd jaar later grotendeels bleek te zijn weggevaagd: ingezakte boerenhoeven in Spanje en Italië, verlaten wasplaatsen in Frankrijk, overgroeide akkertjes op de hellingen van de Pyreneeën, lege armoedorpen in Polen en Portugal en vergeten moestuinen in Vásárosbéc. Overal in de steden was ik voormalige boeren en hun kinderen tegengekomen, op drift in de grijze massaflats van Bilbao, in de kerken van Warschau, in de asielzoekerscentra van Nederland.

In Italië leefde in 1951 ruim 40 procent van de bevolking van de landbouw en de visserij, in 1972 was het 17 procent. In Nederland leidde in 1950 één op de vijf gezinnen een boerenbestaan, vijftig jaar later was dat één op de vijftig. In Frankrijk was van de drie miljoen boerenbedrijven uit 1965 dertig jaar later geen kwart meer over. De Engelsen klaagden over het ontstaan van een 'brave new countryside' waar geen mens meer vuil onder de nagels heeft.

In Frankrijk staan zo'n vijftienduizend dorpen op het punt te verdwijnen. De afgelopen zomer had ik, op doorreis in de Franse Alpen, een avond in zo'n dorpje rondgelopen. Links en rechts van de hoofdstraat stonden grote houten boerderijen met vreemd hoog geconstrueerde daken, vermoedelijk erg effectief bij hevige sneeuwval en andere woeste weersomstandigheden. De straat was met gras overgroeid, bijna alle luiken waren dichtgetimmerd, de lange banken voor de huizen waren verlaten. Hier en daar stond een boerderij te koop, andere waren recent opgeknapt, zonder dat de nieuwe eigenaars uit Lyon en Parijs zich vertoonden. Nergens rook het naar hooi, nergens was nog een dier te bekennen. Ik bekeek een van die dode boerderijen wat nauwkeuriger. Het houtwerk was nog goed, dak en muren waren in redelijke staat. Het grote uitsterven had hier hooguit tien jaar geleden plaatsgevonden, ergens eind jaren tachtig.

Op Kefallonía had ik een Grieks dorpsfeest meegemaakt: Engelsen en Italianen verdrongen zich aan de tafels, zwetend sprongen ze rond op de dansvloer, op een afstandje stonden de dorpelingen te kijken. Pas aan het eind van de avond, toen de toeristenbussen waren vertrokken, begon het echte feest. Alle boerenfamilies zochten hun vaste plaatsen op volgens de ongeschreven regels die daarvoor golden. Er was muziek en er was een loterij met dezelfde prijzen als overal: een tafelkleed, porseleinen beeldjes, een waterkoker. En daarna danste het dorp zelf, de schoolmeester voorop en iedereen achter hem aan, langs de vaste cirkels van de dorsvloer.

Mijn Franse broer laat me de afgezaagde stam zien van een boom die midden op een overwoekerd pad groeide, tussen de voormalige akkers en groentetuinen van zijn dorp. 'Ik heb de jaarringen geteld,' zegt hij. 'Deze boom is rond 1950 opgeschoten. Dat betekent dat het rond die tijd niet meer de moeite waard was om dit pad schoon te houden. Het was een omslagpunt, de meeste dorpelingen waren toen blijkbaar vertrokken.'

Na het grote uitsterven begon hier het grote groeien. Alles

werd overdekt met bos. 'Al het bos dat je hier ziet is nieuw, al die terrassen zijn overgroeid, dit hele uitzicht bestond vroeger niet,' zegt mijn broer, en hij zwaait met zijn arm in het rond. 'Alleen een paar oude mensen dragen nog de beelden mee van het vroegere landschap. Ik ken ze nog, maar dat duurt niet lang meer. Dan is zelfs de herinnering voorbij.'

Een paar dagen later rijd ik de Pyreneeën binnen. De dagen zijn warm en helder, de nachten koud, de huizen laag en grijs. Een meisje hoedt haar schapen met een sigaret in de mond. De weg wordt steeds smaller. Een eenzame roofvogel. Een schuur met, in verschoten blauw, 'Vive de Gaulle!'. Mijn krant, lees ik in mijn notebook, verwelkomt de zes miljardste aardbewoner. Toen mijn vader een kleuter was, in 1904, kwamen we voor het eerst op één miljard. Nu zesmaal zoveel. We leven keurig volgens het rampscenario dat de Club van Rome in 1972 voor ons opstelde en dat, met de oliecrisis, het einde inluidde van de gouden jaren van 1945 tot 1973.

De berekeningen hadden toentertijd het effect van een ijskoude douche. Minder dan een derde van de mensheid bleek ongeveer vier vijfde van de belangrijkste grondstoffen te consumeren, en die raakten in snel tempo op. Tegelijk bleef de wereldbevolking explosief groeien. 'Onder deze omstandigheden,' meldde het rapport, 'worden de mensen overal in toenemende mate met een reeks van onhandelbare en moeilijk grijpbare problemen geconfronteerd: verstoring van het milieu, een crisis in normen en gebruiken, bureaucratisering, oncontroleerbare uitbreiding van steden, onzekerheid over werkgelegenheid, vervreemding van de jeugd, economische verstoringen, verwerping door een steeds groter aantal mensen van de waardesystemen van onze samenleving.' Deze ogenschijnlijk sterk uiteenlopende vraagstukken zijn buitengewoon gecompliceerd, duiken overal ter wereld op en hebben onderling een sterke wisselwerking 'op een manier die wij nog niet doorzien'.

De komende vijfentwintig jaar konden maatregelen genomen worden, na het jaar 2000 was het volgens de prognoses onmogelijk het tij nog te keren. 'Het wereldsysteem heeft gewoon niet de ruimte en de overvloed om langer een dergelijk egocentrisch gedrag van zijn bewoners toe te laten,' schreven de samenstellers, en ze voorzagen schaarste, rampen en rijke staten die zich almaar meer op zichzelf terugtrokken als er geen 'grenzen aan de groei' werden gesteld.

Een kwarteeuw later praat iedereen vooral over de klimaatsveranderingen: in een pub in Kent vertellen mensen over de sneeuw die daar sinds hun tienerjaren niet meer valt, 'de gemiddelde Engelse tuin wandelt per dag tweehonderd meter naar het zuiden', meldt een Brits tijdschrift; mijn vrienden in Midden-Italië signaleren vreemde, kakelbonte vogels, vermoedelijk uit de tropen; mijn krant in Nederland bericht regelmatig over ongekende wateroverlast; Władek Matwin in Warschau ziet het voorjaar steeds korter worden, de winters zijn lang, en eind mei is het al net zo heet als in de zomer, allemaal heel ongebruikelijk.

Ik neem een lifter mee, een man uit de streek. Hij brengt zijn zaterdagen als volgt door: hij klimt op een berg, vouwt de inhoud van zijn tas uit tot een gigantische vogel, springt naar beneden en vliegt vervolgens als een arend tussen de toppen en dalen. 'Dat moet fantastisch zijn,' zeg ik. 'Ja,' zegt hij, 'maar ik kan er verder niet veel over vertellen.' Stilte. 'Ja, het is fantastisch.' Weer zwijgt hij. 'Totale rust heb je daar, alleen de wind. Tenzij het daarboven spookt, dan ga je zelf ook tekeer, mijn god ja...'

Hij vertelt dat dit een berenland is. Hier wonen de laatste wilde beren van Frankrijk, dat weet hij zeker. Maar zelfs de herders die de hele zomer door de bergen trekken, hebben ze nooit gezien. 'Ze hebben de haarsporen aan de bomen genetisch onderzocht, en nu weten we dat het er zes zijn, een familie met vier jongen. We weten alles van ze, onze eigen Franse beren!'

Aan het eind van de middag zijn er de eerste reclameborden – Hôtel Sainte-Bernadette, Hôtel de la Grotte, Hôtel Virginia – en dan verrijst het Las Vegas der Smarten. Ik ben net op tijd in Lourdes voor het diner in hotel Majestic. Aan de eettafels wordt vrolijk gelachen. Een van de gezelschappen bespreekt het onderwerp bidden. Hoe vaak? 'Ik bid altijd een uur per dag,' zegt een oudere heer. 'Dat houdt mij en de kinderen goed.' De vrouwen aan tafel doen het vlugger, en bovendien, wat moet je Jezus wel niet vragen in zo'n uur. 'Jezus?' zegt de man streng. 'Ja, wij bidden altijd tot Jezus.' 'En de Maagd?' 'Nou, wel wat minder.' Nu is er een nieuwe vraag: tot wie te bidden? Of: wie is het beste voor welk probleem? We hebben nog een hele avond voor ons.

Bij de bron staan honderden mensen te wachten om hun plastic flessen te vullen met heilig water. Voor de grot is het doodstil, duizenden mensen staan, zitten of liggen er te bidden, hier en daar worden verminkte kinderen omhooggehouden: zo moet de Moeder Maria ze wel zien. Een man sjouwt rond met een gigantische banier van de Maagd, het reuzenvaandel wappert de hele avond boven zijn verbeten ogen.

In het verschijnsel Lourdes komen twee oeroude tradities samen. Allereerst de traditie van de boerenmagie, de verering van het water, het geloof in de kracht van bepaalde bronnen en grotten, het koesteren van heilige bomen met geschenkjes, briefjes, flarden doek, verweerde kledingstukken. Bernadette Soubirous, die tussen 11 februari en 16 juli 1858 in de grot achttienmaal de heilige Maagd zag verschijnen, was een simpel boerenmeisje dat 'haar' Maagd zelfs nog betitelde als *petito demoisella* – ofwel 'fee' in het patois. Juist die voortdurende verwijzingen naar oeroude magische symbolen maakten Bernadette en Lourdes al rap populair.

Daarnaast is er het eeuwenoude gebruik van de pelgrimage, de heilige reis, de uitbraak uit de eindeloze gang van het dagelijks leven, de mogelijkheid om, voor even, een ander leven aan te raken. Vanouds horen daar allerlei trivialiteiten bij: markten, feesten, goed eten en drinken, mooie prullenhandel.

De winkels van Lourdes liggen dan ook vol plastic Mariaflessen voor het bronwater – het hoofd van de Maagd fungeert als schroefdop –, grote ingelijste kleurenfoto's van Jezus aan het kruis – als je vanuit een bepaalde hoek kijkt, doet hij zijn ogen open of dicht –, asbakken, vazen, Padre Pio en de paus in duizend vormen. Tegelijk is Lourdes een plek waar iedere franc wordt geteld. Souvenirs heb je er vanaf een franc of vijf, minder dan een euro. Er zijn goedkope hotels, het eten is simpel en stevig, de mannen sjouwen hier met grote plastic tassen proviand, de vrouwen dragen goedkope jacks, de gezichten zijn doorgroefd, de ogen kijken schuw naar alle vreemde weelde.

Op het station staan twee pelgrimstreinen op het punt om te vertrekken: eentje naar Boulogne-sur-Mer en eentje naar Perpignan. Op het perron zijn enkele tientallen spastische jongeren in twee rijen opgesteld, met daarnaast vier houten bagagekarren met versleten koffers, krukken en jerrycans met bronwater. Overal worden lichtgevende plastic Maria's en marmeren grafstukjes meegedragen, want ook de doden worden blij gemaakt.

Pelgrimstreinen zijn anno 1999 niet meer de stinkende, ellendige wagons die Émile Zola in zijn roman *Lourdes* (1894) beschreef, het zijn meestal zilveren TGV's waar het leed netjes is toegedekt. Maar in de 'Train Vert', in de ambulancewagons voor lammen en doodzieken naar Perpignan, ruikt het nog ouderwets naar ziekte en lysol. Het is anders dan bij Zola: er zijn nu antibiotica, er is geen TBC meer, de patiënten zijn meestal weldoorvoed, en alle ziekte en lijden is vakkundig uit het openbare leven verwijderd. Behalve in Lourdes. Hier is het uitverkoop van al het leed dat onze samenleving verbergt, en voor enkele dagen verliest het zijn eenzaamheid. Is dat de troost die deze bedevaart brengt? Ik raak aan de praat met een oude vrouw in een rolstoel, doeken om het hoofd, een soort motorbril voor de ogen. Ze had anderhalf jaar voor deze reis gespaard, ze had genoten. 'Ach jongen,' zegt ze, en ze pakt mijn hand. 'Je bent hier al even vlak bij de hemelpoort.' De trein toetert, de wagons komen in beweging. Patiënten zwaaien, sommigen liggen te bidden.

De volgende avond wordt er een grote processie gehouden. Op het enorme plein voor de basiliek waaieren eerst duizenden pelgrims in het rond, mannen in hun zondagse pak, vrouwen in stijve jurken, hoestende bejaarden, kinderen op krukken, een verbluffende massa zonder systeem of doel. Maar dan valt de duisternis, de stoet begint zich te vormen, en daar gaan ze: honderden mannen en vrouwen in rolstoelen, de kaars stijf omhoog, de lippen meeprevelend met het Ave Maria dat uit de luidsprekers schalt, soms hangend in de dekens, soms het gezicht vol verband, een enkeling onder de aidsvlekken, twee ouders die het hoofd van hun verlamde jongen proberen recht te houden: kijk, kijk toch naar de Maagd. Alle wanhoop uit de achterkamers van Europa barst hier open.

Iedereen is oud, iedereen is arm. Het tempo is overweldigend, de helpers hollen bijna, soms worden hele slierten gevormd om de jagende rolstoelen op koers te houden. Dan komen de bedden, met dezelfde vaart, de patiënten onder een rood zeiltje, tas op de buik, een jongen raast voorbij met een bungelend infuus, vader en moeder er biddend omheen, een kleine hollende piëta. Daarna de rest van de menigte, vaak met de vaandels van club of buurt. Een boerenfamilie loopt achter een immense kaars, gesjouwd door de sterkste man van het dorp, zijn gezicht spreekt boekdelen: 'Als dit niet helpt, weten we het ook niet meer.'

Nu wordt er uit de luidsprekers gezongen, en de menigte zingt mee met het schrille Marialied, zwaaiend met de kaarsen. Een dolle vrouw begint te huilen, ze roept als een uil.

Een paar uur na de Spaanse grens verschijnt, wat ik maar noem, het Meer van de Verdroogde Verwachting. Op een berghelling liggen wat villa's, een hotel en een dichtgetimmerde dorpsbar, maar alle aandacht is gericht op de grindbodem van wat een groot bergmeer had moeten zijn, met vrolijke stranden en snelle jeugd. In de modder liggen hier en daar wat verloren scheepjes, verder is er niets meer over van alle beloften. Het is een absurde plek, dit kale dal en dit leeggelopen waterbassin, met die dappere hotelhouder en die paar huisbezitters die tegen beter weten in blijven volhouden: eens komt het hier weer goed, eens hebben we hier weer vrolijke stranden, disco's en mooie meisjes.

Toen Franco zo'n tien jaar aan het bewind was, vlak na de Tweede Wereldoorlog, betitelde een bezoeker Spanje als een 'losgeslagen stuk van Zuid-Amerika': dorre aarde, altijd gieren in de lucht en in zichzelf gekeerd als een droomkasteel. De grote oorlogen zijn er min of meer aan voorbijgegaan, de democratisering maakt er weinig haast, alles komt pas sinds twee decennia weer op gang. Franco's economische beleid was gebaseerd op volstrekte autarkie, wat voor de Spanjaarden honger en ziekte betekende zoals ze die sinds de Middeleeuwen niet meer hadden meegemaakt. Op 31 december 1939 kondigde hij aan dat alle problemen voorbij waren: 'Er zijn in Spanje enorme goudvoorraden gevonden!' Het was één grote zwendel. Kort daarna maakte een Oostenrijker, Albert von Filek, hem wijs dat hij benzine kon maken van water en geheime plantenextracten. Hij mocht een fabriek bouwen aan de rivier de Jamara en Franco geloofde lange tijd dat zijn eigen auto, als eerste, op de nieuwe brandstof reed. Alleen tussen 1940 en 1944 kwamen zo'n tweehonderdduizend Spanjaarden om van de honger.

In Madrid maak ik een kleine stadstour langs Franco's heiligdommen. El Pardo was het ideale paleis voor deze generaal die het liefst koning speelde: net buiten de stad, geen provocatie, toch vol aristocratie. De Franco's leefden er vijfendertig jaar in volledige afzondering, slechts onderbroken door korte bezoeken aan andere delen van Spanje en welgeteld drie buitenlandse reizen: naar Hitler, naar Mussolini en naar Salazar. Griekenland ontbreekt in dit rijtje van geestverwanten; hier heerste pas sinds 1967 een wankele nationalistische dictatuur onder leiding van Georgios Papadopoulos, en toen was Franco te oud voor verre reizen.

Drie van de vier grote Zuid-Europese landen leefden zo dertig jaar na de oorlog nog onder stille, drukkende, fascistoïde dictaturen. Opvallend genoeg kwam aan al deze regimes vrijwel tegelijkertijd een einde: in april 1974 nam een groep Portugese officieren bij de zogeheten Anjerrevolutie de macht over van Salazars opvolger Marcelo Caetano, drie maanden later zakte het Griekse bewind ineen, geïsoleerd en verzwakt na een studentenopstand en een Turkse invasie van Cyprus, en in november 1975 blies Franco de laatste adem uit, na Spanje bijna veertig jaar lang in een houdgreep te hebben gehad.

Nu leidt de paleisgids ons langs de ene kamer na de andere, bonbondozen vol verguldsel, gobelins en dikdoend meubilair. Kijk, daar is de eetzaal waar geen tafelgenoot ooit 's lands problemen durfde aan te snijden; men sprak er enkel in termen van 'verraders' en 'ondankbaren'. Er hangt een stilleven van hammen, kreeften en opengesneden herten. Het filmzaaltje waar Franco's stoel nog in het midden staat. De tafel van de ministerraad. De enorme televisie, tijdens de laatste jaren vrijwel zijn enige venster op de buitenwereld.

Zijn zuster Pilar schreef in haar in 1980 gepubliceerde herinneringen: 'Natuurlijk, hij betaalde geen huur voor El Pardo, en zijn levensonderhoud kwam uit de staatskas. Maar ik weet met stelligheid dat hij de staat nooit liet betalen voor zijn kleding. Hij betaalde persoonlijk voor zijn eigen ondergoed.'

En ach, daar is zijn slaapkamer, lichtgroen in nep-empire, met twee aandoenlijke bruine leeslampjes voor hem en zijn doña Carmen. Er ligt nog altijd hetzelfde tapijt dat doordrenkt werd met bloed, in die novembernachten van 1975, toen het leven langzaam uit Franco wegstroomde. Daarnaast bevindt zich zijn roodmarmeren badkamer, zeker, we mogen alles zien, ook het bad, ook de kleine, witte toiletpot. Ik denk alleen maar: hier begon het dus, dat ongeëvenaarde theater van medische techniek, dat sterfbed van het oude Spanje.

Op 1 oktober 1975 sprak Francisco Franco voor het laatst een menigte toe. Het kostte hem moeite, zijn adem ging zwaar. Twee weken later kreeg hij de eerste hartaanval, daarna volgden er meer. Op 24 oktober kwamen er maagbloedingen. De Spaanse radio begon treurmuziek uit te zenden. Franco kreeg er een longontsteking bij, er volgden inwendige bloedingen. In het paleis werd een noodoperatie verricht. Nierproblemen. In sommige kranten verschenen nu dagelijks plattegronden van Franco's lichaam alsof het een oorlogszone was, met pijltjes bij alle bedreigde stellingen en organen. Op 5 november werd twee derde van de maag verwijderd. In de dagen daarna werd de Caudillo aan alle mogelijke levensverlengende machines gelegd, vermoedelijk enkel om de herbenoeming te garanderen van zijn vazal Rodriguez Valcaral tot een paar vitale staatsambten. De pers bood goud voor foto's van de stervende dictator, de in totaal tweeëndertig artsen weigerden beslist, maar Franco's schoonzoon kiekte er lustig op los. Franco zelf kon enkel nog fluisteren 'hoe moeilijk het is om te sterven'. Opnieuw een bloeding, weer een operatie. Pas op 20 november, na een doodsstrijd van vijfendertig dagen, liet de paleiskliek hem in vrede gaan. 'De champagnekurken vlogen door de herfstlucht,' schreef Manuel Vázquez Montalbán in Barcelona, 'maar niemand hoorde enig geluid. Barcelona was per slot van rekening een stad die goede manieren had geleerd. Zwijgend, zowel in vreugde als in droefheid.'

Na Franco's dood waren de verwachtingen voor Spanje buitengewoon pessimistisch: bijna alle Spanjekenners voorzagen het oplaaien van oude haat en nieuw geweld. Men verkeek zich echter op de uiterlijke schijn van het regime. Meestal doet een land zich moderner voor dan het is, hier was het precies omgekeerd. Naast en ondanks het primitieve regeringssysteem – Franco zelf begreep bijvoorbeeld niets van economische politiek – had zich ook in Spanje langzamerhand een modern bedrijfsleven ontwikkeld, met veel buitenlands geld, geleid door technocraten die weinig meer met het regime van doen hadden. In 1959 overtuigden ze Franco van de noodzaak om zijn oude principes los te laten. Er werd een omvangrijk pakket aan maatregelen gelanceerd, het Stabilisatie- en Liberaliseringsplan, waarin handel en investeringen werden vrijgegeven, de industrialisatie werd gestimuleerd en de komst van buitenlandse bedrijven werd aangemoedigd. Alleen al in de jaren zestig verdrievoudigde de Spaanse industriële productie, en de economie groeide er harder dan waar ook in Europa.

Twee onverwachte figuren speelden de hoofdrol bij de overgang naar een min of meer democratisch Spanje: de nieuwe minister-president Adolfo Suárez en de al in 1969 door Franco als zijn opvolger aangewezen jonge koning Juan Carlos. Suárez wist de laatste leden van het regime met een nauwkeurig uitgedachte staatsgreep weg te werken, bracht zijn eigen Eenheidspartij aan de macht en drukte een democratische grondwet door. Het was een buitengewoon delicate en gevaarlijke operatie, een nieuwe burgeroorlog lag immers om de hoek. De Duitse schrijver Hans Magnus Enzensberger betitelt Suárez als een van zijn 'helden van de terugtocht', en hij benadrukt dat die rol altijd en per definitie een ondankbare is. Als Suárez niet een van Franco's slippendragers was geweest, was hij immers ook nooit in de positie geweest om deze vreedzame overgang te bewerkstelligen. Tegelijkertijd riep datzelfde Franco-verleden terecht het wantrouwen van iedere democraat op.

Juan Carlos, kleinzoon van koning Alfons XIII, was achter de schermen zorgvuldig opgekweekt voor een bescheiden rol binnen de dictatuur, maar toen het erop aankwam, en precies op het goede moment, liet hij zien waar hij werkelijk stond. Toen in februari 1981 kolonel Antonio Tejero zwaaiend met zijn pistool het Spaanse parlement wilde gijzelen blokkeerde hij deze coup met een paar snelle manœuvres. Bij zijn benoemingen koos hij telkens voor vernieuwers en democraten. En na deze bloedeloze koninklijke revolutie trok hij zich weer terug in de beschutting van de parlementaire monarchie.

Franco's Spanje bestond tijdens diens leven al niet meer. Zijn aanhang was minimaal: bij de eerste vrije verkiezingen haalde zijn partij amper 2 procent van de stemmen. Het land vergat al snel Adolfo Suárez. In de ogen van zijn voormalige kameraden bleef hij immers een verrader, schreef Enzensberger. En voor de democraten die hij aan de macht had gebracht, zou hij eeuwig een meeloper van Franco blijven. 'De held van de terugtocht kan slechts zeker zijn van één ding: de ondankbaarheid van het vaderland.'

8

'Ik vertel u mijn verhaal op een vreemd moment. Mijn schoonvader is gevallen, in een winkel, zo'n onnozel ongeluk waardoor oude mensen opeens totaal van de kaart kunnen raken, en nu ligt hij in het ziekenhuis. Hij kan weer opknappen, maar het kan ook helemaal misgaan, ik weet het niet. We waken bij zijn bed, we hebben de telefoon voortdurend onder handbereik, u kent het misschien wel, het zijn van die vreemde dagen vol herinneringen.

Ik ben geboren in Mafra, in Midden-Portugal. Mijn vader was administrateur, mijn moeder werkte als telefoniste op het postkantoor. Na de middelbare school belandde ik, zoals iedere gezonde Portugese jongen, in het leger, en zo spendeerde ik zes jaar in onze toenmalige kolonie Mozambique. Dat was in de jaren zestig. Ik zat op het bureau van de bevelhebber en daar ontmoette ik ook mijn vrouw. Ze was de dochter annex privésecretaresse van gouverneur De Almeida, ik hielp hem vaak als tolk, en zo begon het tussen ons.

Toen de koloniale oorlogen begonnen werd ik naar Angola gestuurd als infanteriekapitein: hinderlagen, gevechten, hopeloos. In Mozambique had ik gewoon mijn werk gedaan als beroepsmilitair, ik dacht er verder niet zo erg over na. In Angola werd dat anders. Mijn collega's en ik belandden er in de smerigste situaties, en we beseften steeds sterker dat het probleem van de Angolese rebellie zo niet zou worden opgelost. Wij, jonge officieren, hadden eindeloze gesprekken en telkens kwamen we weer tot dezelfde conclusie: het kolonialisme is een fout systeem, en het is ook nog eens niet meer van deze tijd. We zwommen in tegen het tij van de geschiedenis. Portugal zou deze oorlog nooit en te nimmer kunnen winnen.

Het is niet toevallig dat de Anjerrevolutie grotendeels is ge-

909

maakt door officieren van eenzelfde generatie. We hadden allemaal in dezelfde klassen gezeten, in dezelfde internaten gewoond, dezelfde discussies gevoerd. De samenzwering zelf was uiteindelijk een kwestie van een paar maanden, maar daaraan was tien jaar denken en praten voorafgegaan.

In 1970 werd ik naar Portugal gehaald, als majoor bij de generale staf. In datzelfde jaar overleed Salazar, die in 1968 zijn protégé en bondgenoot Marcelo Caetano tot premier had benoemd. Ons land was straatarm. De kindersterfte was viermaal zo hoog als in Frankrijk, een derde van de Portugezen kon niet lezen en schrijven. In sommige dorpen leefden alleen nog maar kinderen en ouden van dagen: miljoenen mensen waren geëmigreerd naar Brazilië of de Verenigde Staten. Het land kon, alleen al economisch, de last van de koloniale oorlog niet langer dragen. Ik zag het voor mijn ogen gebeuren. Ik zat bij de logistiek, ik moest de budgetten opstellen voor de aankoop van wapens en munitie, ik deed dat precies volgens de normen die we daarvoor hadden, maar ik merkte dat het steeds moeilijker werd. We moesten, bijvoorbeeld, voor de troepen elf miljoen eenheden vlees hebben. De regering gaf er twee. We moesten zoveel geweren hebben, zoveel munitie. We kregen maar een tiende. Het was alsof ze in Lissabon tegen de soldaten zeiden: "Ga maar met stenen smijten, en red je daarmee!"

De kiem van de Portugese revolutie lag dus in het leger, vanaf het moment dat de militaire top, noodgedwongen, ook jongens uit de lagere en middenklasse tot officiersfuncties toeliet. Ik maakte die gang persoonlijk door, het begon met mijn onvrede als beroepsofficier, en ik eindigde als revolutionair. Wij werden immers dagelijks geconfronteerd met de fouten en stommiteiten van het regime in Lissabon en met de wreedheid van de onzinnige Angolese oorlog. Dat was de achtergrond van onze Beweging van de Kapiteins. Het was de enige mogelijkheid om ons leven te redden, en daarmee ons land.

In februari 1974 publiceerde generaal António de Spínola, de grote opkomende man in het leger, een boek waarin hij een pleidooi voerde om de oorlog zo snel mogelijk te beëindigen. Een maand later werd hij door de regering-Caetano uit al zijn functies gezet. Toevallig waren wij rond die tijd bijna allemaal tegelijk in Portugal. Dat was een buitengewoon gelukkige samenloop van omstandigheden, bepalend voor het moment van onze revolutie. In maart 1974 stelden we een politiek programma op. Daarna besloten we tot de staatsgreep, Otelo de Carvalho, Vasco Lourenço en ikzelf. We kozen als datum de 25ste april, precies in de week waarin de rode anjers op het veld verschenen. Zo werd de Anjerrevolutie geboren.

Het organiseren van zo'n militaire coup is buitengewoon ingewikkeld. We begonnen met het opzetten van een Movimento das Forças Armadas (MFA), een Beweging van de Strijdkrachten. We hielden grote vergaderingen, waar alle legeronderdelen vertegenwoordigers naar toe stuurden. Ik werd geacht het contact te onderhouden met de luchtmacht en de marine. Het voornaamste dat ik kon bereiken, was de toezegging dat ze niet zouden ingrijpen. Wij waren behoorlijk bedreven in de kunst van geheimhouding, maar de regering moet iets hebben gemerkt, dat kon niet anders, er waren te veel mensen bij betrokken. Maar ja, wat kon ze doen? Als ze ons allemaal zou oppakken, had ze niemand meer om naar de oorlog te sturen.

Ik had daarbij een groot persoonlijk probleem: mijn schoonvader. Almeida was uitgerekend op dat moment de chef van de generale staf. En ja, ik, Vítor Alves, moest tegen hem revolutie gaan maken. Het was buitengewoon pijnlijk. Mijn schoonvader was dol op me, hij had alleen maar dochters en vanaf het moment dat ik in de familie opdook was ik voor hem een onverwachte vreugde, zijn favoriet, een zoon. We hadden altijd een intens contact. Maar toen, in 1974, was Almeida de laatste aan wie ik kon vertellen waar ik mee bezig was. Ook zijn dochter, mijn vrouw, deed mee aan de rebellie, ze wist dat er iets ophanden was, alle belangrijke vergaderingen werden bij ons thuis gehouden... Ja, inderdaad, Brutus...

Ik hield van mijn schoonvader, natuurlijk, ik hield van de man. Maar hadden die mensen van het oude regime deugden die mij aantrokken? Eerlijk gezegd: ik vind het moeilijk om ze te vinden. Mijn schoonvader was een goed bestuurder, binnen de koloniale verhoudingen deed hij het werkelijk uitstekend, maar hij was ook een typische militair: volg de orders, en vergeet wie je bent. In Portugal was hetzelfde aan de hand als in iedere dictatuur die jarenlang heeft voortgewoekerd. Rondom Salazar en Caetano was een groep gegroeid van lakeien, oude mannen met weinig opleiding, niet bijster intelligent. Ik zie niet veel deugden in bestuurders die hun onderdanen als schapen behandelen, zo intens en zo lang dat ze zelf ook zo volgzaam worden als vee.

Ten slotte waren we zover. Op 23 april zat er een man op een parkbankje achter het standbeeld van markies de Pombal die sommige voorbijgangers discreet een envelop toestopte. Alle instructies voor de volgende dag zaten daarin: het hele draaiboek, de troepenbewegingen, de posities, allemaal van minuut tot minuut uitgerekend. Ikzelf deed natuurlijk geen oog dicht, die nacht. Om precies vijf voor halfeen klonk op Radio Renaissance het verboden lied "Grandola". Dat was het afgesproken sein voor de opstand. Over heel Portugal kwamen eenheden van de MFA in beweging. Om drie uur 's nachts hadden ze de radio- en televisiestudio's, het vliegveld en het centrum van Lissabon in handen. Mijn taak was om de top van het leger te neutraliseren, ook dat ging allemaal heel vlot, precies volgens plan. Premier Caetano vluchtte naar de politiekazerne aan het Largo do Carmo, 's avonds gaf hij zich over, aan het eind van de dag was het allemaal al voorbij.'

Mijn schoonvader werd keurig behandeld, daar zorgde ik wel voor, hem werd geen haar gekrenkt. Toch heeft die coup, ik zal eerlijk zijn, onze relatie zwaar belast. Hij bleef maar zeggen: waarom heb je het me niet verteld? Maar als ik dat zou hebben gedaan, had ik hem voor een onmogelijk dilemma geplaatst. Hij had ons immers moeten aangeven, hij zou de man van zijn dochter hebben moeten laten oppakken, of hij zou de verrader van zijn eigen regering zijn geweest.

Spínola kwam aan het hoofd te staan van onze voorlopige regering, wij officieren hielden ons op de achtergrond, we wilden de internationale gemeenschap laten zien dat het keurige mensen waren die de macht hadden overgenomen. De enige verrassing was de reactie van de straat: we hadden nooit verwacht dat onze coup zo'n massale uitbarsting van vreugde en sympathie teweeg zou brengen. Dat werd tegelijk ons probleem. Het was een fles champagne die plotseling openknalde, overal vlogen de druppels in het rond, er bloeiden honderden politieke groeperingen op, binnen twee maanden was onze MFA diep verdeeld. Een groep vormde zich rondom Spínola. Dat was de meest conservatieve beweging, die deed een paar couppogingen en verdween daarna van het toneel. Er waren otelisten, links-radicalen rond de veiligheidschef generaal Otelo de Carvalho. Er was een groep waar wij toe hoorden, socialisten en sociaal-democraten. En er was een grote communistische groep die zich had verzameld rond Vasco Gonçalves.

Een aantal dingen ging goed. Er kwam vrede in Afrika: Guinee-Bissau, Mozambique en Angola werden onafhankelijk. Alleen Portugal zelf zagen we langzaam wegglijden. Dat eerste jaar – ik was vice-premier – probeerden we vooral het verroeste economische en sociale leven weer op gang te krijgen. Ook moest het leger worden gereorganiseerd en de landbouw hervormd. Tegelijkertijd keerden allerlei mensen terug uit Afrika, sommigen opgelucht, anderen kwaad en teleurgesteld, en dat maakte de politiek er niet rustiger op.

In maart 1975 deed rechts een laatste poging om de macht weer in handen te krijgen, onder leiding van Spínola. Toen die staatsgreep mislukte, vluchtte hij naar Spanje. De maand daarop, op de eerste verjaardag van de revolutie, waren er verkiezingen. De communisten deden het niet best, de sociaal-democraten van Mario Soares wonnen, maar de groep officieren rondom Otelo de Carvalho wilde zich daar niet bij neerleggen. Uiteindelijk hebben we in november 1975 onder leiding van generaal Antonio Eanes een tweede coup gepleegd, de radicalen uit de regering gegooid en opnieuw verkiezingen georganiseerd. Daarna werd de politieke situatie langzaam rustiger. Maar het was niet gemakkelijk, een coup tegen je oude kameraden...

We leven een kwarteeuw later. We verloren Afrika, we horen nu bij het grote Europa. Portugal werd in 1986 halsoverkop volledig lid van de EG, alle andere Europese landen vonden het prachtig. Toch was het een grote fout. We hadden hier eerst de zaken zelf op orde moeten brengen. Ons land liep te ver achter, het maakte geen enkele kans tegenover de andere Europese lidstaten. Wat hadden we te bieden? Alleen de stranden en de zon, alleen een opkomend toerisme. Waarom zou je hier een industrie ontwikkelen als je in Noordwest-Europa en Noord-Italië over het modernste van het modernste kunt beschikken? Waarom zou je hier nog sinaasappels kweken als het goedkope fruit uit Spanje onze plaatselijke markten overspoelt? Wij kunnen niet op tegen al dit economische geweld, en dat wordt alleen maar erger.

We hadden een overgangsfase moeten scheppen om Portugal op een enigszins gelijkwaardig niveau met de rest van Europa te krijgen, dan pas hadden we ons als volledig lid van de EG moeten aanmelden. En bovendien had de regering de beslissing aan de Portugezen zelf moeten voorleggen, via een referendum. Maar Mario Soares had een politieke reden om ons zo snel mogelijk te laten aansluiten: de democratie moest gegarandeerd blijven, en dat kon, meende hij, alleen via de EG. Ik denk dat hij zich vergiste. Die democratie, die hadden wij zelf al veroverd, in de Anjerrevolutie van 1974 en in de novemberbeweging van 1975.

Voor de leden van de Europese club is Portugal totaal oninteressant. Ze willen alleen, volgens hun politieke logica, het hele Iberisch schiereiland onder hun hegemonie hebben, ze willen daar geen gaten en breuken zien. De Spanjaarden hebben eeuwenlang geprobeerd om dat arme stukje land van ons met geweld te veroveren en nu lukt het ze plotseling probleemloos via de Europese Unie, met het geld waarmee ze alles opkopen, met het vlees en de groenten waarmee ze onze dorpen wegvagen. We zullen het beter krijgen, daar twijfel ik niet aan. Maar we zullen onze identiteit verliezen. Dat was de kern van de Anjerrevolutie: onze democratie en onze identiteit. Nu verliezen we die weer aan Europa.

En mijn schoonvader? Het was onvermijdelijk, ons conflict, je moet soms keuzes maken, het ging om democratie, om vrijheid voor iedereen. Hij zag ook wel in dat het geen zin had om boos op me te blijven, maar hij leed. Hij was in 1974 de kroonprins van Caetano, en als er geen revolutie was gekomen, was hij de volgende sterke man van Portugal geweest. En toen stonden wij daar opeens voor het voetlicht, op zijn toneel, in een rol waarvoor híj was bestemd...

We hadden de gewoonte om iedere zondagmiddag samen te eten, met de hele familie. Ik werd ondertussen minister, vicepremier, ambassadeur, adviseur van de president, en hij bleef maar bitter. Die opmerkingen tijdens die maaltijden, telkens weer, ik kon het niet langer verdragen, ik ben daar niet meer heen gegaan, twintig jaar lang at ik op zondagmiddag in mijn eentje. Mijn vrouw en mijn dochter bleven wel gaan, ik wilde dat ook, de familiebanden moesten blijven.

En nu zit ik aan zijn bed, met zijn hand in de mijne.'

9

Sommigen beweren: Portugal is een eiland, je kunt er niet met droge voeten komen, al die verhalen over stoffige grenswegen naar Spanje zijn fabels. Op de weerkaart van de Spaanse televisie staat Portugal blauw aangegeven, bijna al de oceaan, nauwelijks meer land. En inderdaad: ik zweef over de stilste vierbaansweg die ik ooit zag, er is geen auto te bekennen tot aan de horizon, ik vaar over de bergen. De twee Iberische landen leven rug-aan-rug. In Lissabon hoor ik voor het eerst sinds Odessa weer mensen zeggen dat ze 'naar Europa' moeten.

Op de pont over de Taag vaart de avondspits naar de overkant. Twintig minuten lang zitten zo'n tweehonderd afgewerkte mensen op het bovendek: ambtenaren, kantoormeisjes, arbeiders, verpleegsters, arm, welvarend, jong, oud, blank, bruin, en allemaal de tas op schoot en de blik op oneindig. De lucht boven de rivier is rood van de avondzon. Ik zie de lijnen van de imposante hangbrug, schepen in de nevel, in de verte de oceaan. Er heerst een groot zwijgen, maar de elektronica kwinkeleert als een volière. Een zwarte zakenman toetst liedjes op zijn telefoon, een jongen met een baseballpet bevecht Space-Invaders in zijn handpalm, het zwarte meisje tegenover me speelt met een discman, haar beeldschone moeder kijkt dromerig naar het water.

Het Lissabon van dit bovendek doet bijna Amerikaans aan. Nergens in Europa zag ik de derde wereld zo vanzelfsprekend aanwezig als hier. De retornados, die vloed aan remigranten uit de voormalige koloniën, zijn door de Portugezen opgevangen met de vermoeide tolerantie van een toch al straatarme familie. En de meesten hebben het gered, ook de niet-blanken. Nu, ruim twee decennia later, maken ze deel uit van Lissabon alsof ze er al tien generaties wonen, fier en zelfbewust, want als iets de integratie bevordert, dan is het de solidariteit van de armen. Op de kade stuift de menigte direct weer uiteen, hollend naar bussen en auto's. In de schemer hangen grote rookwolken rondom de stalletjes met gepofte kastanjes.

Die avond eet ik met een Lissabonse kennis in een vol en geurend lokaal. 'We dragen nog altijd de erfenis van ons isolement,' meent hij. 'Spanje had nog enigszins deelgenomen aan het Europese avontuur, had Amerikaanse hulp geaccepteerd, was zich in de jaren vijftig toch gaan moderniseren. Maar Portugal had zich onder Salazar helemaal afgewend. De landbouw was bijna middeleeuws, alles hier draaide op de koloniën. Toen die in opstand kwamen, betekende dat tegelijk de ondergang van de Portugese economie. Op het laatst vochten we er met een leger van een half miljoen man, op negen miljoen Portugezen!'

Hijzelf deserteerde, woonde dertig jaar in Nederland, is nu weer terug. Hij noemt cijfers: nog steeds is 15 procent van de Portugezen analfabeet, in sommige dorpen zelfs 40 procent; de landbouw is, sinds de open grenzen van de EU, nagenoeg ingestort; op het platteland is de levensstandaard de helft van het gemiddelde Europese niveau; de dorpen stromen almaar verder leeg; bijna een op de drie gezinnen leeft beneden de armoedegrens. Voor de meeste boeren kwam de modernisering te laat, ze werden door Europa simpelweg afgeschreven en trokken weg. Het land leeft voor een groot deel van het toerisme en de Europese subsidies. In en om Parijs wonen momenteel bijna net zoveel Portugezen als in Porto.

Later in de avond wandelen we door de smalle straten. De regen klettert, je wordt hier vanzelf melancholiek. Zo nu en dan duikt een wankelende zwarte man op, tollend van drank, drugs of ongeluk. De zee is overal.

Een groot deel van de volgende dag besteed ik aan de mooiste toeristische attractie die Lissabon te bieden heeft: tramlijn 28. De bestuurder kronkelt als een straatridder door de oude stad, rammelt met zijn rijhendel, grijpt de zilveren remzwengel als we steil naar beneden gaan, dan weer vuurt hij de kreunende elektromotor aan, omhoog. We kraken schuin een steeg in, als een olifant stampen we langs schoenlappers en confectiekelders, bellen rinkelen, manometers trillen, pompen ratelen, maar we overleven alle tijden.

Lissabon heeft een grote vervallen schoonheid, dezelfde schoonheid van sommige Oost-Europese hoofdsteden, maar zonder de intense oppoetsbeurt die daar het afgelopen decennium heeft plaatsgevonden. 'Een heel land veertig jaar lang gebalsemd als een mummie! Dat was de prestatie van Salazar,' noteerde Hans Magnus Enzensberger twaalf jaar geleden in deze stad. 'Alle afgedankte koningen ter wereld vonden hier, achter de muren van het regime, een wereld die voor hen in orde was. [...] Een paradijs voor de parasieten en voor alle anderen het sociale coma. Op zijn manier was ook Salazar een utopist. Hij wilde een wereld waarin niets zich beweegt, een totale hypnose.'

Enzensberger zat indertijd ook in lijn 28. Hij zag rond 1987 de wagons nog in de originele staat, met schuifhekjes bij de ingang, pluche op de stoelen en alle patenten van 1889 tot 1916 in een nikkelen lijst. Nu zie ik drukknoppen, elektrische schuifdeuren en skai. Op lijn 15 glijdt de supertram al als een zwart-rode slang door de straten, terwijl de oude wagons zijn verkocht aan Amerikaanse pretparken. Ook lijn 28 maakt een metamorfose door, van vervoermiddel naar toeristenattractie. In de plaatselijke kranten groeit de paniek. Men praat over het gevaar voor nieuwe aardverschuivingen in deze al zo zwaar geteisterde stad, nu door de bouw van een nieuwe metrolijn, recht onder het centrum. 'Dozijnen oude gebouwen kunnen ieder ogenblik ineenzakken tot een hoop puin en stof!' schrijft O Independente. De mummie begint dus toch te bewegen.

Er zijn in Lissabon vrijwel geen sporen meer te vinden van de woelige jaren zeventig, toen Portugal de aandacht van heel Europa gevangenhield. Democratische heldenfeiten worden niet met pompeuze steenmassa's herdacht. Op het Largo do Carmo, een mooi oud pleintje, herinnert enkel een simpele ronde steen in het plaveisel aan de historische scène die hier in 1974 plaatsvond: de overgave van Marcelo Caetano aan de rebellerende pantserwagens en de juichende menigte.

Ik probeer een paar van de toenmalige hoofdrolspelers op te sporen. De linkse revolutieheld Otelo de Carvalho is niet te bereiken. Die drijft tegenwoordig een handelskantoor, zeggen mijn kennissen, hij zit vermoedelijk in Angola. Wel kan ik een afspraak maken met Fernando Rosas, nu hoogleraar nieuwste geschiedenis, toen student en opgejaagd wild voor de geheime politie. 'Ik was nogal actief in een maoïstische groep, de MAPP,' vertelt hij. 'Twee keer had ik ruim een jaar gevangengezeten, ze hadden me in 1971 drie keer gemarteld met een week zonder slaap, en daarna was ik ondergronds gegaan.' We praten over het opvallende feit dat de drie laatste West-Europese dictaturen rond 1975 vrijwel tegelijk ineenstortten. Hij heeft er een verklaring voor: 'Naast alle verschillen hadden de Spaanse, de Griekse en onze dictatuur één ding gemeen: ze waren sterk autarkisch, ze probeerden te overleven zonder vreemde "besmettingen", zowel economisch als politiek. In het midden van de jaren zeventig viel dat gewoon niet langer vol te houden. De wereld raakte te veel vervlochten.'

Op die 25ste april 1974 werd hij midden in de nacht door vrienden uit bed gebeld: kom naar de radio, er is wat gaande. 'Iedereen wist dat er iets op til was in het leger. Alleen wist niemand wanneer het zou gebeuren, en hoe, en door wie. Voor ons waren die eerste uren dus heel spannend: wordt dit een extreem-rechtse coup, of een meer progressieve? Pas rond elf uur kregen we door wie wie was, de menigte begon de rebellerende militairen toe te juichen, de regeringssoldaten weigerden hun officieren nog langer te gehoorzamen, na jaren was het opeens niet meer denken maar handelen. En zo belandden we uiteindelijk allemaal op het Largo do Carmo.' Maakte Rosas dus dat historische moment mee, toen Caetano verslagen vertrok? 'Welnee,' zegt hij, 'ik moest weg, we moesten resoluties schrijven, standpunten vastleggen, vergaderen!'

Ten noordoosten van Lissabon ligt de provincie Ribatejo. Eerst rij je over de snelwegen langs de Taag, dan perst het verkeer zich over een oude brug naar de andere kant van de rivier, vervolgens loopt de weg door eindeloze kurkbossen en ten slotte begint een grote vlakte met lage schuren, oude, ommuurde haciënda's van voormalige grootgrondbezitters, vlakke dorpen rond een tankstation, velden vol tomatenplanten. Naast de weg ligt een verkreukelde vrachtauto, boven in de hoogspanningsmasten hebben ooievaars hun nesten gebouwd, mast na mast, aan de horizon scheren sproeivliegtuigen.

Ik ben op weg naar Couço, twee uur rijden van Lissabon, een van de vele dorpen waar de boeren in de zomer van 1975 de grond onteigenden en er een landbouwcoöperatie begonnen. Veel van die kleine lokale revoluties zijn nooit vastgelegd, maar in Couço is de gang van zaken uitstekend gedocumenteerd door de Italiaanse fotograaf Fausto Giaconne. Zijn beeldverhaal begint in het voorjaar van 1975, na de mislukte coup van Spínola, toen de vier plaatselijke grootgrondbezitters waren weggevlucht naar Brazilië. Op zaterdag 30 augustus 1975 besloot de Algemene Vergadering van Couço, verzameld in de dorpsbioscoop, om de grond daadwerkelijk te onteigenen. De volgende dag trokken honderden arme boerenfamilies met tractoren en versierde hooiwagens naar de verlaten landerijen. Ze hadden picknickmanden bij zich met wijn, brood en zelfgemaakte kaas en op de stoffige wegen wapperden spandoeken als: 'Pas als het land toebehoort aan degenen die erop werken, dan hebben wij het ware socialisme!' En: 'Weg met de uitbuiting van de mens door de mens!' De platen van Giaconne tonen wagens vol zingende mannen en vrouwen met stralende gezichten en dansende kinderen. Vanaf acht uur 's ochtends tot middernacht werd achtduizend hectare grond bezet door één groot, rijdend volksfeest. Sol Posto, het huis van een van de grootgrondbezitters, werd opengebroken: op de foto's staan boerenvrouwen die verbaasd de zachtheid van de bedden, de kussens en het tafelkleed bewonderen. Er mocht niets worden meegenomen, het huis werd door het leger verzegeld. Het was, als ik Giaconnes reportage mag geloven, het dorpsfeest van de eeuw.

'Kijk, dat ben ik,' zegt Joaquim Canejo, en hij wijst naar een foto waarop hij zit te praten met twee vrouwen die een traditioneel hoog hoedje dragen. Nu is hij een kwarteeuw ouder, hij mist een pink, hij zit met zijn zoon achter een groot bord met worsten en karbonades, straks staat hij weer achter de bar van de coöperatie, zijn zoon leidt het bedrijf. In politiek opzicht was de rode Portugese revolutie voorbij met de nederlaag van de links-radicalen in november 1975, in de praktijk werden de meeste landbouwcollectivisaties pas in de jaren tachtig geleidelijk teruggedraaid. Nu zijn vader en zoon de laatste overblijvers van het feest uit 1975. Samen beheren ze aan de rand van het dorp een grote hal met het trotse opschrift: *Conquista do Povo – Cooperativa de Consumo dos Trabalhadores do Couço'*, ofwel Verovering van het Volk – Consumptiecoöperatief van de Arbeiders van Couço. Binnen staan lange stellingen met Becel-margarine, Fitness-ontbijtgranen, Servitas-smeerkaas, Huggies-luiers, Seven-Up Light, Nutsen, Marsen, Heineken en alles wat het kapitaal verder in de aanbieding heeft.

Een deel van de Verovering van het Volk is met een beschot afgescheiden, dat is het dorpscafé waar vijftien versleten mannen in doodse stilte naar het voetbal op de televisie zitten te kijken.

Aan de muur hangen drie klokken, een voetbalaffiche, een plaat met dertig vissoorten en een mededeling: 'Vanwege het voorstel tot schrapping van lid 3 van artikel 42 roepen we een algemene vergadering bijeen van het Collectief van de Consumptiecoöperatie op de 30ste van deze maand te drie uur...'

Ik zoek Sol Posto terug, het huis met de zachte bedden. Tussen de brandnetels staan alleen nog de muren. In het restaurant, wat verderop, komt de eigenaar aan mijn tafel zitten. 'Ja, het gaat in dit deel van het land wel goed,' zegt hij. De rest van Portugal, daar moeten we het maar niet over hebben, maar hier hebben ze er veel Europees geld tegenaan gegooid, en dat begint te werken. 'Weet je hoeveel tomaten wij tegenwoordig van een hectare grond halen?' Hij schrijft het op: 100 000 kilo. 'Als ze rijp zijn, is de hele vlakte hier knalrood, dat gaat allemaal naar de pureefabriek, we verkopen dat spul tot in Rusland toe.' Daarom is hij, vertelt hij, ook teruggekomen naar Couço. Hij maakte zijn privérevolutie door uit het dorp weg te trekken, hij werkte twintig jaar in Frankrijk als autospuiter, keerde terug, en nu heeft hij een restaurant en een zoon van twintig die alleen maar met paarden bezig is en verder geen barst uitvoert.

De volgende ochtend druipt heel Portugal van de regen. Ik rijd verder, wat meer naar de kust. Overal liggen vervallen haciënda's en oude fabrieksgebouwen waar in een ver verleden de oogsten werden gedroogd of ingeblikt, nu zijn het overgroeide ruïnes waar de vogels in en uit vliegen. In het dorp Vimeiro zijn de huizen grauw en doorgebogen, de vermolmde deuren vallen bijna uit elkaar. Naast de lege, oude fabriek ligt een kraaienbos, en als je daar het donkere pad op klimt, langs de herfstige moestuinen en een verwilderde boomgaard, sta je opeens voor het bescheiden geboortehuis van António Salazar, hoog en stug, als een iets te goed onderhouden Draculakasteel.

Jarenlang werd Portugal beheerst door de academische hoogmoed, door de hybris van deze professor die dacht een heel land in zijn theorieën te kunnen persen. Maar wat je ook van hem kunt zeggen, om uiterlijk vertoon gaf hij niet. Op het dorpskerkhof hebben de betere families de kisten van hun geliefden in keurige huisjes opgestapeld, soms zelfs met luxaflex voor het raam, als treincoupés naar de eeuwigheid. Er liggen maar liefst negentien kindergrafjes, op drie na vol bloemen. Maar de Salazars slapen onder kale grijze stenen, naamloos, en op António's graf ligt enkel nog een bruine, papperige roos.

De dagen erna ratelt de ene bui na de andere over het dak van mijn busje. Alles wat ik door de voorruit zie, is groen: de Spaans-Portugese grens is groen, Galicië is groen, intens groen, onuitputtelijk groen. Langs de smalle hoofdweg rijden boeren in paardenkarren met het laatste gras. In Santiago de Compostela lopen nog een paar pelgrims uit het noorden, kletsnat in hun nylon poncho's. Voor de deur van de kathedraal zit een grote blonde jongen met lang Jezushaar. Bij zijn voeten heeft hij een bord IK BEN ARM, IK HEB HONGER!, maar niemand geeft hem wat. Ga eerst maar 's werken, zie je al die Spaanse huismoeders denken. De wolken liggen als donkere rolkussens op de heuvels.

Ik overnacht in Cudillero, een vissersdorp van blauw en oker in de oksel van een heuvel. Het verhaal van dit dorp, veertig kilometer ten oosten van Gijón, hoeft niemand op te schrijven. De straten en muren spreken voor zich. Een oude bron uit 1854 met daaromheen banken voor zeker twee dozijn vertellers en luisteraars: nooit zit er meer een mens. Een wasplaats, zo te zien eind jaren zestig als nieuw verbouwd, zo luxe als een zwembad. Toen had dat blijkbaar nog zin, was de wasmachine hier nog niet alom aanwezig. Nu staan er alleen maar tekens van de graffiti-jeugd: vooral een zekere Clara lijkt felbegeerd. Een verlaten huis met dode geraniums op een houten veranda: hier woonde een oude vrouw, de erfgenamen kregen ruzie, zoiets moet er gebeurd zijn. Haar deur wappert heen en weer in de wind. Ook de andere lege huizen in het dorp, van uitgewerkte schoenlappers en dode kruideniers, dragen zonder uitzondering verweerde bordjes TE KOOP. Over één pand is zelfs een heel net gespannen, keurig geconserveerde armoede uit 1955. Ten slotte is er een haven, met een paar restaurantjes en souvenirwinkels, het perspectief voor al die andere wachtende huizen, de vage hoop op de toekomst.

10

'Goud,' zegt de man in de rode pullover. 'Ga in goud, let op!' Zijn gesprekspartner heeft uitpuilende ogen en een rood gezicht. Hij begint over zijn huis in Spanje te vertellen, de afwerking van de badkamers, het gastenverblijf, het zwembad. 'Maar het wordt helaas rijp voor de verkoop,' zegt zijn vrouw. 'Eerst was het dorp zo leuk simpel, maar nu hebben de mensen geld geroken en dan gaat het snel bergafwaarts.' 'Ja, dan verliest het bezit zijn charme,' zegt de pulloverman. 'Dan moet je gaan afstoten.' 'Het geld bederft zoveel,' zegt de vrouw. 'We zijn gelukkig op tijd, het heeft nog zijn waarde.'

Het autodek van de nachtboot van Santander naar Plymouth staat vol bestofte Landrovers, in het scheepsrestaurant blijft de stemming de hele avond uiterst geanimeerd. De scheepskiosk verkoopt de *Daily Mail*. Er is opnieuw oorlog, nu tussen Engeland en Frankrijk, het gaat om de import van vlees en nog zo wat, en de gemoederen zijn hoog opgelopen. De Fransen worden in de krant systematisch aangeduid als 'the Huns', een kreet die vroeger was gereserveerd voor de troepen van keizer Wilhelm en Hitler. Een Engelse voetballer vertelt hoe zijn Franse tegenspeler hem bespuwde: 'Ik proefde de knoflookstank.' De redactie: 'Engeland verwacht dat iedere Britse consument zijn plicht doet: geen Frans vlees.'

In Plymouth begint, bij aankomst, net een storm op te steken. De wind fluit om de ramen van pension Winston, de golven denderen tegen de achtertuin en in de gemeenschappelijke woonkamer staat een rond Engels meisje haar achterste te warmen voor de roodgloeiende elektrische kolenhaard. De BBC meldt dat op sommige eilanden de stroom is uitgevallen.

De volgende ochtend waait het nog steeds. Het busje schudt op de vlagen, bladeren vliegen over de velden. Er verschijnen volstrekt onleesbare teksten in de berm, alsof een kat over een type-machine heeft gelopen. Zo nu en dan drijft het regenwater over de weg. De uren gaan langzaam voorbij, het is zaterdagmiddag, dorp na dorp, grijs van het cement, lege straten, satellietantennes. De hotels zijn volgeboekt, in eentje is een huwelijksfeest gaande, de vrouwen zijn gekleed in fel gekleurde zijde, de bruidsmeisjes liggen als witte servetjes tegen de trap, nu al uitgeput terwijl het grote eten nog moet beginnen.

Het blijft maar regenen, om vier uur wordt het grijs en donker, en opeens ben ik onbedwingbaar moe. Ik strand in het dorp Llangynog, in de Wern Inn. Op de deur staat: *Warning. Senior citizens are leading carriers of aids: hearing-aids, band-aids, roll-aids, medical aids!* Als een blok val ik in slaap, maar na een paar uur ben ik weer klaar-wakker. Uit de pub weerklinkt 'The House of the Rising Sun', en 'Mrs Robinson' en daarna 'Oh Boy', en iedereen zingt mee. Ik kleed me aan. Beneden, in het café, zit het hele dorp zijn verlies weg te drinken: Wales verloor met rugby van Engeland. De café-baas draait karaokeplaatjes, muziek met meezingteksten op het televisiescherm: 'Deed, deedeed, deedeed, deedeed. Dood, doo-doo, doodoo, doodoo. Oh, Mrs Robinson...'

Dit is Noord-Wales, de achterkant van Engeland, het land van de wanhoopsstakingen uit de jaren tachtig. In maart 1984 legde het merendeel van de bijna tweehonderdduizend Britse mijnwerkers onder leiding van Arthur Scargill het werk neer uit protest tegen de saneringsplannen van de staatsmijnen en 'de vernietiging van de mijnwerkersgemeenschappen'. Het was een laatste poging om de oude arbeiderssolidariteit weer leven in te blazen. Scargill wist zijn mijnwerkers bijeen te houden met intimidatie en stevige sociale druk, maar op een stemming durfde zijn National Union of Mineworkers (NUM) het niet te laten aankomen, een feit dat door de Conservatieve regering telkens weer werd benadrukt. Naarmate de armoede in de mijnwerkersgezinnen knellender werd, namen de paniek en het geweld toe, en daarmee verdween de publieke sympathie voor de stakers. Toen uitkwam dat de NUM geld had aangenomen van de Libische dictator Moeammar Kaddafi, was het afgelopen. In februari 1985 was de helft van de mijnwerkers weer aan het werk, een maand later was de staking voorbij. Het was een drama geweest: tienduizenden mijnwerkersgezinnen hadden een jaar lang in diepe ellende geleefd om een wereld te redden die voorgoed was achterhaald.

Ik merk al gauw dat mijn pub vol zit met diezelfde mijnwerkers en hun vrouwen, echtparen die het allemaal hebben meegemaakt. De mannen zijn allang geen mijnwerker meer, ze zijn ouder en dikker geworden, maar de meesten wonen nog steeds rondom hun mijn. Sommigen zijn een boerenbedoeninkje begonnen, anderen zijn nog altijd werkloos. Ik raak in gesprek met Thomas Frigger, een grote man met een felrood jack. Hij is na de mijnsluiting op een booreiland gaan werken, drie maanden per jaar thuis, negen maanden weg. 'Ik had alleen maar verstand van mijnen, en olie ligt daar het dichtst bij. Wat kun je anders?' Is zijn leven uiteindelijk beter geworden? Hij denkt na. 'Ik verdien hetzelfde als vroeger, maar nu belastingvrij, dus dat scheelt mooi. Maar negen maanden per jaar van huis, dat doe je niet voor je plezier.' Een oude kameraad komt afscheid nemen, hij werkt ook op een booreiland: 'Zie je over zes maanden, ouwe klootzak!' Dan gaat de muziek opnieuw voluit, op de televisie verschijnen nieuwe teksten, en iedereen zingt mee. De mannen worden dronken, eentje springt op tafel en begint zich uit te kleden, de vrouwen gieren, de mannen hangen aan elkaar. 'Oh Boy! Oh Boy!'

In het midden van de jaren tachtig praatten dezelfde mannen en vrouwen enkel over politiek en strijd. Ze waren van 's ochtends vroeg tot 's avonds laat bezig met de Zaak en met de Bond. Hun grote tegenstander was de Iron Lady, ofwel de zelfverzekerde premier Margaret Thatcher. Thatcher, in 1925 geboren als een winkeliersdochter in een midden-Engels provinciestadje, wist op briljante wijze het deftige klassiek-Engelse conservatisme te combineren met Nieuw-Rechts en een heilig geloof in het gelijk van de markt. Ze had het geluk dat haar Labour-tegenstanders volstrekt hadden gefaald – 'Labour Isn't Working' was haar motto – en ze bood een duidelijk alternatief, niet alleen voor Labour, maar ook voor de oude Conservatieven en het zwevende midden. Met die formule won ze de verkiezingen.

Toen Thatcher op 4 mei 1979 aantrad, trof ze een land in volstrekte ontreddering. Groot-Brittannië, aan het begin van de eeuw het machtigste imperium op aarde, de winnaar van twee wereldoorlogen, was in de jaren zeventig vervallen tot een economisch rampgebied. De cijfers leken op die van een derdewereldland: de groei liep ver achter bij die van de andere West-Europese landen, de inflatie schommelde tussen de 15 en 25 procent, stakingen legden het land plat, Rolls-Royce was bankroet en in 1976 hadden de Britten zelfs, als eerste westerse mogendheid, de vernederende gang moeten maken naar het IMF.

Wat door Groot-Brittannië werd beleefd als een neergang, was in werkelijkheid het gevolg van de snelle modernisering van de rest van Europa. De oude zware industrie – textiel, steenkool, ijzer – kon die verandering niet bijbenen, en tegelijk met het Britse imperium zakte zo de Britse 'Werkplaats van de Wereld' in elkaar. Maar het was ook een crisis die Europa als geheel doormaakte, het harde einde van de gouden jaren dat door de Britten het eerst en het pijnlijkst werd gevoeld. Toen bijvoorbeeld drie jaar later, in 1982, de nieuwe Nederlandse premier Ruud Lubbers aan zijn 'karwei' begon, had de economie daar ook jaren stilgelegen: een financieringstekort van 10 procent, een inflatie van meer dan 6 procent, een half miljoen werklozen.

Margaret Thatcher sloeg hard en direct toe. Ze kondigde een streng bezuinigingsregime aan, verhoogde de omzetbelasting en verlaagde de inkomstenbelastingen, vooral voor de topinkomens. Een groot aantal nutsbedrijven – spoor, water, gas, elektriciteit – werd geprivatiseerd, de goedkope volkshuisvesting werd ontmanteld, huurwoningen werden verkocht. Volgens haar theorie zou hard werken zo extra beloond worden, onbekwaamheid en luiheid werden afgestraft, en uiteindelijk zou een nieuwe geest over het vermoeide Groot-Brittannië vaardig worden. Het was een shocktherapie, en dat besefte ze. Vier jaar na haar aantreden, in 1983, was de werkloosheid verdubbeld tot drie miljoen: ongekend in de Britse geschiedenis. In het najaar van 1981 was Thatcher de minst populaire minister-president sinds Neville Chamberlain. Ze werd gered door de Falklandoorlog in 1982 en, op het thuisfront, door de roemloze nederlaag van Arthur Scargill en zijn mijnwerkers in 1985. Maar geliefd werd ze nooit. Nog geen twee op de vijf Britten was, door de jaren heen, tevreden over haar werk.

Thatchers harde sanering had ogenschijnlijk succes. Haar politiek trok Groot-Brittannië, althans cijfermatig, weer uit het dal. De oude industrie werd snel en hardhandig opgeruimd en nieuwe, hoogwaardige bedrijven kregen alle kans, zij het met andere mensen en in andere delen van het land. De Britse productie werd weer op één lijn gebracht met het Europese gemiddelde, de enorme inflatie werd getemd, het inkomen per huishouden steeg vanaf 1983 ieder jaar met 3 procent.

Toch maakte de Iron Lady veel van wat ze uitbazuinde nooit waar. De Britse overheidsuitgaven, waarin ze naar eigen zeggen ongekend zou snoeien, waren aan het eind haar regeerperiode amper gedaald. Om precies te zijn: van 42,5 procent (1977-1978) tot 41,7 procent (1987-1988). Haar neoliberalisme combineerde ze met de introductie van een opvallend autoritair staatssysteem: lokale overheden, universiteiten en andere instellingen verloren veel van hun autonomie, het centrale gezag werd overal versterkt, geheime diensten kregen – dankzij haar Official Secrets Act – ongekende bevoegdheden. De vrijheden binnen Thatchers neoliberalisme waren, anders gezegd, zeer beperkt en eenzijdig.

Groot-Brittannië was, na tien jaar Thatcher, 'de meest rechtse staat van Europa'. In geen land waren de onderlinge verschillen tussen rangen, standen en regio's zo groot. Een kleine bevolkingsgroep had rijkelijk geprofiteerd van de privatiseringen en de belastingvoordelen. Tegelijkertijd leefde – volgens gegevens van Eurostat – bijna een kwart van de Britse gezinnen beneden de armoedegrens. (Alleen in Griekenland en Portugal waren die cijfers nog hoger.) Londen bloeide, Liverpool, Schotland en Wales verkeerden in een desolate toestand. De geprivatiseerde spoorwegen waren ontaard in een peperdure chaos. (In de Wern Inn praatte die avond in 1999 iedereen over een groot treinongeluk bij Paddington, vrijwel zeker veroorzaakt door verwaarloosd onderhoud.) Een kwart van de mannelijke beroepsbevolking werkte niet. De beroemde National Health Service was in verval: wie het kon betalen week uit naar particuliere klinieken. Hetzelfde gebeurde met het onderwijs. Met name kwetsbare groepen waren de dupe: laag opgeleiden, ouderen, zieken, alleenstaande moeders.

Thatchers voorbeeld vloekte met de Duitse 'organische harmonie', het Franse, Belgische en Italiaanse patronagesysteem en het Nederlandse poldermodel. Toch zou het een grote vergissing zijn om de betekenis van het thatcherisme te beperken tot haar economische politiek. De kern van haar boodschap ging veel verder. Haar historische belang ligt, zo merkt Mark Mazower terecht op, in de 'heroverweging van wat de moderne staat wel en niet kan doen'.

Het Britse probleem was immers niet beperkt tot Groot-Brittannië. Steeds meer Europese landen kampten vanaf de jaren zestig met ongekende prijsstijgingen, en het besef van economische kwetsbaarheid was nog versterkt door de oliecrisis van 1973. Tijdens de Oktoberoorlog tussen enerzijds Egypte en Syrië en anderzijds Israël hanteerden de Arabische landen voor het eerst het olie-wapen: ze verhoogden gezamenlijk de prijzen en confronteerden sommige landen – waaronder Nederland – met een embargo. Binnen amper drie maanden werd een vat olie viermaal zo duur. Het was een historisch keerpunt: opeens lieten Saoedi-Arabië, Koeweit en andere vazalstaten van het Westen hun tanden zien. Het was een frontale aanval op de status-quo die de naoorlogse wereld jarenlang had bepaald, het eind van bijna een kwarteeuw optimisme en vertrouwen. Er ontstond een langdurige recessie, de cijfers lieten een niet eerder vertoonde combinatie van stijgende werkloosheid en inflatie zien, de gemiddelde werkloosheid in de EEG steeg van 1,5 naar meer dan 10 procent. De Britse historicus Eric Hobsbawm betitelde de periode na de oliecrisis dan ook als 'De Aardbeving': 'De geschiedenis van de twintig jaar na 1973 is die van een wereld die van haar ankers lossloeg en weggleed in instabiliteit en crisis.'

En tegelijk bleef het rijke Europa immigranten aantrekken, uit de hele wereld, legaal en illegaal, als arbeiders en asielzoekers, als pioniers en nakomende gezinsleden, als nieuwe talenten en rozenverkopers, als rivalen en huwelijkspartners.

In 1968 hield de Britse ultra-conservatief Enoch Powell een vlam-mende, bijna klassieke toespraak tegen de immigratie. 'Degenen die de goden willen vernietigen, slaan ze eerst met waanzin,' riep hij tegen zijn verblufte gehoor in Birmingham. 'We moeten waan-zinnig zijn, letterlijk waanzinnig, om als natie toe te staan dat elk jaar zo'n vijftigduizend afhankelijke mensen binnenkomen die voor het grootste deel de basis zullen vormen voor de toekomstige groei van een bevolking van vreemde afkomst. Het is als een natie die druk bezig is om haar eigen brandstapel op te bouwen.' Powell werd als een zonderling beschouwd. Dertig jaar later was zijn ge-dachtegang onder grote groepen Europeanen gemeengoed.

In Duitsland werd in 1964 de miljoenste 'gastarbeider' met ge-juich binnengehaald. Van de gezamenlijke werkgevers kreeg de gelukkige, een Portugese immigrant, een Zündapp-bromfiets. Zo'n 7 procent van de beroepsbevolking bestond op dat moment uit buitenlandse arbeiders, een soortgelijk percentage als in Frankrijk en Engeland. Nederland was nog druk aan het wer-ven: het tekende wervingscontracten met Italië (1960), Spanje (1961), Portugal (1963), Turkije (1964), Griekenland (1966), Marokko (1969) en Joegoslavië en Tunesië (1970). Bovendien waren na de Algerijnse onafhankelijkheid zo'n vier miljoen Algerijnen naar Frankrijk geëmigreerd, en ook Groot-Brittannië, België en Nederland hadden te maken met grote aantallen immigranten uit de voormalige koloniën. Overal in Europa nam het percentage buitenlanders toe: van 3,7 miljoen (1,3 procent van de totale Europese bevolking) in 1950, via 10,7 miljoen (8,8 procent) in 1970 tot 16 miljoen (4,5 procent) in 1990.

Vanaf het midden van de jaren zeventig veranderde de tijdelijke aanwezigheid van de meeste gastarbeiders bovendien in een permanent verblijf, waarbij ze hun gezinnen ook lieten overkomen. In de jaren tachtig kwamen daar nog eens de politieke en economische vluchtelingen bij. Tussen 1990 en 2000 zochten zo'n 4,4 miljoen mensen asiel binnen de EU, waarvan ongeveer een derde uit het voormalige Joegoslavië kwam. Rond de eeuwwisseling vormden de Marokkanen en de Turken, met respectievelijk twee en drie miljoen personen, de grootste buitenlandse bevolkingsgroepen in de EU. In Groot-Brittannië leefden, volgens de volkstelling van 1991, 3 miljoen mensen uit etnische minderheden: 5,5 procent van de bevolking. In Duitsland woonden in 1995 7,7 miljoen buitenlanders (9,6 procent). In België 190 000 (8,8 procent). In Frankrijk leefden, volgens de volkstelling van 1990, bijna 5 miljoen mensen die in het buitenland waren geboren (8,7 procent). Dezelfde groep in Nederland telde in 1995 in totaal 2,1 miljoen personen (13,2 procent).[5]

Daarbij kwamen nog eens vele honderdduizenden immigranten die leefden en werkten in de schemering van de illegaliteit: in restaurants en in de schoonmaaksector, in de verpleging en de zorg, bij de boeren en in de bouw. Hun bijdrage aan de Europese economie moet niet worden onderschat: in Italië taxeert men hun aandeel in het bruto nationaal product op zeker 20 procent, in Frankrijk vermoedt men dat de autosnelwegen voor een derde door illegalen zijn aangelegd, in Duitsland is het een publiek geheim dat het werk op 'Europa's grootste bouwterrein', Berlijn, alleen dankzij de inzet van duizenden illegalen op tijd gereed is. In Groot-Brittannië schreef The Financial Times in 1990 dat de arbeid van illegale immigranten voor een belangrijk deel 'de wielen doet draaien'. 'De bouwsector drijft erop, inclusief de bouw van de Kanaaltunnel, de confectie-industrie zou zonder illegalen ineenstorten, alle hulp in de huishouding zou vervliegen.'

Europa, dat tot het begin van de jaren vijftig voornamelijk te maken had gehad met het verschijnsel emigratie – met name Ieren, Portugezen, Spanjaarden en Zuid-Italianen vertrokken jaarlijks bij honderdduizenden naar de Verenigde Staten en Zuid-Amerika – was opeens het reisdoel van miljoenen immigranten geworden. Het aantal moslims steeg in Frankrijk tot ruim 7 procent van de bevolking, in Nederland tot meer dan 4 procent, in Engeland en Duitsland tot ruim 3 procent. Problemen ontstonden vooral in de buurten waar de nieuwkomers samenklitten – er vormden zich hier en daar immigrantenconcentraties van 70 procent – en waar een concurrentiestrijd ontstond om schaarse zaken als werk, huisvesting en onderwijsfaciliteiten.

In 1981 braken in de volkswijken van Londen, Liverpool en Manchester hevige rellen uit. Ze hadden alles te maken met de totale perspectiefloosheid van het Thatchertijdperk, maar ook raciale tegenstellingen speelden een rol. Vanaf het begin van de jaren negentig uitte die onvrede zich ook in de Europese politiek: in Frankrijk trok de felle nationalist Jean-Marie Le Pen zo'n 15 procent van de stemmen, in Duitsland wisten de Republikaner van de voormalige SS'er Franz Schönhuber – van zijn herinneringen aan de Leibstandarte Adolf Hitler werden honderdtachtigduizend exemplaren verkocht – tussen de 5 en 10 procent te halen, in Oostenrijk werd de FPÖ van de jonge rechts-radicaal Jörg Haider in oktober 1999 de tweede partij met meer dan een kwart van de kiezers, in Nederland betraden de Centrumdemocraten – plus een reeks afsplitsingen – het toneel, in België maakte Filip Dewinter van het Vlaams Blok furore onder leuzen als: 'Een Vlaams Vlaanderen in een blank Europa.'

Opinieonderzoeken vertoonden zonder uitzondering eenzelfde patroon: de meerderheid van de Europeanen bleef redelijk tolerant, maar de groep die zich verzette tegen een multicultureel Europa nam sinds de jaren tachtig voortdurend in omvang toe. Bij een enquête onder duizend inwoners van elk van de EU-staten in 1997 verklaarde 41 procent dat er te veel vreemdelingen in hun land woonden. Eén op de tien had sympathie voor racistische en ultrarechtse organisaties. In 2000 meende meer dan de helft van de ondervraagde West-Europeanen dat door de immigranten hun bestaan slechter was geworden en hun stelsel van sociale voorzieningen was ondermijnd.

Halverwege de jaren negentig proefde de Britse journalist Will

Hutton in zijn land een duidelijke mentaliteitsverschuiving, een afnemende neiging om nog collectieve verantwoordelijkheden op zich te nemen, een 'verdamping' van waarden als 'een eerlijke werkdag voor een eerlijk loon' en 'het idee dat bij succes hard werken hoort'. 'Zakenlieden zijn gefixeerd op hun persoonlijke beloning. Politici zijn niet meer in staat om buiten hun stamverbanden te treden. Banen worden gemakkelijk verloren en nooit meer teruggevonden. Levenslang opgebouwd spaargeld kan gestolen worden. [...] Er hangt een algemeen gevoel van angst en beklemming.'

Tien jaar lang had Thatcher de gelijkheid vervloekt en de ongelijkheid bejubeld. Ongelijkheid was de sleutel van haar ideologie, de motor van haar succes. Daarmee had ze, als vervolg op de naoorlogse consensusgedachte, een nieuwe toon gezet. En ondanks Thatchers twijfelachtige resultaten werd dat geluid in de jaren negentig door steeds meer Europese landen opgepikt. Het gevoel van gezamenlijkheid, de solidariteit na alle gemeenschappelijke oorlogservaringen, was na vier decennia uitgewerkt.

De volgende ochtend in Llangynog. De kale pub ruikt nog naar bier en zweet. Op de autoradio een kerkdienst in het Welsh, onverstaanbaar en tegelijk overbekend. De bomen zijn al bijna kaal, het landschap is groenbruin, de lucht strak grijs, het licht waterig. Dan is er de kleine, stille haven van Fishguard en het wachten op de ferry. Een paar dozijn houten schepen ligt scheef op de moddervlakte, bij de Koningin Beatrix, even verderop, wordt een noodreparatie uitgevoerd, drie steltlopers proberen een worm te pikken, een klein meisje rent rondjes op de pier, een tanige familie zit in de wind te picknicken, het hele tafereel wordt omspoeld door geluiden van golven, meeuwen, metaal.

Na de overtocht, in de late middag, gaat de weg door kleine Ierse dorpen, langs lage woninkjes, een fabriek met tralies in het midden en overal gokhuizen, de bankfilialen van de armen. Op de weg staat een kromme boer met een rode vlag: zijn vrouw drijft een kudde koeien voorbij. Het land is vol kraaien. Tegen de avond arriveer ik bij een paar Ierse kennissen, Daclan en Jackie Mortimer. Daclan is net op jacht geweest, in de schuur hangt een grote ree te versterven naast de maaimachine en de compressor, een teil vol bloed eronder. Daclan werkt in de bouw. 'Alles is duur, en een mens verdient hier niet veel,' zegt hij. 'Maar jagen kun je altijd, en de rivier zit vol forel. Nu is het weer tijd om turf te steken en binnen te halen, we hebben allemaal ons eigen stukje veen, dat zit al eeuwen in de familie.' Daclan heeft een oom die ergens in de heuvels woont, helemaal zoals vroeger. Hij haalt het water uit de beek, zomer en winter houdt hij onder zijn deur een brede kier voor de katten, 's winters leeft hij bij een groot turfvuur en daarop borrelen ketels en stoofpotten in alle soorten. 'Dat slag mensen bestaat hier nog, maar het sterft wel uit.'

Ze nemen me mee naar de pub. In een bijzaaltje krijgt Jackie haar wekelijkse volksdansles – vooruit, achteruit, draaien, draaien – en bij het vuur hoor ik ondertussen alle roddels: over malle Mary die lootjes verkoopt en haar familie altijd in de prijzen laat vallen; over de plaatselijke rechter die de vrijgezelle vrouwen gek maakt; over de altijd timmerende Hollandse Willem wiens hele hoofd, als je het zou opensnijden, één grote Gamma-catalogus is, met alle Nederlandse en Ierse prijzen tot achter de komma. Er wordt een liedje gezongen, en nog een, buiten klettert de regen, de rechter gooit nog een turf op het vuur.

Dublin is de hoofdstad van al deze natte heidevelden. Het is een lelijke stad vol uitgesproken lelijke mensen, maar het is er heerlijk toeven. Dat is het veelbeschreven wonder van Dublin. Het 'fare la bella figura', het leven overeind houden met uiterlijk vertoon, zoiets kennen de Dubliners niet. Ze hebben het allang opgegeven, iedereen sjokt even flodderig over straat. Volgens de Brusselse cijfers is Ierland een van de meest voorspoedige groeiers van de Europese Unie, maar daarvan merk ik helemaal niets. Bodywarmers van het type Zeeman bepalen hier de mode, de vrouwen lopen achter roestige kinderwagens, zelfs in Tsjechië zien de wegen en de huizen er stukken beter uit dan hier.

Zeker, er zijn concentraties van rijkdom, en ongetwijfeld nemen die toe. De opeenvolgende Ierse regeringen hebben enorm geïnvesteerd in onderwijs en opleidingen, een derde van alle Europese computers wordt in Ierland gemaakt en voor het eerst sinds mensenheugenis keren Ierse emigranten in groten getale terug. Over de rommelige binnenstad van Dublin verschijnt een glanslaag van luxe, er duiken zogenaamd simpele restaurants op met onbetaalbare prijzen en zo ontstaat langzamerhand een nieuw product, een nostalgisch, vuil, dronken en poëtisch Dublin voor de nieuwe rijke en de weekendtoerist. Maar is dat Dublin? De hoteltelevisie bericht over een brand in een arbeiderswijk buiten het centrum, totale droefheid, twee kinderen dood. De beelden tonen een verbrand dak, wat goedkope meubels en gordijnen, speelgoed, een natte straat, magere buurvrouwen. Wat de cijfers en de folders ook roepen, mijn ogen zien een boerenland waarop de armoede van generaties nog altijd een zwaar stempel drukt.

Het bestaan had hier altijd brillen nodig, dichterlijke, dromerige, romantische en nostalgische brillen, om dit leven te aanvaarden en zin te geven. Zonder deze brillen is Dublin weinig anders dan één grote negentiende-eeuwse arbeiderswijk, een zee van lage, vierkante, bakstenen huizenblokken met hier en daar de grijze zuilen van een groot historisch gebouw. Bijna altijd is bij zo'n gebouw wel een held gestorven.

In O'Connell Street, de centrale winkelstraat, staan overal stenen mannen op sokkels te oreren en gedichten voor te dragen. Zo ging het ook met de Ierse Onafhankelijkheidsverklaring, voorgelezen door de dichter Patrick Pearse vanaf het hoofdpostkantoor, op paasmaandag 1916: 'Ierse mannen en vrouwen, in de naam van God en de dode generaties...' De engelenvleugels van de beeldenpartij voor aan de straat zitten nog vol kogelgaten, maar de revolutie mislukte. Pearse en vijftien anderen werden door de Engelsen gefusilleerd. Uit de volkswoede die toen losbarstte kwam, uiteindelijk, het huidige Ierland voort.

'The Troubles', zoals de Britten alle Ierse kwesties steevast noemen, vormen de nasleep van een eeuwenoud koloniaal conflict dat nog steeds niet is beëindigd. Vanaf de zestiende eeuw was het protestantse Engeland heer en meester over het arme katholieke Ierland en in 1800, na het aanvaarden van de Act of Union, werd het land zelfs formeel ingelijfd bij het Verenigd Koninkrijk. Ierland werd daarbij sterk achtergesteld. Bijna alle bestuurlijke en commerciële activiteiten werden verplaatst naar Londen, iedere handel met de koloniën werd verboden, het economische en culturele leven doofde, de Engelse landeigenaren buitten de arme boeren uit en na 1840 werd het land geteisterd door de ene hongersnood na de andere. Alleen het noorden ging mee met de tijd. Protestantse kolonisten uit Schotland bouwden landgoederen – de autochtone Ieren werkten als halve horigen – er kwam steeds meer zware industrie. Rond 1900 zag Belfast eruit als een tweede Manchester.

In de loop van diezelfde negentiende eeuw ontstond een sterke Ierse onafhankelijkheidsbeweging. Veel leidende Britse politici hadden de neiging om daaraan toe te geven: Ierland gaf toch alleen maar ellende en problemen. Alleen de protestantse unionisten verzetten zich hevig: ze waren bang dat ze, als minderheid, hun voorrechten snel kwijt zouden raken. Na de Paasopstand van 1916 volgde een bloedige oorlog tussen de Irish Republican Army (IRA) en het Britse leger, en uiteindelijk kwam er in 1921 een compromis: het grotendeels katholieke Zuid-Ierland zou zelfstandig worden, het kleine Noord-Ierland bleef een deel van Groot-Brittannië. De protestanten behielden daar alle machtsposities.

'De dode generaties...' Ik laat me rondleiden door de Kilmainham-gevangenis, twee eeuwen oud, de Bastille van Ierland, sinds enige tijd een gewild decor voor treurige kostuumfilms. De binnenplaatsen hebben hoge grijze muren, daartussen exerceerden in de negentiende eeuw honderden kleine kinderen, brooddiefjes vaak, onder de keien liggen nog altijd hun vergeten lichamen begraven. Even verderop is de binnenplaats waar onder anderen James Connolly zijn einde vond. De rondborstige vakbondsman was bij de Paasopstand zwaargewond geraakt, werd met een ambulance uit het ziekenhuis gehaald, op een stoel gebonden, en zo door de Engelsen doodgeschoten. Een paar deuren verder ligt de gevangeniskapel waar de dichter Joseph Plunkett op 4 mei 1916 om halftwee 's nachts trouwde met zijn geliefde Grace Gifford. Ze kregen precies tien minuten. Om halfvier werd hij gefusilleerd.

En dan: dezelfde grijze muren waartegen de Ieren later elkaar executeerden, in de korte Burgeroorlog tussen de IRA en de Free State Army, totdat de IRA in 1923 alle wapens letterlijk begroef. En waar ging die felle broederstrijd om? Formeel om de kwestie of de vrede met Engeland geaccepteerd moest worden, inclusief een gedeeld Ierland. Maar bovenal draaide het om de eeuwige twee vragen die alle doden van alle oorlogen telkens weer stellen: is het niet genoeg, vielen al niet te veel van ons? Of: was dit nu alles, stierven we hiervoor, waarom zetten jullie niet door?

Zo heersten de dode generaties altijd over dit land.

SCHRIJVEN OP WATER

Het portret van Eamon de Valera, de Ierse vader des vaderlands, siert overal postzegels en bankbiljetten. Hij was een van de briljantste politici van de twintigste eeuw, maakte Ierland los van Groot-Brittannië, hield het land buiten de Tweede Wereldoorlog, en trad uiteindelijk pas in 1973, op zijn eenennegentigste, af als president. De felle Michael Collins vertegenwoordigde het hart van het land; hij was tijdens de opstand niet alleen de leider van de belangrijkste vrijheidsbeweging, de geheime Irish Republican Brotherhood (IRB), maar in feite de president van de Ierse Republiek.

De breuk tussen beide figuren was een van de belangrijkste oorzaken van de korte Ierse burgeroorlog van 1922 tussen de pro- en anti-Treaty legers. Ook de scheidslijn tussen de twee grootste Ierse partijen dateert uit die tijd: Fianna Fáil koos de kant van medeoprichter De Valera, Fine Gael die van Collins.

De Valera was voor 1916 al een belangrijk revolutionair, en na de Paasopstand was hij bijna door de Engelsen geëxecuteerd. Daarna week hij uit naar Amerika. Toen hij in 1920 terugkwam, was Michael Collins, de bevlogen militaire leider, de meest gevierde man geworden. Vanaf dat moment deed De Valera alles om van zijn rivaal af te komen.

Eerst eiste hij dat Collins op zijn beurt naar de VS zou gaan om zijn werk als propagandist voort te zetten. Toen hij president werd van de voorlopige Ierse regering stuurde hij Collins naar Londen als leider van de onderhandelingsdelegatie met de Britten; hij koos met zorg een paar notoire ruziemakers als Collins' metgezellen. 'We moeten nu eenmaal zondebokken hebben.' Toen er uiteindelijk in december 1921 toch een akkoord kwam, distantieerde De Valera zich onmiddellijk van de onderhandelaars. Een verdeeld Ierland zou hij nooit accepteren, riep hij tegen zijn aanhang. In zijn memoires beweert hij dat hij het nieuws van het verdrag in de avondbladen had moeten lezen. Dat was zeer onwaarschijnlijk: hij werd uitstekend op de hoogte gehouden van het verloop van de onderhandelingen, hij had bewust geweigerd om persoonlijk naar Londen te komen, maar wel had hij in september 1921 in een Londens hotel een urenlang tête-à-tête met de Britse premier Lloyd George. Het is vrijwel onmogelijk dat deze geslepen politicus niet wist wat de condities waren en hoe de verhoudingen lagen. Toen De Valera de stemming in het parlement verloor – er was een meerderheid van 64 tegen 57 voor het akkoord – verliet hij met zijn volgelingen de zaal en zette de jonge, felle IRA-militanten aan tot verdere strijd.

Michael Collins maakte in die maanden een tegenovergestelde gang. Hij was een onstuimig man en moeilijk tot concessies te brengen; onderhandelen met Collins was, schreef een Britse vertegenwoordiger, 'als schrijven op water'. Een akkoord met de Britten zou immers het einde van zijn ıʀᴀ en ıʀʙ betekenen. Hun grootste wapen was geheimzinnigheid, maar na een bestand zouden de ıʀᴀ-leden, in Collins' eigen woorden, 'als konijnen uit hun holen moeten komen'. Tegelijk besefte hij dat het akkoord een unieke kans was die ditmaal niet verspeeld moest worden, en zo dachten zijn delegatieleden, meest veteranen uit de onafhankelijkheidsstrijd, er ook over.

De pijnlijke ommezwaai kostte Collins het leven. Op 22 augustus 1922, op het hoogtepunt van de burgeroorlog, werd hij door anti-Treaty-militanten, medestanders van De Valera, bij zijn geboorteplaats West-Cork doodgeschoten. De hinderlaag was tekenend voor het karakter van de broederstrijd: het moordcommando stond onder leiding van Tom Hales, een vroegere kameraad van Collins die tijdens de onafhankelijkheidsoorlog was vastgezet en, ondanks zware martelingen, nooit de naam en verblijfsplek van zijn leider had prijsgegeven.

's Ochtends vroeg ratelen overal lege biervaten door de smalle straten van Dublins centrum. In Henry Street wordt de kerstversiering al opgetakeld. In de St. Mary's Pro-Cathedral achter O'Connell Street komen, op deze doordeweekse dag, zeker honderd mensen naar de ochtendmis, kantoorvolk, huisvrouwen, opvallend veel jongeren. Het kerkgebouw is sober en vierkant, wit en grijs, geen beelden, geen goud. Er wordt intens om vrede gebeden, iedereen geeft elkaar de hand. Boven de koepel hoor je de meeuwen krijsen.

Later rij ik door de lieflijke heuvels van Armagh. De grens tussen de Republiek en Ulster passeer je ongemerkt, maar daarna zie je ze al snel verschijnen: dorpen omringd door Britse en Ulstervlaggen, wapperende protestantse eilanden. Tractoren rijden met bieten en mest, ik zie aanhangwagens vol zelfgestoken turf, langs de weg liggen dode vossen, dassen en wezels, je kunt elke avond hachee eten van de straat.

De Killing Fields heet het hier. Er zijn in deze welvarende heuvels meer slachtoffers gevallen dan in alle arme wijken van Belfast bij elkaar. Jarenlang heeft de ıʀᴀ geprobeerd de protestantse boeren weg te terroriseren om de grond weer in eigen handen te krijgen. Vooral boerenzoons waren het doelwit. Tussen de dorpen woedt al meer dan dertig jaar de laatste godsdienstoorlog van

West-Europa, maar met godsdienst heeft het weinig meer van doen. Die lijkt allang bevroren: sinds de zeventiende eeuw regent het hier onveranderd hemel en hel.

Het plaatsje Omagh ziet eruit als Beverwijk: een postkantoor, een Boots Pharmacy en een Shoppers Rest. Voor aan de winkelstraat is een Redevelopment Project gaande, links en rechts liggen bouwputten. Een van de huizen ernaast is zwart geblakerd. In een grasperk liggen drie bosjes bloemen, het papier van de bloemist er nog omheen.

De bom die hier op de drukke zaterdagmiddag 15 augustus 1998 afging was gemaakt van semtex, kunstmest en motorolie. Hij kostte de levens van Brenda Devine, twintig maanden, Oran Doherty, een jongetje van acht, Samantha McFarland en Lorraine Wilson, twee hartsvriendinnen van zeventien, en nog vierentwintig anderen. Het was een laatste poging van de Real IRA, een radicale afsplitsing, om het vredesproces tegen te houden. Het tegendeel was het resultaat: heel Ierland verenigde zich in afkeer.

Omagh was de zwaarste aanslag van de hele oorlog: twee huizenblokken werden opgeblazen. Het was ook een van de meest gemene: er was een bomwaarschuwing gegeven voor een andere plek, zodat veel mensen juist samendromden op de plaats waar de bom ontplofte. Overal waren die middag ouders met kinderen aan het winkelen omdat de hele schooljeugd, aan het begin van het seizoen, nieuwe uniformen moest hebben. 'Ik zag mensen met uitpuilende buikwonden,' vertelde een politieman. 'We gebruikten Pampers van de Boots Pharmacy om de boel te stelpen.' Anderen vertelden over het water dat rondspoot omdat overal de leidingen waren geknapt. 'Er lagen doden, en het water golfde over hen heen. Er was letterlijk overal bloed, een enorme hoeveelheid bloed, op het voetpad en op de weg. Een boel politiemensen zaten van top tot teen onder de bloedspetters. Ik overdrijf niet.'

Het plaatselijke ziekenhuis zag eruit als een fronthospitaal. Dertig kinderen verloren hun moeder. De peuter Brenda Devine werd in een wit kistje begraven, gedragen door haar vader. Haar moeder was voor twee derde verbrand en wist van niets. Brenda was gevraagd als bruidsmeisje en was met haar moeder naar de stad gegaan om voor de bruiloft schoentjes te kopen.

Belfast is de stad van hekwerken: prikkeldraadhekken om scholen en buurten, pantserhekken om politiebureaus, metershoge constructies rondom ieder verenigingsgebouw. Zelfs de stoplichten hebben schermpjes van ijzergaas. Aan Dublin Road is alle beschaving na dertig jaar strijd weggebrand, Crumlin Road bestaat voornamelijk uit uitgebrande winkels en protestantse vlaggen, hoe kleiner de erker, des te groter de vlag. Alleen Wilton Funeral Directors ligt er prima bij. Sinds april 1998 geldt het Goede-Vrijdagbestand, volgens alle betrokkenen een historisch akkoord. Voor het eerst zijn de unionisten van David Trimble bereid om de macht te delen met de Sinn Féin van Gerry Adams. Voor het eerst ook heeft de IRA verklaard dat wapengeweld geen rol meer mag spelen in deze nieuwe situatie, waarin 'Ierse republikeinen en unionisten als gelijken onze verschillende politieke doeleinden vreedzaam zullen nastreven'.

Op Shankill Road marcheren zo'n twintig heren met sjerp, kokarde en bolhoed door de stille zondagmiddag. Ze lopen achter een Britse en een Ierse vlag, voorop twee trommelaars en een accordeonist, erachter een honderdtal grijze en versleten mannen. In de wijde omgeving is geen jongere meer te bekennen.

Het avondnieuws van Ulster ITV op zaterdag 30 oktober 1999:
- Gerry Adams meent dat het vredesproces weer eens slecht verloopt;
- Gerard Moyna uit Belfast heeft zeven jaar gekregen omdat hij een semtexbom door de stad transporteerde, die per ongeluk afging;
- Victor Barker, de vader van een twaalfjarig jongetje dat omkwam bij de bomaanslag in Omagh, wil van de schadevergoedingscommissie al het betaalde schoolgeld terug, dertigduizend pond. 'Het heeft ons immers niets opgeleverd,' zegt Barker;
- in Londonderry beginnen de voorbereidingen voor Halloween, spoken kijken uit het raam, kinderen rennen gillend over de donkere straat;
- dominee Clifford Peebles is gearresteerd; hij gelooft dat de Noord-Ierse protestanten de laatste, verdwenen stam van Israël zijn, hij was in het bezit van een zelfgemaakte pijpbom.

Het allereerste slachtoffer van de nieuwe Ierse burgeroorlog was John Patrick Scullion, achtentwintig jaar, magazijnbediende. Op de avond van 27 mei 1966 wankelde hij dronken langs Falls Road in Belfast, riep naar een passerende auto: 'Up the Republic, up the rebels', en werd even later voor zijn huisdeur neergeschoten. Zijn protestantse moordenaars verklaarden achteraf: 'We hadden niets tegen hem. Het was omdat hij riep: "Up the rebels."'

SPIJT

John Patric Scullion, het eerste slachtoffer van de nieuwe burgeroorlog, werd vermoord door drie mannen. Hun leider Augustus 'Gusty' Spence zou uitgroeien tot een belangrijk voorman van de protestanten. Hij gold als de grondlegger van de loyalistische milities en na zijn arrestatie werd hij een centrale figuur voor protestantse gevangenen. In juli 1977 maakte hij echter een verbluffende ommezwaai. In een toespraak tot zijn medegevangenen riep hij op tot een algemeen staakt-het-vuren en oprechte vredesonderhandelingen. Hij begon de Ierse geschiedenis te bestuderen, correspondeerde met prominente katholieken, en na zijn vrijlating in 1984 ontpopte hij zich als een onvermoeibare vredesactivist. Hij zocht contact met, onder anderen, de moeder van een van zijn slachtoffers, een jongen van achttien. Ze zei later: 'Hij belde. Hij zei dat het hem speet wat er was gebeurd. Ik zei: "Ik vergeef je, op één voorwaarde: dat je alles doet wat in je macht ligt voor de vrede in dit land."' Ondanks zijn vele interventies bleef hij ook in protestantse kringen een gerespecteerd man.

In november 1996 woonde Gusty Spence de begrafenis bij van de voormalige IRA-commandant Jim Lynch. Hij zei: 'Jim was net als ik, hij is ook door de molen gegaan. Hij wist dat geweld niet de manier is om vooruit te komen. We deelden dezelfde arbeidersafkomst, dezelfde politieke opvattingen, en op onze eigen kleine manier probeerden we de dingen verder te brengen. De maatschappij moet grootmoedig zijn en inzien dat een individu kan veranderen, anders zal er nooit iets nieuws gebeuren.'

De keuze van Scullion als slachtoffer was tekenend voor deze burgeroorlog: hij was geen militant, geen IRA-lid, hij was enkel een gewone burger die toevallig op de foute plek een fout gebaar maakte. Vaak is deze oorlog beschreven als een explosie van 'sektarisch geweld', een zeventiende-eeuwse godsdienststrijd in een modern jasje waaraan veel Noord-Ieren zich vol hartstocht overgaven. Het tegendeel was het geval. In 1968, op het moment dat de nieuwe burgeroorlog losbarstte, werden de traditioneel katholieke en protestantse wijken in Belfast steeds meer gemengd bewoond, katholiek-protestantse huwelijken begonnen een normale zaak te worden, godsdienstfanaten en sektariërs werden beschouwd als halve garen. Sociologisch onderzoek tussen 1989 en 1995 bracht bij de oudere generaties weinig vooroordelen naar voren, in tegenstelling tot degenen die na 1968 zouden opgroeien. Maar liefst 40 procent van de ondervraagde Noord-Ieren verklaarde noch bij de protestanten, noch bij de katholieken te willen horen. Wat Noord-Ierland opeens in een oorlogszone deed veranderen, was dan ook niet een latente, algemeen verbreide religieuze spanning, maar een rampzalige geweldsspiraal waarin de IRA, de protestantse unionisten, de politiemacht van Ulster en de Britse troepen gezamenlijk verzeild raakten.

De opstand begon in de jaren zestig als een gematigde reactie op de protestantse intimidatie en discriminatie. In 1967 richtte een aantal katholieken, onder invloed van de studentenprotesten elders in Europa, de Northern Ireland Civil Rights Association (NICRA) op. In navolging van de Amerikaanse burgerrechtenactivisten streden ze aanvankelijk met vreedzame middelen: demonstraties, manifestaties, sit-ins. Voor de machthebbers in Ulster ging dit al veel te ver. Op 5 oktober 1968 werd een NICRA-mars in Londonderry door de politie in elkaar geslagen, de demonstranten vochten terug met stenen en molotovcocktails, de maniakale papenhater dominee Ian R.K. Paisley stookte het vuur verder op, zijn Ulster Protestant Volunteers begonnen de katholieke buurten te terroriseren en de IRA kwam weer tot leven.

Oppervlakkig gezien leek de Noord-Ierse kwestie op die van de Basken. Beide bewegingen streden voor eigen rechten. Maar waar het bij de Basken gaat om het behoud van een verdwijnend volk, ging het bij de Noord-Ierse katholieken om een opkomende meerderheid die niet als zodanig werd erkend. Ze kregen meer kinderen dan de protestanten, ze waren demografisch aan de winnende hand, maar hun achterstelling bleef. Tekenend voor die verandering waren de routes van de traditionele Oranjemarsen. Tot ver in de twintigste eeuw marcheerden de protestanten door puur protestantse wijken. Langzamerhand werden diezelfde wijken voor een groot deel door katholieken bewoond, maar de routes waren nog altijd dezelfde als dertig jaar eerder. Wijziging van de rituele paden zou immers een erkenning betekenen van het feit dat deze wijken niet meer protestants waren.

De katholieken, daarentegen, beschouwden de marsen steeds meer als een jaarlijkse provocatie, het ultieme symbool van discriminatie en vernedering. In de zomer van 1969 kwam het tot een uitbarsting: de protestantse optochten werden in de katholieke wijken bekogeld met stenen en flessen. De buurtrellen groeiden uit tot kleine volksopstanden, Britse troepen werden te hulp geroepen en binnen enkele maanden escaleerde het geweld tot een burgeroorlog die meer dan drie decennia zou voortduren.

De eerste doden waren aanvankelijk vooral katholieken: de gepensioneerde boer Francis McCloskey, die op 4 juli 1969 per ongeluk in een rel belandde – zijn schedel werd door de politie kapotgeslagen; de aannemer Samuel Devenney, vader van negen kinderen, die een dag later op een soortgelijke manier om het leven kwam; de busconducteur Samuel McLarnon die in zijn huiskamer werd geraakt door een politiekogel.

Herbert Roy, de eerste dode aan protestantse zijde, werd op 14 augustus 1969 neergeschoten bij een gevecht met de katholieken; de schooljongen Gerald McAuley, vijftien, lid van de IRA-jeugdorganisatie, werd een dag later tijdens een straatgevecht in Falls Road van dichtbij door een royalist geraakt.

De hele zomer van 1969 was vol bloed en geweld, de aanzet van honderden vuurgevechten, bomaanslagen, vetes en wraaknemingen. In de daaropvolgende jaren werden talloze IRA-verdachten voor onbepaalde tijd zonder vorm van proces vastgezet, martelpraktijken waren, net als tijdens de onafhankelijkheidsoorlog, schering en inslag. Op 6 februari 1971 werd de eerste Britse soldaat, Robert Curtis, door een IRA-sluipschutter doodgeschoten. Dat jaar zouden nog drieënveertig Britten sneuvelen. Op 30 januari 1972 – Bloody Sunday – schoten Britse troepen een halfuur lang op een vreedzame demonstratie in Londonderry. Uit later onderzoek bleek dat deze schietpartij vooraf was gepland, vermoedelijk was het een welbewuste intimidatiepoging van de Britse legerleiding. Dertien ongewapende katholieke burgers werden gedood.

De Britse regering besloot om het gezag over Noord-Ierland aan zich te trekken. Even hoopten de katholieken dat de Britten hen zouden verlossen van de pesterijen van de protestantse milities, maar al snel verslechterde de situatie opnieuw: in 1972 vielen 467 doden bij bomaanslagen en schietincidenten, in 1973 250, in 1974

216, in 1975 247 en in 1976 297. Belfast werd een oorlogszone, buurten werden afgezet met prikkeldraad, wachtposten en pantserwagens. De opeenvolgende Britse regeringen waren niet in staat tot enige bemiddeling. Labourleider Harold Wilson en zijn opvolger James Callaghan lieten tijdens hun regering (1974-1979) de zaken tomeloos uit de hand lopen. Margareth Thatcher schreef in haar memoires dat haar 'eigen instincten diep unionistisch waren'. Haar opvolger, John Major, was door zijn krappe meerderheid volstrekt afhankelijk van de unionistische parlementsleden. In 1984 was meer dan een derde van de katholieke mannen in Ulster werkloos. Het jaarlijkse dodencijfer schommelde jarenlang rond de tachtig. Pas na de komst van Tony Blairs Labourregering in mei 1997 kwam er ruimte voor een doorbraak.

In vergelijking met veel andere twintigste-eeuwse conflicten was de Noord-Ierse burgeroorlog een relatief beperkt en geïsoleerd probleem. Het drama wordt pas duidelijk als je ziet hoe klein Ulster is, niet veel groter dan Friesland. Er vielen in totaal meer dan vijfendertighonderd doden en zeker dertigduizend gewonden. Rond 1995 was één op de twintig Noord-Ieren slachtoffer geweest van een aanslag of een schietpartij, één op de vijf had een bomexplosie meegemaakt, eenzelfde aantal kende in zijn naaste omgeving een dode of zwaargewonde.

De korte en lange levens van de – tot nu toe – 3637 slachtoffers zijn opgetekend in *Lost Lives*, een encyclopedie van verloren levens, met alle omstandigheden die leidden tot hun dood: strijdlust, kameraadschap, loyaliteit, wraak, naastenliefde, toeval. Heel vaak toeval. Het boek was net verschenen toen ik in Ulster rondreisde, en iedereen had het erover. Het telde 1630 pagina's, het resultaat van acht jaar research van een kleine groep onafhankelijke journalisten. Het effect was verpletterend.

Neem Verloren Leven nummer 7, het eerste vermoorde kind, Patrick Rooney, negen jaar, schooljongen, op 14 augustus 1969 in zijn bedje door politiekogels geraakt. Zijn moeder zou later nog een hele reeks vrienden en verwanten verliezen; door dit boek worden opeens ook deze verbanden duidelijk. De ketens van wraakoefeningen, over en weer: in januari 1976 werden drie protestanten in een bar door IRA-aanhangers vermoord, als represaille werden zes katholieke mannen in een huiskamer doodgeschoten tijden een 'post-New-Year sing-song' rond de piano, als wraak hierop mitrailleerde de IRA weer een busje met tien protestantse arbeiders bij Kingmills, negentien verloren levens binnen één week. De gruwelijke details: ledematen die over het dak vliegen, onthoofde mensen. De wapens: honkbalknuppels, slagersmessen, pistolen, brandbommen, kunstmestbommen, machinegeweren, semtexbommen. De nachtwaker Thomas Madden, gemarteld door de unionisten, schreeuwend: 'Dood me, maak me dood!' De heldendoden: de vrouw die bij een IRA-aanval voor haar man, een soldaat, gaat staan. De doden door verdriet: Anne Maguire, van wie in 1976 drie kinderen omkwamen en die zich vier jaar later de polsen doorsneed, ze leefde alleen nog maar met haar dode baby's. Diegenen die alleen maar op het verkeerde moment op de verkeerde plaats waren: de oude vrouw die in een pub een benzinebom over zich heen kreeg. De brute vergissingen: de IRA-schutter die een deur binnenstormt, de huisvader doodschiet en dan roept: 'Verdomme, ik ben verkeerd!'

De IRA en de andere republikeinse groepen maakten de meeste slachtoffers: 2139 doden. De protestantse unionisten waren verantwoordelijk voor 1050 slachtoffers. Het Britse leger en de politie voor 367 doden. Veruit de meeste slachtoffers waren, zoals gezegd, geen militanten. Steeds meer geweld diende vooral om het interne gezag te handhaven. De tabellen in Lost Lives spreken voor zich: 115 IRA-leden werden gedood door de politie en het Britse leger, 149 IRA-leden werden omgebracht door de IRA zelf, 138 katholieke burgers kwamen om door acties van het Britse leger, 198 door acties van de IRA.

Tekenend is het verhaal van Jean McConville uit West-Belfast, een jonge weduwe met tien kinderen, oorspronkelijk protestant maar getrouwd met een katholieke aannemer. Ze woonden in een protestantse wijk, maar na 1968 werden ze daar zo gepest dat ze waren verhuisd naar een katholieke buurt. Begin 1972 stierf haar man aan kanker. Tijdens een straatgevecht ondersteunde ze een jonge Britse soldaat die zwaargewond voor haar deur was neergevallen. Voor de IRA was dit gebaar van compassie voldoende om haar op de zwarte lijst te zetten. Op 6 december 1972 werd ze ontvoerd en enkele uren geslagen, ze ontsnapte, maar de volgende avond, terwijl ze in bad lag, drongen vier jonge vrouwen het huis binnen en sleepten haar het huis uit. De oudste dochter – vijftien jaar – was patat aan het halen, de kleinsten klampten zich vast aan hun moeder en smeekten de vrouwen om haar los te laten, de grotere kinderen waren hysterisch van angst.

Ze zagen Jean nooit meer terug. De kinderen hielden de ontvoering wekenlang stil en probeerden op eigen kracht te overleven. Uiteindelijk trokken hulpinstanties het gezin uiteen. Voor de kinderen begon een jarenlange zwerftocht van weeshuis naar weeshuis.

Verloren levens. Vlak voor Belfast, tegen de helling van de snelweg, is een wildernis van lang gras, verzakte stenen, oud roest en grijze Keltische kruisen: de Milltown begraafplaats. Links liggen de republikeinen, eindelijk met volle naam en rang, als op een echte oorlogsbegraafplaats. 'Cap. Jos Fitzsimmons, killed in action, 28-5-1972, IRA.' 'Officer Danny Loughran, People Liberation Army, murdered 5th april 1975 by NLF. Joseph and Pete McGough, "One day I will walk with you..."'

De unionist Michael Stone verstoorde hier op 16 maart 1988 een IRA-begrafenis met schoten en handgranaten: drie doden, zestig gewonden. Hij had zijn granaten te vlug gegooid. 'Als ze in de lucht waren ontploft had hij veel meer republikeinen gedood,' klaagden zijn geestverwanten later. Stone is nog steeds hun held.

Verloren levens. 'We hebben goede hoop,' zegt Teresa Pickering. 'Maar er is geen familie in Noord-Ierland die niet is beschadigd.' Teresa is moeder van drie kinderen, een van de talloze vrouwen die haar familie door deze oorlog moest slepen. 'Hele groepen jongens waren almaar op de vlucht, ook mijn eigen broer van zeventien. Voortdurend waren er onderduikers, politie-invallen, brandstichtingen.' Ze vertelt hoe op een nacht opeens drie Britse militairen binnen stonden en haar uit bed sleurden. 'Ik kotste van angst.' Ze moest twee banen nemen omdat de mannen geen geld meer binnenbrachten. Haar zuster kwam met haar baby in een kruisvuur terecht, haar broer werd tot levenslang veroordeeld. Ze trouwde, haar man werd geïnterneerd, een leven van aanhoudingen, huiszoekingen en zorg voor de gevangenen. 'Het rare was: tegelijk leefden we gewoon door, zo normaal mogelijk, zoals iedereen deed. Dat was puur overlevingsinstinct.'

We waren aan elkaar voorgesteld door een wederzijdse kennis, ze zit wat onzeker in de hotellobby, het kost haar nog altijd moeite om alles te vertellen. Haar eerste echtgenoot werd als volgt gemarteld: Britse militairen zetten hem geblinddoekt in een helikopter, vlogen met hem rond en gooiden hem vervolgens naar buiten, twee meter boven de grond. Grapje. Het leidde tot een veroordeling van Groot-Brittannië door het Europees Hof voor de Rechten van de Mens. Teresa zelf werd een week vastgehouden, zonder daglicht, verhoren op de vreemdste tijden, zonder enige aanklacht. 'Ik was iedere oriëntatie kwijt toen ik eruit kwam.' Dat was nog maar twee jaar geleden.

In 1976 ontstond onder de vrouwen van Belfast een spontane vredesbeweging en de twee initiatiefneemsters, Betty Williams en Maired Corrigan, kregen zelfs de Nobelprijs. 'Ik kende beide vrouwen goed. Ik vond hun idee enorm sympathiek, maar al die mooie samenkomsten werkten natuurlijk niet. Het ging immers niet om een conflict tussen katholieken en protestanten persoonlijk, het probleem lag niet tussen de gewone mensen onderling. Het ging om een Noord-Ierse overheid die ons als uitschot beschouwde, alleen omdat we katholiek waren.' De vredesbeweging van de vrouwen liep, volgens haar, daarop ook vast.

Nu is werkelijk de dooi begonnen. De politiebureaus zijn nog altijd forten van elektronica maar de pantserwagens zijn van de straat, en de IRA-mannen komen langzaam te voorschijn uit de gevangenissen en de illegaliteit. Teresa kent er nogal wat, ze zijn nu vijfendertig, veertig jaar oud. 'Sommigen waren altijd op de loop, hadden allerlei vriendinnen, huwelijken braken. De meesten hebben een belangrijk deel van hun leven in de gevangenis doorgebracht. Ze hadden al een achterstand toen de burgeroorlog begon, dat hebben ze nu helemaal. En bovendien hebben we nu een heel ander Noord-Ierland dan toen ze de gevangenis in gingen. Die hele generatie moet weer een weg vinden naar een normaal leven.'

Teresa is gescheiden, ze heeft een nieuwe man. 'Ik ben nog altijd bang als ik buitenkom. Maar ja, zoveel vrouwen hebben een leven geleid als het mijne.'

Verloren levens. Altijd bleven de kinderen van Jean McConville op zoek naar hun moeder. Dit voorjaar erkende de IRA eindelijk dat ze was vermoord. Afgelopen juni begon op het strand van Templetown een zoekactie naar haar resten. De kinderen McConville, allang volwassen, verzamelden zich in de duinen terwijl ze toekeken hoe politiemensen achter schermen van wapperend plastic een gigantisch L-vormig gat groeven en daarna de rest van het strand systematisch afwerkten. 'Het vinden van haar lichaam zou ons als familie weer bijeenbrengen,' zei Helen McConville, de oudste dochter. 'Dit maakt ons kapot.' *The Independent* schreef: 'Een van de dochters van Jean McConville liep over de parkeerplaats, de ogen op de grond gericht, de ogen vol slapeloosheid en zorg, een houding van pijn en wanhoop. Ze liep naar een auto waarin andere familieleden zaten. Ze staarden voor zich uit over de Ierse Zee, ze waren extra overstuur omdat er eerder een vals alarm was gegeven toen de zoekploegen toevallig op de botten van een hond waren gestuit. Het graven was voor die dag afgelopen en er was weinig reden om nog langer te blijven, maar de familie bleef zitten, ze hielden hun eindeloze wake vol om redenen, dieper dan iedere logica...'

De resten van Jean McConville werden uiteindelijk in de zomer van 2003 teruggevonden. Voor de IRA was haar dood een bedrijfsongeval: ze werd verhoord met een plastic zak over haar hoofd, daarin was ze gestikt.

XI

November

EUROPA 1980-1989

FINLAND

Helsinki

Leningrad

SOVJET-UNIE

Moskou

Warschau

Brest

OLEN

Kiev

dapest

E

ROEMENIË

Boekarest

VIË

ZWARTE ZEE

BULGARIJE

IË

GRIEKENLAND

TURKIJE

1

'Familie,' zeiden mijn Duitse vrienden, 'het waren bij ons altijd de familiebanden die de keuzes in het leven bepaalden.'

We zaten met z'n achten aan tafel, het was een toevallig gezelschap van generatiegenoten, en ik weet niet meer hoe we erop kwamen. 'Ik ben geboren en getogen in Wuppertal,' vertelde mijn overbuurvrouw. 'En waarom? Omdat mijn moeder, toen ze zwanger en wel uit haar Berlijnse huis was gebombardeerd, alleen nog maar kon bedenken dat ze daar ergens nog wat familie had. Zo werd ik een echte Wessi.'

'Met mijn moeder was het precies andersom,' zei haar buurvrouw uit de voormalige DDR. 'Die was ook zwanger, mijn vader zat in het leger en had familie in Rostock. Zo kwam ik daar terecht.'

Haar man: 'We hebben bijna allemaal zo'n geschiedenis.'

De vrouw naast me begint te vertellen over de bouw van de Berlijnse Muur. 'Ik zal het nooit vergeten, die 12de augustus van 1961. Ik was achttien. Ik had drie weken in het westen gelogeerd, bij een vriendin, ik was net weer thuis in Oost-Berlijn. Op die bewuste zaterdagnacht werd het plotseling onrustig in de stad, mensen werden tegengehouden, stadsbussen mochten niet verder rijden, de U-Bahn werd stilgelegd. Ik stond erbij toen in de Oranienburger Strasse rollen prikkeldraad werden uitgelegd en arbeiders heel snel een muurtje begonnen te metselen. Ondertussen speelden zich ongelooflijke taferelen af. Het is vaker beschreven, maar ik heb het met eigen ogen gezien: hoe twee vrienden aan de oostkant staan, ze nemen afscheid, eentje springt met een flinke aanloop over dat muurtje het westen in, de ander gaat een oostleven tegemoet, een Wessi en een Ossi, en het heeft waarschijnlijk jaren geduurd voordat ze elkaar weer zagen.'

Ze voelde zelf geen enkele neiging om over dat beginnende

muurtje heen te springen, ze wilde haar moeder niet in de steek laten. 'Iedereen in mijn omgeving had daar lang over nagedacht, de meesten hadden hun beslissing al genomen voordat de Muur werd opgetrokken. Mijn oudere broer had op zijn zeventiende voor het westen gekozen en hij vertrok zodra hij zijn eindexamen had gedaan. Mijn allerbeste vriendin is ook gegaan, opeens was ze weg, zonder iets te zeggen. Dat heb ik heel erg gevonden. Nu woont ze in Nancy, ze is met een Fransman getrouwd.' Zijzelf ontmoette een Pool en woont nu in Warschau.

Iedereen aan tafel begint nu door elkaar heen te praten. 'Zo was het inderdaad, die eerste tijd in het oosten: je wist niet beter of je moest een beslissing nemen voor het leven, voor altijd.' 'Er was bijna geen Duitse familie of er waren broers en zussen, opa's en oma's, neven en nichten aan de andere kant van de Muur.' 'Je mocht zelfs voor de begrafenis van je ouders niet meer de grens over.' 'Pas vanaf de jaren zeventig mochten Wessi's zo nu en dan weer bij ons in het oosten komen. Eindelijk zag je dan die broers, die ooms, die neven en nichten over wie zoveel gepraat en geschreven was.' 'En dan bleek dat je elkaar eigenlijk niets meer te vertellen had.'

Berlijn, 9 november 1999. In de vervallen Staatsbank van de Deutsche Demokratische Republik, vlak achter Unter den Linden, wordt de tiende verjaardag van de val van de Muur herdacht met een merkwaardig concert: de lievelingsmuziek van zowel de toenmalige bondskanselier Helmut Kohl als de DDR-leider Erich Honecker. Zo luisteren we dus naar de blaaskapel Hennigsdorf – 'I Did It My Way' –, de Berliner Schalmeienexpress – pittige DDR-marsen – en het orkest Generation Berlin met een speciale compositie, ooit vervaardigd voor het jubileum van een bruinkoolmijn. Tussen de muziekstukken worden teksten van Kohl en brieven van Honecker voorgelezen. In de grote zaal van de voormalige Staatsbank zijn de bogen met ruwe bakstenen dichtgemetseld, op de plekken waar ooit de arbeiderskunst hing zitten grote gaten, de regen ratelt op het dak en druppelt door naar het tussenplafond. Het publiek, voornamelijk jongeren en kunstenaars, luistert met grote ernst.

Een platenspeler wordt gestart met het lied 'Ein Augenblick der Ewigkeit', een tophit uit het DDR-radioprogramma *Stunde der Melodie*. De presentator leest een brief voor, geschreven toen Honecker al in de gevangenis zat. 'Lieve mijnheer Honecker, nog bedankt voor de mooie muziek die wij dertig jaar lang dankzij u konden horen.' Het grote feest buiten wordt ondertussen door het nieuwe Duitsland bekwaam geregisseerd: de Brandenburger Tor staat in een hemel van televisielampen, op elke straathoek staan drie politiewagens en daartussen lopen de Berlijners door de regen, bier drinkend en voornamelijk zwijgend.

Later wandel ik, ik weet niet waarom, naar het kinderspeelplaatsje vlak bij Hotel Adlon. Er is niemand. Ik ga er op een bankje zitten. De popmuziek schalt uit de verte, links de felle lichten van de nieuwe Potsdamer Platz, rechts het vuurwerk. Onder het gras en het klimrek ligt, vergeten, de bunker. In de S-Bahn naar huis zitten vier zwakzinnigen met hun begeleider. Ze juichen bij elk verlicht glaspaleis dat voorbijkomt, zingen mee met ieder elektronisch piepje, bewonderen de nieuwe glazen koepel van de Rijksdag als een vuurwerk. Ze zijn de enigen die oprechte vreugde tonen over het nieuwe Berlijn, tien jaar na de val van de Muur.

De volgende ochtend ruikt het op de Alexanderplatz naar ouderwetse DDR-kolen. De rook komt uit de schoorsteen van een houten woonwagen. Aan de deur hangt een bord: SIND IM WESTEN. Daarvoor houten rekken met kaartjes waarop iedereen gedachten en wensen rond de 9de november kan schrijven. Tientallen voorbijgangers staan te lezen. 'Het ging veel te snel,' had iemand genoteerd. 'En er wordt nog altijd te snel gedacht.' Een ander: 'Ik wens beter onderwijs en minder geweld. Ach, waren we nog maar in de DDR!' 'Dat wens ik u van harte toe!' reageert een derde woedend.

In de bioscoop draait *Helden wie Wir*, de eerste komische film over de Staatssicherheitsdienst, ofwel Stasi. Een jongen en een meisje dromen van Holland, rood van de tulpen, de jongen wordt agent bij de Stasi en blundert zich daarna anderhalf uur lang door het leven. De zaal ligt krom van de lach, het is voor iedereen een feest van herkenning: de keukens van de moeders, de verhalen van de schooljuf, de liedjes waarop ze dansten. De DDR is na tien jaar bezig een nieuwe onschuld te verwerven: jeugdsentiment.

Onder de Berlijners is een felle discussie gaande over de toekomst van het Palast der Republik, de zetel van de voormalige *Volkskammer* van de DDR, een constructie van beton en bruin glas die Erich Honecker tussen 1973 en 1976 liet optrekken en die al snel bekendstond als 'Erichs Lampenwinkel'. De Wessi's willen het ding, vol asbest, zo snel mogelijk afbreken, de Ossi's zijn eraan gehecht geraakt, ze zien het als een onderdeel van hun eigen identiteit.

Er worden dansfeestjes gehouden, *Vierzig-Sechzigparty's*, genoemd naar de oude DDR-norm: 40 procent westerse muziek, 60 procent DDR-pop. De populariteit van DDR-tradities neemt toe: de *Jugendweihe* – maar dan zonder Stasi – wordt jaarlijks door zo'n honderdduizend jongeren gevierd. In 1998 is in Zittau het eerste DDR-Ostalgie-Hotel geopend.

Grote woorden als 'vrijheid', 'democratie' en 'heldenmoed' vielen bij de herdenking op 9 november, er werden klinkende namen genoemd: Helmut Kohl, George Bush, Michail Gorbatsjov. Maar degenen die de Muur omverhaalden, waren de Berlijners zelf, en hun gevoelens zijn tien jaar later heel wat gecompliceerder. Hun gedachten hangen in de regen op de Alexanderplatz, op al die blaadjes: 'We moeten van elkaar leren, werkelijk leren. Niet aanklagen, niet overdrijven.' En: 'Hoeveel jaar moet het eigenlijk nog duren voordat de Muur van de EU valt?' En: 'Van Stasiterreur naar consumptieterreur. Gefeliciteerd, Ossi's!' En: 'De DDR heeft mij mijn jeugd ontnomen, en anderen zelfs het leven. Pas na mijn vijftigste mag ik de wereld zien.' En: 'Ik wil een hond en een huis, en dat mijn ouders zich weer verzoenen, en een fiets en een elektrische tandenborstel, en over de val van de Muur kan ik weinig zeggen, ik was toen pas drie jaar oud.'

Wat is er nog van die scheiding in de stad overgebleven? Aan de Bernauer Strasse zijn de laatste resten van de Muur gepromoveerd tot monument. Kenners horen de taalverschillen tussen Oost- en West-Berlijns: veertig jaar is blijkbaar genoeg om een eigen accent te ontwikkelen. De laatste *Goldene Hausnummern* – het DDR-insigne voor brave huurders – worden van de verveloze deuren geschroefd. Maar het vrolijke DDR-mannetje op de voetgangerslichten mag blijven, dat stapt maar door, rood, groen, het dondert allemaal niks.

In het Tränenpalast, het voormalige DDR-grenskantoor bij station Friedrichstrasse, zie ik de jongens van de Oost-Duitse popgroep Passion optreden, voor het eerst sinds 1983. Het blijkt een kleine 'Last Waltz' van de *alte Genossen*, een reünie van popgroepen uit de DDR-tijd. Er wordt een knappe mengeling van klassiek en rock gespeeld, maar het heeft iets braafs tegelijk, iets van leraren op een schoolfeest. In de zaal heerst een grote schuchterheid. Drugs zijn nergens te bekennen. Veel mensen zitten stil te luisteren, het kalende hoofd in de handen, het leren jack halfopen. Het zijn geen jongens en meisjes meer, ze hebben vermoeide gezichten, ze glimlachen wat naar elkaar, dat is het. De rocker 'Jonathan', de Jimi Hendrix van de DDR, speelt de sterren van de hemel, maar iedereen blijft staan alsof het gaat om een toespraak van de personeelschef. Het lijkt alsof al deze mensen in hun vroegste jeugd het dansen grondig hebben afgeleerd.

Ik breng een middag door bij Walter Nowojski, gepensioneerd DDR-journalist, radio- en tv-maker, hoofdredacteur van het blad van de Schrijversbond en bewerker van de dagboeken van Victor Klemperer. Hij had de oude hoogleraar in 1952 als student in Berlijn leren kennen. Klemperer was, vertelde hij, toen al een cultfiguur, de enige in de hele DDR die hun iets te zeggen had. 'Zijn colleges waren belevenissen. Hij was oud en ziek, hij sprak voornamelijk over Franse literatuur uit de achttiende eeuw, maar de zaal zat altijd bomvol. Zijn boek over de nazi-taal, *LTI* (1947), maakte in de DDR diepe indruk. Alles wat in onze koppen zat was besmet, dat wisten we, het was allemaal oude nazi-troep. Wat hij in zijn hoofd meedroeg was een bijna verloren rijkdom, de Duits-joodse intellectuele cultuur waarvan hij een van de laatste grote vertegenwoordigers was. Wanneer hij begon te praten, hingen we aan zijn lippen, doodstil, anderhalf uur lang.'

Klemperer bekommerde zich altijd om zijn studenten. 'Het waren slechte tijden, na de oorlog. In de pauze kwam hij op ons af, keek over zijn bril en vroeg: "Gaat het allemaal nog een beetje? Jullie hebben warempel niets te roken!" En dan deelde hij aan iedereen sigaretten uit. Waarom hij niet overstapte naar het westen? Heel simpel: omdat hij, in alle oprechtheid, overtuigd was van de kwaliteiten van het communisme. Hij werd wel steeds kwader, om alles wat hij zag en meemaakte, almaar kwader en kwader. Ik kan u verzekeren dat toen Victor Klemperer in 1960 stierf, hij in politiek opzicht een uiterst verbitterd man was.'

Pas in 1978, vertelt Nowojski, hoorde hij voor het eerst over het bestaan van Klemperers dagboeken. Ze zouden in het stadsarchief van Dresden liggen. De volgende dag zat hij al in de trein, en vanaf dat moment werkte hij er ieder vrij moment aan, totaal gefascineerd. Het bleek een enorme klus te zijn: vooral de oorlogsdagboeken zaten vol onjuistheden, fout gespelde namen, noem maar op. 'Klemperer zat in een huis voor joden, hij kwam nauwelijks op straat, hij had alles van horen zeggen. Maar tegelijk was hij, in dat gesloten huis, vaak beter op de hoogte dan de goegemeente. En hij wíst wat hij moest opschrijven, ook dat maakt zijn dagboeken zo fascinerend. Hij noteerde hoe mensen op straat hem, een jood, groetten, wat er gegeten werd, de geruchten over kampen, alles. Als historicus voelde hij feilloos aan welke details later van belang zouden kunnen zijn. Bij sommige Oostzeebadplaatsen stond een bordje: JUDENFREI. In 1938? Nee, al in 1924. Dat is iedereen vergeten, dat weten we alleen nog dankzij Klemperer. Datzelfde deed hij met de taal, al die modewoorden die hij signaleerde: *Weltjuden*, *volksnah*, *volksfremd*, *Staatsakt*. In 1938 had voor mij, als dertienjarige, het woord *fanatisch* een heel positieve betekenis. Klemperer heeft dat vastgelegd. Aan de dagboeken kun je trouwens zien dat hij er onder de DDR gewoon mee is doorgegaan. *Kämpferisch*, *gigantisch*, hij had zo weer een taalcollectie bij elkaar.'

Hoe kon een oude man als Klemperer in dat benauwde Oost-Duitsland nog zo'n productief bestaan opbouwen? 'Heel simpel: hij had een gevoel van grote urgentie. Hij had tussen 1933 en 1946, dertien van zijn vruchtbaarste jaren, niets kunnen doen. In het westen zou hij zijn gepensioneerd. In de DDR droegen ze hem op handen, ze maakten hem hoogleraar aan de Humboldt-universiteit, zijn levenslange droom.'

Het is eenzelfde gevoel dat Walter Nowojski, in de DDR een gevierd literatuurcriticus, ook jarenlang met zich meedroeg. 'Ik zat midden in het systeem, en toch ben ik vanaf 1978 avond na avond bezig geweest met de dagboeken van Klemperer. Ik wist precies hoe de censuur in de DDR werkte. Ik leidde een schizofreen leven: overdag propageerde ik de officiële literatuur, 's nachts werkte ik aan Klemperer, een stel boeken waarvan ik zeker wist dat ze hier om allerlei politieke redenen nooit gepubliceerd zouden worden. Maar ik kon het niet laten, ik kon er niet mee stoppen, ik was te geestdriftig.'

In wezen maakte hij eenzelfde keuze als Klemperer. 'Ik was de DDR ook heel veel verschuldigd. Mijn vader was mijnwerker, alleen dankzij het DDR-systeem kon ik studeren. Die dubbelzinnigheid heeft mijn kijk op het regime jarenlang vertroebeld. Ik zag de schaduwkanten wel, maar mijn dankbaarheid belette me om er consequenties uit te trekken. Dat is het probleem van onze hele generatie, speciaal van de intellectuelen. Veel westerlingen zullen nooit begrijpen hoe wij in de DDR moesten leven. Veel politieke vragen waren namelijk, in de kern, kwesties van karakter: hoe houd je je staande, hoe ga je om met je principes zonder ten onder te gaan? Diezelfde verscheurdheid slaat ook op Klemperer. Ik herken mezelf in zijn dagboeken, inclusief dat gevoel van haast en verspilde tijd.'

Nowojski begint te vertellen over de eindeloze rompslomp onder het DDR-regime, het gezeur om iets bij de chefs gedaan te krijgen, om een boek van Heinrich Böll door de censuur te loodsen. 'Ik heb dertig jaar lang zeker driekwart van mijn tijd verdaan met gedoe, alleen maar onnozel gedoe. Die ene kwart gebruikte ik voor wat werkelijk telde: literatuur.' De meeste DDR-intellectuelen zijn volgens hem weggezonken, verdwenen. 'Jij hebt het gemaakt met Victor Klemperer,' zeggen zijn oude collega's, 'maar wij bestaan niet meer.'

En nu is iedereen op Stasi-jacht. 'Er werd hier de afgelopen jaren één groot gezelschapsspel gespeeld: wie heeft wie bespioneerd? Ik kwam mijn naam tegen in Stasi-verslagen, ik werd daarin beoordeeld als een "revisionist" die een centrale positie probeerde te bereiken "om via legale machtsmiddelen het revisionisme verder te versterken". Dat was, in hun terminologie, een correcte beschrijving van wat ik inderdaad probeerde. Wie spioneerde bij ons? Niemand van wie ik het niet verwachtte, op één man na: mijn beste vriend en plaatsvervanger in ons literatuurprogramma. Ik ben nog altijd met hem bevriend. Hij kwam het me op een avond vertellen, in 1994. Hij had een zwak karakter, dat wist ik wel, en er zal wel een vlekje zijn geweest waarmee ze hem hebben kunnen chanteren. Maar ik heb het elf jaar als programmachef kunnen volhouden, dus veel slechts zal hij niet over me gerapporteerd hebben. Hij heeft me behoorlijk de hand boven het hoofd gehouden, dat weet ik zeker. Dat zei ik ook tegen hem: "Je kunt nog altijd beter door een vriend bespioneerd worden dan door een vijand."

Ik mocht studeren op grond van het voorkeursprogramma voor arbeiders. Maar toen mijn dochter achttien was, kon ze enkel met de grootste moeite op de universiteit worden toegelaten, om precies dezelfde reden: ze was immers de dochter van een intellectueel. Als een boemerang kwam het terug. Ik heb twee Klemperers gekend, de vrolijke hoogleraar Klemperer, inspirerend, open, altijd klaarstaand met een grap. En de Klemperer van de dagboeken, verbitterd en woedend over alles wat de DDR-dictatuur met zich meebracht. Beide Klemperers waren een eenheid: de vrolijke Klemperer had de Klemperer van het dagboek nodig om de volgende ochtend weer opgewekt voor zijn studenten te staan. "Wij kotsen ons uit bij onze vrienden," schreef hij soms. Al die nachten werken aan zijn dagboek hadden hetzelfde effect bij mij. Ik kotste me uit bij Klemperer.'

Er bestaat een merkwaardig verhaal over Joseph Roth, of beter gezegd, over Berlijn. Toen een Amerikaanse historicus omstreeks 1970 onderzoek deed naar Roths Berlijnse jaren, verbaasde hij zich voortdurend over de reisafstanden tussen Roths woningen, werkplekken en stamcafés. 'Die Roth moet elke dag uren in de S-Bahn gezeten hebben!' Ten slotte liet een Berlijnse kennis hem een gedetailleerde stadskaart zien: in werkelijkheid lagen die plekken vlak bij elkaar. Er was alleen een Muur tussengekomen.

Het verhaal zegt iets over de acceptatie van de Muur, even tijdloos en onontkoombaar als een rivier die door de stad loopt. Maar het tekent ook hoe de Muur ingreep in het weefsel van Berlijn. Er woonden alleen al aan de Oost-Berlijnse kant meer dan honderdtwintigduizend mensen vlak bij de Muur, waarvan de meesten gaandeweg moesten verhuizen. De DDR-autoriteiten schiepen zo een kale strook van honderden meters breed tussen de *Hinterlandmauer*, de eigenlijke grensbarrière voor de Oost-Duitsers, en de Muur zelf. Daarvoor lag nog weer een grenszone van tweeënhalve kilometer breed die zwaar werd gecontroleerd.

Tegelijkertijd bleef de S-Bahn tot 1984 eigendom van de DDR, en al die tijd pendelden personeelstreintjes tussen oost en west alsof er niets aan de hand was. Drie West-Berlijnse lijnen van de U-Bahn liepen, op hun beurt, onder Oost-Berlijn door, langs vijftien dichtgemetselde spookstations. Telefoneren tussen beide stadshelften was jarenlang enkel mogelijk via Zweden of via de interne lijnen van diezelfde S- en U-Bahn. Rouwbeklag werd hevig gewantrouwd: voor het Invaliden- en Sophien-Friedhof, twee begraafplaatsen aan de grens, was een speciale 'grafkaart' nodig. Maar de Oost-Duitse arbeider Werner Fricke, werkzaam bij de Potsdammer waterleiding, liep dagelijks rustig heen en weer door de controleposten omdat zijn buizen en kranen nu eenmaal aan de westelijke kant lagen. Ooit zag ik de Muur van de foute kant. Bij een studentenuitwisseling werden we door onze DDR-gids uitgenodigd om te komen kijken. We beklommen een schavotje, en daar stonden we oog in oog met al die westerlingen op de verhoging aan de andere kant, we staarden naar elkaar en we zagen onszelf, het was krankzinnig. We moesten ook een museumpje bekijken, met foto's van nachtclubs, spionnen, misdadigers en vrouwen die de grenswachten blote borsten lieten zien. Dit was het decadente westen! Kijk maar goed! We begonnen al heimwee te krijgen.

Van de negentien miljoen Oost-Duitsers zijn in totaal ongeveer tweeënhalf miljoen naar het westen uitgeweken, veruit de meesten in de jaren vijftig. Ongeveer duizend mensen zijn bij hun vluchtpoging om het leven gekomen, het merendeel langs de Berlijnse Muur. Bij het voormalige Checkpoint Charlie staat een klein museum, stampvol met vluchtattributen en bijzondere foto's: koffers waarin een dame kon worden gepropt, auto's met uitgeholde banken en benzinetanks, valse papieren, een grote haspel voor grondkabels – goed voor vier vluchtplaatsen –, grootse tunnelwerken.' Spectaculair was de ontsnapping van Reichsbahn-machinist Harry Deterling, die in december 1961 met zijn stoomlocomotief 78079 en een paar wagons vol ingewijde familieleden langs de verbaasde grensposten naar het westen denderde. De conducteur, een Volkspolizist en vijf toevallig meereizende passagiers liepen boos over de rails terug.

De Oost-Duitse zanger Wolf Biermann – hij werd later 'ausgebürgert' – mocht in 1965 bij hoge uitzondering optreden in het westen. Hij dichtte bij die gelegenheid een 'Wintersprookje':

Im deutschen Dezember floss die Spree,
Von Ost- nach Westberlin,
Da schwamm ich mit der Eisenbahn,
Hoch über die Mauer hin.
Da schwebte ich leicht über 'n Drahtverhau
Und über die Bluthunde hin...

De constructie waar de mensenmassa in 1989 overheen klom, was alweer een heel andere Muur, het was de vierde generatie, een steeds verfijnder stelsel van hekken, lichten en lege ruimtes. Uit in beslag genomen DDR-documenten blijkt dat de leiding van de grenspolitie eind jaren tachtig druk bezig was met de ontwikkeling van de vijfde generatie. Deze High-Tech-Mauer-2000 zou alle vluchtelingen perfect tegenhouden, zonder dat er nog geschoten hoefde te worden. In de DDR-nota van 8 mei 1988 *Zur Entwicklung von Grenzsicherungstechnik für den Zeitraum 1990-2000* wordt enthousiast gesproken over 'mikroelektronische Sensortechnik', 'Mikrowellenschranke' en 'seismische Meldungsgebersysteme' om onbevoegden zo vroeg mogelijk te signaleren. Er bleef één probleem: mensen onderscheiden van loslopende honden, dat konden die DDR-sensoren maar niet leren. Maar uit zulke documenten blijkt zonneklaar dat de Muur ons allemaal zou overleven, in welke vorm ook.

Op 26 mei 1987 landde de negentienjarige sportvlieger Mathias Rust met een Cessna-vliegtuigje op het Rode Plein, pal voor het Kremlin. Vanuit Helsinki was hij, scherend over de boomtoppen, ongehinderd door de sovjetdefensielinies heen gevlogen. Het was een malle grap, maar de sovjetleiding was diep geschokt. Dit was onmogelijk, en toch gebeurde het.

De escapade van Mathias Rust kreeg, achteraf, een historische lading. Zijn landing op het Rode Plein was van een onontkoombare symboliek, het was de schrijvende hand op de muur, het signaal dat de machtige Sovjet-Unie de zaken niet meer op orde had. Op het moment zelf besefte echter niemand het gewicht van deze gebeurtenis. Noch in het Oosten, noch in het Westen voorzag men de aanstaande omwenteling. Merkwaardiger is nog dat ook de gespecialiseerde westerse inlichtingendiensten, die er per slot voor waren opgericht, geen idee hadden dat er iets op til was. Zelfs voor de CIA, waar decennialang iedere kuch van de vijand werd geregistreerd, was de ineenstorting van het sovjetimperium een volstrekte verrassing. De geschiedenis van de dienst kent meer van dit soort missers – de ontploffing van de eerste sovjet-atoombom in 1949 kwam ook volstrekt onverwacht, net als de sovjetinvasies in Tsjechoslowakije en Afghanistan – maar dit was wel de allergrootste.

Vanaf het midden van de jaren zeventig was er binnen de CIA wel twijfel gerezen over de defensie-uitgaven van de Sovjet-Unie, vooral nadat een overloper had verteld dat de sovjets 11 tot 12 procent van hun bruto nationaal product aan defensie spendeerden, dubbel zoveel als de CIA vermoedde. Een van de sovjetexperts, William Lee, had zelfs uitgerekend dat het werkelijke cijfer waarschijnlijk nog eens tweemaal hoger was, zo'n 25 procent. Dat kon niet anders betekenen dan dat de economie van de Sovjet-Unie op het punt stond om ineen te storten. De CIA-top trok echter de tegenovergestelde conclusie: uit dit niveau aan defensie-uitgaven bleek zonneklaar dat Moskou nog steeds van plan was om de hele wereld te veroveren. Nog in oktober 1988, drie jaar na de komst van Michail Gorbatsjov en zijn gematigde revolutie van glasnost (openheid) en perestrojka (herbouw), waarschuwde Robert Gates, sovjetspecialist van de CIA: 'De dictatuur van de communistische partij blijft onberoerd en onaantastbaar. [...] Een lange periode van wedijver met de Sovjet-Unie ligt voor ons.'

Op dat moment lagen de militaire en nucleaire uitgaven van de Sovjet-Unie maar liefst vijfmaal hoger dan officieel werd toegegeven, rond de 30 procent. Tegelijkertijd vond er nauwelijks enige vorm van modernisering plaats: terwijl in het Westen de digitale revolutie van de jaren tachtig in volle gang was kende de communistische wereld vrijwel nog geen computers. De zware industrie, opgezet door Stalin, bleef enorme hoeveelheden chemicaliën, staal, tanks, vrachtauto's en vliegtuigen uitbraken, terwijl de productie van gewone consumptiegoederen ver achterbleef.[2] De Sovjet-Unie zag zich in de jaren zeventig genoodzaakt graan uit de Verenigde Staten te importeren. Een aanzienlijk deel van de Russische landbouwproductie kwam uit de achtertuintjes van boeren en arbeiders: 50 procent van het voedsel werd geteeld op 3 procent van de landbouwgrond.

De staatsschuld van de gezamenlijke Oost-Europese staten was in 1989 viermaal zo groot als in 1975, die van de Sovjet-Unie zelfs vijfmaal. De infrastructuur lag ver achter bij die van het westen: na zeventig jaar rode revolutie liep er nog steeds geen goede vierbaansweg van het westen naar het verre oosten van de Sovjet-Unie. In de jaren zeventig werden er per duizend Sovjetburgers jaarlijks geen vijf auto's geproduceerd; in Frankrijk lag dat aantal op zestig. Het land werd geleid door bejaarden: de gemiddelde leeftijd van de leden van het Politbureau van de CPSU lag rond de zeventig.

Het sovjetproject koesterde nog altijd een krachtige eigen ideologie, het had kans gezien om verschillende nationaliteiten en culturen te integreren, het was autoritair en ondemocratisch, toch had de socialistische droom miljoenen mensen geïnspireerd tot grootse daden en inspanningen. Waarom was het dan misgegaan? Waarom kon de Sovjet-Unie met name de technologische revolutie van de jaren tachtig niet meer volgen?

De Brits-Hongaarse historicus George Schöpflin wijt het bankroet van het sovjetexperiment niet aan de economie maar aan de weeffouten in het systeem zelf, aan het ontbreken van iedere openheid en sociale dynamiek, aan de totaal verwaarloosde relatie tussen individu en staat. 'Uiteindelijk faalden de morele waarden die essentieel zijn voor het handhaven van iedere georganiseerde gemeenschap, en daarmee ging ook de sovjetgemeenschap als geheel ten onder.' De uitbreiding van het sovjetsysteem naar Oost- en Midden-Europa na 1945 was, in de visie van Schöpflin, de meest fatale fout. Als voortzetting van het autoritaire tsarenrijk had het systeem in het oude Rusland nog enige basis, maar in landen als Polen, Hongarije en Tsjechoslowakije was het volkomen vreemd.

Uiteindelijk gebeurde met de Sovjet-Unie hetzelfde als met de West-Europese koloniale gebieden in Afrika en Azië: ook voor de sovjets werd het handhaven van de Oost-Europese 'koloniën' te kostbaar. De centrale planning werkte steeds slechter. In het hele Oostblok stonden fabrieken soms wekenlang stil omdat er geen reserveonderdelen werden aangeleverd. In Rusland nam het systeem van kruiwagens en omkoperij ongekende vormen aan, zwarte markten en illegale bedrijven bloeiden, de alcoholconsumptie steeg tot tweemaal het Europese gemiddelde.

Aanvankelijk werden de problemen gecamoufleerd door de successen in de buitenlandse politiek: nieuwe sovjetgezinde regimes in Vietnam en Angola, een economische crisis in het westen. Bovendien kon de sukkelende sovjeteconomie jarenlang overeind worden gehouden door de miljardenopbrengsten uit de olie-export. Maar na 1979 begonnen de olieprijzen te dalen, en bovendien begon de Sovjet-Unie een onmogelijke oorlog in Afghanistan. De Russen die ik sprak, herinnerden zich bijna allemaal een moment, meestal rond 1983, waarop ze beseften dat er iets grondig mis was met de sovjeteconomie: er waren rare problemen met de elektriciteit; plotseling was nergens meer boter te koop; opeens stond er een rij voor de bakker, en de volgende week stond die er weer, en na een maand wist men niet meer beter. Het aantal geboorten liep sterk terug, net als de gezondheidstoestand van de bevolking: in 1988 was het aantal geschikte dienstplichtigen een kwart lager dan in de jaren zeventig. De kindersterfte steeg met een derde.

Tot overmaat van ramp ontstond er een nieuwe bewapeningswedloop, nu op high-techniveau. De sovjets begonnen eind jaren zeventig SS-20-raketten te plaatsen, atoomwapens voor de middellange afstand waardoor heel West-Europa opeens direct werd bedreigd. De NAVO reageerde in 1979 met het zogenaamde dubbelbesluit: als de Sovjet-Unie niet bereid was om de SS-20's te ontmantelen, zou de NAVO overal in West-Europa Amerikaanse kernraketten stationeren, de Pershing II en de Cruise Missile. Door de korte afstand zou de waarschuwingstijd echter miniem worden. De angst voor een atoomoorlog – en bovenal voor een atoomoorlog-bij-vergissing – was in Europa sinds de jaren vijftig niet zo groot geweest. Honderdduizenden demonstranten vulden de straten. Uiteindelijk maakte het INF-akkoord (Intermediate-range Nuclear Forces) tussen Gorbatsjov en de Amerikaanse president Ronald Reagan in december 1987 een eind aan deze levensgevaarlijke competitie. Twee maanden later werden in Kazachstan, onder het oog van de Amerikanen, de eerste SS-20-raketten ontmanteld.

Terecht merkt de Briste historicus Richard Vinen op: het sovjetimperium was een wereldmacht die zwakker en armer was dan veel van zijn koloniën. In satellietstaten als Polen en Hongarije bestond nog altijd een sterke traditie van kleine privébedrijven, waar redelijk efficiënt kon worden gewerkt. Officieren van het sovjetleger die in die landen waren gestationeerd, zagen met eigen ogen hoe het bestaan daar een stuk vrolijker was dan in de provinciestadjes waar ze vandaan kwamen. Bovendien bestond overal een omvangrijke illegale economie: een nieuwe Poolse Fiat kostte bijvoorbeeld acht gemiddelde jaarlonen, een onmogelijk bedrag voor een doorsnee gezin. Toch wisten talloze Polen in de jaren tachtig een auto te verwerven, en in Warschau heerste een verkeersdrukte die er volgens de officiële economische cijfers helemaal niet mocht zijn.

De DDR gold als het paradepaard van het Oostblok. In werkelijkheid teerde het land grotendeels op de kredieten die vanaf 1973 uit West-Duitsland in het kader van Willy Brandts zogenaamde *Ostverträge* naar het oosten vloeiden, in totaal naar schatting drie miljard D-mark. Via die leningen wisten bondskanselier Brandt en zijn opvolgers allerlei concessies van het DDR-regime te 'kopen': versoepelingen in het reisverkeer, vrijlating van politieke gevangenen, familieherenigingen. Het waren de eerste gaten in de Muur.

Met het aantreden van de sociaal-democraat Willy Brandt als bondskanselier in oktober 1969 begon een periode van ontspanning tussen Oost en West. Jarenlang had de regering in Bonn de hereniging van beide Duitslanden boven alles gesteld: eerder kon niet gepraat worden over enige toenadering tussen Oost en West. Brandt was, voor het eerst, bereid de bestaande situatie te accepteren in het licht van een algemene Europese vredesregeling. Het bracht hem in 1970 de titel 'The Man of the Year' van het Amerikaanse weekblad *Time*.

Direct na zijn aantreden opende hij onderhandelingen met Moskou, en op 19 maart 1970 ging de bondskanselier voor het eerst de grens van de DDR over, de eerste topontmoeting tussen beide Duitslanden sinds 1947. De Oost-Duitsers wilden erkenning van hun staat, de West-Duitsers wilden een grotere bewegingsvrijheid en meer mogelijkheden tot familiebezoek. Uiteindelijk kwam het in december 1971 tot een normaliseringsverdrag tussen de Bondsrepubliek en de DDR.

In december 1970 herstelde Brandt de relatie met Polen. Hij erkende de Oder-Neissegrens als een 'vaststaande grens' tussen Duitsland en Polen en bij het gedenkteken voor de slachtoffers van de Warschauer getto-opstand viel hij op zijn knieën. Dit onverwachte gebaar, juist ook van een Duitser die altijd aan de 'goede' kant had gestaan, maakte in heel Oost-Europa diepe indruk. In 1971 kreeg hij wegens zijn verdiensten voor de ontspanning tussen Oost en West de Nobelprijs voor de Vrede.

Binnenlands werd Brandt ondertussen fel aangevallen. De fractieleider van de christen-democraten, Rainer Barzel, wist dat onder de regeringspartijen SPD en FPD de weerstand tegen Brandts ontspanningspolitiek groeide, en hij probeerde in april 1972 via een motie van wantrouwen de regering ten val te brengen. Er waren echter CDU-afgevaardigden die Brandts ontspanningspolitiek tot het uiterste verdedigden. Bovendien werd, naar achteraf bleek, de steun van zeker één CDU'er door de Stasi 'gekocht'. Met een meerderheid van twee stemmen wist Brandt zijn regering te redden, en daarmee zijn ontspanningspolitiek.

Twee jaar later, op 24 april 1974, werd plotseling zijn naaste adviseur Günter Guillaume gearresteerd. Guillaume bleek voor de DDR te werken. Hij had als spion maar liefst achttien jaar in de naaste omgeving van Willy Brandt verkeerd. Twee weken later, op 6 mei, trad Brandt af, diep teleurgesteld over de houding van de DDR. Hij overleed in 1992.

In 1983 waren de DDR-schulden zo hoog opgelopen dat de bondsregering met één miljard mark extra over de brug moest komen. In 1988 waarschuwde Politbureaulid Günter Mittag zijn medeleden dat de DDR-financiën op 'umkippen' stonden.

De financiële crisis werd strikt geheim gehouden, maar het ontging de buitenwereld niet dat er grote problemen waren. 'Er gebeurden in onze omgeving te veel dingen die economisch gewoon niet konden,' vertelde mijn oude kennis Inge Winkler, toen kinderarts in het oosten van de DDR. 'Mensen die de hele dag niets deden, fabrieken die stillagen omdat er geen grondstoffen waren. We beseften heel goed dat het op de oude manier niet lang meer zou kunnen doorgaan.' Haar man Eckart, ingenieur: 'In 1982 mochten we opeens niet meer naar Polen met vakantie. Solidarność [Solidariteit], de anti-communistische vakbeweging, werd daar te machtig. Het was een duidelijk signaal dat er iets begon te veranderen. In het voorjaar van 1989 mocht ik voor mijn werk met de trein naar het westen. Vroeger was iedereen doodstil bij de grensovergang, nu zat de hele coupé vrolijk te praten. De mensen werden losser, lieten zich niet meer intimideren. Dat was al een poosje aan de gang. De westerlingen zagen dat niet. Wij wel.'

Wolf Jobst Siedler reisde vanuit West-Berlijn regelmatig door het Oostblok, en het was ook hem duidelijk dat het daar niet goed ging: 'Wel gigantische vlootprojecten, maar de overheid was niet meer in staat om de gaten in de straten te repareren. Helmut Schmidt heeft de Sovjet-Unie ooit betiteld als "een ontwikkelingsland met een waterstofbom", en zo was het natuurlijk. Toen in het najaar van 1989 in de DDR de demonstraties begonnen, toen het regime niet ingreep, toen de sovjettroepen in de kazernes bleven, toen wisten we dat het hooguit nog een paar jaar kon duren. Maar dat het binnen een paar dagen voorbij zou zijn, dat voorzag niemand, werkelijk niemand.'

Zijn vriend Richard von Weizsäcker: 'Niemand van ons wist natuurlijk dat op donderdag 9 november 1989 om negen uur 's avonds de Muur zou opengaan, dat wist geen mens.' Weizsäcker was op dat moment president van de Bondsrepubliek, en in regeringskringen had men geen enkele aanwijzing dat het opeens zo razendsnel zou gaan. Nog in juli 1987 had Gorbatsjov hem persoonlijk gezegd dat de Duitse eenwording wellicht honderd jaar zou moeten wachten, en zeker vijftig. Wel was Weizsäcker ervan overtuigd dat de Muur per definitie een tijdelijke zaak was. 'Toen ik tussen 1981 en 1984 burgemeester van Berlijn was, zei ik al regelmatig: "Denk er wel aan, het bestaan van de Muur is het ultieme bewijs dat deze stad één geheel is! Anders zou dit monster niet noodzakelijk zijn!" Ik was er dus zeker van dat er vroeger of later een einde aan die Muur zou komen. Alleen twijfelde ik er weleens aan of ik dat zelf nog zou meemaken.'

Hans Krijt in Praag: 'Je zag het oude systeem verkruimelen, dat laatste jaar, we dachten alleen dat het zou overgaan in een kapitalisme met een menselijk gezicht. Begin oktober 1989 werd de West-Duitse ambassade in Praag opeens bestormd door duizenden Oost-Duitsers, die op het terrein asiel zochten. Het IJzeren Gordijn was daar niet hoger dan een tuinmuur met een ijzeren hekje erop en er gingen geruchten dat je via die vluchtroute naar het westen kon komen, wat ook inderdaad zou gebeuren. Wij woonden er vlakbij, en tijdens onze avondwandelingen zagen we de straten volstaan met achtergelaten Wartburgs en Trabants, kinderwagens, zelfs koffers die te groot bleken te zijn om mee te zeulen. Ik keek in zo'n verlaten auto: op de achterbank lag nog een teddybeertje, in alle haast vergeten. Ik dacht aan de paniek van zo'n kind.'

Richard von Weizsäcker: 'En toen gingen in het najaar van 1989 de ontwikkelingen opeens heel snel. Op 9 oktober werd, na een kerkdienst, in Leipzig een stille tocht gehouden waaraan driehonderdduizend mensen deelnamen. De Russische soldaten bleven in hun kazernes. Een maand later, op 4 november, stonden op de Alexanderplatz zeker zeshonderdduizend demonstranten. Er liep daar een onvoorstelbare mengeling van politieke en andere figuren rond, van de schrijfster Christa Wolf tot de topmensen uit de SED. Maar zelfs toen had ik nog niet het flauwste idee dat binnen vijf dagen de Muur zou vallen, zonder enig bloedvergieten.

De dag na de val, op vrijdag 10 november, stak ik plechtig met de burgemeester van Berlijn als eerste de Glienicker Brücke over. Maar daarna was ik niet meer te houden, ik liep maar door de stad, iedereen was vol ongeloof. Uiteindelijk belandde ik op de

Potsdamer Platz. Nu is die bijna helemaal volgebouwd, maar toen was het een lege vlakte waar de grens dwarsdoorheen liep. Aan de westelijke kant stond een groepje mensen, ze vroegen zich af of je er wel overheen kon, en ik zei: "Dat wil ik zien!" En toen ben ik totaal alleen die vlakte overgestoken, ik wandelde naar de barakken van de DDR-grenspost en daar stapte een luitenant van de Volkspolizei naar buiten, hij herkende me, salueerde, en zei toen kalm: "Mijnheer de president, ik deel u mee dat er geen bijzonderheden te melden zijn."'

1989 was een van die momenten waarin alles tegelijk leek te gebeuren, een *annus mirabilis*, een jaar van wonderen. Binnen twee jaar tijd stortten negen communistische dictaturen ineen, inclusief die van de Sovjet-Unie zelf. In januari 1989 kreeg de Poolse onafhankelijke vakbond Solidarność een officiële status: voor het eerst was binnen het Oostblok legale oppositie mogelijk. Lech Wałęsa, de grote vakbondsleider, tekende het akkoord met een grote pen waarop het portret van Karol Wojtyła stond, een hommage aan deze Poolse paus, die een niet te onderschatten rol speelde bij de onttakeling van het communisme in Midden- en Oost-Europa.

In maart werden in Hongarije verkiezingen gehouden waarbij, voor het eerst sinds veertig jaar, niet-communisten kandidaat mochten staan. Het regime werd verpletterend verslagen. In mei eisten ook de Tsjechoslowaakse dissidenten vrije verkiezingen. De schrijver Václav Havel werd vervroegd vrijgelaten. Op 27 juni knipten, in een symbolische handeling, de nieuwe Hongaarse minister van Buitenlandse Zaken en zijn Oostenrijkse collega bij Sopron gezamenlijk de draden van het IJzeren Gordijn door. De wachttorens en de grensversperringen werden vervolgens in hoog tempo opgeruimd.

Diezelfde maand tekenden Michail Gorbatsjov en bondskanselier Helmut Kohl in Bonn een verklaring waarin voor alle Europese staten het recht werd vastgelegd om 'het eigen politieke systeem' te bepalen. Het was voor de communistische leiders geen verrassing: al in november 1986 had Gorbatsjov op een besloten bijeenkomst van de economische gemeenschap van het Oostblok, de Comecon, nadrukkelijk gezegd dat de Sovjet-Unie hen niet langer zou kunnen beschermen. De komende jaren moesten ze op eigen benen leren staan. In de zomer van 1988 had hij die boodschap in Moskou nog eens herhaald: wat hem betreft was het tijdperk van de sovjetinterventies afgelopen.

In augustus omspande een menselijke keten van twee miljoen mensen de drie Baltische staten: Estland, Letland en Litouwen. Diezelfde maand doorbraken honderden demonstranten openlijk de Oostenrijks-Hongaarse grens bij Sopronpuszta. Tegelijkertijd trokken zeker honderdtwintigduizend Oost-Duitsers door Hongarije naar het westen. Via de ambassade van de Bondsrepubliek in Praag ontsnapten nog eens enkele duizenden vluchtelingen: ze mochten uiteindelijk in gesloten treinen via Dresden naar het westen rijden.

Ondertussen belde de Roemeense leider Nicolae Ceauşescu koortsachtig met zijn communistische collega's: werd het niet de hoogste tijd voor een interventie van het Warschaupact in Polen? Met name Erich Honecker had er wel oren naar, maar zodra Gorbatsjov lucht kreeg van het plan sprak hij er een veto over uit. In september werd in Polen een niet-communistische regering geïnstalleerd, de eerste in Oost-Europa sinds 1945. In de DDR werd een gematigd manifest gepubliceerd van een groep die zich Neues Forum noemde en waarin, met de handtekeningen van dertig predikanten en intellectuelen, gevraagd werd om een open dialoog over politieke hervormingen. Later, in diezelfde septembermaand, nam het Sloveense parlement de beslissing om de constitutie zo te veranderen dat een afscheiding mogelijk werd: het begin van de onttakeling van de Joegoslavische federatie.

Op 7 oktober werd in Berlijn met grote plechtigheid het veertigjarig bestaan van de DDR gevierd. Voor het laatst marcheerde de Nationale Volksarmee in ganzenpas langs de zieke, zevenenzeventigjarige Erich Honecker. 's Avonds trok een enorme fakkeloptocht door Unter den Linden. Gorbatsjov, de eregast, beschreef het tafereel in zijn memoires: 'Orkesten speelden, trommels roffelden, zoeklichten. Toen de fakkels opvlamden zag men – wat misschien het indrukwekkendst was – duizenden en nog eens duizenden jonge gezichten. De deelnemers aan de mars waren, zo hoorde ik, vooraf zorgvuldig geselecteerd.' Des te verbazingwekkender was het toen uit de gelederen van deze partij-jeugd, die als vanouds met portretten en rode vlaggen langs de leiders marcheerde, opeens parolen en spreekkoren klonken: 'Perestrojka! Gorbatsjov! Help ons!' De Poolse partijsecretaris Mieczysław Rakowski wendde zich opgewonden tot Gorbatsjov: 'Michail Sergejevitsch, verstaat u de leuzen die ze daar roepen? "Gorbatsjov, redt ons!" Dit zijn nota bene de activisten van de partij zelf! Dit is het einde!' Hetzelfde gebeurde bij het sovjetgedenkteken in het Treptower Park, waar duizenden jongeren waren toegestroomd om de sovjetleider te zien: 'Gorbatsjov, help ons!' Na afloop van de manifestaties waarschuwde hij zijn DDR-collega's dat hun starheid fataal kon uitpakken: 'Wie in de politiek te laat komt, wordt door het leven gestraft.'

Diezelfde oktoberweek besloot de Hongaarse Socialistische Arbeiderspartij om zichzelf op te heffen; de nieuwe leiders wilden niets meer te maken hebben met de 'misdaden, fouten en onjuiste ideeën en boodschappen' uit de voorbije veertig jaar. De partijkrant *Népszabadság* (Volksvrijheid) verscheen voor het eerst zonder de leuze 'Proletariërs aller landen, verenigt u.' Ondertussen stelde Polen de grenzen open voor Oost-Duitse vluchtelingen op doorreis. In Moskou verklaarde een regeringswoordvoerder tegenover buitenlandse journalisten dat de Brezjnevdoctrine van militaire interventies was vervangen door de 'Sinatradoctrine': 'My Way'.

Op 18 oktober, elf dagen na de viering van het veertigjarige DDR-feest, trad Erich Honecker af. Zijn opvolger, Egon Krenz, schrok zich kapot toen hij inzage kreeg in de financiële toestand van de DDR. Het Centraal Planbureau van de DDR meldde dat het land grotendeels draaide op kredieten uit het westen. Stopzetting zou direct 'een verlaging van de levensstandaard met 25 tot 30 procent ten gevolge hebben en de DDR onregeerbaar maken'.

Bij zijn openbare optredens hanteerde Krenz een compleet nieuw jargon, woorden als 'openheid', 'dialoog' en 'verandering' waren niet van de lucht. Maar de volksbeweging was niet meer te keren. Overal in het land werden burgerforums opgezet. De demonstraties namen iedere week in omvang toe, van honderdtwintigduizend Leipziger demonstranten op 16 oktober tot een half miljoen Berlijners op 4 november. 'Gorbi!' riepen ze, en 'Wir sind das Volk!', en soms ook al 'Deutschland, einig Vaterland!'. De massademonstratie in Berlijn werd door de DDR-televisie live uitgezonden. De Oost-Duitse schrijver Stefan Heym: 'Het is alsof er een venster wordt opengestoten!'

Op 7 november zocht de DDR-regering tevergeefs contact met Moskou: de druk op de grenzen werd te groot, een versoepeling van de reismogelijkheden naar de Bondsrepubliek was niet te vermijden. De sovjetleiders waren niet bereikbaar, ze hadden het te druk met de festiviteiten rond de Oktoberrevolutie. Diezelfde dag trad de Oost-Duitse regering af, een dag later het Politbureau van de SED.

Op donderdagavond 9 november besloot het DDR-bewind om de reismogelijkheden sterk te verruimen, al moest men wel papieren hebben en aan bepaalde voorwaarden voldoen. Daarna hield de secretaris van het Centraal Comité van de SED, Günter Schabowski, een warrige persconferentie die direct werd uitgezonden. Zonder de stukken goed gelezen te hebben kondigde hij aan dat DDR-burgers voortaan zonder voorafgaande toestemming naar een ander land konden reizen. 'Per wanneer?' vroeg een journalist. Schabowski: 'Ik dacht, onmiddellijk.' Het duurde even, maar toen besefte iedereen wat deze mededeling betekende: de Muur was gevallen.

De Oost-Berlijnse predikant en oppositieleider Werner Krätschell was een van de eersten die, met zijn twintig jaar oude dochter Konstanze en haar vriendin Astrid, in zijn auto langs de overgang bij de Bornholmer Strasse reed. Zijn notities: 'Droom en werkelijkheid worden verward. De grenswachten laten ons door. De meisjes huilen. Ze kruipen dicht bij elkaar op de achterbank, alsof ze een luchtaanval verwachten. We rijden de strook over die achtentwintig jaar lang een doodszone was. En plotseling zien we West-Berlijners. Ze wuiven, juichen, roepen. Ik rijd langs de Osloer Strasse naar mijn oude school, waar ik in 1960 mijn diploma kreeg. Astrid vraagt me, plotseling, om de auto te stoppen bij het volgende kruispunt. Ze wil alleen maar even haar voet op de straat zetten. De grond aanraken. Armstrong na de maanlanding. Ze was nooit eerder in het westen geweest.'

De beelden van de dolle nacht gingen over de hele wereld. Toch heeft het Kremlin de volgende dag nog een ogenblik serieus overwogen om met geweld de oude situatie te herstellen. Vier naaste adviseurs van Gorbatsjov drongen sterk aan op een interventie van het sovjetleger. Een open grens tussen de DDR en de Bondsrepubliek was in hun ogen te riskant. Maar Gorbatsjov besefte dat hij de ontwikkelingen niet meer kon keren zonder frontaal in aanvaring te komen met de Verenigde Staten en de Bondsrepubliek. Zo'n conflict kon hij absoluut niet gebruiken. Hij was op dat moment nog optimistisch gestemd over de innerlijke kracht van het systeem: hij meende zeker te weten dat de overgang naar een grotere vrijheid en openheid het communisme eerder zou versterken dan verzwakken.

De communistische regimes vielen nu als dominostenen. In Praag groeide de dissidentenbeweging met de dag, eind november lieten Václav Havel en Alexander Dubček zich door meer dan een kwart miljoen mensen toejuichen. Overal in de DDR werden Stasi-kantoren bestormd en opengebroken. In Sofia demonstreerden vijftigduizend Bulgaren tegen de hegemonie van de communistische partij. In Boekarest werden dictator Nicolae Ceauşescu en zijn vrouw Elena door de volksmassa uitgefloten, er braken rellen uit, het leger weigerde nog langer te gehoorzamen.

Ondertussen probeerde een onbekende KGB-agent in Dresden, Vladimir Poetin, zoveel papieren tegelijk te verbranden dat de kachel ontplofte.

2

Helemaal in het oosten van de oude DDR, vlak tegen de Poolse grens, ligt het stadje Niesky. Alles lijkt er fonkelnieuw: de huizen zijn fris gepleisterd, het asfalt ligt vers op de straten, het grote stadsplein staat vol bloembakken. Ik zoek mijn oude vrienden op, Eckart en Inge Winkler, goede bekenden uit de roerige jaren na de Wende van 1989. Ze wonen nog altijd in dezelfde flat aan de rand van het stadje, in de Plittstrasse, en als je vanuit de woonkamer naar buiten kijkt zie je het begin van een bos liggen dat zich over meer dan vijftig kilometer uitstrekt, tot ver in Polen. 'Das Tal der Ahnungslosen' noemden de DDR-intellectuelen deze uithoek, omdat er geen westers televisiestation kon doordringen.

Eckart is bouwtechnisch ingenieur. Hij heeft nu een eigen ontwerpbureau, en zijn jongste personeelsleden hebben nauwelijks meer herinneringen aan de DDR. In zijn vrije tijd is hij voorganger in de plaatselijke Nieuw-Apostolische Gemeente. Zijn kerkleden zijn altijd nog even actief en levendig, maar het aantal jongeren neemt af: allemaal vertrekken ze naar het westen. Zelfs de organist is hij dit jaar kwijtgeraakt, een gouden jongen, ja, een baan in het westen, opeens verdwenen.

De flat van Eckart en Inge is het afgelopen decennium van onder tot boven opgeknapt. Anno 1999 doet Inge de was allang niet meer met de hand. Er is centrale verwarming aangelegd, in de keuken zoemt een afwasmachine en Eckart hoeft nooit meer om halfzes op te staan om met bruinkoolbriketten de boiler op te stoken. Maar een televisietoestel hebben ze nog altijd niet: ze houden niet van rommel die hun huis zomaar binnenkomt.

Met diezelfde houding hielden ze zich overeind in de DDR-tijd: in hun flat sloten ze de hele wereld buiten, met een goed boek. Nu is de grote gele tegelkachel verdwenen, maar ik zie die hoek van de huiskamer nog voor me: de kachel gaf een zachte warmte, dochter Gudrun – even met vakantie thuis – zat er tegenaan te studeren, kleinkind Elisabeth speelde op de grond, zoon Burckhard knutselde op zijn kamer, de andere dochter, Almund, maakte een pop van een zakdoek en een oude tennisbal, haar man Jens zat als dienstplichtig soldaat in de Nationale Volksarmee. Inge werkte in een kinderkliniek, Eckart zat bij het constructiebedrijf Christoph-Unmack, rijk waren ze niet, maar de huur was laag, het bedrijf zorgde iedere dag voor een warme maaltijd en de staat garandeerde een geborgen bestaan.

Eind februari 1990 logeerde ik er voor het eerst. De grens naar het westen was amper drie maanden open, de DDR bestond nog, het was vlak voor de eerste vrije verkiezingen voor de Volkskammer, en met een radiocollega maakte ik een portret van de Wende in dit vergeten stukje Duitsland. Rond halfzes 's middags, als het ging schemeren, zagen de straten blauw van de rook van de honderden kachels en fornuizen. Een kleine stoet grijsgroene en lichtblauwe Trabants pruttelde naar huis over de grote Zinzendorfplatz, het plein waar in de jaren dertig de SA marcheerde, waar na 1945 de gesneuvelde sovjetsoldaten begraven lagen, en waar heel lang geleden de lindenbloesemlucht volgens zeggen 'tot in Berlijn' te ruiken was.

Het stadje telde zo'n twaalfduizend inwoners, en alles draaide zo'n beetje om het grote Christoph-Unmack, waar onder andere spoorwagons en houten prefab-woningen werden geproduceerd. De paar winkels rondom het plein verkochten wortels, witte kolen en grauw schrijfpapier.

Het stadje was in 1742 door hernhutters onder leiding van Ludwig von Zinzendorf gesticht. De vrome vluchtelingen uit Bohemen en Moravië hadden het ook zijn naam gegeven: Niesky, nederig – en zo was het leven er al die jaren, stil, sober, bescheiden. Toch had de val van de Muur ook hier van alles teweeggebracht: een paar enthousiastelingen hadden een afdeling van de oppositiebeweging Neues Forum opgericht, er hadden enkele honderden mensen met kaarsen in de hand over de Zinzendorfplatz gelopen en begin december waren de vijftig plaatselijke Stasi's door een woedende menigte vrijwel letterlijk de stad uit gejaagd.

Daarna was alles opeens heel snel gegaan. De prijs van een nieuwe Trabant was in drie maanden tijd gehalveerd. De buren hadden een schotelantenne gekocht en keken alleen nog naar de West-Duitse televisie. Eckart, die tot voor kort voor elk buitenlands telefoontje toestemming moest vragen aan zijn chefs, mocht ineens zo vaak als hij wilde de grens over. Gudrun had al plannen gemaakt om in de zomer naar familie in Canada te gaan. 'Het was alsof we al die tijd in een beangstigend sprookje hadden geleefd,' zei ze later. 'We waren zo blij als konijntjes die na jaren eindelijk werden losgelaten. Maar toen we een dag in de wei gedanst hadden, drong plotseling ook iets anders tot ons door: wat gebeurt er als de vos komt?'

Het was een spannende tijd, en onze onverwachte komst was het zoveelste signaal dat er grote veranderingen op til waren. We hadden wijn meegenomen, en koffie en thee, en vers fruit, en Hollandse chocola, en ondertussen vertelde Eckart over de tijden van weleer en over zijn talloze aanvaringen met het Apparaat. Elke repetitie van het kerkkoor hadden ze moeten melden. De gebruikte plastic verfemmers van Christoph-Unmack, die gretig aftrek vonden bij de bevolking voor het werk in de moestuinen, moesten eerst in grijze verf gedompeld worden zodat de bonte westerse reclame niet meer zichtbaar was. Toen Eckart dat hoorde, was hij bij zijn technisch directeur – een alom bekende Stasi-agent – binnengestormd, roepend: 'Jullie zijn geen partij meer van arbeiders, maar van emmerdompelaars!'

Hij hoorde er nooit meer wat over, maar Gudrun – een van de beste leerlingen van haar school – kreeg de grootst mogelijke problemen toen ze wilde gaan studeren. Eckart: 'Bedenk wel: het was niet Erich Honecker die dat deed, het was allemaal het werk van duizenden kleine mensen onderling, die elkaar het leven zuur maakten.'

De revolutie in Niesky was dat voorjaar van 1990 op subtiele wijze zichtbaar in de koppen van de *Sächsische Zeitung*. Sinds jaar en dag was de plaatselijke krant bij de Winklers over de vloer gekomen als 'Organ der Bezirksleitung Dresden der Sozialistischer Einheitspartei Deutschlands', sinds begin december 1989 was het alleen nog maar een 'Sozialistische Tageszeitung' en vanaf januari 1990 duidde het blad zich aan als 'Tageszeitung für Politik, Wirtschaft und Kultur'. In diezelfde maand begonnen de advertenties voor tripjes naar Parijs: 'U hoeft niet naar dure restaurants. In de bus worden eenvoudige maaltijden aangeboden, zelfs voor DDR-marken.'

Heel Niesky leefde vol verwachting, alsof een toverfee alle inwoners had beloofd drie wensen te vervullen: vrij reizen, een solide Opel en alle partijbonzen overboord. Op een zondag waren we met Eckart en Jens in het naburige dorp Klitten naar een verkiezingsbijeenkomst gaan kijken. Voor de deur van Gaststätte Schuster stonden de Mercedessen en Audi's van West-Duitse politici te glimmen, binnen zat het stampvol boeren met rode hoofden die ademloos luisterden naar het loflied dat de cdu'er Gerhard Weiser op het westen zong. Auto's, reizen, het lag allemaal binnen handbereik. Onder de cdu-parasols en -ballonnen liet Weisers assistent de bandrecorder lopen. Door het houten zaaltje galmden koren en trompetten, *Einigkeit und Recht und Freiheit*, het publiek stond recht overeind, maar alleen de Wessi's zongen mee, de Ossi's hadden na al die jaren de tekst vergeten.

De laatste weken voor de verkiezingen begon een zekere bitterheid de Plittstrasse binnen te sluipen. Eckart had een goed geheugen, en daar kreeg hij last van. Zijn directeuren, die zichzelf nu 'ondernemers' noemden, waren exact dezelfde mannen die niet lang daarvoor hadden staan roepen dat alle bonte plastic emmers grijs moesten worden geverfd. Veel nieuwe cdu-kandidaten hadden jarenlang klakkeloos de lijn van partijleider Honecker toegejuicht, 'Wendehälse' waren het. Eckart zag het als een 'uitverkoop' van alles wat ze met hard werken hadden bereikt. Inge: 'Bij de demonstraties in november was er een trots op het eigen land die we in jaren niet hadden gekend. We droomden van iets tussen het kapitalisme en het socialisme in, het beste van twee werelden. Maar toen die West-Duitse politici zich met onze verkiezingen gingen bezighouden was dat voorbij. Ze kunnen zoveel beter praten, die Wessi's.'

Op de zondag van de verkiezingen, 18 maart 1990, had de hele familie aan de radio gekluisterd gezeten. 's Ochtends hadden ze er in hun kerkje nog grappen over zitten maken, maar naarmate de uitslagen binnenkwamen, zakte de stemming. De 'westerse' christen-democratische Allianz für Deutschland kreeg bijna de helft van de stemmen, de coalitie van de negentig oppositiegroepen rondom Neues Forum haalde nog geen 3 procent. Het was een blanco volmacht voor een fusie met het westen.

Vrienden begonnen te bellen, overal vandaan. 'Hoe is het bij jullie?' 'Hebben we daarvoor nu al die jaren onze nek uitgestoken?' 'Wij hebben hier voor die nieuwe partijbonzen het vuile werk opgeknapt, de risico's genomen. Zij zwemmen gewoon mee met het nieuwe tij.' 'Nu staan ze weer stram voor Kohl.' 'Ze heb-

ben het voor een auto gedaan, voor het geld, voor hun buik!'
Gudrun en Inge hadden zitten huilen.

Toen mijn collega en ik twee jaar later, in 1992, opnieuw in Niesky belandden, was de toverfee inderdaad langsgekomen. De huizen en de zijstraten zagen er nog vrij vervallen uit, maar de doorgaande wegen waren geasfalteerd, de lucht was twee keer zo schoon – nieuwe auto's en kachels doen wonderen – en de winkels puilden uit van de kiwi's en de videorecorders. Alle Karl-Marx- en Friedrich-Engels-Strassen waren veranderd in Goethe- en Schiller-Strassen. Aan de rand van het stadje had een conglomeraat van westerse bedrijven in enkele maanden tijd een hypermodern winkelcentrum uit de grond gestampt en de Nieskyers laadden er hun auto's vol alsof het nooit anders was: wasmachines, kleurentelevisies, één grote inhaalslag. De meeste mensen konden het betalen ook. Het leven in de DDR was in veel opzichten zo goedkoop geweest en er was zo weinig te krijgen, dat bijna iedereen een stevige spaarpot had.

Niesky nam een sprint door de tijd, het leek in één zwaai door te slingeren van de jaren vijftig naar de jaren negentig. Alles waarover een vergelijkbaar West-Europees stadje veertig jaar had gedaan, gebeurde hier in amper veertig maanden. Het deed denken aan een woestijnplant na een regenbui: jarenlang dor en onooglijk, en opeens braken er krachten los die blijkbaar al die tijd onder de officiële economie hadden gesluimerd. Met welke winkelier we ook praatten, allemaal hadden ze trainingen gevolgd bij branchegenoten in het westen, en daarna hadden ze wekenlang eigenhandig staan schilderen en timmeren. De papierwinkel, in 1990 nog een stoffige en grijze bedoening, was veranderd in een moderne kantoorboekhandel zoals die overal in het westen had kunnen staan, en de bedrijfsleider – dezelfde als vroeger – gedroeg zich alsof hij niet anders was gewend. In zijn hele zaak was geen Oost-Duits vlakgommetje meer te bekennen. Het smoezelige café aan de Görlitzer Strasse, waar twee jaar eerder nog dronken en invalide Genossen nachtenlang ruzie zaten te zoeken met de vijf plaatselijke punks – 'Weten jullie wie hier al die jaren het werk deden?' schreeuwden ze – was herschapen in een soort Franse theetent: wit, een toefje lichtblauw, krulstoeltjes, zachte muziek en keurig met damast beklede tafels. Alleen de fietshandelaar had nog iets van de oude tijden bewaard: hij verkocht twee soorten bellen, de glimmende West-Duitse voor vijf mark, en de oude, oerdegelijke Oost-Duitse voor één mark.

Niesky anno 1992 was één groot loflied op het kapitalisme. Op het oude partijgebouw stonden de antennes te roesten, richting Berlijn, richting niets. Nu was er het arbeidsbureau gevestigd, en op de gang zaten tientallen werklozen met een nummertje in de hand te wachten. Een man vertelde ons dat hij in een opslagbedrijf had gewerkt waar in de DDR-tijd zestig personeelsleden rondliepen, hoewel voor het feitelijke werk niet meer dan tien man nodig waren. Nu werkten er nog vijf. De werkloosheid in Niesky bedroeg 13 procent, en ze steeg voortdurend, vooral onder vrouwen. Daar had die fee ook voor gezorgd.

In de kleine flat van de Winklers was een moderne badkamer aangelegd, de oude DDR-radio was vervangen door een fonkelnieuwe cd-speler, in een hoekje stond een computer te zoemen en Eckarts tien jaar oude Wartburg was vervangen door een bijna nieuwe Opel. Schoonzoon Jens had uit het westen eindelijk zijn droom kunnen meeslepen: een elektronisch orgel dat ook piano- en klavecimbelspel kon voortbrengen. In de boiler en de tegelkachel brandden nog steeds de bruinkoolbriketten, daarin was niets veranderd, maar het plekje van Gudrun was nu leeg. Ze was, na haar reis naar Canada, in het westen gebleven. En daar was ze, nogal halsoverkop, getrouwd met een jongen uit Dortmund. Inge pinkte een traan weg toen ze het, bijna verontschuldigend, vertelde.

Jens was weer gaan studeren. Dat kon nu eindelijk. Inge had moeilijke maanden toen de westerse gezondheidszorg zijn intrede deed en het aantal kinderartsen rond Niesky werd gehalveerd. Maar ze had nu weer een baan als schoolarts. Eckart zelf had eindelijk de positie gekregen waar hij, gezien zijn vakmanschap, recht op had. Hij reisde half Europa af, samen met zijn technisch directeur, dezelfde directeur met wie hij in de DDR altijd ruzie had. Het was niet gemakkelijk allemaal. De veelgeprezen vrije markt in het westen bleek in de praktijk voor nieuwelingen een bijna gesloten front, vol oude verbanden, relaties en netwerken. Eckart had een afdeling van bijna honderd man onder zich. Maar hij wist nu al dat er halverwege het jaar maar veertig zouden overblijven.

In één opzicht deed Niesky tijdens dat tweede bezoek denken aan een Duitse variant van Twin Peaks: er was een verleden, een geheim waarvan iedereen een klein deel kende, en dat voortdurend de rust van het heden dreigde te verstoren. Onder de vriendelijkheid en de *Gemütlichkeit* van het stadje lag een moeras van verwarring, van goed en slecht, van trouw en verraad. Bijna iedere week werd er weer een diepere laag blootgelegd: verraad na verraad, ontrouw onder de oude ontrouw, kwaad dat almaar verder ging.

Bijna dagelijks verschenen er in de *Sächsische Zeitung*, tussen de advertenties met 'kennismakingsreizen naar de Costa Brava', onthullingen over plaatselijke Stasi-activiteiten. Zo bleek bijvoorbeeld dat een arts van een naburige psychiatrische inrichting in opdracht van de Stasi een oppositionele predikant ziek had gemaakt met psychofarmaca. De predikant – hij was nu deelstaatminister – verscheen voor de televisie nadat hij zijn dossiers had ingezien. Hij leek een gebroken man.

Eckart en Inge wilden er niets mee te maken hebben, hoewel ze zeker wisten dat er een dik dossier over hen beiden bestond. 'Laat het verleden niet de toekomst beheersen,' zeiden ze.

Op 6 oktober 1991 trouwde Gudrun met haar Wessi-verloofde, een jonge arts, en alle tegenstellingen tussen beide Duitslanden leken op die bruiloft samen te komen. Eckart en Inge vonden dat er veel te veel mensen waren, de West-Duitse familie vond het feest juist te sober, West vond de Oost-Duitse vriendinnen van Gudrun onderdanig en ongeëmancipeerd, Oost verbaasde zich erover dat de West-Duitse dames al hun status ontleenden aan hun man, West vond dat Oost slecht gekleed was, Oost vond de West-Duitse vrouwen onnozel en lui, en Gudrun zelf hing tussen alles in. Ze voelde zich, zei ze later, 'een halve verraadster'.

Toch gingen ook de Winklers, amper twee jaar later, mee in de welvaart. Jongste zoon Burckhard kocht eind 1993 voor meer dan achthonderd mark aan kerstcadeautjes, een unicum in de familiegeschiedenis. De kinderen kregen poppen, lego en een speelgoedambulance met alles erop en eraan. Eckart liet me de skischoenen zien die Burckhard voor zichzelf had gekocht: overal verstelbaar, veiligheidsgespen rondom, vol grapjes en snufjes. Nu was hij weer bezig met een sneeuwscooter, een weekendje in de bergen van Tsjechië, twee uur rijden van Niesky.

1993 was een belangrijk jaar voor de familie. Eckart had zijn oude DDR-bazen afgeschud, en samen met Jens was hij voor zichzelf begonnen, op een kleine zolder. Ze werkten bijna voor niets, zelfs de aanschaf van een extra tekenlamp was een heel punt, maar hun enthousiasme was enorm – en langzaam begonnen de opdrachten binnen te komen. De emmerdompelende Genosse was nog steeds directeur van het oude bedrijf. Maar hij had zich voor iedereen enorm ingezet, en geleidelijk aan was Eckart zijn oude vijand gaan waarderen, tot zijn eigen verbazing. Hij was optimistisch over de concurrentie met het westen, althans op zijn werkterrein. 'Ze zijn wat gemakkelijk, die Wessi's, een beetje verwend. Ze krijgen een zware dobber aan ons.'

In het stadje zelf was het winkelcentrum flink gegroeid, er was een nieuwe Opeldealer gekomen, een tapijthandel, een nieuwe apotheek, een Raiffeissenbank met een geldautomaat. Vooral viel nu het licht op, de reclames, de scherpe beelden die de ogen binnenkwamen, het was zo totaal verschillend met die vage, grijze aanduidingen uit de DDR-tijd. De Zinzendorfplatz was opnieuw aangelegd, het DDR-monument voor de gevallenen in de strijd tegen het fascisme was opgeruimd, de eerste huizen werden geïsoleerd. De oude, verveloze panden die vier jaar geleden het stadsbeeld domineerden waren hier en daar nog te zien, maar ze werden schaars en zeldzaam.

Ondertussen schreef de *Sächsische Zeitung* over aanvallen op buitenlanders, over de zesentwintigduizend illegale immigranten die in 1993 alleen al in Saksen aan de grens waren opgepakt en in de advertentiepagina's bood een 'gerenommeerde nachtclub' werk in het westen voor dames tussen de achttien en drieëndertig, met huisvesting en hoge inkomsten. Op de schappen van de supermarkt stond vrijwel niets dat niet uit het westen kwam. Inge had een poosje, in het kader van de lokale stimuleringsactie 'Koopt Saksische Waar', geprobeerd melk, groente en andere levensmiddelen uit de eigen regio te kopen. Ze waren vrijwel niet meer te vinden. Het westen zorgde voor alles, het oosten leek nauwelijks meer te bestaan.

In september 1994 ging ik op bezoek bij Gudrun. De laatste keer dat ik haar sprak las ze nog voor uit haar schoolboeken:

Wir sind die Klasse der Millionen Millionäre
Die eigene Diktatur erst macht uns frei
Bei uns ist gute Arbeit Pflicht und Ehre
Und jeder von uns ist ein Stück Partei...

Vier jaar later woonde ze aan de andere kant van Duitsland, in een voorstadje van Dortmund. 'Soms zou ik willen dat ik nooit in de DDR geboren was,' zei ze. 'Ik schaam me dan. En soms zit ik hier in een auto, ik zie hoe iedereen hier eet en vecht, en dan haat ik het westen.'

Ze had ondertussen een zoon gekregen, Jakob, en een tweede baby was op komst. Ze was compleet ingeburgerd in het westen, al hield ze nog steeds niet van grote supermarkten, en bleven vers fruit en mooie tomaten voor haar een wonderbaarlijke delicatesse. 'Ik heb geluk gehad,' meende ze achteraf. 'De mensen van onze kerk hebben me erg geholpen. In het oosten had ik altijd een grote mond, maar hier was ik in het begin heel klein en timide.' Ze had enorm moeten wennen aan de concurrentie, aan het feit dat mensen over zichzelf opschepten omdat je er anders niet kwam, aan het vrijblijvende van het westerse studentenbestaan. Andere vrouwen uit de voormalige DDR herkende ze op straat nog jarenlang: aan hun wat onderdanige houding, hun onzekerheid, hun kleding, alsof ze in een spiegel iets van zichzelf zag. 'Naar DDR-maatstaven was ik altijd opvallend gekleed. Maar hier was het net niet goed. De lengte van mijn rok, het soort stof, mijn schoenen, het klopte allemaal net niet. Een paar keer begonnen de vrouwen van de kerk er zelfs over. Een jaar lang heb ik elke zondag hetzelfde gedragen: een wit rokje met een pullover. Uit protest, maar ook uit onzekerheid.'

Zo nu en dan ging ze terug naar Niesky, en één ding viel haar vooral op: er werden nauwelijks meer kinderen geboren. De jeugd was grotendeels weggestroomd naar het westen. Alleen al uit Gudruns klas was bijna de helft vertrokken. Het geboortecijfer in het stadje was sinds 1989 met een derde gedaald. 'De vrouwen zijn onzeker geworden,' zei Gudrun. 'Ze werden als eersten ontslagen, de bedrijfsmaaltijden en de andere voorzieningen om moeders het werken mogelijk te maken, werden afgeschaft. Ze werden in één klap teruggestuurd naar het aanrecht.'

Ze besefte dat de val van de Muur haar horizon oneindig had verruimd. 'Maatschappelijk werkster, dat zou voor mij in de DDR het definitieve eindpunt zijn geweest, mijn leven lang.' Toch betrapte ze zich erop dat ze het verleden soms alweer idealiseerde. De DDR was voor haar een afgesloten oase van rust en orde. 'Het was een eenvoudige wereld. Als je je maar braaf gedroeg, kon er niets misgaan.' Zelfs de repressie had in haar ogen achteraf iets simpels. 'Wij wisten precies wie de vijand was. Hij was plomp en stom en duidelijk. Hier in het westen bots je ook tegen van alles aan, maar het is vaag en ongrijpbaar.

Niemand schat me hier goed in,' zei ze. 'Ik hoor nergens meer bij. Maar zo is het nu eenmaal.'

Nu, in het najaar van 1999, lijkt Niesky een stadje waar nooit iets gebeurde. De huizen zijn in vrolijke pasteltinten geschilderd, de nieuwe bibliotheek is de trots van de hele omgeving, op de Zinzendorfplatz bloeien de laatste chrysanten in feestelijke kleuren. Hier en daar zie ik kleine stickers op de verkeersborden: 'Herinner je je gisteren? Waar zijn we nu?' De neo-nazi-partij NPD plakt overal: 'Ausländer zurückführen, statt Integration!' De cafés en restaurants zijn leeg. De kinderkliniek van Inge is gesloten, ze heeft een afvloeiingsregeling geaccepteerd, ze zit nu thuis. Het werkloosheidspercentage in Niesky staat op 18 procent: één op de zes werkende inwoners zit tegenwoordig thuis. De *Sächsische Zeitung* staat vol over het reisje van de plaatselijke middelbare school naar Praag: aan de grens was de bus doorzocht en maar liefst zeven kinderen bleken hasj bij zich te hebben. Hasj! In Niesky!

Er is deze zondag een huwelijksinzegening. Eckart heeft zijn zwarte preekpak aangetrokken. Het kerkzaaltje zit vol. Ik zit naast de kleine Elisabeth, ze is nu elf, zo mooi en zacht als een hertje. Twee meisjes in gesteven jurk spelen een vioolduo. Het koor zingt. Mijn vriend preekt voor de vuist weg rond een tekst uit Johannes, zonder show en zonder getob, over vrede, ootmoed en berusting. Weer zingt het koor. Eckart spreekt het bruidspaar toe, hij heeft het over 'een bescheiden leven voor het aangezicht Gods', de bruid houdt de ogen neergeslagen, de bruidegom, een vierkante blonde jongen in een onhandig zwart pak, veegt zich de tranen uit de ogen. Ze zeggen 'ja' en kussen elkaar verlegen.

Nu loopt de hele gemeente langs om te feliciteren, Inge, Jens, Almund, Elisabeth, de godsdienstjuffrouw met paars haar, het clubje kromme weduwen, een paar enorme arbeiders van Christoph-Unmack, het koormeisje met de stoute piercing in de neus. Dan gaat iedereen naar buiten. Er wordt met rijst gegooid, kinderen treden naar voren met een versje, een kniebuiging en bloemen, de bruidegom strooit wat kleingeld, er wordt weer gezongen, en iedereen roept: 'Hoch!' Het bruidspaar stapt in een antieke auto en rijdt weg. Bij het hek staan we allemaal te zwaaien. 'Een Opel uit 1934!' zegt Eckart, die onder zijn preekpak een hartstochtelijk technicus blijft. 'Die zal wat meegemaakt hebben!'

3

'Ik was als student met zo'n goedkoop reisje naar Berlijn gegaan,
samen met een paar vrienden. Het was 30 april, en vanwege Koninginnedag gingen we boemelen in Oost-Berlijn. Zo belandde
ik de volgende ochtend heel vroeg in die grote, doodstille Stalin-
Allee, in m'n eentje wandelde ik daar, geen mens te bekennen.
Maar opeens hoor ik in mijn slaperigheid een gerommel, in de
verte zie ik iets bewegen, en daar doemen ze op: Russische tanks!
Als Nederlandse jongen denk je: oorlog! Totdat ik besef dat het
gewoon 1 mei is. Zo hevig waren onze reacties toen, gevormd
door die eeuwige spanning tussen Oost en West.

Ik ben van 1939, en in de jaren vijftig betekende Europa voor
mij het Marshallplan, steden, reizen, cultuur. In de jaren zestig
had ik niet veel met Europa te maken. Er waren congressen van
katholieke jongeren, internationale ontmoetingen, ik woonde
ooit zelfs zes weken in Lissabon. Maar ik was niet, zoals mijn latere collega's Helmut Kohl of Jean-Luc Dehaene, van jongs af aan
bezig met het Europese avontuur. Europa leefde voor mij, zeker,
maar niet als politiek idee.

In 1973 werd ik minister van Economische Zaken. Het waren
de jaren waarin ik voor het eerst de Europese verhalen hoorde, de
grappen over de Gaulle, Luns en Adenauer. Maar voor mij had
Europa in die tijd vooral een technisch gezicht: dikke dossiers,
eindeloze vergaderingen, een blikken kar waarmee je telkens
naar Brussel werd gereden. Daar kwamen de gemeenschappelijke commissies bijeen, en een minister van Economische Zaken
was daar belangrijk in, samen met die van Buitenlandse Zaken.
Het waren taaie besprekingen, en ze hadden niets met Europees
idealisme te maken. Je zat daar als vakminister. Veel kwesties
liepen trouwens nog helemaal buiten de EEG om. Ik had bijvoorbeeld een stevig handelsconflict met Japan, daarvoor ging je als

Nederlandse minister speciaal naar Japan om te onderhandelen, dat zijn pas geleidelijk Europese kwesties geworden. De oliecrisis van 1973 was evenmin Europees: die beleefden we nog echt als een Nederlands probleem. Het was immers alleen Nederland dat, met de VS, door OPEC geboycot werd.

Vier jaar later was ik fractievoorzitter van het CDA in de Tweede Kamer, en zo kreeg ik te maken met de Europese christen-democratie. Toen ontmoette ik voor het eerst Kohl, Martens en Andreotti als collega-politici. En langzamerhand kreeg ik een nieuw idee van Europa, een politiek idee, heel anders dan het bureaucratische Europa dat ik eerder had meegemaakt.

Wij, katholieke christen-democraten, hadden Europa altijd een beetje als óns project gezien. In het protestantse Noord-Duitsland werd de Europese gedachte na de oorlog zelfs afgedaan als "Adenauerei", iets katholieks, iets verdachts.

Aan de linkerzijde heerste een ingewikkeld mengsel van opvattingen, vooral over Oost-Europa. Aan de ene kant bestond de neiging om aan te pappen met het Oostblok en om, bijvoorbeeld, de DDR als een gegeven feit te beschouwen. Tegelijk zag je bij prominente sociaal-democraten als Den Uyl en Van der Stoel een uitgesproken anti-communistische houding. Je zat dus aan tafel met mensen die de DDR zo gauw mogelijk wilden erkennen, en met mensen die na de oorlog echt een keuze hadden gemaakt: het communisme niet, het socialisme wel. Voor iemand met een andere achtergrond, zoals ik, was dat een beetje merkwaardig. Maar de rode familie kon blijkbaar met dat schisma leven.

Zelf had ik als minister nogal wat handelsdelegaties naar het Oostblok geleid. Ik kende Dresden, Oost-Berlijn, Warschau, Boekarest en Belgrado uit de jaren zeventig. En ik kwam terug met het beeld: dit zijn sterk onderdrukte landen, dit is geen vrijheid, dit is politie, dit is ontzettend naar. Dat werd daar gecompenseerd door veel drank, veel eten, veel protocol. Ik was gelukkig jong genoeg om dat te doorzien. Ik heb met Reagans uitdrukking "The Evil Empire" dus ook nooit moeite gehad. Maar mijn linkse vrienden vonden die kreet natuurlijk afschuwelijk.

In 1982 werd ik minister-president van Nederland. In Kopenhagen, op de Europese Ministerraad, leerde ik mijn Europese collega's kennen. Wilfried Martens had ik al ontmoet, net als Helmut Kohl en Margaret Thatcher. Maar daar in Kopenhagen maakte ik voor het eerst het hele gezelschap mee. Op die vergadering bleek direct een enorme spanning te bestaan tussen Thatcher en Mitterrand. Dat conflict ging werkelijk over iets. De redenatie van Mitterrand kwam erop neer: investeren in Europa betekent je afsluiten van Amerika, je eigen kracht vinden, jezelf beschermen, en van daaruit weer een gesprek met anderen beginnen. Hij hield dus een anti-Amerikaans verhaal. Eigen kracht eerst. Thatcher zei: "Rubbish. Slecht verhaal. De zaak moet open. Vrijhandel."

Ik stuitte hier dus niet meer op de bureaucratie van de jaren zeventig, maar ik nam deel aan een politiek debat, die hele middag. Tien jaar eerder werden dat soort gesprekken, bij mijn weten, tussen Europese regeringsleiders nooit en te nimmer gevoerd. Europa was een zaak voor intergouvernementele ambtenaren, plus wat vakministers, zoals Economische Zaken, Landbouw en Buitenlandse Zaken. Dat was Europa. Heel concreet, vanuit bepaalde instellingen, vanuit praktische problemen. Die avond, na het diner, ging het informeel nog verder, over wat Europa nu eigenlijk is, over de Europese cultuur, over de rol van de reformatie ging het zelfs. Eigenlijk waren we toen al bezig met een heel nieuw concept van Europa, geen technisch maar een politiek Europa. En we vormden, met alle tegenstellingen, ook een soort club.

Dat betekende niet dat het zo goed ging met de praktische samenwerking tussen onze landen. Er werd veel gepraat, er waren mooie plannen, maar alles ging stroef. Tussen 1982 en 1989 hebben we moeizaam die zogeheten eurosclerose kunnen overwinnen. In 1985 besloten we in Schengen om de controles aan de binnengrenzen tussen de Benelux, Frankrijk en Duitsland op te heffen. Later kwamen daar steeds meer landen bij. Zo kwam er ook één beleid ten aanzien van grenscontroles, veiligheid en asielkwesties. In 1989 stond de interne markt op de rails en eind 1991 kwam, ten slotte, het Verdrag van Maastricht.

Nu hadden we in de jaren tachtig niet alleen te maken met een Europese beleidslijn, maar ook met een NAVO-lijn, met alles wat eraan vastzat. Die EEG en die NAVO waren twee afzonderlijke samenwerkingsverbanden, aparte werelden die ieder een eigen koers volgden. Helmut Kohl en ik hadden bijvoorbeeld grote bezwaren tegen de plaatsing van kruisraketten, terwijl Mitterrand daarin veel gemakkelijker was. Niet omdat hij pro-Amerikaans was, maar omdat hij een stevig antwoord aan de sovjets op zijn plaats vond.

In Nederland werden enorme demonstraties tegen deze nieuwe wapensystemen gehouden. Op zaterdag 26 oktober 1985 mocht ik in de Haagse Houtrusthallen ruim drie miljoen handtekeningen in ontvangst nemen, ik werd uitgefloten, iedereen draaide me de rug toe, maar ik heb gemotiveerd en geconcentreerd mijn verhaal afgestoken, over mijn eigen worsteling met de kwestie, en het hele land kon dat op de televisie zien. Ik zei dat ik bleef hopen op een wonder. Die hoop was realistischer dan de mensen dachten.

De vrijdag vóór die manifestatie was de Indiase premier Rajiv Gandhi onverwacht bij ons in Den Haag langsgekomen: hij moest een tussenstop maken in Nederland en wilde kennismaken. Hij zou later die avond doorvliegen. In het Catshuis wordt voor hem gebeld. Hij komt terug, zegt: "De Russische geheime dienst heeft uitgevonden dat ik hier zit, en Gorbatsjov wil nu dat ik ook een tussenstop in Moskou maak. Wat een ellende." Ik zeg: "Ik weet het beter: je blijft hier op het Catshuis logeren, voor je mensen vinden we een hotel, en morgenochtend gaat er wel een vliegtuig naar Moskou. Dan slaap je ten minste één nacht goed."

Dat vonden hij en zijn vrouw een prima idee. Ik zeg: "Maar dan moet je wel iets voor me doen. En ik moet je daarbij iets gaan uitleggen over kruisraketten en SS-20-systemen. Maar dat doe ik pas bij het ontbijt, als je bent uitgeslapen." Ik heb Rajiv Gandhi toen cijfers over de wapenbalans meegegeven, het hele probleem, en gevraagd of hij de zaak bij Gorbatsjov nog één keer persoonlijk wilde nachecken.

Die maandag kreeg ik Rajiv aan de lijn. Ja, hij was bij Gorbatsjov geweest, nee, het was absoluut geen probleem geweest, Gorbatsjov was uitstekend op de hoogte, en de boodschap was deze. Een: op dit moment kan ik in Rusland niet tegemoetkomen aan jullie verlangens om onze bewapeningssystemen te ontmantelen, en bovendien tellen jullie niet goed. Twee: ik besef dat dit betekent dat Nederland een positief plaatsingsbesluit gaat nemen, we zullen dat officieel zwaar bekritiseren, maar wil aan Ruud Lubbers zeggen dat ik het hem persoonlijk niet kwalijk neem. Drie: als ik een raad mag geven, probeer dan wat tijd te kopen bij de werkelijke plaatsing; mijn inschatting is dat ik binnen een jaar een wapenakkoord kan sluiten, zodat die raketten in de praktijk nooit geplaatst zullen worden.

In het vroege voorjaar van 1986 wordt de plaatsing door de

Tweede Kamer ten slotte goedgekeurd, maar ondertussen is de wereldpolitiek totaal veranderd. Dat najaar komen Gorbatsjov en Reagan in Reykjavík, totaal onverwacht, bijna tot een doorbraak: alle kernwapens zouden uit Europa moeten verdwijnen. Ik hoor nog Margaret Thatcher dat weekend in paniek door de telefoon roepen: "Ruud, je moet iets doen, dit wordt een ramp! Ronny laat zich helemaal inpakken! Je weet het, hij is een idealist!" En dan komt, uitgerekend tijdens een bezoek van ons aan de Gandhi's in India, het bericht: er is een doorbraak bij de wapenonderhandelingen. De hele plaatsing is nooit doorgegaan. Bizar verhaal, hè.

De verkruimeling van het sovjetblok volgden we natuurlijk, we praatten er onderling over, "Wat vind jij nou van die Gorbatsjov?" zo in die trant, maar we beschouwden het niet als een gemeenschappelijk vraagstuk. Totdat de Muur viel. Toen werden we er plotseling met onze neus opgedrukt. Helmut Kohl besefte direct de consequenties: dit was voor Duitsland de langverwachte, historische kans. Hij zette alles op alles om de DDR en de Bondsrepubliek nog in 1990 te laten fuseren, en dat is hem ook gelukt. Maar wij, ja, hoe ga je daarmee om? Moesten we een Duitse hereniging volmondig steunen? En daarna? Zou dat nieuwe Duitsland dan geen claims leggen op het voormalige Oost-Pruisen? Historici hebben absoluut ongelijk als ze zeggen: er was rond 1989 niemand meer die twijfelde aan de onvermijdelijkheid van de Oder-Neissegrens met Polen. Binnen Duitsland waren sterke politieke krachten die maar wat graag de oude situatie wilden herstellen. Er sluimerden nog altijd grote conflicten tussen Duitsland en de rest van Europa.

Mitterrand maakte met Kohl een ruil: jij steunt met je stevige mark de Economische Monetaire Unie (EMU) en de nieuwe Europese munt – en daarmee de franc –, wij steunen de Duitse eenwording, zij het dat je geen twijfel moet laten bestaan over de definitiviteit van de Oder-Neissegrens. Ik maakte me ook zorgen over Polen, maar Kohl garandeerde mij persoonlijk dat de Oder-Neissegrens uiteindelijk de uitkomst van het debat zou worden. Hij was daarvan overtuigd, ik hield mijn twijfel. Als in Duitsland een democratische beslissing zou worden genomen – en daarvoor waren allerlei groepen aan het werk – om een grenscorrectie naar het oosten te eisen, dan hadden we een enorm probleem gehad. En Kohl was politicus genoeg om te weten: er hoeft maar niks te gebeuren, of ik houd dit niet in de hand. Die miljoenen oude *Heimatvertriebene*, dat waren zulke sterke krachten, daar zaten zulke hevige emoties...

Toen Kohl later aan Gorbatsjov schreef: ik heb het voor elkaar gekregen dat het Duitse parlement de Oder-Neissegrens accepteert, en nu vraag ik jou om een tegenprestatie... Toen was dat volgens mij niet alleen maar brutale bluf. Hij vond het echt een prestatie van zichzelf dat hij, door rustig en verstandig op te treden, de Duitsers verzoend had met de onvermijdelijkheid van de Oder-Neissegrens. Maar als dat een prestatie is, dan moet er ook een risico zijn geweest dat het anders had kunnen lopen. Het is waar dat Kohl de mensen in zijn omgeving, mij inbegrepen, voortdurend geruststelde: maak je maar geen zorgen. Maar om te zeggen dat die kwestie niet speelde, o nee. Die was er natuurlijk wel.

MAASTRICHT

In februari 1992 werd in Maastricht de Europese Unie (EU) gesticht, de opvolger van de EEG. Het Verdrag van Maastricht was een grote stap in de richting van een verenigd Europa. Het omvatte bepalingen over het burgerschap van de Unie – voor alle burgers van de deelnemende landen – en over een gemeenschappelijke economische politiek. De bevoegdheden van het Europees Parlement zouden worden uitgebreid. Daarnaast waren er uitgebreide hoofdstukken over onderwijs, cultuur, gezondheidszorg, energie, justitie, immigratie en criminaliteitsbestrijding. Ten slotte bevatte het verdrag ook nog enkele vage clausules, zaken waar men duidelijk niet was uitgekomen, onder meer over het nastreven van een gemeenschappelijke buitenlandse politiek.

Veruit de meest concrete bepalingen betroffen het opzetten van de Economische Monetaire Unie (EMU) en de Centrale Europese Bank, dit alles ter voorbereiding op de introductie van een gemeenschappelijke Europese munt in 1999. Op 1 januari van dat jaar moesten de deelnemende landen aan bepaalde economische eisen voldoen, anders zouden ze buiten de EMU blijven: een lage inflatie, een lage rentestand, overheidstekorten die niet hoger waren dan 3 procent van het nationaal inkomen. Vooral Duitsland, met zijn sterke mark, drong hier zeer op aan.

Groot-Brittannië bleef een buitenbeentje. Het dwong de mogelijkheid af om buiten de EMU te blijven en weigerde om het sociale hoofdstuk te ondertekenen. Zowel Mitterrand als Kohl beschouwde, net als in 1950, de Europese eenwording als hét middel om ook in de toekomst de onderlinge problemen de baas te blijven. Frankrijk zag de integratie van Duitsland in Europa als de enige manier om de almaar toenemende macht van het land te beperken. Duitsland zag de Europese Unie als het uitgelezen middel om de Europese angst voor een nieuwe Duitse overmacht weg te nemen. Vandaar dat Kohl ook voortdurend hamerde op meer bevoegdheden voor de Unie en het Europees Parlement. Door de sterke mark op te geven voor de euro had Helmut Kohl bovendien de toestemming voor de Duitse eenwording van Frankrijk en de rest van West-Europa gekocht. Zoals hij dikwijls zei: 'Mijn doel is niet een Duits Europa, maar een Europees Duitsland.'

Ruud Lubbers en Helmut Kohl, twee oude Europese vrienden tussen wie een breuk ontstond rond de Duitse hereniging, zo is er later over geschreven. In werkelijkheid ging het daar helemaal niet om. We konden inderdaad heel goed met elkaar opschieten, vaak hebben we lange gesprekken gevoerd. Tot Maastricht, een jaar na de hereniging, waren de verhoudingen nog prima. Voorafgaand aan die Maastrichtse top lunchte ik met Kohl. Dat was een goed gesprek, we wilden allebei tot de EMU komen, dat was de insteek. Kohl aanvaardde dat ik de zaak niet alleen technisch voorzat, maar ook inhoudelijk. Ik was op dat moment waarschijnlijk de enige die de Engelsen kon afhouden van een veto. Het verdrag kwam met grote moeite tot stand, maar de oude stemming was er nog: fijn, dat hebben we weer bereikt. Europa was weer in beweging, we gingen zelfs naar één munt, dat was klaar.

Maar tegelijkertijd was Maastricht het begin van een ander tijdvak. Thatcher was al weg. Mitterrand werd een dagje ouder. In diezelfde stemming begon Kohl ook van mij afstand te nemen. Want Maastricht was achter de rug en in Europa ontstonden andere verhoudingen. De as Bonn-Parijs begon steeds meer de agenda te dicteren.

Toch lag de kern van onze breuk, denk ik, grotendeels op het menselijke vlak. Helmut Kohl werd door het enorme succes van de hereniging een andere man. Hij had voor die tijd al een paar mensen geëlimineerd, maar hij was nog altijd zeer collegiaal, vriendschappelijk. Na 1990 groeide hij boven zichzelf uit, hij werd de eerste bondskanselier van het herenigde Duitsland, hij deed dat uitstekend, hij glorieerde, maar hij kon de andere leiders niet meer zien als collega's, behalve als ze president waren van de Verenigde Staten. Mitterrand begon hij te behandelen zoals Jeltsin later met Gorbatsjov deed, neerbuigend, vernederend. Als ik iets anders wilde irriteerde hem dat mateloos.

In Maastricht waren de meeste lidstaten aanvankelijk voor de vestiging van de centrale bank in Amsterdam, alleen hij was voor Frankfurt, hij moest dat met veel geweld doordrukken. Kort daarop wilden de Kroaten zich losmaken uit de Joegoslavische federatie. Wij vonden dat levensgevaarlijk, het kon het begin worden van de onttakeling van Joegoslavië, en we hadden gelijk: het werd een lange, bloedige burgeroorlog. Maar Kohl steunde de Kroaten openlijk, hij zag hun zelfbeschikkingsrecht in één lijn met de zelfbestemming van het Duitse volk. Onze onverschrokken minister Hans van den Broek bleef daartegen fel protesteren. Toen kreeg Kohl iets van: die verdomde Nederlanders! In één klap was die Ruud Lubbers veranderd van een partner in een lastige vent.

In 1994 vroeg Jacques Delors, de eerste man van Europa, of ik hem wilde opvolgen als voorzitter van de Europese Commissie. De Spaanse premier, Felipe González, kondigde mijn kandidatuur publiekelijk aan. Ik ga naar Mitterrand. "Nee," zegt Mitterrand, "ik heb inmiddels met Kohl afgesproken dat we voorstander zijn van uw Belgische collega Jean-Luc Dehaene. Dat heeft te maken met het feit dat u 'trop marin' bent, te Atlantisch, u oriënteert zich te veel op Engeland en Amerika."

Je zag daar al het nieuwe Europa ontstaan: Kohl en Mitterrand beslisten zoiets in Mulhouse gewoon met z'n tweeën, brachten dat naar buiten en verwachtten dat de anderen dan wel zouden volgen. Kohl, de reus van Europa die zijn eigen man koos, zijn aide in Brussel, Dehaene. En hij werd ongelooflijk kwaad toen Nederland dat besluit niet accepteerde.

Het kortste gesprek dat ik met hem had, was tegelijk het laatste. Het ging alleen over die opvolging. Kohl had de kleine landen geterroriseerd, het ene na het andere was omgezwaaid, maar vier landen bleven dwarsliggen: Engeland, Nederland, Spanje en Italië. Kohl zegt: "Dit is toch ondemocratisch. Acht van de twaalf zijn voor Dehaene. Waarom aanvaard je niet gewoon die uitkomst?" Ik zeg: "Ik zie dat anders. Want die vier landen samen hebben de helft van het inwoneraantal van de Europese Unie. Ondanks jouw pleidooi, samen met Mitterrand, zegt dus 50 procent van de Europese bevolking hier 'nee' tegen. Dus Dehaene en ik moeten ons allebei terugtrekken." Kohl werd toen razend. Maar zo was het wel, en zo ging het ook.[3]

Eind augustus 1994 trad ik af als minister-president. Weet je hoe dat hier in Nederland ging? Mijn vrouw lag in het ziekenhuis, daar liet ik me door de dienstauto afzetten, vervolgens reed de chauffeur naar ons huis. Onze dochter liet hem binnen, hij had drie van die enorme loodgieterstassen bij zich, vol persoonlijke documenten, hij kiepte ze hier om, op deze tafel, en zei: "Dag Heleen" en vertrok.

Dat was het einde van een loopbaan van eenentwintig jaar in de Nederlandse politiek.'

4

In de trein naar Gdańsk kwam de winter. 's Ochtends waren er nog heldere noordelijke luchten, rond twaalven schoof een grijs gordijn over de hemel, en de herfst was voorbij. Het begon te waaien, opeens een hagelbui, daarna werden de akkers stil en wit. De boerderijen lagen te slapen, in de dorpen rookten de schoorstenen, sneeuw stoof langs de trein.

Gdańsk is kleiner en intiemer dan je zou verwachten. Het is een ideale stad voor stakingen, opstanden en revoluties. De kranen van de werven, de torens van de kerken, de hotelflat voor de buitenlandse pers, de binnenstad met de Nederlandse renaissancehuizen, het ligt allemaal op geen kwartier lopen van elkaar. Hoeveel revoluties zijn niet mislukt omdat de beweging te los was, te verbrokkeld? Hier is het omgekeerde het geval, hier kun je de vrijheid letterlijk van de daken schreeuwen, en iedereen zal je horen.

In dit woud van kerken en kranen begon het allemaal, de kleine scheuren die uiteindelijk de aardverschuiving van 1989 teweegbrachten. Een enorme staking in 1970, bloedig neergeslagen, betekende het einde van het oude communisme van Gomułka. Een hulpcomité voor de families van gevangenen werd in 1976 het begin van Solidarność, een openlijk door de Poolse paus gesteunde oppositiebeweging die al snel zo'n tien miljoen leden telde. Een staking bij meer dan driehonderd bedrijven leidde in 1980 tot de vrijheid van vakbonden, plus iedere zondag een mis op de radio.

Een staatsgreep van generaal Wojciech Jaruzelski in december 1981 zette de klok weer terug, de staat van beleg werd uitgeroepen, maar de geest was toen al uit de fles: de invloed van Kerk en vakbond op brede lagen van de bevolking kon niet meer worden teruggedraaid. Daarbij kwamen nog eens de economische problemen, die het regime volledig boven het hoofd groeiden. Een rondetafelconferentie in januari 1989 – de inflatie was inmiddels gestegen tot 600 procent – bracht ten slotte vrije verkiezingen en vrijheid van meningsuiting. In Gdańsk begon het allemaal, en niet toevallig, want alle zwakke plekken van het communisme kwamen hier samen: religie, nationalisme, rebelse klassieke arbeiders, de eigenwijsheid van een oude Duitse hanzestad, overzichtelijkheid, en altijd de wind van overzee.

HELSINKI

Willy Brandts Ostpolitik was een product van de detente, de ontspanning tussen Oost en West die volgde op de beladen jaren vijftig en zestig. Nooit was er na 1945 een formeel Europees vredesverdrag gesloten; pas tussen 1973 en 1975 gebeurde dat eindelijk, tijdens de in Helsinki gehouden Conferentie over Veiligheid en Samenwerking in Europa (CVSE). Aan beide zijden werden de bestaande grenzen binnen Europa vastgelegd, er werden vormen voor economische samenwerking geschapen en impliciet werd zo de communistische heerschappij over Oost-Europa erkend. Voor deze stabiliteit in Europa betaalden de sovjets een hoge prijs: beide partijen garandeerden de grondrechten van hun burgers. De Slotakte van 'Helsinki' werd daardoor een belangrijke politieke hefboom voor Oost-Europese dissidenten.

De boycot van de DDR werd vervangen door een solide kader van afspraken tussen Bonn en Berlijn, terwijl zich daarnaast een geheimzinnige koehandel voltrok in gevangenen en gekochte mensenrechten. In totaal werden ongeveer tweeëndertigduizend gevangenen vrijgekocht, en tweehonderdvijftigduizend emigraties naar het westen mogelijk gemaakt. Voor een vrijgekochte gevangene werd aan de DDR gemiddeld rond de 95 000 mark betaald, ongeveer 50 000 euro.

Op dezelfde wijze opereerde de bondsregering tegenover Polen en de Sovjet-Unie. Naar schatting woonden daar nog altijd zo'n vier miljoen mensen van Duitse afkomst, die bij de grote volksverhuizingen na de oorlog waren achtergebleven. Tussen 1951 en 1988 wist de regering in Bonn daarvan bijna 1,6 miljoen als 'emigranten' terug te halen naar Duitsland, de meeste uit Polen. Die vrijheid werd meestal gewoon gekocht. In 1975 sloot bondskanselier Helmut Schmidt een overeenkomst met de Poolse leider Edward Gierek waarbij de Bondsrepubliek Polen een krediet toezegde van 2,3 miljard mark. In ruil daarvoor zouden honderdvijfentwintigduizend Poolse onderdanen van Duitse komaf binnen een jaar een uitreisvisum krijgen. In Roemenië maakte dictator Ceauşescu er een uiterst lucratieve mensenhandel van: voor ieder uitreisvisum incasseerde hij honderdduizend mark.

Ik ga naar de avondmis in de Sint-Brigitta, ooit de kerk van Lech Wałęsa en zijn grote politieke vriend, de priester Jankowski, die later werd geschorst vanwege zijn anti-semitische preken. Aan de muren hangen vlaggen en schilderijen van generaals. Johannes Paulus II troont er in volle glorie, de dankbare Poolse jeugd aan zijn voeten. Het is stampvol, iedereen wandelt in en uit, jongens met opgeschoren koppen, dames in bontjassen, mannen in gewatteerde jacks, huismoeders met bolle alpinomutsen. Een vrouw zingt vanaf het orgel, ze heeft een stem als roomboter, 'Maria, Moeder van Polen', vertaalt mijn buurman. Iedereen doet mee, de drie skaileren jongens naast me zijn op hun knieën gevallen. Ze houden het hoofd achterover, de ogen stijf dicht, ze bidden de kalk van het plafond. Later zie ik ze in het café. Zij en hun vrienden zijn gemakkelijk in twee groepen te verdelen: vechters en dichters. De vechters hebben kale koppen en leren vesten, de dichters hebben lang haar en grote zwarte jassen. Beide groepen zijn vervuld van dezelfde nationale romantiek. Ze hangen samen aan de bar, roken, lachen besmuikt. Ze zien eruit alsof ze permanent verliefd of depressief zijn, en vermoedelijk is het allebei waar.

De volgende dag rijdt de oude werfarbeider Kazimierz Rozkwitalski me door de stad. Daar stond de synagoge, in de Kristallnacht van 1938 verbrand, nu is het een parkeerterreintje. Bij deze bunker aan zee zie je kogelgaten, dat waren in september 1939 de eerste schoten van de Tweede Wereldoorlog. Kijk, het oude Gestapohoofdkwartier, daar begonnen ze direct na de bezetting met het vermoorden van intellectuelen. Hier, het stadhuis, helemaal in puin in 1945, en zie je nu nog dat het niet écht uit de Middeleeuwen stamt?

Kazimierz is een voortreffelijk verteller en spreekt uitstekend Duits. Waar heeft hij dat vandaan? Hij laat de naam rollen op zijn tong. 'Inge Zimmermann, hunderdachtzig Prozent Nazi!' Zij timmerde tussen 1939 en 1944 het Duits in zijn jongenskop, en het zit er nog steeds. Geen woord Pools mocht er in Danzig vallen. Hij laat me de oude Leninwerf zien, nu de Stocznia Gdańska S.A. Een enorm monument van roestvrij staal, ankers en kruisen pepert ons in: dit is een historische plek. Hier hield de elektricien Wałęsa zijn eerste toespraken, hier begon de ondergang van een heel imperium. Er hangt nog één verfomfaaid spandoek.

Waarom slaagde de opstand tegen de communistische nomenklatoera, na alle mislukkingen, uiteindelijk in Polen? 'Polen was, na de Sovjet-Unie, veruit het grootste communistische land in Europa,' zegt Kazimierz. 'Het had twee, drie keer zoveel inwoners als de andere Oost-Europese staten.' Bovendien was er de machtige Kerk. Het sterke Poolse patriottisme. De zwakke communistische traditie. 'Het regime liet altijd gaten open. Voor ons, gewone arbeiders, waren de jaren zeventig van Edward Gierek achteraf misschien wel de beste tijd, het is daarna nooit meer zo goed geweest. We hadden altijd werk en eten, we konden met vakantie, sommigen hadden al een auto, scholen en ziekenhuizen waren prima geregeld, kom daar tegenwoordig eens om.'4

Januari 1990: de Poolse communistische partij hief zichzelf op. September 1993: de laatste sovjettroepen verlieten Polen. Augustus 1996: de Leninwerf van Gdańsk ging failliet. En nu? We lopen door de natte sneeuw, de werf is een stad op zich. 'Tot,' mompelt Kazimierz, 'tot', zoals hij dat van juffrouw Inge Zimmermann leerde. 'Vijftien jaar geleden zag je hier niets dan schepen en arbeiders. In de haven werkten toen dertigduizend man. Nu zijn het er nog drieduizend. Van de zeventienduizend arbeiders van de Leninwerf zijn hooguit tweeduizend over.' Het gras tussen de tegels is hoog opgeschoten, de bakstenen loodsen staan leeg, verroeste spoorrails lopen van de ene struik naar de andere, in de stilte hoor je het sneeuwwater in de zinken gootpijpen rammelen. Maar dood is de werf niet. Een grote kraan komt bellend aanrijden, om een hoek verschijnt een locomotief, er wordt gelast en gestraald. Het is geen vergane glorie die je ziet, eerder een langzaam wegsmeltend verleden.

Ik moet denken aan het verhaal dat een vriendin, een fotografe, ooit vertelde over een ontmoeting in een klein Portugees dorp, niet lang na de Anjerrevolutie. Ze trof er een oude man, die langzaam een verfrommeld papiertje uit zijn zak haalde. 'Kijk,' zei hij. 'Veertig jaar lang lid.' Het was zijn lidmaatschapsbewijs van de communistische partij, het symbool van tientallen jaren stil verzet, van een levenslange hoop op een beter bestaan, als het niet voor hemzelf zou zijn, dan voor zijn kinderen.

De ondergang van het communistische experiment was onvermijdelijk. Het was voor tallozen een bevrijding, maar het was ook een drama, en dit laatste werd in het triomferende West-Europa stelselmatig over het hoofd gezien. Er kwam democratie en geestelijke vrijheid, maar materieel ging slechts een gedeelte van de bevolking erop vooruit. In Polen zijn beide kanten scherp zichtbaar. De cijfers zijn spectaculair: de inflatie daalde van 600 procent in 1990 tot 11,7 in 1998 en 5,5 in 2001. De buitenlandse investeringen stegen in dezelfde periode van enkele miljoenen dollar tot bijna vijf miljard dollar, het nationaal product per hoofd van de bevolking werd meer dan tweemaal zo groot, van vijftienhonderd dollar in 1990 naar bijna vierduizend in 1998.

De gemiddelde Poolse burger maakte tegelijk iets anders mee. Voor veel voorzieningen die altijd goedkoop of gratis waren geweest – medicijnen, ziekenhuizen, crèches, onderwijs, bejaardenzorg – moest nu fors betaald worden. Miljoenen Polen raakten werkloos, en de pensioenen van ouderen en invaliden verloren veel van hun waarde. Zoals een medepassagiere in de trein naar Gdańsk zei: 'Vroeger hadden we geld genoeg, maar we konden niets kopen. Nu kunnen we alles kopen, maar we hebben het geld niet meer. Per saldo zijn we er niets op vooruitgegaan. We zijn alleen maar gek gemaakt.'

De val van de Muur betekende voor talloze Oost-Europese gezinnen geen welvaart, maar gebrek: thuis, in de scholen en ziekenhuizen, op alle terreinen. De cijfers van de Wereldbank laten de omvang van het drama duidelijk zien: in 1990 leefde 7 procent van de Midden- en Oost-Europeanen onder de armoedegrens. In 1999 was dat percentage gestegen tot 20, ofwel één op de vijf gezinnen. Daarmee stond Oost-Europa er slechter voor dan Oost-Azië (15 procent) en Latijns-Amerika (11 procent). De Verenigde Naties signaleerden eenzelfde ontwikkeling: in het voormalige Oostblok leefden in 1999 97 miljoen mensen onder de armoedegrens, tegenover 31 miljoen in 1990.[5]

Voor een deel heeft deze situatie alles te maken met de erfenis van jarenlange stagnatie en sovjetexploitatie, met zwaar verouderde bedrijven, met onderhoud dat decennia achterloopt. In Polen verkeren de kleine boeren in grote problemen en ze kunnen de concurrentieslag met West-Europa en de rest van de wereld onmogelijk volhouden. In Berlijn barst regelmatig een fontein door het asfalt: weer een gebroken waterleiding uit de DDR-tijd. In Niesky waren de straten sinds de Tweede Wereldoorlog niet meer gerepareerd; met onderhoudswerk vielen geen records te breken voor de triomferende DDR. De Praagse metro reed met loodzware sovjettreinstellen die de Tsjechoslowaken ooit waren opgedrongen; in 1998 dreigde daardoor zelfs een van de metrobruggen in te storten.

Een Oost-Europese vriendin, die jarenlang in het westen woonde, vertelde hoe in de postcommunistische chaos het privéleven meestal centraal wordt gezet, als enig overgebleven vluchtplaats. Het weekend is heilig, ook al vliegt het kantoor in brand. 'Als je iemand vraagt om iets op zaterdag af te maken, is dat bijna een oneerbaar voorstel. Werken is hier nog altijd een vervelende, noodzakelijke activiteit, die je zo veel mogelijk ontloopt, en waaruit je alles probeert te halen voor je privébestaan.'

George Schöpflin, kenner van Midden-Europa, betitelt de 'postcommunistische staat' als een *low-capacity state*, een staat met weinig mogelijkheden: de overheid heeft moeilijkheden om het beleid te realiseren; de bureaucratieën opereren in een omgeving met veel te veel regels (deels een erfenis van het communisme); allerlei instellingen werken tegen elkaar in; de methoden om het overheidsgezag te handhaven zijn zeldzaam primitief, op het absurde af (bijvoorbeeld de plaag van zegels en stempels). Daaronder ligt een onvoorstelbare verwarring over normen en waarden, over wat acceptabel is, en wat niet.

Volgens Schöpflin is binnen de postcommunistische staat een strijd gaande om het voortbestaan van de samenleving zelf. Allerlei politieke, sociale, economische en culturele krachten, ieder met een eigen taal, eigen projecten en eigen prioriteiten, zijn in een voortdurend gevecht gewikkeld over de vorm die de nieuwe samenleving zal aannemen, over de inhoud van de nieuwe democratie, en bovenal over de rol van de burgers in de nieuwe nationale verbanden. 'Er bestaat slechts een heel marginaal gevoel voor publiek domein en publieke goederen. Ze bestaan wel, ze worden ook erkend, maar alles wat met de overheid te maken heeft, is doortrokken van wantrouwen, verdenking, ongeloof en het gevoel dat de macht altijd "elders" wordt uitgeoefend, buiten het gezichtsveld en de invloed van het individu.'

Het communisme kan na de val van de Muur gezien worden als een mislukt en verwrongen experiment in maatschappelijke modernisering. 'Maar,' schrijft Schöpflin, 'op een dieper niveau was het veel meer dan dat. Het probeerde een nieuwe beschaving te scheppen, en die te baseren op een fundamenteel andere manier om de wereld in te richten.' De ondergang van het communisme betekende dan ook de val van een compleet moreel systeem, en in dat vacuüm moeten de Oost-Europeanen moeizaam nieuwe vormen van burgerschap ontwikkelen. 'Enorme aantallen mensen hebben in wezen geen idee waar politiek over gaat, wat via de politiek bereikt kan worden, en wat niet. Ze verwachten direct resultaat, en ze zijn vol bitterheid als dat niet komt. [...] Heel, heel langzaam wordt de mythe van het westen vervangen door de realiteit van het westen.'

Het grootste mediaconcern van Polen is *Gazeta Wyborcza*. Het gelijknamige dagblad heeft een oplage van ruim een half miljoen in twintig plaatselijke edities, en daarnaast heeft de groep eigen radio- en televisiezenders en tweeduizend werknemers. In Warschau heb ik een afspraak met Anna Bikont, tegenwoordig cultuurredacteur, in 1989 een van de oprichtsters. '*Gazeta Wyborcza* betekent Verkiezingskrant, en dat was het ook letterlijk,' vertelt ze. 'Vanwege de verkiezingen mocht Solidarność twee maanden lang een eigen krant uitgeven, de eerste vrije krant in het Oostblok. Adam Michnik had het verzonnen, die dacht allang verder, wij leefden nog helemaal in het kleine ondergrondse wereldje van Solidarność. Zo begonnen we de *Gazeta*, met vier vrouwen aan een keukentafel.'

Voor de Polen was de verschijning van de krant een enorme gebeurtenis. 'Het belangrijkste was de taal. We waren pure amateurs, we schreven niet de voorlichtingstaal van het Poolse persbureau PAP, maar normaal Pools. We gebruikten het nieuws van buitenlandse persbureaus, en we belden onze vrienden, we haalden het nieuws rechtstreeks bij de bron.' De *Gazeta* was tekenend voor de tactiek van Solidarność: men bevocht het communisme niet, men organiseerde zich simpelweg buiten het apparaat om, massaal. Nadat de communisten waren weggestemd, bleef het blad bestaan.

Anna Bikont: 'Er ging een wereld voor ons open, we leerden steeds meer mensen kennen, in alle steden kwamen correspondenten. In het begin liepen de krant en Solidarność nog helemaal door elkaar heen, we waren activisten die een krant maakten, weinig meer. Maar langzamerhand werden we professioneler. We ontdekten dat er verschillende verantwoordelijkheden waren: de ene oude strijdmakker werd minister, de andere parlementariër en wij werden journalist. Kritiek was moeilijk, ministers waren vaak persoonlijke vrienden. Ik weet nog de eerste keer dat het misging. De Solidarność-ministers hadden dure appartementen gekregen, net als onder het communisme, en wij schreven dat zoiets niet hoorde. Woedend waren ze.'

Intern voerde de redactie hevige discussies. 'Solidarność was een mythe,' vervolgt Bikont. 'Het was, op de keper beschouwd, een samenwerkingsverband van drie totaal uiteenlopende groepen: vakbondsmensen, democratische dissidenten en nationalisten. In Gdańsk werd de toon gezet door de vakbeweging. In Łódź waren vooral nationalisten actief, daar ging de discussie over het veranderen van straatnamen. In Warschau maakten ze zich druk over democratische hervormingen, over procedures, over de handhaving van de rechtsstaat. We hadden een gezamenlijke vijand, dat hield ons bijeen, maar zodra die verdwenen was, spatte de beweging als een zeepbel uiteen. Maar voor het ontstaan van een democratisch Polen was onze mythe van onschatbare waarde.'

Lech Wałęsa hielp de redactie van de *Gazeta* ten slotte uit het dilemma. 'Wij hadden in de kop van de krant het motto van Solidarność: NIETS VERDEELT ONS. Op een dag verbood Wałęsa ons die spreuk nog langer te voeren. Ik herinner me hoe bedroefd we daarover waren, het was altijd een geestelijk anker geweest. Maar na een paar maanden voelden we ons opgelucht, het was alsof de navelstreng was doorgeknipt, alsof we eindelijk volwassen waren.'

Nu, na tien jaar, kijkt Anna Bikont met gemengde gevoelens terug. 'Het werd allemaal een enorm succes, Solidarność en onze krant, maar er waren uiteindelijk geen echte winnaars. De nationalisten verloren, want in plaats van hun ideale Polen kwamen er een democratie en een Europese Unie. De Kerk verloor, de priesters kregen geen greep op de politieke wereld. De democratische oppositie heeft verloren, omdat ze niet voorzag wat het harde, jonge kapitalisme voor drama's kon aanrichten in een land dat zo lang onder een planeconomie had geleefd. Ik maak dat dagelijks mee. De werkloosheid, de grote inkomensverschillen, een directeur die vijfmaal meer verdient dan jij, daar moeten wij in Polen erg aan wennen.

Ja, één groep heeft misschien gewonnen: de oude communisten. In 1989 leken ze de grote verliezers, maar ze zijn helemaal teruggekomen, hun president regeert het land, en in alle peilingen staan ze op winst. En natuurlijk de jongeren. Zij zijn voor Europa, kennen hun talen, hebben gereisd, staan open voor de wereld. Voor hen liggen er grote kansen. Maar voor de generaties die het grootste deel van hun leven doorbrachten onder het communisme was er altijd alleen maar hoop, en die hoop is nooit realiteit geworden.'

Boven in de kerk van de heilige Stanislaus Kostka, even buiten het centrum, hangen de vaandels van Poolse rebellen. De muren zijn bezaaid met herinneringsplaquettes voor verzetsmensen en brigadegeneraals. Achter het altaar kan de hele geschiedenis van Solidarność worden nagelopen, in schilderijen, tekeningen en symbolen. En daartegenover, bijna als een kruiswegstatie, hangt een dozijn foto's van de in 1984 vermoorde priester Jerzy Popiełuszko, prekend, pratend, vrolijk zwemmend. Mensen lopen af en aan om te bidden: voor Maria, voor het kind Jezus, voor Popiełuszko. Buiten ligt zijn graf, nog altijd bewaakt door vrijwilligers, de kaarsen en chrysanten zijn helemaal wit.

Alles rondom dit gebouw gaat uit van het overzichtelijke principe dat, zoals een gidsje schrijft, 'de liefde voor God loopt via de liefde voor het vaderland'. Popiełuszko deed vanaf 1982 hetzelfde als de Kerken in de DDR zeven jaar later zouden doen: hij organiseerde 'patriottische' missen, waarbij iedereen al biddend zijn gram kon uiten jegens het regime. Op een oktoberavond in 1984 werd hij uit zijn auto getrokken, doodgeslagen en in de Weichsel gegooid. De daders bleken drie hoge officieren van de Staatsveiligheidsdienst te zijn. Ze werden – in die tijd uniek – berecht en veroordeeld. De affaire zette een nieuwe norm: Polen accepteerde geen Stalinmethoden meer. En de Kerk kreeg er een martelaar bij.

'Polen zijn slechte gelovigen,' zegt Jarosław Krawczyk. 'Hun Kerk is een echte volkskerk, met de nadruk op rituelen, symbolen, herhalingen. Grote denkers vind je er weinig, vooral nu.' Hij had Popiełuszko goed gekend. 'Ook geen intellectueel. Maar hij had wel het vuur.' Krawczyk is historicus en hoofdredacteur van het blad *Eeuwen spreken*. Hij heeft nog een kater van de vorige avond, en die moet direct worden aangepakt, met veel bier. De sneeuw valt met bakken uit de lucht, de grijze flats worden bijna onzichtbaar achter de vlokken. Met grote passen loopt Krawczyk door de buurt, duikt een kelder in, en dan zijn we in zijn geliefde bar, een ondergronds hol waar paartjes zoenen en een breed blond meisje steeds weer volle glazen op tafel zet.

We praten over Solidarność. 'Het was ons 1968, onze generatie-strijd. Veel van onze vaders waren generaals, partijbonzen. De mijne is nog steeds niet in staat om zijn mening te veranderen, die is nu nog communist. En iedereen haat zijn vader, dat weet je.' Over de Poolse Kerk: 'Er is hier een nieuwe religieuze bewe-ging in opkomst: Radio Maryja. Voor zieken, eenzamen, gepensioneerden. Nationalistisch, bijna fascistisch. Groeit heel snel, de haat van de armen.' Over Europa: 'Jij reist maar rond, jij doet maar, als westerse journalist. Maar kijk eens naar mijn jas-je. Keurig. Maar wel tweedehands. Zo hebben wij als intellectue-len altijd geleefd. Jullie in het Westen kunnen wel praten over de uitbreiding van Europa, maar wij zíjn Europa, net als de Tsje-chen, de Hongaren en de Roemenen.

De nieuwe Tsjechische ambassadeur heeft weleens tegen me gezegd: wij hadden alleen maar te maken met domoren, maar jullie, Polen, werden geregeerd door heel intelligente commu-nisten. Ik ging ertegen in, maar eigenlijk moest ik hem gelijk ge-ven. Want de repressie was hier inderdaad minder zwaar dan in de rest van Oost-Europa. De communistische partij was bij ons nooit groot, telde nooit meer dan een half miljoen leden. Gomuł-ka was en bleef een halfzachte tiran. Gierek hield altijd de deur naar jullie op een kier.'

We praten over het vervolg, over de verschillen tussen Polen en de rest, over het misleidende symbool van de Berlijnse Muur waardoor het leek alsof overal tegelijk een abrupt einde aan de communistische wereld kwam. In werkelijkheid bleven in Roe-menië, Servië en Bulgarije de oude communistische elites nog jarenlang aan de macht, al opereerden ze onder nieuwe, natio-nalistische vlaggen. De Hongaren en de Polen hadden, daaren-tegen, al veel eerder korte metten gemaakt met het oude com-munisme. Hongarije was in 1982 toegetreden tot het IMF en de Wereldbank, het land leefde al jaren in een gemengd socialistisch-kapitalistische economie. De Poolse leider, generaal Wojciech Jaruzelski, had vanaf 1981 dezelfde lijn gevolgd: eerst zware repressie om de stakingen en opstanden de kop in te drukken, vervolgens geleidelijke dooi en economische liberalisering. Vanaf juli 1983 waren de staat van beleg en de censuur verzacht, in 1986 trad Polen toe tot het IMF, en daarna werd het steeds vrijer. Krawczyk: 'Toen ik twintig was kon ik rustig naar Italië liften. Het was trouwens een schok. Onze realiteit was zo grijs. En opeens stond je daar in dat glanzende, kleurrijke Venetië. Vreselijk.'

Zijn vriendin komt binnen, een mooie, aardige vrouw, even straalt alles aan tafel. Ze werkt voor de Soros Foundation, het grote Oost-Europese netwerk van de Hongaars/Amerikaanse miljardair die met zijn geld het democratisch proces op gang wil brengen. 'Om haar ga ik scheiden,' zegt Jarek, en valt even stil. Dan: 'Wij zijn allemaal hoeren van Soros. Ja, dat vinden ze bij Radio Maryja. De Kerk, Polen, dat is het enige ware Europa. Maar Soros legt daar zijn eigen Europa overheen, dat van de liberalen, de intellectuelen, de joden. Ja, sorry, zo praten ze daar.' De vriendin beaamt het, ja, zo is het, maar ze moet gauw weer weg. Haar zoontje is van plan wodka met tabasco uit te proberen, en daar wil ze wel even bij zijn.

De avond vordert, en we vervallen in een aangename somberheid. 'Jullie, met je geld. Wij moeten alles maar nemen wat jullie in het Westen over ons zeggen, maar vragen jullie je nooit eens af wat wij jullie te bieden hebben? De strijdbaarheid van de Polen, de behoedzaamheid van de Tsjechen, de standvastigheid van de Hongaarse dissidenten, de doorleefde dilemma's van de Oost-Duitsers? Zijn dat geen dingen waaraan bij jullie een stevig tekort is? Moed, principes, levenservaring?'

Oost-Polen is een witte vlakte van rietvelden, berkenbossen, kleine dorpen en soms een fabrieksschoorsteen met een dappere rookpluim. Dit is het land van Radio Maryja, van al die miljoenen – volgens Anna Bikont een kwart van de bevolking – die op geen enkele manier aansluiting vinden bij de nieuwe Poolse samenleving. De talloze kleine boeren bijvoorbeeld, die nog net zo keuteren als hun grootouders. De arbeiders van de failliete collectieve landbouwbedrijven, voor wie nergens werk is. Luister naar Radio Maryja: gebeden, Ave Maria's, telefoontjes van luisteraars, verhalen over armoede, ouderdom, ziekte, ongeluk, een priester belooft hulp, en dan een toespraak: weet u wel hoeveel joden er in het parlement en in de regering zitten? Dan weer een gebed, alles is zondig, de wereld is bezoedeld, alleen Radio Maryja en Polen kunnen ons redden.

De Warschau-Moskou-expres is opeengepakt met kooplui die hun handelswaar eigenhandig met zich meeslepen. De bagagerekken proppen ze vol met pakken en balen, de gangen en coupés stouwen ze dicht, en daarna beginnen ze vastberaden te drinken. Op de gang staat een grote man met een ontbloot bovenlijf te roken, een halfnaakte vrouw in een roze bh duwt zich tegen hem aan. Iedere stop duurt eindeloos: op deze transitroute wordt voortdurend geladen en gelost, textiel, goedkope transistorradio's, onduidelijke elektronica.

Op het schemerige station van Brest, aan de grens van Wit-Rusland, worden de wagons bestormd door vrouwen die voor een paar stuivers melk, brood, kaas, wodka en zichzelf verkopen. Een mooie, weelderige vrouw schuift de deur van mijn coupé open: of ik niet een prettig halflitertje wil aanschaffen. En of wij dat dan niet samen soldaat zullen maken om een beetje warm te worden. Tegelijkertijd worden de wagons een grote hal in gereden voor een negentiende-eeuws arbeidersballet: in ijltempo worden de wielstellen losgeschroefd, we worden opgevijzeld, bredere wielstellen eronder, daar zakken we alweer, de remmen worden getest, sleutels kletteren, de vrouwen springen uit de trein, binnen een uur stuiven we weer door de kou.

In de restauratie, twee wagons verder, hebben de passagiers het zich gemakkelijk gemaakt. Schoenen zijn buiten gezet, er klinkt vrolijke muziek en de fles gaat van hand tot hand. Ik schuif aan bij Pjotr Nikonov en Anatoli Grigorjev, twee ambtenaren van de Russische dienst Douane en Accijnzen, roerig en vrolijk na een feestje met hun Wit-Russische collega's. 'Ja, we vierden het jubileum van het Russische douanekantoor in Brest. Het zestigjarig jubileum!' Ik reken terug: najaar 1939. Ze hebben allebei een zoon, ze vinden het leven niet gemakkelijk, maar ze blijven president Jeltsin steunen. 'Waarom, voor u is het er toch niet bepaald beter op geworden?' 'Dat klopt, maar hij is ónze president. Toen Gorbatsjov onze president was, vond ik hém goed. Gewoon daarom.'

De wagon is versierd als een dorpscafé, in het keukentje staat een vrouw met vette haarslierten deegballen te bakken, een man hangt, moe en mager, achter de bar, een oud moedertje scharrelt ondertussen door de trein met wodka en krakelingen. Een Pool begint op zijn mondharmonica te spelen, de wagon slingert als een zeeschip, de oude vrouw maakt olijke danspasjes. Ze spreekt een mondje Duits, wil weten waar ik vandaan kom, hoe oud ik ben, hoe ik heet. Ze loopt naar de keuken, komt weer terug. 'Olga' – ze wijst op de dodelijk vermoeide bakvrouw – 'vindt u een heel aantrekkelijke man. Wilt u haar niet een poosje gezelschap houden?' Ik zeg dat ik al gelukkig ben in Amsterdam. Ze lacht, brengt de boodschap over, komt weer terug: 'Olga zegt: "Amsterdam is ver weg, en zij is hier, nu..."'

5

'Daar zaten we dan, jong, kwaad en bezield, in het hartje van het Imperium van de Leugen, en op een of andere manier moesten we zien het te overleven,' schreef de popjournalist Artjomi Troitski over het Moskou van de jaren tachtig. Een van de rockzangers noemde zijn generatie die van de 'huismeesters en nachtwakers', en dat was ook letterlijk zo. Jonge mensen kozen de minderwaardigste baantjes met de laagste lonen, omdat ze zo onafhankelijk van het staatssysteem konden leven en zo veel mogelijk tijd hadden voor hun werkelijke interesse: de *toesovka*, vrij vertaald: 'het sfeertje' of 'de grote rotzooi'. Troitski: 'Geen generatie heeft ooit zoveel musici, schilders, fotografen en over het geheel genomen kunstzinnig ingestelde jonge mensen voortgebracht. En tegelijkertijd hadden we ook meer dan ooit te maken met jeugdige alcoholisten, drugverslaafden, prostituees. Het ging hun niet om het protest – zo van "naar de hel met het hele systeem" – nee, het leven was domweg zo duf en bescheten, dat hun niets anders overbleef. Diezelfde generatie heeft het land trouwens ook een bende ongelooflijke bureaucraten geschonken.'

De rockmusici en hun aanhang waren tijdens de laatste jaren van het sovjetrijk, meer nog dan de schrijvers, de echte dissidenten. Hun concerten werden door duizenden jongeren bezocht en in hun teksten hadden ze het over dingen die verder nog nergens openlijk besproken werden: de afgang in Afghanistan, de corruptie, het machtsmisbruik. Viktor Tsoj, een soort kruising tussen James Dean en Bruce Lee, dichtte:

Veranderingen.
In onze lach, in onze tranen en in onze slagaders.
Veranderingen.
Wij wachten op veranderingen...

De zanger Boris Grebensjtsjikov trok het ene volle stadion na het andere met zijn net-gedoogde liederen:

Zonen van de dagen van stilzwijgen
Kijken naar andermans films
Spelen andermans rollen
Kloppen op andermans deuren.
Alsjeblieft, geef wat water
Aan de zonen van de dagen van stilzwijgen.

Een tekst van rocker en dichter Misja Borzykin:

Gooi het juk af,
Zing wat je van binnen voelt,
We hebben het recht om te brullen,
Breek los, we zijn geboren om vrij te zijn,
Breek los, weg hiervandaan!

De band kreeg staande ovaties, de communistische functionarissen trokken wit weg en Borzykin zag kans om zelfs op het hoogtepunt van de perestrojka nog in Moskou verboden te worden.

Kinderen van de glasnost heette het alom geprezen boek dat Artjomi Troitski naderhand over hen schreef. Na het uiteenvallen van de Sovjet-Unie, in 1994, ging ik met een Nederlandse collega bij hem langs. Hij vertelde ons over een trouwfoto uit 1984, die hij net had teruggevonden. 'Er stonden ongeveer dertig mensen op, stuk voor stuk vrienden uit de muziek- en de kunstenaars-scene. Ik pakte die foto beet, en opeens realiseerde ik me dat ik, hoewel er maar tien jaar verstreken waren, naar een compleet andere wereld zat te kijken.'

Het was vlak na de Brezjnevtijd toen die foto genomen werd, een periode die volgens Troitski werd beheerst door totale bewegingloosheid, een comateuze sfeer, waarin niemand meer in iets geloofde, en waarin ook niemand meer enige belangstelling had voor de rest van de wereld. 'In de tijd van die foto praatten we over muziek, over vrienden, over seks en drugs en alcohol, maar over de toekomst praatten we nooit. Die was niet interessant. We dachten dat er nooit meer iets zou veranderen. Het enige dat we nog konden redden, was onze innerlijke vrijheid.'

De idolen van de illegaliteit waren tien jaar later, in 1994, overal razend populair. De Russische James Dean was toen al dood. De dichter-zanger Viktor Tsoj had zich in augustus 1990 te pletter gereden, achtentwintig jaar oud. Tsojs drummer was de wereld gaan rondreizen als homo-schilder, de gitarist was de Japanse vechtsport ingegaan, de bassist was in de massa verdwenen. 'Als je diezelfde bruiloftsgangers nu nog eens bij elkaar zou halen, dan zouden ze praten over effecten, over de prijzen van land, over vakanties op Cyprus, en als ze geen geld hadden, zouden ze het hebben over de Braziliaanse soap op de televisie.'

Artjomi Troitski noemde de namen van alle dertig mannen en vrouwen op de foto, hij telde hun levens af op zijn vingers, die oude vriendenclub, dat gezelschap van kleine dissidenten. Een aantal kon nooit meer iets worden gevraagd: ze waren al dood. Ze hadden ongelukken gekregen, waren ziek geworden, alcohol speelde daarbij meestal een doorslaggevende rol. Sommigen hadden hartstochtelijk naar een ommezwaai verlangd, maar toen die kwam, konden ze het onveilige, nieuwe leven niet aan. Op de foto stond een dozijn meisjes. Bijna de helft was naar het buitenland vertrokken. Een van de jongens was een beroemde filmster geworden. Een paar anderen, toen actief in de Komsomol, werden succesvolle zakenlieden. Weer anderen waren nu buschauffeur of leraar. Maar wat vooral opviel: niemands leven was na 1984 volgens het oude stramien doorgegaan. Iedereen had grote breuken doorgemaakt, ten goede of ten kwade. En niemand had daar ook maar enig idee van, toen de sluiter klikte.

Troitski was tien jaar later een overbekend journalist, eigenaar van een eigen platenlabel, met een vaste talkshow op de televisie. Hij had maar één probleem: er waren geen leuke popgroepen meer om over te schrijven. 'De Russische underground werd altijd gevoed door het verzet tegen de partij, de bonzen en de KGB. Het was "wij" tegenover "hen", en dat was onze belangrijkste bron van inspiratie. Dat gold evengoed voor de ondergrondse schrijvers, dichters, filmers en kunstenaars. Na de perestrojka was dat spel opeens uit, en alle kunsten moesten sindsdien nieuwe vormen vinden.'

Na Troitski gingen we bij een paar toenmalige pophelden langs. Mijn collega kende ze al vanaf hun begintijd. Boris Grebensjtsjikov zong nog steeds hetzelfde soort Dylanachtige balladen, en waarom ook niet? 'Jongens hebben een onbedwingbare neiging om verliefd te worden op meisjes. Meisjes hebben altijd weer de neiging om verliefd te worden op jongens. Mijn muziek beweegt zich op het niveau waarop jongens verliefd worden op meisjes en omgekeerd. De perestrojka heeft dat niet veranderd. Het socialisme heeft dat niet veranderd. Het kapitalisme heeft dat niet veranderd.'

De echte rockers van toen, Misja Borzykin en zijn voormalige gitarist Sasja Beljajev, troffen we in de kelder van een oud, gekraakt theatertje in Sint-Petersburg. In 1987 zette hun band Televizor de halve Sovjet-Unie op stelten met het lied: 'De vis gaat rotten bij de kop, ze liegen allemaal, de vis gaat rotten bij de kop.' Nu zaten ze aan een donker tafeltje wodka te drinken en worst te eten. Ze probeerden een oude ruzie bij te leggen. Sasja had een reisbureau opgericht, en Misja was weer begonnen met Televizor. Het ging goed, maar zijn oude fans waren verdwenen. 'De ene helft is aan de drank geraakt,' zei Misja, 'en de anderen gingen in zaken, en binnen twee jaar waren ze vergeten wat muziek was.'

Later die avond gingen we naar de flat van Sasja om het herstel van de vriendschap te vieren, er werd gedronken en eten gemaakt, maar al gauw viel Misja in slaap, met zijn hoofd op tafel. Terwijl wij doorgingen met zingen en drinken, lag hij op de divan, niet meer wakker te krijgen. De volgende dag troffen we hem in een metrostation, tussen de menigte, want hij had nog een tekst voor ons, een van zijn nieuwste. Hij frommelde het papier in onze hand, en weg was hij weer. We lazen:

Ik houd er niet van wanneer er gasten in mijn hoofd zijn
ze hebben schijt aan me
ze komen mijn geheim opvreten
drinken mijn ziel
ademen mijn lucht in
ze hebben de gezichten van vrienden
en ik, gastvrije lakei, ik glimlach.

Vandaag, 24 november 1999, vriest het achttien graden, de auto's hebben snorren van ijs, maar alle Volga's en Lada's stomen rond alsof er niets aan de hand is. In de krant staat een foto van de gepensioneerde Nikolaj Skatsjlov, dicht ingepakt, hengelend in een bijt in de Moskva. 'We eten drie dagen van een vis,' zegt hij. 'Niet slecht!'

Het gaat goed met Rusland. De verkering met het Westen is uit, de olieprijs staat weer op vijfendertig dollar per barrel, het IMF kan niet meer zeuren. In Moskou is om duistere redenen een flat met honderd mensen opgeblazen, president Boris Jeltsin heeft zijn opvolger aangewezen – de frisse ex-KGB'er Vladimir Poetin –, corruptieonderzoeken naar de presidentiële entourage worden stopgezet, de berichten van het Tsjetsjeense front doen het vaderlandse hart sneller kloppen. Niemand in de cafés wil nog Engels praten, leer maar Russisch, vreemdeling. Deuren worden gesloten, grenzen getrokken, gewoon, vanzelf, zonder dat enige politicus daarover iets heeft beslist.

De McDonald's op het Poesjkinplein zit de hele dag stampvol schoolmeisjes, zakenlieden, oude dames, huismoeders en jarige kindertjes. Niemand hier is extreem arm of rijk, dit is de nieuwe Moskouse middenklasse in optima forma. Voor een hamburger en een drankje leggen ze onverschillig een half weekloon neer. In de warenhuizen staan de rekken vol televisietoestellen, videocamera's, koelkasten en wasmachines. De stofzuigers kosten evenveel als in Nederland en er wordt druk gekocht. In de delicatessenzaken schitteren de vergulde zuilen en de rijkversierde plafonds alsof er sinds tsaar Nicolaas II niets van belang is gebeurd. De taal is grondig van toon veranderd. 'Democraat' is een scheldwoord geworden, 'privatisering' is synoniem voor 'roof', 'vrije markt' voor chaos, 'businessman' staat voor maffioos, 'het Westen' betekent vernedering.

In het metrostation Plosjtsjad Revoljoetsii (Revolutieplein) speelt een jonge violist sonates van Scarlatti. Hij is amper twintig, hij heeft een ringbaardje, hij is duidelijk zeer getalenteerd, zijn neus is rood van de kou en hij verdient, zegt hij, op een ochtend als deze wel één dollar. Een paar meter verderop staat een lange rij oudere mensen, merendeels vrouwen. Ze hebben geld in de hand plus een of ander formuliertje. In de warme sluis tussen twee klapdeuren houden een man en een vrouw kantoor: ze verhandelen imposant bedrukte en bestempelde coupons die doen denken aan vroegere aandelen in de Russische Spoorwegen, papieren vol hoop en zekerheid. Ik ben op weg naar Anatoli Artsybarski, voormalig commandant van het ruimteschip MIR. Kosmonauten hadden in de Sovjet-Unie een status die ver uitsteeg boven oorlogshelden en filmsterren, en in 1991 was Artsybarski een halfgod. Hij ontvangt me in een heetgestookt kantoortje achter een kerk, met drie secretaresses die hun nagels vijlen, en een astronautje van delftsblauw op zijn bureau. Hij wil de kreupele

MIR redden die nog altijd in de ruimte hangt, tot eer en glorie van het Russische vaderland.

Terwijl Artsybarski rondjes om de aarde draaide, zakte zijn eigen land, de Sovjet-Unie, onder hem weg. Gorbatsjov moest alles op alles zetten om zijn communistische partij – in diens eigen woorden: 'deze kolos van conservatisme', 'deze vuile, gemene hond' – onder controle te houden. Volgens zijn naaste medewerkers besefte hij heel goed dat het systeem dat hij had geërfd iedere modernisering blokkeerde, maar hij onderschatte tegelijkertijd de mate waarin datzelfde communisme, ondanks alle starheid, het land bijeenhield. En over het vrije, marktgerichte systeem dat hij daarvoor in de plaats wilde stellen, had hij enkel vage theorieën. In de woorden van de conservatieve schrijver Joeri Bondarev: de perestrojka was een vliegtuig dat bevel kreeg om op te stijgen, maar dat geen enkele instructie meekreeg hoe en waar te landen.

De gevolgen werden snel merkbaar. In sommige republieken meldde zich rond 1990 nog maar een kwart van de rekruten die het sovjetleger opriep. In januari 1991 brak in de drie Baltische staten een ware volksopstand uit. In Vilnius vochten sovjettroepen met demonstranten om de televisietoren. Er vielen veertien doden. In Riga bestormden de Zwarte Baretten, een speciale eenheid van het sovjetministerie van Binnenlandse Zaken, het Letse ministerie van Binnenlandse Zaken. Vijf doden. Hoe populair Michail Gorbatsjov in het buitenland ook was, zijn binnenlandse positie werd steeds zwakker.

Op 18 augustus 1991 kreeg de sovjetleider, die vakantie hield aan de Zwarte Zee, onverwacht bezoek van een paar van zijn kabinetsleden. Ze vertelden hem dat in Moskou een noodcomité was opgericht om de Sovjet-Unie te redden, dat zijn datsja omringd was door rebellerende troepen, en dat hij de macht moest overdragen aan vice-president Gennadi Janajev. Gorbatsjov weigerde beslist, wilde Moskou bellen, en merkte vervolgens dat alle verbindingen met de buitenwereld verbroken waren. De volgende dag kondigden de samenzweerders – waaronder nogal wat leden van Gorbatsjovs eigen regering – tijdens een persconferentie de noodtoestand af. Janajev zou voorlopig het presidentschap waarnemen.

Het was een communistische machtsovername van het ouderwetse soort, met veel manœuvres achter de schermen, een poging die in vroeger tijden wellicht zou zijn geslaagd. Maar dit was het tijdperk van de televisie, en daarop waren deze *apparatsjiki* totaal niet voorbereid: een van hun leiders, premier Valentin Pavlov, had zich voor zijn eerste televisieoptreden te veel moed ingedronken, en ook Janajev kon zijn trillende handen niet stilhouden. Tegelijk zagen tientallen miljoenen Sovjetburgers hoe duizenden demonstranten zich bij het parlementsgebouw verzamelden om de jonge democratie te verdedigen, hoe de pasgekozen Russische president Boris Jeltsin op een tank klom om de onmiddellijke vrijlating van zijn sovjetcollega te eisen, hoe legeronderdelen weigerden om de coup te steunen en het parlementsgebouw te bestormen. Binnen twee dagen was de staatsgreep voorbij. De populariteit van Jeltsin was groter dan ooit, maar Gorbatsjov was – niet in de laatste plaats door zijn 'redder' Jeltsin – zo zwaar vernederd dat zijn positie onhoudbaar werd. Kort daarop werden de werkzaamheden van de communistische partij stopgezet.

De sovjetkosmonauten bleven hun rondjes draaien boven de eeuwig blauwe aarde. Op 17 september 1991 werden Estland, Letland en Litouwen als onafhankelijke staten toegelaten tot de Verenigde Naties. De bemanningsleden van de MIR hoorden het bericht, keken naar beneden en grapten tegen elkaar dat de drie landen duidelijk een andere kleur hadden gekregen. Op 7 december belegden de leiders van Rusland, Wit-Rusland en Oekraïne een geïmproviseerde bijeenkomst in een verlaten jachthut bij de Poolse grens. Volgens een deelnemer aan het overleg was Boris Jeltsin, de gastheer, zo dronken dat hij van zijn stoel viel, uitgerekend op het moment dat de andere delegaties binnenstapten. De rest van het gezelschap trof bij binnenkomst een Gogolachtig tafereel: het enorme lijf van Jeltsin dat door zijn twee collega-presidenten naar een rustbank werd gezeuld. Leden van de Russische delegatie brachten hun president vervolgens naar een zijkamer, waar hij het grootste deel van de historische bijeenkomst slapend doorbracht. Om zeventien over twee tekenden de drie presidenten een gezamenlijke verklaring: 'De Sovjet-Unie heeft opgehouden te bestaan.' In de daaropvolgende dagen sloten de andere deelrepublieken zich daarbij aan. Op 25 december 1991 trad Gorbatsjov af. Hij kreeg een datsja, een kantoor in Moskou en een pensioen van ongeveer honderdveertig euro per maand. Diezelfde dag werd de rode vlag boven het Kremlin neergehaald.

Anatoli Artsybarski wist nog net voor het uiteenvallen van de

Sovjet-Unie terug te keren, maar zijn collega Sergej Krikaljov bleef in de ruimte hangen, vijf maanden langer dan verwacht. Er was, werd beweerd, geen geld meer om hem uit het heelal terug te halen, en het land dat hem had gelanceerd, bestond niet meer. 'Onzin, journalistenpraat,' gromt Artsybarski nu. 'Er waren enkel wat technische problemen.' Hij wil alleen praten over zijn 'volksinzameling tot het behoud van het ruimtestation MIR, over 'de revitalisering van het prestige van de Russische kosmonauten', over 'het stimuleren van prijzen, diploma's en medailles', over de verloren trots.

The Economist publiceerde begin 1998 een opinieonderzoek onder een grote groep Russen: onder welke heerser was het leven het beste? De huidige president, Boris Jeltsin, kreeg 14 procent, Stalin en tsaar Nicolaas II kregen elk 6 procent, Gorbatsjov kreeg 3 procent, Lenin, zeventig jaar lang de grote leidsman, 1 procent. Massale voorkeur ging uit naar een van de laatste puur communistische leiders, Leonid Brezjnev: 42 procent.

Ik vraag de bedelaars bij de Basiliuskathedraal op het Rode Plein wat ze vroeger deden. Een jongen in een soldatenpak was in Afghanistan zijn been kwijtgeraakt, de meeste vrouwen hadden in een fabriek gewerkt, eentje was vroeg weduwe geworden – haar pensioen was door de inflatie weggesmolten –, de laatste die ik sprak had haar leven lang in een kledingzaak geholpen. Nee, ze had nooit gedacht dat ze hier nog eens terecht zou komen, in deze kleumende rij, met een plastic bekertje in de hand.

Rusland leeft in de laatste weken van het Jeltsintijdperk, de postcommunistische periode die ruim zeven jaar geleden met zoveel klaroengeschal begon. Een liberale democratie! Een markteconomie! Een rechtsstaat! Lokaal zelfbestuur! Individuele vrijheid! Westerse welvaart! Het stond allemaal te gebeuren, eind 1991.

In de praktijk faalden de democratisering en de introductie van de markteconomie in de voormalige Sovjet-Unie op spectaculaire wijze. Uit de oude communistische nomenklatoera groeide een nieuwe elite die met de belangrijkste nationale industrieën en hulpbronnen aan de haal ging, inclusief de banken, de energiesector en de media. Deze oligarchen borduurden voort op de ingesleten gebruiken van de oude sovjethiërarchie: een combinatie van brute macht en extreme onderdanigheid, patronage tussen hogere en lagere zetbazen, het systeem van kruiwagens, 'blat' en omkoping.

In 1992 begon Jeltsin halsoverkop met de introductie van de markteconomie. De aandelen van de oude sovjetbedrijven werden onder de bevolking verdeeld in de vorm van coupons die konden worden omgezet in bedrijfsaandelen. De meeste van die coupons werden vervolgens door een paar zakenlieden voor een prikje weer opgekocht. De autohandelaar Boris Berezovski verwierf bijvoorbeeld een beslissende greep op Siberische Olie (SibNeft), Aeroflot, de staatstelevisie en een handvol kranten. Jeltsins premier tussen 1992 en 1998, Viktor Tsjernomyrdin, gebruikte zijn voormalige directeurspositie in het oude sovjetgasbedrijf om een particuliere firma op te zetten, Gazprom, het grootste energiebedrijf ter wereld met een totale waarde van honderden miljarden dollars.[6]

In diezelfde periode lieten de hervormers van Jeltsin, in het kader van de door westerse economen aanbevolen shocktherapie, de prijzen los. De gevolgen waren desastreus. Er ontstond een gierende inflatie, waardoor van de ene maand op de andere de meeste pensioenen van ouderen en invaliden vrijwel waardeloos werden. In Moskou, Sint-Petersburg en enkele andere grote steden kwam, dankzij alle buitenlandse investeringen, een nieuwe welvaart, in de rest van het land liep de shocktherapie uit op een nationale tragedie.

Hier was geen sprake meer van een 'overgang', zoals overal in het Westen werd gesuggereerd, maar van een verval van vrijwel alles wat essentieel is voor een normaal bestaan: lonen, uitkeringen, voedselvoorziening, gezondheidszorg, onderwijs, overheidsdiensten, veiligheid. Tussen januari 1993 en januari 1996 nam de Russische industriële productie met een derde af. Meer dan de helft van de Russische gezinnen belandde onder het bestaansminimum. Tekenend voor de malaise was de ineenstorting van het luchtverkeer: het jaarlijkse aantal passagiers daalde van honderdvijfendertig miljoen in 1989 tot twintig miljoen in 1999, meer dan de helft van de vliegvelden sloot in diezelfde periode.

De Russische bevolkingsstatistieken lieten na deze shocktherapie het beeld zien van een land dat door een oorlog of een hongersnood was getroffen: de gemiddelde levensverwachting voor mannen daalde tussen 1989 en 1999 met vijf jaar tot negenenvijftig jaar: veertien jaar minder dan de gemiddelde man in West-Europa. Het Russische sterftecijfer deed denken aan dat van Zimbabwe, Afghanistan of Cambodja; tuberculose, aids en drankzucht werden belangrijke doodsoorzaken. Het geboortecijfer, de eeuwige indicatie voor 'de stemming der natie', halveerde.

Een tweede uitverkoop van de voormalige Sovjet-Unie vond in 1995 plaats. Drie jaar na zijn aantreden was Jeltsins regering nauwelijks meer in staat om de salarissen van de ambtenaren te betalen. Bij de ophanden zijnde verkiezingen dreigden hij en zijn hofhouding daardoor ernstig in gevaar te komen. In het diepste geheim werd de belangrijkste oligarchen een overeenkomst aangeboden: in ruil voor geldleningen aan de staat kregen ze de tijdelijke beschikking over de aandelen in de overgebleven Russische staatsbedrijven, waaronder een paar gigantische olie- en mijncomplexen. Omdat de leningen nooit werden afbetaald kregen de oligarchen daarna ook deze aandelen voor een schijntje in handen. Jeltsin wist tegelijk, door deze en andere manœuvres, een half miljard dollar te verwerven voor zijn verkiezingscampagne van 1996. Hij won, dankzij verpletterend mediageweld.

BEVOLKING

De totale bevolking van Rusland is sinds het aantreden van Boris Jeltsin in de jaren negentig jaarlijks met één miljoen gedaald: een uniek verschijnsel in de moderne wereld. Op dit moment (2003) wordt één op de drie rekruten voor het Russische leger afgekeurd wegens hiv, tuberculose of een andere chronische ziekte. Als deze trend zich doorzet, zijn van de 148 miljoen Russen in 1999 er in 2025 nog maar 87 miljoen over, en in 2050 nog maar 55 miljoen. Het land dreigt in een fatale spiraal terecht te komen: de werkende bevolking neemt, mede door de slechte gezondheidssituatie, steeds meer in kracht en aantal af, terwijl er juist een extra inspanning nodig zou zijn om het bestaan – en daarmee de gezondheid – te verbeteren. Rusland raakt daardoor, zo voorspellen demografen, in dezelfde problemen als Frankrijk een eeuw eerder. Door de afnemende bevolking zal het land veel van zijn economische en militaire kracht verliezen.

In de McDonald's aan het Poesjkinplein was ik met twee meisjes in gesprek geraakt. Strak opgemaakte gezichtjes, een jaar of zeventien. Hadden ze nog herinneringen aan het communistische tijdperk? 'De rijen. Ik weet nog dat ik met mijn moeder in de rij stond voor een paar laarzen.' 'Ik ook, ik was vijf, ik stond met mijn oma in de rij voor zeep, ze had nummers op haar hand geschreven, waarom weet ik niet.' 'Maar ik weet ook nog de 1-mei-parade, dan kreeg je snoep.'

Kopen zij weleens een *Cosmo*? De jongste soms wel, het was fijn om erboven te dromen. Het geld verdient ze met een baantje, ze moet er een dag voor werken. Maar de oudste vindt het blad dom. 'Het gaat over domme mannen, maar het is voor domme vrouwen.'

Het eclatante succes van het glimmende damesblad *Cosmopolitan* in Rusland is een fenomeen op zich. Wie ik er ook over spreek, iedereen heeft er een mening over. 'De mensen hebben enorme behoefte aan nieuwe symbolen en iconen, aan nieuwe omgangsvormen,' zegt de een. 'De meeste bazen zijn hier óf ex-communist, óf crimineel, óf corrupt. Bovendien zijn het vaak smeerlappen, ze kunnen nooit van de vrouwen afblijven. *Cosmopolitan* toont een compleet andere levensstijl, met moderne en open verhoudingen tussen mannen en vrouwen, chefs en ondergeschikten.' Een ander: '*Cosmopolitan* toont de Russinnen nieuwe rolmodellen: ongebonden vrouwen, goed opgeleid, werkend, in staat om de genoegens van de postmoderne samenleving ten volle uit te buiten. Het zijn de overwinnaars van de mannen.' Een derde meent daarentegen: 'Het gaat weer net als onder het communisme. De boodschap van *Cosmo* is immers ook een verhaal dat in alle opzichten botst met het dagelijks leven. Wij in Rusland hebben blijkbaar altijd zo'n droom nodig, zo'n wrede confrontatie tussen een verre wereld en ons moeilijke bestaan.'

De Nederlandse bladenmaker Derk Sauer, oprichter en eigenaar van het blad, begrijpt het succes zelf maar ten dele. 'Het eerste nummer van *Cosmopolitan* verscheen in 1994. Het was vanaf het begin een waanzinnige hit. Het was het eerste glossy vrouwenblad van Rusland, en het was zo'n geval van de juiste plaats en het juiste moment. Een tijdschrift is hét middel om een lifestyle uit te drukken. In de sovjettijd werd iedereen geacht gelijk te zijn. Dit blad leerde de mensen om hun individualiteit weer uit te dragen. Het was hun gids voor het nieuwe leven.'

De veertigduizend exemplaren van het eerste nummer waren binnen een uur uitverkocht. De oplage piekte tot een half miljoen, schommelt nu rond de driehonderdvijftigduizend, en ondertussen zint Sauer alweer op nieuwe bladconcepten. 'De sovjetpropaganda had zijn doel niet gemist: de Russen hadden aanvankelijk een heel naïef beeld van het kapitalisme en het Westen. Iedereen verwachtte direct grote winsten, reisjes naar Spanje en een Volvo voor de deur. Nu komen ze terug bij zichzelf. Nestlé verkoopt steeds meer producten onder Russische naam. Wij ook. De titel van ons nieuwe financiële dagblad is daarom ook weer klassiek Russisch: *Vedomosti*, Berichten.'

Derk Sauer kwam tien jaar geleden naar Moskou. Er was niets. Nu staat hij aan het hoofd van Ruslands grootste vrije mediaconcern, met vijfhonderdvijftig werknemers, twee dagbladen – *The Moskow Times* en de Russische *Financial Times* – en zestien tijdschriften, waaronder *Cosmo* en de Russische *Playboy*. Hij is vrolijk, geestdriftig en optimistisch: Rusland is gewoon te groot om failliet te gaan. 'Stel je voor, je wordt op een ochtend wakker en het land bestaat niet meer omdat het failliet is. Nee, zo werkt dat niet. Vorige zomer maakte ik mee dat de roebel onderuitging en dat alle banken sloten. Iedereen raakte zijn spaargeld kwijt, mensen die jarenlang gedroomd hadden van een datsja of een buitenlandse vakantie, alles weg, nooit meer terug. Stel je voor dat je in Nederland opeens je geld niet meer van de bank zou kunnen halen, en dat je het ook nooit meer zou terugzien. Er zou een totale pleuris uitbreken. Hier, op dit kantoor, had iedereen natuurlijk ook grote problemen, maar toch bleven de meesten zeldzaam laconiek. Ik verwachtte zenuwinstortingen, maar nee hoor. Russen hebben, na alle ellende, een opvallend talent om tegenslagen te accepteren en eroverheen te stappen.'

Rusland, zo is de ervaring van Sauer, heeft dan ook een heel eigen manier van leven en zakendoen. 'Het is met niets te vergelijken. Altijd praten Russen over complotten en samenzweringen, maar ze zijn daar volgens mij helemaal niet toe in staat: altijd sturen ze de boel ook weer in het honderd. Vandaar dat er nu een hele eigensoortige economie ontstaat.'

De resultaten van zijn eigen bedrijf zijn daarvan een sprekend voorbeeld: officieel kunnen ze niet bestaan. De totale oplage van zijn Independent Media Group overstijgt het miljoen, maar volgens de gegevens van de overheid kunnen zoveel Russen zijn bladen nooit kopen. Slechts voor een heel kleine groep zouden ze betaalbaar zijn. 'Als de statistieken kloppen, zou deze uitgeverij allang op de fles zijn. We maken zo'n omzet heus niet dankzij die paar duizend steenrijke families. Ik kan er maar één verklaring voor vinden: er is in de steden een omvangrijke, vrij solide middenklasse aan het ontstaan, die vroeg opstaat, hard werkt en die wel degelijk geld heeft. Alleen kom je ze nergens tegen in de officiële statistiek. En dat is ook logisch: wie heeft nou zin om 80 procent belasting te betalen?'

Hij vertelt over een kennis die wasmachines importeert. 'Het is een handige jongen, hij koopt de douane om, verkoopt zijn machines zwart, hij bestaat officieel niet. Maar hij heeft wel een stel mensen in dienst, het is een gewoon bedrijf. Zijn werknemers, op hun beurt, geven evenmin iets aan. Die wonen ook nog eens in hun oude sovjetappartementen, die kosten bijna niets. Zowat alles wat ze verdienen, kunnen ze dus netto besteden. Wij schatten dat ongeveer een vijfde van de Russische bevolking, zo'n dertig miljoen mensen, op een of andere manier van deze nieuwe economie profiteert. Dan blijven er natuurlijk nog wel honderdtwintig miljoen over.'

Na mijn bezoek stuit ik op een column van Derk Sauer in *Het Parool*. Hij beschrijft daarin een etentje bij de hoofdredactrice van *Cosmopolitan*, een flitsend geklede vrouw, volgens *The New York Times* een van de meest invloedrijke opinion-leaders van het nieuwe Rusland. Haar man, een degelijke wetenschapper, zit er die avond aangeslagen bij: zijn chef, een van Ruslands meest befaamde geleerden, had die dag zelfmoord gepleegd. Hij had een pistool gepakt en zich op zijn kantoor, in aanwezigheid van zijn medewerkers, door het hoofd geschoten. Sauers gastheer was erbij geweest. 'Hij kon er niet meer tegen.' 'Waartegen?' 'Dat zijn levenswerk, ons instituut, voor zijn ogen werd afgebroken.' Stilte. 'Weet je, in het nieuwe Rusland zijn wetenschappers niks meer waard. Iedereen wil geld verdienen en wij wetenschappers kosten alleen maar geld. Op ons zit niemand meer te wachten.'

Het werd, schrijft Sauer, stil in de huiskamer, waar de boeken nog steeds tot het plafond reikten.

6

De Russische spoorwegen weten alles van kou. Hup, nog een schep kolen op de kachel, en de treincoupés veranderen in knusse huiskamers, de gangpaden in binnenstraten, er wordt gegeten en gedronken, iemand zingt wat, en ondertussen raast de Moskou-Kievexpres door de maannacht. In de bar laten we, zoals dat hier heet, 'onze zieltjes vliegen'.

De volgende ochtend staat Irina Trantina op het station van Kiev te wachten. Ze heeft, via haar talloze relaties, een bijzonder uitstapje voor me weten te organiseren, en ze heeft het over niets anders. Zodra we in de auto zitten, begint ze: 'Weet je waar ik werkte, op die 26ste april 1986? Hier, op dit station. Ik was lokettiste, ik had nachtdienst, en het eerste dat me die vroege ochtend opviel, was de totale stilte. Er was geen politie, niemand. We vonden het heel vreemd, niemand had er een verklaring voor. De volgende dag pikte een vriend een bericht op van de Voice of America, er werd iets gezegd over een explosie bij Kiev. Verder niets. Toen ik die dag op mijn werk kwam stond de stationshal vol ontredderde mensen. Iemand zei: "Die komen uit Tsjernobyl. De kerncentrale is opgeblazen." Er gingen steeds meer van dat soort geruchten. Op 30 april zag ik een speciale trein uit de stad vertrekken, vol hoge functionarissen en hun families. Toen wist iedereen in de stad dat er iets heel erg mis was. Maar de radio zei niets.'

De 1ste mei werd in Kiev nog normaal gevierd, met de gebruikelijke shows en parades. 'Het schimmenspel was al vijf dagen aan de gang en ik kreeg er genoeg van. Een familievriend van ons was een hoge militair, en ik belde hem op. Hij was opvallend openhartig: "Irina, we hebben een enorm probleem. Er is een atoomcentrale in de lucht gevlogen. Niemand weet wat te doen, dat is de realiteit." De volgende dagen was heel Kiev één brok paniek, iedereen probeerde weg te komen, het leek wel oorlog. We aten ons suf aan jodium, we dachten dat we daarmee de ellende van het lijf konden houden.'

Op 5 mei kwam een officiële verklaring: 'Er zijn enkele problemen, maar er bestaat geen enkel risico.' Vier dagen later kwam het bevel dat alle kinderen weg moesten. De kranten in het Westen hadden het over niets anders. Maar de meeste inwoners van Kiev zelf wisten nog altijd van niets.

De ramp in de kerncentrale van Tsjernobyl wordt, met Afghanistan en de kruisrakettenkwestie, algemeen beschouwd als het begin van de ondergang van de Sovjet-Unie. Zoals de grote hongersnood van 1891 het falen van het tsarisme ongenadig aantoonde, zo maakte Tsjernobyl bijna een eeuw later duidelijk hoe verdeeld, verstard en vermolmd het regime was geworden. De voornaamste beleidsinstrumenten, geheimhouding en repressie, werkten niet meer in een moderne wereld met bijbehorende communicatiemogelijkheden. De geloofwaardigheid van de partijleiding daalde tot het nulpunt.

Op de vroege ochtend van 26 april 1986 vonden twee explosies plaats in een van de vier reactoren van het enorme kerncentrale-complex. Het was een ongeluk waarvoor wetenschappers en milieuactivisten al jarenlang hadden gewaarschuwd, met name vanwege de gevolgen: een gigantische uitstoot van iodine-131 en cesium-137. Enorme radioactieve wolken trokken over half Europa: eerst richting Zweden en Finland, vervolgens over Polen, Tsjechoslowakije, Duitsland en Oostenrijk, via Zwitserland, Noord-Italië en Frankrijk, tot aan Groot-Brittannië en Noorwegen. Uitlopers bereikten Nederland, Griekenland, Spanje, Portugal, Turkije en Roemenië. In totaal werden twintig landen besmet. Nog jaren nadien werden Britse schapen afgekeurd omdat ze een gevaar vormden voor de volksgezondheid.

Tijdens en vlak na de explosie kwamen ongeveer tweehonderd mensen om, maar het aantal mensen dat in de jaren daarna stierf aan de radioactieve besmetting en de daaruit voortvloeiende kwalen loopt in de vele duizenden. Volgens de meest voorzichtige schattingen heeft de ramp in totaal dertienduizend levens gekost, andere ramingen komen op dertigduizend of meer, sommige zelfs op enige honderdduizenden in de decennia die zullen volgen.

Tegenwoordig wordt Tsjernobyl weer bewoond. Het is een on-opvallende stad, een uur van Kiev, vol mensen die ervoor moeten zorgen dat er geen andere mensen komen: boswachters, veilig-heidsagenten, militairen, brandweerlieden, onderhoudsperso-neel van de centrale, kantoorfunctionarissen, kantinedames. Auto's rijden af en aan, hier en daar wappert vrolijk de was, er zijn zelfs alweer drie baby's geboren. Zeker tienduizend mensen werken hier, min of meer op eigen risico, de tijd zal het leren. Maar ja, twee weken op, twee weken af, vervroegd pensioen en een dubbel salaris, welke Oekraïner zou daar niet voor bezwijken?

Ik ben, dankzij de bemoeienissen van Irina, een dag te gast bij Nikolaj Dmytroek, onderdirecteur van het Chernobylinterinform Agency van het ministerie voor Rampenkwesties. Hij toont me zijn landkaarten, vol weggeblazen inktvlekken, rood, geel, groen. De officiële 'zone', zoals het gevaarlijke gebied wordt aangeduid, is op de kaart aangegeven met concentrische cirkels rond de ont-plofte centrale, enkele kilometers van elkaar, telkens gevaarlij-ker, met telkens zwaardere controles, alsof onze Lieve Heer tij-dens de explosie met een passer en een liniaal bezig was geweest. De echte stralingsgebieden zien er op de kaart veel grilliger uit, het zijn grote rode vegen, meegewaaid met de wind. Sommige stukken van de officiële zone lagen tijdens de ramp uit de wind en zijn tegenwoordig vrij veilig. Aan de andere kant: in de dichtbe-volkte stad Naroditsji, formeel buiten de zone, is de straling net zo sterk als in Tsjernobyl.

Tot nu toe zijn uit de meest besmette gebieden ongeveer hon-derdduizend mensen verhuisd, maar nog steeds zijn er zo'n twee-honderdduizend over. Voor hun overplaatsing heeft Oekraïne simpelweg geen geld. Ondertussen gebeuren er vreemde dingen. Botontkalking, keelkanker en immuunziekten, de statistieken spreken boekdelen. Vrijwel alle jongeren hebben gezondheids-problemen. Zoals de Belgische en de Nederlandse dokters 'stress' of 'burnout' zeggen als ze het niet meer weten, zo zeggen de art-sen in Kiev 'straling', en gaan over tot de orde van de dag.

Dmytroek laat me een soort gevangenispak aantrekken, en dan rijden we in een oud Volkswagenbusje naar de reactor. 'Ieder-een verwacht hier wat bijzonders te zien,' zegt hij. 'Vergane bos-sen, konijnen met zes poten, dood en verderf. Maar dat is het juist: je voelt niets, je ziet niets, je ruikt niets, geen enkel mense-lijk zintuig slaat alarm.' De onheilsplaats zelf, in de volksmond aangeduid als 'de sarcofaag', ziet eruit als een gigantische betonnen doodskist die om het reactorpuin is heen gebouwd. De geigerteller meldt een straling van 1,05 microröntgen. 'Niet slecht,' zegt Dmytroek. 'Als het stormt, komen we wel op 1,5. Dan hoor je de sarcofaag al uit de verte op de vlakte kraken en kreunen.'

Een kwartiertje verder ligt het Pompeji van de twintigste eeuw.

Prypjat was in de jaren tachtig een moderne stad, speciaal gebouwd voor het personeel van de kerncentrale, met zo'n vijftigduizend inwoners, merendeels jonge gezinnen. Het was voor sovjetbegrippen een modelstad: veel groen, goede scholen, uitstekende voorzieningen. Totdat, op 26 april 1986 om vier uur 's middags, alles opeens ophield. Er werden honderden auto's en bussen naar het centrale plein gereden, binnen een uur moesten alle inwoners de stad verlaten, nooit is iemand meer teruggekomen, slechts een enkeling heeft er sindsdien een voet gezet.

In de stad die we binnenrijden is het nog volop sovjettijd: het centrale plein met de hamers en sikkels, de strakke gebouwen, de leuzen boven de gebouwen: 'De partij van Lenin leidt ons naar de triomf van het communisme.' Tussen de flats is het doodstil, op alle straten en pleinen ligt de sneeuw ongerept als in een afgelegen bos. Voor de viering van de 1ste mei staat een kleine kermis klaar: een verroest reuzenrad, verweerde botsautootjes, lappen tentzeil op de grond. Uit de vloer van het hotel groeit een kleine boom.

In de kasten van de kindercrèche staan de peuterschoentjes nog zoals ze dertien jaar geleden werden achtergelaten, keurig in het gelid. Op de vloer twee rode blikken speelgoedvrachtauto's, een doos blokken, een winkeltje, twee poppen met kalk in het haar, een ereplankje met de mooiste kleipoppetjes van de week. De volgende zaal staat vol kinderbedjes, met half vergane lakens en matrassen.

'Dit moet een prima crèche zijn geweest,' zegt Dmytroek als we door de lege lokalen lopen. 'Zoveel spullen als ze hier hadden. Het is bijna niet te geloven: in die tijd ging elk kind in dit land nog netjes naar school, ze kregen iedere middag een warme maaltijd, later werden ze verliefd op wie ze maar wilden, Rus, Oekraïner, het telde niet, we waren allemaal broeders en zusters.' In de gangen heeft de stuifsneeuw zich opgehoopt. Op de muur staat een tekening voor het meifeest, half afgemaakt.

Het gaat schemeren en het wordt ijzig koud. We rijden verder, langs Kopatsji, een dorp dat helemaal werd bedekt met aarde, lange rijen langwerpige heuvels, een kerkhof van huizen en schuren. In grote delen van het Oekraïense platteland kan alleen tijdens de werkuren nog elektriciteit worden geleverd, tussen acht en vier. Daarna valt een middeleeuwse duisternis, de zwarte hemel is vol sterren, op het land flakkert hier en daar het schijnsel van een kaars of een olielamp.

Dmytroek en mijn tolk vinden dat ik moet kennismaken met de oude Nikolaj Tsikolovitsj. Nikolaj en zijn vrouw Anastasia Ivanovna huizen diep in het bos, midden in de verboden zone, uit de wind van de centrale. Ze houden van hun boerenbedoeninkje, hun kippen, varkens en koeien, en na de ramp zijn ze stug doorgegaan. Nu horen ze tot de ongeveer zeshonderd mensen die, illegaal, in de zone leven.

Anastasia klimt haastig van de tegelkachel als we binnenkomen, ze lag al te slapen, ze is gerimpeld en gebogen. Onder de rook van Tsjernobyl blijken Philemon en Baucis te wonen, en geen straling lijkt hen te raken, ze leven almaar door, als twee ineengegroeide bomen. Ze zijn al meer dan een halve eeuw samen, hij was tractorchauffeur, zij werkte haar leven lang op het landbouwcollectief, daarna hadden ze hun pensioen, tegenwoordig kunnen ze daarvoor iedere maand nog net wat zeep en tabak kopen, dan is het weer op. In hun armoede produceren ze alles zelf. Het houtvuur wordt opgerakeld, de voorraadkasten worden leeggehaald, er verschijnen glazen zelfgestookte wodka, eieren, worst, augurken en ingemaakte kersen, alles voor de gasten.

We praten met handen en voeten, maken foto's van elkaar, lachen, zingen een liedje, drinken nog een glaasje, Dmytroek van het Rampenministerie, de tolk, Nikolaj, Anastasia en ik, de iconen zegenen ons allen, dag en nacht.

XII

December

1

'Wilt u weten waarom dit land zo treurig is? Ik zal het u zeggen: de Roemenen hangen hun geschiedenis altijd op aan één persoon. Als je in Nederland oude schilderijen bekijkt, zie je meestal groepen: schutters, feestende burgers, straat- en dorpstaferelen. De Roemenen op schilderijen staan er eenzaam bij, het zijn koningen of dictators: prins Michael, koning Carol II, Nicolae Ceaușescu. Die afhankelijkheid van één persoon, dat zit er diep in. Het geeft ook een gevoel van zekerheid, al is het de zekerheid van een leven rond het minimum.

Voor ons, wetenschappers aan de universiteit van Boekarest, begonnen de problemen in 1971, na het bezoek van Nicolae en Elena Ceaușescu aan China. Het echtpaar kwam wild enthousiast terug: hier moest ook een culturele revolutie komen. De landbouw werd grondig gereorganiseerd, oude dorpen zouden worden neergehaald, voor de boeren moesten flats worden gebouwd, het geboortepeil zou kunstmatig worden opgekrikt. We hadden toen nog niet eens zoveel materiële zorgen, het was vooral een morele druk waaronder we leefden. Voortdurend waren er vergaderingen waar je je moest verantwoorden, we kregen de idiootste onderwijsopdrachten, we merkten dat buren en collega's opeens verdwenen.

Ik zat met een paar andere Roemenen op een zomercursus in Venetië toen Ceaușescu's campagne begon. We konden niet geloven wat daarover in de Italiaanse kranten stond, we dachten dat het allemaal westerse propaganda was. Argeloos gingen we weer naar huis, maar al heel snel merkten we dat niets was overdreven. Direct al bleek de universiteit afgesneden te zijn van alle internationale informatievoorziening. Daarna begonnen de materiële problemen: te weinig geld, te weinig voorzieningen, al dat soort narigheid. En vervolgens kregen we de Securitate op ons dak. Ik citeerde tijdens een vergadering uit Marx. Dat was gelijk mis: ik mocht alleen nog maar de verzamelde werken van Ceauşescu aanhalen. Toen ik de zaal uit liep, kwam een collega op me af. Hij riep hard, zodat iedereen het hoorde: "Cezar Tabarcea, waarom heb je weer gedronken voordat je hierheen kwam?" Die man heeft me gered. Zo kon hij namelijk in zijn verslag schrijven: "Cezar Tabarcea kwam dronken de vergadering binnen, hij besefte niet het ongeoorloofde van zijn opmerkingen." Dat was, in de toenmalige situatie, een grote vriendendienst.

Ja, we hebben op dit instituut samen heel wat meegemaakt. Verplichte onderwerpen behandelden we, natuurlijk, maar we konden onze ironie heel bedreven in de kantlijn wegstoppen, en de studenten pikten dat feilloos op. Als een student een poosje niet op college was verschenen werd je daarover door de Securitate ondervraagd, daar kwam je niet onderuit. Een gesprek als dit, met een buitenlander, was uiteraard ondenkbaar. Ik ben linguïst, en op een gegeven moment maakte ik voor het onderwijs een televisieserie over taal, heel succesvol. Iemand zei tegen me: "Professor, u staat op de eerste plaats!" Ik zei: "Dan geef ik een rondje!" Maar hij mompelde: "Daar zou ik maar helemaal niet zo blij mee zijn." En inderdaad, de serie werd plotseling afgebroken. Het ging enkel over grammatica, maar alles wat met cultuur te maken had mocht alleen onder auspiciën van Elena Ceauşescu plaatsvinden.

De revolutie van december 1989 kwam uiteindelijk niet onverwacht. Waarom? Puur op grond van mijn gevoel. Ik proefde dat najaar bij mijn studenten opeens een bijzondere opwinding. En toen kwam de kerstvakantie. Die begint hier altijd midden in de week, en gewoonlijk trekken de studenten al vanaf het weekend naar huis. Ik was dus gewend om de laatste dagen voor bijna lege collegezalen te staan. Die laatste woensdag voor de wintervakantie van 1989 hoopte ik zelfs dat ik geen college meer hoefde te geven. Maar tot mijn stomme verbazing zat de hele zaal stampvol. Ik vroeg, tussen de grammatica door, wat er aan de hand was. Aan het eind van het college kwam een student op me af en vroeg: "Bent u met ons?" Ik zei: "Jullie weten dat mijn bestaan enkel en alleen om jullie draait, dus ik begrijp die vraag niet." Ze gingen om me heen staan en zongen me toe. Dat was op 20 december, drie dagen na een bloedige schietpartij in Timişoara. Er was daar een Hongaarse predikant, László Tökés, die opkwam voor de religieuze rechten van de Hongaarse minderheid. Toen de Securitate met geweld zijn kerk wilde sluiten, ontstond een volksopstand. De Securitate schoot tientallen demonstranten dood. Iedereen was woedend – en misschien was dat ook wel de bedoeling. Het is niet onwaarschijnlijk dat onderdelen van de Securitate bewust aanstuurden op de val van Ceauşescu.

Die middag had ik nog een laatste college, en weer hoopte ik dat niemand zou komen, maar opnieuw zat het vol. Buiten begon het te sneeuwen. De studenten kwamen met thee en snoepgoed, ze begonnen kerstliederen te zingen, dat is de traditie hier. Daarna luisterden we samen naar Radio Vrij Europa, en we huilden allemaal over Timişoara. Ik liet mijn studenten in kleine groepjes weggaan, er was een samenscholingsverbod, ze moesten heel voorzichtig zijn.

De volgende ochtend gebeurde er iets interessants: de verwarming van onze flat, die al weken buiten bedrijf was vanwege het tekort aan energie, deed het opeens. Er was zelfs warm water, en mijn vrouw begon direct kleren te wassen. Ik zat naar de tv te kijken, naar de Bulgaarse zender, want ook daar was van alles aan de gang. Ik herinner me dat ik zat te mopperen: "Heel Oost-Europa is in rep en roer, en bij ons gebeurt niets!"

Maar even later was het ook bij ons raak: er was een grote menigte naar het gebouw van het Centraal Comité gedirigeerd om Ceauşescu op de gebruikelijke manier toe te juichen, en opeens klonk massaal de kreet "ti-mi-şoa-ra". Ik wist niet wat ik hoorde, het werd allemaal live uitgezonden op onze eigen Roemeense televisie. Zoiets was nog nooit vertoond. Er werd geroepen: "Ceauşescu, wij zijn het volk!" en "Weg met de moordenaars!" We zagen op het scherm hoe Ceauşescu verwilderd om zich heen keek, geen woord kon uitbrengen, en ten slotte haastig door een veiligheidsman van het balkon naar binnen werd getrokken. Daarna werd het beeld grijs. Een paar minuten later kwam het weer terug. Op het plein was een totale chaos uitgebroken.

Wij erheen. Mijn vrouw kreeg ruzie met een politieagent, hij huilde, hij zei: "Mevrouw, mijn dochter staat daar in de menigte!" Later trokken we naar het gebouw van de staatstelevisie, de tanks hadden de lopen op de menigte gericht. Ik zie nog hoe een soldaat op een gegeven moment zijn helm afdeed en die op de grond gooide. De lopen draaiden weg. De mensen beklommen de tanks, kwamen met thee en brood voor de soldaten. Het was allemaal heel emotioneel. Die vrijdag kwam het bericht dat de Ceaușescu's op de vlucht waren geslagen. De volgende dag werden ze gevangengenomen, op 25 december werden ze geëxecuteerd. Jarenlang had ik ervan gedroomd om die man dood te mogen schieten, zo haatte ik hem, maar toen het eenmaal zover was... Op de televisiebeelden zagen ze eruit als twee daklozen die tegen de muur werden gezet. Je kreeg bijna medelijden met ze, er is ook een stuk uit de videoband geknipt. Het was heel heftig, ze waren enorm in paniek, dat zag je, ze waren ook heel erg samen die laatste uren, ze praatten heel persoonlijk tegen elkaar.

Achteraf was het allemaal een grote vergissing. Dat proces, die beschuldiging, "genocide", juridisch klopte er helemaal niets van. Nee, ik zou ze veroordeeld hebben zonder één kogel te verspillen. Ik had ze gedwongen om eindeloos naar klassieke muziek te luisteren, om naar mooie schilderijen te kijken, om door het kleurige Boekarest van nu te rijden. Dat hadden ze nooit overleefd.

Dit land moet in zijn eigen mogelijkheden gaan geloven. Ikzelf heb na 1990 een heleboel dingen kunnen doen die het grootste deel van mijn leven onmogelijk waren. Ik ben nu achtenvijftig, ik ben nog steeds bezig de schade in te halen, ik vind dat je, wat je kunt doen, ook móét doen. Vijfendertig jaar heb ik met studenten gewerkt, en ze hebben me jong gehouden. Ik ben niets zonder mijn studenten. Ik houd van ze, ze steunen me, ze staan als een vesting om me heen, en ooit zullen ze me opvolgen. Ze zijn mijn leven.'

2

Ik droom een volmaakte ramp. Een hoge baggermolen is tegen een hoogspanningsleiding gevaren, in een open spoorbrug. Er komt een trein aan, een blauwe trein met een ouderwetse elektrische 1100-locomotief. Hij rijdt door het rode sein, hij dendert gewoon door, ik zie het voor mijn neus gebeuren. Daar valt de trein van de brug. 'Hup, weer een wagon!' roepen de mensen om me heen. Piepend gieren nu de remmen, alles schuift over de rails.

De trein van Kiev naar Boekarest staat stil op een emplacement. Het is drie uur 's nachts, de wagon zucht en ademt, een sneeuwschuiver komt voorbij, dan slaat de locomotief weer aan. Buiten staat een grote witte man op een sokkel, de arm wat omhoog, dat moet een vergeten Lenin zijn. Daarna sukkelen we langzaam verder door het met sterren verlichte landschap. Zo nu en dan verschijnt een geel flakkerend lichtje achter een raam, een slapend dorp, nauwelijks veranderd sinds 1880, 1917, 1989.

Als ik opnieuw wakker word is het net licht geworden. Weer staan we stil. Overal is prikkeldraad, links en rechts wachttorens, langs de trein verkleumde soldaten met kalasjnikovs. Oekraïne en Roemenië behoren beide tot de armste landen van Europa, maar hun grenzen worden bewaakt als goud. Uit mijn paspoort schrijft een vrouwelijke douanebeambte elke letter plechtig over, tot en met het mysterieuze 'Burg. van Amsterdam'. Daar hebben we het al: ik beschik niet over het juiste inklaringsbewijs. Ze kijkt me schalks aan, maar in haar hoofd is de orde verstoord. Ze laat me alles uitpakken. 'Aha, computer, export!' 'Aha, antique, export!' (dit bij een oud roebelbiljet). 'Aha, hundred dollar!' De trein blijft staan, de vertraging loopt op. In *The Kyjiv Post* van eergisteren had ik gelezen dat de kapitaalvlucht uit Rusland op dit moment 2,9 miljard dollar per maand bedraagt. Hier uit Oekraïne sluisde oud-premier Pavlo Lazarenko naar verluidt zevenhonderd miljoen dollar weg. 'Aha, again hunderd dollar!'

Later rijden we langs de grenzen van Sub-Karpatië, ofwel Roe-thenië, het nieuwste land in wording. De Britse Europa-journa-list Timothy Garton Ash interviewde dit voorjaar de voorlopige minister-president, de apotheker van het lokale ziekenhuis, ter-wijl de minister van Justitie – een chirurg in hetzelfde gebouw – de thee zette. Ze hebben al een vlag en er komt zeker een eigen munt. En een volkslied? Natuurlijk. Beide heren probeerden het te zingen, maar liepen vast. 'Sub-Karpatische Russen', zo begon het, 'Sta op uit uw diepe sluimer...' Die apotheker is een begaafd demagoog, schreef Garton Ash, en als die man de pers meekrijgt, is het heel goed mogelijk dat hij binnenkort een menigte van Roe-theense bergboeren, houthakkers en arme stedelingen toe-spreekt, met het verhaal dat ze erfgenamen zijn van een grote tra-ditie, dat al hun ellende de schuld is van de Oekraïense 'nationale chauvinisten', en dat ze veel beter op eigen benen kunnen staan.

De sneeuw wordt minder. Ik zie houten dorpen, vrouwen met bonte hoofddoeken op een markt, twee paarden met pluimen voor een feestelijk versierde kar. Op een bruin veldje naast een blikken loods rennen tweeëntwintig jongetjes achter een voet-bal. Verdraaid ja, het is ook nog eens gewoon zaterdagmiddag.

PALEIS

Alle Europese dictatoren uit de twintigste eeuw zwelgden in me-galomane bouwplannen, maar Ceaușescu is een van de weinige die ze ook wist te verwezenlijken. Zijn Paleis van het Volk – tegen-woordig Paleis van het Parlement – rijst boven Boekarest uit als een stralend witte gigant. Het complex ligt aan het eind van de bijna vijf kilometer lange Boulevard van de Socialistische Overwinning, tegenwoordig de Boulevard van de Eenheid, bedoeld als replica van de Champs-Élysées. De flatgebouwen links en rechts, gebouwd in dezelfde robuuste stijl als het paleis, waren bedoeld als wooncom-plexen voor zijn juichende getrouwen. Voor het hele project werd een kwart van de oude binnenstad van Boekarest neergehaald, in-clusief tien kerken, drie synagogen en talloze stadsvilla's.

Het paleis is een van de meest krankzinnige gebouwen van Europa. Het zou, zoals alle uitingen van waanzin, iets intrigerends hebben gehad als het niet tegelijk zo zeldzaam platvloers, massief en voor-spelbaar is. Alles was bedoeld om buitenlandse bezoekers te imponeren: de tweehonderdduizend vierkante meter tapijt, de drieduizend kroonluchters, de enorme hoeveelheden goud en kristal, de ontvangsthal waarin iedere bezoeker verdwijnt, de honderdvijftig meter lange eregalerij, de 'zaal van de mensenrechten', schitterend afgewerkt door Ceauşescu's slaven. Het marmer, de uitgelezen houtsoorten, alles is van de beste kwaliteit – in tegenstelling tot bijvoorbeeld soortgelijke nazi-bouwsels – en gegarandeerd van Roemeense origine. In het *Guinness Book of World Records* geldt het paleis als het één na grootste overheidsgebouw ter wereld, na het Pentagon. Onder de grond liggen nog eens twee, vermoedelijk zelfs drie verdiepingen. Het geheel doet denken aan Versailles, maar dan fonkelnieuw en twee- à driemaal zo groot: Ceauşescu bracht zijn architecten tot wanhoop door zijn gebrek aan maatgevoel.

Ceauşescu's spookhuis is vanaf 1984 door zeventienduizend arbeiders in ijltempo neergezet, tijdens een van de armste periodes uit de Roemeense geschiedenis. Toen Ceauşescu op eerste kerstdag 1989 werd doodgeschoten, waren alleen de gevels en een handvol kamers klaar. Sindsdien is het paleis min of meer afgebouwd, maar de Roemenen weten niet goed wat ze ermee aanmoeten. Het parlement zetelt er nu, en er worden internationale conferenties gehouden. Ondertussen zet het verval in: daken lekken, het ijzer van de constructie wordt aangetast, de roest schemert alweer door het marmer in de feestzalen, hier en daar worden scheuren zichtbaar.

Ceauşescu verwachtte vanaf 1990 regelmatig op het paleisbalkon voor 'zijn' boulevard te kunnen staan om massale toejuichingen in ontvangst te kunnen nemen. Het is er nooit van gekomen. De eerste die zich vanaf het balkon door de menigte kon laten bejubelen was Michael Jackson.

Boekarest is een stad met ruim twee miljoen inwoners en naar schatting driehonderdduizend loslopende honden. Overal zie je honden, alleen of in roedels: langs de snelwegen en in de achterafstraatjes, rondom de paar antieke kerken, voor het waanzinpaleis van de voormalige dictator Ceauşescu, tussen de struiken van de Ghencea-begraafplaats waar iedereen uiteindelijk terechtkomt. In de godshuizen walmt de wierook, de gezangen stijgen op, deze zondag is de dag waarop het voedsel gezegend wordt, met kaarsen, broden en flesjes Coca-Cola.

Rond de poort van de begraafplaats staan tientallen doodskisten te koop. Om het kwartier komt er wel een nieuwe familie
met een kar of een auto binnenrijden, de klokkenluider begint
hevig aan de touwen te trekken, priesters, doodgravers en bedelaars schieten toe.

Ik zie hoe Grigore Pragomir (1909) wordt begraven, hoe zijn
open kist uit een gebutst blauw bestelbusje wordt geschoven, hoe
een van zijn kleinzoons rondloopt met een dikke bundel bankbiljetten om iedereen te betalen, hoe hij op een piepend karretje
wordt voortgetrokken door twee jongens met een sigaret in de
mond, hoe het kruis met zijn naam langzaam tussen de graven
verdwijnt.

Bij het graf van Nicolae Ceauşescu – een hoop aarde, een kleine
steen met zijn portret, vijf verlepte boeketten – staan drie bezoekers. 'Zie je dat hij dwars ligt?' zegt een man. 'Zijn voeten liggen
niet naar het Oosten, hij is als een heks begraven. Zolang hij niet
recht wordt gelegd, gaat het slecht in dit land.' 'Welnee,' kakelt
een dwergachtige bedelares. 'Er liggen alleen maar stenen in zijn
graf. Hij is helemaal niet dood. Ze hebben hem bij zijn executie
enkel verdoofd, hij is naar zijn vriend Kaddafi gevlogen. Daar
woont hij nu in een mooi paleis, ik heb er een foto van gezien in
een krant.' 'Onzin,' mompelt een keurige dame in het zwart. 'Hij
moest dood, dat kon nu eenmaal niet anders in een land als het
onze, met zo'n geschiedenis van moord en bloed!' 'Ja, dat is wel
zo,' zegt de man, 'maar mooi was het niet.' 'Loop naar de duivel!' –
'Pe dracul!' schreeuwt de dwergvrouw ondertussen. 'En Nicu, zijn
zoon, is ook niet dood. Die woont nu bij zijn vader. Maar zíj is wel
dood!'

Ze brengt ons naar het graf van de voormalige First Lady, ook
aarde, met verder niets anders dan een klein, smerig houten
kruis. Er wankelen twee honden langs die bij het copuleren aan
elkaar bleven hangen. In de poort luidt de klok voor Floarea Ene
(1947), die in de laadbak van een kleine rode vrachtauto wordt
binnengereden. De honden en de bedelaars schieten alweer toe.
Haar vier dochters zitten naast de kist, strelen haar gezicht, eentje huilt onbedaarlijk: 'Mamma, mamma!' De mobiele telefoon
van een van de zoons begint bij het afladen te rinkelen. Dan
wordt ook Floarea op het karretje gelegd, ze moet mee met de jongens met de sigaretten, daar is niets aan te doen.

In dit land zijn de mensen dol op magische gebeurtenissen, liefst met veel dood en verderf, dan valt de werkelijkheid altijd nog mee. Vanochtend opent een zondagskrant met dikke letters: 'Professor Virgil Hincu voorspelt grote aardbeving in Boekarest op 15 januari!' Er is een tovenaar in de stad die beweert dat hij een geneesmiddel tegen kanker heeft gevonden. In rijen staan de mensen voor zijn deur te wachten, met flessen in de hand, want het middel moet iedere week opnieuw 'vers' opgehaald worden. Ook over de Securitate blijven verhalen de ronde doen, vol geheime gevangenissen en tunnelcomplexen waar de Ceaușescu's nog altijd regeren.

Bovengronds is er weinig van hun geestelijk erfgoed overgebleven. Ik zocht in de Nationale Bibliotheek bijvoorbeeld tevergeefs naar *Omagiu* (Eerbewijzen), een curieus boekwerk dat uitsluitend bestaat uit buitenlandse eerbetuigingen aan Nicolae Ceaușescu en dat in 1978, ter gelegenheid van diens zestigste verjaardag, in honderdduizenden exemplaren over het land was verspreid. Het is nergens meer te vinden, evenmin als de tientallen andere werken van de grote leider en zijn vrouw. Ze zijn in miljoenenoplagen gedrukt, overal is eruit onderwezen, en een beetje Roemeen had ze verplicht in de boekenkast staan. Nu is zelfs uit de bruine kaartenkasten in de centrale hal van de bibliotheek iedere verwijzing naar de dictator vakkundig verwijderd. Dit hele stuk Roemeense geschiedenis is weggesneden, alsof het nooit heeft bestaan. Van Elena Ceaușescu, die enkel drie klassen lagere school had en die daarom graag voor wetenschapper wilde doorgaan, staat alleen de *Encyclopedie der Chemie* (1983) nog in de rekken. Zoals alle wetenschappelijke publicaties van Elena is het werk door anderen geschreven, en dit is blijkbaar nuttig genoeg om te mogen blijven.

Wat vond Europa trouwens van deze dictator, die dissidenten bij honderden in hun cellen liet creperen? Veel later stuitte ik, in de onvolprezen Universiteitsbibliotheek van Amsterdam, toch nog op een exemplaar van *Omagiu*, een opeenstapeling van frasen als: 'erkenning voor de enorme bijdragen van Nicolae Ceaușescu', 'welzijn van land en volk', 'onvermoeibare activiteiten', 'vrede en samenwerking tussen de volkeren'. Ondertekend door, onder meer, president Jimmy Carter, koning Juan Carlos, koning Carl Gustav en onze eigen prins Bernhard – 'Met de beste herinneringen'. De bundel bevat vrolijke foto's met Tito (1969), keizer Bokassa (1972), koning Boudewijn en koningin Fabiola (1972), het presidentspaar Richard en Patricia Nixon (1970), het Nederlandse koninklijk paar (1973) en vele andere staatshoofden. Nixon wordt geciteerd: 'Door zijn diepe begrip van de belangrijkste wereldvraagstukken kan president Ceaușescu een belangrijke bijdrage leveren aan de oplossing van de meest dwingende problemen van de mensheid.' Carter: 'De hele wereld waardeert hem en beschouwt hem met bewondering.' François Mitterrand, eerste secretaris van de Franse Socialistische Partij: 'Namens mij persoonlijk en namens de Franse socialisten die op dit ogenblik aan de grote strijd voor het socialisme in Frankrijk deelnemen, willen wij u ter gelegenheid van uw verjaardag onze warme gelukwensen overbrengen, en onze meest welgemeende wensen overbrengen voor een lange deelname aan de leiding van de Socialistische Republiek Roemenië.' Elena ontving, als hoogleraar aan de universiteit van Boekarest, eredoctoraten en andere eerbewijzen van, onder andere, de New York Academy of Sciences en het Royal Institute of Chemistry in Londen.

De boerenzoon Nicolae Ceaușescu was eind jaren zeventig inderdaad een van de meest populaire Europese leiders. In het vanouds met Roemenië verbonden Frankrijk had hij een voortreffelijke naam, de Britten sloegen hem tot ridder en lieten het paar in Buckingham Palace logeren, de Verenigde Staten verleende zijn land de status van 'meest begunstigde natie'.

Ceaușescu's altijd dronken vader had, volgens zeggen, al zijn drie zoons Nicolae genoemd omdat hem bij de burgerlijke stand nooit een andere naam te binnen wilde schieten. Al vanaf de jaren dertig was Nicolae Ceaușescu actief in de communistische partij en vanaf 1967 was hij president van Roemenië. Net als Gomułka in Polen gold hij als een linkse nationalist. Altijd hield hij een zekere afstand tot de Sovjet-Unie. Binnen het Warschaupact lag hij regelmatig dwars, bijvoorbeeld door Israël te erkennen en de inval in Tsjechoslowakije te veroordelen. Maar nooit daagde hij, zoals Dubček in Tsjechoslowakije, het systeem werkelijk uit. Op een handige manier balanceerde hij zo tussen Moskou, Peking en het Westen.

In Roemenië zelf regeerde hij als een Europese Mao Zedong. De economie van dat land begon in de jaren zeventig dezelfde problemen te vertonen als de andere communistische systemen. De industrie was sterk verouderd, de enorme olieraffinaderijen werkten nog maar op 10 procent van hun capaciteit en als gevolg van de collectivisatie was de landbouwproductie van Roemenië – ooit een graanschuur voor Midden-Europa – sterk teruggelopen. In 1981 werd zelfs het brood op rantsoen gesteld.

Ceaușescu pakte deze problemen op een heel eigen wijze aan. Hij beweerde dat de Roemenen alleen maar te veel aten en daarom introduceerde hij in 1985 voor het hele land een 'wetenschappelijk dieet'. Om de buitenlandse schuld terug te dringen werd het land onder een ijzeren soberheidsregime gesteld. Het energiegebruik werd rigoureus beperkt: terwijl in het Paleis van het Volk kroonluchters werden opgehangen met zevenduizend lampen of meer, waren in de winkels alleen nog maar peertjes van veertig watt te koop. In Boekarest waren twee van de drie straatlantaarns uitgeschakeld. De stadsverwarming stond ongekend laag.

De vrouwelijke bevolking kreeg het zwaar te verduren. Met lede ogen zagen de Ceaușescu's dat de geboortecijfers sterk daalden: abortus en het gebruik van voorbehoedmiddelen werden strikt verboden. Arbeidersvrouwen kregen elke maand een gynaecologisch onderzoek. Vanaf 1983 moest iedere vrouw in haar leven minimaal vijf kinderen baren; kinderloze en onvruchtbare vrouwen werden gestraft met hogere belastingen. De resultaten van deze bevolkingspolitiek waren dramatisch: overvolle weeshuizen met verlaten kinderen, talloze vrouwen die slachtoffer werden van illegale engeltjesmaaksters.

Roemenië is het meest extreme voorbeeld van stalinisme-zonder-Stalin, met alle persoonsverheerlijking en megalomanie die dit systeem met zich bracht, en in de laatste jaren werd het almaar erger. Het werk aan het beruchte Donau-Zwarte-Zeekanaal werd hervat; in de jaren vijftig had het regime daar al, volgens de geruchten, zo'n zestigduizend opposanten laten creperen. Ook het oude plan om het platteland te 'systematiseren' en de boeren onder te brengen in 'agro-industriële gemeenschappen' werd eind jaren tachtig weer uit de la gehaald. Uiteindelijk werden slechts twee dorpen – beide vlak bij Boekarest – werkelijk van de kaart geveegd. Wel werden overal traditionele huizen platgegooid: de bewoners kregen vierentwintig uur om hun biezen te pakken.

De Ceaușescu's leefden ondertussen in een andere wereld. Tegenwoordig is hun stadsvilla te huur voor zeshonderdvijftig dollar per nacht, en mijn tolk heeft een rondleiding weten te regelen. Ik kom terecht in het huis van een koeherder die de staats-loterij heeft gewonnen. Je komt ogen te kort: de gouden toiletrol-houder van zoon Nicu, de pimpelroze badkamer van dochter Zoë – ook de afvoerpijp onder de wastafel is verguld –, de eetkamer van gebeeldhouwd eiken, de gevoelige schilderstukken van een zigeu-nermeisje en een dennenbos, het slaapkamerbehang met twee-duizend handgeschilderde bloemen, Ceaușescu's persoonlijke massagebad met twaalf kranen en tien manometers, de huisbio-scoop met belsignalen voor de operateur: Attentie! Geluid harder! Stop! Licht! Andere film!

In zijn boek *Red Horizons* deed Ion Pacepa, chef van de veilig-heidsdienst en naaste medewerker van het paar, na zijn desertie een boekje open over het familieleven van de Ceaușescu's. Nicolae beschreef hij als een charlatan, een kampioen in chantage en smerige trucs. Elena was een seksueel onverzadigbare vrouw die leefde op champagne en kaviaar en die enkel geïnteresseerd was in haar verzameling bontjassen en eredoctoraten.

In de kelders van de villa ligt het nog vol met de restanten van dit vrolijke leven, honderden jassen, pakken, jurken en schoenen van het duo, te koop voor wie maar wil. 'Ik snap het niet,' zegt mijn gids, terwijl hij een lichtblauw muiltje van Elena pakt. 'Mooi, duur, voortreffelijke kwaliteit. Maar we raken ze maar niet kwijt. De jeugd wil dit model niet meer. En kijk eens hier, dit zijn toch nog uitstekende pyjama's?'

Hij vertelt dat het echtpaar, bij de overhaaste aftocht op 22 de-cember 1989, uit dit huis slechts twee blauwe tassen meenam, enkel gevuld met dekens en grote broden. In hun laatste uren werden Nicolae en Elena weer wat ze ten diepste waren: twee boe-renkinderen op de vlucht.

Bij een bushalte raak ik in gesprek met een oudere man die een paar woorden Duits spreekt. In zijn verhaal weerklinkt dezelfde nostalgie als overal in Oost- en Midden-Europa: de bevrijding van 1989 bracht een geweldige chaos met zich mee, en het is zo lang-zamerhand de vraag of de gewone burger daar nu zoveel beter van is geworden. 'Natuurlijk werden we bespioneerd en onderdrukt door Ceaușescu, maar daar had maar een paar procent van de be-volking werkelijk last van. Nu lijden we allemaal, we zijn zo arm als mieren. Voor 1989 zaten we ook weleens een winter te rillen van de kou. Maar het gebeurde nooit dat midden in de winter alle stadsverwarming uitviel, omdat het energiebedrijf anders failliet zou gaan. Nu wel. Voor de revolutie konden we regelmatig met vakantie of naar een badplaats aan de Zwarte Zee. Nu is dat ondenkbaar. Ik was niet rijk, maar het gebeurde me nooit dat ik op bepaalde dagen geen stuiver op zak had. Nu overkomt me dat regelmatig.'

Volgens de stadsbarometer van midden oktober 1999, een onderzoek onder tweeduizend inwoners van Boekarest, vindt tweederde dat de eigen levensomstandigheden de afgelopen tien jaar duidelijk zijn verslechterd. Slechts een kwart meent beter af te zijn. Op de vraag 'Hoe denkt u dat de meeste rijke mensen na de revolutie van 1989 aan hun welstand zijn gekomen?' antwoordt meer dan de helft van de ondervraagden: 'Door wetsovertreding.' Bijna een kwart denkt vooral aan 'relaties met de juiste personen'. Minder dan een tiende meent dat de bovenlaag de rijkdom te danken heeft 'aan arbeid en persoonlijke verdiensten'.

Mijn tolk neemt me mee op een tochtje over de rondweg. Voorzichtig zigzaggen we langs de ene kuil na de andere, beneden liggen de golfplaten daken van een oud gevangeniscomplex, een schaapskudde blokkeert de route, in de berm bivakkeert een zigeunerfamilie met twee huifkarren, een kind sjokt langs met een paardenkar. Ten slotte bereiken we de vuilnisbelt van Boekarest. De stortplaats beslaat een immens terrein, het is een eindeloze reeks grijze, rokende heuvels waar zo nu en dan een oranje vuur zichtbaar is, een inferno van roet, rottend eten, flessen, blikken, autobanden en oud plastic. Tussen de rookwolken door zijn overal zoekende figuren zichtbaar, gebogen graaien ze de hele dag tussen het vuil.

Roemenië is vermoedelijk het armste land van Europa, het is er volgens de Human Development Index (2000) slechter aan toe dan, pakweg, Cuba. De gemiddelde inflatie per jaar schommelt rond de 60 procent. Het bevolkingscijfer loopt achteruit, minder dan de helft van de Roemenen heeft beschikking over goed drinkwater, slechts één op de vijf huishoudens heeft een telefoon. 30 tot 40 procent van de kiezers stemt op kandidaten van ultrarechtse, nationalistische partijen.

Door Boekarest zwerven op dit moment zo'n vierduizend dakloze kinderen. Je ziet ze overal: ze bedelen, ze verkopen sigaretten en lucifers, wassen autoruiten bij de stoplichten. Een bedelaartje zag ik zelfs, met grote smeekogen, de voorkant van een auto kussen. Ze zijn het ouderlijk huis ontvlucht, of ze zijn gewoon de straat op gestuurd. Bij het Huis van de Slimme Jongetjes fungeert Tonio, de muts tot bij de ogen, als portier. Hij woonde vijf jaar in de tunnels van de stadsverwarming. Hij lijkt zeven. Hij is twaalf. Nicu staat te roken. Hij lijkt acht. Hij is veertien. Alexandru ontvangt me en laat me zijn nieuwe witte jas zien en, daaronder zijn hondje. Hij lijkt negen. Hij is dertien. Maar allemaal stralen ze een ongekende energie en zelfstandigheid uit.

'Het leven op straat zorgt ervoor dat twee dingen goed ontwikkeld worden: zorg voor zichzelf, en sociale vaardigheden,' zegt Adriana Constantinescu, de leidster van dit kleine kindertehuis. 'Sommigen kunnen nog niet eens goedendag zeggen, ze snuiven lijm, maar als ze in de problemen komen weten ze binnen een seconde hoe ze moeten reageren. Het heeft hun alleen ontbroken aan iedere vorm van genegenheid, en dat maakt dat ze totaal gedesoriënteerd in het leven staan. Wij zijn voor hen een tussenfase, tussen de straat en een nieuwe familie, of een zelfstandig bestaan. Ze krijgen een bed, eten, ze gaan weer naar school. En dat gaat goed.'

Dit project bereikt zo'n driehonderd kinderen per jaar. Achter het huis worden de kleren verbrand van degenen die net zijn binnengekomen. Het walmt en stinkt. Een enkele keer komt hier nog een buitenlandse televisieploeg langs: waar zijn de kinderen van Ceauşescu? Adriana Constantinescu: 'Die journalisten willen de televisiebeelden uit de jaren tachtig nog eens vertonen, met tehuizen vol broodmagere, zieke kinderen. Ze beseffen niet dat die kinderen allang volwassen zijn, die zitten in het leger, of in een gevangenis, of ze werken als lijfwacht voor de nieuwe rijken.'

Ze heeft de overvolle tehuizen van Ceauşescu goed gekend, ze heeft er zelf gewerkt. Toch zijn de huidige straatkinderen van een ander slag. 'Er was gebrek onder Ceauşescu, maar veel gezinnen zaten toen nog net boven de overlevingsgrens. Pas na de revolutie van 1989 doken ze onder het absolute bestaansminimum. Toen konden ze het echt niet meer volhouden. Nu wonen soms hele gezinnen op straat, soms gaat het ook om heel jonge kinderen die al zwervend volwassen worden.' Dit zijn, herhaalt ze telkens, de kinderen van 1989, van het postcommunisme, van de shocktherapie van het Westen, van het beloofde land dat nooit kwam.

3

Eerst vliegen naar Budapest, dan vijf uur hotsen in een minibus-
je, zo beland je uiteindelijk in de wereld van Slobodan Milošević.
Servië wordt door het Westen sinds 1991 geboycot, het vliegveld
van Belgrado is al jarenlang dicht, dit is een van de weinige manieren om er te komen. Veel passagiers dragen een trainingspak –
de uniforme kleding in het voormalige sovjetblok tijdens de jaren
negentig – of een zwart leren jasje. Achter me dreunt een man-
nenstem als een tandartsboor. Soms klinkt een bekend woord:
'Davidoff', 'Volkswagen', 'Amerika', 'Ben-Gurion Airport'.

Pannonië heet dit land. Uit de witte vlakte steken de puthen-
gels omhoog als galgen, en overal in de berm staan kleumende
vrouwen te koop. 'Welkom in het zwarte gat van Europa,' zegt
mijn buurman. Hij is voetbaltrainer in Oldenburg, hij is een man
van het oude Joegoslavië: 'Ik ben geboren in Belgrado, mijn moeder is geboren in Montenegro, mijn vader komt uit Bosnië, mijn
zuster woont in Kroatië, ik leef in Duitsland, hoe krijgen we het
voor elkaar.' Bij de grens trekt de Servische militie dreigend de
deuren van het busje open.

De rijke, vruchtbare Vojvodina was eeuwenlang deel van het
Habsburgse rijk. Nu is het Servisch, maar nog altijd wordt de
streek ook bewoond door Kroaten, Duitsers, Bosniërs, Serviërs,
joden en Hongaren. Het is het land waar 'de Hongaar wenend
feestviert' en waar, volgens de schrijver Aleksandar Tišma, de
mensen zichzelf aan de hanenbalken opknopen 'zoals anderen
welterusten zeggen'. Nooit zal de wijde hemel boven deze grond
iemand rust en veiligheid bieden.

Bijna zeven jaar geleden kwam ik voor het eerst in Novi Sad, de
spil van Tišma's wereld. Geschreven werd er toen niet meer in
deze Servische provinciehoofdstad: de Joegoslavische oorlogen
waren in volle gang en iedereen was veel te druk bezig met het or-

ganiseren van benzine, sigaretten en brood. De westerse boycot had voor een grote schaarste gezorgd. Regelmatig werden zelfmoorden gemeld van ouderen, steevast met een afscheidsbriefje als: 'Ik wil niet ten laste van de kinderen komen, zij moeten verder kunnen.' In de kiosk op het stadsplein kocht ik een blikje schoensmeer voor negentigduizend dinar, een half maandsalaris. Bijna iedere week waren er weer nieuwe bankbiljetten, met nieuwe bedragen van tien nullen of meer, en daarboven de portretten van ernstige professoren, generaals en nationale dichters.

Begin 1993 gingen de mensen in Novi Sad nog altijd netjes en elegant gekleed. Nog geen twee jaar eerder waren de winkels en de kleerkasten er immers net zo vol als in het Westen. Maar die tijd was bijna voorbij. De spaarpotjes, de winkelvoorraden, de stille reserves van de stad, ze waren finaal op. Overal op straat stonden auto's met lege banden. De moeizaam door het embargo gesmokkelde benzine werd verhandeld in colaflessen van twee liter. Aan de weg vanaf de grens lagen her en der uitgebrande autowrakken, daar was blijkbaar even iets misgegaan met de plastic jerrycan onder de achterbank. Op een markt zag ik hoe een bejaarde vrouw haar zondagse jas probeerde te verkopen. Ze wendde haar ogen beschaamd af. Het was een donkerblauwe mantel met een licht bontkraagje en elegante knopen, ooit gekocht in een feestelijke stemming, trots gekoesterd, nu niet meer waard dan een stuk brood en wat aardappels.

In december 1999 is Novi Sad na Boekarest een verademing. Althans op het eerste gezicht. Mijn krant meldt dat de Nederlandse minister van Buitenlandse Zaken de economische boycot nog altijd beschouwt als een van de meest effectieve drukmiddelen op het regime van Milošević. Hij zou hier eens moeten lopen. In de stad – officieel vrijwel zonder energie – schitteren overal de lichten, het verkeer is druk, de markten en winkels liggen vol West-Europese spullen. Waar het allemaal vandaan komt mag de hemel weten. De zwarte markt heeft blijkbaar duizend kieren en gaten gevonden, en door sommige figuren wordt goed verdiend aan al die Hollandse principes.

Ik word verwelkomd in het nieuwste restaurant, gerund door een voormalig fotomodel, afgelopen zondag geopend. Franse wijnen, Hollands bier, dagelijks verse zeevis uit Griekenland. Het is er vrolijk en vol. 'Ik kreeg het idee voor dit restaurant in Praag tijdens de bombardementen op Belgrado,' zegt de eigenares. 'Nu bellen mijn Praagse vrienden me: "Heb je wel gas? Heb je wel elektriciteit?" Je ziet het.' Ze is half Bosnisch, half Soedanees. 'De vreselijkste vraag die ze me kunnen stellen is: waar kom je vandaan? Je zoekt een flat in Praag of in Londen, niemand wil een zwarte hebben, niemand wil een Joegoslaaf hebben, altijd zit je fout!' Ze lacht schaterend.

Ik eet met een oude kennis, Sarita Matijević, een voormalige tv-journaliste die nu voor Soros werkt, en Robert Coban, ooit een radicale student, nu eigenaar van een groot tijdschriftenconcern. In hun hart zijn ze allebei somber. 'Ik ben bekaf,' zegt Sarita, 'Ik zie het niet meer, na zeven jaar oppositie.' 'Mijn bladen gaan over romantiek en gossip, ik houd ze uit de politiek, het heeft geen zin,' zegt Robert. 'Ik zeg je eerlijk: ik ben ook te bang. Ik wil mijn bladen gaaf houden.' 'Let op: ons land wordt de kleine, ongevaarlijke boeman voor de Europese eenheid,' zeggen beiden. 'We worden het Cuba van Europa.'

De NAVO-bombardementen in het voorjaar van 1999 hebben iedereen diep geschokt, ook de leden van de oppositie. Het effect was totaal averechts. Sarita: 'Iedereen wist dat Milošević een schoft was, maar nu vertrouwen de meeste Serviërs ook het Westen niet meer. De botheid! De arrogantie! De mensen zijn nu in zichzelf gekropen, in hun eigen kleine netwerken van vrienden en familie, ze zijn blij met een paar kleine verbeteringen, voor de rest zijn ze totaal gedesillusioneerd.' Robert: 'En dan onze armoede. Weet je dat Bosnië, het uitgemergelde Bosnië dat zich helemaal heeft kapotgevochten, op dit moment mijn belangrijkste markt is? Wie had dat ooit gedacht?'

Sarita wordt weemoedig, ze vertelt hoe ze, lang geleden, een Amsterdamse Koninginnedag meemaakte. 'We voeren op een schip door de grachten, iedereen danste en zong. Maar opeens was het alsof alle geluiden wegvielen. Plotseling besefte ik, voor het eerst, dat mijn eigen leven nooit meer normaal zou worden. Ik dacht: vanaf nu horen we er niet meer bij, we horen niet meer bij Europa.'

Ik leerde Sarita Matijević kennen tijdens dat eerste bezoek aan Novi Sad in 1993. Het waren een paar doodnormale februariweken: de kinderen glibberden met hun rugtas over de bevroren sneeuwhopen naar school, de winkeliers draaiden hun rolluiken open, de meisjes maakten zich op, de leraren begonnen kuchend en slecht gehumeurd met hun lessen, de treinen floten, de fabrieken draaiden en het gesis van het espressoapparaat klonk in de holle ruimte van coffeeshop Sax als een veelbelovend begin van de dag.

Je kon in Novi Sad toen nog bijna denken dat er niets aan de hand was als de elektriciteit niet op de vreemdste momenten uitviel, als het achter de donkerrode muren van het ziekenhuis niet vol had gelegen met gewonde en geamputeerde soldaten en als de radio niet de hele dag frontberichten had uitgezonden. In deze stad heerste een *phoney war*. Bijna iedereen had wel een zoon, broer of vriend verloren, aan het leger of aan het buitenland. 's Avonds en 's nachts leverden sigarettensmokkelaars en gek geworden soldaten in de lege straten hun privégevechten.

De populaire cafés en restaurants van de stad waren stilgevallen, en het was die plotselinge uittocht van praten en lachen die de mensen van Novi Sad nog meer angst aanjoeg dan alle oorlog en inflatie bij elkaar. Iedereen werkte, en de modderige bussen reden nog altijd hun dienstregeling. Maar er hing, zeiden de paar overgebleven studenten in Sax, een sfeer van 'doen alsof' in de stad, ze leefden, zeiden ze zelf, 'in the twilightzone'.

Alles had zijn waarde verloren. In 1990 werd op de zwarte markt negen of tien dinar voor een Duitse mark betaald, drie jaar later zevenduizend, en als we de revaluaties meerekenen, zou dat eigenlijk zevenhonderdduizend hebben moeten zijn. Het geld stroomde net zo hard door de stad als de Donau en alleen al daardoor kreeg het bestaan een koortsige gloed, iets halfdronkens, iets op de grens van het surrealistische. Stel je voor: voor een kopje koffie dat vorige zomer in Sax vijftien dinar kostte, moest je nu drieduizend neertellen. Wat maakte het dan nog uit allemaal? Het gemiddelde maandsalaris van een arts was in 1990, omgerekend, duizend euro. Na drie jaar oorlog was het niet meer dan zo'n zevenentwintig euro waard. De inwoners van Novi Sad die ik in 1993 sprak waren niet bang voor de armoede, wel voor de nieuwe maffia die groeide en bloeide rond de boycot van het Westen. 'Die veertig jaar socialisme hebben de mensen hier uitstekend geleerd hoe door de mazen van het systeem te glippen,' meende een jongen. 'Als zo'n ramp Amerika of Nederland zou treffen, dan zouden de mensen collectief zelfmoord plegen. Hier zien ze kans met een officieel inkomen van dertig mark een heel gezin te voeden.' Een journaliste zei: 'Wij, intellectuelen, leven hier als in Berlijn in 1933: zullen we gaan of zullen we het nog even aanzien? Iedereen hier heeft het over niets anders meer.'

Ik ging op bezoek bij Sarita's familie. Onder het eten vertelde haar vader hoe hij begin 1990, als in een impuls, een pistool had gekocht. 'Iedereen op mijn kantoor begon dat opeens te doen, en waarom ik dan niet?' Hij had het ding twee keer meegenomen naar zijn werk, daarna had hij het weggestopt in een la. 'Moge God verhoeden dat ik het ooit zal gebruiken!' Een kerstboom kwam niet meer in huis, dat hadden zijn vrouw en hij ook besloten, ze vierden nu het orthodoxe kerstfeest. Toch was hij een oude communist, en voor hem was er slechts één optie: chaos, of terug naar het oude Joegoslavië. 'Maar,' zei hij emotioneel, 'wij Serviërs zijn geen schurken.' Die oorlogsmisdaden, het was volgens hem allemaal propaganda.

Na de maaltijd werd het Servische tv-nieuws aangezet, een uitzending die tot anderhalf uur kon uitlopen. Handige elektronische kaarten toonden de verschuivende fronten alsof het om weerberichten ging, in de beschouwingen werd voortdurend verwezen naar bloed, bodem en Servische ridders uit de Middeleeuwen, de gruweldaden van de Kroaten en Bosniërs werden tot in alle details getoond, die aan de Servische kant bleven ongenoemd.

De propaganda bestond vaak niet eens uit leugens, maar vooral uit halve waarheden, en daarom leek het allemaal des te overtuigender. 'Als je radio Zagreb aanzet, hoor je precies dezelfde verhalen, alleen dan met een omgekeerde rolverdeling,' zei Sarita. Ze vertaalde alles simultaan, ook de opmerkingen van haar vader, maar langzaam verloor ze haar professionele discipline en haar vertalingen lardeerde ze steeds vaker met losse opmerkingen als 'althans, volgens mijn vader', 'zo denkt tenminste de generatie van mijn vader' en 'wat natuurlijk onzin is'. Uiteindelijk werd alle vertaling gestaakt, en zeker een uur lang zaten vader en dochter schreeuwend tegenover elkaar.

'Zo gaat het bijna iedere avond,' vertelde ze later. 'Bijna al mijn vrienden hebben ruzie met hun vaders. Wij gingen vanaf onze vroegste jeugd met vakantie in Kroatië, we hadden vrienden in Zagreb, Sarajevo, overal. Dit is een oorlog van oude mannen, niet van ons.' We bladerden door haar fotoalbum, het was net zo'n situatie als bij Artjomi Troitski in Moskou. 'Kijk,' zei ze, 'al die mensen die je op deze foto ziet zijn nu weg, op twee na.' Ik zag een foto van een tuinfeestje, met zo'n twintig jonge mensen, het wijnglas vrolijk geheven. Datum: 10 oktober 1990. Ze wees haar vrienden één voor één aan: 'Die zit in Zwitserland, die twee wonen in Italië, die in Parijs, die is naar Noorwegen gegaan, die zitten in Holland, die in Duitsland, en mijn vriend woont nu in Hongarije.' We bladerden door. 'Dit waren de laatsten die weggingen. Afgelopen zomer was dat. We hebben met z'n vieren nog een klein afscheidsfeestje gehouden, de avond voor ze vertrokken. Daarna heb ik geen foto's meer genomen.'

In de jaren negentig ontstonden binnen het voormalige Joegoslavië vier oorlogen. De eerste was een kort gewapend conflict toen Slovenië zich in 1991 onafhankelijk verklaarde. De strijd duurde tien dagen. De tweede was een complete oorlog in 1991 en 1992 rond de afscheiding van Kroatië. Het derde, meest gecompliceerde conflict werd tussen 1992 en 1996 uitgevochten in Bosnië-Hercegovina. De vierde oorlog, in Kosovo, brak na jarenlange spanningen in 1998 uit en eindigde met de NAVO-interventie van 1999.

De Joegoslavische oorlogen vormden een bittere toegift van de twintigste eeuw. Ze hoorden bij die eeuw, ze waren er in veel opzichten het product van: de ineenstorting van het Habsburgse en het Osmaanse rijk, de grove opdeling – 'als een taart' – van Midden-Europa en de Balkan in de conferentiezalen van Versailles en Trianon, de slachtpartijen van de Kroatische nazi's onder de Servische bevolking en de talloze andere onbetaalde rekeningen uit de eerste helft van de twintigste eeuw. De regimes van Slobodan Milošević, Franjo Tudjman en de andere nationalistische leiders vertoonden trekken die al decennialang vertrouwd waren in Oost-Europa en op de Balkan. Ze waren anti-democratisch en anti-liberaal – een erfenis van bijna een halve eeuw communisme –, ze waren gericht op etnische zuiverheid – een legaat van het nationaal-socialisme – en ze waren sterk nationalistisch en anti-westers, een overblijfsel van de pan-Slavische bewegingen van voor de Eerste Wereldoorlog.

Nieuw – en tegelijk maar al te bekend – was de onverwachte dynamiek van het nationalisme, de niet te onderschatten uitlaatklep voor miljoenen vernederde boeren en burgers in het verarmde Oost-Europa. Het was een oerkracht die te voorschijn sprong als het doodgewaande monster aan het eind van een griezelfilm, maar dit monster was voorlopig nog niet verslagen.

De NAVO wachtte lang met ingrijpen en regelmatig werden breuken tussen de Verenigde Staten en de Europese partners duidelijk zichtbaar. Ook dat was nieuw. Toen het Westen uiteindelijk in 1999 daadkrachtig optrad had de aanval een opvallend technisch karakter: er werd vanaf grote hoogte en verre afstand geopereerd, met zo min mogelijk risico's voor de militairen. De Kosovo-oorlog, de laatste oorlog van de eeuw, werd zo, althans voor het Westen, de tegenhanger van de Eerste Wereldoorlog. In 1914 waren de nationale staten bereid om honderdduizenden manschappen op te offeren. In 1999 was dat voor de NAVO ondenkbaar. De strijd beperkte zich tot de inzet van raketten en bommenwerpers. Tot een grondoorlog is het in Kosovo nooit gekomen.

Uiteindelijk waren de Joegoslavische oorlogen ook typische publiciteitsoorlogen. Er werd voortdurend gemanipuleerd met dodencijfers. De NAVO vertoonde vol tevredenheid voltreffers op Belgrado, alsof de stad een flipperkast was. Voor Milošević vormden, aan de andere kant, de nationale televisiezenders de belangrijkste machtsbasis, belangrijker dan leger, politiek of partij. De oorlogen draaiden op angst, vooral bij de Serviërs: angst om weggevaagd te worden, angst voor een herhaling van de wreedheden van de Tweede Wereldoorlog. En niets joeg beter en effectiever die angst aan dan de televisie.

Vanaf het allereerste begin had het zwaar gemanipuleerde Servische nieuws een enorme invloed, met name op de weinig geletterde bevolking in de dorpen. Het waren tv-camera's die de historische zin registreerden waarmee Milošević op 24 april 1987, tijdens een bezoek aan de Servische minderheid in Kosovo, zijn ommezwaai maakte van communistisch partijvoorzitter naar fervent nationalist: 'Niemand mag dit volk slaan.' Het was de Servische televisie die voortdurend de onderdrukking van de Serviërs door de Kroaten, de Bosnische moslims en de Albanese Kosovaren aan de orde stelde, die de economische onttakeling van het postcommunistische Joegoslavië omsmeedde tot het zoveelste complot tegen de Servische bevolking, die het eeuwige Servische slachtofferschap opnieuw begon te cultiveren. Het was diezelfde televisie ook die, in navolging van de Servische Academie van Wetenschappen, begon te spreken over 'de fysieke, politieke, wettelijke en culturele genocide op de Servische bevolking van Kosovo', en daarmee de problemen in Kosovo emotioneel rechtstreeks verbond met de massaexecuties in de Tweede Wereldoorlog. Het was, zoals de Britse Balkan-historicus Noel Malcolm het kernachtig uitdrukte, 'alsof alle televisiestations van de Verenigde Staten waren overgenomen door de Ku Klux Klan'.

De Joegoslavische oorlogen hadden een gecompliceerde voorgeschiedenis. Joegoslavië vormde, net als de rest van de Balkan, van de vijftiende tot ver in de negentiende eeuw een fel bevochten overgangszone tussen de drie grote religieuze tradities: het rooms-katholicisme, de oostelijke orthodoxie en de islam. Veel bergbewoners leefden vrijwel uitsluitend binnen clans en geïsoleerde dorpsgemeenschappen, en daarop waren ook hun loyaliteitsgevoelens gebaseerd. De jongens en mannen werden regelmatig geronseld voor de legers van de strijdende mogendheden; het meeste contact met andersdenkenden vond plaats in de strijd. De belangrijkste deugden waren dapperheid, eergevoel en loyaliteit aan de clan.

Grote etnische spanningen bestonden er aanvankelijk niet. Het Osmaanse rijk was een betrekkelijk tolerant imperium, waar de bevolking enkel werd ingedeeld volgens religie, niet volgens etnische afkomst. West-Europeanen die rond 1900 door Thracië reisden, merkten tot hun verbazing dat de mensen in een bepaald gemengd Grieks/Bulgaars dorp absoluut niet wisten of ze van Griekse of Bulgaarse afkomst waren. Dat speelde geen enkele rol. Ze wisten alleen dat ze christenen waren.

De historicus Mark Mazower meent dan ook dat de Joegoslavische oorlogen van de jaren negentig helemaal niet 'typisch Balkan' waren, maar eerder 'typisch Europees'. Het was een inhaalslag. De Balkanlanden streefden, na het uiteenvallen van het Habsburgse en het Osmaanse rijk, in wezen precies hetzelfde na als de West-Europese staten enkele eeuwen eerder: de vorming van natiestaten. Ook in West-Europa ging dat proces, vanaf de zestiende tot en met de twintigste eeuw, gepaard met buitengewoon veel oorlogsgeweld. Mazower: 'De Balkan-mythes over slachtpartijen en nationale eenheid ontstonden niet toevallig pas in de negentiende eeuw; ze verschenen exact op momenten waarop het proces van natievorming onder een bepaalde druk kwam te staan. Hier, en niet bij het middeleeuwse verleden, ligt dan ook de werkelijke achtergrond van de etnische polarisatie in deze gebieden.'

Er is echter één essentieel verschil, en met name antropologen benadrukken dat regelmatig: de nationalistische gevoelens in de Balkan waren en zijn veel minder op georganiseerde staten gericht dan die in het Westen. De natie wordt bovenal gezien als een verlengstuk van de familiebanden, de clan, het dorp. Daarnaar verwijst ook de nationalistische terminologie: 'gemeenschappelijk bloed', 'nationale broederschap', 'gedeelde familiebanden'. 'De aanhangers van de drie belangrijkste religies haten elkaar van de wieg tot het graf, redeloos en tot in het diepste,' zo beschreef Nobelprijswinnaar Ivo Andrić de situatie in het Sarajevo van het begin van de twintigste eeuw. 'En ze dragen deze haat ook over naar het hiernamaals, waar ze hun eigen roem en overwinning, en de nederlagen en schande van hun buren, keer op keer herbeleven. Ze worden geboren, groeien op en sterven in deze haat. Vaak verloopt hun hele leven zonder dat ze ooit de kans hebben om deze haat in alle kracht en gruwelijkheid bot te vieren.'

Bij de vredesconferenties van Versailles werd op deze basis, in het kader van de ontmanteling van het Habsburgse rijk, het zogeheten Eerste Joegoslavië gecreëerd. De Serviërs domineerden deze nieuwe staat, deels omdat ze de grootste minderheid vormden, deels ook omdat ze aan de kant van de geallieerde overwinnaars hadden gevochten. Kroatië, Slovenië, Bosnië en Hercegovina, bondgenoten van de Habsburgers, waren in zekere zin oorlogsbuit, en zo werden ze ook behandeld. Ondertussen bleef de centrale staat zwak, de dorpen vochten hun eigen vetes uit, Serviërs tegen Kroaten, Kroaten en Serviërs tegen moslims, Kroaten en moslims tegen Serviërs, 'mijn broeder en ik samen tegen mijn neef, mijn neef en ik samen tegen de vreemdeling'.

Tijdens de Tweede Wereldoorlog begon dit traditionele lokale geweld tot ongekende hoogte te escaleren. De nationaal-socialistische Kroaten stichtten een onafhankelijke staat, en hun Ustaša-beweging probeerde, samen met bepaalde moslimgroepen, heel Kroatië en Bosnië-Hercegovina van Serviërs te zuiveren. Op 9 april 1942 werden zo duizenden Servische gezinnen uit de omgeving van Srebrenica in de rivier de Drina gedreven en door de ustašas afgemaakt, een bloedbad dat zelfs de Duitse bezetters met verbijstering sloeg, en dat diepe sporen naliet in het Servische collectieve geheugen. De Servische četniks sloegen overigens ongenadig terug, overvielen ustaša-bolwerken en stortten zich met hun aanhang op tientallen omliggende moslimdorpen. Bij die etnische gevechten zijn, vooral aan Servische zijde, vele honderdduizenden slachtoffers gevallen, inclusief enkele tienduizenden joden en zigeuners.[1]

Het Tweede Joegoslavië ontstond na de oorlog onder Tito. Hij wist een efficiënt centraal gezag te combineren met een grote mate van autonomie voor de zes Joegoslavische deelrepublieken. In de grondwet van 1974 werd het bestuur verder gedecentraliseerd: elk van de deelrepublieken had een eigen centrale bank, eigen politie, eigen justitie en eigen onderwijs. Het land begon zich in snel tempo te moderniseren, overal werden nieuwe scholen, wegen, bedrijven en wooncomplexen gebouwd. Tot in de jaren tachtig gold Joegoslavië als veruit het meest geavanceerde van alle communistische landen. Tito verklaarde de oude, gecompliceerde conflicten als vergeten en vergeven, en daarmee konden de Joegoslaven meer dan vijfendertig jaar leven.

Het ging mis na de dood van de oude leider in 1980. Tito bleek een enorme buitenlandse schuld nagelaten te hebben en de inflatie nam snel toe. Spaargelden en pensioenen smolten weg, er waren grote tekorten aan levensmiddelen en brandstof, oude zekerheden bleken niets meer waard te zijn. Hierdoor ontstond, net als eerder in andere Oostbloklanden, ook in Joegoslavië een massale protestbeweging. Alleen liep hier de anti-communistische rebellie uit op een reeks nieuwe conflicten langs de aloude etnische lijnen. Onder Tito was het uitdragen van nationalistische opvattingen volstrekt taboe, maar binnenskamers bleven bepaalde Servische, Kroatische en Sloveense intellectuelen zulke ideeën koesteren. Nu trokken de voormalige communistische apparatsjiks het nationale gedachtegoed weer te voorschijn om aan de macht te blijven, en met opvallend veel succes.

Gedurende de hele zomer van 1988 vertoonde het Joegoslavische televisienieuws dag na dag massamanifestaties waarbij geeist werd dat Servië het gezag zou herstellen over de 'autonome provincie' Kosovo. Dat was, zo werd gezegd, het historische recht van de Serviërs: Kosovo was immers sinds de – verloren – slag tegen de Osmanen op het Merelveld (Kosovo Polje), op Sint-Vitusdag 1389, hun heilige grond. De Serviërs werden, in hun visie, Kosovo zo ongeveer uit gepest: 90 procent van de bevolking bestond inmiddels uit Albanezen.[2] De demonstranten richtten hun woede in één moeite door op de oude communistische 'zetelklevers', ze spraken over een 'anti-bureaucratische revolutie' en de 'beweging van het volk'. De communistische voorman Slobodan Milošević had in de gauwigheid een volstrekte gedaanteverwisseling ondergaan: hij wierp zich op als 'nationaal' alternatief, en zijn communistische retoriek verving hij met verve door nieuwe visioenen en vijanden.

De communistische leiders van de andere deelrepublieken, met name van Kroatië en Slovenië, volgden de ontwikkelingen in Belgrado met zorg. Niet Kosovo maar Milošević was hun grote probleem. Zij beschouwden, niet ten onrechte, de Servische klachten als een voorwendsel om binnen de Joegoslavische federatie opnieuw de macht te grijpen. Met behulp van het leger, dat in meerderheid uit Serviërs bestond, zou zo weer een centralistisch, autoritair, door Belgrado gedomineerd Joegoslavië ontstaan. De Serviërs waren, op hun beurt, diep teleurgesteld over het gebrek aan solidariteit bij de Sloveense en Kroatische broedervolken in de kwestie Kosovo. In 1990 kwam het tot een breuk. De Sloveense en Kroatische leiders verlieten demonstratief de Communistische Liga van Joegoslavië, beide republieken staakten de betaling van belasting aan de federale regering in Belgrado, en in het voorjaar van 1991 hield de federatie feitelijk op met functioneren.

Ook in dit proces speelden de media, en met name de televisie, een centrale rol. In plaats van het oude, multiculturele Joegoslavië van Tito te beschermen werden de conflicten almaar verder aangescherpt, deels om de nieuwe leiders ter wille te zijn, deels uit oprechte angst, deels wellicht ook vanwege pure sensatiezucht. De Amerikaanse antropologe Bette Denich beschrijft hoe, tijdens haar bezoeken in de jaren zestig en zeventig, Tito's politiek van integratie en modernisering overal de toon zette, en hoe de pan-Joegoslavische identiteit steeds sterker werd. Niemand piekerde erover om dat proces af te breken. Na Tito's dood, in mei 1980, zongen alle Joegoslaven mee met de popsong 'Na Tito – Tito!':

En wat nu, zuidelijk land?
Als iemand het ons vraagt,
zullen we zeggen: Weer Tito,
Na Tito – Tito!

Bette Denich was dan ook verbijsterd toen ze tegen het eind van de jaren tachtig weer terugkwam. 'Belgrado, zoals ik het had gekend in de jaren zestig, was nadrukkelijk de hoofdstad van Joegoslavië, een administratief en intellectueel centrum dat mensen uit andere republieken aantrok om overheids- en andere functies te vervullen. In plaats daarvan vond ik nu een Belgrado dat zich nadrukkelijk presenteerde als de hoofdstad van Servië.' Gevels waren schoongemaakt en opnieuw geschilderd in Oud-Servische motieven, de etalages van boekwinkels stonden vol nieuwe titels over Servische geschiedenis, literatuur en ander nationaal erfgoed.

Veel van haar vrienden waren teruggekeerd naar 'eigen' provincies en republieken. 'Het leek alsof Belgrado het verlies van status als hoofdstad van Groot-Joegoslavië compenseerde door steeds intenser de nationale kracht van het kleinere Servië te benadrukken.' In de 'Groot-Servische gedachte' zouden volk en staat weer een eenheid moeten vormen. Alle gebieden waar Serviërs woonden – Kosovo, delen van Kroatië en Bosnië – moesten worden samengevoegd met het eigenlijke Servië. Vanuit Servisch oogpunt was die politiek, althans aanvankelijk, buitengewoon succesvol. Milošević en de zijnen wisten immers de Serviërs in grote gedeelten van het voormalige Joegoslavië inderdaad tot een opstand te verleiden.

Achteraf zag Bette Denich in Joegoslavië een bijna psychopathologisch proces ontstaan, een onstuitbare spiraal van projecties tussen 'ons' en 'de anderen', vol zogenaamde self-fulfilling prophecy's: iedere deelnemer aan het conflict presenteerde zichzelf als slachtoffer of mogelijk slachtoffer, en de tegenpartij als een bedreiging of mogelijke bedreiging. 'En door, wederzijds, enkel op de tegenpartij als een bedreiging te reageren, werd iedere partij natuurlijk ook werkelijk steeds bedreigender.'

Er bleven 'Joegoslaven' bestaan, mannen en vrouwen die zich verzetten tegen het opkomende nationalisme en de oude vriendschappen en familiebanden bleven koesteren, maar ze hadden het moeilijk. Sarita vertelde hoe ze in een Amsterdams café twee mannen Servo-Kroatisch had horen spreken. Haar broer, die allang in Nederland woonde, zei: 'Hé, twee van ons.' Waarop zij had gezegd: 'Welnee, dat hoor je toch, dat zijn Kroaten.' Later vertelde ze: 'Ik schrok van mijn eigen woorden. Drie jaar eerder waren we nog één land, ik heb het zelfs nooit anders gekend. Dat het al zover met me was gekomen.'

In café Sax werd ik begin 1993 voorgesteld aan de schrijver László Végel, een vriendelijke, vierkante man. Hij was pas terug uit Budapest en hij zat zich aan een van de tafels te bezinnen op de toekomst. Hij had een nieuw, grijs colbertje aan, en zijn vrienden plaagden hem er een beetje mee. Hij was net die week de laan uitgestuurd door de directeur van de televisie van Novi Sad, in het kader van de politieke zuiveringen die het bewind in snel tempo doorvoerde. György Konrád had hem aangeraden te beginnen met de aanschaf van een nieuw jasje, om de moed erin te houden en om die lui in Novi Sad te laten zien dat hij zich niet liet kisten.

Diezelfde Konrád schreef al in het voorjaar van 1991 over de onzekerheid van zijn mede-Oost-Europeanen die het kapitalisme niet van jongs af hadden aangeleerd, over hun gekwetste zelfingenomenheid, en over de 'bedenkelijke talenten' die dat begonnen uit te buiten. 'Nog even, en iedereen die niet kwaad is op een van onze buurlanden, wordt verdacht van landverraad. De haat staat klaar en wacht alleen maar tot hem gezegd wordt op wie hij zich moet storten.'

Konrád voelde de spanning goed aan. Op 25 juni 1991 verklaarden Slovenië en Kroatië zich onafhankelijk. Tito's Joegoslavië bestond niet meer. Milošević zette al zijn kaarten op de vorming van een nieuwe machtige staat op de Balkan, een etnisch zuiver Groot-Servië, waarin op den duur ook grote delen van Kroatië en Bosnië moesten opgaan. In datzelfde voorjaar scheidden extremistische Serviërs in Kroatië zich af met een eigen ministaat, de Servische Republiek Krajina.[3] Vanaf het allereerste begin propageerden ze twee eigenschappen die bepalend zouden worden voor alle conflicten in voormalig Joegoslavië: een extreme neiging tot lokale onafhankelijkheid, en een groot enthousiasme voor het gebruik van geweld. Binnen Krajina werden de eerste milities opgezet – onder meer door Rambo-fan Željko Ražnjatović, ofwel Arkan – die later nog een dodelijke rol zouden spelen in Bosnië.

Ondertussen begonnen de hoofdrolspelers van het drama, Slobodan Milošević en de Kroatische president Franjo Tudjman, aan een reeks geheime besprekingen in Karadjordjevo, een geliefde vakantievilla van Tito. Later, bij Split, zouden ze zelfs praten met de Bosnische moslimleider Alija Izetbegović. Ze probeerden een oorlog te voorkomen, en tegelijk deed Milošević Tudjman een voorstel om Bosnië min of meer te verdelen volgens etnische lijnen. Ook Izetbegović had daar wel oren naar; hij hoopte bovendien dat hij nog eens met Tudjman tegen de Serviërs zou kunnen optrekken, en wilde hem niet voor het hoofd stoten. Welke overeenkomst er ook werd gesloten – met name de afspraken tussen Milošević en Tudjman zijn nog altijd in nevelen gehuld –, binnen een paar dagen was het akkoord door de feiten achterhaald. Servische paramilitairen overvielen een Kroatische politiepost, de eerste doden vielen, en de oorlog was begonnen. In juli 1991 koos het Joegoslavische leger openlijk de zijde van de Servische rebellen in Krajina.

Voor het eerst sinds de Tweede Wereldoorlog vonden in Europa weer etnische zuiveringen plaats: ongeveer een half miljoen Kroaten werden uit Krajina verdreven, zo'n tweehonderdvijftigduizend Serviërs in Kroatië verloren hun werk en moesten halsoverkop vluchten. Ook de zigeuners hadden het zwaar: meer dan vijftigduizend Roma verlieten het land.

In het najaar van 1991 kwam de oorlog vlak bij Novi Sad. De pittoreske Donaustad Vukovar, op hooguit een uur afstand, werd maandenlang belegerd. Onder de jeugd van Novi Sad sloeg de paniek toe. Scholen, universiteitskantines, café Sax, alles stroomde leeg. Veel jongens vluchtten naar de wilgenbossen aan de rivier, even buiten de stad, en de meisjes kwamen hen daar 's avonds opbeuren met eten en dekens en ander gerief. Nog steeds wordt er gefluisterd over de orgiën die daar toen plaatsvonden, want het kon iedereen toch niets meer verdommen, ze gingen toch allemaal dood, dachten ze.

Vanaf eind 1991 stroomden de West-Europese hoofdsteden vol met deze jongeren. In Amsterdam ontdekte ik een café waar het wemelde van de Servische, Bosnische en Kroatische jongeren omdat je er de hele avond warm kon zitten op één pilsje, en je bovendien kon dansen met aardige meisjes. Daar raakte ik bevriend met twee jonge deserteurs uit Novi Sad, Saša en Miša, de een van Servische, de ander van Kroatische komaf, een onafscheidelijk duo. Ze hielden zich in leven met kleine klusjes en het statiegeld van flessen, ze verhuisden van kraakpand naar kraakpand, en ze waren trots op hun onafhankelijkheid. Ze wisten wat ze deden: ze onttrokken zich aan de Servische militaire dienst omdat ze niet wilden meevechten tegen hun oude Bosnische en Kroatische vrienden. Het was hetzelfde soort mensen dat in de jaren dertig Duitsland verliet. Het was, in zekere zin, de bloem der natie.

Ze vroegen een verblijfsvergunning aan, en daarna volgden twee lange jaren van hopen en zwijgen. Saša kocht een ringetje op het Waterlooplein, werd verliefd op de verkoopster, trouwde, kreeg een baan bij een architectenbureau en verwierf zo een solide verblijfsvergunning. Voor Miša kwam de beschikking pas in het najaar van 1994. Een kopie van het stuk heb ik altijd bewaard. 'De omstandigheid dat betrokkene zijn militaire dienstplicht niet wenst te vervullen, hetgeen bij terugkeer in het land van herkomst kan leiden tot strafvervolging, levert in dit geval onvoldoende grond op om een vluchtelingschap aan te nemen,' schreef de staatssecretaris. Uit de rest van de motivatie bleek dat het ministerie van Justitie in stilte begonnen was om dienstweigeraars uit het Joegoslavische leger weer terug te sturen, en dat terwijl de Bosnische oorlog en het beleg van Sarajevo nog in volle gang waren. Jongens die weigerden aan de etnische zuiveringen mee te doen, mochten wat het Koninkrijk der Nederlanden betreft naar de duivel lopen.

Miša keerde, na een paar jaar, inderdaad terug naar Novi Sad. Hij kon de onzekerheid van een bestaan in de illegaliteit niet langer aan. Hij werd onmiddellijk ingelijfd bij het leger.

De Europese Gemeenschap begon, vol optimisme en zelfvertrouwen, te bemiddelen. De gemeenschappelijke markt stond immers op de rails, het Verdrag van Maastricht was in aantocht, er waren vergaande plannen voor een gemeenschappelijke munt en een gemeenschappelijk veiligheidsbeleid. Dit zou het eerste staaltje worden van de nieuwe gemeenschappelijke buitenlandse politiek. Een drietal vertegenwoordigers – de Luxemburger Jacques Poos, de Nederlander Hans van den Broek en de Italiaan Gianni De Michelis – reisde af naar Zagreb en Belgrado om alle partijen, zoals de onderhandelaars zich toen nog regelmatig lieten ontvallen, 'met de hoofden tegen elkaar te knallen'.

Veel aandacht voor de structurele en historische achtergronden van het conflict was er nog niet. De Europese bemiddelaars gedroegen zich, zoals de nauw betrokken BBC-journalisten Laura Silber en Allan Little later schreven, jarenlang alsof het conflict enkel werd veroorzaakt door het vaag omschreven 'temperament' van de Balkan, 'een onbedwingbare Zuid-Slavische neiging – hetzij cultureel, hetzij genetisch – tot broedermoord'. De strijdende groepen moesten alleen maar overtuigd worden van de dwaasheid om oorlog te voeren, meer was niet nodig om vrede te stichten. Daarmee werd over het hoofd gezien dat de achtergrond van deze oorlogen vaak helemaal niet zo irrationeel was. Oorlog was, zo schrijven Silber en Little, voor de Joegoslavische leiders niet zelden 'een volstrekt rationele zaak, en inderdaad de enige manier om te bereiken wat ze wilden'.

Vukovar werd uiteindelijk door de Serviërs vrijwel met de grond gelijkgemaakt. Op 18 november gaf de stad zich over. Een groot aantal gewonde mannen werd weggevoerd en nooit meer teruggezien. Vermoedelijk liggen ze in een massagraf buiten de stad.

De propaganda draaide inmiddels op volle toeren. Op 21 november, drie dagen na de val, werden twee bussen met buitenlandse verslaggevers door het Joegoslavische leger naar de 'bevrijde stad' gereden. Marc Champion beschreef de rondleiding in The Independent: '"Voor afgeslachte burgers, alstublieft deze kant op!" zei de officier, terwijl hij met zijn arm in de richting zwaaide van een binnenplaats tegenover Vukovars vernielde ziekenhuis. Tientallen journalisten hadden zich al voor de ingang verzameld om een blik te werpen op Uitstalling II van deze [...] groteske en soms obscene toer. Op de binnenplaats lagen drieëndertig lijken. Daarnaast lag nog eens een vijftigtal lichamen, in rijen, volledig blootgesteld aan de neerstromende regen. "Dat zijn Serviërs die in de straten zijn afgeslacht," zei kolonel Miodrag Starčević resoluut. Veel slachtoffers hadden medische labels aan hun tenen die hen identificeerden als patiënten die in het ziekenhuis waren gestorven. Gevraagd hoe hij wist dat dit Serviërs waren, haalde de kolonel zijn schouders op.'

In januari 1992 kwamen Milošević en Tudjman tot een wapenstilstand. Ook dat was, los van de nuttige inspanningen van de Europese bemiddelaars, een nuchtere, rationele beslissing: de prestigestrijd om Vukovar was gewonnen, een kwart van het Kroatische grondgebied was door de Serviërs bezet, er kwam een internationale vredesmacht die de nieuwe grenzen bevestigde, het Groot-Servië van Milošević was weer een stap dichterbij gekomen. Wat Tudjman betreft, zijn Kroatië werd internationaal erkend, en bovendien kreeg hij op deze manier een adempauze om het Kroatische leger grondig te moderniseren. Beide heren waren bovendien van plan om hun oude 'herenakkoord' van Karadjordjevo weer leven in te blazen en gezamenlijk over te gaan tot het volgende oorlogsdoel: Bosnië.

Milošević liet de Serviërs in Krajina min of meer aan hun lot over. In augustus 1995 werden de rollen, ten slotte, omgedraaid: het vernieuwde Kroatische leger veroverde Krajina in een handomdraai en vrijwel de hele Servische bevolking sloeg op de vlucht. Belgrado, Novi Sad en andere steden stroomden vol.

In 1993, vlak voor mijn vertrek uit Novi Sad, vond ik een lange brief in het postvakje van mijn hotel. Hij was van de zuster van Miša, een Kroatische vrouw. Ze waarschuwde me voorzichtig te zijn, en tot slot schreef ze: 'Ik had een droom waarin er geen oorlog was. Ik ademde de frisse lucht van de Sloveense sneeuw in, ik at het brood van Kroatië, ik dronk Bosnische wijn, ik zong liederen uit Servië en ik lag op de prachtige velden van Vojvodina. Het was mijn land, het was mijn thuis. Achtentwintig jaar lang leefde ik in een prachtig land en nu, na slechts twee jaar, zeggen ze mij dat het inbeelding was, onzin, illusies. Alleen: achtentwintig jaar is geen illusie voor mij. Mijn vader is geboren in dat denkbeeldige land en mijn grootvader ook. Hoe kan dat dan inbeelding zijn?'

Ze had de brief moeizaam in het Engels vertaald, bijna ieder woord in het woordenboek moeten opzoeken. Miša was naar het Westen gevlucht, ze had het altijd verschrikkelijk gevonden, maar een paar weken eerder had ze hem voor het eerst geschreven: 'Het is inderdaad beter dat je niet terugkomt.'

Ik ging bij haar langs om afscheid te nemen, en ze bleef maar praten. Ze woonde met haar man in een prachtig huis aan de Donau, en in haar buurt kon het niemand wat schelen of je Serviër of Kroaat was. Toen kwam de oorlog. Het gedonder van de slag om Vukovar werd over het water van de rivier gedragen tot in hun huis, als het rommelen van een ver onweer, iedere nacht opnieuw. Bij de boomgaard van de buren was op een ochtend het gezwollen lichaam van een boerenvrouw aan komen drijven, de ogen wijd opengesperd naar de hemel. En toen ze de poort van de burcht van Novi Sad opnieuw in de witkalk wilden zetten – het gebeurde allemaal in dezelfde tijd –, kwamen uit alle hoeken en gaten slangen gekropen, honderden slangen van een soort die ze nog nooit eerder hadden gezien. 'We willen hier weg,' had ze geschreven, 'maar we weten niet hoe, met een kind van vier, waar moet je een nieuw huis vinden en werk?' Naar Kroatië wilde ze voor geen goud. 'Als ik een vreemdeling moet zijn, dan ben ik het nog liever in China.'

Ondertussen kwamen drie buren binnen. Een jonge man ging stil in een hoek zitten, hij was net terug van het front. Pas na veel vragen kwam hij wat los. 'Niemand van ons was dapper,' vertelde hij. 'Iedereen was alleen maar bang. We vochten ook niet. We probeerden alleen maar te overleven.' In Vukovar was hij, met een paar andere soldaten, zijn eenheid kwijtgeraakt, ze hadden geen verbindingen en geen officieren meer, zes dagen lang hadden ze geschoten op alles wat bewoog, Serviër of Kroaat, het gaf niets, het halve lichaam van zijn beste vriend had hij nog uit een tank getrokken.

De twee andere mannen voerden ondertussen in gebrekkig Engels het hoogste woord. 'We are Balkan here,' riepen ze, en wezen op hun eigen hoofd. 'Balkan! We always bang-bang! Sorry for that!'

In zijn roman Zandloper levert de schrijver Danilo Kiš een pagina's lange lijst met bekende burgers van Novi Sad uit de jaren dertig en veertig. Ik doe maar een greep. Neem bijvoorbeeld de heer Dragutin Floriani, gerechtsassessor, die in 1924 in een simultaanpartij over negen tafels onder anderen de schaakkampioen van Budapest Otto Titusz Bláthy had verslagen. Of de heer Richard Engel, koopman, die leed aan claustrofobie en die zich in 1938 voor de wielen van een sneltrein had gegooid. Of een zekere Sándor, achternaam onbekend, die drie liter rosé achter elkaar kon opdrinken. Of de heer Maxim Freud, geneesheer-directeur van het ziekenhuis, die op 24 januari 1942 door de Hongaarse Pijlkruisers werd gefusilleerd en wiens hersenen, buiten de schedel, een hele dag op de hoek van de Miletić en de Grčkoškolskastraat in de papperige sneeuw lagen. Of de heer Paja Schwarz, bijgenaamd Herz Schwarz, die ze met een bijl het hoofd hebben ingeslagen en vervolgens in de Donau hebben gegooid. Of mevrouw König, onderwijzeres, die werd verkracht en daarna doodgestoken met bajonetten. Of de heer Josip Kostić, magazijnbediende op het station, die vreemde verzen schreef over het einde der tijden. En zo gaat Kiš nog vier bladzijden door.

De straathoek, waar op die 24ste januari 1942 de hersens van geneesheer-directeur Freud op een sneeuwhoop lagen, wordt nu omringd door moderne flats, winkels en boetieks. Er staat een klein gedenkteken met een lange lijst namen. Tijdens die beruchte januarinacht zijn zo'n dertienhonderd inwoners van Novi Sad door Hongaarse fascisten opgepakt, neergeschoten of de ijskoude Donau ingedreven, waarna ze door de stroom werden meegevoerd en schreeuwend onder het ijs verdwenen, Serviërs, joden en zigeuners, mannen, vrouwen en kinderen. Mensen stonden in de rij op hun executie te wachten. De meeste lijken zijn nooit teruggevonden, ze zijn weggevoerd naar de zee of waarheen ook. Nog ieder jaar wordt de gebeurtenis herdacht bij het monument aan de rivier, er worden dan kransen en bloemen in het water gegooid, de laatste jaren meer dan ooit.

Nu heeft dit verhaal een vervolg dat meestal níet wordt verteld. In 1944, toen het tij van de oorlog gekeerd was, namen Servische partizanen wraak door een grootscheepse klopjacht te houden op de Hongaarse bevolkingsgroep van de stad. De werkelijke schuldigen aan het bloedbad uit 1942 hadden uiteraard allang hun biezen gepakt, zodat er in die nacht der wrake zeker een duizendtal totaal onschuldige Hongaren de dood is ingejaagd. Daarvoor is nooit een monument opgericht, en niemand heeft zin om die episode nog eens op te rakelen.

Het is een heldere decemberochtend in 1999. Met de filmregisseur Želimir Zilnić maak ik een lange wandeling langs de rivier. De woorden van György Konrád in Budapest klinken nog in mijn hoofd: 'Hoe eerder Milošević en zijn bende weg zijn, des te beter. Maar geen Hongaar, geen Tsjech, geen Bulgaar, geen Roemeen zou het ooit in zijn hoofd halen om daarom de bruggen van Novi Sad te gaan bombarderen. Om zoiets te verzinnen moet je heel, heel ver van onze werkelijkheid af staan.'

En daar liggen ze dus. Er is geen enkele poging gedaan om iets op te ruimen. Vooral de oudste is een dierbare dode. Op de straatlantaarns van de brug, half onder water, zit een rijtje meeuwen in de zon. 'Veel mensen stonden de volgende ochtend aan de oever te huilen,' vertelde Želimir. 'Aan de overkant begonnen de nationalisten hun liederen te zingen, dat was ook weer vreselijk.' Het verkeer hobbelt over een provisorische schipbrug.

Miša had de laatste brug vlak voor zijn ogen zien instorten: 'Het was 's middags drie uur, prachtig weer, je zag die kruisraket zo over de rivier komen aanvliegen.' Hij was, na veel problemen, uiteindelijk als luchtwacht neergezet op de burcht van Novi Sad. Bij alarm moest hij aan de handsirene zwengelen, een gemakkelijk baantje, totdat een paar snuggere figuren bedachten dat de provisorische zendmasten van de televisie, die elders waren weggebombardeerd, nu maar op de burcht moesten worden neergezet.

'Toen zaten we wel in de rats, opeens waren we een belangrijk doelwit.'

Een paar van zijn kameraden hadden in Kosovo gevochten, van hen had hij geleerd hoe je kruisraketten uit hun koers kon brengen: een grote plaat donkergroen geverfd karton of triplex in de vorm van een tank, een gat erin waaronder je een spiritusbrander stookt voor de infraroodstraling, en iedere slimme raketkop denkt dat hij een tank te pakken heeft. 'Kosten tien mark, en je blaast er een raket van een miljoen mee op.'

Sommige bewoners van de stad zijn, een halfjaar na het staken van de bombardementen, nog altijd in paniek, andere zijn nooit bang geweest, een tussenweg lijkt er niet te zijn. Želimir laat me een paar andere voltreffers van de NAVO zien: de raffinaderij, het tv-gebouw. Hij prijst de precisie van de bommen, de keuze van de doelen: 'Er zat een grote symbolische waarde in, en dat beseften de mensen hier ook wel. De raffinaderij was inderdaad een belangrijk machtsmiddel van de heersende kliek. Maar in diezelfde symbolentaal was het bombarderen van de bruggen een gigantische misser. Het brave, slaperige Novi Sad, vierhonderd kilometer van Kosovo. Wat had deze verwoesting voor zin? Vanaf dat moment zei iedere NAVO-bom alleen maar dit: "Europa heeft ons afgeschreven. Vroeger was er de keuze tussen Milošević en het Westen. Nu is er niets meer."'

KOSOVO

In de Kosovo-oorlog kwamen alle elementen van de Joegoslavische oorlogen bijeen. Het was, opnieuw, een oorlog van terreur en contraterreur, gepaard gaand met grootschalige etnische zuiveringen. Maar tegelijk was het meer dan ooit een propagandastrijd, een televisieoorlog van beelden en symbolen. Het conflict werd daardoor dichter bij de mensen gebracht, en tegelijk ontmenselijkt.

De spanningen begonnen toen een nieuwe Servische grondwet in maart 1989 een einde maakte aan de vijftien jaar oude autonomie van Kosovo. De nieuwe constitutie legde de macht over politie, justitie, onderwijs en bestuur weer in handen van de Servische minderheid. De honderdtwintigduizend Albanezen in het bestuur, het onderwijs en de gezondheidszorg werden op straat gezet. De repressie van de Serviërs nam toe toen de economische omstandigheden verder verslechterden: in het midden van de jaren negentig hadden van de twee miljoen Albanezen in Kosovo nog maar zestigduizend een officiële baan. Met name het ontslag van de duizenden Albanese artsen en verpleegsters had een fataal effect op de gezondheidszorg. De kindersterfte nam snel toe.

De Albanezen reageerden aanvankelijk met rustige woede: ze demonstreerden, staakten en bouwden ondertussen een alternatief bestuur op, met eigen ministeries, belastingen, scholen, media en politieke partijen. De leider van deze campagne van 'passief verzet' was de voorzitter van de Schrijversbond, Ibrahim Rugova.

Ondertussen begon het internationale circuit van waarnemers, pers en hulpverleners zich met de kwestie te bemoeien. De Amerikanen, Duitsers, Nederlanders, Italianen en Zweden werden warm onthaald in de kleine appartementen, cafés en achterafstraatjes waar de provisionele Albanese regering zetelde. Tegelijkertijd gedroegen de Servische autoriteiten zich formalistisch en vervelend, en dat zette al direct de toon van de westerse media.

Aan het eind van de jaren negentig waren er meer dan veertig internationale hulporganisaties actief in Kosovo. Ze zorgden voor medische hulp, computers, waterpompen, Engelse lessen, trainingen in journalistiek en boeiende debatavonden. Hun massale aanwezigheid had een enorm psychologisch effect. 'Ze boden troost, de hoop op redding, een verbinding naar de wereld buiten de Balkan,' schrijft Janet Reineck, zelf een voormalig *program-manager* van Oxfam in Kosovo. 'Maar er zat ook een duistere kant aan. De hartstochtelijke kameraderie gaf de Albanezen een bedrieglijk gevoel van veiligheid, en voedde het geloof in de belofte van onafhankelijkheid. Het was een ideologisch bastion dat niet was gebaseerd op enige politieke realiteit.'

In de loop van de jaren negentig begonnen de Albanezen gaandeweg te radicaliseren. Het Kosovaars Bevrijdingsleger, ofwel uçk, trok steeds meer wanhopige en woedende jongeren. De Servische troepen en politiebendes traden keihard op tegen deze 'terroristische' activiteiten. In het voorjaar van 1998 verdreven ze meer dan driehonderdduizend Albanezen uit hun huizen. Tientallen dorpen werden platgebrand. De uçk begon, op zijn beurt, een guerrilla- en terreurcampagne tegen de Serviërs.

Begin 1999 ontstak vrijwel heel Europa in woede toen journalisten meldden dat bij verdergaande etnische zuiveringen zeker honderdduizend doden zouden zijn gevallen: een rechtstreekse herhaling van Hitlers rassenpolitiek. Voor de westerse regeringen was dit voldoende om eindelijk een 'rechtvaardige' oorlog tegen Servië te beginnen. Belgrado, Novi Sad, Kosovo en andere Servische doelen werden gebombardeerd. De Servische televisie zond vervolgens beelden uit van duizenden Albanese vluchtelingen die, opeengepakt in treinen, de hoofdstad Priština verlieten. 'Gevlucht voor de bombardementen', beweerde de Servische propaganda. In werkelijkheid ging het om een nieuwe etnische zuivering, de grootste van alle, bedoeld om uiteindelijk alle Albanezen uit Kosovo te verwijderen. Binnen drie maanden hadden 863 000 Kosovaarse Albanezen de provincie verlaten, de helft van de Albanese bevolking. De rest van de Albanezen woonde in tenten en verschool zich in de bergen, opgejaagd door Servische troepen en paramilitairen.

Het was onduidelijk wat er precies in Kosovo gebeurde, in de westerse media waren termen als 'genocide' niet van de lucht en gaandeweg werd Kosovo 1999 emotioneel steeds meer gelijkgesteld met Polen 1941. Elie Wiesel was een van de weinigen die durfden te protesteren tegen deze geschiedvervalsing. Hoe gruwelijk de gebeurtenissen immers ook waren: het was geen holocaust.

De strijd duurde tot 10 juni, daarna trok het Joegoslavische leger zich terug na een succesvolle bemiddelingspoging van Rusland. De NAVO-bombardementen stopten. Het had niet veel langer moeten duren: de westerse coalitie was brozer dan ogenschijnlijk leek, een grondoorlog leek onvermijdelijk, en rond die beslissing was het bondgenootschap vrijwel zeker uiteengevallen.

Uiteindelijk bedroeg het aantal doden en vermisten in Kosovo ongeveer twaalfduizend.

Het was een vreemde oorlog, die Kosovo-oorlog van 1999. Tussen april en juni had ik, in de berichten op mijn scherm en in de kranten die ik las, de doeleinden van de strijd keer op keer zien veranderen. Eerst dienden de NAVO-bombardementen om massale deportaties te voorkomen, hoewel ze daarna pas op volle schaal begonnen. Daarna moesten ze de Serviërs weerhouden van verdere terreur. Vervolgens waren ze nodig om de Servische leiders te straffen voor alles wat er was gebeurd. Daarna om de balans te herstellen. Ten slotte om de verantwoordelijken van hun macht te beroven.' Nu wacht iedereen af wat er in Belgrado gaat gebeuren.

We lopen langs het grote, glanzende hoofdkantoor van de NIS, Milošević' staatsoliemaatschappij, vlak naast de brug. Geen schrammetje. In het zigeunerbuurtje Shanga belanden we bij de resten van een armoedig huis dat wel een voltreffer heeft gekregen. Een buurvrouw wil ons te woord staan, we mogen binnenkomen. Ze heet Dragica Dimić, ze is drieëntwintig, ze heeft twee kinderen en haar wereld bestaat uit een lekkend dak, een donkere kamer van drie bij vier, twee bruine luizige bedden, een houtfornuis en een kleine flakkerende tv. Ze heeft niets dan zichzelf, haar intelligentie en een onvoorwaardelijke liefde voor haar kinderen en haar man. Het enige dat oplicht in het vertrek is een aangebroken witbrood en haar eigen gezicht.

'Het was afgelopen juni,' vertelt ze. 'We stonden 's avonds laat met de buren te praten, over het tuinhek. Ze zullen de raffinaderij wel weer te pakken nemen, zeiden we tegen elkaar. We hoorden de vliegtuigen komen, een fel licht. We gingen naar binnen. Toen opeens een geluid: Tsss. We werden tegen de muur geworpen, alles schudde en scheurde. Nieuwe explosies. We gooiden ons op de kinderen, bedekten hen met ons lichaam. Daarna vlogen we het huis uit, alles was stof en rook. Ons zoontje zat onder het bloed. Water spoot uit de leidingen, elektriciteitskabels knetterden in het rond. Het veld in. Uit de verte hoorde ik de buurvrouw gillen. Het huis van de buren was geraakt, de buurman bloedde dood. Ik was zo bang, ik dacht: ze schieten vanuit de lucht met machinegeweren op ons. Ons huisje lag in puin. Het regende die hele week. We hebben het zelf weer zo'n beetje opgebouwd.'

We praten wat over haar leven, terwijl de kinderen tegen haar aan kruipen. 'Ga je nog weleens uit? Een bruiloft, of een naamdag, of zoiets?' vraagt Želimir. 'Ik ga soms met mijn vriendin hout zoeken in het bos, takken rapen. Dan zijn we een halve dag van huis. Dat is wel heel leuk altijd.' Haar man werkt in de bouw, hij verdient net genoeg voor wat aardappels, een paar kilo vet en een slof sigaretten. 'Ik zeg het eerlijk: dit bestaan bevalt me, op voorwaarde dat er geen oorlog meer komt. Ik ben gelukkig dat ik en mijn kinderen weer samen kunnen slapen, zoals we vroeger sliepen, schrijf dat alsjeblieft op.'

Ooit zag ik een krankzinnige Joegoslavische film, een soort slapstick over drie generaties van kruimelaars en oplichters. Het verhaal speelde zich af in een huis aan de oevers van de Donau, vol corruptie, rotte planken en oude zeden. In het begin komt zo nu en dan een Russisch schip langs dat de bewoners vaten petroleum verkoopt – vaak blijkt er trouwens alleen maar water in te zitten. Later glijdt regelmatig een schitterend verlicht paleis voorbij, met walsmuziek en dansende paren op het dek, een fata morgana. Uiteindelijk weten alleen de held en de heldin uit het verkrotte huis te ontsnappen. In de slotscène staan ze samen op het droomschip, zwaaiend met de bundels bankbiljetten die grootvader hen stiekem had toegeschoven. Zij zullen het gaan maken, ergens in het verre Westen, dat is duidelijk, en al die oplichters en zuiplappen kunnen verder in hun eigen pudding zakken. Wie succes nastreeft maakt dat-ie wegkomt, dat is het algemene motto hier in het voormalige Joegoslavië.

De 'zeldzaam effectieve' sancties tegen het regime hebben in de praktijk voornamelijk de gewone man getroffen. De kliek rond Milošević, het leger, de maffia en de rijke bovenklasse hebben er vrijwel geen last van gehad, integendeel zelfs. Op straat zie je de nieuwste Europese auto's rijden, geïmporteerd met alle vervalsingen die mogelijk zijn. Tegelijkertijd zijn het onderwijs en de medische zorg grotendeels ingestort. 70 procent van de Servische families leeft rond of onder de armoedegrens. Alleen al in Novi Sad bestaat een vijfde van de bevolking uit vluchtelingen, waarvan slechts een fractie een officiële baan heeft. Op dit moment beloopt een maand huur van een flat drie- à viermaal een gemiddeld maandloon: gezinnen hebben dus vijf tot acht inkomens nodig om in leven te blijven. Dat probleem wordt opgelost met allerlei activiteiten in het zwarte en grijze circuit en met de hulp van geëmigreerde familieleden.

Al vanaf het begin van de jaren negentig rijdt iedere avond een bus vol jongeren richting Budapest: kaartje bij elkaar gespaard, tas gepakt, weg. Studenten lopen na hun diploma-uitreiking rechtstreeks met hun koffer naar de bus. In een galerie is, onder de woorden 'Wij zijn vertrokken', een muur volgeplakt met pasfoto's, duizenden stuks, politici, journalisten, hoogleraren, jongeren. Alle vluchtverhalen komen op hetzelfde neer: moed verzamelen, alles nog eens onder ogen zien, sparen, kaartje kopen, wegwezen en daarna zie je wel.

In een enquête werd de Serviërs gevraagd wat ze het liefst zouden willen: óf vast werk en een vast salaris voor de komende twintig jaar, óf een verviervoudiging van hun inkomen, maar wel met

50 procent kans om hun werk te verliezen. 95 procent koos voor vast werk. 'Iedere familie hier heeft vreselijke geschiedenissen meegemaakt,' zegt een van mijn gesprekspartners. 'De mensen willen op dit moment maar één ding: stabiliteit. Iedere verandering kan, zo hebben ze door schade en schande geleerd, grote risico's inhouden. Ik zal je dit zeggen: arme mensen willen geen revolutie, die willen alleen maar zekerheid. Dat is de eerste wet van de armoede, maar daarvan hebben ze in het Westen geen idee.'

Door de ouders van Sarita word ik opnieuw met grote hartelijkheid ontvangen. Vader Matijević gelooft nog steeds wat de Servische televisie hem voorschotelt. De gesprekken komen voortdurend terug op complotten en spionnen, Servische oorlogsmisdaden hebben nooit plaatsgevonden, en binnen een uur zitten vader en dochter elkaar alweer in de haren: 'Was je werkelijk bij de opening van de noodbrug, die propagandastunt van Milošević?' 'Het was toch een prachtige bijeenkomst!' 'Jullie zijn gek geworden!' 'Waarom moeten ze ons toch hebben?'

Moeder Matijević: 'Voor ons ouderen is overleving het enige dat telt. Wij zijn veel gewend, we kunnen veel hebben. Maar jullie jongeren, jullie willen een toekomst, jullie willen altijd meer!' Het ouderpaar had tijdens de bombardementen samen een nieuw tuinhuis gemetseld, ze waren dwars door alles heen blijven doorgaan, dat was hun manier om een daad te stellen.

Na de maaltijd neemt Sarita me mee naar kapsalon Pramen (Haarlokje) aan het eind van de straat. Het is al donker, het loopt tegen sluitingstijd. Twee meisjes zitten nog onder de droogkap. Ik vraag alle vrouwen in de zaak wat hen het meest heeft beziggehouden, deze week. Marita, vijfendertig, heeft een zoon van vijftien die morgenavond uit wil gaan, maar ze heeft geen cent. Kapster Gordana, drieëndertig, wil een nieuwe liefde. 'Hoe vind ik anders nog inspiratie om te overleven?' Mirjana wil gewoon weg, helemaal weg. 'Ik was zeventien toen deze ellende begon, ik ben nu drieëntwintig. Ik ben mijn beste jaren aan die stomme oorlogen kwijtgeraakt.'

Mirjana is verbijsterend mooi, ik voel me naast haar op slag oud en dik. Ze werkt op het kantoor van de staatsoliemaatschappij, Servië in het klein volgens haar. 'De domoren, de slijmerds, die pakken alles. Degenen die goed nadenken en hun werk doen, blijven achter.' De politieke druk wordt steeds groter. 'In september hingen er overal in het bedrijf affiches met de boodschap: wie tegen het regime demonstreert, vliegt eruit. Ik ben toch naar de demonstraties gegaan.' Marita: 'Onze grootste zorg is niet meer het leven van alledag. Dat redden we wel. De zorg is nu: hoe gaat dit verder, straks.' Gordana: 'Bijna al mijn jeugdvrienden zijn weg. Degenen die bleven, zijn gek.' Ze lacht, maar ze meent het.

Haar broer Goran, tweeëntwintig, komt binnen en mengt zich al snel in de discussie: 'We waren met vijf vrienden. Drie zijn al weg, en wij praten over niets anders.' Hij vertelt dat het aantal nachtbussen van Belgrado naar Budapest is gestegen tot tien. 'Vijfhonderd mensen per dag! Als het zo doorgaat, zit de oppositie binnenkort grotendeels in het buitenland. En onze meisjes willen alleen nog maar mannen met een mobiele telefoon!'

Mirjana kijkt dromerig voor zich uit: 'Canada, zou dat wat zijn, wat denk je? Of Nederland, misschien?'

4

'Ze vroegen een collega van mij, een toneelschrijver, of het geen drama was wat er met dit land gebeurde. Hij zei: "Nee, dit is geen materiaal voor een drama, maar voor een komedie." En hij had gelijk. Alle grote landen van de wereld die ten oorlog trekken tegen dat rare, kleine Joegoslavië. Alle kwaad van de wereld dat opeens in dit arme land is samengebald. Die honderdduizend Albanezen die volgens alle westerse kranten zouden zijn vermoord door het Joegoslavische leger... alleen kunnen ze nu opeens de graven niet vinden. Natuurlijk zijn er vreselijke, gruwelijke dingen gebeurd. Maar in de kern is het een komedie, geen tragedie.

Iedere arme man is een dwaas, weet je. Gewoon omdat hij arm is. Zijn kleren zitten slecht, zijn haar is niet geknipt, hij is vuil, dwaas. En zo zijn wij ook dwazen. Wij zijn de dorpsidioten van de wereld. We leven in een getto, we hebben geen contacten meer. We hadden uitstekende banden met, bijvoorbeeld, Frankrijk en Nederland. Maar daarvandaan kwamen net zo goed de NAVO-vliegtuigen die ons bombardeerden. Ook zij staan nu aan de andere kant. Iedereen staat aan de andere kant, behalve wij. Dat is niet treurig, dat is vooral dwaas.

Dit is niet serieus. Je kunt niet geloven dat dit waar is. Ik heb nog altijd het gevoel dat deze dingen niet werkelijk gebeuren, dat het morgen voorbij is, als een verkoudheid. Maar ik vrees dat het lang zal gaan duren. Er is namelijk geen uitweg. We verloren de oorlog om Kosovo, we hebben voor onze nederlaag getekend, maar alles is gebleven zoals het was. En er is geen politicus die ons uit het moeras kan trekken.

Ook de bombardementen hadden iets van een komedie. Ze bombardeerden dag en nacht, je stond ermee op en je ging ermee naar bed, maar je wist dat ze onder de burgers geen slachtoffers wilden maken, dat zag je aan hun doelen. Dus ik was niet bang dat ik een bom op mijn huis zou krijgen. Alles in de stad draaide door, de cafés, de winkels, ook als er alarm was. De boeren kwamen gewoon naar de markt, zoals altijd, en ze rekenden ook geen hogere prijzen. De doorsnee Joegoslaven waren helemaal niet bezig met hun rol in de geschiedenis, ze waren voornamelijk verbijsterd.

Novi Sad was in mijn jeugd ongeveer dezelfde stad als nu. Natuurlijk, er zijn stukken bijgebouwd, maar het leven was hetzelfde, en ook de mentaliteit. Mensen zijn hier niet geïnteresseerd in zaken die verder reiken dan hun straat. Ze zijn cool, en ook een beetje dom. De mensen die de politiek maken en die deze ellende hebben veroorzaakt, die komen dan ook niet hiervandaan. Radovan Karadžić, Milošević, Ratko Mladić, het zijn allemaal bergmensen. Wij, in deze vlakte, lijden onder wat er gebeurt, maar actief zijn we niet.

Tolerant is het hier wel: er werd tijdens deze oorlog geen Albanees, moslim, Duitser of Nederlander lastig gevallen. Maar kosmopolitisch zijn we niet. We zouden wel willen, maar niemand is in ons geïnteresseerd. We produceren ook niets dat de moeite waard is, geen kleren, wijn of vlees. We hebben niets dat anderen niet hebben en wel graag zouden willen. We schrijven boeken, ja, maar dat is voor een miniem groepje. Bovendien maken, zoals u weet, mensen die van boeken houden geen politiek. Die zitten thuis, die lezen en denken na.

Natuurlijk, veel intellectuelen hebben Slobodan Milošević gesteund. En nu steunen ze hem nog meer, want hij is, met zijn nederlagen, hét symbool geworden van deze getergde natie. Hij is een dwaas geworden, zij zijn dwazen geworden. Hij kan niet meer door Europa reizen, zij kunnen niet meer door Europa reizen. Meer en meer worden ze gelijk aan Milošević. Ons lot is nu hetzelfde, door deze oorlog, en door ons isolement.

Onder Tito waren de legendes vergeten. Tito was geen Serviër, al was hij wel pro-Servisch. Na zijn dood ging alles mis. De Serviers raakten in paniek en begonnen te fantaseren over hun verleden. Plotseling herinnerden ze zich dat er ooit een groot rijk was, en dat ze koningen hadden en meer van dat soort dingen. De armoede, het uiteenvallen van het land, al die onzekerheden schiepen een realiteit waarin bijna niet te leven viel. En daaruit werden mythen geboren, de ene nog mooier dan de andere. Dat is dus een antwoord op een situatie, dat is niet het begin. Wat kunnen we anders nog doen, behalve elkaar verhalen vertellen?

En die dwaze arme man? Hij gelooft het, na al die jaren, nog steeds, en hij gelooft het niet meer. Hij heeft die verhalen nodig om zijn ziel te troosten, maar hij gelooft niet dat ze hem zullen redden. Een wederopstanding van Servië, dat soort dromen, niemand gelooft daar nog in. Hij verkeert in een shocktoestand, die man.

Ik had ooit een hond, Jackie. Op een winterdag was dat beest weggelopen, langs de Donau, en op een of andere manier was hij op een ijsschots beland. Kinderen uit de buurt kwamen me halen. "Meneer Tišma, uw hond verdrinkt!" Ik rende erheen, riep hem, de hond hoefde maar een kleine stap te doen, maar hij zat daar maar, als verstijfd. Het dier verkeerde in een complete staat van shock. Uiteindelijk wisten de kinderen hem vast te pakken, en alles liep goed af.

Zo is het ook met dit land: het zit als verstijfd op een ijsschots, weet niet wat te doen, ondertussen zeilt de schots weg op de stroom.'

5

Wat zou er gebeuren als maarschalk Tito uit zijn graf zou herrijzen? De laatste avond in Novi Sad had Želimir een van zijn korte documentaires laten zien, een fascinerend experiment. Hij had een acteur zo gegrimeerd dat hij sprekend op Tito leek, hij had hem Tito's zonnebril opgezet, en vervolgens had hij een volle dag met deze nep-Tito door de winkelstraten van Belgrado gewandeld. De film verloopt als volgt.

'Vertel eerst eens wat er gebeurd is met ons prachtige land,' vraagt Tito zijn oude chauffeur – de echte – nadat hij uit zijn mausoleum is verrezen en achter in zijn Mercedes – de originele – is gaan zitten. 'Het viel uit elkaar, maarschalk,' verzucht de man. 'Ze vernietigden de broederschap, ze haalden overal de rode ster weg, en toen begon de oorlog.'

Zodra Tito in het centrum van Belgrado uitstapt, ontstaat er een oploop. De eerste minuten spelen de omstanders het spel nog mee, maar al snel wordt het bittere ernst. 'Verrader!' beginnen een paar boze voorbijgangers. 'Maar ik liet toch veel betrouwbare mensen achter,' mompelt Tito. 'Vergeet het. Het is uw fout. U leidde een grote groep bandieten, dat werden uw opvolgers. Als u teruggaat naar het hiernamaals, neem ze dan alstublieft allemaal mee. Ik mag nog geen varkensstal bouwen!'

Tito passeert een boekenstalletje: 'Wat zijn dit voor rare symbolen? En waarom hebben we Duits geld?' Een jongeman, helemaal opgewonden: 'De jeugd hield van u. We leerden gedichten over u, u was de zon die boven ons scheen. We vormden een erewacht voor uw portret toen u stierf!' Een vrouw: 'Ik huilde ook. U maakte mooie reizen naar het buitenland, u woonde in villa's, ik pelde ondertussen pinda's in de fabriek, maar toch huilde ik. God, wat heb ik daar nu spijt van.'

Een stralende man in een regenjas dringt zich naar voren. 'U bent er weer. Ooit hadden we één Tito. Nu hebben we er een dozijn. Heerlijk dat u terug bent!' Tito: 'Wat hangen er een boel mensen rond. Werkt er hier niemand? Hebben jullie allemaal vrij vandaag?'

Želimir: 'Daarna werden we door de politie opgepakt wegens verstoring van de openbare orde, Tito, ik, de hele ploeg. We hadden geluk. In het politiebureau zat een officier met humor, die sprong onmiddellijk in de houding: "Meneer de president. Wat een eer u weer te ontmoeten. Natuurlijk, hier is sprake van een misverstand dat we direct uit de weg zullen ruimen." Even later stonden we weer op straat.'

Niets kan zomaar een nieuwe orde scheppen uit armoede en chaos, behalve het verhaal, en het geloof in het verhaal. Lees het eeuwenoude troostgedicht, ooit ontstaan om de Serviërs te verzoenen met het verlies van hun trotse rijk aan de Turken in 1389:

O, tsaar Lazar, van eerbare afkomst,
Welk koninkrijk wilt u kiezen?
Kiest u voor het hemelse rijk?
Of heeft het aardse uw voorkeur?
Als u kiest voor het aardse rijk,
Zadel dan uw paarden en gord uw zwaarden aan.
[...]
Maar als u kiest voor het hemelse,
Bouw dan een kerk in Kosovo.

De vorst koos voor het hemelse koninkrijk, en ging ten onder. Zo werd de verliezer een held, de verloren aarde een gewonnen hemel. En nu Kosovo voor de tweede maal verloren is liggen alweer nieuwe helden, symbolen en legendes klaar. De Servische televisie heeft een volle dag besteed aan de bruiloft van topcrimineel Arkan, de leider van de beruchte paramilitaire Arkan Tijgers, en het zangeresje Svetlana, ofwel Ceca, alsof het om een vorstelijk huwelijk ging. Ceca's laatste tophit – ze zingt 'etnofolk' – dreunt al weken door alle cafés.

De McDonald's in het centrum van Belgrado, tijdens het hoogtepunt van de bombardementen door een woedende menigte geplunderd, is alweer open. De nieuwe menukaart heeft nu cyrillische letters, en in het vignet is boven de M een typisch Servisch mutsje gezet.

Een paar koppen uit het jongste nummer van het populaire weekblad *Twilight Zone*: 'Jacques Chirac, wiens steun doorslaggevend was in de oorlog tegen de Servische natie, zal op kerstdag sterven', 'Buitenlandse wezens hielden een man driehonderd jaar vast', 'Amerika valt uiteen op 17 januari 2000!', 'Tijdens de zonsverduistering van 8 augustus werd een nieuwe Hitler geboren', 'De jonge vrouw van Václav Havel, de man die de oorlog tegen de Servische natie steunde, zal niet lang meer leven', 'Wil China Amerika in 2008 veroveren?'.

Het is zondagmiddag, en ik ben op de thee genodigd bij een kleine groep vrouwelijke intellectuelen. In een ruim, negentiende-eeuws appartement zit een tiental dames; ze zijn merendeels boven de zestig, ze zijn schrijfster, journalist of hoogleraar. De wanden hangen vol schilderijen. Iedere tweede zondag van de maand houdt het gezelschap er salon, al jarenlang, dwars door alle revoluties en bombardementen heen, met zelfgebakken taart en vandaag zelfs Oekraïense champagne. De gordijnen zijn dicht, de straat is even ver weg.

'Ik weet nog dat ik in 1991 in Montenegro met een oude vriend in de tuin zat, hij was van 1900,' vertelt een van de vrouwen. 'Hij zei: "Kind, het wordt allemaal weer als in mijn jeugd, voor 1918." Hij wist ook al precies hoe de grenzen tussen Servië, Kroatië en Montenegro weer zouden gaan lopen. Het is allemaal uitgekomen.' Was de Tito-tijd voor hen anders? 'Ik weet het niet,' zegt een van de oudste vrouwen. 'Ik heb onder de communisten ook wel meegemaakt dat de politie opeens je appartement binnenkwam, en dat je direct mee moest. Ik heb onder de Duitsers in een kamp gezeten, onder Tito was ik een klassevijand van het volk, nu ben ik weer een dienares van het Westen. Ze verzinnen altijd wel wat.'

De dames praten over hun positie als dissident, over hun angst om opgepakt te worden, over de onvermijdelijke zelfcensuur. 'Je collaboreert met het systeem door te zwijgen. Er zijn zoveel zaken waar je gewoon maar niet over praat.' Een oudere schrijfster: 'Ik ben nu, eerlijk gezegd, vooral bang voor de mensen die bang zijn. Ze hebben zoveel te verliezen. In de stad hangt een atmosfeer die ik me alleen herinner uit mijn kindertijd, tijdens de Duitse bezetting.'

Het hele gezelschap maakt zich grote zorgen over de honderdduizenden ontwortelde mensen die na de oorlog door het land zwerven, en over de jeugd die wegtrekt. 'Het gaat niet om halve

maffiosi en gefrustreerde soldaten, maar juist om artsen, ingenieurs, juristen, de vakmensen die het land weer moeten opbouwen.' 'Zelfs jonge schrijvers verlaten nu het land, zoiets hebben
we nog nooit meegemaakt!'

'Ach, dat eeuwig klagende West-Europa,' gromt een dame. Ze
had net een internationaal congres over Kosovo bezocht, de Franse vertegenwoordigster had haar beklag gedaan over al die goedkope Joegoslavische hoertjes die opeens de keurig georganiseerde
Parijse prostitutie verstoorden. "Wat moeten ze anders?" zei ik.
"Prostitutie in het Westen is tegenwoordig een hele mooie brood-
winning voor een arm, intelligent Joegoslavisch meisje!"'

De volgende ochtend, van achter mijn ontbijt, zie ik buiten een
kaalgeschoren jongen lopen. Opeens komen twee mannen in leer
aanrennen, ze springen hem op de nek, er ontstaat een vechtpartij, twee agenten snellen toe, met z'n vieren werken ze hem op de
grond. De jongen ligt met het gezicht op het trottoir, stil als een
gevangen kat. Nu wordt er getelefoneerd. Twee burgerauto's verschijnen. De jongen krijgt wat schoppen, daarna wordt hij afgevoerd door twee klerenkasten in burger, de hemel mag weten
waarom. De hele actie heeft hooguit twee minuten in beslag genomen.

'Je zag een glimp van de Pretoriaanse Garde van Milošević,' legt
mijn gids Duško Tubić naderhand uit. 'Een groot deel van deze
stad komt rechtstreeks uit de oorlog: vluchtelingen die lucifers
verkopen, ex-frontsoldaten, politiemensen... dat waren vermoedelijk de leren mannen die je zag. Ze pakten waarschijnlijk een
diefje, maar het kan ook wat anders zijn geweest, daar kom je
niet achter.' Duško kijkt nergens meer van op, hij begeleidt als
fikser al jarenlang journalisten en cameraploegen langs alle fronten van de regenboog. We rijden langs de uitgebrande tv-toren en
het half ingestorte hoofdbureau van politie, langs kantoren en
regeringsgebouwen waarin enorme gaten zijn geslagen. De grote
snelweg naar Zagreb ligt er verlaten bij, na een poosje slaan we af
naar het zuiden, tegen de schemering zijn we in Bijeljina, Duško's
geboorteplaats, niet ver van de Bosnisch-Servische grens.

Die nacht slaap ik in een etnisch zuiver stadje. Van de zeventienduizend moslims die hier in 1991 woonden, zijn er inmiddels
hooguit duizend over. Alle moskeeën zijn van de aardbodem weggevaagd. Op de plek van de grootste moskee bevindt zich een

grindvlakte met een paar auto's en vuilnisbakken. Waar ooit moskee nummer twee stond, is nu een kerk in aanbouw. In moskee drie begon Jamia Pero een pannenwinkel, die handige boef. Op de plaats van moskee vier ligt tegenwoordig een marktplein met roestige stalletjes. De jongste kinderen van Bijeljina weten al niet meer dat hier ooit vier moskeeën waren. Op de lokale tv-zender jubelt de reclame alsof er nooit iets is gebeurd: vrouwen toveren vlekken weg, juichende families scharen zich rond een smakelijke maaltijd, elfjes poetsen de vloeren glad.

'De oorlog kwam in deze stad op 31 maart 1992, op mijn verjaardag, maar om twee uur 's middags had ik nog niets in de gaten,' vertelt Duško. 'Alleen mijn vader was heel zenuwachtig: "Ze komen eraan, ze komen eraan!" Om halfvijf zat de tuin vol Servische sluipschutters. Mijn verjaarsfeestje kon ik wel vergeten.' Een jaar later, in maart 1993, werden de moskeeën opgeblazen. Daarna werd bij alle moslims de telefoon afgesloten. In september 1994 werden ze gedeporteerd. Hun huizen werden in beslag genomen door Servische vluchtelingen die verjaagd waren uit de moslimgebieden van Bosnië.

Bijeljina heeft zich tijdens de oorlogsjaren ontwikkeld tot een smokkelhol bij uitstek. Voor de winkels en kramen langs de toegangsweg staan gasflessen, kolen, aardappels en andere levensmiddelen in enorme hoeveelheden opgestapeld. Het roofkapitalisme bloeit in alle ruigte. Overal staat 'Bobar', op het tankstation, de bank en de makelaar, een pittig vignet met de duim omhoog. De eigenaar startte zijn imperium met een flinke greep in de kas van de Bosnische ANWB-in-ontbinding. 'Neković', een andere merknaam in de stad, begon met het stelen van militaire brandstof. Duško rijdt me door de buitenwijk: tientallen pronkvilla's zijn er de laatste jaren neergezet, sommige zijn nog in aanbouw.

De plaatselijke begraafplaats is na 1992 driemaal zo groot geworden, een vlakte van zeker acht voetbalvelden vol fonkelend nieuw marmer. Het zijn grotendeels twintig- tot vijfentwintigjarigen die er liggen, bijna allemaal stierven ze tussen 1992 en 1995. De foto's van de doden zijn minutieus in het marmer geëtst. Gezichten staren je aan, ernstig, lachend, sommige mannen rijden in een jeep richting het hiernamaals, anderen heffen in kameraadschap het glas, een jonge paramilitair staat manshoog op zijn grafsteen, het machinegeweer in beide handen, knallend de hemel in.

De volgende ochtend betreden we Holbrookeland, een merkwaardige verzameling van ministaatjes die eind 1995 aan elkaar is gelapt door de Amerikaanse bemiddelaar Richard Holbrooke op de luchtmachtbasis van Dayton in Ohio. In het zuiden ligt de Federatie van Bosnië en Hercegovina, dat weer een combinatie vormt van de voormalige Kroatische en moslimrepublieken. Zo'n beetje daaromheen gekruld, in het noorden en oosten, ligt de Republika Srpska. Deze aparte deelrepubliek leunt op Servië, maar de Serviërs zelf willen er niet zoveel meer van weten, het is zo langzamerhand een weinig geliefd broertje.

Bosnië gold tot 1991 als het etnisch meest uitgebalanceerde gedeelte van Joegoslavië: van de bijna vierenhalf miljoen inwoners was 44 procent moslim, 31 procent Servisch en 17 procent Kroaat. De hoofdstad Sarajevo had zich ontwikkeld tot een vrolijke, kosmopolitische stad. Ongeveer de helft van de bevolking was van origine moslim, een derde was Servisch, ruim 40 procent van de huwelijken was gemengd. Binnen enkele jaren zou van die multiculturele gemeenschap weinig meer over zijn.

De Bosnische oorlog zou drieënhalf jaar duren en meer dan tweehonderdduizend doden kosten. Twee miljoen mensen werden dakloos. De oorlog was min of meer een voortzetting van het Kroatische conflict, toen Servische paramilitairen bepaalde Bosnische gebieden als uitvalsbasis begonnen te gebruiken. Al snel ontstonden daarbij schermutselingen tussen plaatselijke nationalisten en militanten. In het 'Servische' dorp Kravica, ten noordwesten van Srebrenica, reden in de zomer van 1991 bijvoorbeeld jonge moslims provocerend door de straten, terwijl ze harde oosterse muziek draaiden en de Serviërs uitscholden. Prompt werd hun auto beschoten, waarbij twee doden vielen. Als reactie organiseerden de moslims in Bratunac, ten noorden van Srebrenica, een grote demonstratie. Vervolgens richtten Serviërs en moslims elk gewapende patrouilles op, ter bescherming van de eigen dorpen en buurten. Zo begon het overal.

In het najaar van 1991 verklaarden de Serviërs 'hun' gebieden tot vijf autonome regio's, en kort daarop deden de Kroaten hetzelfde met het deel van Bosnië waar zij in de meerderheid waren. Het Joegoslavische leger, dat allang een Servisch leger was geworden, begon op strategische plekken, zoals de heuvels rondom Sarajevo, geschut in te graven.

Eind februari 1992 koos een overweldigende meerderheid van

de Bosniërs bij referendum voor onafhankelijkheid. Op die manier zou het land immers bij elkaar kunnen blijven. Tweederde van de kiezers kwam naar de stembus, voornamelijk moslims en Kroaten. De Serviërs boycotten de stemming; hun leiders propageerden een Groot-Servië, en het idee van een onafhankelijk Bosnië ging daar lijnrecht tegenin. Zij besloten tot het opzetten van een eigen Republika Srpska voor de Servische gebieden in Bosnië. In Pale, een wintersportplaatsje vlak naast Sarajevo, vormden ze een eigen regering en een eigen parlement. Vervolgens legden ze gewapenderhand beslag op zo'n 70 procent van Bosnië, en vanaf eind april 1992 belegerden ze Sarajevo vanuit de omliggende heuvels. Dat moest immers hun uiteindelijke hoofdstad worden.

De Kroaten riepen die zomer ook hun eigen republiekje uit, met Mostar als hoofdstad. Daarop bleef voor het presidium van de Bosnische republiek weinig anders over dan een eigen leger op te zetten, het Armija Bosne i Hercegovina (ABiH), dat in de praktijk vooral fungeerde als het leger van de moslims.

De eerste grote gevechten werden rond Sarajevo gevoerd, maar al snel ontstond er een patstelling die leidde tot een belegering die vierenveertig maanden zou duren. Het Servisch/Joegoslavische leger had niet genoeg mankracht en munitie om de stad in te nemen, terwijl het Bosnische leger niet sterk genoeg was om de blokkade te doorbreken.

In de door hen bezette gebieden begonnen de Serviërs direct met etnische zuiveringen. Overal in Noordwest-Bosnië werden niet-Servische dorpen overvallen en geplunderd, en duizenden moslims en Kroaten werden geïnterneerd. De meest beruchte kampen waren Omarska, een verlaten mijncomplex, niet ver van Banja Luka, en Trnopolje. In Trnopolje werden vrouwen in barre omstandigheden vastgehouden, ze werden er stelselmatig geslagen en verkracht. De mannen van de politie en militia hoonden dat ze dan tenminste 'Servische baby's' ter wereld zouden brengen. Omarska werd in de zomer van 1992 ontdekt door Ed Vulliamy van *The Guardian*. Hij stond in de 'kantine' van het kamp en zag met verbijstering hoe dertig broodmagere mannen in drie minuten een soort hete brij naar binnen moesten schrokken. Ze verbrandden hun mond en hun ingewanden, maar als ze langer over de maaltijd deden, werden ze geslagen. 'De botten van ellebogen en polsen steken uit hun potlooddunne armen als puntige stukken steen,' schreef hij. 'Hun huid ziet er verschrikkelijk uit, hun gelaatstrekken zijn weggevreten. Ze zijn in leven, en tegelijk in ontbinding, verlaagd, vernederd en ogenschijnlijk totaal ondergeschikt gemaakt, maar ze richten hun holle ogen op ons met een messcherpe blik.'

Al deze kampen waren onderdeel van een strategie van terreur en intimidatie die al snel effect had: binnen een halfjaar hadden de meeste moslims en Kroaten de Servische gebieden verlaten. Europa beleefde de grootste vluchtelingencrisis sinds de nadagen van de Tweede Wereldoorlog. Eind 1992 waren bijna twee miljoen Bosniërs op de vlucht geslagen, waarvan meer dan een half miljoen in West-Europa asiel probeerde te vinden. De Serviërs waren bijna tevreden: ze hadden het grootste deel van het land in handen en vrijwel alle Kroaten en moslims waren uit hun gebieden verdwenen. Hun enige probleem lag bij Sarajevo, hun gedroomde hoofdstad, en bij een paar overgebleven moslimenclaves, plaatsjes die volgestroomd waren met vluchtelingen en die de Servische aanvallen nog altijd hadden weten af te slaan: Goražde, Žepa, en de bekenste, Srebrenica.

Srebrenica was ooit een oud, idyllisch dorp, gegroeid rondom een zilvermijn en, vanaf de negentiende eeuw, een modieus kuuroord. Eigenlijk was het niet meer dan een langgerekte straat aan het uiteinde van een diep dal. Er was een flaneerboulevard voor de jeugd, een stadscafé met een terras waar je bediend werd door obers met vlinderstrikjes, een bioscoop Bosnia, een uitstekend ziekenhuis en bij hotel Guber lag een wereldberoemde bron 'voor gezond bloed'. Rond 1990 woonden er zo'n zesduizend mensen, voor een kwart Servisch, voor driekwart moslim.

Srebrenica lag midden in het gebied dat de Serviërs voor zichzelf hadden bestemd. Toen ze ook hier met hun etnische zuiveringen begonnen, ontstond er al snel een fel en goed georganiseerd plaatselijk verzet. Er werden burgerwachten opgezet die uitgroeiden tot paramilitaire eenheden. In de koffiehuizen, waar de vele werkloze mannen de hele dag rondhingen, deden de meest wilde en bloeddorstige geruchten de ronde. Geschiedenissen uit de Tweede Wereldoorlog werden opnieuw opgerakeld. Oude wapens werden van zolder gehaald.

Een van de belangrijkste moslimleiders was Naser Orić, een ex-lijfwacht van Milošević. Met zijn bende begon Orić, op zijn beurt, de Servische dorpen in de omgeving te terroriseren. Op 6 mei 1992 kwam bij een schietpartij in Srebrenica de belangrijkste Servische leider om. Daarna ontvluchtten bijna alle niet-moslims het plaatsje. Vier dagen later namen de Serviërs wraak: in het stadion van het naburige Bratunac werden duizenden moslims verzameld, de mannen werden gescheiden van de vrouwen en kinderen, honderden mannen en jongens werden gemarteld en gedood. Veel van de overlevenden vluchtten naar Srebrenica. De plek liep vol. Van de oorspronkelijke bewoners waren ondertussen nog maar vierhonderd over.

Aanvankelijk probeerden de strijdgroepen van de moslims een aaneengesloten gebied te veroveren en zelfs aansluiting te vinden bij het moslimgebied rond de stad Tuzla. Dit laatste lukte niet. Wel ontstond er rondom Srebrenica een grote moslimenclave, midden in Servisch gebied. Naser Orić werd de lokale held. In de zomer en het najaar van 1992 veroverde hij een groot aantal dorpen en boerenwoningen in de omgeving, vermoordde achtergebleven Servische families en plunderde hun voorraden.

Gaandeweg werden deze rooftochten een zaak van levensbelang. Alle toegangswegen tot de enclave waren immers door de Serviërs geblokkeerd, en naarmate de winter naderde werd de voedselvoorziening een groot probleem. 'De bezitloze [vluchtelingen] hielden zich in leven met voedermaïs, haver en ander veevoer,' schrijven de journalisten Frank Westerman en Bart Rijs in hun minutieuze reconstructie van het drama. 'Ze aten salade van paardenbloemblad en maakten koeken van de katjes van de hazelaar. Er waren honderden ontheemde families en weeskinderen die op maïskolven leefden en die, toen de maïs op was, ook de afgekloven kernen opaten.' 's Nachts was het pikdonker: de enige elektriciteit werd opgewekt door een reeks primitieve molentjes in de beek. Op een gegeven moment stelden de moslims hun Servische tegenstanders een uitruil van gevangenen voor: één levende Serviër voor twee vijftig-kilozakken meel. Tijdens de winter van 1992-1993 zouden in de enclave tientallen mannen, vrouwen en kinderen van de honger omkomen.

Door de moslims werden, aan de andere kant, zeker dertig dorpen en zeventig gehuchten platgebrand. Onder de Servische boerenbevolking viel, naar schatting, een duizendtal doden. De Serviërs waren razend. De Britse onderhandelaar David Owen zou later op het Haagse Joegoslavië-Tribunaal verklaren dat Milošević hem al begin 1993 had gewaarschuwd voor een 'bloedbad' of een 'massaslachting' als de Bosnische Serviërs de enclave zouden innemen. Vanaf die winter werd de omgeving van Srebrenica inderdaad langzaam door de Serviërs terugveroverd. Uiteindelijk bleef alleen Srebrenica zelf plus een randgebied over, een klein eiland in Servisch Bosnië, volgepropt met moslimvluchtelingen.

De directe dreiging werd doorbroken dankzij de bemiddeling van de Verenigde Naties. In maart 1993 verscheen de Franse bevelhebber van de VN-troepen, generaal Philippe Morillon, in de stad. Hij sprak de burgers toe: 'Wees niet bang. U staat vanaf nu onder de bescherming van de troepen van de Verenigde Naties. Wij zullen u niet in de steek laten.' Met veel ceremonieel liet hij de VN-vlag hijsen. Het opgetogen gemeentebestuur benoemde hem tot ereburger.

Begin mei werd Srebrenica door de VN uitgeroepen tot Gedemilitariseerd Veilig Gebied. Vrouwen en kinderen konden met VN-trucks naar Tuzla vertrekken: ze wilden zo graag weg dat in het panische gedrang bij de vrachtauto's negen vrouwen en kinderen werden doodgedrukt. Vijfhonderd gewonden zouden worden geëvacueerd met Franse helikopters, maar die operatie werd snel afgeblazen omdat de Servische soldaten zich niets van het staakt-het-vuren aantrokken en de helikopters probeerden neer te halen als kleiduiven. Alle weerbare mannen tussen zestien en vijfenvijftig jaar moesten achterblijven. Toen naar schatting drieëntwintigduizend vrouwen, kinderen en bejaarden uit Srebrenica waren vertrokken, gaf moslimleider Orić bevel om de evacuatie stop te zetten. Een grotere volksverhuizing zou zijn enclave te zeer verzwakken. Ongeveer veertigduizend moslims bleven achter in de benauwde *safe haven*, min of meer gevangen in dit Bosnische VN-getto.

Achteraf zou duidelijk worden dat alle betrokken partijen de enclave toen al hadden opgegeven. Wat de Amerikanen en de West-Europeanen betreft: hun halfhartigheid valt alleen al af te lezen aan het aantal manschappen dat voor heel Bosnië ter beschikking werd gesteld van de VN-vredesmacht: zevenduizend soldaten en officieren, slechts een vijfde van het aantal dat noodzakelijk werd geacht. Dutchbat, het Nederlandse VN-bataljon dat vanaf februari 1994 in Srebrenica de beschermingstaak van de Canadezen had overgenomen, bestond uit zo'n drie- à vierhonderd lichtbewapende militairen, onder wie slechts honderdvijftig man gevechtstroepen.

Zelfs de Bosnische regering trok de handen af van de enclave. Naser Orić en zijn officieren werden eind april 1995 door hun legerleiding naar Tuzla gehaald, zogenaamd voor instructies in verband met de verwachte Servische aanval. Wat ook de precieze achtergrond was, Orić en de zijnen zouden daarna geen voet meer in Srebrenica zetten. Zijn paramilitairen zaten vanaf dat moment zonder leiding.

Op 11 juli 1995 konden de Servische troepen van generaal Ratko Mladić de stad dan ook zonder veel problemen binnentrekken. Hun opmars was, in deze omstandigheden en na deze voorgeschiedenis, volstrekt voorspelbaar. Wat niemand had voorzien, was het drama dat daarop volgde: de mannen werden gescheiden van de vrouwen en kinderen, een aantal mannen kon door de bergen ontsnappen, van de rest is nooit iemand levend teruggezien. In een vrieshal bij Tuzla, in ruim vierduizend witte zakken, wacht nog altijd een groot deel van de doden op identificatie.

Holbrookeland is een lieflijk berggebied met vergezichten die doen denken aan Zwitserland of Oostenrijk. De hoger gelegen stukken zijn begroeid met dennenbossen, verderop verdwijnt het groen onder dikke lagen sneeuw. Aan de kant van de weg duikt de eerste ruïne op. Het boerenhuis ziet eruit alsof God zijn duim in het dak heeft gestoken, tot de kelder toe. Na honderd meter verschijnt de tweede halfverbrande bouwval. Dan het wrak van een autobus. Na twee kilometer staan er alleen nog maar skeletten van huizen, verstrooid over de heuvels. Duško Tubić stopt bij een modderig grasveld: 'Hier werden in de zomer van 1996 de eerste massagraven gevonden. Maar blijf niet te lang staan, het is in deze omgeving nog altijd niet gezond.' We rijden langs een ingezakte Nederlandse controlepost, weer een autowrak, een paar hologige villa's.

Het vroegere kuuroord Srebrenica ziet er desolaat uit. Het warenhuis is dichtgetimmerd, daken zijn ingestort, het plein is verzakt en verwilderd. In de beek liggen nog restanten van de zelfgemaakte elektriciteitsmolentjes uit de hongerwinter van 1993. Op een muurtje bij de ingang van de voormalige accufabriek staat, vaag, DUTCHBA. Hier zaten de Nederlandse militairen. Op de muren, binnen, staan nog een paar kreten: A MUSTACHE? SMEL LIKE SHIT? BOSNIAN GIRL!.

Momenteel wordt de plaats voornamelijk bewoond door gevluchte Serviërs uit Sarajevo. De stadsgezinnen hebben grote moeite om tussen deze bergen te overleven. Het café is omge-doopt tot '071': het netnummer van Sarajevo. Het ziekenhuis heeft sinds twee dagen weer stroom. Het zat drie weken lang zon-der licht, totdat de artsen en verpleegsters de elektriciteitsreke-ning zelf maar betaalden. De chef-arts: 'De economische situatie van deze stad is rampzalig. Er is nauwelijks werk, iedereen in mijn praktijk is ondervoed.' De manager van hotel Guber – hij redde een paar moslims het leven – smeekt om investeringen. 'Ons image, daar draait alles om, dat komt nooit meer goed. En dat is allemaal te danken aan die ene groep ultraradicalen. Nu het zo slecht gaat, laten we dan ook namen noemen. Laten we in godsnaam die groep eruit gooien die hier alles heeft verpest. Nooit krijgen we een cent zolang die de dienst uitmaken!'

In het café zitten een paar schreeuwende mannen slivovitsj te drinken. Ik beland naast de eigenaar van de accufabriek. Zijn va-der is pas begraven, alles is failliet, geen machine draait meer. Zijn woorden komen traag en dronken: 'Holland, ach, Holland, ja. Ze waren niet slecht, die Hollanders. Alleen zo jong. Meisjes. Moesten ons beschermen. Speelden geen enkele rol. Heb ze nog uitgezwaaid. Dank jullie wel. Zo jong...'

Over het drama Srebrenica zijn inmiddels zeker drie boekenplan-ken volgeschreven. Over de gijzeling van de bijna vierhonderd VN-militairen, al voor de aanval op Srebrenica, inclusief een stuk of zeventig Dutchbatters die door de Serviërs ostentatief aan brug-gen en andere militaire objecten werden vastgeklonken; het was een Servische mediashow die in werkelijkheid niet veel langer duurde dan de tv-makers nodig hadden, maar die verregaande ge-volgen had. Over de voorzichtigheid waarmee de Verenigde Na-ties daarna opereerden om deze mannen niet verder in gevaar te brengen. Over het gebrek aan steun vanuit de lucht dat daarvan het gevolg was, zelfs toen Srebrenica onder de voet werd gelopen en Dutchbat in de grootste moeilijkheden verkeerde. Over de zo-genaamde *blocking positions* die de Nederlandse soldaten op bevel van Den Haag moesten innemen, een dunne lijn van vijftig man-schappen en zes lichtbewapende pantservoertuigen tegenover vijftienhonderd, door tanks gesteunde Servische infanteristen. Over de onhandige overste Ton Karremans, de Nederlandse com-mandant die voor de Servische televisie schuchter het glas hief met Ratko Mladić en hem, tien dagen later, nog steeds betitelde als 'een professional die zijn zaken goed voor elkaar heeft'. Over het feestje dat na afloop door de Nederlandse legerleiding voor de Dutchbatters werd georganiseerd.

Toen alles voorbij was, werden de Nederlandse blauwhelmen gemakzucht en gebrek aan moed verweten. De Franse president Jacques Chirac meende dat 'l'honneur de la nation' van Nederland was bezoedeld, en VN-commandant Bernard Janvier zei later zelfs tegen de Franse parlementaire onderzoekscommissie dat de zaken vermoedelijk heel anders zouden zijn gelopen als er Franse soldaten in Srebrenica hadden gestaan in plaats van Nederlanders: 'In alle eerlijkheid zeg ik dat Franse soldaten hadden gevochten, met alle risico's van dien.'

Janviers nationalistische uitlatingen werden grif overgenomen, maar ze waren zeldzaam hypocriet. Het was immers dezelfde Janvier die tijdens die julidagen uitmuntte in voorzichtigheid, die meer dan wie ook benadrukte dat de UNPROFOR-troepen slechts opdracht hadden om vijandelijke aanvallen af te schrikken, niet om de enclave te verdedigen, en die bovendien tegen alle vormen van luchtsteun gekant was geweest omdat hij zo'n actie 'te gevaarlijk vond'. Janvier wist, beter dan wie ook, dat zijn Nederlandse blauwhelmen zich in een hopeloze positie bevonden, eigenlijk al vanaf het eerste begin. Want juist om die reden bevonden zich geen Franse troepen in Srebrenica: geen enkel ander land wilde nog zijn vingers branden aan het probleem. Alleen de Nederlandse regering was zo argeloos.

Voor me liggen de Nederlandse kranten van maandag 24 juli 1995. 'Proosten op de vrijheid,' kopt De Telegraaf boven een foto van twaalf vrolijke Nederlandse soldaten in Novi Sad, die na hun gijzeling een maaltijd kregen aangeboden, met de complimenten van de Servische regering. De meeste andere Dutchbatters zijn in Zagreb ingehaald door kroonprins Willem-Alexander en minister-president Wim Kok. In het commentaar schrijft de krant: 'Hun inzet toont weer eens aan hoe goed de Nederlandse krijgsmacht, als het erop aankomt, op haar taken is berekend.' 'Serviërs zijn voor Dutchbatters nu de "good guys", meldt NRC Handelsblad. De krant citeert soldaat Karel Mulder: 'Die moslims hadden niks voor elkaar over. Ze liepen over elkaar heen om in de bussen te komen en ze lieten de mensen die gevallen waren gewoon liggen.' Er komen steeds meer geruchten over executies en vermiste mannen.

Maar de Nederlandse bevelhebber, luitenant-generaal Hans Couzy, steekt tevreden zijn duim op. Tegenover *De Telegraaf* zegt hij dat het 'afvoeren van de vluchtelingen' door de Serviërs 'op een correcte manier' is afgewikkeld. Hij wil niets weten van paniekverhalen, er zijn nergens bewijzen gevonden voor verkrachtingen en andere wreedheden. 'Ik denk dat deze feiten vrijwel volledig zijn.'

Dat was bijna twee weken na de val van de enclave. Op dat moment verkeerden de vluchtelingenkampen bij Tuzla, waar de vrouwen en kinderen uit Srebrenica terecht waren gekomen, al een dag of tien in rep en roer. Van de mannen ontbrak immers ieder spoor. In het Witte Huis hadden president Bill Clinton en zijn adviseurs televisiebeelden van Srebrenica gezien. Ook daar besefte men direct: dit is helemaal mis. Dat werd bevestigd door Richard Holbrooke, wiens zoon Anthony vanuit het vluchtelingenkamp Tuzla het ene gruwelijke verhaal na het andere doorbelde. Chirac telefoneerde de Amerikaanse president: moest Srebrenica niet met alle geweld van de navo heroverd worden? Er werden serieuze plannen gemaakt, twee weken later werden ze weer afgeblazen.

Ook de Nederlandse minister van Ontwikkelingssamenwerking, Jan Pronk, sloeg groot alarm. Op zaterdag 15 juli was hij met een delegatie in Tuzla aangekomen, en op het Nederlandse avondjournaal meldde hij direct dat er sprake was van duizenden vermiste mannen. Op de vraag van de presentatrice of Nederland niet iets zou kunnen doen voor 'deze achterblijvers' reageerde hij geprikkeld: 'Iets te doen voor de achterblijvers? Om de mensen niet te vermoorden, daar gaat het gewoon om.' Drie dagen later wist hij genoeg: 'Het is genocide die hier plaatsvindt'. Diezelfde week hoorde minister van Defensie Joris Voorhoeve in de wandelgangen tijdens een Londense conferentie van VN-generaal Leighton Smith dat er wellicht zo'n twee- à drieduizend man vermoord waren: 'Ik heb geen concrete gegevens, maar er kloppen dingen niet. Er ontbreken te veel mannen.'

Toch liet de Nederlandse legerleiding de volgende dag de mannen van Dutchbat hossen op een blaaskapel – buiten het zicht van de camera's hing overigens ook hier een bedrukte stemming. Overste Karremans sprak tegenover de wereldpers over een 'uitstekend geplande aanval' van de Serviërs, die het Nederlandse bataljon 'zeer knap' hadden 'uitgemanoeuvreerd'. Twee maanden later – de mannen waren nog steeds niet opgedoken en bij de cia circuleerden luchtfoto's die duidelijk wezen op executies en massagraven – werd Dutchbat nogmaals gehuldigd, nu officieel, en Karremans werd staande in een witte Cadillac rondgereden. Eind 1995 – ondertussen had de moedige Catalaanse oorlogsverslaggever Miguel Gil Moreno tientallen lijken en massagraven gefilmd, en ook Duško Tubić was met David Rhode van Christian Science Monitor al tot de executievelden doorgedrongen – werd Ton Karremans bevorderd tot kolonel. Een filmpje van een Nederlandse militair met foto's van de acties in Srebrenica was – uniek in de geschiedenis van de militaire fotografie – bij het ontwikkelen verprutst.

Wie de rol van Nederland in de affaire Srebrenica bestudeert, wordt vooral getroffen door de volstrekte wereldvreemdheid. Niet alleen bij de afloop, maar ook al aan het begin, toen parlement en regering, met de overmoed van een alwetend westers land, zich luchthartig in dit Oost-Europese avontuur stortten. Nederland is niet gewend aan machtspolitiek, en het heeft bovendien een lange niet-militaristische traditie. Geen mens had er blijkbaar over nagedacht dat er rond Srebrenica ook weleens gemeen gevochten zou kunnen worden, dat het zelfs weleens kon uitlopen op verkrachtings- en moordpartijen. Ook hier verraadt zich de polder: internationaal staan de Nederlandse blauwhelmen bekend als voortreffelijke vredeshandhavers, ze kunnen beter dan wie ook een bevolking tot rust brengen, maar vechtjassen zijn het niet. Uit de vrijgegeven documenten blijkt eindeloos veel gedelibereer – niet zelden werd het hele kabinet erin betrokken –, maar snelle en heldere beslissingen komen weinig voor. In een oorlogssituatie werkt zoiets desastreus.

De paar interviews die sommige soldaten na afloop gaven, bevestigen dat beeld. Toen eind juni een Servische eenheid de enclave via een oude mijntunnel was binnengedrongen – de schoten dreunden door de hele omgeving – kwam Dutchbat pas zes uur later kijken. Posten en voertuigen werden zonder noemenswaardige tegenstand overgegeven. Srebrenica-veteraan Tom Schuurman vertelde over een verkenningspatrouille met twee Britten van de elite-eenheid SAS, waarbij ze door de Serviërs werden beschoten. 'Een van de Britten trok zijn zender te voorschijn en vroeg om luchtsteun: zij hadden een directe satellietverbinding met Sarajevo. Binnen zeven minuten kwamen er een paar F-16's in duikvlucht over. Later kregen die SAS-jongens op hun kloten van Karremans, omdat ze geen luchtsteun hadden mogen aanvragen. Dat mocht hij alleen. Maar wij dachten: die Britten laten tenminste niet met zich fucken.' Bij de mannen was ook grote verbazing ontstaan toen kroonprins Willem-Alexander in de enclave langskwam: hij werd bewaakt door Franse mariniers. 'Alsof we zelf niet goed genoeg waren om de prins te beschermen.'

Het beruchte feestje in Zagreb was dan ook geen toeval: uit meerdere documenten blijkt dat de hoogste prioriteit van de Nederlanders inderdaad lag bij het ongedeerd terughalen van de eigen troepen. In de Haagse richtlijnen die overste Karremans op 13 juli meekreeg voor zijn onderhandelingen met Mladić, werd met geen woord gerept over de bescherming van vluchtelingen: de eisen betroffen alleen de eigen mensen, de eigen uitrusting en het meenemen van de paar *locals* die in dienst waren van de VN.[5] Karremans zelf liet zich later voor het oorlogstribunaal ontvallen dat hij zich tijdens deze onderhandelingen drukker had gemaakt om het wagenpark van Dutchbat dan om de weggevoerde moslimmannen: 'Niet aan gedacht, eerlijk gezegd.' (Minister Voorhoeve toonde zich hierop 'verbijsterd', hoewel Karremans alleen maar zijn instructies had opgevolgd.)

Ook het misverstand over het al dan niet toestaan van luchtsteun – mede een gevolg van het vele overleg en de mistige bevelslijnen – had daarmee te maken. Na afloop verweet luitenant-generaal Couzy de NAVO dat het bondgenootschap niet voldoende luchtsteun had gegeven: 'Alleen de Nederlandse F-16's waren effectief.' Deze lezing werd door veel Nederlandse media overgenomen. In werkelijkheid was het juist de Nederlandse regering zélf die bijna tot het einde toe alle vormen van luchtsteun afwees, en alle niet-Nederlandse bronnen zijn hier glashelder over.

Daarvoor was ook alle reden. Luchtaanvallen brachten grote risico's voor de Nederlandse militairen met zich mee: als de Servische artillerie niet in één klap zou worden uitgeschakeld, zou de Nederlandse compound gemakkelijk kunnen worden platgeschoten. Bovendien werden er ook nog eens tientallen Nederlandse militairen door de Serviërs gegijzeld.

Toen op 9 juli, vlak voor de val van de enclave, een Amerikaanse vertegenwoordiger op het NAVO-hoofdkwartier in Brussel voorstelde om toch vliegtuigen bij Srebrenica in te zetten, wees de Nederlandse ambassadeur dat dan ook direct af: het was 'contraproductief' en 'gevaarlijk'. Richard Holbrooke, in zijn memoires:

'De eerste lijn van tegenstanders [van luchtaanvallen] werd gevormd door de Nederlandse regering, die weigerde om luchtaanvallen ook maar te overwegen totdat al haar soldaten uit Bosnië waren. [...] De Serviërs wisten dat, en hielden een aanzienlijk deel van de Nederlandse manschappen gegijzeld [...] totdat ze hun vuile werk in Srebrenica hadden opgeknapt.'[6]

Op de ochtend van de 11de juli, toen de definitieve aanval op Srebrenica begon, gooiden NAVO-vliegtuigen eindelijk een paar bommen op de Servische troepen rond Srebrenica: waarschijnlijk werd één tank geraakt. Een van de gegijzelde Nederlandse officieren belde namens de Serviërs naar zijn bevelhebber: als de luchtaanvallen niet onmiddellijk zouden worden stopgezet, zouden de Serviërs niet alleen de vluchtelingen en de Nederlandse compound beschieten, maar ook de Nederlandse gijzelaars afmaken. Zonder enig overleg met de NAVO of het opperbevel van de VN-vredesmacht belde minister Voorhoeve de NAVO-basis in Italië: 'Stop, stop, stop!'

De Nederlanders hebben dus – uitzonderingen daargelaten – rond Srebrenica een weinig heldhaftige rol gespeeld.[7] Het is alleen de vraag of ze op dat moment nog enig alternatief hadden. Nuchter bekeken was het immers waanzin om met honderdvijftig man gevechtsgroepen een strijd aan te gaan die vier- à vijfduizend gemotiveerde en ervaren moslimstrijders niet meer aandurfden. De Nederlandse regering bevond zich – deels door eigen schuld – in een bijna onoplosbare patstelling. De Nederlandse militairen ter plekke verkeerden in grote ontreddering. Er zijn weinig fraaie dingen gebeurd, de mentaliteit was sterk anti-moslim, de Servische troepen werden beschouwd als collega-militairen, maar voor het overige valt hen weinig te verwijten. Ze hebben die laatste dagen honderden gewonden geholpen en, naar beste kunnen, geprobeerd te redden wat er te redden viel.

Bovendien, en dat moet niet vergeten worden, wist niemand op dat moment wat het vervolg was: een massaslachting zoals Europa die sinds 1945 niet meer had meegemaakt. Uit latere verhoren van aanwezige Servische officieren voor het Joegoslavië-Tribunaal bleek dat pas na de inname van de enclave het idee ontstond om alle mannen om te brengen, zodat men geen last meer van gevangenen of guerrilla's zou hebben. Ratko Mladić gaf daartoe persoonlijk het bevel.

De drie boekenplanken aan reconstructies maken één feit onontkoombaar: in de zomer van 1995 wilden alle partijen – uitgezonderd de lokale bevolking – van de enclave Srebrenica af. Niemand was bereid om er nog een pink voor uit te steken. Voor de Serviërs was het een prestigezaak die hoe dan ook geregeld moest worden. De enclave lag hooguit vijftien kilometer van de Servisch-Bosnische grens en de moslimbendes van Orić en de zijnen vormden een voortdurende bedreiging voor de veiligheid.

De Nederlandse blauwhelmen wilden maar één ding: heelhuids naar huis. Diezelfde grondhouding had de Nederlandse regering. Ook het opperbevel van de Verenigde Naties was er alles aan gelegen om een eind te maken aan de chaos rond de enclaves in Oost-Bosnië. Na de val van Srebrenica – en korte tijd later ook van Žepa – konden de onderhandelaars immers eindelijk kaarten tekenen met heldere en hanteerbare demarcatielijnen. Daarop was de houding van de Franse opperbevelhebber Janvier gebaseerd: volgens hem had het geen enkele zin om Srebrenica te redden, de enclave was totaal onverdedigbaar.

Voor de gewone Bosniërs gold Srebrenica als een bolwerk van dapper verzet, maar hun legerleiding dacht daar heel anders over. Srebrenica had geen enkele strategische waarde, het was alleen maar lastig, het hield troepen vast die elders veel beter konden worden ingezet, en het belette de vorming van duidelijk verdedigbare frontlinies. Bovendien fungeerde de bevolking van dit soort enclaves voortdurend als gijzelaar. 'Onze regering heeft heel wat concessies gedaan, en dikwijls een staakt-het-vuren afgekondigd, enkel om Srebrenica en Žepa te redden,' verklaarde generaal Rasim Delić, de Bosnische opperbevelhebber, later voor de BBC. 'Srebrenica en Žepa vormden, net als Goražde en Bihać, een bijkomende last voor het Bosnische leger en de Bosnische regering.' Dat was vrijwel zeker ook de achtergrond van de 'ontvoering' van Naser Orić en de andere paramilitaire leiders, en het terugtrekken van een groot deel van de Bosnische troepen, zodat het plaatsje er in de zomer van 1995 vrijwel onverdedigd bij lag.

De val van Srebrenica betekende, kortom, ook voor de Bosnische strategen een grote opluchting.

Ten slotte de rol van Europa. Het herstel van de rechtsorde en de democratie in de Balkan is, zoals de Canadese strateeg en essayist Michael Ignatieff terecht opmerkt, nooit een oefening in humanitaire hulpverlening geweest. De mensenrechten speelden bij de Europese interventies van de jaren negentig altijd een rol, zeker in de publieke opinie, maar uiteindelijk had – en heeft – de politiek van grootmachten andere prioriteiten. In de kern bleef het, in Ignatieffs bewoordingen, 'een imperiaal project' – al streefde het nieuwe Europa nu naar een modern, coöperatief en humanitair imperialisme. Alles draaide immers om het opzetten van een nieuwe coalitie van staten, die hier na het ineenstorten van Tito's communistische rijk voor nieuwe stabiliteit moest zorgen. 'Het doel [was] om het schiereiland van de Balkan – eventueel – deel van het verenigde Europa te laten worden en in de tussentijd de stroom van zijn voornaamste exportproducten in te dammen: misdaad, vluchtelingen en drugs.' Anders gezegd, het ging de grote West-Europese landen in de eerste plaats om rust, niet om gerechtigheid.

Veel doodgeschoten moslims werden niet begraven. Toen Bart Rijs en Frank Westerman bijna een jaar na dato, in mei 1996, het gebied bezochten troffen ze op een helling bij het verwoeste moslimdorp Islamovici zeker vijftig skeletten aan, 'als monsterlijke marionetten', nog in hun dagelijkse kleren. De spullen van de mannen en jongens lagen verspreid over het veld: 'een rugzakje van aan elkaar genaaide meelzakken, een plastic waterkruik, een lege portefeuille, een schoolschrift met aantekeningen over huishoudkunde, een stapeltje aan elkaar geplakte kleurenfoto's [...] een identiteitskaart met nummer BH04439001 op naam van Nermin Husejnovic, geboren op 9 juni 1971, Srebrenica'.

6

Het sneeuwt over de heuvels van Bosnië. Het sneeuwt over de oude loopgraven rond Sarajevo, de weggeschoten bomen, de SFOR-wagens die door Pale patrouilleren, de korte weg naar de nieuwgebouwde villa van Radovan Karadžić. Ik stel voor om er langs te rijden. 'Nee,' zegt Duško streng. 'Dat zou werkelijk niet verstandig zijn.' Bij de ingang van de markt zit het pittoreske oude vrouwtje dat op alle tv-schermen van de wereld is vertoond. 'Je bent er alweer,' roept ze tegen Duško. 'Je weet toch wat ik ervan vind? Radovan Karadžić is en blijft onze president!' Ze laat er geen twijfel over bestaan: hij is haar held, haar bevrijder van de moslims van nu en de fascisten van toen, voor haar lopen alle oorlogen door elkaar, en ze zal hem beschermen met haar eigen lichaam.

We kronkelen voorzichtig naar beneden. De ruitenwissers vegen de vlokken weg. Aan weerszijden van de grens staan twee rijen taxi's te kleumen, dertig meter bij elkaar vandaan, strikt gescheiden naar afkomst en religie. Geen Servische taxichauffeur durft zich nog in Sarajevo te wagen, geen moslim in Pale. Wie naar de andere kant wil, moet overstappen. Midden in de dennenbossen vraagt een wanhopige zakenman uit Belgrado ons de weg naar Sarajevo. De Serviërs wijzen hem enkel naar hún Sarajevo, en dat is Pale. De echte stad bestaat voor hen niet meer.

De sneeuw bedekt alles: de glanzend herstelde winkelstraten, de ruïnes van het krantengebouw en de antieke bibliotheek, de volgepropte appartementen in de buitenwijken, de straathoek bij de Appelkade waar Gavrilo Princip in 1914 zijn schoten afvuurde, de koepel en de blinkend verlichte minaret van de nieuwe moskee, de roestige trams, de velden met de duizenden graven, de kapotgeschoten flats aan de grote weg – bijgenaamd 'Sniper Alley' – naar het vliegveld. 'Hier moest ik altijd als een gek rijden,' zegt Duško. 'Als je stilstond om een foto te nemen, was je drie seconden veilig. Een scherpschutter heeft een tot twee seconden nodig om je te zien, en nog eens drie seconden om te richten. Met drie seconden was je altijd safe.'

De sneeuw blijft vallen. We hebben onze intrek genomen in Pension 101 aan de Kasima Efendije Dobrace. De straat heeft onlangs een nieuwe naam gekregen, zoals overal in de stad, nu naar een moslimvoorganger. Ook de Gavrilo Principbrug bestaat niet meer, die is weer de Latijnse brug zoals voor 1918. In het pension logeren twee vertegenwoordigers van een Duitse pompenfabriek, iemand van de ING-bank, een Franse cameraploeg en een Italiaanse diplomaat.

Twee vrouwelijke Nederlandse traumaspecialisten komen binnen, helemaal uit Tuzla hierheen geglibberd. We gaan met z'n drieen eten. Ze werken al jaren in Bosnië. Aanvankelijk kwamen ze vooral voor vrouwen die verkracht waren, maar vrij snel verschoof hun aandacht. Er bleek namelijk een nog groter probleem te bestaan: de afwezigheid van de mannen. 'De mannen van Srebrenica zijn niet op reis, ze zijn niet dood, ze zijn nergens. Er is geen lichaam gevonden, er is geen rouwritueel, en een nieuw leven kan dus ook niet beginnen.' Ze hebben het over kinderen die elkaar nog steeds vertellen dat hun vader in het bos zwerft, samen met de andere mannen. Over een jonge vrouw die onlangs het meer in liep, met haar twee kleintjes. Over de dromen die iedere nacht terugkeren: meisjes in het bos, het slachten van een jongen, een huilende baby die uit een bus gesmeten wordt. En almaar komen ze terug op de rondspokende mannen, die bijna elk gezin verlammen.

Identificatie is moeilijk en duur. Soms ligt een lichaam half hier, half daar, door een graafmachine in stukken gehakt. Maar, zeggen ze, wanneer er zekerheid is, knappen de vrouwen direct op. Als Nederland toch iets met zijn schuldgevoelens wil doen, is het zinniger om hier een paar miljoen extra in te steken dan in de zoveelste onderzoekscommissie. 'Nu is het huilen, huilen, vier jaar lang huilen, niets meer doen, alles weghuilen, zelfs de kinderen en de toekomst.'

De volgende morgen is het overal doodstil. In de vrieslucht klinkt alleen maar het gekletter van scheppen en zo nu en dan een stem. De hele stad ligt onder een witte laag van zeker een meter. Auto's lopen vast, sommige doorgangen zijn versperd door afgebroken boomtakken. Halverwege de ochtend valt de elektriciteit uit, een uur later flitst de boel opeens weer aan. Het vliegveld zit potdicht. Iedereen staat opeengeperst in de kleine vertrekhal: hulpverleners, zakenlieden, journalisten, vermoeide Bosniërs die voor familiebezoek naar het Westen mogen, Amerikaanse GI's met grote plunjezakken vol kerstcadeautjes. Ik dood de tijd met kapitein Gawlista en sergeant Niebauer van de Bundeswehr, ze zitten hier al een halfjaar omwille van de vrede, ze hebben nu precies tien dagen vakantie, in Frankfurt wachten vrouw en kinderen. Het is allemaal geen pretje, alle sneeuwwolken van de Balkan blijven hangen in dit ellendige dal. Weer valt de stroom uit, maar iedereen blijft monter en welgemoed: over drie dagen is het Kerstmis, en dan is alles gegarandeerd voorbij.

We leven in de nasleep van de vierde Joegoslavische oorlog. De hoteltelevisie toont eindeloze konvooien met hulpgoederen die nu al dagen in de bergen van Macedonië voor de grens staan te wachten. Vanwege een of andere bureaucratische pesterij mogen ze Kosovo niet binnen. De provincie zou mijn laatste reisdoel zijn geweest, ik had al afspraken in Skopje en Priština, maar deze sneeuwstorm gooit alles in het honderd. Het loopt uit op een melancholieke middag met Hrvoje Batinić, journalist, stadskenner en beroepspessimist, in café To Be or Not to Be. 'Pessimisme is mijn methode van leven,' beweert hij. 'Als er dan iets goeds gebeurt, ben ik altijd blij. Tijdens het beleg voelde ik me uitstekend. Vrienden die langskwamen, zeiden allemaal: "Batinić is onbegrijpelijk. Al zijn somberheid is hij kwijt. Het lijkt wel of hij het leuk vindt!" Ik hoefde maar naar de wolken te kijken om me vrij te voelen. Nu heb ik mijn depressies terug.'

Hij vertelt over het eerste jaar van het beleg, en over zijn legereenheid: 'Serviërs, Kroaten, moslims, er was geen verschil. We voelden ons burgers van Sarajevo, normale mensen, aangevallen door gekken uit de heuvels. Maar in september 1992 werden de Serviërs uit het Bosnische leger gezet. Toen begon het alsnog, het etnische denken, ook bij ons moslims. En nu zitten we er middenin. Er is maar één doel waarvoor geen enkele financiële beperking geldt: de bouw van moskeeën.'

Volgens Batinić is dit de tijd van het grote wegkruipen. De Bosniërs van alle partijen verschuilen zich in de menigte, achter een leider die sterker en rijker is. 'Bij verkiezingen praten ze niet meer over de normale zorgen, maar over vaagheden als de "kosmische kwestie" en de "natie". Zo ben je zelf ook niet meer verantwoordelijk. Het is steevast de ander.' Veel van zijn stadgenoten beseffen nog steeds niet wat hun is overkomen. 'Iedereen is in de war. Eerst gaven de mensen de oorlog de schuld voor alle problemen. Nu merken ze dat ze ook alle economische veiligheid van het socialisme kwijt zijn: werk, gezondheidszorg, huisvesting, onderwijs. De werkloosheid schommelt op dit moment rond de 70 procent.'

Een legioen van westerse hulpverleners heeft zich massaal ontfermd over Sarajevo en de rest van Bosnië. Ze rijden pontificaal door de stad in hun peperdure Land Cruisers, bellen met hun mobieltjes over de hele wereld, bevolken het Holiday Inn Hotel voor driehonderdvijftig mark per nacht. Het zijn de herauten van het rijke Europa en Amerika, de humanitaire activisten en de snelle 'nation builders', de helden van de media, springend van het ene doel naar het andere. Hrvoje Batinić buigt zich voorover en kijkt me diep in de ogen. 'Zeg eens, Geert, wees eens eerlijk: wat voor types sturen jullie eigenlijk op ons af? De top is meestal prima, maar voor de rest heb ik, een paar goede daargelaten, te maken met derdeklasvolk, avonturiers die vermoedelijk in hun eigen land moeilijk aan de slag konden komen.' Hij kan er razend over worden. 'Voor hen zijn we een soort aboriginals, ze denken dat ze ons moeten uitleggen wat een wc is en een televisie, en hoe we een school moeten organiseren. De arrogantie! Ze noemen Bosniërs luie mensen, terwijl ze zelf voor één dag werk een week nodig hebben. En een herrie dat ze daarover maken! Tegelijk ziet iedereen hoeveel geld ze uitgeven aan zichzelf en aan hun positie. Daar gaat driekwart van hun energie in zitten.'

We nemen nog een glaasje en Batinić begint te klagen over de corruptie, de opkomst van religieuze leiders in de stad, de enthousiaste discussies over 'het Iraanse model' aan de universiteit. 'Sarajevo is Sarajevo niet meer. De stad is volgestroomd met gevluchte boeren. Van de mensen die het beleg meemaakten, is hooguit 20 procent over.'

Batinić' pessimisme heeft allang weer de overhand gekregen. Hij voorspelt: 'Als onze kinderen volwassen worden, is de kans groot dat ze nog fanatieker zijn dan degenen die deze oorlog begonnen. De normale mensen leggen het af. Wij weten nog hoe het was, het Joegoslavië van tien jaar geleden, een normaal Europees land. Zie nu eens. We verloren alles waar we goed in waren, we behielden alles wat mis was. Kun je het aan om in de spiegel te kijken? Durf je te erkennen dat je alles verprutst hebt, zelfs voor je kinderen en kleinkinderen? Die moed, die mis je hier. Ik zeg je dit: we hebben de oorlogen gehad, nu beweegt er niets meer, niets verandert, alles staat stil!'

Het sneeuwt al dagen, en er is bovendien nog een koude, dichte mist opgekomen. Geen vliegtuig kan weg. En dan heeft het ook wel iets, gewoon rustig naar de vlokken kijken vanuit To Be or Not to Be.

Maar vanavond kreeg ik opeens de kans om weg te komen, ik rijd met Esad Mavrić door de nacht naar Split, vraag niet hoe, maar hij doet het. We glijden de bergen in, kronkelen om een lawine en wachten achter een vastgelopen SFOR-konvooi. 'We zijn nu vijfendertig kilometer van Sarajevo,' zegt Esad na drie uur. Het houdt op met sneeuwen.

Esad was ooit ingenieur en kampioen scherpschutter, maar dat was in een onpeilbaar ver verleden. Hij heeft twee families om voor te zorgen. We praten over het beleg, over wat je kon doen met één colafles water – theezetten, tandenpoetsen, je hemd wassen, zelfs je zondagse badpartij –, over de eeuwige kou, over de dikke stapel dekens waaronder je de dagen doorbracht. 'De zoetste dromen had ik in die tijd, zulke dromen heb ik later nooit meer gehad,' verzucht Esad, terwijl hij om een weggezakte autobus manœuvreert. De maan schijnt over de bergen. De dorpen slapen onder de dikke Balkan-sneeuw.

Esad had tijdens het beleg tientallen journalisten rondgereden, hij weet nu alles van dat vak. Sommigen waren voortreffelijk en ongelooflijk dapper, maar veel anderen maakten alleen maar een toertje. 'Ze landden hier, huurden voor een schijntje een werkloze journalist die wat contacten legde, en na een paar dagen vlogen ze weer naar het vrolijke Westen. Ze liepen nauwelijks gevaar, ze hadden goed te eten, konden in en uit vliegen wanneer ze wilden en hadden iedere dag een fantastisch verhaal op de voorpagina van hun krant. Allemaal over de rug van de lokale journalisten en een paar andere gekken, die de echte risico's liepen en nooit werden genoemd.'

Hij vertelt over de geheime tunnel, de levenslijn naar de vrije zone, de smokkelpartijen. Water was zeldzaam kostbaar. 'Ik maakte mee dat een oudere man bij de bron van de brouwerij te veel water haalde, twee jerrycans van tien liter, waardoor hij niet snel meer kon bewegen. Bij het oversteken van een veldje werd hij prompt gepakt. Een paar jongens zagen het gebeuren. Ze gokten: één leidde de scherpschutter af, de ander rende met levensgevaar naar de plek waar de man lag, griste de twee jerrycans weg, vloog terug. De man lieten ze liggen.'

De scherpschutters waren overigens niet het grootste probleem. Na een paar weken wisten de mensen van Sarajevo vrij precies wat ze wel en wat ze niet konden doen. 'Die artilleriegranaten, die zomaar uit de lucht kwamen vallen, die waren veel erger. De Serviërs schoten in het wilde weg, zo is dat bloedbad op de markt ook aangericht.' Esad noemt de cijfers: van de vierhonderdduizend inwoners van Sarajevo zijn tijdens het beleg elfduizend omgekomen, onder wie meer dan elfhonderd kinderen.

'Ik deed mee aan een paar pogingen om uit te breken, ik zat in de voorste linie. Maar we werden direct aan gort geschoten door hun artillerie.' 'Hoeveel gesneuvelden?' vraag ik. 'Driehonderd.' 'Met hoeveel waren jullie?' 'Duizend.' 'Bang?' 'Toen niet.'

Hij vertelt over de vele zelfmoorden onder de jeugd, nu. 'In de oorlog dacht je: als het eenmaal voorbij is, komt alles goed. Maar het kwam helemaal niet goed.'

Dan zijn we opeens uit de sneeuw, we naderen Mostar. Uit de zilveren nacht duikt ruïne na ruïne op, het ene na het andere geblakerde en kapotgeschoten huizenblok. De rivier raast langs de resten van de zestiende-eeuwse brug waarover zoveel is geschreven. Hoe mooi moet hij zijn geweest, hoe imposant, hoe krachtig. Degene die deze oeroude band in puin schoot – en dat was nog een flink karwei – wist wat hij deed: hij brak. Het is dezelfde mentaliteit waarmee Dubrovnik is kapotgeschoten, en de beroemde bibliotheek van Sarajevo. 'Het waren de boeren die zich uitleefden op de stad,' mompelt Esad. 'Dat gebeurde overal in deze oorlogen. Dat was misschien zelfs de kern van alles.'

De volgende ochtend is er de warme zon aan de kade van Split, de glinsterende zee, het geruis van golven die uit Italië komen aanrollen. 's Avonds loop ik, alsof het niks is, alweer over de kerstmarkt van Straatsburg. Afrikaanse mannen verkopen sokken met gekleurde lichtjes. Een straatzanger zingt joodse liedjes. Turkse jongens vegen de straten. Een reisbureau heeft voor een handvol franken een weekendje New York in de aanbieding. De Elzasser koeken ruiken naar Kerstmis 1900.

Epiloog

'De Rijn is een man,' schreef Heinrich Böll. De naam is Keltisch, de steden aan de oever zijn Romeins, de stemmen zijn Frans, Duits, Nederlands, de bruggen zijn Amerikaans, de kastelen zijn Germaans en dood.

De Rijn is, ook, Europa.

Wie het belang van mijnheer Rijn recht wil doen moet, aldus Böll, zich voorstellen dat hij opgedroogd is, niet meer bestaat. Keulen zou een suf marktstadje zijn, voor vee en groente. In de droge rivierbedding zouden nog wat historische resten gevonden worden: een heleboel medailles en insignes, een buste van Hitler die men zou aanzien voor een rare riviergod, een tank die in 1945 van de brug bij Remagen buitelde. De Rijn heeft alles braaf opgeslokt.

De Rijn is dus tegelijk onze geschiedenis.

Nu vaar ik over de man, over Europa, en over de geschiedenis de twintigste eeuw uit. Het schip heet de Marla, de parel van de Danser Container Line, honderdtien meter lang, bouwjaar 1999. Er staan honderdveertien containers voor onze neus, hoog opgetast boven het dek. Er zitten auto-onderdelen en elektronica in, en de verhuisspullen van een Zwitser die naar Japan moet. De stuurhut ziet eruit als de kruising tussen een kantoor en een cockpit. Het scheepsroer is ineengeschrompeld tot een kleine metalen knop. De radio kraakt en zingt de hele dag.

De krant en ik hadden bedacht dat een vaart over de Rijn wel een aardig slotakkoord zou zijn van die driehonderd dagelijkse reisimpressies op de voorpagina. Daarom was geregeld dat ik de laatste paar honderd kilometer van deze reis zou meeliften op de Marla, vanaf Straatsburg.

Eerst moest er nog een partijtje containers worden omgewisseld, nu varen we rustig stroomafwaarts. In de schemer glijdt het verlichte huiskamertje van een rijnaak uit Tholen voorbij, in de stuurhut is de schippersvrouw bezig een kerstboom op te tuigen. 'O, dat is de familie De Korte!' Wij hebben een paar kerststerren en een elektrisch kerstboompje, ook goed voor de sfeer. Schipper Dinus Jasper manœuvreert met de sigaret in de mond een sluis in, het oog op de beeldschermen aan zijn voeten. Later is er de maan, en de glinstering van de rivier.

Schipper Jasper vaart enkel op de vlekken en lijnen van de kleurenradar. In de donkere stuurhut beginnen we over onze families te praten, hoe het hen vergaan is, mijn grootvader als zeilmaker, de zijne als turfschipper. 'Mijn grootvader was van 1893, mijn vader van 1928,' vertelt Jasper. 'Een roef vol kinderen, houten schepen, alles nog op het zeil. Om één uur 's nachts wakker worden, hé, er is weer wind, varen! Mijn vader is zelfs nog scheepsjager geweest, met een grote Belgische knol, zeilschepen voorttrekken. Ik ben in 1958 geboren op de Risico, een motorscheepje van honderdtien ton. Omstreeks 1961 kocht mijn vader er eentje van honderdvijfendertig ton. Dat was iets gigantisch.'

In de buurt van Karlsruhe klimt Heini, een grijze rivierloods, aan boord. Hij spreekt een mengeling van Duits en Nederlands, de oude taal van de marskramers en de hannekemaaiers, de taal ook van de rivier. Heini is een oude bekende, vanwege de kerst heeft hij een grote taart bij zich, door de vrouw zelf gebakken. We varen op het zogeheten adventswater, een golf extra hoog peil die in december vaak vanaf Basel door de rivier naar Nederland rolt. De mannen puzzelen of ze de bruggen nog zullen halen, ondertussen loodst Heini de Marla kalm tussen de rode radarvlekjes door. Langszij duikt een stel rotsen op, de stroom duwt ons scheef, we passeren alles rakelings, maar Heini en Dinus weten precies wat ze doen, ze hebben generaties schippersbloed in het lijf.

'Mijn vader kon niet tegen dit varen in de mist,' zegt Dinus. 'Hemel, wat vond hij dat vreselijk. In 1983 kregen we een groot modern schip, met radar en alles, dag en nacht doorvaren. Mijn broer en ik hadden er geen problemen mee, maar mijn vader beende maar heen en weer door de stuurhut. Een schip varen terwijl je niets kon zien, dat ging tegen alles in.' 'Zulke kapiteins hadden wij ook,' gromt Heini. 'Hij is er kort daarna mee gestopt,' zegt Dinus.

Hij laat het stuurhuis zakken voor een brug, we kunnen nauwelijks over de containers heen kijken. 'En je grootvader?' vraag ik. 'Ik denk dat die zich in deze tijd geen raad zou weten.' De stroming van de Rijn is nu zo sterk dat de Marla bijna uit zichzelf naar de zee glijdt, als Batavieren drijven we door de nacht.

De volgende ochtend zit de bemanning om zes uur 's ochtends aan het ontbijt. Matroos Jeroen laat me kennismaken met ongekende combinaties: boterhamworst met dik ketchup, vanillevla met een vette laag hagelslag. Ter hoogte van de Loreley breekt het daglicht door, loodgrijs en nevelig. Rechts passeren de hotels, de bergen en de grotten van de oude Heimat-cultus, bij het Deutsches Eck in Koblenz, waar de Moezel in de Rijn stroomt, staat keizer Wilhelm i op zijn paard over de rivier te kijken, in Leutesdorf zijn alle kades ondergelopen, bij Remagen liggen nog altijd de resten van de Ludendorfbrug.

Er is niet veel te doen, in de stuurhut hangt een huiselijke sfeer. De jongens dollen als jonge honden. Jeroen probeert voor het Rijndiploma alle dorpen en steden langs de rivier in zijn hoofd te stampen. Ton, de gastschipper, leert scheepsjongen Anthony een nieuwe knoop. De Riviercentrale op kanaal 18 meldt dat er een rode ton is losgeslagen. 'Let u op, en prettige feestdagen.'

In het holst van de nacht naderen we Dordrecht. Op de Oude Maas is het druk, het radarscherm is vol bewegende inktvlekken, allemaal Eben Haëzers, Maria's en Op Hoop van Zegens die voor het eind van het jaar thuis willen zijn. Het nachtlicht komt niet meer van de sterren en de maan, maar van steden, wegen, raffinaderijen. We varen een slapend stadsland binnen.

Dinus bekijkt het losplan op zijn computerscherm, geeft het alvast door aan de terminal. De regen klettert tegen de ruiten. Om zeven uur rekt de Nederlandse radio zich uit. Er is iets met de belasting voor dokters en met een rebelse omroep, een kamerlid is boos, een oude man is overleden. Daarna wordt er teruggeblikt dat het een lieve lust is, het jaar, de eeuw: iedere waarheid wordt opnieuw gewogen, iedere steen wordt nog eens omgedraaid. Elders in Europa zou zoiets ondenkbaar zijn. Daar is verdringing een praktische noodzaak, wil je niet gek worden van schuld, woede of ellende. Een gezegend land, met zulke actualiteitenrubrieken.

Als de Marla eindelijk aan een verre kade van de Botlek ligt, ontvouwt zich een onvoorstelbaar tafereel: enorme, virtuele handen kiezen containers uit, hangen ze aan kranen, sturen treintjes in het rond, stapelen, sorteren. Nergens op het gigantische losterrein is ook maar één mens te bekennen.

In de stuurhut hebben de jongens het over de oudejaarsloterij, en wat ze als miljonair gaan doen, de volgende eeuw. Ze gaan huizen kopen, en auto's, en ze gaan hun familie verwennen, nou, reken maar. Op de wal beweegt het allemaal voort, een wonder is het, en wij, eenzaam kluitje mensenvlees, kijken maar toe.

Ik schrijf deze laatste regels in het najaar van 2003. 'Het kan niet op!' kopte De Telegraaf op de laatste dag van het millennium, vrijdag 31 december 1999. 'Feestend Nederland baadt in luxe.' De champagne ging niet meer per fles maar per doos over de toonbanken, de Nederlanders kleedden zich voor het feest 'chic en excentriek' en de oliebol werd steeds meer verdrongen door 'luxe traiteurproducten'. Toen ik thuiskwam praatte iedereen over een televisieserie waarin je dag en nacht een stel jongeren kon volgen die samen drie maanden in een huis waren opgesloten, zonder enig contact met de buitenwereld. De kijkers zagen voornamelijk zichzelf: mensen die verveeld rondhingen op de bank, in de keuken of in de slaapkamer. Geen tv-serie wekte ooit zoveel enthousiasme. Een zekere Bart uit Roelofarendsveen won de competitie, hij was de held van het land.

Daarna gebeurde er veel. Kosovo is allang weer een vergeten uithoek, Bosnië kunnen we nauwelijks terugvinden op de kaart. We hebben het nu over de 11de september, over de moslims en de Europese Grondwet, en over Irak, Amerika en de internationale rechtsorde.

De verhoudingen lijken sinds 1999 honderdtachtig graden gedraaid: Servië biedt Amerika en de NAVO troepen aan, ze mogen ze inzetten waar ze maar nodig zijn; zo blijven die voormalige killers tenminste van de straat. Het circus van de hulpverleners heeft zich grotendeels teruggetrokken uit het voormalige Joegoslavië. Het butget van zes miljard euro is op. Het is er nog steeds een puinhoop, maar alle aandacht gaat nu naar Afghanistan en Irak, en volgend jaar is er vast wel weer een nieuw crisisgebied.

In Novi Sad zijn de kapotte brugdelen behoedzaam uit het water getrokken door de Hollandse godenzonen van bergingsbedrijf Mammoet. Het was een mooie zomer: zigeunerjongetjes keken toe vanaf de gebroken betonblokken, hun benen bungelend in de rivier, dromend van de verte.

De stad is volgestroomd met een nieuwe groep ontheemden: de tienduizenden vluchtelingen die, na een jarenlang verblijf in het buitenland, weer naar Servië zijn teruggestuurd. De jongsten kennen niet eens meer de taal, voor niemand is er werk, scholing of huisvesting. Meisjes die in 1999 nog een keurig scholierenbestaan in Duitsland leidden, leven nu, de buik vol honger, in een tent op een moddervlakte achter Belgrado. Ook Nederland gaat, zonder gêne, ruim tweehonderd vluchtelingen uit Srebrenica terugsturen. Ook de veteranen zijn thuisgekomen. De Nederlandse trauma-specialisten uit Sarajevo hebben, vertelden ze me, met een nieuw soort problemen te maken: werkloze, getraumatiseerde en ontwortelde mannen die hun huiskamer hebben veranderd in een oorlogszone. De klachten over vrouwenmishandeling zijn verveelvoudigd. Slobodan Milošević werd in het najaar van 2000 door de Joegoslaven gedwongen af te treden. Hij staat nu terecht voor het Joegoslavië-Tribunaal. De grootste oorlogsmisdadigers, Ratko Mladić en Radovan Karadžić, genieten ondertussen van hun staatspensioen. Bij een enquête van het populaire Servische weekblad *Nin* gaf 41 procent van de ondervraagden Milošević 'een tien' voor zijn houding – 'een ware Serviër' – als beklaagde in het tribunaal. Een commentator: 'De mensen verwijten Milošević dat hij de oorlog verloren heeft, niet dat hij hem is begonnen.'

Ondertussen roept de Europa-website van de Nederlandse regering het bedrijfsleven op om het komende Nederlandse voorzitterschap te sponsoren: alles is te koop, waarom Europa niet? In Rusland is driekwart van de bevolking diep ongelukkig over de situatie in het land.' Zweden wees de euro af. Polen rebelleert. In Rome vergaderden de minister-presidenten van de vernieuwde Europese Unie voor het eerst met zijn vijfentwintigen. De gang van zaken – de nieuwe EU telt vierhonderdvijftig miljoen inwoners – was niet veelbelovend. Er werden vijfentwintig korte monologen gehouden, van enig debat of besluitvorming was geen sprake. Buiten stonden, zoals gewoonlijk, duizenden demonstranten naar wie niemand luisterde.

Ik blader nog eens door de inhoudsopgave van Bellamy's *In het jaar 2000*, uitgegeven in 1906: 'Arbeidersvraagstuk. Opgelost in jaar 2000.' 'Bankiers, onnodig in de nieuwe regeling.' 'Dickens, meest geprezen schrijver in het jaar 2000.' 'Gevangenissen, overbodig geworden.' 'Muziek, openbare uitvoeringen per telefoon overgebracht.' 'Oorlog, verdwenen in het jaar 2000.' Over Europa: 'De grote landen van Europa, zowel als Australië, Mexico en gedeelten van Zuid-Amerika, zijn industrieel zo ingericht als de Verenigde Staten, die de eerste waren. De vredelievende betrekkingen van deze volken zijn verzekerd door de losse vorm van een statenbond, die zich over de gehele wereld uitstrekt.'

Hoe is de werkelijkheid, rond dat ooit zoveel belovende jaar 2000? Sommige onderdelen van Bellamy's utopie zijn inderdaad gerealiseerd, en zelfs meer dan dat. De Europese eenwording is het grootste Europese moderniseringsproces sinds Napoleons regime in het begin van de negentiende eeuw. Wegen zijn aangelegd, achterstandsgebieden zijn ontsloten, handelsbarrières opgeruimd. Italië is uitgegroeid tot een welvarende natie, en in Ierland is een soortgelijke ontwikkeling aan de gang. Een land als Spanje wist zich, dankzij de subsidies en de handelsfaciliteiten van de EU, binnen één generatie om te vormen van een van Europa's armste dictaturen tot een redelijk modern land.

Jean Monnet schreef in 1978, aan het slot van zijn memoires, dat wortels van de Europese Gemeenschap na een kwarteeuw al diep in het bewustzijn van de Europeanen waren doorgedrongen, en dat ze komende stormen konden overleven. 'Er is geen twijfel: dit is een diepe en machtige beweging, op een historische schaal.'

Een van zijn naaste medewerkers, Max Kohnstamm, is in 2003 verbaasd over de kracht van de Europese instituties en het Europese recht: 'Geen lidstaat heeft in deze vijftig jaar ooit een uitspraak van het Europese Hof in Luxemburg terzijde gelegd. Talmen, de gaten van het rechtsstelsel exploiteren, ja, maar een definitief nee, dat is nooit voorgekomen.'

Kohnstamms vroegere collega Winrich Behr: 'Ik heb meegemaakt dat de Gaulle naar het Ruhrgebied kwam, met Adenauer, begin jaren zestig. Onder het personeel van de staalbedrijven werd toen een enquête gehouden. 80 procent was voor een Europese president. En de beste kandidaat was volgens hen een Fransman: de Gaulle. Dit is toch heel wat beter dan elkaar voortdurend naar de strot te vliegen?'

De Italiaanse 'vader van links' Vittorio Foa: 'Europa bestaat vooral als droom, als geldstroom, als eenheid, misschien wel als federatie in wording. Maar in één opzicht bestaat Europa niet, en juist op dat punt worden de problemen steeds groter. Europa bestaat niet als een democratie. Wie controleert alles? Wie zet het licht op groen voor de euro en de uitbreiding van de Unie? Niet de Europese burger. Die wordt niets gevraagd.'

Niemand voorzag de hedendaagse Europese Unie. Wie zou in 1953, het jaar waarin Stalin stierf, waarin George Marshall en Albert Schweitzer de Nobelprijs voor de vrede kregen, Elizabeth II aantrad als koningin, de Oost-Duitsers in opstand kwamen en waarin aan de Nederlands-Belgische grens hevig gejaagd werd op botersmokkelaars, wie zou toen hebben durven voorspellen dat er een halve eeuw later een Europese Unie van vijftien – en binnenkort vijfentwintig – lidstaten zou bestaan, met een eigen munt en een eigen parlement, een vrije ruimte met grotendeels open binnengrenzen, een Europese federatie-in-wording die zich zou uitstrekken van Ierland, via een verenigd Duitsland, tot aan de grenzen van het chaotische Rusland? Aan de andere kant: wie zou in 1953 ooit voorzien hebben dat het nationalisme in 2003 weer zo'n belangrijke rol zou spelen in de Europese politiek?

De Europese eenwording is te lang een technocratisch project geweest, opgezet door idealistische pioniers, maar vrij snel daarna overgenomen door kooplieden, bureaucraten en regeringsleiders, met zo nu en dan een paar bevlogen staatslieden die de boel weer wat opschudden. De nieuwe Europese samenwerking werd zo voornamelijk van bovenaf opgelegd. Natuurlijk was de gemeenschappelijke markt vanaf het begin een belangrijk oogmerk. Veel Europese ondernemers zouden immers op lange termijn verloren zijn als Europa zich niet zou ontwikkelen tot één grote, gemeenschappelijke thuismarkt. Maar de totstandkoming van een vrije Europese markt drukte de centrale doelstelling, het organiseren van de vrede, steeds meer van de agenda.

Diezelfde Europese pioniers hebben ook onderschat hoe taai het nationalisme was. Of, beter gezegd, hoe de opkomst van de waarborgstaten na de oorlog de nationale gevoelens een volstrekt nieuwe basis gaf. Naast de oude nationale banden van taal, cultuur, economie en militaire macht kwamen er vanaf de jaren vijftig immers steeds grotere nationale verzorgingsarrangementen, die een nieuw soort nationalisme opriepen. Ieder land kreeg eigen 'verworvenheden', waardevolle aanspraken die men niet kwijt wil en liever ook niet wil delen met buitenlanders: riante pensioenvoorzieningen, een goede gezondheidszorg, een royale invaliditeitsregeling.

Zo ontstond een gecompliceerde situatie. Zoals Max Kohnstamm het in een van onze gesprekken zei: 'De markt is een genadeloze god. De tegenkracht, mededogen, kan niet enkel berusten op liefdadigheid. Die kan alleen, als die duurzaam wil zijn, gebaseerd worden op rechtsregels. De markt wordt nu wel Europees gereguleerd, maar het mededogen wordt vooral nationaal georganiseerd. En het blijkt buitengewoon lastig om dit mededogen op Europees niveau te brengen, omdat het, traditioneel, per land zo sterk verschilt.' Wat betreft gemeenschappelijke sociale regelingen is het ene Europa dus nog ver weg – en misschien komt het er wel nooit.

'De gemeenschap die we geschapen hebben is niet een doel op zich,' schreef Jean Monnet in 1978 aan het slot van zijn memoires. 'De gemeenschap is enkel een stap op de weg naar de georganiseerde wereld van morgen.' Voor een deel is die voorspelling uitgekomen: het Europese experiment is inderdaad een inspirerend voorbeeld in andere regio's van de wereld. In veel opzichten is echter ook het tegendeel gebeurd: de Europese gemeenschap fungeert niet zelden als burcht, als gesloten handelsblok waarmee de ontplooiing van armere landen wordt geblokkeerd en gefrustreerd.

In de loop van deze halve eeuw is de politieke sfeer binnen de Unie sterk veranderd. De democratische helderheid van de beginjaren is verdwenen. De bemiddelende kracht van de politieke partijen is verzwakt. De toon wordt niet meer gezet door de gemeenschap maar door de uiteenlopende nationale belangen, en door duizend-en-één intergouvernementele kwesties. De kans dat er een 'Europa van twee snelheden' ontstaat, een rijk Euro-blok met een reeks armere satellietstaten, is levensgroot aanwezig.

Wat de pioniers in het begin van de Europese Gemeenschap samenbracht, was hun gezamenlijke lot. Alle zes landen hadden op een bepaalde manier de oorlog doorstaan, alle deelnemers aan de onderhandelingen hadden een enorme chaos en destructie meegemaakt. De oplossingen die ze in die jaren vijftig bedachten, waren bedoeld voor dat groepje van zes landen, klein en overzichtelijk. Met vijfentwintig deelnemende landen is het onmogelijk de EU nog op zo'n manier te besturen. Alleen al daarom is een nieuwe grondwet nodig. Alles is veranderd, alleen de organisatie groeit te langzaam mee, dat is nu het grote probleem. En dat gevoel van lotsverbondenheid, dat toen bestond, ook dat is verdwenen.

Tijdens mijn reis zag ik, bij toeval, een merkwaardige tv-commercial van de Britse Conservatieve Partij. Op het scherm verschenen twee welvarende dertigers. Het was ochtend, zij zat op de rand van het bed, hij was zich aan het scheren. Tussen het paar ontspon zich een gesprek over Europa. Hij zag daar geen enkel kwaad in, voor hem betekende Europa Toscaanse zon, Duitse Mercedessen, Hollandse kaas. De vrouw sputterde: maar die euro dan, en die Brusselse bureaucratie? Nu begon hij te twijfelen, en uiteindelijk wist zij hem te overtuigen. Gezellig rolde het paartje terug in het knusse bed. Slotmotto: 'In Europe, not run by Europe.'

Wat was zo opvallend aan dit schetsje, afgezien van alle truttigheid? Dat 'Europa' met grote vanzelfsprekendheid werd gezien als een ver, vreemd continent, een plek waar je heen gaat voor exotische vakanties, een plek waar knappe auto's en eetbare kazen vandaan komen, maar waar je verder niets mee te maken hebt. Ondertussen komt de kamerjas van deze scherende man waarschijnlijk uit Italië (Prettie), zijn scheerkwast is wellicht in Hongarije gemaakt (merkloos), het echtelijk bed is Zweeds (IKEA), hun spaargeld is door Hollanders belegd (ABN-AMRO), de spoorwegmaatschappij die hen zo meteen naar Londen vervoert is vrijwel zeker Frans (Vivendi) en datzelfde geldt voor het water (Lyonnaise des Eaux) waarmee deze robuuste Engelsman zijn tanden poetst.

Maar dat maakt deze nationalisten niets uit. Zij blijven internationale verbanden beschouwen als uitzonderlijke incidenten. Zij zien niet dat de economische verknoping allang regel is, dat Europa geen netwerk van losse naties meer is, maar zo langzamerhand één grote vervlechting van bedrijven, steden en mensen, een nieuw superland naast en boven de klassieke staten. Dat is lang niet altijd gunstig, dat schept soms zelfs grote problemen, meer dan de helft van de Europeanen is er niet blij mee[2], maar je kunt er je ogen niet voor sluiten.

Europa betekent het opheffen van de glazen stolpen waaronder elke Europese natie eeuwenlang zijn eigenheid kon beleven. Het betekent het verdwijnen van grenzen, het openstellen van markten en culturen, het verdampen van conflicthaarden. Maar het betekent ook het loslaten van de nationale context waarbinnen zich eeuwenlang cultuur, economie, rechtsstaat en democratie ontwikkelden.

Ieder Europees land kan binnenkort onderdanen van elk ander Europees land zonder meer laten oppakken, de nationale vormen van rechtsbescherming worden opgeheven met het nieuwe pan-Europese arrestatiebevel, en ondertussen worden de waarden omgekeerd: niet de beste nationale rechtssystemen zetten de Europese norm, maar de zwakste.

Hetzelfde gebeurt met de democratie. Hoe je het ook wendt of keert: in een land waar telkens weer honderdduizenden demonstranten de straten vullen zodra de hoogste leiders bijeenkomen, is iets fundamenteel mis met het democratische systeem. Dat geldt ook voor de EU. De nieuwe grondwet, die deze jaren moeizaam tot stand gebracht wordt, mag voor de EU zelf een verbetering zijn, in vergelijking met de nationale constituties en democratische systemen is het niet zelden een teruggang naar de situatie van vóór 1848, toen de nationale parlementen hun meeste bevoegdheden nog moesten bevechten.

Bovendien is het de vraag of die voorzichtige formele democratie inhoudelijk voldoende gewicht zal krijgen. De democratische traditie is in Europa grotendeels beperkt gebleven tot de noordwestelijke hoek: Scandinavië, België en Nederland, Engeland, Frankrijk. De rest van Europa omhelsde, na het ineenstorten van de grote monarchieën in 1917 en 1918, de mooiste democratische constituties met de meest liberale grondrechten, maar die vreugde duurde slechts kort. De politieke strijd ontaardde niet zelden in burgeroorlogen, en in veel landen koos de elite in de eerste plaats voor het anti-communisme, en daarna pas voor de democratie en de rechtsstaat. In Hongarije, Italië, Spanje, Portugal, Polen, Griekenland en Roemenië werd de macht al snel gegrepen door generaals en populistische dictatoren, en uiteindelijk gebeurde dat ook in het machtige Duitsland. Na de oorlog zetten overal in Midden- en Oost-Europa de communistische partijen die autoritaire lijn voort, terwijl Zuid-Europa – met uitzondering van Italië – tot in de jaren zeventig beheerst werd door ultrarechtse dictaturen.

De democratie is dus in grote delen van Europa, in tegenstelling tot de Verenigde Staten, een vrij recent en allesbehalve vanzelfsprekend verschijnsel. Generaties Europeanen zijn eerder gewend aan autoritaire middelen om de problemen van de moderne tijd te lijf te gaan, dan aan democratische. Dat betekent dat in grote delen van het continent nog geen stevige democratische basis bestaat, waarmee weerwerk kan worden geleverd tegen de centralisatie en de bureaucratie die vanuit de EU steeds verder oprukt.

Het *acquis communautaire*, de reeks EU-richtlijnen waaraan nieuwe lidstaten moeten voldoen, bestaat uit tachtigduizend pagina's met regels en verordeningen, zelfs over de maat van een glas bier en de dikte van een fietsband. Voor de gemiddelde Europese burger dalen uit Brussel straffen en zegeningen in gelijke mate neer, vaak met grote willekeur, zonder dat een normale sterveling er enige invloed op lijkt te hebben. Opeens blijkt mijn gemeente, dankzij een of andere statistische kronkel, tot een van de armste van het land te horen: extra geld! Opeens vindt een dure adviseur uit dat een project precies in een Europees plannetje past: subsidie voor een landschapsplan! Opeens mag je als boer ermee ophouden: extra inkomen! Opeens wordt door Brussel de beste lokale geitenkaas – die van rauwe melk – verboden: zware tijden! Opeens loopt al het vee, van de Alpen tot de Friese vlakten, met gele oorflappen omwille van een centraal registratiesysteem: boze dierenliefhebbers! Opeens beslist een Brusselse tante Albedil over de samenstelling van een reep chocola en een stokbrood: weg met Europa!

In de Verenigde Staten berusten de meest voor de hand liggende federale taken – defensie, buitenlands beleid – direct en duidelijk bij de centrale regering, terwijl in alle andere kwesties de staten een vergaande autonomie hebben. Californië voert dan ook een heel ander milieubeleid dan Texas, en het brood in Vermont mag gerust anders smaken dan in Arkansas.

In Europa is het precies omgekeerd. Hier is de afgelopen decennia een gevaarlijke scheefgroei ontstaan: juist op detailgebieden is er een overmaat aan regels gegroeid, terwijl de samenwerking op evident gemeenschappelijke vraagstukken – een gezamenlijke defensie, een eenduidig buitenlands beleid – zich na al die jaren nog altijd in een pril stadium bevindt. Juist de grondslagen van een federale staat – het budgetrecht, de buitenlandse politiek en de militaire macht – liggen in de Europese Unie nog altijd bij de nationale staten. De Unie mag een redelijk omvangrijke begroting hebben, het EU-budget is niets in vergelijking met het totale butget van de nationale staten. Er wordt gewerkt aan een snel inzetbaar Europees legerkorps, het oude plan voor een Europese Defensie Gemeenschap wordt via het Europees veiligheids- en defensiebeleid (EVDB) nieuw leven ingeblazen, maar het aaneensmeden van de nationale legers tot één militaire macht met globale aspiraties is, althans in de nabije toekomst, nog ondenkbaar.

'Een van de voorwaarden voor het ontstaan van een succesvol federalisme is een overeenstemming over de vraag welke terreinen van het besluitvormingsproces bij het centrum horen, en welke bij de periferie,' schrijft de Britse historicus Larry Siedentop in zijn scherpzinnige analyse van het Europese eenwordingsproces, *Democracy in Europe*. Alleen: vandaag de dag bestaat een dergelijke consensus in Europa nog altijd niet. Siedentop waarschuwt dan ook voor de grote gevaren voor een federale structuur die te snel van bovenaf over Europa heen wordt gelegd. Er zal een oppervlakkige superstaat ontstaan die geen draagvlak vindt bij de bevolking, maar die wel op een ingrijpende manier het complexe weefsel van de nationale samenlevingen kan verstoren. (Dit proces is overigens al gaande, met name op politiek en juridisch terrein.) Op die manier kan Europa, aldus Siedentop, zelfs een belangrijk deel van zijn eigen geschiedenis verliezen. 'Federalisme is het juiste doel voor Europa. Maar Europa is nog niet klaar voor het federalisme.'

Het Europese project is uniek in de geschiedenis. Het is geen imperium, het is geen federatie, het is iets totaal eigenzinnigs, net zo nieuw en ongekend als de Republiek der Zeven Verenigde Nederlanden in de zeventiende eeuw. Het zal nog veel tijd nodig hebben: bij dit soort integratieprocessen moet men niet denken in jaren maar in generaties. Maar het is allerminst hopeloos.

In het negentiende-eeuwse Frankrijk sprak nog een aanzienlijk deel van de Fransen helemaal geen Frans, en dat ze Fransen en Françaises waren, interesseerde hen hoegenaamd niets. De enige identiteit die ze kenden, was hun dorp, hun stad en soms hun regio. Soms werd die zelfs nog met de wapens bevochten, onder andere in de Pyreneeën, Ariège en, tot de dag van vandaag, op Corsica. Toch ging Frankrijk als natie de Eerste Wereldoorlog in. Niet dankzij toespraken en fraaie pr-technieken, maar vooral door de aanleg van talloze spoorlijnen en wegen, de bouw van duizenden scholen, en, niet in de laatste plaats, de dienstplicht.

Toen de Nederlandse studenten Jacob van Lennep en Dirk van Hogendorp in 1823 een wandeltocht maakten door hun nieuw gevormde vaderland, werden overal nog verschillende munten gebruikt, midden in Zeeland kregen ze paspoortproblemen, het politieke leven kwam meestal niet veel verder dan de plaatselijke sociëteit en vaak kon het duo zich niet eens verstaanbaar maken vanwege alle vreemde lokale dialecten. Nederland was toen al tweeënhalve eeuw lang een staatkundige federatie van zeven provincies, maar pas in de loop van de negentiende eeuw ontstond er op nationaal niveau iets als een 'verbeelde gemeenschap'.

In 1831 en 1832 reisde de Franse aristocraat Alexis de Tocqueville door de Verenigde Staten van Amerika, en na zijn terugkeer publiceerde hij een verzameling dagboekaantekeningen en notities over deze beginnende natie onder de titel *De la démocratie en Amérique*. Het werd een historisch document over recht, democratie, natievorming en, bovenal, de gemeenschappelijke mentaliteit van de Amerikanen. Maar het laat tegelijk zien hoe groot de verschillen zijn tussen de Verenigde Staten-in-wording en het huidige Europese project.

Alles wat de Tocqueville bijna tweehonderd jaar geleden waarnam in het jonge Amerika – een eenheid in taal, een grote publieke interesse in de nieuwe staatsvormen, een heldere overeenstemming over de rol van de diverse overheden, een sterke democratische legitimatie, een stel simpele maar solide spelregels tussen de diverse machten –, alles wat de Verenigde Staten aaneensmeedde, is nauwelijks terug te vinden in het huidige Europa in aanbouw.

Het is vaker opgemerkt: de voorstelling die Europeanen van Europa hebben, is een – meestal onbewuste – projectie van het idee dat ze van hun eigen samenleving hebben. Voor de Duitsers zal Europa één groot Duitsland worden, voor de Polen één groot Polen, en de Nederlanders blijven Europa dapper beschouwen als net zo geordend en compromisgezind als zijzelf. Alleen al dat leidt tot een eindeloze stroom van conflicten en misverstanden.

Er bestaat geen Europees volk. Er bestaat niet één alomvattende gemeenschap van cultuur en traditie tussen Jorwerd, Vásárosbéc en Kefallonía, het zijn er zeker vier: de noordelijk-protestantse, de Latijns-katholieke, de Grieks-orthodoxe, en de moslim-Osmaanse. Er is niet één taal, het zijn er vele tientallen. De Italianen hebben een totaal ander gevoel bij het woord 'staat' dan de Zweden. Nog altijd zijn er geen echte Europese partijen, en pan-Europese kranten en televisiestations leiden een marginaal bestaan. In Vásárosbéc kunnen de mensen tegenwoordig alle zenders van de wereld bekijken, maar een simpele antibioticumkuur voor hun kind kunnen de meesten niet betalen. En bovenal: er is in Europa maar heel weinig gedeelde historische ervaring.

Bijna ieder land dat ik bereisde, had bijvoorbeeld een eigen verhaal gevormd over de onvoorstelbare geweldsexplosie tussen 1939 en 1945, een eigen mythe om al die onnoembare waanzin te verklaren, om wandaden te rechtvaardigen, om vernederingen te begraven en om nieuwe helden te scheppen. De Britten compenseerden het verlies van hun imperium met de mythe van de Blitz.

De Fransen construeerden uit de schande van Vichy het helden-verhaal van generaal de Gaulle en de résistance. De sovjets ver-zoenden zich met Stalins onnoemelijke verspilling van mensen-levens door het verhaal van de Grote Vaderlandse Oorlog. De Duitsers verklaarden hun gebrek aan moraal tijdens de nazi-jaren – de nazi's waren altijd 'de anderen' – met de legende van Hitler als 'demon van het kwaad'.

Al deze verzachtende, verklarende, troostende mythen kunnen niet bestaan zonder een nationale context. Mensen hebben verha-len nodig, om het onbegrijpelijke te vatten, om hun noodlot een plaats te geven. De eigen natie, met haar gemeenschappelijke taal en gezamenlijke beelden, kan die persoonlijke ervaringen telkens weer omsmeden tot één grote, samenhangende geschiedenis. Maar Europa kan dat niet. Het heeft, in tegenstelling tot de Ver-enigde Staten, nog altijd geen gemeenschappelijk verhaal.

De Amsterdamse socioloog Abram de Swaan spreekt in dit ver-band wel over het 'pedagogisch tekort' van Europa: het gebrek aan politieke strijdlust op Europees niveau, een elan dat van le-vensbelang is voor een vitale democratie. De afwezigheid van een gemeenschappelijke Europese taal heeft daar ongetwijfeld mee te maken, al wordt tegenwoordig in de EU-bureaucratie naar schat-ting 80 procent van de gesprekken in het Engels gevoerd. Veel ernstiger is dat zelfs de mogelijkheid tot een onderling gesprek ontbreekt: er bestaat nog altijd geen Europees koffiehuis, een plaats waar Europeanen hun meningen kunnen vormen, waar ideeën geboren worden, opvattingen worden getoetst. Zonder zo'n agora blijft elk verder politiek proces in de lucht hangen, zonder zo'n permanent debat blijft Europa een waterval van fra-sen, voor de vorm een democratie, maar verder niet.

'Als je goed kijkt, kent Brussel een klein privédrama: individu-en van verschillende naties met een zeer uiteenlopende histori-sche achtergrond proberen dagelijks met veel moeite uit te stij-gen boven hun nationale belangen, hun taalproblemen en hun nationale hebbelijkheden,' schrijft Timothy Garton Ash. 'Alleen: Brussel kent geen publiek drama.' Hij spreekt over de *grand ennui*, de totale verveling, het gevaar dat het hele Europese project aan geestelijke inertie ten onder gaat.

Wie zijn stem in het veelbezongen 'Europese debat' wil laten horen, moet dan ook lang zoeken en op zijn tenen lopen: nog steeds, na een halve eeuw Europese integratie, wordt die discussie enkel onder een zeer klein deel van de nationale elites gevoerd. In de zomer van 2003 bleek nog niet de helft van de Nederlanders op de hoogte te zijn van het feit dat er een Europese grondwet in de maak was. Over de inhoud kon amper een zesde van de bevolking iets zinnigs zeggen. In diezelfde maanden werd de enige Europese cultuurzender, Arte, in grote delen van het land zonder noemenswaardig protest van de kabel gehaald.

'Als ik het breedste intellectuele Europese publiek wil bereiken,' schrijft Garton Ash, 'dan kan ik het best een essay schrijven in *The New York Review of Books*, en voor een korter commentaar de *International Herald Tribune* of *The Financial Times*.' Dit is grappig en absurd, maar vooral blijkt hieruit hoe fundamenteel het probleem is: hier ontbreekt blijkbaar een gemeenschappelijke levenshouding, zoals die bijvoorbeeld in het chaotische Habsburgse rijk wel bestond. In de Weense koffiehuizen, in de kazernes, de schouwburgen en sociëteiten in de buitengewesten, overal in deze Donaumonarchie heerste een zorgvuldig ontwikkelde combinatie van lichtheid en ernst, een zangerig Duits vol Italiaans theater en Slavische melancholie, een gezamenlijke cultuur die, meer dan al het andere, de verschillende nationale elites samenbond. Die cultuur hield, jarenlang, dit vreemde, losse imperium overeind.

Heb je ooit Europeanen horen roepen: 'We The People'? Ja, misschien bij de miljoenendemonstraties tegen de Amerikaanse interventie in Irak, in het voorjaar van 2003. Maar dat was wel voor het eerst.

In 1925 publiceerde Joseph Roth zijn *Hotel Savoy*, een roman over een hotel vol ontheemden die aan de rand van Europa waren gestrand. Het wemelt van de oorlogsslachtoffers in Hotel Savoy, vluchtelingengezinnen, hoertjes, speculanten, lotenverkopers en niet te vergeten de Russische ex-soldaat Zwonimir Pansin. Zwonimir droomt altijd van een betere wereld, en hij houdt zo vreselijk veel van Amerika dat hij alle goeds begroet met de kreet: 'Amerika!' 'Als de soldatenkost goed was zei hij: Amerika! Als een stelling gedegen was gebouwd zei hij: Amerika! Van een "fijne" eerste luitenant zei hij: Amerika. En omdat ik goed kon schieten, noemde hij mijn treffers: Amerika.'

De centrale figuur in *Hotel Savoy* is een zwart gat, een eeuwige afwezige, iemand op wie altijd wordt gewacht. Zijn naam is Bloomfield, een in Amerika schatrijk geworden Pool die het graf van zijn vader wil bezoeken. Alle bewoners van het hotel hebben hun hoop op hem gevestigd. 'In de hele stad was men in afwachting van Bloomfield. In de joodse wijk was men in afwachting van hem, iedereen hield zijn deviezen vast, de handel was flauw. [...] Ook in de gaarkeuken sprak iedereen over Bloomfield. Als hij kwam, willigde hij al hun eisen in, de aarde kreeg een nieuw gezicht.' Dagelijks gaan mensen naar het station om te wachten op Bloomfield, en uiteindelijk komt hij ook, druk en kortstondig, zoals altijd.

In Europa is Bloomfield tweemaal langsgekomen: in 1917 en in 1941, en dan hebben we het nog niet over de Marshallhulp, de Berlijnse luchtbrug en de Amerikaanse interventie in de Joegoslavische oorlogen, toen Europa ook dat probleem niet zelf kon oplossen. Tweemaal heeft Amerika – niet zonder eigenbelang – Europa uit de modder getrokken. Amerika zette de toon van de naoorlogse Europese geschiedenis. Het was de gangmaker achter de Europese Gemeenschap, het verschafte de atoomparaplu waaronder West-Europa in de jaren vijftig en zestig kon groeien en bloeien, het dwong, aan de andere kant, de nationale politiek van de Europese landen in een strak anti-communistisch keurslijf: Wie niet voor ons is, is tegen ons.

Tijdens de eerste naoorlogse decennia trokken de Verenigde Staten en West-Europa min of meer gelijk op. Rond het midden van de jaren tachtig begonnen beide partners echter weer een eigen weg te gaan. Terwijl binnen de EU steeds angstiger werd gereageerd op het verschijnsel immigratie, bleven de Verenigde Staten de grenzen enigszins openhouden: tussen 1980 en 2000 nam het land ongeveer twintig miljoen immigranten op. Op korte termijn leidde dit beleid tot de bekende aanpassingsproblemen. Op langere termijn garandeert het echter, zo laten demografische projecties van de Universiteit van Michigan zien, dat Amerika voorlopig jong, ambitieus en energiek zal blijven. In het jaar 2050 zal, bij ongewijzigd beleid, de gemiddelde leeftijd in de Verenigde Staten 35 jaar zijn. In Europa zal die rond de 52 jaar schommelen.[3]

Een prognose van het Institut Français des Relations Internationales wijst in dezelfde richting: Europa zal steeds minder vitaliteit vertonen, en ook steeds minder deelnemen aan de globale economie. De komende halve eeuw zal, bij ongewijzigd beleid, de actieve bevolking van Europa teruglopen van 331 miljoen tot 243 miljoen. (Tegelijkertijd zal diezelfde actieve bevolkingsgroep in Canada en de Verenigde Staten stijgen van 269 miljoen tot 355 miljoen.) Rond het jaar 2050 is Europa's aandeel in de wereldeconomie, zo vermoeden deze analisten, gedaald van 22 tot 12 procent. Extrapolaties op lange termijn laten zien dat, bij ongewijzigde omstandigheden, de bevolking van Duitsland, België, Nederland, Frankrijk, Italië en Spanje in de eeuw tussen 1950 en 2050 met 10,5 procent zal groeien, terwijl die van de Middellandse-Zeelanden (inclusief Marokko en Turkije) in dezelfde periode met 457 procent zal toenemen.

Toch is ook de positie van de Verenigde Staten niet onaantastbaar. In economisch opzicht roept de Amerikaanse situatie zelfs associaties op met die van Groot-Brittannië na 1918: nog steeds het belangrijkste imperium ter wereld, nog steeds in het bezit van het machtigste leger en de sterkste vloot, maar onderhuids kampend met steeds grotere economische, financiële en maatschappelijke problemen. Veel langetermijnvoorspellers verwachten dat China, waar zich dan een kwart van de wereldeconomie concentreert, rond het midden van deze eeuw de Verenigde Staten als belangrijkste wereldmacht voorbij zal streven. (Het blijft uiteraard zeer wel mogelijk dat bijvoorbeeld klimaatsveranderingen of grote epidemieën al deze economische prognoses weer op zijn kop zetten.)

Deze ontwikkeling is nu al merkbaar in de wereldopinie: sinds 1999 zijn steeds meer mensen buiten de Verenigde Staten, de Europeanen voorop, hun geloof in het Amerikaanse verhaal kwijtgeraakt. Ze geloven niet meer in de confrontatie tussen het Goede – Amerika, de vrijheid – en het Kwade – het communisme, het terrorisme – die de politieke retoriek van dit vrome land decennialang bepaalde.

Het Duitse Marshall Fonds meldde in de zomer van 2003, op basis van een vloed aan gegevens, dat het aantal Europeanen dat een sterke Amerikaanse leiderspositie accepteert, in één jaar tijd was gedaald met een derde, van 64 procent in 2000 naar 45 procent in 2003. Het percentage Fransen dat niets zag in de leiding van de Verenigde Staten, was in datzelfde jaar gestegen van 48 naar 70, het percentage Duitsers van 27 naar 50. Alleen in Polen, Nederland en Groot-Brittannië was nog een meerderheid bereid om zich onder de vleugels van de Verenigde Staten te scharen.

In Amerika zelf leeft het trotse nationale verhaal nog volop. Maar dat betekent niet dat de oude familiebanden met Europa daar vanzelfsprekend bij horen. Binnen afzienbare tijd zal de meerderheid van het electoraat bestaan uit voormalige immigranten uit Afrika, Azië en Midden- en Zuid-Amerika, mensen die geen enkele affiniteit meer hebben met Europa, met de Europese problemen en de Europeanen zelf. De afstammelingen van de geïmmigreerde Ieren, Italianen, Duitsers, Friezen en Nederlanders raken voorgoed in de minderheid.

Europa moet, kortom, een eigen lijn bepalen, politiek, economisch, militair. Op anderhalf uur vliegen van Berlijn regeert het Kremlin over de instabiele resten van het voormalige sovjetimperium – inclusief een uitzichtloze strijd in en rond Tsjetsjenië. Twee uur van Rome begint een van de grootste brandhaarden op aarde, de Arabische wereld. Vijf uur van Londen ligt het machtscentrum van het oude Atlantische bondgenootschap dat in een diepe crisis is geraakt en waarvan de leider, de Verenigde Staten, zich steeds minder gelegen laat liggen aan de internationale orde die hij ooit zelf heeft geschapen.

Bloomfield zal niet snel voor de derde maal Hotel Savoy komen redden.

We leven in het najaar van 2003. Mijn Joegoslavische vriend Želimir Zilnić heeft ondertussen alweer een stuk of vier documentaires gemaakt. Eentje gaat, vertelt hij, over nederlagen. 'Het gaat over mannen die een oorlog verloren, die hun baan verloren, hun waardigheid, al die macho-mannen die niets meer zijn. Alleen hun vrouwen kunnen erover praten, de mannen zelf niet. Het gaat over verslagen mannen. Eigenlijk gaat het over de meeste mannen van Oost-Europa.'

Daarna filmde hij een paar weken lang bij de vreemdelingenpolitie van Triëst. Per jaar arriveren hier zo'n driehonderdduizend immigranten uit Oost-Europa, Oekraïne en Rusland, en nog eens vierhonderdduizend uit Afrika en het Midden-Oosten. Het is het grootste knooppunt van immigrantenstromen in Europa, één groot rangeerterrein van hoop en verwachting.

Het was hem opgevallen dat de Italiaanse politiemannen zich zo menselijk gedroegen tegenover al die immigranten, hoewel ze door hopeloze gevallen werden overspoeld. 'Ze herkenden iets in die illegalen. Dat zijn immers ook mensen die Europa fantastisch vinden, en die niets anders willen dan een normaal leven leiden, weg uit de gekte van hun thuisland. In wezen aanbidden ze dezelfde goden van het kapitaal, misschien is het dat wel.'

Želimir vertelde dat de Italiaanse politiecommandant hem op een gegeven moment apart had genomen. 'Ik heb een groot probleem,' had hij gezegd. 'Ik heb driehonderd man onder me. De afgelopen twee jaar zijn er zestig getrouwd met Sloveense, Oekraïense en Russische meisjes. Iedere week wordt er weer eentje verliefd. Waar loopt dit in godsnaam op uit?'

In Vásárosbéc en Belgrado, in Tsjechië, Polen en Roemenië, overal zag ik hoe de meest ondernemende jongeren wegtrokken, en hoe alle anderen wanhopig wachtten op de Europese Unie, op het beloofde schip met geld dat achter de horizon lag. Ik zag telkens weer hoe die hoop hun armoede verzachtte, terwijl het Westen de andere kant op keek.

De uitbreiding die nu plaatsvindt, is simpelweg een morele noodzaak. Het is historisch ondenkbaar om, bijvoorbeeld, tegen Tsjechië en Slowakije te zeggen: 'Sorry dat we jullie in München verraden hebben, maar nu is er geen plaats meer aan tafel.' Of tegen de Polen: 'Heel West-Europa ligt vol met jullie oorlogsbegraafplaatsen, maar jullie blijven hierbuiten.' Bovendien is deze uitbreiding voor Duitsland van levensbelang. Het wordt immers omringd door meer landen dan welk ander Europees land, en het wenst daarmee in vrede en evenwicht te leven. Duitsland kan het zich niet veroorloven om tegen die landen te zeggen: 'Je zoekt het maar uit.'

Een verdere uitbreiding naar, bijvoorbeeld Turkije, behoort tot de mogelijkheden: als de Roemenen mogen toetreden, hebben de Turken zeker recht van spreken. Een Europees Turkije kan fungeren als een baken van een verlichte islam, een inspiratiebron voor de talloze niet-fundamentalistische moslims. Een afstoten van dit land kan, omgekeerd, desastreuze gevolgen hebben. De discussie over Turkije raakt zo de kern van het toekomstige Europa: willen we een Europa dat bepaald wordt door het christendom, of streven we naar een seculier, verlicht en democratisch Europa. Een grens zal er wel moeten worden getrokken. Iedere uitbreiding maakt de Unie immers dunner, en in bepaalde opzichten zwakker.

Iets anders is de manier waarop de massale uitbreiding van 2004 is opgelegd en doorgedrukt: te overhaast, te weinig doordacht. Er is geen moment gezocht naar tussenvormen, naar een meer geleidelijke overgang. Nu worden de inwoners van de landen die buiten de uitbreiding vallen – het voormalige Joegoslavië, Albanië, Oekraïne – plotseling geconfronteerd met harde Europese buitengrenzen, waar voorheen soepele handelsstromen bestonden. Voor een marktkoopman uit Novi Sad is de toetreding van het naburige Hongarije tot de EU een regelrechte ramp. Het gevaar is groot dat die achterblijvers zich in hun isolement verder ontwikkelen tot zogenoemde *failed states*, nesten van criminaliteit, smokkel, corruptie en terreur.

Met de cijfers wordt op dit moment vrolijk gegoocheld. Tijdens een staatsbezoek aan Roemenië hoorde ik de Nederlandse staatssecretaris van Buitenlandse Zaken met grote stelligheid beweren dat de corruptie 'in het beoogde toetredingsjaar 2007' kon worden teruggebracht tot een 'aanvaardbaar West-Europees niveau'. De meesten van zijn kiezers hebben, vrees ik, geen idee wat hen boven het hoofd hangt. Vrijwel niemand beseft hoeveel moeite en opofferingen deze noodzakelijke uitbreiding met zich mee kan brengen, hoe lang dit proces kan duren: de jongste schattingen lopen uiteen van 31 jaar (Estland en Slovenië) tot 80 jaar (Roemenië).[4]

Władek Matwin liet me een staatje zien met de tien grootste ondernemingen in Duitsland en Polen. De top in Duitsland: bedrijven die auto's, elektronica en vliegtuigen maken. De top in Polen: steen- en bruinkoolmijnen. 'Wij zijn naaste buren, Duitsland en Polen. Maar kijk eens hier, je ziet twee totaal uiteenlopende beschavingen naast elkaar bestaan, twee verschillende industriële tijdperken zelfs. Dat los je niet zomaar op.'

Een bevriende diplomaat vertelde me over de tientallen adviesbureaus die zijn ingezet, over de programma's van democratisering en verwesterlijking die overal gaande zijn, over de manipulatie en de oppervlakkigheid. 'Iedereen op straat wil erbij horen, bij het Westen. Alleen als je met de onderhandelaars praat, ja, die lopen te kreunen, die slaan de handen voor de ogen, die willen niet weten wat ze ondertekenen. Of beter, die weten dat veel van wat ze afspreken, in de praktijk niet of nauwelijks haalbaar en afdwingbaar is. Die verdragen kunnen ze morgen wel tekenen, de concrete invoering kan nog jaren, zo niet generaties duren. Maar ja, het proces moet voortgaan, en we zien wel waar het schip ergens strandt, ergens over een jaar of tien, vrees ik.'

Hoe zal de reactie zijn als de Midden- en Oost-Europeanen erachter komen dat ze misleid zijn met valse beloften? Wat gebeurt er als het tot de kiezers van West-Europa doordringt dat je niet voor een dubbeltje het postcommunistische deel van Europa eventjes kunt moderniseren? Welke nationalistische krachten sluimeren op de bodem van de EU?

Toen ik Želimir dit najaar sprak, was hij niet optimistisch: 'Er komt een terugslag, let op mijn woorden. Er wordt veel te veel beloofd, en veel te veel verwacht van de EU. Ik moet erom lachen, om die naïviteit van de Polen en de Roemenen, die denken dat ze in vijf jaar tijd op het niveau van Frankrijk of Nederland zullen zitten. Maar als het niet binnen afzienbare termijn lukt, worden ze heel kwaad, reken maar.' Hij telde de extreem-nationalistische bewegingen in Oost-Europa op zijn vingers af: in Polen ageert Radio Maryja – nu met anderhalf tot zes miljoen luisteraars – fel tegen aansluiting bij de EU, deze 'goddeloze' samenzwering van 'atheïsten, liberalen, joden en perfide vrijmetselaars' tegen het katholieke Polen; in Slowakije komt Vladimír Mečiar weer terug; in Kroatië zijn de ultranationalisten opnieuw aan de macht; in Roemenië is de half-fascistische Corneliu Tudor in 2001 bijna president geworden; in Hongarije wordt de profeet van Groot-Hongarije István Csurka door jongeren op handen gedragen; in zijn eigen land Servië is, na de moord op de gematigde Zoran Djindjić, de felle nationalist Vojislav Šešelj een snel rijzende ster. Želimir: 'Vergis je niet: al die figuren wachten bij ons in de coulissen, klaar om naar voren te springen.'

Het afgelopen najaar reisde ik opnieuw naar Vásárosbéc. In de trein vanuit Budapest was het stil. De wagons waren oud en versleten, net als de conducteurs, de wisselwachters en de stationschefs met hun verdwaalde petten, maar alles draaide als een klokje. Ieder vertrek was een klein ritueel. De stationschef kwam naar buiten, groette passagiers en personeel, de conducteur floot, zwaaide met zijn spiegelei, de trein schoof langzaam weg, de stationschef bleef in de houding staan totdat de laatste wagon het perron had verlaten, daarna keerde hij terug naar zijn administratieve taken. Hier leefde de Donaumonarchie nog voort alsof er niets gebeurd was: in de uniformen, in de ernst waarmee een kaartje werd geschreven, in de rustige opeenvolging van voorgeschreven handelingen, in dit enorme netwerk van gebouwen, klokken, ijver en plichtsbetrachting dat Midden-Europa omspant.

Ik had dit verhaal graag willen afsluiten met een gelukkig einde, deze geschiedenis van Walther Rathenau, Harry Kessler,

Winston Churchill, Franklin D. Roosevelt en Jean Monnet, en van Joeri Klejner, Hans Krijt, Anna Bikont, Vitor Alves, Zelimir, de familie Winkler en al die anderen. Maar zover zijn we nog lang niet.

Als ik nadenk over een mogelijke toekomst voor Europa beland ik vaak bij dat vreemde Habsburgse rijk, dat toch vrij lang heeft bestaan. Het is in veel opzichten geen goed voorbeeld, dat weet ik ook wel, behalve in één aspect: de betrekkelijke losheid van dat imperium. Er bestond een gezonde balans tussen regelen en laten gebeuren, tussen structuur en vrijheid. En er bestond iets gezamenlijks, iets wat verder ging dan de onderlinge handel en een gemeenschappelijk keizerlijk hof, een speciale omgangstaal, een gemeenschappelijk verhaal.

De zwakte van Europa, diversiteit, is tegelijk haar grote kracht. Europa als vredesproces was een eclatant succes. Europa als economische eenheid is ook een eind op weg. Maar uiteindelijk is het Europese project tot mislukken gedoemd als er daarnaast niet snel een gemeenschappelijke culturele, politieke en bovenal democratische ruimte ontstaat. Want bedenk wel: Europa krijgt maar één keer de kans.

En Vásárosbéc? In het café werd gefluisterd dat de bazin in mei wilde stoppen: de EU eiste in de nieuwe lidstaten de aanleg van strikt gescheiden toiletten, en dat kon ze niet betalen. Lajos en Rode József waren overleden: zestig is een nette leeftijd voor de mannen hier. Op het kerkhof lagen ze naast de veteraan, die was op een zomerochtend dood gevonden, plat op de weg.

Het postkantoor was dicht. Gezinnen trokken weg. Ook de school stond op het punt om te sluiten, maar de burgemeester had inmiddels een Europese subsidiepot gevonden: midden in het dorp verrees een nieuw cultuurhuis, een groot pand met glanzende dakpannen. Bijna alle mannen hadden nu werk, de lonen gingen omhoog, zelfs de tandeloze had een vaste betrekking. Iedereen was een beetje rijker geworden, behalve de vrouw van de postbode. Haar koe was gestorven. Een van de Hollanders had haar huis al willen kopen, als extraatje.

Het laatste stuk zandweg was geasfalteerd. De gemeente had een maaimachine gekocht, de zeisende zigeuners waren verdwenen, de stilte werd zeldzaam. Appels vielen van de bomen in het gras, er was niemand meer die ze plukte, zoiets hadden ze hier ook nog nooit meegemaakt, er was zelfs geen kind meer dat ze opraapte.

Noten

Hoofdstuk I

1 In 1789 sprak 50 procent van de Fransen in het geheel geen Frans, 10 tot 12 procent sprak het correct. Zie Eric Hobsbawm, *Nations and Nationalism since 1789*, 60.

2 De citaten over geuren en de gegevens over de verhoudingen tussen stad en platteland in het Frankrijk van 1900 zijn merendeels ontleend aan Weber 1993, 62.

3 The Great Smog vond plaats in december 1952, door een combinatie van flinke kolenstook en een koude luchtlaag boven Londen, waardoor de rook niet kon wegdrijven. Bovendien waren net dat jaar de elektrische trams door dieselbussen vervangen. Tijdens de vijf smogdagen kwamen naar schatting vierduizend mensen om door problemen aan de luchtwegen, en nog eens achtduizend in de maanden die daarop volgden. Latere onderzoekers troffen in de longen van de slachtoffers niet alleen grote hoeveelheden koolstof, maar ook lood en opvallend veel elementen van dieselolie aan. Over het longonderzoek: *International Herald Tribune*, 14 augustus 2003. Voor een uitvoerige historische beschrijving: Ackroyd, 432.

Hoofdstuk II

1 Lenin keek daar anders tegenaan. Op zijn manier was de bolsjewistische leider voorstander van een flinke wereldoorlog. 'Een oorlog tussen Rusland en Oostenrijk zou buitengewoon nuttig zijn voor de revolutie,' liet hij zich in 1913 ontvallen aan zijn kameraad Maksim Gorki, 'maar de kansen zijn klein dat Frans Jozef en Nicky ons zo'n traktatie gunnen.' Gecit. bij Figes, 249.

2 Uit later gepubliceerde bronnen blijkt dat keizer Wilhelm verbijsterd was toen hij hoorde dat de Britten zich opeens ook in de oorlog mengden. Daar had hij nooit op gerekend. De Duitse kanselier Theobold von Bethmann Hollweg barstte bij het overhaaste vertrek van de Britse ambassadeur uit in een ongehoorde woedeaanval: 'Al mijn vredespogin-

gen zijn me uit handen geslagen. En door wie? Door Engeland. En waarom? Omwille van de Belgische neutraliteit. Kan deze neutraliteit, die we noodgedwongen moeten schenden omdat we vechten om ons bestaan, werkelijk het motief zijn voor een wereldoorlog? [...] In het licht van de ramp van zo'n volkenmoord verdwijnt die neutraliteit dan niet als een vodje papier?'

Sommige Britse historici menen eveneens dat het Britse kabinet tijdens dat bewuste weekend van 1-2 augustus wel erg gemakkelijk van standpunt veranderde. Het zou in hun ogen veel beter zijn geweest als Groot-Brittannië buiten de oorlog was gebleven: Duitsland zou snel hebben gewonnen, de Russische revolutie zou nooit hebben plaatsgevonden, Hitler zou een schilder van prentbriefkaarten zijn gebleven en onder Wilhelm II zou zich een soort keizerlijke Europese Unie hebben ontwikkeld. Al in 1914 schreef de Duitse regering immers in haar 'Septemberprogramma' dat er een 'centrale Europese economische associatie' geschapen moest worden 'door gemeenschappelijke douaneverdragen met Frankrijk, België, Holland, Denemarken, Oostenrijk-Hongarije, Polen en misschien met Italië, Zweden en Noorwegen'. Alle leden zouden formeel gelijk zijn, 'maar in de praktijk zal het geheel onder Duits leiderschap staan', aldus Helmuth von Moltke.

Andere historici wijzen er echter terecht op dat zo'n keizerlijk Europa helemaal niet zo'n vredig oord zou zijn geworden. Het Wilhelminische Duitsland werd beheerst door sterk expansionistische groepen, die zich gefrustreerd voelden omdat Duitsland niet, zoals Engeland, Frankrijk en de Verenigde Staten, een wereldimperium van enige omvang had opgebouwd. Zo'n Duits-Europees keizerrijk zou ongetwijfeld krachtige nationalistische tegenreacties door heel Europa hebben opgeroepen, van Polen tot België en Frankrijk. Bovendien zou het, onvermijdelijk, alsnog in conflict zijn gekomen met het Britse imperium. Zie Niall Ferguson, 457 e.v. Een goed overzicht van de kritiek geeft Paul Kennedy (1999). Bethmann Hollweg gecit. bij Davies 1996, 892; Moltke bij Ferguson, 171.

3   In werkelijkheid prefereerde Schlieffen de klassieke methode: aan de grens gevechten, dan doorbreken tussen Verdun en Toul, en pas in een tweede fase het Franse leger verslaan. Keegan, 39-46, Terence Zuber, *Inventing the Schlieffen Plan: German War Planning 1871-1914*, Oxford 2002, gecit. bij Ferguson 2003.

4   Berchtold stevende bewust op een gewapend conflict af. Toen hij op maandag 27 juli berichten kreeg over een mogelijke vredesconferentie, zei hij tegen de Duitse ambassadeur dat hij zo gauw mogelijk een for-

mele oorlogsverklaring wilde verzenden 'om elke poging tot bemiddeling voor te zijn'.

5 Telegrammen van resp. Wilhelm II aan Nicolaas II op de avond van 28 juli 1914, en van Nicolaas II aan Wilhelm II op de vroege ochtend van 29 juli 1914. De telegrammen kruisten elkaar. Gecit. bij Cowles, 332, 333.

6 Er zijn allerlei complottheorieën over Sarajevo bedacht, maar geen enkele hypothese heeft stand kunnen houden. Een daadwerkelijke betrokkenheid van de Servische regering is nooit aangetoond, en is bovendien hoogst onwaarschijnlijk: Servië had twee Balkanoorlogen achter de rug, was uitgeput en wilde vooral vrede. Wel werden Princip en zijn vrienden geholpen door De Zwarte Hand, een nationalistische terreurorganisatie onder leiding van een officier van de Servische geheime dienst. Het ging hier echter om een oppositiegroep, die juist alles in het werk stelde om de Servische regering te ondermijnen. Bovendien werden de jongelieden ook door deze nationalisten niet erg serieus genomen: de cyanidecapsules die ze hadden meegekregen om bij arrestatie zelfmoord te plegen bevatten gewoon water. Koch 2001.

7 Peter Kollwitz ligt begraven op de Duitse oorlogsbegraafplaats van Vladslo, niet ver van Diksmuide. Op het kerkhof staan twee indrukwekkende beelden van Käthe Kollwitz die samen het 'treurend ouderpaar' vormen.

8 Tussen de eerste gevechtspiloten heersten bijna ridderlijke omgangsvormen. De luchtgevechten werden letterlijk beschouwd als duels en er bestond over en weer groot respect. Een piloot die een noodlanding moest maken, werd met rust gelaten; soms werd zelfs eerst naar zijn welzijn geïnformeerd, voordat de vijand verder vloog. Na de dood van zijn grote tegenstander Werner Woss schreef de Britse vlieger James McCudden: 'Zolang ik leef, zal ik nooit mijn bewondering vergeten voor deze Duitse piloot, die in zijn eentje zeven van ons bevocht en door al onze machines wel een paar kogels joeg. Zijn vliegtechniek was fantastisch, zijn moed groots en volgens mijn mening is hij de dapperste Duitser met wie ik ooit het voorrecht had om in gevecht te zijn.'

9 Graves, 235. De dichtregels (Graves, 326) slaan overigens niet direct op deze nachtelijke patrouilles. Het is een satire op een instructeur bajonetvechten, die Sassoon ontmoette tijdens zijn verblijf op de 4th Army School, waar zijn commandant hem heen had gestuurd omdat die Sassoons escapades te onverantwoordelijk vond.

10 Met uitzondering van, onder andere, het voortreffelijke onderzoek van Tony Ashworth (1980).

11 De meeste geschiedschrijvers maken melding van een zenuwinstor-

ting van generaal Ludendorff op 28 september 1918. De doorgaans uitstekend geïnformeerde Harry Kessler geeft een andere lezing, die meer past bij het karakter van de generaal. Ludendorff had al vanaf medio augustus zware druk op de regering uitgeoefend om snel vrede te sluiten. Toen er almaar niets gebeurde is hij ten slotte zelf van alles gaan regelen, met talloze stormachtige telefoontjes. Daardoor is het gerucht van de zenuwaanval ontstaan, waar volgens Kessler echter niets van klopt. Ludendorff moest volgens hem wel razendsnel in actie komen, omdat hij van al zijn bevelhebbers berichten kreeg dat hun legers de strijd niet konden volhouden. Uiteindelijk besloot hij om de nederlaag even perfect te organiseren als de oorlog. Zie ook hoofdstuk IV. Kessler 1961/1996, 87, Haffner 1982, 34.

12 Afgeronde cijfers. Statistiek ontleend aan Ferguson, 295, 299.

Hoofdstuk III

1 De Russische Sociaal-Democratische Arbeiderspartij werd vanaf haar congres in 1903 beheerst door theoretische gevechten tussen de bolsjewieken en de mensjewieken. Toch vormden beide fracties tot 1917 nog altijd één partij. De bolsjewieken (letterlijk: 'behorend tot de meerderheid') ontwikkelden een strakke, centralistische partijcultuur. De mensjewieken ('behorend tot de minderheid', hoewel ze in werkelijkheid in de meerderheid waren) vormden een losse beweging, democratisch, liberaal, zonder duidelijke leiders. In de praktijk bleven de scheidslijnen nog lang vloeiend: mensjewieken stapten over naar de bolsjewieken, bolsjewieken naar de mensjewieken, niet zelden om persoonlijke redenen. Ook de mensjewieken beschouwden Lenin als een belangrijk revolutionair, al waren ze het in veel opzichten niet met hem eens.

2 Het woord *dada* is – volgens de meest betrouwbare legende – gevonden tijdens een bijeenkomst op een Zürichs terras, waarbij een briefopener in een woordenboek werd gestoken. Het viel open bij deze kreet. Iedereen was direct enthousiast 'vanwege zijn volmaakte onbeduidendheid. Het was een manifest in zichzelf'.

3 Het idee om met veel geld Rusland te 'revolutioniseren' is afkomstig uit een notitie van Arthur Zimmermann, minister van Buitenlandse Zaken, eind 1914. Uit diverse Duitse bronnen blijkt dat dit plan ook inderdaad is uitgevoerd. In twee artikelen in de Berlijnse krant *Vorwärts* taxeerde de sociaal-democraat Eduard Bernstein – zelf in die periode werkzaam op het ministerie van Financiën – later de Duitse steun aan de bolsjewieken op een bedrag van 'meer dan vijftig miljoen mark'. Ge-

neraal Erich Ludendorff, de grote man van de Duitse generale staf, schreef in zijn memoires dat 'de sovjetregering bestaat dankzij ons'. Aan sovjetzijde is een verslag bewaard gebleven van de kameraden F. Zalkind en E. Polvanov: 'In de archieven van het Ministerie van Justitie, uit de dossiers over het "verraad" van de kameraden Lenin, Zinovjev, Kozlonski, Kollontaj en anderen, hebben we verwijderd de Duitse Keizerlijke Bank order nr. 7433, gedateerd 2 maart 1917, met toestemming om geld te betalen [...] voor vredespropaganda in Rusland.'

Bovendien liep, naast de Parvoes-lijn, nog een ander contact tussen de Duitsers en Lenin: via de Estlandse nationalist Alexander Kesküla. Na de Tweede Wereldoorlog trof men in de archieven van het Duitse ministerie van Buitenlandse Zaken een curieus document, opgesteld door Lenin in september 1915, waarin hij voor Kesküla de voorwaarden omschreef waaronder 'een revolutionair Rusland' bereid zou zijn om een aparte vrede te sluiten met Duitsland. In een notitie van 8 mei 1916 maakte een functionaris van de generale staf melding van Kesküla's 'extreem nuttige contacten met Lenin', waardoor de Duitsers onder andere de beschikking kregen over 'de situatierapporten die Lenin waren toegestuurd door zijn geheime agenten in Rusland'.

4 Brief van 11 augustus 1918 aan de bolsjewieken van Penza, gecit. bij Service, 365.

5 Ter plekke maakte de predikant nog de volgende, meer gedetailleerde notitie: 'Almaar meer [joden], ongeveer 70, samengedreven, velen onderweg al doodgeslagen, in rijen naar de graven gestuurd, weer een paar doodgeschoten. Toen alle slachtoffers [van de sovjetterreur] waren uitgegraven, werden de joden het massagraf ingedreven en met revolvers overhoopgeschoten. Sommigen zijn de rivier ingelopen. Met karabijnen en revolvers geschoten. Niet direct dood. [...] Niemand heeft het meer in de hand, ook niet de veldgendarmerie.' Gecit. bij Steinbach, 219-221.

Hoofdstuk IV

1 Kessler 2002, 24. Even verderop schrijft Kessler ook: 'De Berlijnse [burgers] zijn de matrozen vijandig, omdat men ze als onruststokers beschouwt. Radicaal zijn ze echter pas geworden nadat duidelijk was geworden welk spel [...] met hen is gespeeld.'
   In dezelfde lijn Winkler 1984, 149: 'Noch bij de [acties rond de] kolenmijnen, noch bij het grootgrondbezit ging het primair om vragen van maatschappelijke doelmatigheid, maar om politieke machtsvragen.'

2 Haffner 1983, 34 e.v. In dezelfde lijn: Kessler 1961/1996, 87. Kessler meldt dat generaal Ludendorff ook nooit een zenuwaanval heeft gehad, zoals de geschiedenis vaak vermeldt, maar dat hij heel goed wist wat hij deed en snel moest handelen, omdat al zijn bevelhebbers berichtten dat ze niet verder konden vechten.

3 Sebastian Haffner was een pseudoniem voor Raimund Pretzel.

4 Haffner noemt in dit verband onder andere de Vier-punten-resolutie, op 10 januari aangenomen door ongeveer tachtigduizend arbeiders uit Spandau, waarin men voornamelijk aandringt op nieuwe verkiezingen. De spartakisten en de communisten gingen veel verder, maar kregen, opnieuw, inhoudelijk weinig voet aan de grond.

5 Na de oorlog gold het Bauhaus als hét centrum van Duitse anti-fascistische kunst. Tegenwoordig wordt daar anders over gedacht. Hoezeer de mensen van Bauhaus persoonlijk ook tegen de nazi's gekant waren, hun werk was zeker niet anti-fascistisch. Integendeel. Veel nazi's zagen onmiddellijk dat de Bauhaus-vormgeving ideaal was om rondom hun regime een sfeer van soberheid en moderniteit te scheppen. Zowel Gropius als Mies van der Rohe maakte in 1934 ontwerpen voor de nazi-tentoonstelling 'Deutsches Volk – Deutsche Arbeit', met hakenkruisen en al. Mies van der Rohe mocht bovendien ontwerpen maken voor het Duitse paviljoen op de Brusselse Wereldtentoonstelling van 1935. Ook andere bekende Bauhaus-mensen kregen opdrachten. De nazi's lieten massaal kantines en recreatiecentra herinrichten volgens de normen van Bauhaus. In 1978 gaf de nazi-architect Albert Speer in een interview toe dat zijn bureau Schönheit der Arbeit talloze ideeën van Bauhaus had overgenomen. Nazi-drukwerk dat een 'modern' gezicht moest uitstralen werd gezet volgens de Bauhaus-grafiek. De moderne, heldere vormen van Bauhaus waren, kortom, zo aantrekkelijk dat ook de nationaal-socialisten ze niet konden weerstaan.

6 Ernst von Salomon was schrijver en acteur, en zijdelings betrokken bij de aanslag op Walther Rathenau.

7 Dit bedrag is gebaseerd op een voorzichtige schatting van de staalmagnaat Fritz Thyssen, die zich persoonlijk inzette voor het financiële welzijn van zijn oorlogsheld Hermann Göring.

Een rijksmark zou, volgens hedendaagse maatstaven, tussen de vijf en acht euro waard zijn. Volgens sommige recente schattingen betaalde het Duitse bedrijfsleven tussen 1933 en 1945 in totaal zo'n zevenhonderd miljoen rijksmark aan Hitler, de nazi's en hun nevenorganisaties. Deze optelsom is het resultaat van nieuwe research door de Duitse omroep ARD, in het kader van Igo Helms documentaire *Hitlers Geld* (2002). Hitler zelf stierf vermoedelijk als een rijk mens: alleen zijn royalty's voor *Mein Kampf* bedroegen meer dan 7,8 miljoen rijksmark. Miljoenen verdiende hij ook door portretrechten te innen van iedere postzegel die zijn gezicht droeg. Een andere bron was de Adolf-Hitler-Spende der deutschen Industrie, waarmee ondernemers hun erkentelijkheid aan de Führer konden tonen. De meeste van zijn luxe-uitgaven werden bovendien door de staat bekostigd. Zie Friedrich, 311, en *International Herald Tribune*, 9 augustus 2002.)

9 Rede voor het Centraal Comité van de KPD van 20 februari 1932, gecit. bij Winkler, 492. Aan de andere kant achtte hij het 'opnemen van nazi's in de stakingscomités absoluut noodzakelijk, en ook toegestaan'. Rede van 24 mei 1932, gecit. bij Winkler, 766.

10 Oskar von Hindenburg was zowel adjudant als huisgenoot van zijn vader tijdens diens laatste levensjaren. Hij speelde bij de coup om Hitler aan de macht te brengen een belangrijke rol, maar het is nog steeds niet duidelijk welke lok- en pressiemiddelen daarbij zijn toegepast. De historicus Henry Turner betitelde in zijn studie *Hitler's Thirty Days to Power* alle verhalen over omkoping als 'onwaarschijnlijk'. Volgens de toenmalige society-journaliste Bella Fromm zou Hindenburg vooral misleid zijn: Papen had hem wijsgemaakt dat er muiterij in het leger dreigde, en dat er een complot bestond om Schleicher ter dood te brengen. De meeste historici komen echter tot andere conclusies. Allereerst: Oskar von Hindenburg werd in 1932 wel degelijk beschuldigd van ontduiking van een enorm bedrag aan successierechten. Na januari 1933 is over deze kwestie nooit meer iets vernomen.

Daarnaast was er het schandaal rond de Osthilfe, waarbij invloedrijke maar verarmde jonkers uit Oost-Pruisen ten onrechte miljoenen aan subsidies zouden hebben opgestreken. De Hindenburgs waren hier vermoedelijk bij betrokken. De nazi-fractie in de Rijksdag vervulde een sleutelrol in de beslissing om deze corruptiezaak te onderzoeken of niet. Aanvankelijk steunden de nazi's de voorstellen tot een onderzoek naar de Osthilfe. Na Hitlers machtsovername en de capitulatie van Hindenburg verdween ook deze kwestie in de doofpot.

Ten slotte staat vast dat de Hindenburgs later een stevige 'bonus' ontvingen in de vorm van een forse uitbreiding van hun landgoed Neudeck in Oost-Pruisen. Hans H. Lammers, chef van de Rijkskanselarij, noteerde bij het proces van Neurenberg deze bonus als eerste van een lange rij. Andere bonussen gingen in de loop der jaren naar onder anderen generaal Keitel (landaankoop voor ongeveer een miljoen rijksmark), minister Ribbentrop (een miljoen mark in geld) en de leider van het Deutsche Arbeitsfront Robert Ley (een miljoen mark om het familielandgoed uit te breiden). Volgens Otto Meissner, chef van de presidentiële kanselarij, beloofde Hitler aan Hindenburgs zoon Oskar bovendien de rang van generaal. (Zie Turner, 115, Friedrich, 380, Overy, 312, Fromm, 126, Rosenbaum, 100 en Winkler, 846.)

11 In de hele Weimartijd (1919-1932), inclusief de warrige periodes van oorlog en criminaliteit, werden 1141 mensen ter dood veroordeeld en 184 vonnissen uitgevoerd. In de Hitlertijd werden door de civiele rechtbanken meer dan 16 500 doodvonnissen geveld, waarvan naar schatting driekwart werd uitgevoerd. Daarnaast werden nog eens tussen de 13 000 en 15 000 mensen ter dood veroordeeld door militaire rechtbanken. De sterke toename van het aantal executies was gebaseerd op de nazi-filosofie dat criminaliteit een genetische afwijking was. Niet de omstandigheden waren – mede – bepalend voor de criminaliteit, maar aard en afkomst van de betrokkene. (Zie Gellately, 102)

12 In sommige opzichten doet de sociaal-democratische reactie op Hitlers rede van 17 mei 1933 sterk denken aan de Rijksdagzitting van 4 augustus 1914, toen vrijwel alle afgevaardigden, inclusief de sociaal-democraten, juichend instemden met de oorlogskredieten voor keizer Wilhelm II.

In mei 1933 stonden de sociaal-democraten opnieuw voor een historisch dilemma. De partijleiding had voorgesteld dat de Rijksdagfractie, als protest tegen alle arrestaties, demonstratief weg zou blijven. Slechts een klein deel van de fractie was het daarmee eens. De meerderheid vond het typisch een actie van de 'emigranten'. Een aantal Rijksdagleden van de SPD wilde met een eigen verklaring komen, waarbij de regering gesteund werd in haar buitenlandse politiek, maar waarin tegelijk fel protest werd aangetekend tegen de binnenlandse onderdrukking. Een derde groep, ongeveer net zo groot, vond dat de sociaal-democraten 'het nationale idee' in het verleden te weinig hadden gesteund. Onder leiding van Friedrich Ebert, de zoon van de vroegere rijkspresident Friedrich Ebert, wilden deze SPD'ers zonder meer voor Hitler stemmen. Bij een vooroverleg van alle partijen, de volgende dag, bleek dat alle burgerlijke partijen zonder reserve voor Hitler zouden stemmen. Nazi-minister van Binnenlandse Zaken Wilhelm Frick verklaarde dat het hem niets uitmaakte of de sociaal-democraten voor zouden stemmen of niet. 'In alle gevallen moeten ze weten dat voor ons het leven van de natie belangrijker is dan het leven van individuele mensen.' De sociaal-democraten vatten deze woorden op zoals ze vermoedelijk ook bedoeld waren: als een indirecte dreiging met concentratiekampen of erger.

In de fractie heerste een beklemd zwijgen toen de afgevaardigden met deze mededeling uit het vooroverleg terugkwamen. Een van de afgevaardigden zei wanhopig: 'Kameraden, of we geven de wereld een teken, waarbij we ons hieronder voor de Siegessäule met z'n allen een kogel door de kop schieten, of we moeten voorstemmen in de Rijksdag. Een tussenweg is er niet meer.' Ondanks felle protesten van, onder anderen, de Münchener afgevaardigde Toni Pfüfl besloot de fractie om met 48 tegen 17 stemmen voor Hitler te stemmen. De minderheid accepteerde deze beslissing en besloot met de rest van de fractie mee te stemmen.

Alleen Pfüfl bleef demonstratief weg. In de trein naar huis probeerde hij, verbijsterd over het 'verraad' van zijn partij, zichzelf van het leven te beroven. Een tweede zelfmoordpoging, op 10 juni 1933, slaagde. Zie Winkler, 933, 934.

13 Deze citaten zijn ontleend aan de *Deutsche Allgemeine Zeitung*, 18 mei 1933. Sebastian Haffner beschrijft de stemming als een, in zijn ogen, zoveelste verraad van de sociaal-democraten. Hij negeert daarbij echter de buitengewoon moedige houding van veel sociaal-democratische politici en journalisten in de laatste maanden voor de machtsovername. Het belastende citaat dat hij uit het zittingsverslag aanhaalt – 'Aanhoudend gejuich en applaus in de zaal en op de tribunes. Ook de rijkskanselier, naar de sociaal-democraten toegekeerd, applaudisseert.' – komt in het officiële verslag niet voor. Vermoedelijk heeft zijn geheugen hem hierbij parten gespeeld. Bovendien is het de vraag of de verslagen van de Rijksdagzittingen in mei 1933 nog wel een betrouwbare bron vormen. Haffner 2001, 127. Zie ook Kershaw 1999, 615.

14 Dit blijkt bijvoorbeeld uit persberichten, dagboeken, soldatenbrieven en andere bronnen. Zie hierover onder andere het minutieuze onderzoek van Gellately, 15.

15 Tijdens het Derde Rijk werden in Duitsland zelf ongeveer vijftienduizend zigeuners omgebracht. Het aantal zigeunerslachtoffers buiten Duitsland ligt tussen de tweehonderdvijftigduizend en een half miljoen. Homoseksuelen dienden in principe 'heropgevoed' te worden. Vernietiging, zoals bij de joden, was niet direct het hoofddoel van de nazi's. Volgens officiële cijfers van het Duitse ministerie van Justitie steeg het aantal veroordelingen voor 'paragraaf 175' van 948 in 1934 tot 8270 in 1937. Men vermoedt dat in totaal zo'n vijftigduizend homo's door nazi-rechtbanken wegens hun geaardheid zijn veroordeeld, en

dat ongeveer vijf- á vijftienduizend homo's in kampen of elders zijn omgebracht. Daarnaast is nog eens een onbekend aantal homo's gesneuveld in de strafbataljons aan het front.

16 De brief werd in 1999 aangetroffen door medewerkers van het Simon Wiesenthalcentrum in Los Angeles in een rapport van de Amerikaanse ambassade in Berlijn. Ook bij de Amerikanen waren de vele merkwaardige overlijdensadvertenties opgevallen, en vice-consul Paul Dutko had op 16 oktober 1940 zijn chefs van zijn vermoedens op de hoogte gesteld. Bij zijn rapport was een kopie van bisschop Wurms brief gevoegd. Zie *International Herald Tribune*, 30 juli 1999.

17 De predikant Ernst Wilm uit Mennighüffen bleef van de kerk eisen dat het onrecht bij name genoemd werd. Op oudejaarsavond 1940 sprak hij in zijn preek openlijk over de patiëntenmoorden. Hij bood aan om patiënten die in Bethel gevaar liepen, in zijn gemeente te laten onderduiken. Bodelschwingh ging daar niet op in. (Kühl, 46.) Veelzeggend is ook de mededeling van de voormalige priester en ex-nazi Albert Hartl aan de Engelse journaliste Gitta Sereny. Hartl had voor de nazi-leiding de mening van de kerken over het euthanasieprogramma moeten peilen, en volgens hem was ook Bodelschwingh al in een vroeg stadium op de hoogte gesteld van de euthanasieplannen. De dominee zou 'ja noch nee' geantwoord hebben, maar er alleen op hebben gestaan 'dat zijn inrichting met rust zou worden gelaten'. Zie Sereny 1964/2001, 70.

18 Er is vrij veel historisch onderzoek gedaan naar de meningen van de Duitse bevolking over het euthanasieprogramma. Opvallend was, volgens alle historici, het geringe aantal protesten. Volgens sommigen heerste er 'een zekere bezorgdheid' onder de gewone mensen, maar anderen stellen dat het programma onder brede lagen van de bevolking 'niet impopulair' was. De bedenkingen die er waren, hadden vooral te maken met de procedure, en niet zozeer met het beginsel. Zie hierover uitgebreid Gellately, 122. Bij dit alles moet aangetekend worden dat het in de jaren dertig nog algemeen gebruikelijk was om gehandicapten zo veel mogelijk thuis te verzorgen. In de inrichtingen zaten dus vooral patiënten die óf te zwaar gehandicapt waren om thuis te houden, óf geen naaste familie meer hadden om voor hen op te komen.

19 Zie hierover ook de verklaring van Rolf Goldschagg, de zoon van *Post*-redacteur Edmund Goldschagg, tegenover Rosenbaum, 93. Edmund Goldschagg werd na de sluiting van zijn krant gearresteerd, weer vrijgelaten, verborg een jaar lang een joodse vrouw totdat ze kon ontsnappen naar Zwitersland, en werd na de oorlog een van de oprichters van de *Süddeutsche Zeitung*.

20 De toenmalige Engelse correspondent in Wenen, G. Gedye, meende dat er zeker tachtig- tot honderdduizend Weners aan de pogroms deelnamen. Deze schatting lijkt aan de hoge kant. Dat neemt niet weg dat berichten melding maken van opvallend grote en enthousiaste menigtes die het joodse Wenen onveilig maakten. Andere gegevens wijzen eveneens op een sterk en actief anti-semitisme onder de Oostenrijkers. De SS-staf van de vernietigingskampen bestond bijvoorbeeld voor 40 procent uit Oostenrijkers, tweederde van de kampen hadden een Oostenrijkse commandant, de belangrijkste organisator van de holocaust, Adolf Eichmann, was eveneens een Oostenrijker, om maar te zwijgen van Arthur Seyss-Inquart en uiteraard Adolf Hitler zelf. Zie Rosenbaum, 347; Bukey, 137, 133, plus noot 13.

Hoofdstuk v

1 Het concordaat tussen Mussolini en de paus uit 1929 was grotendeels het resultaat van onderhandelingen uit het pre-Mussolinitijdperk. Bovendien wist het Vaticaan, dat over veel slimmere onderhandelaars beschikte dan de Italiaanse regering, er het meeste uit te slepen. Op basis van dit concordaat kon de katholieke Kerk nu in Italië grote vrije zones scheppen waarover de staat geen macht had, bijvoorbeeld op het gebied van de Vaticaanse buitenlandse politiek, het onderwijs, de zorg en natuurlijk de kerkelijke organisatie zelf. Alle Italiaanse huwelijken werden voortaan in de kerk gesloten, waardoor echtscheiding vrijwel onmogelijk werd. Op alle scholen werd godsdienstonderwijs verplicht gesteld, waardoor de Kerk greep hield op de jeugd. Privileges en andere oude claims moest de Italiaanse staat afkopen met een schadevergoeding van 1750 miljoen lire, plus allerlei fiscale voordelen. Mede daardoor kon het Vaticaan de basis leggen voor een enorm financieel imperium. Zie Jucker, 97.

2 Er zijn aanwijzingen dat generaal Franco pas na de moord op Calvo Sotelo over al zijn aarzelingen heen stapte en zich bij de militaire coupplegers aansloot. Zie Payne, 174. Douglas Jerrold beschrijft daarentegen hoe hij al vier dagen voor de moord op Sotelo een geheimzinnige opdracht krijgt om een vliegtuig te regelen voor het transport van Franco van de Canarische Eilanden naar Marokko, waar uiteindelijk de militaire coup – mede – zou beginnen. Zie Sperber, 7.

3 De theorieën van de Franco-aanhangers sluiten daarop aan: de opstand van Franco en zijn troepen was vooral een preventieve maatregel, bedoeld om de macht te grijpen voordat de belangrijkste vijand de regering kon overnemen. Die vijand was, ook in deze visie, diezelfde

linkse en anarchistische volksbeweging.

4 Nauwkeurige statistieken zijn, zoals vaker bij kwesties rond de Spaanse Burgeroorlog, niet aanwezig. De officiële historicus van de militie, generaal Rafael Casas de la Vega, komt uit op een totaal van ongeveer 172 000. Andere schattingen zijn hoger. Zie Payne, 245.

5 Wat de cijfermatige steun voor de Baskische afscheiding betreft: de aanhang haalt, volgens de laatste gegevens in de zomer van 2003, nog niet de helft van het regio-electoraat, laat staan de tweederde meerderheid die noodzakelijk is voor dergelijke constitutionele wijzigingen. Bovendien wisselt de stemming per provincie sterk. Alleen in Gipuzkoa (Guipúzcoa) is wellicht een meerderheid voor afscheiding te vinden, Bizkaia (Vizkaya, Biskaje) haalt dat niet, Araba (Álava) is tegen. In Nafarroa (Navarra) komt het aantal voorstanders niet boven de 10 procent. In Frans Baskenland haalt het idee van een nieuw te vormen, gezamenlijk Baskenland hooguit een paar procent. Volgens een peiling van de Baskische regering zelf, gepubliceerd in The Economist van 16 augustus 2003, is 22 procent van de bevolking onvoorwaardelijk voor onafhankelijkheid, 33 procent laat het van de voorwaarden afhangen, en 33 procent is onvoorwaardelijk tegen. Wel is 89 procent voor het houden van een referendum over de vraag of Baskenland een nieuwe status zou moeten krijgen.

6 In het meest recente jaarverslag (14 maart 2002) van de speciale rapporteur van de VN over martelpraktijken, sir Nigel Rodley, wordt Spanje beschuldigd van maar liefst 185 gevallen van marteling.

7 Eerder waren er, onder de Spaanse socialistische regering eind jaren tachtig, uitgebreide onderhandelingen met de ETA in Algerije. Ook die gesprekken liepen op niets uit.

8 Na het opheffen van de 'wapenstilstand', in december 1999, werden alle kritische journalisten door de ETA tot 'terroristen van de pen' verklaard. Kort daarop werd de oude, pacifistische correspondent van El Mundo, José Luis Lopez de Lacalle, door de ETA vermoord. Een bom ontplofte in het ouderlijk huis van de hoofdredacteur van El Correo. Onbekenden vielen radio Onda Cero aan met explosieven. Molotovcocktails werden gegooid naar de burelen van El Correo. Twee journalisten ontvingen pakketbommen die op tijd onschadelijk gemaakt konden worden. In juni 2000 meldde Reporters sans Frontières dat ongeveer honderd journalisten in Baskenland en Madrid niet meer de straat op durfden zonder bewaking. In 2002 werden twee socialistische politici vermoord.

Ondertussen werden door de Spaanse regering tientallen Baskische

organisaties en publicaties bij wijze van 'voorlopige maatregel' verboden. Tot een rechterlijke toetsing kwam het nooit. In februari 2003
werd het enige dagblad in de Baskische taal, *Egunkaria*, stilgelegd
wegens vermeende banden met de ETA. De redactie werd gearresteerd.
De hoofdredacteur werd na drie dagen naar een ziekenhuis gebracht,
omdat hij een zelfmoordpoging zou hebben gedaan. Klachten wegens
mishandeling doet de Spaanse regering steevast af als een vorm van
ETA-tactiek. Enzovoort.

9   De meeste slachtoffers van de Spaanse Burgeroorlog hebben nooit een
fatsoenlijk graf gekregen. Terwijl overal in Europa de oorlogsdoden zo
veel mogelijk geborgen worden, is in Spanje het bestaan van de vele
graven – met soms duizend slachtoffers of meer – zestig jaar lang verdrongen. Pas sinds kort beginnen familieleden, op aanwijzing van de
laatste overlevenden, met het zoeken en opgraven van de tienduizenden slachtoffers van het Franco-regime. In het najaar van 2002 werden
zo bij Poyales del Hoyo de botten teruggevonden van de eerder genoemde mevrouw Camacho, de enige vrouw in het dorp die kon lezen en
schrijven en die daarom in 1936 was vermoord. Odulia Camacho kon,
op haar tachtigste, eindelijk haar moeder begraven.

Ook over de aantallen bestaat grote onduidelijkheid. Sommige
historici zijn geneigd de slachtoffers van de republikeinen te minima-
liseren, andere overdrijven die juist. Demografische onderzoeken – ik
volg nu de Britse expert Hugh Thomas – komen uit op een bevolkings-
vermindering van zes- à achthonderdduizend personen, inclusief de
ongeveer driehonderdduizend Spanjaarden die tijdens of na de burgeroorlog naar het buitenland vertrokken. Dat betekent drie- à vijfhonderdduizend doden.

Een nauwkeurige analyse van de aantallen gesneuvelden, per
front, leidt tot een totaal van ongeveer tweehonderdduizend. Daarbij
komen nog eens de honderddertigduizend slachtoffers van moorden
en executies achter de linies: vijfenzeventigduizend aan nationalistische kant, vijfenvijftigduizend aan republikeinse zijde, hoewel hierover de meningen verschillen. Franco's naoorlogse represailles kostten
volgens de laagste schattingen vijftigduizend levens, andere schattingen komen tot driehonderdduizend of meer.

Hoofdstuk VI

1   Uit de verhoren van Hitlers naaste medewerkers na de oorlog in Neurenberg blijkt dat de Overeenkomst van München aanvankelijk, in de woorden van Albert Speer, 'een zeer gunstige indruk' op Hitler maakte. Pas la-

ter betreurde hij het verdrag. Volgens Göring wilde hij in september 1938 tot elke prijs een tweefrontenoorlog voorkomen. In zijn visie moest en zou er een regeling komen met Groot-Brittannië: Duitsland moest de vrije hand krijgen op het Europese continent, Engeland zou de vrije hand krijgen op zee en in de rest van de wereld. Fritz Wiedemann, tot 1939 Hitlers adjudant, verklaarde dat Hitler ook om een andere reden de Overeenkomst van München aanvaardde: zijn ontzag voor de machtige, bijna onoverwinnelijke Britse vloot. Zie Overy, 181, 358, 371.

2 Axel von dem Bussche overleefde de oorlog en bleef voor veel Duitsers van Richard von Weizsäckers generatie een belangrijk moreel baken. Hij was onder andere bevriend met prins Claus. Zie Dönhoff en Weizsäcker in Weizsäcker e.a. 1 en 31, en Weizsäcker, 73.

3 Dat Hitler zich op een aantal veroveringsoorlogen voorbereidde was duidelijk. Toch realiseerde hij zich in september 1939 niet dat hij een wereldoorlog was begonnen. Met een opvallende eensgezindheid verklaarden al zijn politieke intimi na de oorlog dat Hitler er volstrekt niet op rekende dat Groot-Brittannië en Frankrijk omwille van Polen de oorlog zouden verklaren. Hij werd daardoor, net als keizer Wilhelm in 1914, totaal verrast. 'Hij was van plan nog één stap verder te gaan, net als in het geval van Tsjechoslowakije,' verklaarde Speer na de oorlog. 'Als we ons in 1939 hadden voorbereid op een totale oorlog, waren we niet begonnen aan programma's als de bouw van slagschepen en de sluizen van Wilhelmshaven.' Alleen al uit die plannen blijkt dat men het begin van een eventuele oorlog veel later verwachtte, wellicht pas in 1942 of 1943.

Wel was 1939 voor Duitsland uit oogpunt van militair overwicht inderdaad het beste jaar om een oorlog te beginnen, beter dan twee of drie jaar later. In dat jaar liep, volgens Speer, het Duitse leger duidelijk voorop, zowel in kwaliteit als in aantallen. 'Als [uw oorlogsindustrie] eenmaal volop in productie was, zou onze relatieve superioriteit snel afgenomen zijn,' aldus Speer in 1945 tegenover zijn overwinnaars. Overy, 374.

4 Bij het oorspronkelijke Schlieffenplan, waaraan de Duitse generale staf al vanaf 1905 werkte, hoorde wel degelijk een opmars door Nederland. Schlieffens opvolger, Helmuth von Moltke, paste het plan echter vlak voor het uitbreken van de Eerste Wereldoorlog aan, zodat Nederland in 1914 de dans ontsprong.

5 Opvallend genoeg begon, na het vertrek van Hitler en zijn staf, het Waalse verzet dezelfde bossen al snel als uitvalsbasis te gebruiken. Er werden onder de bomen schuilplaatsen en commandoposten voor de

maquisards aangelegd en vanuit Brûly werd het Duitse ijzerertstransport vanuit Lotharingen naar de Waalse hoogovens gesaboteerd. De ene trein na de andere werd opgeblazen of tot ontsporing gebracht.

6 Tijdens de mei-oorlog van 1940 verloren de Duitsers ongeveer 156 000 man (45 000 doden, 111 000 gewonden), de Britten 68 000 en de Belgen 23 000. Van de Nederlandse militairen sneuvelden 2200 man, er werden 3000 tot 7000 gewond. Onder de Nederlandse burgerij vielen ruim 2100 doden.

Met name in Frankrijk speelde daarnaast de krijgsgevangenschap een belangrijke rol. Bijna twee miljoen Fransen raakten in gevangenschap, zo'n 5 procent van de bevolking. Ongeveer anderhalf miljoen militairen werden uiteindelijk naar Duitsland gedeporteerd en bleven daar tot 1945. Voor honderdduizenden families was hun lot vijf jaar lang een permanente bron van zorg en angst.

7 De neergang van Frankrijk als vruchtbaar centrum van West-Europa was niet alleen een psychologisch en politiek probleem, maar ook een fysiek. In 1810 vormden de Fransen bijna een zesde van de Europese bevolking. In 1939 was dat nog maar een twaalfde. De Franse leiders maakten zich in de jaren dertig in toenemende mate zorgen over het feit dat de Franse bevolking zich almaar niet herstelde van de verliezen uit de Eerste Wereldoorlog. De Franse bevolking nam zelfs af, tot ruim veertig miljoen, terwijl de Duitse bevolking groeide tot rond de tachtig miljoen. Dat gebrek aan Franse 'vitaliteit', zoals de politici het noemden, had op den duur grote consequenties voor de machtsbalans binnen Europa: de Fransen 'produceerden' half zoveel mannen in de dienstplichtige leeftijd als de Duitsers.

8 De theorie dat Hitler de Britse troepen bij Duinkerken opzettelijk heeft laten ontsnappen, werd later vooral door Duitse militairen en historici aangehangen. Opvallend is dat de Amerikaanse journaliste Rosie Waldeck er al in 1940 mee komt. Ze laat een fictieve Duitse generaal – vermoedelijk een samensmelting van allerlei hoge Duitse militairen en diplomaten uit haar kennissenkring – aan het woord, die haar vertelt dat Berlijn ervan overtuigd is dat Engeland na de capitulatie van Frankrijk bereid is om vredesonderhandelingen te beginnen. Bovendien wil Hitler, aldus deze bronnen, tot elke prijs het Britse koloniale imperium voor Europa behouden. 'De Führer realiseert zich dat van alle Europese volkeren alleen Engeland het imperium kan besturen. Hij weet dat Duitsland het niet kan, omdat Duitsland daarvoor de traditie noch de mankracht heeft.' Waldeck, 254.

9 De Roemeense IJzeren Garde is verantwoordelijk voor een reeks pogroms

die zelfs binnen de holocaust ongekend waren in wreedheid en bloeddorstigheid. Duizenden joden werden daarbij gruwelijk vermoord. De meest barbaarse moordpartij vond plaats op 22 januari 1941 in het abattoir van Boekarest, waar leden van de Garde tweehonderd joodse mannen, vrouwen en kinderen op rituele wijze afslachtten, terwijl ze ondertussen christelijke liederen zongen.

10 De journalist James Margach, over een gesprek met Chamberlain in 1938: 'Iedere vraag die over de tafel ging naar aanleiding van, zeg, berichten over de vervolging van joden, Hitlers verbroken beloften of Mussolini's ambities, kreeg een antwoord volgens een vast patroon: hij [Chamberlain] was verrast dat zo'n ervaren journalist ontvankelijk was voor joods-communistische propaganda.'

11 Hoe die vrede eruit had kunnen zien, blijkt uit een aantekening in het dagboek van Goebbels op 25 juni 1940: 'Telefoon van de Führer: hij is onstuimig gelukkig. Weet nog niet zeker of hij door zal gaan tegen Engeland. Gelooft dat het imperium zo mogelijk bewaard moet blijven. Want als het ineenstort, zullen wij het niet erven, maar zullen vreemde en zelfs vijandige machten het overnemen. Maar als Engeland het niet op een andere manier wil, zal het op de knieën gedwongen moeten worden. De Führer zal echter pas op grond van de volgende basis over vrede willen praten: Engeland weg uit Europa, de [Duitse] kolonien en mandaatgebieden terug. Herstel voor wat na de wereldoorlog van ons gestolen werd. [...] Engeland mag er deze keer niet gemakkelijk afkomen.' De boodschap waarmee Rudolf Hess bij zijn eenmansactie naar Engeland vloog was dezelfde: Engeland mag het imperium houden, wij de vrije hand in Europa. Goebbels, 79; Speer, 211.

12 Volgens sommige historici provoceerde Churchill met zijn eerste aanval op Berlijn Hitler bewust tot een bombardementenoorlog. Hij deed dat om de Duitsers af te leiden van de Slag om Engeland en om de druk op de RAF te verminderen. Bovendien kon hij nu de strategie toepassen waarvoor de Britse luchtvloot – in tegenstelling tot de Duitse – gebouwd was: het vernietigen van de vijandelijke bevolkingscentra, waardoor de tegenstander moreel en militair al in een vroege fase van de oorlog wordt uitgeschakeld. Zie onder meer Walzer, 255.

13 Al eerder, in 1923, had kolonel J.C. Fuller in *The Reformation of War* betoogd dat grote steden als Londen vanuit de lucht konden worden aangevallen, en dat 'een vloot van vijfhonderd vliegtuigen, elk met vijfhonderd tien-ponds bommen met, neem even aan, mosterdgas, tweehonderdduizend lichtgewonden kan veroorzaken en de hele stad in paniek kan brengen binnen een halfuur na aankomst.' Londen zal ver-

anderen in een schreeuwend pandemonium, de regering zal de greep op de stad totaal verliezen.' 'Daarna zal de vijand zijn voorwaarden dicteren, en die zullen aangegrepen worden zoals een strohalm door een stervende man. Zo kan binnen achtenveertig uur een oorlog gewonnen worden, en de verliezen aan de winnende zijde kunnen bijna tot nul worden beperkt.' Geciteerd bij Koch, 101.

14 Vermoedelijk doelde Hopkins hier op 2 Koningen 3:7, of de parallelplaats 2 Kronieken 18:3, waarin Achab, de koning van Israël, aan Josafat, de koning van Juda, vraagt of hij mee optrekt naar Ramot in Gilead. Josafat antwoordt dan; 'Ik ben als gij, mijn volk is als uw volk; ik ga met u in de strijd.' In de King James Bible luidt de vertaling: 'I am as thou art, and my people as thy people; and we will be with thee in the war.'

Hoofdstuk VII

1 Het nazi-voorstel om Europese joden massaal naar Madagaskar te deporteren dateerde al uit 1938, maar pas in het voorjaar van 1940 werd het plan serieus in overweging genomen. Er was één essentieel verschil tussen de eerdere en latere voorstellen: in 1938 zou het om zeshonderdduizend joden gaan, in de zomer van 1940 dachten Himmler, Heydrich en Eichmann aan de deportatie van vier miljoen joden. Daarmee ontaardde het emigratieproject in een trage uitroeiing. Het eiland bestond voor een groot deel uit onbewoonbare moerassen, en de nazi's wisten heel goed dat vier miljoen Europeanen, met slechts het minimum aan hulpmiddelen, daar vrij snel aan ziektes en gebrek zouden omkomen. Uiteindelijk kwam van het hele plan niets terecht: om toegang tot de kolonie te krijgen moest Engeland verslagen worden, en toen dat mislukte, was het Madagaskar-plan na een paar maanden weer van de baan.

2 De langzame verschuiving in doelstelling is duidelijk merkbaar aan de terminologie van de nazi-leiders: mensen als Hitler en Goebbels gebruikten lange tijd woorden als *Verbannung*, *Entfernung* en *Vernichtung* door elkaar heen. Nog op 27 januari 1942, een week na de Wannseeconferentie, riep Hitler dat de joden 'moesten inpakken, uit Europa moesten verdwijnen. Laten ze naar Rusland gaan!' Farrar e.a., Hitlers Secret Conversations, 1941-1944 (New York 1953) 212, gecit. bij Naimark, 81.

3 Ernst Jünger en zijn vrouw hoorden pas weken later van de affaire. Hij maakt er melding van in Jünger, 366 e.v. Uitvoerig hierover ook Siedler, 70 e.v.

4 Op 22 mei 1942 verscheen in het blad *De Landstand* een uitvoerige repor-

tage over de groep NSB-boeren die eind 1941 naar Wit-Rusland was getrokken om er 'een grote Nederlandse kolonie' te stichten. Daar zou dan plaats zijn 'voor de rond drie miljoen Nederlanders die er in Nederland te veel zijn'.

Op 6 juni werd de Nederlandsche Oost Compagnie opgericht om voor Nederlanders meer Lebensraum te scheppen. Al snel reisden de delegaties af en aan naar Litouwen, onder de bezielende leiding van M.M. Rost van Tonningen. Er werd, onder andere, een poging gedaan om aan het Estse Peipusmeer een groot Nederlands visserijbedrijf op te zetten. Al deze volksplantingen hebben hooguit een jaar of twee bestaan. In de loop van 1944 werden alle gekoloniseerde gebieden door de Sovjet-Unie heroverd.

5 In Auschwitz en elders is het opvallend hoe vooral de joodse orthodoxie voortdurend namens 'de joodse gemeenschap' naar voren treedt. Veel slachtoffers – vermoedelijk de overgrote meerderheid – hadden echter weinig meer met het orthodoxe jodendom van doen. Met name de West-Europese joden waren in de jaren dertig al grotendeels geseculariseerd. De Poolse joden stemden in meerderheid op de socialistische Bund. Iets soortgelijks gold voor de Nederlandse joden: bij de mobilisatie in 1939 stelde van de joodse militairen slechts 12 procent nog prijs op zielszorg van een rabbijn.

6 Voor sommigen is een verzonnen oorlogsverleden de 'oplossing' voor tal van levensproblemen. Het meest opzienbarende geval deed zich voor aan het eind van de jaren negentig, toen de Zwitserse muzikant Benjamin Wilkomirski een verpletterend boek schreef over zijn vroegste jeugdjaren in Auschwitz en Majdanek. Het boek was in flarden geschreven, met geuren en vage beelden, als de herinneringen van een jong kind. Alles kwam erin voor: de vlucht uit het ouderlijk huis in Riga, de moord op zijn vader door de Letten, de overlevingstechnieken van een kind in een vernietigingskamp, een kind dat niet begreep dat dit níet het normale leven was omdat hij nooit iets anders had meegemaakt.

Wilkomirski's boek werd direct beschouwd als een nieuwe klassieker in de holocaustliteratuur, het werd vertaald in twaalf talen, er werden documentaires over hem gemaakt en een hoogbejaarde jood in Israël herkende in hem zelfs zijn in Majdanek verdwenen zoon.

De Zwitserse journalist Daniel Ganzfried, zelf kind van een kampslachtoffer, vond bepaalde elementen in Wilkomirski's verhaal echter iets te onwaarschijnlijk. Hij ging op onderzoek uit. Al snel bleek dat Wilkomirski tijdens de oorlog nooit één voet in Polen, Auschwitz of

Majdanek had gezet. Hij was een gewone Zwitser, geboren in Bern, en heette officieel Bruno Dössedekkers. Terwijl 'Benjamin' in Auschwitz de ratten aan de lijken zag vreten, zat Bruno in werkelijkheid rustig aan de ontbijttafel bij zijn welvarende adoptiefouders in het neutrale Zürich. Voor het schrijven van zijn boek had hij zich zorgvuldig gedocumenteerd, met name aan de hand van Jona Oberski's authentieke relaas Kinderjaren. Ook had hij de kampen en zijn zogenaamde geboortestad Riga meerdere malen bezocht. Alleen in details verried hij zich, bijvoorbeeld als hij sprak over treinreizen, terwijl die in de betreffende periode al niet meer gemaakt konden worden. Bovendien: Bruno Dössedekkers geloofde op den duur waarschijnlijk zelf ook dat hij Benjamin was.

7 Albert Speer wist met zijn schuldbewuste charme het Neurenbergtribunaal van zijn onwetendheid te overtuigen. Dat behoedde hem voor het lot van Ribbentrop en de andere top-nazi's. Zijn vakkundig opgebouwde verdedigingslinie bevatte één fatale zwakte: de eerder genoemde bijeenkomst van hooggeplaatste nazi's op woensdag 6 oktober 1943 in Posen. Speer had die bijgewoond, hij had het gezelschap zelfs 's ochtends toegesproken. 's Avonds tussen zes en halfzeven had Himmler zijn verhaal gehouden. Speer heeft altijd beweerd dat hij al voor de lunch per auto vertrokken was, op weg naar Hitlers hoofdkwartier in Rastenburg. Die avond zou hij nog een gesprek met Hitler hebben gevoerd. Hij had getuigen gevonden die dat wilden bevestigen.

Interessant is dat Speer in zijn eigen Herinneringen (Speer 1969, 326) niet rept over de autorit, maar wel weet te melden dat de Gauleiter, 'vanwege hun alcoholische uitspattingen', hulp nodig hadden om in de speciale trein te klimmen die hen 's nachts weer naar het hoofdkwartier zou brengen. Bovendien schrijft hij dat hij 'de volgende morgen' aan Hitler steun vroeg bij een bepaald probleem. Die kwestie was echter zo urgent dat hij dat verzoek absoluut niet een nacht zou hebben uitgesteld, als hij de vorige avond al met Hitler de broodmaaltijd zou hebben gebruikt – wat hij later altijd beweerde. Speer wordt ook nergens genoemd in Hitlers dagverslag van die woensdag. Dat is hoogst merkwaardig omdat Hitlers Terminkalender met afspraken, gesprekken en ontmoetingen altijd nauwkeurig werd bijgehouden.

En al was Speer er niet persoonlijk bij geweest, dan nog hadden Himmlers mededelingen hem niet kunnen ontgaan. Er waren bij die toespraak zestig Gauleiter aanwezig, waaronder drie goede vrienden van Speer. Himmler had in zijn rede zelfs Speers naam genoemd, het leek of hij hem toesprak. Het is bijna ondenkbaar, aldus Sereny, dat niemand hem had overgebriefd dat Himmler over hem had gesproken, en in welke context. Baldur von Schirach zou later over diezelfde bijeenkomst schrijven dat iedereen zo ontdaan was over Himmlers toespraak dat 'we zonder een woord te zeggen bijeen zaten toen Bormann ons na afloop een lichte maaltijd aanbood. We durfden elkaar niet aan te kijken.'

Hitlers Terminkalender van de volgende dag is wat dat betreft ook onthullend: hoewel Hitler zeer gesteld was op zijn vaste coterie bij de maaltijd, inclusief de secretaresses en de hofarts, week hij daar die 7de oktober opeens van af. Zowel bij het diner als bij de avondthee waren alleen Speer en een aantal Gauleiter aanwezig. Sereny: 'Iedereen die die avond op de thee was genodigd, was ook bij Himmlers toespraak aanwezig geweest. In deze vertrouwde kring móét het gesprek haast wel gegaan zijn over de onthullingen van Himmler in Posen. Hoe meer Speer probeerde de hem onwelgevallige feiten te verdoezelen, hoe duidelijker het werd dat hij weigerde de waarheid onder ogen te zien. Het is eenvoudigweg onmogelijk dat Speer niets van Himmlers toespraak geweten heeft.' Sereny, 470-487.

8 Hoe moedig de houding van Oskar Schindler en Albert Göring ook was, uit niets blijkt dat zij bij hun machinaties persoonlijk grote risico's liepen. Meer Duitse industriëlen hadden hun voorbeeld kunnen volgen.

9 Het verschil in overlevingspercentages tussen Nederland en België is wel heel opvallend. In Nederland overleefde slechts een derde van de joden, in het bijna net zo dichtbevolkte België tweederde. Een verklaring hiervoor kan liggen in het feit dat in België de Wehrmacht de toon zette en dat Nederland werd geregeerd door een rijkscommissaris. Anderen verklaren het verschil uit de afwezigheid van een legitieme regering in Nederland. Ook is het mogelijk dat de mate van concentratie van de Nederlandse joden een rol heeft gespeeld, en de relatief late start van het Nederlandse verzet als massaorganisatie.

10 Bij de waardering van het hoge reddingspercentage van joden in Denemarken dient men voor ogen te houden dat het om een relatief zeer kleine groep ging. Door het spijkerharde Deense toelatingsbeleid in de jaren dertig had het land nauwelijks joodse vluchtelingen geaccepteerd.

11 Deze houding overheerste ook bij de Nederlandse regering in ballingschap. In Londen was men uitstekend op de hoogte van de massale deportatie van de joodse Nederlanders. Toch werd het bevel tot een algehele spoorwegstaking pas gegeven toen de geallieerden aan de grenzen stonden, in september 1944, nadat de laatste trein met gedeporteerde

joden was vertrokken met daarin, onder anderen, Anne Frank en haar familie. De beweegredenen van de Londense regering waren en bleven enkel militair-strategisch, hoewel met een eerdere spoorwegstaking wellicht vele duizenden joodse levens zouden zijn gered.

12 Materieel voordeel kan ook een rol gespeeld hebben bij de jodenvervolging in Polen. De Poolse journaliste Anna Bikont wees me erop dat het anti-semitisme in Polen na de Tweede Wereldoorlog (nog) sterker was dan voor 1939. Zij vermoedde dat veel van die gevoelens dienden als rechtvaardiging-achteraf: 'In veel dorpen werden de beste huizen, de huizen aan de markt, vaak bewoond door joodse families. Die woningen werden direct na de deportatie van zo'n gezin door Polen bezet, alles werd gestolen, talloze dorpsmensen kregen opeens een beter bestaan. Als de joodse families na de oorlog terugkwamen gaf dat uiteraard fricties, maar ook als ze niet terugkwamen moesten deze Polen voor zichzelf een rechtvaardiging vinden voor hun gedrag. Die vonden ze in anti-semitische leuzen.'

13 Churchill schrijft in zijn memoires dat hij Stalin vanaf april 1941, onder andere via Ivan Majski, nauwkeurig op de hoogte had gehouden van de Duitse invasieplannen. (De Britten waren vrij precies ingelicht dankzij Enigma.) Ook de sovjetinlichtingendiensten maakten al maandenlang melding van feit dat naar schatting twee derde van de Duitse legermacht aan de oostgrenzen werd samengetrokken. Stalin dacht echter dat de Britten alleen maar een 'subtiel politiek spel' speelden. De Sovjet-Unie hield zich keurig aan de exportafspraken met Duitsland en tot de dag voor de aanval rolden de treinen het Derde Rijk binnen: ruim twee miljoen ton graan, een miljoen ton olie, honderdduizend ton katoen. (Vooral de olie was essentieel voor de aanvalsplannen van de Wehrmacht.) Op 15 mei lanceerde generaal Georgi Zjoekov een plan voor een preventieve aanval. Het werd van tafel geveegd. Stalins strategie was gebaseerd op het sluiten van een permanent vredesverdrag met Duitsland, Japan en Italië, zodat een enorm continentaal machtsblok zou ontstaan. Aan andere scenario's weigerde hij aandacht te besteden.

14 Sommige Duitse historici hebben wel gesuggereerd dat Operatie Barbarossa werd uitgelokt door de mobilisatie van de sovjettroepen in maart 1941. Volgens hen zou de Duitse overval niet anders dan een 'preventieve aanval' zijn geweest om Europa te behoeden voor een aanval van de bolsjewieken.

De feiten wijzen hier echter niet op. De eerste plannen voor Barbarossa dateren al uit september 1940. Hitlers bevel om de aanval voor te bereiden, Aanwijzing nummer 21, kwam in november 1940, direct na het afbreken van de onderhandelingen met de sovjets over, onder andere, de positie van de Balkan en de Bosporus. Er is ook nooit Duits inlichtingenmateriaal aangetroffen dat de noodzaak van een preventieve aanval op Rusland zou kunnen rechtvaardigen. Tijdens de processen van Neurenberg bevestigden Duitse legerleiders als Erich Manstein, Heinz Guderian en Friedrich Paulus dat, in de woorden van Paulus, 'er geen voorbereidingen van een aanval door de Sovjet-Unie, van welke aard dan ook, ter onze attentie waren gekomen'. Gorodetsky, 86 en 87.

15 Duitsland heeft wel degelijk pogingen gedaan om de nieuwe vijand Amerika in zijn oostelijke centra, New York en Washington, te raken. Toen de oorlog met de Verenigde Staten uitbrak waren twee prototypes van de Messerschmidt 264 gereed, een viermotorige bommenwerper die in staat werd geacht om een retourvlucht over de Atlantische Oceaan te volbrengen. Al in 1938 had Herman Göring opdracht gegeven om een vliegtuig te ontwerpen dat met vijf ton aan bommen vanuit Duitsland heen en weer naar New York kon vliegen. Er werden diverse plannen gemaakt, en uiteindelijk werden twee Me-264's ook werkelijk gebouwd. Hun ontwerp was grotendeels gebaseerd op de viermotorige Focke-Wulf koeriersvliegtuigen, die al in de jaren dertig de Atlantische Oceaan overstaken. Toen de Britten en Amerikanen Duitsland begonnen te bombarderen concentreerde de Duitse luchtvaartindustrie zich echter op de bouw van de nieuwe straaljagers en de productie van V1- en V2-raketten. De verdere ontwikkeling van een langeafstandsbommenwerper had geen prioriteit meer. De Me-264 werd vergeten.

16 Pas in 1990 mocht Serge Schmemann voor het eerst een voet in Koltsovo zetten, voor die tijd was het voor hem, als nazaat van de oude grondeigenaar, verboden gebied.

17 De meest recente en nauwkeurige berekeningen van het aantal dodelijke slachtoffers van de Goelag komen van Anne Applebaum (2003). Zij noemt, met grote voorzichtigheid, een totaalcijfer van 2 749 163, waarbij ze opmerkt dat de kampen ook niet bedoeld waren om te doden, maar om te werken. Ze vermoedt dat de officiële dodenpercentages van de Goelagadministratie weleens vrij nauwkeurig bij de realiteit kunnen liggen. Ze schommelen sterk van jaar tot jaar: van 2 à 5 procent in de jaren dertig en vijftig tot 22 en 24 procent in 1943 en 1942 (Applebaum, 495 e.v.). Het totale aantal executies berekent zij op 786 098, een cijfer dat door de meeste hedendaagse historici plausibel wordt ge-

acht. Eerdere schattingen (Fitzpatrick, 137; Davies 1996, 1329) kwamen veel hoger uit, maar waren gebaseerd op grove taxaties aan de hand van demografische gegevens.

18 Recente publicaties over de sovjetterreur komen met aanmerkelijk lagere schattingen van de aantallen slachtoffers dan auteurs uit eerdere decennia. Dit heeft te maken met het feit dat historici tot in de jaren negentig vrijwel geen betrouwbare gegevens hadden. Ze moesten grotendeels afgaan op de bevolkingsstatistieken van de Sovjet-Unie, die vanaf de jaren twintig steeds meer afweken van wat men in normale omstandigheden kon verwachten. Op deze negatieve basis schatte men de dodentallen van de Goelagkampen tussen de 8 en 17 miljoen. Davies 1996, 1329 komt, ten aanzien van het totale aantal slachtoffers van het sovjetregime, op ongeveer 54 miljoen. In 1991 kwam de KGB zelf, vlak voordat de veiligheidsdienst werd opgeheven, op een totaal van 42 miljoen. De hier genoemde cijfers zijn afkomstig uit Applebaum. Zij kon, als een van de eersten, haar cijfers op positief materiaal baseren: de aantallen dossiers, de gegevens van de KGB en de NKVD zelf, het materiaal van talloze archiefonderzoeken in de jaren negentig.

Hoofdstuk VIII

1 Aanvankelijk wilde Hitler al in het najaar van 1939 Nederland, België en Luxemburg binnenvallen, om een mogelijke bezetting door de Engelsen en de Fransen voor te zijn. Volgens het plan Fall Gelb zou de aanval op zondag 12 november plaatsvinden. Door weersomstandigheden ging de overval niet door. Een nieuw plan, voor woensdag 17 januari 1940, mislukte doordat grote delen van Fall Gelb toevallig in handen van de Belgen waren gekomen. In totaal hebben de Duitsers negentienmaal een aanvalsdatum vastgesteld, en achttienmaal de aanval weer moeten uitstellen.

2 Letterlijk luidden de telegrammen:
31.1. 07.45 Uhr
Russe vor der Tür. Wir bereiten Zerstörung vor. AOK 6, Ia.
31.1. 07.45 Uhr
Wir zerstören. AOK 6.

3 Wie in het sovjetleger niet de voorgeschreven heldhaftigheid vertoonde ging een zekere dood tegemoet. Antony Beevor ondekte bij zijn archiefonderzoek dat alleen al tijdens de slag om Stalingrad meer dan dertienduizend Russische deserteurs zijn geëxecuteerd, qua aantal een volledige divisie. Opvallend is ook het grote aantal sovjetsoldaten dat overliep en aan de Duitse kant meevocht tegen de bolsjewieken. In het Duitse

Zesde Leger waren maar liefst vijftigduizend van deze Russische *Hilfs-williger* ingelijfd.

4   Tot ver in de zomer van 1943 waren de overgebleven burgers van Stalingrad – later geholpen door Duitse krijgsgevangenen – alleen maar bezig met het opruimen van lijken. Uit het archief van de voormalige communistische partij van Stalingrad blijkt dat in totaal 147 000 dode Duitse soldaten in massagraven zijn begraven, maar daar is vrijwel niets meer van terug te vinden. Toen Duitse experts ruim een halve eeuw later op pad gingen bleken twee van de grootste massagraven onder een garage en onder een metershoge vuilstortplaats te liggen. Nog altijd trekken ploegjes Duitse onderzoekers met schoppen en metaaldetectoren de steppe in. Ze vinden iedere zomer nog zo'n zevenduizend doden, de meeste in oude bunkers en loopgraven. Een kwart daarvan kan worden geïdentificeerd.

5   In diezelfde septemberweek van 1941 werden bij Nikolaiev en Cherson aan de Zwarte Zee op soortgelijke wijze als in Babi Jar nog eens zesendertigduizend joden vermoord.

6   In 1943 besloten de Britten om al hun kaarten op Tito te zetten – een beslissing die verstrekkende gevolgen had voor het naoorlogse Joegoslavië. Dat gebeurde vooral op basis van de rapportage van de diplomaat/geheim agent Fitzroy Maclean die in Joegoslavië was gedropt. In zijn memoires beschrijft Maclean hoe die beslissing door Churchill bijna terloops werd genomen, tijdens een korte stop in Egypte. 'Hij lag in bed toen we aankwamen, rookte een sigaar en droeg een geborduurd nachtgewaad. Hij vertelde ons een paar anekdotes over de conferentie in Teheran en zijn ontmoeting met Stalin. Die was, naar het scheen, een succes geweest. Toen vroeg hij me of het waar was dat ik een kilt droeg toen ik uit het vliegtuig sprong, en vanaf dit veelbelovende beginpunt belandden we in een algemene discussie over de situatie in Joegoslavië.' Maclean benadrukte dat Tito en de zijnen, of de Britten hen nu hielpen of niet, een beslissende factor zouden worden in het naoorlogse Joegoslavië, en dat het toegewijde communisten waren. Maar dat kon Churchill helemaal niets schelen. 'Bent u van plan,' vroeg hij Maclean, 'om van Joegoslavië uw thuis te maken na de oorlog?' De Schot ontkende. 'Met mij is het net zo. [...] Dat is voor henzelf om te beslissen. Voor ons is enkel van belang de vraag: wie van hen berokkent de Duitsers de meeste schade?' Het antwoord was duidelijk: Tito.

7   Veldmaarschalk Albert Kesselring werd in 1947 door het tribunaal van Neurenberg ter dood veroordeeld. Later werd zijn vonnis omgezet in levenslang. In 1952 werd hij vrijgelaten.

8 Pius XII wordt door sommigen ten onrechte betiteld als *Hitlers Paus*, naar de gelijknamige boektitel van John Cornwell. Op het persoonlijke vlak mochten de Führer en Pius XII elkaar totaal niet. Hitler wilde echter wel, zeker zolang 'het joodse vraagstuk' niet was opgelost, een zo goed mogelijke relatie met de kerken behouden. Het was, meende hij, een te oud en te invloedrijk instituut om zomaar te kunnen vervangen door een partij-ideologie. Bovendien zag hij, zo schrijft Albert Speer in zijn *Herinneringen*, weinig in het oude heidendom dat Himmler als alternatief propageerde. In kleine kring maakte Hitler zich regelmatig vrolijk om de nieuwe nazi-religie, die volgens Speer bestond uit 'een combinatie van Germaans oerrassengeloof, elitedenken en reformhuisopvattingen'. Wel beloofde hij ooit met de Kerk te zullen afrekenen als hij zijn andere problemen had afgewikkeld. 'Horen en zien zal u dan vergaan!' Vooralsnog bleef Hitler zelf een trouw lid van de katholieke Kerk, en toen talloze nazi's na 1937 uit de Kerk traden beval hij zijn belangrijkste medewerkers met zoveel woorden om lid te blijven. Het standpunt van de kerken in, bijvoorbeeld, de euthanasiekwestie woog voor hem dan ook zwaar.

9 Opvallend is dat Ernst von Weizsäcker in zijn memoires met geen woord rept over deze hele affaire, die de Vaticaans-Duitse diplomatieke wereld toch in rep en roer gebracht moet hebben. Von Weizsäcker schrijft dat hij van juni 1943 tot juli 1944 'op het gebied van de algemene politiek' in Rome niets heeft kunnen presteren, en dat hij enkel een bijdrage kon leveren aan het behoud van de eeuwige stad en de katholieke Kerk (p. 366). Bij Weizsäckers proces in Neurenberg is deze kwestie merkwaardig genoeg ook nooit aan de orde gekomen.

10 De Vichy-regering kende vanaf maart 1941 een speciaal ministerie voor joodse kwesties, het *Commissariat Général aux Questions Juives*, gevestigd in Hotel Algeria aan de Boulevard Carnot – nu een uitgewoond kraakpand. De eerste chef was Xavier Vallat, een felle katholieke politicus die zelfs de hoogste SS-officier Theodor Dannecker de les las: 'Ik ben al veel langer anti-semiet dan u. Ik kon in deze zaken uw vader zijn.' Paxton 178.

11 Hoewel er op dat moment geen enkel Frans bataljon meevocht op de stranden van Normandië verklaarde de Gaulle in zijn radiotoespraak op 6 juni 1944: 'Het is Frankrijks strijd, en het is de strijd voor Frankrijk. [...] Het is een strijd waarin Frankrijk met felheid zal vechten.' Van de aanwezigheid van Amerikaanse troepen maakte hij geen enkele melding. Jackson, 544.

12 SS-generaal Heinz Bernhard Lammerding, de commandant van Das

Reich, had de eindverantwoordelijkheid voor de slachting in Oradour. Het is vrijwel zeker dat de opdracht van hem afkomstig was. Een dag eerder, op 9 juni 1944, had hij bevel gegeven voor een massamoord in Tulle (dep. Corrèze), waar negenennegentig gijzelaars aan de balkons en lantaarnpalen werden opgehangen, merendeels gewone arbeiders, onderwijzers, winkeliers en andere onschuldige burgers. In 1951 werd hij daarvoor in Bordeaux bij verstek ter dood veroordeeld, maar de Britten weigerden hem uit te leveren aan Frankrijk. Hij werd nooit gestraft, hij pakte zijn burgerleven weer op, werd een succesvol ondernemer in Düsseldorf, en stierf in januari 1971 vredig in zijn bed.

Hier en daar is wel beweerd dat de SS in Oradour in een val was gelokt, dat het dorp wel degelijk vol wapens zat – een explosie in de kerk zou daarop wijzen – en dat de Duitsers niet anders konden handelen. Bewijzen daarvoor zijn nooit gevonden, en ook de dood van, bijvoorbeeld, de zesenzestig baby's en peuters wordt daarmee niet verklaard.

In 1983, bijna veertig jaar na dato, werd in Berlijn de laatste moordenaar van Oradour-sur-Glane alsnog berecht. Luitenant Heinz Barth verklaarde dat acties als in Oradour in die tijd tot zijn normale werkzaamheden behoorden. Voor een van de getuigen uit Oradour was er een anonieme dreigbrief: 'Je hebt veel te veel gepraat [...]. De 10de juni was ik daar ook, maar niet aan jouw kant, zoals je begrijpt. Tot gauw, tot zeer gauw, om dit te "regelen".' Heinz Barth werd in 1997 vrijgelaten.

13 Serge Klarsfeld publiceerde in zijn *Mémorial de la déportation des juifs de France* voor het eerst de naam van iedere uit Frankrijk gedeporteerde jood.

Hoofdstuk IX

1 Er werd, opvallend genoeg, door de planners van D-day weinig gebruik gemaakt van de landingservaring die de Amerikanen al veel eerder in de Pacific hadden opgebouwd. Er waren wel adviseurs overgevlogen, maar die vonden weinig gehoor. De landingen op Omaha Beach mislukten zelfs bijna omdat, tegen het advies van de Pacific-strategen, de Duitse stellingen door veel te weinig geallieerd scheepsgeschut werden bestookt.

2 De geallieerden waren, dankzij de résistance, exact op de hoogte van de Duitse posities en troepenverplaatsingen. Tegelijk werd er een omvangrijk spel van misleiding gespeeld. Er was een hele *Operatie Fortitude* opgezet, met een nepleger van kartonnen vliegtuigen en opblaasbare rubbertanks, met lekken naar de pers en de Duitse inlichtingendiensten, en zelfs met een echte invasiecommandant, generaal George Patton. Alles was erop gericht om de Duitsers wijs te maken dat de lan-

dingen bij Calais zouden plaatsvinden, en om zo het zwaartepunt van hun troepen uit de buurt van Normandië te houden. De militaire overzichtskaarten van juni 1944 laten zien dat de Britten daar aardig in waren geslaagd: de Duitse troepenconcentraties bevonden zich merendeels op voor henzelf ongunstige plekken.

Veel historici vermoeden tegenwoordig dat ook het beruchte *Englandspiel*, een lange reeks mislukte droppings in Nederland waarbij meer dan zestig Nederlands/Britse agenten in Duitse handen vielen, een functie had in deze campagne. Lange tijd is de Nederlandse geschiedschrijving ervan uitgegaan dat het Englandspiel door de Duitsers met de Engelsen gespeeld werd. Volgens de historicus Jo Wolters is het vermoedelijk andersom gegaan: de Engelsen gebruikten deze geheime agenten om de Duitsers in de waan te laten dat er in Nederland een ondergronds leger werd opgezet om een eventuele invasie bij Calais te steunen. Ze waren daarvoor blijkbaar bereid om meer dan zestig agenten op te offeren.

De theorie van Wolters, die in Engeland uitvoerig onderzoek deed in recent vrijgegeven archieven, is pijnlijk. Maar de argumenten zijn sterk. Bovendien is de klassieke veronderstelling – slordigheid van de spionagedienst, slechte securitychecks – zeer onwaarschijnlijk: het is vrijwel ondenkbaar dat de soe, de Britse sabotage- en spionagedienst, alle afgesproken codes in de berichten van opgepakte agenten enkel uit nonchalance negeerde, en dat ruim een jaar lang. Daarbij komt dat de belangen rond deze succesvolle misleiding buitengewoon groot waren: met het opofferen van deze agenten konden bij de Normandische invasie wellicht duizenden levens worden gered.

3   Karl Kollwitz was in 1940 overleden, Käthe, ver in de zeventig, was net op tijd geëvacueerd. Ze stierf anderhalf jaar later, vlak voor het eind van de oorlog in Moritzburg, bij Dresden.

4   Göring was veel zorgelijker dan Speer over de schade die de geallieerde bombardementen aan Duitsland hadden toegebracht: zijn luchtmacht had er wel degelijk veel last van gehad. Doordat de vliegtuigindustrie door de bommen uiteen was geslagen, stonden veel vliegtuigen aan de grond wegens gebrek aan reserveonderdelen, en dat had de Duitse slagkracht zwaar belemmerd. Overy, 163, 178.

5   Churchill was een voorstander van de strategie van het 'moral bombing'. Pas op 28 maart 1945 schreef hij aan zijn stafchefs dat 'de vraag of Duitse steden simpelweg gebombardeerd kunnen worden omwille van het vergroten van de terreur – onder welke voorwendsels dan ook – aan herziening toe is'. Bij de evaluatie van de bombardementen, direct na

de oorlog, merkten de rapporteurs van US Strategic Bombing Survey verrast op dat de aantallen burgerdoden veel lager waren uitgekomen 'dan het algemeen verwachte aantal van verscheidene miljoenen'. Zie United States Strategic Bombing Survey, New York/Londen 1976, Vol. IV, gecit. bij Friedrich, 176.

6 In een eerdere nota, van 29 september 1941, had sir Portal uitgerekend dat met vierduizend bommenwerpers drieënveertig Duitse steden met meer dan honderdduizend inwoners met de grond gelijkgemaakt konden worden. Daarmee zouden in totaal vijftien miljoen burgers getroffen worden, en dat zou Duitsland, aldus Portal, binnen een halfjaar op de knieën dwingen, alleen al 'door het uitschakelen van de Duitse wil om door te vechten'. (Terraine, 262, 505-507, en Friedrich, 83.)

7 In zijn Herinneringen schrijft Speer over zijn eigen 'biecht': hij zou Hitler in dat laatste uur, bevangen door een 'grote ontroering', opgebiecht hebben wat hij allemaal gedaan en nagelaten had 'om het vaderland te sparen'. Hitler keek afwezig, zei geen woord meer, was tegelijk geëmotioneerd. In eerdere versies van zijn memoires komt het hele verhaal echter niet voor, en ook andere aanwijzingen doen vermoeden dat Speer deze 'biecht' gewoon uit de duim heeft gezogen. (Sereny 1995, 648)

8 'Het was een idiote dag, maar een schitterende,' schreef Virginia Irwin aan het eind van haar Berlijnse verslag. Voor beide journalisten was het niet meer dan een fantastische scoop, maar voor de betrokken sovjetmilitairen had dit vrolijke uitstapje enorme consequenties. De sovjetautoriteiten waren razend, en tot op het hoogste niveau werden woedende telegrammen gewisseld tussen Washington, Moskou en het Amerikaanse hoofdkwartier in Reims. Volgens sommigen zijn zelfs de sovjetofficieren die in Torgau het verbroederingsfeestje organiseerden, later het slachtoffer geworden van NKVD-zuiveringen omdat ze contact hadden gehad met kapitalistische vreemdelingen.

9 In totaal vielen bij de slag om Berlijn aan sovjetzijde meer dan driehonderdduizend doden en gewonden. De Duitse verliezen zijn niet bekend: er zijn zeker dertigduizend militairen en twintigduizend burgers gesneuveld, maar als men alle nooit teruggekeerde krijgsgevangenen incalculeert, worden de aantallen veel hoger; sommige schattingen komen zelfs boven een miljoen. Volgens schattingen van artsen en ziekenhuizen werden vijfennegentig- tot honderddertigduizend meisjes en vrouwen verkracht. Ongeveer tienduizend vrouwen verloren daarbij of daarna het leven, vaak door zelfmoord. Door beschietingen en executies kwamen negentigduizend burgers om.

10 Het dagboek van de 'anonieme' Berlijnse is een enigszins bewerkte versie van een origineel oorlogsdagboek, zoals er na 1945 meerdere zijn gepubliceerd. De eerste versie verscheen in 1954, in het Engels, in New York. In de volgende jaren verschenen vertalingen in diverse andere landen. Op 24 september 2003 onthulde de *Süddeutsche Zeitung* alsnog de naam van de schrijfster. Het betrof hier de modejournaliste Marta Hillers (1911-2001). Vraagtekens die werden gesteld bij de authenticiteit zijn inmiddels afdoende weerlegd: de originele schriften liggen in een kluis en zijn voor onderzoekers toegankelijk.

11 Bij het *European Recovery Program*, zoals het Marshallplan officieel heette, ging het om enorme bedragen: 3176 miljoen dollar voor Groot-Brittannië, 2706 miljoen voor Frankrijk, 1474 miljoen voor Italië, 1389 miljoen voor West-Duitsland, 1079 miljoen voor Nederland, 694 miljoen voor Griekenland, 556 miljoen voor België en Luxemburg, 13 miljard dollar in totaal, vijf procent van het bruto nationaal product van de Verenigde Staten. Voor hedendaagse maatstaven zouden de genoemde bedragen zeker met een factor twintig vermenigvuldigd moeten worden.

12 In 1998 kwam een nieuw onderzoek tot de conclusie dat Masaryk vermoedelijk over een kroonlijst probeerde te vluchten voor de veiligheidsagenten die hem wilden arresteren, en toen is misgestapt. Zekerheid zal er nooit zijn: geen enkele getuige is meer in leven.

13 Het aantal leden van de Poolse Arbeiderspartij groeide vanaf 1944 in een jaar tijd van twintigduizend tot driehonderdduizend, in Hongarije nam het toe van tweeduizend in 1944 naar ruim achthonderdduizend in 1947, in Roemenië ging het om soortgelijke percentages. Mazower, 259.

14 Hedendaagse onderzoekers achten het overigens heel wel mogelijk dat Zjdanov, die een onafhankelijk denker was, inderdaad is vermoord, wellicht zelfs in opdracht van Stalin, en dat bij deze kwestie 'in het duister van Stalins Rusland' meerdere onderdelen van de NKVD ongewild tegen elkaar in werkten; het ene onderdeel bezig met de moord, het andere onderdeel actief bij het ontmaskeren van de moordenaars. Zie onder andere Jonathan Brent en Vladimir P. Naumov in *Stalins Last Crime: The Plot Against the Jewish Doctors, 1948-1953*, New York 2002.

15 Tijdens zijn proces verklaarde Imre Nagy dat hij op een dag gerehabiliteerd zou worden, en dat op zijn herbegrafenis nog driemaal zoveel mensen zouden opdraven als bij László Rajk. 'Het enige waar ik bang voor ben, is dat degenen die de lijkredes zullen houden, dezelfden zijn als degenen die me nu verraden.' De herbegrafenis vond inderdaad plaats, precies zoals hij voorspeld had, op 16 juni 1989. De lijkredes

werden Nagy echter bespaard – de Hongaarse revolutie was toen al te lang geleden.

Hoofdstuk x

1 Henk Sneevliet was, zo blijkt uit familieverhalen en brieven, dol op het kleine peutertje Ellen, 'de zwarte prinses', zoals hij haar noemde. Haar komst was een van de redenen waarom hij na de Duitse bezetting niet naar het buitenland ontsnapte, hoewel hij daartoe alle mogelijkheden had. Hij werd, toen ze in oktober 1940 geboren werd, al overal gezocht, maar zodra ze er was kwam hij in het ziekenhuis op kraamvisite, met een baard als vermomming. Daarna dook hij regelmatig op om haar even te zien. Zijn afscheidsbrief, geschreven vlak voordat hij op 13 april 1942 werd geëxecuteerd, was ook voor de kleine Ellen: 'Dag lekkere kleine meiske = dag snoekie!' (Smeets 2002, 181)

2 In de Verenigde Staten ligt een duidelijke breuklijn tussen de 'zachte' jaren zestig en de 'harde' jaren zeventig in het najaar van 1969. Het is het verschil tussen de twee grote popfestivals van dat jaar, het lieflijke Woodstock in augustus en het sinistere Altamont in december, waar Hell's Angels onder de ogen van de Rolling Stones een zwarte jongen doodstaken.

3 Aldo Moro werd vermoord door de Rode Brigades, vermoedelijk vooral omdat hij te fatsoenlijk en te gematigd was. Hij had een historische doorbraak bereikt: voor het eerst zou de grote Italiaanse communistische partij een christen-democratische minderheidsregering niet alleen gedogen, maar ook actief steunen. Daarmee kon een centrum-links Italië ontstaan. Ultrarechts was daarmee buitengewoon ongelukkig, maar ook de aanhang van de Rode Brigades, die Moro beschouwde als symbool van de eeuwig door de christen-democratie beheerste Italiaanse politiek. Opvallend genoeg weigerden ook Moro's eigen partijgenoten met de ontvoerders te onderhandelen; voor sommigen zal zijn verdwijning een opluchting zijn geweest.

4 Marcelo Caetano week kort daarop uit naar Brazilië en werkte tot zijn dood, op 26 oktober 1980, als wetenschapper op het Instituut voor Vergelijkende Rechtswetenschappen in Rio de Janeiro.

5 Bron: Bade 2000, 378 e.v. Het is lastig om nationale statistieken op dit punt met elkaar te vergelijken, omdat verschillende definiëringen van 'allochtoon' worden gebruikt. Volgens cijfers van de oecd bedroeg in 1999 het aantal buitenlanders in Oostenrijk 10 procent van de bevolking, in Zwitserland 19,2 procent, in België 8,8, in Duitsland 8,9, in Frankrijk 5,6, in Zweden 5,5, in Nederland 4,1 en in Groot-Brittannië

3,8. (Castles, 81). Hierbij moet worden aangetekend dat de OECD-tellingen enkel op nationaliteit zijn gebaseerd. Dat kan de situatie vertekenen. Genaturaliseerde immigranten zijn niet meegerekend (van belang voor Frankrijk, Zweden en Groot-Brittannië) en ook immigranten uit (voormalige) koloniën met de nationaliteit van het ontvangende land tellen niet mee (van belang voor Nederland, Frankrijk en Groot-Brittannië). Niet onbelangrijk is ook de immigratie in de meest florerende kandidaatleden van de EU. Rond 1995 vonden bijvoorbeeld al zo'n achthonderdduizend Oekraïense immigranten werk in Polen.

Hoofdstuk XI

1 De eerste jaren na de bouw van de Muur werden ettelijke tunnels gebouwd: in januari 1962 wisten vanaf de Oranienburger Strasse achtentwintig mensen naar de andere kant te kruipen. Ongeveer op dezelfde plek groeven twaalf ouderen – onder leiding van een eenentachtigjarige man – zich drie maanden later ook een weg naar het westen, in september ontsnapten negenentwintig mensen via een honderdvijftig meter lange tunnel vanuit de Schönholzer Strasse, in oktober 1964 wisten nog eens bijna zestig mensen via vrijwel dezelfde route – de tunnel was zeventig centimeter hoog – weg te kruipen.

2 Hierbij moet worden aangetekend dat de kwaliteit van de sovjetwapens, in tegenstelling tot wat soms wordt beweerd, zeer hoog was. Vliegtuigfabrikanten beschouwden de MiGs als serieuze concurrenten van de Phantom en de Mirage, met name omdat het buitengewoon solide vliegtuigen waren. Veel westerse wapensystemen waren even geavanceerd als gecompliceerd, en daardoor buitengewoon kwetsbaar. Het oersolide Russische kalasjnikov-geweer geniet tot de dag van vandaag ongekende populariteit over de hele wereld.

3 Ruud Lubbers was, met zijn ervaring en kwaliteiten, waarschijnlijk de beste opvolger van de gedreven Jacques Delors die begin jaren negentig voorhanden was. Maar zo werkt het in de Europese circuits natuurlijk niet. Bij de afwijzing van zijn kandidatuur als voorzitter van de Europese Commissie speelden meerdere factoren een rol. Deels lagen die inderdaad op het persoonlijke vlak, deels waren ze ook puur zakelijk van aard.

Allereerst was daar Lubbers' pleidooi voor de vestiging van de Europese Centrale Bank (ECB) in Amsterdam: Helmut Kohl nam hem dat inderdaad kwalijk, omdat Duitsland al zeer veel had ingeleverd. Het land had de sterke D-mark losgelaten en de Nederlander Willem Duisenberg geaccepteerd als eerste president van de ECB in plaats van de

Duitse bankpresident Hans Tietmeyer. Amsterdam én Duisenberg was duidelijk te veel gevraagd. Wat Kohl ook stak, was het feit dat Lubbers daarna nog eens begon te pleiten voor Bonn als vestigingsplaats – hij beschouwde dit als pesterij. Kohls persoonlijke wantrouwen werd nog eens vergroot toen hij hoorde dat Lubbers openlijk had verklaard niet op zijn opvolger, Elco Brinkman, te zullen stemmen, maar op nummer drie van de lijst: 'Hoe kan iemand die zijn eigen politieke vrienden zo behandelt, ons behandelen als hij voorzitter is van de Europese Commissie?' (Steinmetz, 223)

Los van dit alles bestond er echter ook één allesoverheersend zakelijk argument tegen Lubbers' kandidatuur: de toekomst van Willem Duisenberg. De Duitsers wilden absoluut dat Duisenberg bankpresident zou worden, omdat de Fransen anders die post zouden claimen. Lubbers kon dan niet ook nog voorgedragen worden als voorzitter van de Europese Commissie. De ongeschreven Europese regels waren en zijn wat dat betreft glashelder: geen enkel land mag twee zulke centrale posten tegelijk bemannen. Uiteindelijk werd de nietszeggende Luxemburger Jacques Santer door alle landen als voorzitter geaccepteerd.

Ruud Lubbers is sinds 1 januari 2001 Hoge Commissaris voor de Vluchtelingen bij de Verenigde Naties.

4 Gierek maakte vooral goede sier dankzij almaar nieuwe kredieten uit het westen. De westerse leiders waren als de dood voor nieuwe Poolse opstanden, en daarna mogelijk een nieuwe sovjetinvasie. Bovendien kochten de West-Duitsers voor miljarden hun Heimatvertriebene los. In totaal kreeg Gierek – 'de man met wind in zijn zakken' – dertig miljard dollar om zijn volk rustig te houden met auto's en vakanties. Polen is nog altijd bezig om de schulden uit die tijd af te betalen.

5 Opgemerkt moet worden dat de Wereldbank voor Oost-Azië en Latijns-Amerika de armoedegrens legt op een gemiddeld inkomen van één dollar per dag. Voor Oost-Europa en de voormalige Sovjet-Unie ligt de grens op twee dollar. The Economist, 12 juli 2003. Human Development Report van de Verenigde Naties 2003, International Herald Tribune, 8 augustus 2003.

6 Voor de belastingdienst hield Tsjernomyrdin overigens vol dat zijn persoonlijke vermogen nog geen vijftigduizend dollar bedroeg, en zijn jaarlijkse inkomen de achtduizend dollar niet te boven ging.

Hoofdstuk XII

1 Het geschatte aantal Servische slachtoffers van deze genocide loopt, volgens meerdere bronnen, tussen de achthonderdduizend en miljoen. Zie onder meer Simi, 105.

2 Het percentage Serviërs in Kosovo was, door een gestage Servische emigratie in combinatie met een hoog geboortecijfer van de Albanezen, gedaald van 28 in 1945 tot minder dan 10 in 1990.

3 De naam *Vojna Krajina* (Militaire Grens) grijpt direct terug op de conflicten tussen het Habsburgse en het Osmaanse rijk.

4 De Russen werden, tot hun grote ergernis, buiten alle militaire acties in Kosovo gehouden. Toen de vijandelijkheden al afgelopen waren namen ze revanche, ook met een pr-stunt. Ze bezetten zonder enig overleg met de NAVO het vliegveld van Priština, een overval die in het Westen leidde tot enorme beroering, en in het Oosten tot groot enthousiasme. De Amerikaanse opperbevelhebber, generaal Wesley Clark, wilde er direct op losgaan en de Russische troepen desnoods met geweld terugdrijven – hij had daarvoor al de steun van president Clinton verworven –, maar de plaatselijke bevelhebber, de Britse generaal sir Michael Jackson vertikte dat categorisch: 'Ik ga voor u niet de Derde Wereldoorlog beginnen.' Uiteindelijk kreeg Jackson zijn zin, de Russen trokken zich terug en accepteerden ten slotte een regeling waarbij ze rechtstreeks onder NAVO-bevel kwamen.

5 Wel werd in het Haagse bevelschrift voor de verdediging van de enclave, dat twee dagen eerder aan Karremans was gestuurd, gesproken over het geven van hulp en medische verzorging aan vluchtelingen. Kopieën van dit onthullende stuk zijn afgedrukt in Westerman, 247.

6 Formeel is Holbrookes opmerking overigens onjuist: vlak voor de inname van Srebrenica, op 10 juli, had de Nederlandse regering er op het laatste nippertje mee ingestemd. Toen de vraag om luchtsteun een dag later opnieuw aan de ministers werd voorgelegd, kwamen ze echter tot de conclusie dat het geen zin meer had: de enclave was immers al gevallen.

7 Het tweede kabinet-Kok zou uiteindelijk, na het verschijnen van het 'definitieve' Srebrenica-rapport van het NIOD, op 16 april 2002 vanwege deze kwestie alsnog aftreden.

Epiloog

1 Uit een onderzoek van het Al-Russische Centrum voor Publieke Opinie in mei 2003 blijkt dat driekwart van de bevolking nog steeds hoogst ontevreden is over de situatie in de voormalige Sovjet-Unie. Eén op de zes Russen meent dat diefstal en corruptie aan de top de laatste jaren alleen maar is toegenomen. Het onderzoeksbureau werd na publicatie van de cijfers direct onder strenge regeringscontrole gesteld. *International Herald Tribune*, 19 augustus 2003.

2 Volgens de laatste gegevens van de Eurobarometer (peiling oktober-november 2003), een onderzoek onder bijna zestienduizend Europeanen, is slechts 48 procent van de Europese bevolking voor de Europese integratie. Nederland hoort, met Denemarken, Spanje, Griekenland en Portugal, tot de middenmoot: 62 procent van de bevolking is positief over de Europese integratie. In Groot-Brittannië is slechts 30 procent voorstander.

3 Onder gemiddelde leeftijd wordt hier verstaan de leeftijd waarboven net zoveel mensen leven als daaronder. In 2003 was die in de Verenigde Staten 36 jaar, in Europa 38 jaar. In 1950 was er, volgens cijfers van de Verenigde Naties, per zeven Europese werkenden één niet-werkende boven de 65. Op dit moment is dat vier op één, in 2050 zal de verhouding minder dan twee op één zijn. Bron: United Nations Population Division, *International Herald Tribune* 12 december 2002. Andere cijfers zijn ontleend aan een projectie van Bill Frey, demograaf van de Universiteit van Michigan, op basis van gegevens van de VN en de Verenigde Staten. Zie ook David Brooks, 'Americans have reason to be grateful', in: *International Herald Tribune*, 26 november 2003. Ook: ibidem, 12 december 2002, en *The Economist*, 18 november 2003.

4 The Economist Intelligence Unit heeft berekend hoeveel tijd het kost voordat de nieuwkomers in de EU op het welvaartspeil van de bestaande EU-landen zijn terechtgekomen, uitgaande van de gemiddelde economische groei in de 'oude' EU-landen van 2 procent en een groei van ongeveer 4 procent bij de nieuwkomers. Voor Hongarije komen deze ramingen uit op 34 jaar, voor Tsjechië op 39, voor Polen op 59, voor Bulgarije op 63. Gemiddeld zal het de nieuwkomers een halve eeuw kosten voordat ze op het niveau van de rest van EU zijn beland. Als ze slechts 3 procent groei laten zien kan het hele proces zelfs 90 jaar duren. De Baltische staten, nu nog betrekkelijk arm, kunnen de huidige EU-landen echter al binnen 30 jaar voorbijstreven als ze hun huidige groeipercentage van 5 procent of meer handhaven. Cyprus en Malta (respectievelijk 21 en 29 jaar) zijn eveneens succesvolle buitenbeentjes. Bron: *The Economist*, 22 november 2003.

Verantwoording

Dit boek heeft de vorm gekregen van een reisverslag door de tijd en door het continent. Afgezien van de literatuur is nagenoeg alle stof – interviews, reportages – verzameld tijdens een tocht door Europa die vrijwel het hele jaar 1999 heeft geduurd. In een enkel geval heb ik daarnaast teruggegrepen op ouder materiaal, zoals bij de beschrijvingen van Niesky, Novi Sad en de Russische popscene. Ook was het, om praktische redenen, niet mogelijk om alle interviews in 1999 te houden. In 2001 en 2002 heb ik nog een aantal gesprekken gevoerd en een enkel traject nagereisd. Maar dat blijven uitzonderingen. Het jaar waar alles om draait, is 1999.

In Europa weerspiegelt het werk van een groot aantal historici, journalisten en andere chroniqueurs, een lange rij levenden en doden, die me met hun boeken en hun journalistieke werk voortdurend inspireerden. Verder heb ik regelmatig gebruik gemaakt van de verhalen en waarnemingen van directe ooggetuigen. Dat heeft voordelen: het brengt de geschiedenis dichter bij de mensen, het onthult bepaalde stemmingen, het brengt soms belangrijke details aan het licht, het maakt onverklaarbare zaken opeens begrijpelijk. Tegelijk weet iedereen dat ook dit soort waarnemingen niet altijd even betrouwbaar is. Herinneringen dienen om het verleden te verwerken en om onze persoonlijke geschiedenis een bepaalde zin te geven – en ieder mens is geneigd om daarbij sommige zaken te belichten en andere kwesties af te dekken. Dit geldt voor individuele personen, maar net zo goed voor hele naties. De verhalen in dit boek spreken dus voor zichzelf, met hun zwakke en hun sterke kanten.

Ook de vorm van dit boek leidde tot beperkingen. Het reizen bracht me in contact met onverwachte ooggetuigen, het opende nieuwe informatiebronnen – krantenarchieven, talloze lokale musea – en het confronteerde me voortdurend met de merkwaardige sfeer rondom het verschijnsel 'historische plaats'.

Mijn mogelijkheden werden er echter ook door beperkt. Sommige landen kon ik, om praktische redenen, niet in mijn reisschema opnemen, bepaalde onderwerpen moest ik laten liggen, op andere kwesties heb ik meer nadruk gelegd dan gebruikelijk is. Dergelijke keuzes, zoals iedere journalist en iedere historicus weet, blijven onvermijdelijk. Heel Europa kan nooit in één boek.

Een omvangrijk project als dit, over meer dan twintig landen, kon alleen maar slagen dankzij de hulp van een groot aantal vrienden en collega's. Ze gaven me tips, legden contacten, fungeerden als tolk en gids, steunden me waar ze konden.

Ik kon me, ten aanzien van de Europese Unie, geen betere leermeester wensen dan Max Kohnstamm. De avonden die ik bij hem en Kathleen doorbracht zijn onvergetelijk. Ook veel anderen ben ik zeer dankbaar. In Amsterdam: Laura Starink, Hubert Smeets, Martin van Amerongen, Rudy Kousbroek, Sasza Malko, Gisela en Dik Linthout. In Belfast: Pauline Kersten. In Belgrado: Saša Mirković. In Berlijn: Isabelle de Keghel, Wolf en Imke Siedler, Gisela Nicklaus, Rüdiger Safranski. In Boekarest: Cornelis van der Jagt. In Bosnië: Duško Tubić. In Brussel: Geert van Istendael en Pierre Platteau. In Guernica: Monica Ibañez-Angulo. In Kiev: Irina Trantina. In Lamanère: Martine Groen en Paul Kuypers. In Lissabon: Rui Mota. In Londen: Frans van Klaveren en Hieke Jippes. In Madrid: Steven Adolf. In Moskou: Frank en Suzanna Westerman, Adriënne van Heteren, Tony Cromby. In Normandië: Max en Els van Haasen. In Novi Sad: Želimir Zilnić – een groot kenner van de Russische *Cosmopolitan* – en Sarita Matijević. In Odessa: Natalja Sjevkoplas en Charel Krol-Dobrov. In Praag: Veronika Havlíková. In Rome: Gianni Principe en Anne Branbergen. In Sint-Petersburg: Nadja Voznenko en Joeri Klejner. In Stockholm: Lars-Olof Franzén. In Tsjernobyl: Nikolaj Dmytroek en Rita Rindenko. In Vásárosbéc: Peter Flik en Edith van der Poel. In Warschau: Władek en Rosita Matwin. In Bussum: de meisjes en jongens van Gerco travel (ATP). En ten slotte, natuurlijk, schipper Dinus Jasper, zijn mannen van de Marla en de Danser Container Line.

De hoofdredactie van NRC *Handelsblad* ben ik tot de dag van vandaag erkentelijk voor de unieke kans om deze reis te maken, en voor al het vertrouwen dat me geschonken werd. Met een paar mensen van de krant had ik tijdens de reis vrijwel dagelijks contact, en ze waren een grote stimulans: Nico de Bruin, Sjoerd Hesselbach, Mady van der Laan en Joost van der Vaart.

Dit boek is ook een verhaal over steden. Ik had daarbij veel profijt van de internationale stadskennis die ik opdeed tijdens mijn bijzonder hoogleraarschap op de Wibautleerstoel aan de Universiteit van Amsterdam. Mijn collega's bij het AME en de afdeling Geografie en Planologie waren altijd bereid hun enorme ervaring en belezenheid met me te delen. Ik blijf hen daarvoor erkentelijk.

Voor de VPRO-radio bezocht ik Niesky vlak na de Wende in broederlijke samenwerking met Hans Simonse, en hetzelfde gold voor de reportages die ik tijdens die periode dankzij Joanka Prakken in Moskou en Sint-Petersburg kon maken. De uitgeverij Metz & Schilt en de vertalers Marius Broekmeyer en Murk A.J. Popma ben ik erkentelijk voor de toestemming tot overname van het Russische frontgedicht 'Rookpauze'. Datzelfde geldt voor uitgeverij de Prom en de vertalers J. en H.M. Verheydt en Joanka Prakken voor de teksten van de Russische popzangers Viktor Tsoj, Boris Grebensjtsjikov en Misja Borzykin. Edith van Dijk vertaalde 'Wanneer ik slaap...' van Siegfried Sassoon; met dank ook aan uitgeverij De Geus.

Tijdens het schrijven van dit boek stonden een paar mensen voortdurend om me heen: mijn uitgevers Emile Brugman en Ellen Schalker die het project van begin tot einde met grote rust, vriendschap en professionaliteit begeleidden; Charlotte Schrameijer die me hielp bij de research; René van Stipriaan die, in soms uitbundige nachtelijke sessies, de tekst grondig met me doornam; Koen Koch die alles ook nog eens kritisch nalas – ik zelf blijf uiteraard verantwoordelijk voor alle stommiteiten die nog zijn overgebleven –; Sjoerd de Jong die, scherpzinnig als altijd, mij behoedde voor tientallen fout gespelde namen, onjuiste data en andersoortige uitglijders. Het was allemaal werk achter de schermen, maar zonder hun kennis en vakmanschap zou dit project nooit tot een goed einde zijn gekomen.

Ditzelfde geldt mijn allernaaste omgeving. Mijn vrienden en familieleden heb ik ruim vijf jaar geterroriseerd met Europa. Ik was maandenlang permanent op pad, daarna leefde ik lange tijd met een emmer over mijn hoofd. Toch was mijn levensgezellin erbij, altijd en overal. Ze reisde mee als het kon, ze was voortdurend enthousiast, stimulerend, solidair, en op moeilijke momenten onvoorstelbaar loyaal.

Het is niet meer dan vanzelfsprekend dat dit boek aan haar is opgedragen.

Bronnen

Voor een verantwoording van citaten en cijfermateriaal, plus mogelijke aanvullingen: www.geertmak.nl

Algemeen
Een gedegen en uitvoerige introductie in de Europese geschiedenis geeft Norman Davies (1996). Voortreffelijke overzichten van de twintigste eeuw bieden ook Eric Hobsbawm (1995), James Joll (1973), Mark Mazower (2000), Richard Vinen (2000) en niet te vergeten de zeer leesbare driedelige wereldgeschiedenis van Martin Gilbert (1997-1999). Over de tweede helft van de eeuw ontleende ik ook de nodige cijfers en inzichten aan William Hitchcock (2003). Over het culturele Europa: H.W. von der Dunk (2000) en P.J. Bouman (1972).

Twee belangrijke stadsgeschiedenissen had ik voortdurend onder handbereik: Peter Ackroyd (2000) over Londen en de uitnemende Berlijnse geschiedenis van Alexandra Richie (1998).

Handzame naslagwerken waren de Encyclopaedia Britannica, de Encarta-encyclopedie en de Agon Kroniek van de Twintigste Eeuw.

Veel baat had ik ook bij het voortdurend volgen van de International Herald Tribune, The New York Review of Books, NRC Handelsblad, Trouw, de Volkskrant, The Economist, de Frankfurter Allgemeine Zeitung, De Groene Amsterdammer, Le Monde Diplomatique, The Moscow Times, de Süddeutsche Zeitung en wat ik verder maar op mijn pad trof.

Hoofdstuk 1
Interviews met Marinus van der Goes van Naters en Nigel Nicolson, dagboeken en aantekeningen van, onder anderen, André Gide, Walter Benjamin, Käthe Kollwitz, Joseph Roth en Stefan Zweig.

Een inspirerend overzicht van de negentiende-eeuwse en de Victoriaanse moraal geeft Marita Mathijsen (2002). De periode rond de eeuwwisseling is uitgebreid beschreven door Barbara Tuchman (1966) – met name ook de affaire-Dreyfus – en Jan en Annie Romein (1967). Aan de laatsten ontleende ik, gedeeltelijk, het overzicht van de Parijse Wereldtentoonstelling. Zie ook Asa Briggs (1996), en over de zaak-Dreyfus: Julian Barnes (2003).

Voor de beschrijving van de grote Europese steden anno 1900 had ik veel baat bij de voortreffelijke overzichtswerken van Michiel Wagenaar (1998) en Peter Hall (1998). Inzichten over de sfeer in het toenmalige Parijs en de verhouding stad-platteland deed ik ook op bij Eugen Weber (1993 en 1975). Over de veranderende mentaliteit in Groot-Brittannië: Jose Harris (1993). Goede Londense gidsen waren verder Andrew Duncan (1998) en Rachel Kaplan (1997).

Over Duitsland en Berlijn: Detlef Bluhm (1996), Michael Stürmer (1999) en Norbert Elias (1996). Over de keizerlijke familie: Thomas Stamm-Kuhlmann (1995).

Het Wenen rond het fin de siècle is uitstekend geportretteerd door Brigitte Hamann (1998) en het koppel Allan Janik en Stephen Toulmin (1978). Inzichten ontleende ik ook aan William Johnston (1972). Over de Ringstrasse: Werner Hofmann in Hartung (1997). Over Hitlers Weense jaren biedt, naast Hamann, Ian Kershaw (1998/1999) de nodige informatie. Over Leonding en het graf van Hitlers ouders: John Lukacs (1993).

Hoofdstuk 11

Interviews met Lyn Macdonald, Patrick Thorpe en Geert van Istendael. Dagboeken en aantekeningen van, onder anderen, Irfan Orga, Joseph Roth, Harry Kessler, Ernst Jünger, Käthe Kollwitz, Louis Barthas, Winston Churchill, Vera Brittain, Robert Graves en Harold Nicolson.

Een onovertroffen gids langs de Belgische en Franse slagvelden van de Eerste Wereldoorlog is het voortdurend bijgewerkte boek van Chrisje en Kees Brants (1997). Ook Richard Heijster schreef twee prima gidsen: Ieper (1998) en Verdun (1995). Goede militair-historische overzichten van de oorlog bieden John Keegan (1998), en, wat meer dramatisch en moralistisch, Niall Ferguson (1998). Een nieuwe generatie historici – bijvoorbeeld Hew Strachan (2003) – gaat daar weer tegen in: zij verdedigen het toenmalige Britse beleid, inclusief dat van opperbevelhebber Haig, met verve. Zie hierover ook G.D. Sheffield, 'Reflections on the Experience of British Generalship', in Bourne e.a. dl. 1, p. 446. Over de ervaring van het doden: Joanna Bourke in Bourne e.a., dl. 1, p. 293. (De essaybundel van John Bourne e.a. (2001) over 'de grote oorlog 1914-1945' is sowieso de moeite waard.) Over de financiële consequenties van de oorlog, onder meer: A.J.P. Taylor (1965), p. 123 e.v.

Lyn Macdonald, die honderden veteranen interviewde, beschreef in haar boeken (1983 en 1987) de oorlog tot in alle details. Over het leven in de loopgraven, en de stille sabotage van de oorlog: Tony Ashworth (1980/2000).

Dankzij de stukken van Koen Koch (2001) begreep ik eindelijk de exacte gang van zaken rond Sarajevo en de befaamde voetbalincidenten. De Belgische kant van de geschiedenis is beschreven door Sophie de Schaepdrijver (1997). Over de Duitse rol: Sebastian Haffner (1964/2002).

Hoofdstuk III

Interviews met, onder anderen, Wilhelm-Karl Prinz von Preussen, Lars-Olof Franzén, Claes Andersson, Almayya Abu-Hanna, Joeri Klejner, Steven Johnson, Marger Vestermanis en Aleksandra Vasiljeva. Ooggetuigenverslagen vond ik bij Pitirim Sorokin (1924/1989) en – bijvoorbeeld van de Franse ambassadeur – bij Laurence Kelly (1981).

Voor dit hoofdstuk is geput uit een hele reeks Lenin-biografieën en overzichtswerken, bovenal Richard Pipes (1990), Robert Service (2000) en J.W. Bezemer (2001). Aanknopingspunten boden ook Ronald W. Clark (1988) en Dmitri Volkogonov (1994). De beschrijving van het tsaristische systeem en de achtergronden van de Russische Revolutie is met name gebaseerd op het voortreffelijke standaardwerk van Orlando Figes (1996). Over Sint-Petersburg gaf Bruce Lincoln (2001) de nodige inzichten.

Diverse deelnemers hebben verslag gedaan van Lenins reis met de 'verzegelde trein'. Ik heb geput uit N.K. Krupskaya (1959), Stefan T. Possony (1974), Richard Pipes (1990) en uit de uitvoerige compilatie van alle verslagen in Michael Pearson (1975), al deel ik niet zijn meest vergaande conclusies over de rol van Lenin als Duits agent. Over de financiële banden tussen Duitsland en de bolsjewieken schreven Pearson (p. 112 e.v.), Possony (p. 212) en Pipes (p. 389 e.v.). Zie verder: Volkogonov (1994) p. 111 e.v., Clark (1988) p. 204 e.v., Service (2000) p. 293 e.v., Figes (p. 387) en Haffner (1964/2002), p. 85 e.v. Gegevens over de opstand in Kronstadt ontleende ik aan het globale maar goede overzicht van Brian Moynahan (1994).

Over Zweden en de Oostzeestaten is het nodige ontleend aan Franklin Scott (1988) en Modris Eksteins (1999). Voorts Romuald Misiunas (1983) en Martin van den Heuvel (1986). De citaten van de legerpredikant komen uit Lothar Steinbach (1983).

Hoofdstuk IV

Dagboekfragmenten en aantekeningen van, onder anderen, Harry Kessler, Joseph Roth, Sebastian Haffner, Bella Fromm, Victor Klemperer, Truusje Roegholt en Gitta Sereny.

Bij de beschrijving van de Duitse revoluties in 1918 en 1919 heb ik sterk geleund op de verhelderende analyses van Sebastian Haffner (1979/2003).

Een schitterende beschrijving van het Berlijn in de jaren twintig geeft Otto Friedrich (1972). Over Van der Lubbe: Martin Schouten (1986) – met name de eigen verklaringen van Van der Lubbe op p. 208 e.v. – en Reinier Kurpershoek en Ron Sluik (1994), met veel materiaal uit de Oost-Duitse archieven. Details over de begrafenis van Marlene Dietrich zijn ontleend aan persoonlijke waarnemingen van Alexandra Richie (1998), p. 360.

Over Hitlers loopbaan is de biografie van Ian Kershaw (1998/1999) op dit moment het meest informatief. De twee dikke delen zijn trouwens ook buitengewoon handig als naslagwerk. Wat meer gedateerd, maar nog altijd nuttig is Joachim Fest (1973/1998). Boeiend zijn ook John Lukacs (1998) en Sebastian Haffner (1978/2002).

Speciaal over Hitlers opkomst, en over zijn Münchense jaren: David Clay Large (1997). Over de Münchener Post: Ron Rosenbaum (1999), p. 86-112. De waarnemingen van Baldur von Schirach over het begin van Hitlers opkomst: Van Houten (1981), p. 55. Over het dubbelzinnige karakter van München: Georg Franz, 'Munich: Birthplace and Center of the National Socialist German Workers Party', in: Journal of Modern History 29 (1957), p. 319, geciteerd bij Large (1997), p. xvii. (Duitse ed. 18)

Een aantal gegevens over Obersalzberg ontleende ik aan Anton Plenk (1984). Over Jägerstätter: John Lukacs (1993), p. 178 en Erna Putz (1993). Over Oostenrijk, de machtsovername en de pogroms daarna: Evan Burr Bukey, 2000. Details zijn ook ontleend aan Richard Overy (2001), Saul Friedländer (1998) en Ian Kershaw (2000).

Hoofdstuk v
Interviews met Vittorio Foa, Monica Ibañez-Angulo en Asunción Gazmendia. Memoires en aantekeningen van, onder anderen, Laurie Lee, Milton Wolff en George Orwell.

Van de Italiaanse geschiedenis biedt Ninetta Jucker (1970) een beknopt maar voortreffelijk overzicht. Een goede bron was ook de Mussolini-biografie van R.J.B. Bosworth (2002). Voorts: Martin Clark (1996) en John Pollard (1998). Over de relatie tussen het fascisme, het anti-semitisme en de Italiaanse joodse gemeenschap: Renzo de Felice (2001). Over Leone en Natalia Ginzburg en de verzetsgroep rond Giustizia e Libertà ontleende ik een en ander aan het tijdschrift Nexus (35, 2003).

Een van de beste standaardwerken over de Spaanse Burgeroorlog is nog altijd Hugh Thomas (1961). Het lag permanent onder handbereik. Zeer leesbaar, maar minder gedetailleerd is het werk van de militair historicus Anthony Beevor (1982). Over de opkomst van de falangistische beweging en het gedachtegoed van Franco en José Antonio Primo de Rivera: Stanley Payne (1999) en Paul Preston (1993). De citaten uit ooggetuigenverslagen ontleende ik vooral aan Ronald Fraser (1979) en de bundel van Murray Sperber (1974). Het verhaal van Milton Wolff is door hemzelf in min of meer geromantiseerde vorm beschreven in Wolff (1994). De gegevens over de relatie tussen de Sovjet-Unie en de Spaanse Republiek zijn ontleend aan Ronald Radosh (2001).

Het bombardement van Guernica en de nasleep: Gordon Thomas (1975) en Michael Kasper (1998). Over de Basken: het geestige overzicht van Mark Kurlansky (1999). Over nostalgie: Svetlana Boym (2001). Een aantal gegevens ontleende ik ook aan Steven Adolf (2001).

Hoofdstuk VI

Interviews met, onder anderen, Richard von Weizsäcker en Lucienne Gaillard. Aantekeningen en memoires van Winston Churchill, Harold Nicolson, Joseph Goebbels, Ernst von Weizsäcker en Rosie Waldeck.

De geschiedenis van de meiweken van 1940 is buitengewoon gecompliceerd. Veel materiaal is verzameld door militaire historici, maar vaak belichten ze slechts één kant van het verhaal. Het enige boek dat het Duitse én het Franse deel van de geschiedenis uitstekend behandelt, is Ernest May (2000). Klassieke bronnen zijn, onder meer, Alistair Horne (1969), A.J.P. Taylor (1964/1984) en uiteraard Marc Bloch (1946). Veel verschuldigd ben ik ook aan L. de Jong (1970), Ian Ousby (1998) en Evans (2000), plus de kritiek en aanvullingen op May van Tony Judt (2001).

Over het verzet binnen de Wehrmacht tegen Hitler, en de latere Kreisauer Kreis, naast bovenstaande titels: Van Roon (1971), Von Moltke (1988) en Balfour (1972). Een interessante ooggetuige bij de onderhandelingen over München is ook Ernst von Weizsäcker (1950).

Over de Franse exodus ontleende ik, naast bovengenoemde titels, het een en ander aan Jean-Pierre Azéma (1990) en André Maurois (z.j.). Het Centre Américain de Secours: Hans Sahl (1994), p. 269 en 283. Over België: E.H. Kossmann, dl. II (1986).

De voorgeschiedenis van Wernher von Braun komt uit Otto Friedrich (1972, p. 237). Over Hans Oster: Ernest May, p. 228 e.v., L. de Jong dl. 2, p. 105 e.v. en dl. 7, p. 1106 e.v. Over de evacuatie van Duinkerken en de haltorder: bovengenoemde titels, plus Walter Lord (1982), en John Lukacs (2001), p. 41-46.

Churchills 'vijf dagen in mei' zijn uiteraard excellent beschreven in het boek van John Lukacs (2001), maar ook ben ik het nodige verschuldigd aan de bespreking van Lukacs door M.F. Perutz (2001), aan Martin Gilbert (1993) en aan A.J.P. Taylor (1965). Rosie Waldeck (1942) beschreef mooi de

Europese 'appaesement'-sfeer in Boekarest. Over Churchill en Chartwell: Mary Soames (1992), Martin Gilbert (1994), Jean Monnet (1978) en Sebastian Haffner (1967/2002).

Een van de belangrijkse chroniqueurs van de Londense Blitz is Angus Calder. Veel inzichten en bronnen ontleende ik aan zijn standaardwerk *The People's War* (1969), maar ook aan *The Myth of the Blitz* (1991). Een nuttige bron was ook Philip Ziegler (1995).

Het verhaal over de kinderbendes is uitvoerig beschreven in W.G. Ramsley's *East End, Then and Now*, ik ontleende het aan Peter Ackroyd (2000), p. 724. Over Enigma: Martin Gilbert (1993 en 1994) en vooral W. Kozaczuk (1984).

Hoofdstuk VII

Interviews met Wolf Jobst Siedler, Arie van Namen, Władek Matwin en Anna Smirnova. Memoires en aantekeningen van, onder anderen, Albert Speer, Joseph Goebbels, André Gide en Dmitri Volkogonov.

Uitstekende beschrijvingen van Berlijn in oorlogstijd geeft Alexandra Richie (1998). Over Hitlers raciale politiek en zijn herordening van Europa is Mark Mazower (1998) verhelderend. Over de Wannseeconferentie: Peter Longerich (1998).

Een onovertroffen onderzoek naar de rol van de Gestapo binnen de Duitse samenleving publiceerde Eric Johnson (1999). Voortreffelijk is ook het werk van Robert Gellately (2001). Daarbij vergeleken is de bestseller van Daniel Goldhagen (1996) sterk demagogisch getint. Christopher Browning (1992/1998) baseerde zijn onderzoek gedeeltelijk op dezelfde bronnen als Goldhagen – de verhoren van de manschappen van Reserve Politiebataljon 101 – en kwam regelmatig tot heel andere conclusies. Brownings nawoord is vernietigend over de tendentieuze manier waarop Goldhagen met dit bronnenmateriaal omging.

Het verhaal van Felix Kersten valt na te lezen in Kessel (z.j.), p. 123 e.v. en Felix Kersten (1948). Daartegenover L. de Jong, 'Heeft Felix Kersten het Nederlandse volk gered?', in A.H. Paape (1972). Zie ook L. de Jong (1972), p. 873 en (1981) p. 1149 e.v.

Over de verandering van de deportatiepolitie en het begin van de holocaust geven Mark Mazower (2000), Christopher Browning (1993) en vooral ook Norman M. Naimark (2001) veel materiaal. Over de jodenvervolging in Nederland en de Nederlandse paradox biedt Bob Moore (1998) nieuwe inzichten. Dit geldt ook voor de verhoren van de nazi-top in Neurenberg: Richard Overy (2002)

Natuurlijk geeft het vijfdelige *Auschwitz 1940-1945* (New York 2001) de beste documentatie over Auschwitz, maar ook de beknopte documentenverzamelingen van Danuta Czech (1996) en Gerhard Schoenberger (1991) zijn uitstekend. Wie meer wil lezen over echt en vermeend slachtofferschap: Ian Buruma (1999) en de publicaties van Jolande Withuis (2000 en 2003).

Een goed overzicht van de holocaust, met name over de verzetsacties, geven Debórah Dwork en Robert Jan van Pelt (2002). Over de rol van de bureaucratie in de holocaust: Zygmunt Bauman (1989/1998). Danuta Czech (1996) bundelde een aantal manuscripten van gevangenen die na de oorlog op het terrein van Auschwitz werden aangetroffen. Met name het manuscript van een onbekende gevangene en dat van Salmen Lewental geven veel nieuwe details over de opstand in het kamp.

Een interessant en vaak zeer gedetailleerd overzicht over het verzet tegen de holocaust geven Adam Lebor en Roger Boyes (2000) – ze gaan onder andere uitgebreid in op de geschiedenis van Albert Göring en het Rosenstrasseprotest. Over de Amsterdamse Februaristaking: Ben Sijes (1954/z.j.). Over de Belgische verzetsacties: Marion Schreiber (2001).

Over Himmlerstadt en het drama van Zamość is weinig documentatie voorhanden, uitgezonderd een paar Poolse studies en de gids van Zdisław Kazimierczuk en Jerzy Cabaj (2000). Een voortreffelijk overzicht geeft Werner Röhr (2002, via www.clubalpha60.de/alphapress/zamosc). De informatie over de partizanen in het getto van Warschau ontleende ik aan Ruta Sakowska (1999). Mijn leidraad voor oude foto's en de plaats waar ze genomen waren, vormde het bijzondere album van Jan Jagielski en Tomasz Lec (1997).

Een beknopt en fraai geïllustreerd overzicht van de recente Russische geschiedenis geeft Brian Moynahan (1994). Er bestaan talloze studies over Stalins filosofie van maakbaarheid, en over de verschillen en overeenkomsten tussen hem en Hitler. Ik gebruikte, onder meer, het werk van Erik van Ree (2002) en François Furet (1996), en het heldere overzicht van J.W. Bezemer (2001). De Stalinbiografie van Dmitri Volkogonov (1990) gaf me met name op militair gebied wat meer inzicht. Veel nieuw en belangwekkend materiaal over Operatie Barbarossa, de voorgeschiedenis van deze aanval en Stalins reactie daarop verzamelde Gabriel Gorodetsky (1999). Indrukwekkend zijn ook de brieven en dagboeken die Walter Kempowski (2002) verzamelde, en het persoonlijke verslag van Lidia Ginzburg (1988) over het beleg van Leningrad.

Informatie over het dagelijks leven van de sovjetburger in de jaren dertig geven Sheila Fitzpatrick (1999), Adam Hochschild (1996) en Serge Schmemann (1997). Over Beria: Amy Knight (1993). Een van de beste studies naar de collectivisatie en grote hongersnoden is nog altijd die van Robert Conquest (1986). Van dezelfde kwaliteit, maar recenter, is het standaardwerk van Ann Applebaum (2003) over de Goelag. Het meeste cijfermateriaal is aan deze twee bronnen ontleend. Over de Stalinprocessen schreven bijna alle bovengenoemde auteurs, plus Helen Rappaport (1999), die een uiterst handzaam overzicht biedt van Stalin, zijn entourage en zijn slachtoffers. Over het einde van Karl Radek en ook over zijn Nederlandse connecties schreef Igor Cornelissen (2003). Over het lot van Babel, met name zijn literaire neergang: Charles B. Timmer (1979). Uitvoerig over Kamenev: Adam Hochschild (1996). Over de oorlogssituatie in Leningrad: W. Bruce Lincoln (2001).

Hoofdstuk VIII
Interviews met Winrich Behr, Wolf Jobst Siedler, Helena Cosmetatas en Lucienne Gaillard. Memoires, verslagen en aantekeningen van, onder anderen, Ernst von Weizsäcker, Martha Gellhorn, Ernie Pyle, Bill Maulding, Jean Monnet, Harold Nicolson en Winston Churchill.

Over de slag om Stalingrad putte ik uiteraard uit het standaardwerk van Anthony Beevor (1999). Het heldenepos van Dynamo Kiev is voortreffelijk onderzocht en beschreven door Andy Dougan (2001). Over de positie van Stalin tijdens de oorlog: Marius Broekmeyer (1999).

Het beste boek over Atatürk, zijn achtergronden en zijn rol in het moderne Turkije is van Andrew Mango (2000). Informatief over de achtergrond van het Turkse seculariseringsproces en de verhouding tussen Europa en de islam zijn Karen Armstrong (2000) en Andrew Wheatcroft (1993). Ook ontleende ik een en ander aan het beknopte overzicht van Christopher de Bellaigue (2001), en aan Robert Kaplan (2000), John Freely (2002) en William Dalrymple (1998). Over de rol van de Zwarte Zee voor de Europese beschaving: Neal Ascherson (1996).

Details over de massamoord in Anogia geeft Karina Raeck (1995). Over Kefallonía en de oorlog in Italië had ik veel aan Richard Lamb (1996) en Matthew Parker (2003/2004). Een goede basiskennis over het militaire verloop van de oorlog gaf het werk van Williamson Murray en Allan R. Millet (2000).

Over de rol van de Paus en over de latere ontsnappingsroute van oorlogsmisdadigers vormde John Cornwell (1999) een goede bron (dit ondanks de onzinnige titel Hitler's Pope: beide heren konden elkaar niet luchten of zien). Minstens zo fascinerend is het minder bekende werk van Helen Zuccotti (2000). Boeiend, met name over het Vaticaan en het Rode Gevaar, is ook Michael Phayer (1992). Een goed overzicht geeft István Deák (2000).

De meest klassieke studies over de Vichy-periode zijn die van Robert

Paxton (1972), Jean-Pierre Azéma (1979) en, meer recent, Julian Jackson (2001). Veel had ik echter ook aan het heldere overzicht van Ian Ousby (1998) en, wat de jodenvervolging in Frankrijk betreft, aan Paul Webster (2001). Over de turbulente relatie tussen de Gaulle en de andere geallieerde leiders ontleende ik het nodige aan de gedetailleerde biografie van Jean Lacouture (1990) en de recent opgedoken documenten en gegevens die door Simon Berthon (2001) en andere BBC/PBS researchers werden verzameld.

Adam Nossiter (2001) bracht meer lijn in mijn aantekeningen over de stad Vichy zelf, de psycho-biografie over Pierre Drieu la Rochelle van Solange Leibovici (1994) gaf me inzicht in het gedachtegoed van de gevarieerde groep Vichy-aanhangers. Over de dwangarbeid in Duitsland, met name ook door Nederlanders: Karin Brakebusch, Johan Meijer en Dieter Oudesluijs in de bundel van Jan Fernhout e.a. (1996). Gedetailleerd over de verzetsgroep van André Gaillard: Serge Lecul (1994). Over Oradour-sur-Glane: de overlevende Robert Hébras (1994) en het indrukwekkende herdenkingsboek dat hij maakte samen met André Desourteaux (1998).

Hoofdstuk IX
Interviews met Karel Citroen, Arlette Gondrée, Winrich Behr, Horst Strohbusch, Richard von Weizsäcker, Hans Krijt, Władek Matwin, György Konrád en Kees Slager. Verslagen en memoires van Kate ter Horst, Albert Speer, Vasili Grossman, het dagboek van de anonieme Berlijnse vrouw, Ernst Jünger, Martha Gellhorn, Günter de Bruyn, Victor Klemperer en Virginia Irwin.

Het gedicht 'Rookpauze' is afkomstig uit de bundel *Wat schreeuwden de vogels! Russische gedichten van het front*, vertaald door Marius Broekmeyer en Murk A.J. Popma (Mets & Schilt, Amsterdam 2001). Voor de gevechtshandelingen in het laatste oorlogsjaar had ik veel baat bij Stephen Ambrose (1997) en de eerder genoemde militaire standaardwerken. Een klassiek werk over de invasie en de slag om Normandië is John Keegan (1982/1994). In Normandië gebruikte ik daarnaast de gedetailleerde gids van Jean-Pierre Benamou (1982), in Walcheren de minitieuze beschrijving van de slag door Ansgar Dürnholz (1997) en in Arnhem de gids van John Wady (1999), plus het verslag – inclusief de avonturen van Winrich Behr – van Louis Hagen (1993).

Een goede bron over de slag om Berlijn vormt uiteraard het werk van Anthony Beevor (2002); het bevat veel nieuwe gegevens over de massaverkrachtingen door sovjetmilitairen. Ten aanzien van de bombardementen op Duitsland geldt hetzelfde voor John Terraine (1985) en Jörg Friedrich (2002/2004). Opvallende inzichten in de geallieerde bombardementsstrategie geeft ook M. Walzer (1977/1980). Een verhelderende bundel documenten over de naoorlogse periode in Berlijn biedt Reinhard Rürup (1995). Over de Berlijnse bunkerresten: Dietmar Arnold (1999).

Een modern overzicht van de Europese geschiedenis na 1945, waaraan ik met name veel cijfermateriaal ontleende, geeft William Hitchcock (2003). Nieuwe inzichten over de opvattingen binnen de communistische leiding in de jaren vijftig ontleende ik ook aan de Chroesjtsjov-biografie van William Taubman (2003), waarin veel recent ontdekt Moskous materiaal is verwerkt. Over het ontstaan van de Koude Oorlog in het Westen: Andrew Davies (1984). Informatief over de situatie in Griekenland: Hubert Smeets (1981).

Het boek van Kees Bakker (1996) is rijk aan verhalen over Budapest. Bill Lomax (1976) geeft nog altijd de meest nauwkeurige beschrijving van de Hongaarse opstand, mede omdat zijn studie grotendeels gebaseerd is op de directe getuigenissen van de initiatiefnemers en de belangrijkste hoofdrolspelers. Hetzelfde geldt voor Hubertus Knabes (2003) gedetailleerde overzicht van de Berlijnse opstand van 1953.

Hoofdstuk x
Interviews met, onder anderen, Max Kohnstamm, Pierre Platteau, Christiane Ensslin, Huib Riethof, Vitor Alves, Fernando Rosas, Dacklan en Jackie Mortimer en Teresa Pickering. Verslagen van Cees Nooteboom, Bob Groen en Klaus Rainer Röhl.

De klassieke boeken over België en Brussel zijn geschreven door Geert van Istendael (1989 en 2002). Van grote schoonheid, en relatief onbekend, zijn daarnaast de jeugdherinneringen van Pierre Platteau (1994 en 2002).

Uitstekende overzichten van de jaren zestig in Europa en Noord-Amerika geven Arthur Marwick (1998) en, wat het jaar 1968 betreft, David Caute (1988). Over de Nederlandse situatie: Hans Righart (1995). Over Provo: Niek Pas (2003), Dick van Reeuwijk (1965). Over de Nederlandse culturele verschuivingen na 1945: J.C.H. Blom (1989), plus Ed Taverne en Kees Schuyt (2000).

De Parijse gebeurtenissen zijn, heet van de naald, helder geïnventariseerd door Bob Groen en Leopold de Buch (ps. van Rudy Kousbroek) (1968), maar veruit het mooiste verslag is van Cees Nooteboom (1984). Veel inzichten over de aard van de jeugdrevolutie in Duitsland en Italië ontleende ik aan Norbert Elias (1996). Voorts: Ronald Fraser (1988), Dany Cohn-Bendit (1986) en het controversiële maar boeiende relaas van de ex-echtgenoot van Ulrike Meinhof, Klaus Rainer Röhl (1976). Over de nadagen van de Gaulle, onder meer: Brian Crozier (1973). Details over het regime en het sterfbed van Franco ontleende ik aan zijn biograaf Paul Preston.

De geschiedenis van Portugal wordt beschreven door José Rentes de Carvalho (1975). Over de gang van zaken in 1975 en die in het dorp Couço in het bijzonder: Jean Paul Moroglio, Guy le Querrec e.a. (1979) en Fausto Giaccone (1999).

Inzichten en cijfermateriaal over het Thatcherisme in Europees verband ontleende ik onder meer aan Mark Mazower (1998), Richard Vinen (2000) en William Hitchcock (2003). Exemplarisch was ook Will Huttons (1995) noodkreet over de resultaten van tien jaar Thatcherisme. Regelmatig maakte ik, met name in dit hoofdstuk, gebruik van het standaardwerk over Europese migratiebewegingen van Klaus J. Bade (2000). Goed cijfermateriaal hierover leverden eveneens Tomas Hammar e.a. (1997) en Andrew Geddes (2003).

Een boeiende introductie in de Ierse problematiek levert Lia van Bekhoven (2000). Over de Ierse Onafhankelijkheidsoorlog en de Burgeroorlog van 1922 geven Tim Coogan en George Morrison (1998) een goed overzicht. Uitvoerig over Collins en De Valera: T. Ryle Dwyer (1999). Over de gebeurtenissen in de Kilmaniham Gaol: Pat Cooke (1995). Nieuwe inzichten over de Noord-Ierse kwestie ontleende ik met name aan de beknopte maar excellente analyse van Fintan O'Toole (2000). Zeer indrukwekkend is natuurlijk de imposante encyclopedie van alle slachtoffers van de hand van David McKittrick, Seamus Kelters, Brian Feeney en Chris Thornton (1999).

Hoofdstuk XI
Interviews met Richard von Weizsäcker, Eckart en Inge Winkler, Walter Nowojski, Ruud Lubbers, Kazimierz Rozkwitalski, Anna Bikont, Jarosław Krawczyk, Artjomi Troitski, Boris Grebensjtsjikov, Misja Borzykin, Derk Sauer en Irina Trantina.

De oorzaken van het falen van de CIA rond de ineenstorting van de Sovjet-Unie worden gedetailleerd beschreven door Mark Perry (1992) en Ronald Kessler (1994). De economische en maatschappelijke achtergronden zijn, onder andere, door George Schöpflin (2000), scherp geanalyseerd. Over de Berlijnse Muur en alle techniek daaromheen: Thomas Flemming en Hagen Koch (1999). Interessant over de rol van paus Johannes Paulus II: Carl Bernstein en Marco Politi (1996).

Hét boek over de sovjet-underground in de jaren tachtig is uiteraard van Artomi Troitski (1991). Een blik achter de schermen van de regering-Gorbatsjov biedt zijn voormalige medewerker Anatoly Chernyaev (2000). Een prima overzicht van de Russische Jeltsinjaren en de gevolgen van de westerse 'shocktherapie' geven Robert Service (2003) en David Remnick (1997)

Hoofdstuk XII

Interviews met, onder meer, Cezar Tabarcea, Sarita Matijević, Želimir Zilnić, György Konrád, Aleksandar Tišma, Saša Mirković en Hrvoje Batinić.

Over de activiteiten van de Ceauşescu's en het Roemenië van de jaren zeventig en tachtig: de biografieën van Edward Behr (1991) en John Sweeney (1991). Een goed overzicht van de geschiedenis van de Donausteden geeft het bekende werk van Claudio Magris (1991). Over de achtergronden van de Joegoslavische oorlogen ontleende ik een aantal nieuwe ideeën aan de essaybundel van Joel M. Halpern en David A. Kideckel (2000), waarin diverse antropologen en Balkankenners hun licht op deze burgerstrijd laten schijnen. Het Balkanboek van Mark Mazower (2000) geeft eveneens een genuanceerd en soms afwijkend beeld. Over de positie van de moslims in de Balkan: Adam Lebor (1997) en Tone Bringa (1995). De laatste schreef een analyse van leven en opvattingen in één moslimdorp, niet ver van Sarajevo. Over het proces van mythevorming onder Serviërs: Branimir Anzulovic (1999).

Van de oorlogen zelf worden goede overzichten gegeven door de BBC-journalisten Laura Silber en Allan Little (1996) en Misha Glenny (1996). Noel Malcolm (1996) richt zich speciaal op de Bosnische oorlog, net als Mark Danner met zijn analyses in The New York Review of Books (1997, 1998).

Een beeld van de situatie in Kosovo geven de reportages van Michel Maas (1999) en het verhaal van Janet Reineck (2000). Aan te bevelen is ook Rob de Wijk (2000).

Over Srebrenica is onvoorstelbaar veel gepubliceerd. Het journalistieke werk van Frank Westerman en Bart Rijs, dat al in 1997 verscheen, staat hierin op eenzame hoogte. Mijn belangrijkste bronnen waren verder het rapport van het NIOD, samengevat door Peter Bootsma (2002), de voorstudie over het stadje zelf van G. Duijzings (2002), Tim Judah (1997), Mient-Jan Faber (2002), Richard Holbrooke (1999), Jan Willem Honig en Norbert Both (1996) en het eerder genoemde werk van Mark Danner (1997, 1998). Over de opvattingen van de Nederlandse militairen zelf: Wim Dijkema (1996), plus diverse verhoren en interviews, onder andere in Vrij Nederland 13 april 2002, 'De Opmaat januari 1999'.

Over de toestand in Sarajevo: Elma Softic (1996) en Zlatko Dizdarevic (1993).

Epiloog

Over de toekomst van Europa zijn, ten slotte, eveneens bibliotheken volgeschreven. Een klassieker is nu al Larry Siedentop (2000). De nodige inzichten ontleende ik ook aan het omvangrijke œuvre van Timothy Garton Ash (1993, 1999, 2001).

Literatuur

Abels, G. (red.), *Straten en stenen. Brussel: stadsgroei 1780-1980*, Brussel 1982.

Ackroyd, Peter, *London: The Biography*, Londen 2000.

Adolf, Steven, *Spanje achter de schermen*, Amsterdam 2001.

Adolf, Steven, 'Hier liggen meer doden dan buiten op het kerkhof', in: *NRC Handelsblad*, 12 september 2001.

Ambrose, Stephen E., *Citizen Soldiers. The US Army from the Normandy Beaches tot the Bulge to the Surrender of Germany*, New York 1997.

Ambrose, Stephen E., e.a., 'What if...', overdruk uit: *Quarterly Journal of Military History*, lente 1998.

Anderson, Benedict, *Verbeelde gemeenschappen. Bespiegelingen over de oorsprong en verspreiding van het nationalisme*, Amsterdam 1995.

Andrić, Ivo, *Das Fräulein*, München 1964.

Annan, Noël, 'Between the Acts', in: *The New York Review of Books*, 24 april 1997.

Anne Frank Stichting (samenst.), *Sporen van de oorlog. Ooggetuigen over plaatsen in Nederland, 1940-1945*.

Anoniem, *Catalogue Général Officiel Exposition Internationale Universelle de 1900*, Lille 1900.

Anoniem (samenst.), *Reporting World War II. American Journalism 1938-1946*, 2 dln., New York 1995.

Anoniem, *Lettland unter sowjetischer und nationalsozialistischer Herrschaft 1940-1991*, Riga/Keulen 1998.

Anoniem, *Eine Frau in Berlin. Tagebuch, Aufzeichnungen vom 20. April bis zum 22. Juni 1945*, New York 1954/Berlijn 2003.

Anzulovic, Branimir, *Heavenly Serbia. From Myth to Genocide*, Londen 1999.

Applebaum, Ann, *Goelag. Een geschiedenis*, Amsterdam 2003.

Arch Getty, J., 'Palaces on Monday. Everyday Stalinism', in: *London Review of Books*, 2 maart 2000.

Arendt, Hannah, *The Origins of Totalitarianism*, New York 1973.

Armstrong, Karen, *De strijd om God. Een geschiedenis van het fundamentalisme*, Amsterdam 2000.

Arnold, Dietmar, 'Stolpersteine der Vergangenheit', in: *Berliner Zeitung*, 13-14 november 1999.

Ascherson, Neal, *Zwarte Zee*, Amsterdam 1996.

Ashworth, Tony, *Trench Warfare 1914-1918. The Live and Let Live System*, Londen 1980.

Azéma, Jean-Pierre, *From Munich to the Liberation, 1938-1944*, Cambridge 1979.

Azéma, Jean-Pierre, *1940: L'année terrible*, Parijs 1990.

Babel, Isaak, *Verzameld werk*, 2 dl., Amsterdam 1979.

Bade, Klaus J., *Europa in Bewegung. Migration vom späten 18. Jahrhundert bis zur Gegenwart*, München 2000.

Baedeker, Karl, *Paris et environs*, Leipzig 1896.

Bakker, Kees, *Boedapest*, Amsterdam 1996.

Balfour, Michael, en Julian Frisby, *Helmuth von Moltke, a leader against Hitler*, Londen 1972.

Barker, Pat, *Weg der geesten*, Breda 1997.

Barnes, Julian, 'Holy Hysteria', in: *The New York Review of Books*, 10 april 2003.

Bartley, Paula, *Votes for Women*, Londen z.j.

Barthas, Louis, *De oorlogsdagboeken 1914-1918*, Amsterdam 1998.

Bauer, Richard, e.a., *München, Hauptstadt der Bewegung*, München 2002.

Bauman, Zygmunt, *De moderne tijd en de holocaust*, Cambridge 1989/Amsterdam 1998.

Beevor, Anthony, *The Spanish Civil War*, Londen 1982/2002.

Beevor, Anthony, *Stalingrad*, Amsterdam 1999.

Beevor, Anthony, *Berlijn. De ondergang 1945*, Amsterdam 2002.

Behr, Edward, *'Kiss the hand you cannot bite'. The Rise and Fall of the Ceausescus*, Londen 1991.

Bekhoven, Lia van, *Land van de gespleten God. Noord-Ierland en de troubles*, Amsterdam 2000.

Bellaigue, Christopher de, 'Turkey's Hidden Past', in: *New York Review of Books*, 8 maart 2001.

Bellamy, Edward, *In het jaar 2000*, Amsterdam 1906.

Benamou, Jean-Pierre, *Normandy 1944. An illustrated Field-Guide*, Bayeux 1982.

Benjamin, Walter, *Das Passagen-Werk*, Frankfurt am Main 1983.

Bernstein, Carl en Marco Politi, *Zijne Heiligheid. Johannes Paulus II en de verborgen geschiedenis van onze tijd*, Amsterdam 1996.

Berthon, Simon, *Allies at War. The Bitter Rivalry among Churchill, Roosevelt and De Gaulle*, New York 2001.

Bezemer, J.W., *Een geschiedenis van Rusland, van Rurik tot Gorbatsjov*, Amsterdam 2001.

Bloch, Marc, *L'Étrange Défaite, Témoignage écrit en 1940*, Parijs 1946.

Blokker, Jan, 'Neuzen van Cleopatra', in: *de Volkskrant*, 2 januari 1998.

Blom, J.C.H., *Crisis, bezetting en herstel. Tien studies over Nederland, 1930-1950*, Den Haag 1989.

Bluhm, Detlef, *Berlin. Eine Ortsbesichtigung*, Berlijn 1996.

Bodenschatz, Harald, 'Die Stadt in der Kaiserzeit. Mietskasernen und hochherrschaftliche Wohnlandschaft', in: *Berlin. Eine Ortsbesichtigung*, Berlijn 1996.

Böll, Heinrich, 'The Rhine, Lectures and Writings', I en II, in: Kristiane Müller, *Insight Guide, The Rhine*, Singapore 1991.

Booth, Charles, *Life and Labour of the People of London*, Londen 1891-1902.

Bootsma, Peter, *Srebrenica, Het officiële NIOD-rapport samengevat*, Amsterdam 2002.

Borges, Jorge Luis, 'De maker', in: *Het verslag van Brodie en andere verhalen*, Amsterdam 1998

Bosworth, R.J.B., *Mussolini*, Londen 2002.

Bouman, P.J., *Revolutie der eenzamen. Spiegel van een tijdperk*, Assen 1960.

Bouman, P.J., *Cultuurgeschiedenis van de twintigste eeuw*, Amsterdam 1972.

Bourke, Joanna, 'The experience of killing', in: John Bourne e.a. *The Great World War I*, Londen 2000.

Boym, Svetlana, *The Future of Nostalgia*, New York 2001.

Brants, Chrisje en Kees, *Velden van weleer. Reisgids naar de Eerste Wereldoorlog*, Amsterdam/Antwerpen 1997.

Brecht, Bertolt, *Die Dreigroschenoper*, Berlijn 1955/1981.

Brecht, Bertolt, *Gedichte und Lieder*, Frankfurt am Main 1981.

Briggs, Asa, e.a. Fins de Siècle, How centuries end, 1400-2000, Yale 1996.

Bringa, Tone, *Being Muslim: the Bosnian Way. Identity and Community in a Central Bosnian Village*, New Jersey 1995.

Brink, Rinke van den, *De Internationale van de haat, Extreem-rechts in West-Europa*, Amsterdam 1994.

Brittain, Vera, *Testament of Youth. An Autobiographical Study of the Years 1900-1925*, Londen 1933/1978.

Broekmeyer, Marius, *Stalin, de Russen en hun oorlog*, Amsterdam 1999.

Browning, Christopher, *Path to Genocide. Essays on Launching the Final Solution*, Cambridge 1992.

Browning, Christopher, *Doodgewone mannen. een vergeten hoofdstuk uit de jodenvervolging*, Amsterdam 1993.

Bruce Lincoln, W., *Sunlight at Midnight. St. Petersburg and the Rise of Modern Russia*, Oxford 2001.

Bruyn, Günter de, *Verschoven stad, Een jeugd in Berlijn*, Amsterdam 1993.

Buch, Leopold de, en Bob Groen, *De verbeelding aan de macht. Revolutie in een industriestaat*, Utrecht/Antwerpen 1968.

Buchheim, Christoph, 'Der Keim des Zusammenbruchs, Die Wirtschaftliche Erholung in den dreissiger Jahren war kein Verdienst des NS-Regimes', in: *Frankfurter Allgemeine Zeitung*, 8 februari 2003.

Bukey, Evan Burr, *Hitler's Austria. Populair Sentiments in the Nazi-Era, 1938-1945*, Chapel Hill 2000.

Buruma, Ian, *Het loon van de schuld*, Amsterdam 1994.

Buruma, Ian, 'The Joys and Perils of Victimhood', in: *The New York Review of Books*, 8 april 1999.

Calder, Angus, *The People's War. Britain 1939-1945*, Londen 1969/1997.

Calder, Angus, *The Myth of the Blitz*, Londen 1991.

Calmore, G, *The Life of Emily Davison. An Outline*, Kingsway 1913.

Canetti, Elias, *Massa en macht*, Amsterdam 1976.

Carey, John, (red.), *The Faber Book of Reportage*, Londen 1987.

Castles, Stephen, e.a. *The Age of Migration, International Population Movements in the Modern World*, New York 2003.

Caute, David, *Sixty-Eight. The Year of the Barricades*, Londen 1988.

Chernyaev, Anatoly, *My Six Years with Gorbachev*, University Park Pennsylvania, 2000.

Churchill, Winston, *De Tweede Wereldoorlog*, Baarn 1989.

Clark, Martin, *Modern Italy 1871-1995*, Londen/New York 1996.

Clark, Ronald W. *Lenin*, Londen 1988.

Cohen, Alexander, *Uiterst rechts. Journalistiek werk 1906-1920*, Amsterdam 1981.

Cohn-Bendit, Dany, *In de ban van de revolutie. Omzien naar de jaren '60*, Amsterdam 1986.

Conquest, Robert, *The Harvest of Sorrow. Sovjet Collectivization and the Terror Famine*, Londen 1986.

Coogan, Tim Pat, en George Morrison, *The Irish Civil War*, Londen 1998.

Cooke, Pat, *A History of Kilmaniham Gaol*, Dublin 1995.

Cornelissen, Igor, *Alleen tegen de wereld. Joop Zwart, de geheimzinnigste man van Nederland*, Amsterdam 2003.

Cornwell, John, *Hitler's Pope. The Secret History of Pius XII*, Londen 1999.

Cottrell, Robert, 'Founding Father Gorbachev', in: *New York Review of Books*, 26 april 2001.

Cowles, Virginia, *The Kaiser*, Londen 1963.

Craig, Gordon A., 'A Talented Amateur', in: *The New York Review of Books* 28 februari 2002.

Crozier, Brian, *De Gaulle*, New York 1973.

Czech, Danuta, *Inmitten des grauenvollen Verbrechens*, Oświęcim/Auschwitz 1996.

Dagerman, Stig, *Duitse herfst. Een naoorlogse reportage*, Amsterdam 1989.

Dalrymple, William, *In de schaduw van Byzantium*, Amsterdam 1998.

Danner, Mark, 'America and the Bosnia Genocide', in: *The New York Review of Books*, 4 december 1997.

Danner, Mark, 'Bosnia: Breaking the Machine', in: *The New York Review of Books*, 19 februari 1998.

Danner, Mark, 'Bosnia. The Great Betrayal', in: *The New York Review of Books*, 26 maart 1998.

Danner, Mark, 'Slouchin' Toward Dayton', in: *The New York Review of Books*, 23 april 1998.

Davies, Andrew, *Where Did the Forties Go? The Rise and Fall of the Hopes of a Decade*, Londen 1984.

Davies, Norman, *Europe. A History*, Oxford 1996.

Davies, Norman, *The Isles*, Londen 1999.

Deák, István, 'The Pope, the Nazis & the Jews', in: *New York Review of Books*, 23 maart 2000.

Deák, István, 'Jews and Catholics', in: *New York Review of Books*, 19 december 2002.

Desourteaux, André, en Robert Hébras, *Ouradour/Glane. Notre village assassiné*, Montreuil-Bellay 1998.

Dittrich, Kathinka, (red.), *Berlijn-Amsterdam. Wisselwerkingen, 1920-1940*, Amsterdam 1982.

Dizdarevic, Zlatko, *Het laatste nieuws uit Sarajevo*, Amsterdam 1993.

Djukić, Slavoljub, *Milošević en Marković of Het einde van het Servische sprookje*, Amsterdam 2002.

Döblin, Alfred, *Berlin Alexanderplatz*, Amsterdam 1989.

Dohrin, Verena, *Baltische reizen*, Amsterdam 1995.

Dougan, Andy, *Dynamo Kiev. Sterven voor de eer van het vaderland*, Amsterdam 2001.

Duncan, Andrew, *Secret London*, Londen 1998.

Dunk, H.W. von der, *De verdwijnende hemel. Over de cultuur van Europa in de twintigste eeuw*, Amsterdam 2000.

Duplat, Guy, *Images de Bruxelles au passé et au présent*, Dossier *Le Soir*, Brussel 1995.

Dürnholz, Ansgar, *Het laatste bastion. Achtergronden en gevolgen van de Slag om Walcheren*, Vlissingen 1997.

Duijzings, G., *Geschiedenis en herinnering in Oost-Bosnië*, Amsterdam 2002.

Dwork, Debórah, en Robert Jan van Pelt, *De holocaust. Een geschiedenis*, Amsterdam 2002.

Dijkema, Wim, (samenst.), *Dutchbat in vredesnaam*, Rijswijk 1996.

Easton, Laird M., *The Red Count. The Life and Times of Harry Kessler*, Berkeley 2002.

Ehrenreich, Babara, *Blood Rites. Origins and History of the Passions of War*, New York 1997.

Eksteins, Modris, *Walking since Daybreak*, New York 1999.

Elias, Norbert, *The Germans*, Londen 1996.

Elon, Amos, 'Kessler, the Wanderer', in: *The New York Review of Books*, 24 oktober 2002.

Enzensberger, Hans Magnus, *Ach Europa. Waarnemingen uit zeven landen met een nawoord uit het jaar 2006*, Amsterdam 1987.

Enzensberger, Hans Magnus, 'The State of Europe', in: *Granta*, (New Europe!), nr. 30, 1990 (later bekend als 'De helden van de terugtocht').

Evans, Martin Marix, *The Fall of France*, Oxford, 2000.

Faber, Mient Jan, *Srebrenica. De genocide die niet werd voorkomen*, Den Haag 2002.

Felice, Renzo de, *The Jews in Fascist Italy. A History*, New York 2001.

Ferguson, Niall, *The Pity of War*, Londen, 1998.

Ferguson, Niall, 'The Jihad of 1914', in: *The New York Review of Books*, 13 februari 2003.

Fernhout, Jan, e.a., *Niederländer und Flamen in Berlin, 1940-1945*, Berlijn 1996.

Fiedler, Jeannine, e.a., *Bauhaus*, Keulen 1999/2000.

Fitzpatrick, Sheila, *Everyday Stalinism. Ordinary Life in Extraordinary Times: Soviet Russia in the 1930s*, New York 1999.

Flemming, Thomas en Hagen Koch, *Die Berliner Mauer. Geschichte eines politischen Bauwerks*, Berlijn 1999.

Frank, Anne, *Het Achterhuis, Dagboekbrieven*, Amsterdam 1991.

Frankel, Max, 'Turning Away From the Holocaust', in: *The New York Times*, 14 november 2001.

Fraser, Ronald, *Blood of Spain. An Oral History of the Spanish Civil War*, Londen 1979/1994.

Fraser, Ronald, *1968. Student Generation in Revolt*, Londen 1988.

Freely, John, *De geschiedenis van Istanbul*, Amsterdam 2002.

Friedländer, Saul, *Nazi-Duitsland en de joden*, 2 dln., Utrecht 1998.

Friedrich, Otto, *Before the Deluge. A Portrait of Berlin in the 1920's*, New York 1972.

Fromm, Bella, *Bloed en banketten. Societyreporter in Berlijn*, Amsterdam 1991.

Fukuyama, Francis, *Het einde van de geschiedenis*, Amsterdam 1992

Furet, Francois, *Het verleden van een illusie. Het communisme in de twintigste eeuw*, Amsterdam 1996.

Fussell, Paul, *The Great War and Modern Memory*, Londen, 1975.

Gallo, Max, *Night of the Long Knives. Hitler Liquidates the Brown Shirts, June 29-30 1934*, New York 1972.

Garton Ash, Timothy, *In naam van Europa, Duitsland en het gespleten continent*, Amsterdam 1993.

Garton Ash, Timothy, *Geschiedenis van het heden*, Amsterdam 1999.

Garton Ash, Timothy, 'The European Orchestra', in: *New York Review of Books*, 17 mei 2001.

Garton Ash, Timothy, 'On the Frontier', in: *New York Review of Books*, 7 november 2002.

Gaulle, Charles de, *Mémoires*, Parijs, 2000.

Geddes, Andrew, *The Politics of Migration and Immigration in Europe*, Londen 2003.

Gellately, Robert, *Pal achter Hitler. Openheid en onderdrukking in nazi-Duitsland*, Den Haag 2001.

Gellhorn, Martha, *Het gezicht van de oorlog*, Amsterdam 1988.

Gellhorn, Martha, 'Das Deutsche Volk', in: Anoniem (samenst.), *Reporting World War II*, dl. II, New York 1995, p. 671.

Giaccone, Fausto, *Uma História Portuguesa, Sete Sóis, Sete Luas*, Lissabon 1999.

Gide, André, *Journal 1889-1939*, Brugge 1939.

Gide, André, *Retour de l'U.S.S.R.*, Parijs 1936.

Gide, André, *Les retouches à mon retour de l'U.R.S.S.*, Parijs 1937.

Gilbert, Martin, *Churchill. A Life*, Londen 1993/2000.

Gilbert, Martin, *In Search of Churchill. A Historians Journey*, Londen 1994.

Gilbert, Martin, *A History of the Twentieth Century*, 3 dln. Londen 1997-1999.

Ginzburg, Lidia, *Omsingeld. Notities van een belegerde*, Amsterdam 1988.

Ginzburg, Natalia, 'Van Turati tot Ginzburg', in: *Nexus* 35 (2003).

Glenny, Misha, *The Fall of Yugoslavia*, 1996.

Goes van Naters, M. van der, *Met en tegen de tijd. Herinneringen*, Amsterdam 1980.

Goebbels, Joseph, *Dagboeken 1939-1945*, Amsterdam 1985.

Goldhagen, Daniel Jonah, *Hitlers gewillige beulen*, Houten 1996.

Gorbatsjov, Michail, *Erinnerungen*, Berlijn, York 1995.

Gorodetsky, Gabriel, *Grand Delusion, Stalin and the German Invasion of Russia*, Yale/Londen 1999.

Gouverneur, Cédric, 'Sanglante dérive des extrémistes Basques, Isolés dans une bulle nationaliste', in: *Le Monde Diplomatique*, augustus 2000.

Granta, (New Europe!), nr. 30, Londen 1990.

Grass, Günther, *In krabbengang*, Göttingen/Amsterdam, 2002. Graves, Robert, *Dat hebben we gehad*, Amsterdam 2001.

Grosz, Georg, *Ein kleines Ja und ein Grosses Nein*, Hamburg 1955.

Guderian, Heinz, *Errinnerungen eines Soldaten*, Heidelberg 1951.

Haffner, Sebastian, 'Zes geschiedperioden in twintig jaar', in: Kathinka Dittrich, *Berlijn-Amsterdam. Wisselwerkingen, 1920-1940*, Amsterdam 1982, p. 16.

Haffner, Sebastian, *Duitsland 1939. Jekyll & Hyde*, Amsterdam 1999.

Haffner, Sebastian, *Het verhaal van een Duitser 1914-1933*, Amsterdam 2001.

Haffner, Sebastian, *De zeven doodzonden van Duitsland tijdens de Eerste Wereldoorlog*, Amsterdam 2002.

Haffner, Sebastian, *Churchill*, Amsterdam 2002.

Haffner, Sebastian, *De Duitse revolutie 1918-1919: de nasleep van de Eerste Wereldoorlog*, Amsterdam 2003.

Hagen, Louis, *Arnhem Lift. A Fighter Glider Pilot Remembers*, Barnsley, 1993.

Hall, sir Peter, *Cities in Civilization*, New York 1998.

Halpern, Joel M., en David A. Kideckel, *Neighbors at War, Anthropological Perspectives on Yugoslav Ethnicity, Culture and History*, Pennsylvania 2000.

Hamann, Brigitte, *Hitlers Wien, Lehrjahre eines Diktators*, München 1996.

Hammar, Tomas, e.a., *International Migration, Immobility and Development, Multidisciplinary Perspectives*, Oxford 1997.

Hartung, Klaus, 'Das Jüdische Krankenhaus. Glanz und Schatten einer 75-jährigen Geschichte'. in: Dagmar Hartung-van Doetichem en Rolf Winau, *Zerstörte Fortschritte. Das Jüdische Krankenhaus in Berlin*, Berlijn 1989, p. 68 e.v.

Hartung, Klaus, e.a., Boulevards, *Die Bühnen der Welt*, Berlijn 1997.

Harris, Jose, *Private Lives, Public Spirit: Britain 1870-1914*, Londen 1993.

Havel, Václav, 'Eerlijk zijn tegen Rusland', in: NRC *Handelsblad*, 3 augustus 2001.

Havenaar, Ronald, 'Een utopie van herinnering. De literaire weltschmerz van Joseph Roth', in: NRC *Handelsblad*, 15 juni 2001.

Hébras, Robert, *Oradour-sur-Glane. The Tragedy, Hour by Hour*, Montreuil-Bellay 1994.

Heuvel, Martin van den, *Speelbal der grote mogendheden. De Baltische volkeren vroeger en nu*, Den Haag 1986.

Heijden, Chris van der, *Grijs verleden*, Amsterdam 2001.

Heijster, Richard, *Een bezoek aan Verdun. Breuklijn der beschaving*, Rijswijk 1995.

Heijster, Richard, *Ieper 1914/1918. Een bezoek aan Ypres Salient*, Tielt 1998.

Hertle, Hans-Hermann, *Chronik des Mauerfalls. Die dramatische Ereignisse um den 9. November 1989*, Berlijn 1996.

Hertle, Hans-Hermann, *Der Fall der Mauer. Die unbeabsichte Selbstauflösung des* SED-*Staates*, Wiesbaden 1999.

Herzl, Theodor, *Der Judenstaat*, Wenen 1933.

Heydecker, Joe J., en Johannes Leeb, *Der Nürnberger Prozess*, Keulen, 2003.

Hitchcock, William, *The Struggle for Europe. The History of the Continent since 1945*, Londen 2003.

Hitler, Adolf, *Mein Kampf*, onverkorte uitgave van Amsterdamse Keurkamer, Amsterdam z.j.

Hobsbawm, Eric, *Age of Extremes. The Short Twentieth Century, 1914-1991*, Londen 1995.

Hochschild, Adam, *De rusteloze geest. Russen herinneren zich Stalin*, Amsterdam 1996.

Hodgson, Godfrey, *People's Century. The Ordinary Men and Women who Made the Twentieth Century*, New York 1998.

Holbrooke, Richard, *To End a War. The Conflict in Yugoslavia*, New York 1999.

Holmes, Richard, *Fatal Avenue. A Traveller's History of the Battlefields of Northern France and Flanders, 1346-1945*, Londen 1992.

Honig, Jan Willem, en Norbert Both, *Srebrenica. Reconstructie van een oorlogsmisdaad*, Utrecht 1996.

Horne, Alistair, *To Lose a Battle, France 1940*, Glasgow 1969.

Horst, Kate A. ter, *Cloud over Arnhem*, Londen 1959.

Houten, van, Boudewijn, *De getuigen. De geschiedenis van de Tweede Wereldoorlog in egodocumenten*, Amsterdam 1981.

Hutton, Will, *The State We're In*, Londen 1995.

Ide, Robert, 'Seitenwechsel', in: *Der Tagesspiegel am Sonntag*, 15 juni 2003.

Ignatieff, Michael, *Etnische conflicten en het moderne geweten*, Amsterdam 1999.

Ilsemann, von, Sigurd, *Aufzeichnungen des letzten Flügeladjutanten Kaiser Wilhelms* II, München 1968.

Isherwood, Christopher, *The Berlin Stories*, New York 1945.

Istendael, Geert van, *Het Belgisch labyrint*, Amsterdam 1989.

Istendael, Geert van, *Arm Brussel*, Amsterdam 2002.

Jack, Ian, e.a., 'France, The Outsider', in: *Granta*, nr. 59, 1997.

Jackson, Julian, *France. The Dark Years 1940-1944*, Oxford 2001.

Jagielski, Jan en Tomasz Lec, *The Remnants of the Warsaw Ghetto*, Warschau 1997.

Janik, Allan en Stephen Toulmin, *Wittgensteins Vienna*, New York 1973.

Jochmann, Werner, en Francois Genoud, (red.), *Adolf Hitler: Monologe im Führerhauptquartier 1941-1944. Die Aufzeichnungen Heinrich Heims*, München 1980.

Jodl, Luise, *Jenseits des Endes, Leben und Sterben des Generaloberst Alfred Jodl*, Wenen 1976.

Johnson, Eric A., *Nazi Terror. The Gestapo, Jews and Ordinary Germans*, New York 1999.

Johnston, William M., *The Austrian Mind. An Intellectual and Social History 1848-1938*, Berkeley 1972.

Joll, James, *Europe since 1870. An International History*, Londen 1973.

Jong, L. de, *Het Koninkrijk der Nederlanden in de Tweede Wereldoorlog*, deel 3, Den Haag 1970; deel 4, Den Haag 1972; deel 10, Den Haag 1981.

Jong, L. de, 'Heeft Felix Kersten het Nederlandse volk gered?', in: A.H. Paape, *Studies over Nederland in Oorlogstijd*, dl 1, Den Haag 1972.

Jucker, Ninetta, *Italy*, Aylesbury 1970.

Judah, Tim, *The Serbs, History, Myth and the Destruction of Yugoslavia*, New Haven 1997.

Judt, Tony, 'Could the French Have Won?', in: *New York Review of Books*, 21 februari 2001.

Jünger, Ernst, *Strahlungen*, Tübingen 1955.

Jünger, Ernst, *In Stahlgewittern*, Stuttgard 1978.

Kaplan, Rachel, *Little-Known Museums in and around London*, Londen 1997.

Kaplan, Robert, *Balkanschimmen. Een reis door de geschiedenis*, Utrecht 1999.

Kaplan, Robert, *Eastward to Tartary. Travels in the Balkans, the Middle East and the Caucasus*, New York 2000.

Kasper, Michael, *Gernika und Deutschland, Geschichte einer Versöhnung*, Bilbao 1998.

Kästner, Erich, *Fabian*, Zürich 1931/1983.

Kazimierczuk, Zdisław en Jerzy Cabaj, *A Concise Guide to Zamość*, Zamość 2000.

Keegan, John, *Six Armies in Normandy. From D-Day to the Liberation in Paris*, New York 1982/1994.

Keegan, John, *De Eerste Wereldoorlog, 1914-1918*, Amsterdam 2000.

Kelly, Laurence, *St. Petersburg. A Travellers Companion*, Londen 1981.

Kempowski, Walter, *Das Echolot. Barbarossa '41. Ein kollektives Tagebuch*, München 2002.

Kershaw, Ian, *Hitler, Hoogmoed 1889-1936*, Utrecht 1999.

Kershaw, Ian, *Hitler, Vergelding 1936-1945*, Utrecht 2000.

Kersten, Felix, *Klerk en beul. Himmler van nabij*, Amsterdam 1948.

Kessel, Joseph, *Het geschenk voor de Führer*, Den Haag/Rotterdam z.j.

Kessler, Harry, *Tagebücher 1918 bis 1937*, Frankfurt am Main 1961/1996.

Kessler, Harry, *Tagebuch eines Weltmannes. Eine Ausstellung des Deutschen Literaturarchivs*, Stuttgart 1988.

Kessler, Harry, *De dans op de vulkaan. Een keuze uit de dagboeken 1918-1933*, Amsterdam 2002.

Kessler, Ronald, *Inside the* CIA, New York 1994.

Kiš, Danilo, *Zandloper*, Amsterdam 1990.

Klee, Ernst, *Euthanasie im NS-Staat, Die 'Vernichtung lebensunwerten Lebens'*, Frankfurt am Main 1983.

Klemperer, Victor, *Tot het bittere einde. Dagboek 1933-1945*, Amsterdam 1997.

Klemperer, Victor, *LTI. Over de taal van het Derde Rijk*, Amsterdam 2000.

Klemperer, Victor, *Tussen de wal en het schip. Dagboek 1945-1959*, Amsterdam 2002.

Knabe, Herbert, *17. Juni 1953. Eind deutscher Aufstand*, Berlijn 2003.

Knight, Amy, *Beria, Stalin's First Lieutenant*, Princeton 1993.

Koch, Koen, 'George Orwell on International Politics: The Combination of Two English Traditions', in: R. Kroes, *Nineteen-Eighty-Four and the Apocalyptic Imagination in America*, Amsterdam 1985.

Koch, Koen, 'Slag bij de Somme. En toen... renden de soldaten achter een voetbal aan', in: *Trouw*, 2 juli 2001.

Koch, Koen, 'Einde aan de onschuld, De Eerste Wereldoorlog', in: *De Groene Amsterdammer*, 24 mei 2003.

Koestler, Arthur, *Ein spanisches Testament*, Frankfurt am Main 1980.

Kollwitz, Käthe, *Die Tagebücher*, Berlijn 1989.

Konrád, György, *De oude brug. Dagboekaantekeningen en overpeinzingen uit de jaren tachtig en negentig*, Amsterdam 1997.

Konrád, György, *Amsterdam*, Amsterdam 1999.

Kossmann, E.H., *De Lage Landen 1780/1980, Twee eeuwen Nederland en België*, Amsterdam/Brussel 1986.

Kozaczuk, W., *Enigma: How the German Machine Cipher Was Broken and Read by the Allies in World War Two*, Londen 1984.

Krupskaya, N.K., *Reminiscences of Lenin*, Moskou 1959.

Kühl, Stefan, *Bethel zwischen Anpassung und Widerstand*, Bielefeld z.j.

Kurlansky, Mark, *De wereldgeschiedenis volgens de Basken*, Amsterdam 2001.

Kurpershoek, Reinier, en Ron Sluik, *Radau*, Amsterdam 1994.

Kuyper, Eric de, *Een passie voor Brussel*, Amsterdam 1995.

Lacouture, Jean. *De Gaulle. The Rebel 1890-1944*, New York 1990.

Lamb, Richard, *War in Italy, 1943-1945. A Brutal Story*, New York 1996.

Laqueur, Walter, *The Terrible Secret: An investigation into the Suppression of Information About Hitler's 'Final Solution'*, Londen 1980.

Large, David Clay, *Where Ghosts Walked, Munich's Road to the Third Reich*, New York 1997.

Lebor, Adam, *A Heart Turned East, Among the Muslims of Europe and America*, Londen 1997.

Lebor, Adam, en Roger Boyes, *Surviving Hitler, Choices, Corruption and Compromise in the Third Reich*, Londen 2000.

Lecouturier, Yves, *The Beaches of the D-Day Landings*, Rennes 1999.

Lecul, Serge, *Résistance Vimeu, 1942-1944*, Fressenneville 1994.

Lee, Laurie, *Die zomerochtend waarop ik van huis wegwandelde*, Amsterdam 1987.

Leibovici, Solange, *Le sang et l'encre*, Amsterdam/Atlanta 1994.

Liebich, Andýé, *From the Other Shore: Russian Social Democracy after 1921*, Cambridge, Mass., 1998.

Lomax, Bill, *Hungary 1956*, New York 1976.

Longerich, Peter, *Die Wannsee-Konferenz vom 20. Januar 1942. Planung und Beginn des Genozids an den europäischen Juden*, Berlijn 1998.

Lord, Walter, *The Miracle of Dunkirk*, Ware (GB) 1982.

Lukacs, John, *Het einde van de moderne tijd*, Amsterdam 1993.

Lukacs, John, *The Hitler of History*, New York 1998.

Lukacs, John, *Five Days in London, May 1940*, New Haven 2001.

Maas, Michel, *Kosovo, verslag van een oorlog*, Amsterdam 1999.

Macdonald, Lyn, *Somme*, Londen 1983.

Macdonald, Lyn, *1914: The Days of Hope*, Londen 1987.

Maclean, Fitzroy, *Eastern Approaches*, Londen 1999.

Macmilland, Margaret, *Paris 1919: Six Months That Changed the World*, Londen 2002.

Maclochlainn, Piaras F., *Last Words, Letters and Statements of the Leaders Executed after the Rising at Easter 1916*, Dublin 1990.

Magris, Claudio, *Donau, Een ontdekkingsreis door de beschaving van Midden-Europa en de crisis van onze tijd*, Amsterdam 1991.

Mak, Geert, 'En dan is er nog een verschil: mijn weg was niet dodelijk', in: *De Groene Amsterdammer*, 11 april 1984 (over Christiane Ensslin over haar zuster Gudrun Ensslin).

Mak, Geert, *Een kleine geschiedenis van Amsterdam*, Amsterdam 1995.

Mak, Geert, *Hoe God verdween uit Jorwerd. Een Nederlands dorp in de twintigste eeuw*, Amsterdam 1995.

Mak, Geert, en René van Stipriaan, *Ooggetuigen van de wereldgeschiedenis*, Amsterdam 1999.

Mak, Geert, *De eeuw van mijn vader*, Amsterdam 1999.

Malcolm, Noel, *Bosnia: A Short History*, New York 1996.

Mango, Andrew, *Atatürk: The Biography of the Founder of Modern Turkey*, New York, 2000.

Mangoni, Luisa, 'Leone Ginzburg', in: *Nexus* 35 (2003).

Marwick, Arthur, *The Sixties*, New York 1998.

Mathijsen, Marita, *De gemaskerde eeuw*, Amsterdam 2002.

Mauldin, Bill, 'Up Front', in: Anoniem (samenst.), *Reporting World War II, American Journalism 1938-1946*, dl. II, New York 1995.

Maurois, André, *Het treurspel van Frankrijk*, z.p. [1943].

May, Ernest, *Strange Victory: Hitler's Conquest of France*, Londen 2000.

Mazower, Mark, *Dark Continent. Europe's Twentieth Century*, Londen 1998.

Mazower, Mark, *The Balkans*, Londen, 2000.

McKittrick, David, Seamus Kelters, Brian Feeney, en Chris Thornton, *Lost Lives. The Stories of the Men, Women and Children who Died as a Result of the Northern Ireland Troubles*, Edinburgh 1999.

Meadows, Dennis, *Rapport van de Club van Rome*, Utrecht/Antwerpen 1972.

Meershoek, Guus, *Dienaren van het gezag. De Amsterdamse politie tijdens de bezetting*, Amsterdam 1999.

Metcalfe, Philip, *1933*, Amsterdam 1989.

Misiunas, Romuald J., en Rein Taagepera, *The Baltic States*, Londen 1983.

Moltke, Helmuth James von, *Briefe an Freya, 1939-1945*, München 1988.

Monnet, Jean, *Memoirs*, New York 1978.

Moore, Bob, *Slachtoffers en overlevenden, De nazi-vervolging van de joden in Nederland*, Amsterdam 1998.

Moroglio, Jean Paul, Guy le Querrec, e.a., *Portugal 1974-1975, Regards sur une tentative de pouvoir populaire*, Nancy 1979.

Moynahan, Brian, *The Russian Century*, Londen 1994.

Murray, Williamson, en Allan R. Millet, *A War to be Won, Fighting the Second World War*, Cambridge, Mass./Londen, 2000.

Musil, Robert, *De man zonder eigenschappen*, Amsterdam 1988.

Naimark, Norman M., *Fires of Hatred, Ethnic Cleansing in Twentieth-Century Europe*, Cambridge, Mass./Londen 2001.

Nesna, Hans, *Zo leeft Duitschland. Op de puinhopen van het Derde Rijk*, Amsterdam, 1947.

Nicolson, Harold, *Peacemaking 1919*, Londen 1933.

Nicolson, Harold, *Harold Nicolson's Diaries, 1930-1964*, Londen 1968/1996.

Nicolson, Nigel, *Portrait of a Marriage*, Londen 1973.

Nicolson, Nigel, *Long Life. Memoirs*, Londen 1997.

Nooteboom, Cees, *Waar je gevallen bent, blijf je*, Amsterdam 1984.

Nossiter, Adam, *The Algeria Hotel, France. Memory and the Second World War*, Londen 2001.

Olsen, Donald, *The Growth of Victorian London*, Harmondsworth 1979.

Orga, Irfan, *Aan de oevers van de Bosporus*, Amsterdam 2002.

Orwell, George, *Homage to Catalonia. Looking back on the Spanish War*, Harmondsworth 1938/1982.

O'Toole, Fintan, 'Are the Troubles Over?', in: *The New York Review of Books*, 5 oktober 2000.

Ousby, Ian, *Occupation. The Ordeal of France, 1940-1944*, New York 1998.

Ousby, Ian, *De weg naar Verdun. Frankrijk en de Eerste Wereldoorlog*, Amsterdam 2002.

Overy, Richard, *De verhoren. De nazi-elite ondervraagd*, Amsterdam 2002.

Paape, A.H., (red.), *Studies over Nederland in oorlogstijd*, dl. 1, Den Haag 1972.

Pamuk, Orhan, *Het zwarte boek*, Amsterdam 1998.

Parker, Matthew, *Monte Cassino januari-mei 1944*, Amsterdam 2004.

Pas, Niek, *Imaazje! De verbeelding van Provo 1965-1967*, Amsterdam 2003.

Paustovski, Konstantin, *De gouden roos. Literaire herinneringen*, Amsterdam 1987.

Payne, Stanley G., *Fascism in Spain, 1923-1977*, Madison, Wisc. 1999.

Paxton, Robert, *Vichy France. Old Guard and New Order, 1940-1944*, Londen 1972.

Pearson, Michael, *The Sealed Train, Journey to Revolution Lenin – 1917*, Londen 1975.

Perry, Mark, *Eclipse: The Last Days of the* CIA, New York 1992.

Perutz, M.F., 'What If?', in: *The New York Review of Books*, 8 maart 2001.

Pétain, Maréchal, *La France Nouvelle. Principles de la Communauté*, Parijs 1941.

Phayer, Michael, *The Catholic Church and the Holocaust, 1930-1965*, Bloomington, Indiana, 2001.

Pipes, Richard, *The Russian Revolution*, New York 1990.

Platteau, Pierre, *School nummer 1*, Amsterdam 1994.

Platteau, Pierre, *Rue Bonnevie*, Amsterdam 2002.

Plenk, Anton, *Der Obersalzberg im 3. Reich*, Berchtesgaden 1984.

Pollard, John, *The Fascist Experience in Italy. Sources in History*, Londen 1998.

Possony, Stefan T., *Lenin, the Compulsive Revolutionary*, Chicago 1974.

Powers, Thomas, 'A Letter from Copenhagen. Heisenberg's Letter to His Wife', in: *The New York Review of Books*, 14 augustus 2003.

Presser, J., *De nacht der Girondijnen*, met een nawoord van Primo Levi, Amsterdam 1957/1991.

Presser, J., *Ondergang*, 2 dln., Amsterdam 1965.

Preston, Paul, *Franco. A Biography*, Londen 1993.

Putz, Erna, *Franz Jägerstätter*, Salzburg 1993.

Pyle, Ernie, 'Waiting for the Next Attack', 'Perpetual Astonishments of a War Life' en andere bijdragen in: Anoniem (samenst.), *Reporting World War II. American Journalism 1938-1946*, dl. II, New York 1995, p. 1-10, 35-46, 142-150, 194-220.

Radosh, Ronald e.a., (red.), *Spain Betrayed, The Soviet Union in the Spanish Civil War*, New Haven/Londen 2001.

Raeck, Karina, *Andartis. Monument für den Frieden*, Berlijn 1995.

Rappaport, Helen, *Joseph Stalin. A Biographical Companion*, Santa Barbara (Cal.) 1999.

Ree, Erik van, *The Political Thought of Joseph Stalin, A Study in Twentieth-Century Revolutionary Patriotism*, New York 2002.

Reineck, Janet, 'Kosovo's Quiet Siege', in: Joel M. Halpern en David A. Kideckel, *Neighbors at War*, University Park Pennsylvania, 2000.

Rentes de Carvalho, J., *Portugal, de bloem en de sikkel*, Amsterdam 1975.

Remnick, David, *Resurrection. The struggle for a New Russia*, New York 1997.

Reeuwijk, Dick van, *Damsterdamse extremisten*, Amsterdam 1965.

Reynebeau, Marc, *Dichter in Berlijn. De ballingschap van Paul van Ostaijen*, Groot-Bijgaarden [1996].

Richie, Alexandra, *Faust's Metropolis. A History of Berlin*, Londen 1998.

Righart, Hans, *De eindeloze jaren zestig. De geschiedenis van een generatieconflict*, Amsterdam 1995.

Rinser, Luise, *Grenzen overschrijden*, dl. 2, Den Haag 1973.

Roegholt, Truusje, *De glazen stad. Jeugdherinneringen uit het Derde Rijk*, Amsterdam 1990.

Röhl, Klaus Rainer, *Vijf vingers maken nog geen vuist. Over de linkse studentenbeweging in de Duitse Bondsrepubliek*, Baarn 1976.

Röhr, Werner, 'Zamość sollte Himmlerstadt heissen', in: *Junge Welt*, november 2002.

Romein, Jan, *Op het breukvlak van twee eeuwen*, Amsterdam, 1967.

Roon, Ger van, *German Resistance to Hitler, Count von Moltke and the Kreisau Circle*, Londen 1971.

Rosenbaum, Ron, *Waarom Hitler. Een zoektocht naar de wortels van het kwaad*, Amsterdam 1999.

Rossum, Milou van, 'Afke en Micha in wonderland', in: *de Volkskrant Magazine*, 11 september 1999.

Roth, Joseph, *Waarnemer van zijn tijd. Een keuze uit zijn journalistieke werk*, Amsterdam 1981.

Roth, Joseph, *Radetzkymars*, Amsterdam 1994.

Roth, Joseph, *Reise nach Russland*, Keulen 1995.

Roth, Joseph, *De Kapucijner crypte*, Amsterdam 2001.

Roth, Joseph, *Het spinnenweb*, Amsterdam 2002.

Roth, Joseph, *What I Saw: Reports from Berlin, 1920-1933*, Madison 2002.

Roth, Joseph, *Hotel Savoy*, Amsterdam 2003.

Rürup, Reinhard, *Berlin 1945. Eine Dokumentation*, 1995.

Ryle Dwyer, T., *Big Fellow, Long Fellow. A Joint Biography of Collins & De Valera*, Dublin 1999.

Sakowska, Ruta, *The Warsaw Ghetto*, Warschau 1999.

Sahl, Hans, *Memoires van een moralist*, Amsterdam 1994.

Schaepdrijver, Sophie de, *De Groote Oorlog. Het Koninkrijk België tijdens de Eerste Wereldoorlog*, Amsterdam/Antwerpen 1997.

Schäfer, Hermann, e.a., *Erlebnis Geschichte*, Bonn 2003.

Scheffer, Paul, 'Eigen erf in eigen hand', in: NRC *Handelsblad*, 5 mei 1997 (over de Nederlandse neutraliteitspolitiek).

Scheffler, Karl, *Berlin. Ein Stadtschicksal*, Berlijn 1910/1989

Schlögel, Karl, *Berlin Ostbahnhof Europas, Russen und Deutsche in ihrem Jahrhundert*, Berlijn 1998.

Schmemann, Serge, *Echoes of a Native Land. Two Centuries of a Russian Village*, New York 1997.

Schneider, Thomas Martin, *Friedrich von Bodelswingh. Materialien für Unterricht und Gemeindearbeit*, Bielefeld 1997.

Schoenberger, Gerhard, *Der gelbe Stern. Die Judenverfolgung in Europa 1933-1945*, Frankfurt am Main 1991.

Schöpflin, George, *Nations, Identity, Power. The New Politics of Europe*, Londen 2000.

Schorske, Carl, *Wenen in het fin de siècle. De crisis van het liberalisme en het ontstaan van de moderne kunst*, Amsterdam 1992.

Schouten, Martin, *Marinus van der Lubbe. Een biografie*, Amsterdam 1986.

Schreiber, Marion, *Stille Rebellen, De overval op de 20e deportatietrein naar Auschwitz*, Amsterdam 2001.

Schrijver, August de, *Oorlogsdagboeken 1940-1942*, Tiel 1988.

Schwarberg, Günther, *Het getto van Warschau. De foto's van Heinrich Jöst*, Amsterdam 1989.

Schwartz, Michiel, 'De vooruitgang, wonderen van de technologische toekomst', in: Wereldtentoonstellingen, Amstelveen 1991.

Scott, Franklin D., Sweden, The Nation's History, Carbondale, Ill. 1988

Sereny, Gitta, De duisternis tegemoet, Bekentenissen van Franz Stangl, commandant van Treblinka, Utrecht 1974/2001.

Sereny, Gitta, Albert Speer. Verstrikt in de waarheid, Amsterdam 1995.

Sereny, Gitta, The German Trauma. Experiences and Reflections 1938-2000, Londen 2000.

Service, Robert, Lenin. A Biography, Cambridge, Mass. 2000.

Service, Robert, Experiment with a People, Cambridge, Mass. 2003.

Shennan, Andrew, The Fall of France 1940, Londen 2000.

Siedentop, Larry, Democracy in Europe, Londen 2000.

Siedler, Wolf Jobst, Een leven bekeken, Amsterdam 2004.

Silber, Laura, en Allan Little, The Death of Yugoslavia, Londen 1996.

Smeets, Henk, Wij moesten door... Sneevliet Herdenkingscomité, Spijkenisse 2002.

Smeets, Hubert, Van verloren burgeroorlog tot gewonnen verkiezingen. Traditie en verandering in Griekenland, Amsterdam 1981.

Smeets, Hubert, 'Gedogen tot de dood erop volgt', in: NRC Handelsblad, 10 september 1988 (over Duitse sociaal-democraten).

Soames, Mary, e.a., Chartwell, Londen, 1992.

Softic, Elma, Dagen en nachten in Sarajevo. Dagboeknotities en brieven, 1992-1995, Amsterdam 1996.

Sorokin, Pitirim, Bladen uit een dagboek, Rusland 1917-1922, Amsterdam 1924/1989.

Speer, Albert, Errinnerungen, Berlijn 1969.

Sperber, Murray, (red.), And I remember Spain. A Spanish Civil War Anthology, Londen 1974.

Stamm-Kuhlmann, Thomas, Die Hohenzollern, Berlijn 1995.

Steen, Jürgen, en Wolf von Wolzogen, Anne aus Frankfurt. Leben und Lebenswelt Anne Franks, Frankfurt am Main, 1990.

Steinbach, Lothar, Ein Volk, ein Reich, ein Glaube? Ehemalige Nationalsozialisten und Zeitzeugen berichten über ihr Leben im Dritten Reich, Bonn 1983.

Steinmetz, Bert, Ruud Lubbers. Peetvader van het poldermodel, Amsterdam, 2000.

Stille, Alexander, 'De generatie van Ginzburg, toen en nu', in: Nexus 35 (2003).

Strachan, Hew, The First World War, New York 2003.

Stürmer, Michael, The German Century, Londen 1999.

Sweeney, John, The Life and Evil Times of Nicolae Ceausescu, Londen 1991.

Sijes, Ben, De Februaristaking, Amsterdam, 1954/z.j.

Taubman, William, *Krushchev. The Man and His Era*, Londen 2003.

Taverne, Ed, en Kees Schuyt, *1950, Welvaart in zwart-wit*, Den Haag 2000.

Taylor, A.J.P., *The Origins of the Second World War*, Harmondsworth 1964/1984.

Taylor, A.J.P., *English History 1914-1945*, Oxford 1965.

Terraine, John, *The Right of the Line: The Royal Air Force in the European War, 1939-1945*, Londen 1985.

Thomas, Gordon, en Max Morgan Witts, *De ondergang van Guernica*, Utrecht 1978.

Thomas, Hugh, *The Spanish Civil War*, Londen 1961/1990.

Thomas, Helen, *As It Was. World Without End*, Londen 1972.

Timmer, Charles B., 'Nawoord', in: Isaak Babel (1979), dl. I en II.

Tuchman, Barbara, *De Trotse Toren. Een portret van de jaren voor de Eerste Wereldoorlog 1890-1914*, Amsterdam 2002.

Turner, Henry Ashby, *Hitler's Thirty Days to Power: January 1933*, Londen 1996.

Tocqueville, Alexis, *Democracy in America*, New York z.j.

Troitski, Artjomy, *Kinderen van de glasnost*, Baarn 1990.

Vansittard, *Voices from the Great War*, Harmondswordth 1983.

Vesterman, Marger, *Jews in Riga. A Guide*, Riga 1991.

Vinen, Richard, *A History in Fragments. Europe in the Twentieth Century*, Londen 2000.

Volkogonov, Dmitri, *Triomf en tragedie. Een politiek portret van Josef Stalin*, Houten 1990.

Volkogonov, Dimitri, *Lenin. A New Biography*, New York 1994.

Voolstra, Anne, en Eefje Blankevoort, (red.), *Oorlogsdagboeken over de jodenvervolging*, Amsterdam 2001.

Wady, John, *A Tour of the Arnhem Battlefields*, Barnsley, 1999.

Wagenaar, Michiel, *Stedebouw en burgerlijke vrijheid*, Bussum 1998.

Waldeck, Rosie G., *Het Athene Palace*, Amsterdam 2004.

Walzer, M., *Just and Unjust Wars. A Moral Argument with Historical Illustrations*, Gretna, Louisiana 1980.

Weber, Eugen, *Peasants into Frenchmen, The Modernization of Rural France, 1870-1914*, Stanford, Cal. 1975

Weber, Eugen, *Frankrijk in het fin-de-siècle*, Amsterdam 1993.

Webster, Paul, *Pétain's Crime, The Full Story of the French Collaboration in the Holocaust*, Londen 1990.

Weizsäcker, Ernst von, *Erinnerungen*, München 1950.

Weizsäcker, Richard von, e.a., *Axel von dem Bussche*, Mainz 1994.

Weizsäcker, Richard von, *Vier tijdperken. Herinneringen*, Amsterdam 1997.

Westerman, Frank, en Bart Rijs, *Srebrenica. Het zwartste scenario*, Amsterdam 1997.

Westerman, Frank, *Ingenieurs van de ziel*, Amsterdam/Antwerpen 2002.

Wheatcroft, Andrew, *The Ottomans. Dissolving Images*, Londen 1993.

Winkler, Heinrich A., *Von der Revolution zur Stabilisierung. Arbeiter und Arbeiterbewegung in der Weimarer Republik 1918-1924*, Berlijn/Bonn 1984.

Winkler, Heinrich A., *Der Weg in die Katastrophe, Arbeiter und Arbeiterbewegung in der Weimarer Republik 1930-1933*, Berlijn/Bonn 1987.

Winter, Jay, *Sites of Memory, Sites of Mourning. The Great War in European Cultural History*, Cambridge 1995.

Winter, Max, 'Vier Stunden im Unterirdischen Wien, Ein Strottgang durch Wiener Kanäle, 1902', in: Wolfgang R. Langenbucher, *Sensationen des Alltags, Meisterwerken des Österreichischen Journalismus*, Wenen 1992.

Withuis, Jolande, 'De boosaardigheid van het banale. Het individuele geweten en de oorlog', in: *NRC Handelsblad*, 5 mei 2000.

Withuis, Jolande, *Erkenning. Van oorlogstrauma naar klaagcultuur*, Amsterdam 2003.

Wolff, Milton, *Another Hill*, Urbana/Chicago 1994.

Wolters, Jo, *Dossier Nordpol. Englandspiel onder de loep*, Amsterdam 2003.

Wijk, Rob de, *Pyrrus in Kosovo. Hoe het Westen de oorlog niet kon winnen en zelfs bijna verloor*, Amsterdam 2000.

Ziegler, Philip, *London at War, 1939-1945*, Londen 1995.

Ziemann, Benjamin, en Klaus Latzel, 'German soldiers in victory, 1924 and 1940', in: John Bourne e.a., *The Great World War I*, Londen 2000, p. 253 e.v.

Zuccotti, Helen, *Under His Very Windows, The Vatican and the Holocaust*, New Haven 2000.

Zweig, Stefan, *De wereld van gisteren. Herinneringen van een Europeaan*, Amsterdam 1990.

Register